JN192968

まえがき

近年の生命科学や創薬技術の急速な発展に伴い、今までにない新たな作用機序を持った薬物や、従来から作用機序が明らかな治療薬群においても、より有効性が高く副作用の少ない薬物が開発されて、新薬として供給されるようになり、臨床現場で扱う薬物の数は、年々、増加しているのが現状である。このような背景のもと、毎年改訂し発売後間もない新薬を収載して、臨床における薬物治療にできる限り対応できるように独自の教科書作製に取り組んできた。2007年からは、創風社より出版し、今年度は第17版を発行することとなった。執筆に当たっては、一貫して「幹に当たる部分」を詳しく記し、できる限りオリジナルの図表を加えながら薬効・薬理、作用機序、副作用をわかりやすく記述するように配慮している。また、2015年度より導入された改訂薬学教育モデル・コアカリキュラムにも対応し、薬学共用試験CBTや薬剤師国家試験にも役立つよう心がけるとともに、医療現場における実務実習でも活用できるように工夫した。

学生諸君には、薬理学の本質を理解し、臨床における薬物治療に応用できる実力を身につけていただきたい。本書がその一助となれば幸いである。

2023年3月

石毛久美子、小菅康弘、伊藤　芳久

目　次

1

薬理学総論

Introduction to Pharmacology

薬理学とは

薬理学（Pharmacology）：薬と生体の相互作用の結果起こる現象を研究する科学

薬物学、薬品作用学という分野も実は、薬理学領域の学問であるが、歴史的にみて、薬学部に薬理学を導入する際に、化学を基礎とした薬理学を目指すという目的で使用された名称である。薬学における薬理学は、その後医学における薬理学とほぼ同じ分野となり、今では薬理学という名称が一般的になってきている。

研究手法：　生理学、生化学、分子生物学、遺伝学などの手法が必要

解析レベル：個体全体でのレベル、臓器レベル、組織レベル、細胞レベル、
分子レベル、遺伝子レベル

薬理学の分類

（1）　対象や目的などによる分類

実験薬理学、実験治療学、臨床薬理学、毒性学

（2）　薬と生体の相互作用を受ける生体側に立つか、作用する薬の側に立つか

薬力学（Pharmacodynamics）:薬の作用によって起こる生体の変化、薬物がどういう作用を持っているか　作用機序

薬動力学（Pharmacokinetics）：生体が薬物を吸収・分布・代謝・排泄するか
薬物動態学

<u>ヒトと薬は相互に作用を及ぼしあう</u>

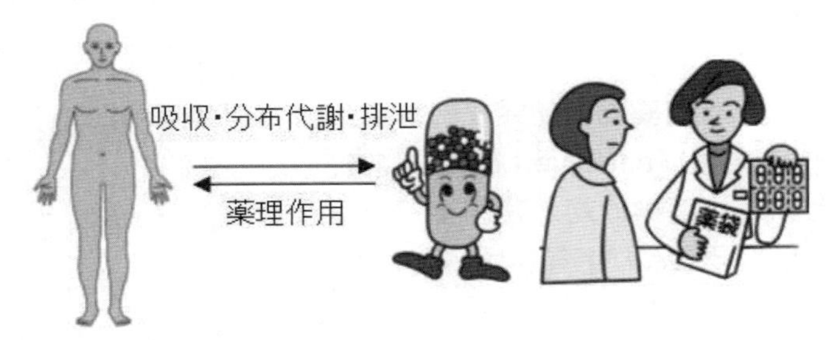

薬物治療学：ヒトにおける安全かつ有効な薬物の作用を研究する学問

医師の勘に頼った「さじ加減」では、現在の薬物治療は不可能

> ○○剤と○○薬
> 「薬」は薬理活性を発現する化学物質そのものの薬理活性を論じる場合に用いる。
> 薬効を持つのはあくまでも薬物自体であって薬剤ではない。
> 「剤」はこれに薬剤的な加工をして使用する剤型

患者が薬剤部や薬局で受け取るのは、利尿剤や鎮痛剤のように「薬剤」であるが、利尿<u>剤</u>の作用部位とか鎮痛<u>剤</u>の受容体結合といった表現は適切ではない。

1. 薬の作用

1-1 薬の作用と作用機序および用量

1-1-1　薬理作用

薬物が生体に及ぼす作用を薬理作用（Pharmacological action）という。
薬物の作用は、1 つであることはまれであり、多種多様な作用を持っていることが多い。ひとたび薬効が定まり、効能や適応症が決定すると、その治療に合致する作用すなわち主作用のみに目が向きがちになって、副作用を含めた薬理作用の多面性への注意が忘れられやすくなる。医薬品を安全に使用するためには、常に薬理作用の多面性を認識しておく必要がある。

1-1-2　作用機序

薬物が生体に何らかの効果を及ぼす仕組み、メカニズムを作用機序という。

1-1-3　作用点

薬効が発現する上で、薬物と生体とが接触する生体側の部位を作用点という。作用点は臓器や器官を指す場合もあるが、一般的には受容体、イオンチャネル、酵素、トランスポーターなどをあげることが多い。

1-1-4　薬物の用量（dose）

投与する薬物の量を**用量（dose）**という。用量と効果は相関し、横軸に**用量を対数**で、縦軸に薬物の効果（例えば一群の動物で何匹に作用が出現したかを反応率%で現す）をとってプロットすると **S 字（シグモイド）曲線**となる。この曲線を**用量－反応曲線**（dose-response curve）と呼ぶ。

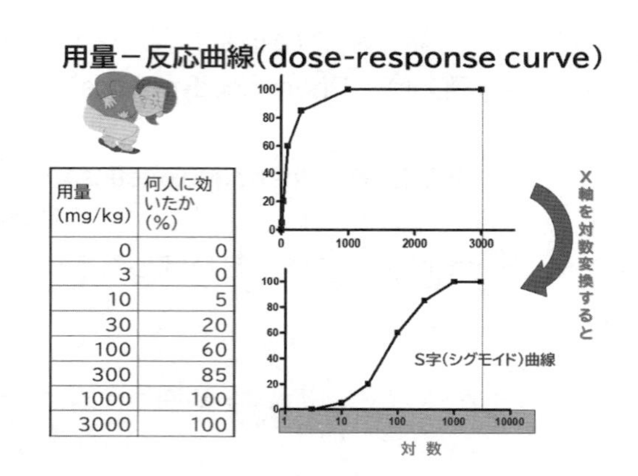

用量 (mg/kg)	何人に効いたか (%)
0	0
3	0
10	5
30	20
100	60
300	85
1000	100
3000	100

試験動物などで半数に薬物の効果が現れる用量を **50%有効量**（effective dose 50%、ED_{50}）といい、薬物の効力を現す指標として用いられることがある。用量-反応曲線は、期待される薬効（主作用）ばかりでなく、望ましくない作用（有害事象）についても描くことができる。さらに用量を増やしていくと、死亡する動物が出現する。用量（対数））と死亡率をプロットすると、用量－反応曲線と同様な S 字（シグモイド）曲線となる。この曲線を用量-死亡率曲線と呼ぶ。半数の動物を死亡させる用量を 50%致死量（lethal dose 50%、LD_{50}）と呼び、毒性を示す指標とすることがある。ED_{50} と LD_{50} は、用量であるので体重 1kg あたりで表示される。

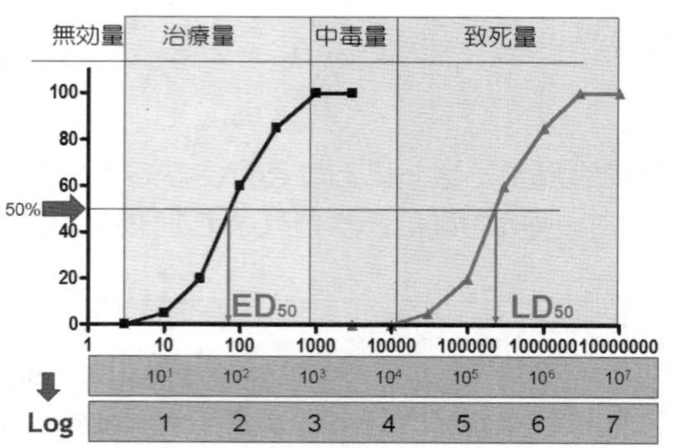

摘出した腸管などの臓器での収縮反応等を指標にして薬物の作用を調べる場合には、縦軸は、収縮等の最大反応を 100%とし、反応は収縮高のような計量反応になる。通常、摘出臓器などの *in vitro* 実験の場合には、用量（Dose）ではなく濃度（Concentration）の対数をとる。

安全域：50%致死量（LD_{50}）/50%有効量（ED_{50}）で表される。一般的に、この値が大きければ大きいほど用量-反応曲線と用量-死亡率曲線が離れていることなるため、安全性は高い。薬物の安全性において重要な指標である。

$$安全域 = LD_{50}/ED_{50}$$

薬物の用量に関しては以下のような用語を使用することが多い。

薬物の使用量（用量）
- 無効量：投与量が少なく、効果が認められない用量
- 最小有効量：初めて効果が出現する用量
- 治療量：最小有効量から最大耐用量の間で、治療に用いられる用量
- 最大耐用量：中毒症状を示す直前の用量
- 中毒量：有害作用が出現し、中毒症状を示す用量
- 最小致死量：中毒量を超えて用量を増やした結果、初めて死亡する個体が出現する用量
- 致死量：最小致死量を上回る用量

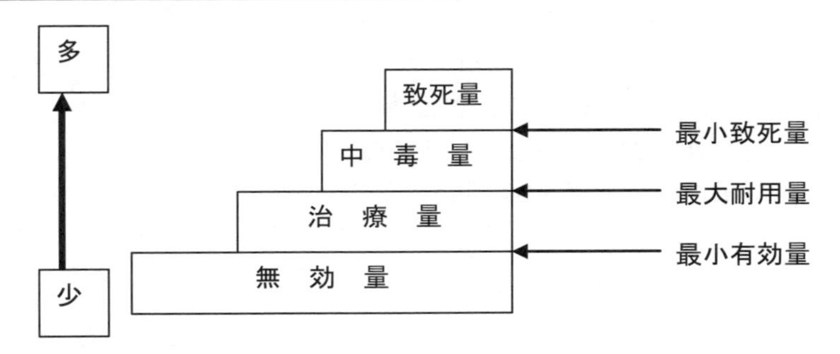

1-2　薬物作用の分類

1-2-1　直接作用と間接作用

直接作用：薬物が奏功器官・組織・細胞に直接働くことをいう。
　例：ジギタリスは心臓に直接作用して強心作用を示す。

間接作用：直接作用の結果、２次的に作用が生じることをいう。
　例：ジギタリスの強心作用により、腎血流量が増加して利尿効果が現れるが、この利尿効果は間接作用である。

1-2-2　急性作用と慢性作用

急性作用：薬を投与した後、直ちに出現する作用をいう。

慢性作用：急性投与によっては出現する作用ではなく、反復投与によって出現する作用

をいう。

1-2-3　局所作用と全身作用

局所作用：薬物の作用が特定の部位に限局して発現することをいう。

全身作用：薬物が投与後に全身に分布し、他の多くの器官・組織に同じような作用を示すことをいう。

例：ビタミンの作用

1-2-4　一過性作用と持続性作用

一過性作用：薬物の作用の出現時間が短い（数分〜数十分間）場合をいう。

例：アセチルコリンを静脈注射するとすぐに血圧降下作用が見られるが、この作用は数分で消失する。

持続性作用：薬物の作用が長い場合（1/3 日〜数日間）をいう。

例：レセルピンの血圧降下作用は、日単位で持続する。

1-2-5　主作用と副作用、有害事象

主作用：治療の目的に合致する作用をいう。

副作用：主作用以外の残りのすべての作用をいう。治療上目的でない作用または不必要な作用である。病気や症状が変われば、副作用が主作用になることもある。

有害事象：副作用のうち、生体にとって好ましくない作用を有害事象（adverse　event）という。副作用は、好ましい作用でないことが多いため、副作用と有害作用という言葉が混同されやすいが、有害事象は、決して主作用になることはない。

1-3　薬物受容体

歴史的に受容体という概念はドイツのエールリッヒ（Paul Ehrlich）の化学療法における側鎖説に始まり、「結合なければ作用なし」という言葉で表現されたものである。

薬は分子であり、生体側の作用点も分子であるため、両者の関係は、分子間の相互作用であり、その生体側の分子の代表的なものが薬物受容体である。

受容体の概念

受容体の概念を最初に示したのは英国の生理学者ラングレイ（J.N.Langley）で、骨格筋の神経筋接合部に対するニコチンとクラーレの作用を、特殊な部位である「**receptive substance**」と言う概念を導入して説明した。受容体は、生体に存在しない薬物のために存在しているのではなく、神経伝達物質、オータコイド、ホルモンなどの生体内分子が結合して、細胞機能を制御するために存在しているものであり、これらの内因性物質が結合

する部位に偶然薬物がはまりこむと制御機構に変化が生じて作用が出現するのである。
1933年英国の薬理学者 Clark は、カエルの摘出心臓の心拍数を 1/2 にするのに要するアセチルコリンの量は、心筋表面の 1/6000 を覆うにすぎないことを明らかにした。つまり、受容体の概念により、薬物の作用を定量的に説明したのである。

側鎖説
抗体がどのように産生されるかについて、「白血球表面に多種類のレセプターがあり、これに抗原が結合すると、細胞は刺激されレセプターを多量に分泌し、これが抗体となる」という考え方。

このことからアセチルコリンは・・・・
細胞表面のある特異的な部位に作用している ──▶ **薬物受容体を想定**
薬物と薬物受容体の関係は「鍵と鍵穴」にたとえることができるが、受容体は形が固定されたものではなく自由に構造を変えることができる「高次構造」をもっている。
薬物と受容体との結合は、質量作用の法則に支配されており、薬物が薬物受容体に結合すると、その関係は次のようになる。

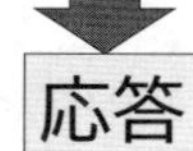

D ＋ R ⇄ DR ──→ 反応（応答）
（D: 薬物、R: 受容体、DR: 薬物・受容体の複合体）

この結果、起こる薬理学的反応の大きさは、DR の数の関数（DR に比例する）と考える。現在の薬理学は、この考え方を原点としている。分子生物学的な手法が進み、多くの受容体が実体のある分子として同定されている。

2. アゴニスト（刺激薬、作動薬）、アンタゴニスト（遮断薬、拮抗薬）と固有活性（内活性）

2-1 アゴニスト（agonist：作動薬または刺激薬）

薬物受容体に結合して、生体本来の反応を引き起こす薬物をアゴニスト（刺激薬、作動薬）という。薬物が受容体に結合した後に生じる刺激の大きさは、それぞれアゴニストにより異なっており、これを**内活性または固有活性（intrinsic activity）**という。

2-1-1 完全アゴニスト（full agonist）

受容体を 100%占有すると最も強い応答（100%の応答）を引き起こすことができるアゴニストを完全アゴニストと呼ぶ。完全アゴニストの内活性を「1」と定義する。

2-1-2 部分アゴニスト（partial agonist）

受容体に結合する力は完全アゴニストと同じで、シグナルを発生するが、受容体を 100%占有しても 100%の反応率を示さないものを部分アゴニストと呼ぶ。部分アゴニストの内活性は 0 より大きく 1 未満となる。

2-1-3 部分アゴニストと完全アゴニストの併用

完全アゴニストが占有している受容体において、部分アゴニストが完全アゴニストを追い出して結合すると、完全アゴニスト単独投与時と比較して作用は減弱するが、アンタゴニストの場合とは異なり、不完全な拮抗となる。アドレナリンβ受容体アンタゴニストのように、アンタゴニスト（内活性＝ 0）を用いると、過度の心抑制がかかりすぎるような場合には、部分アゴニストを用いると治療上好ましい作用になることがある。

2-2 アンタゴニスト（antagonist：受容体遮断薬、受容体拮抗薬）

薬物受容体に結合する力（親和性）を有するが、生体本来の反応である「シグナル（応答）」を生じえない薬物であり、アゴニストと併用するとアゴニストの効果を減弱させる。アンタゴニストの内活性は「0」である。

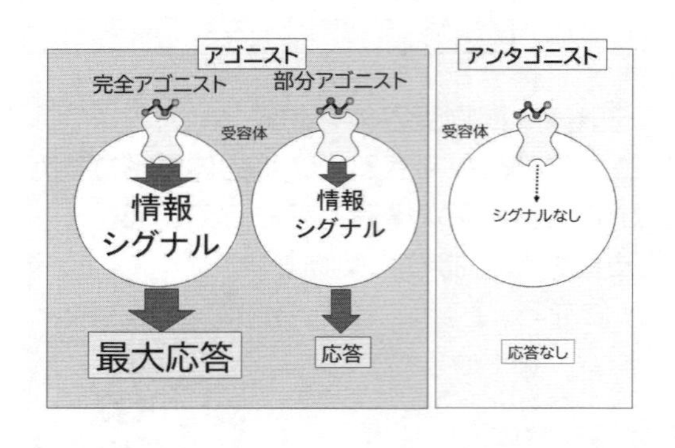

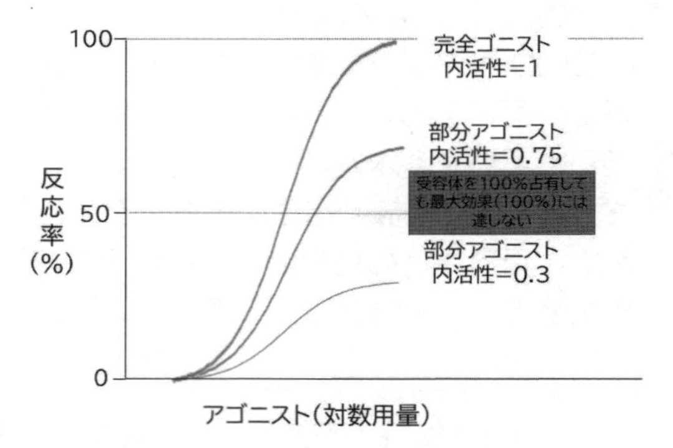

薬物が受容体に 100 %結合したとしても、結合後に生じる刺激（応答）の大きさは、それぞれの薬物により異なっている。最大反応を引き起こす薬物を完全アゴニストと呼び、その固有性は「１」 である。部分アゴニストの固有活性は、０＜固有活性＜１となる。純粋なアンタゴニストの固有活性は「0」である。

2-3　逆アゴニスト（インバースアゴニスト　inverse agonist）

一部の薬物受容体においては、アゴニストと全く正反対の効果を示す薬物が存在する。このような薬物を逆アゴニスト（inverse agonist）と呼んでいる。逆アゴニストにおいても、アゴニストと同様に内活性は、それぞれの薬物によって異なっている。ベンゾジアゼピン受容体においては、逆アゴニストが存在し、アゴニストが抗不安作用を示すのに対し、逆アゴニストは不安を惹起する。

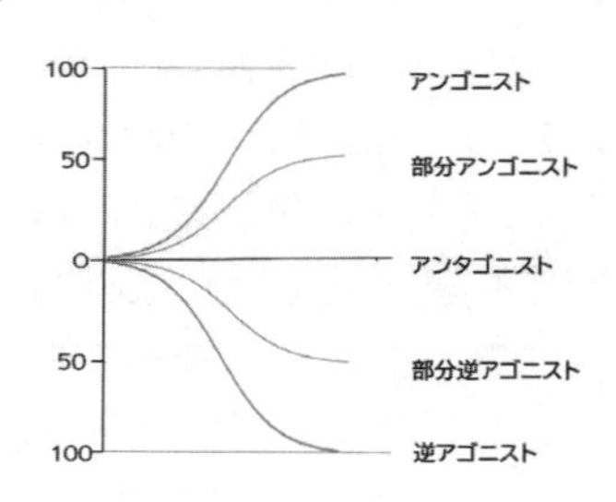

2-4　薬物の併用

薬は単独で使用されることもあるが、多くの場合は２剤あるいはそれ以上の多剤併用となる場合が多い。薬物を併用すると薬物同士の相互作用が出現することがある。併用により作用が強化される場合を「協力」といい、作用が相殺される場合を「拮抗」という。

2-4-1 協力作用（Synergism）

2-4-1-1 相加（addition）：作用機序が同じ薬物の併用で、用量を増加させていっても効果は単に両者の和になる場合をいう。

例：アスピリンとアセトアミノフェン（解熱鎮痛薬）

2-4-1-2 相乗（potentiation）：作用機序が異なる薬物間の協力作用で、用量を増加させていくと両方の和以上の効果がえられる。作用機序が異なる薬物AとBを併用し、A単独の薬効よりもBを併用したときの薬効が著しく強力で持続的になる現象をいう。

例：クロルプロマジン（統合失調症治療薬：麻酔作用なし）は、エーテルの麻酔作用を相乗的に増強するため、エーテルの麻酔時間が著しく延長される。

コカイン存在下ではアドレナリンによる血圧上昇作用が著しく強くなる。

2-4-2 拮抗作用（Antagonism）

拮抗作用には、化学的拮抗、薬理学的拮抗、生理学的拮抗の 3 種がある。

2-4-2-1　化学的拮抗

活性を持つ薬物 A が他の薬物 B と化学反応を起こし、A の作用が不活性化されること。解毒等に応用されている。

例：Hg、As 中毒に対するジメルカプロール、CN^-とチオ硫酸ナトリウム

2-4-2-2　薬理学的拮抗

2 種の薬物を併用する際に、受容体において 1 つの薬物（アゴニスト）の作用に他の 1 つの薬物（アンタゴニスト）が拮抗する場合を薬理学的拮抗と呼ぶ。薬理学的拮抗は、拮抗様式の違いにより競合的拮抗と非競合的拮抗の 2 種に分類される。非競合的拮抗には、アンタゴニストが受容体の別の部位や、受容体と共役する情報伝達系などに働く拮抗も含まれる。

（1）　競合的拮抗（competitive antagonism）

アゴニストとアンタゴニストが同一受容体を競り合う拮抗を競合的拮抗という。競合的アンタゴニストが受容体を占有するとアゴニストの受容体への結合は妨げられるために、本来アゴニストが発揮する作用は打ち消される。**質量作用**の**法則**に従うため、薬物の受容体の占有率は両薬物の濃度に依存する。一定用量（濃度）の競合的アンタゴニストの存在下で、アゴニストの用量を増していくと、競合的アンタゴニストは受容体から追い出されていき、最終的にはアゴニストが受容体を 100%占有できるようになる。つまりアゴニストの用量を高めれば競合的アンタゴニストの受容体への結合を完全に抑えることができる。このため、一定用量（濃度）の競合的アンタゴニスト存在下のアゴニストの用量－反応曲線は、非存在での曲線と比べて**右にシフト**（**平行移動**）するのみで、**アゴニストの最大効果には変化がない。**

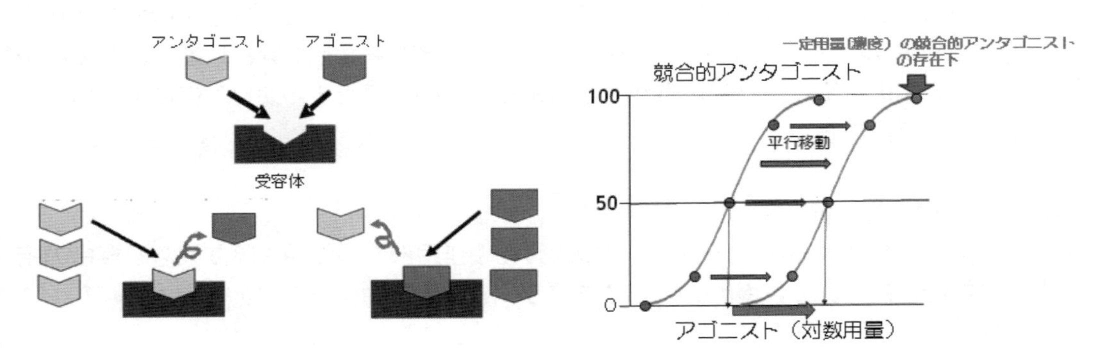

（2） 非競合的拮抗（noncompetitive antagonism）

アンタゴニストが、アゴニストの結合する部位に非可逆的に結合したり、受容体の別の部位や受容体と共役する情報伝達系などに働いて、結果としてアゴニストの応答が抑制されるものを非競合的拮抗といい、一定用量（濃度）の非競合的アンタゴニストの存在下で、アゴニストの用量-反応曲線を描くと、競合的アンタゴニストの存在下とは異なり、右にはシフトせず、最大効果が頭打ちとなって、いくらアゴニストの濃度を増やしても最大効果（100%）には達しない。このような拮抗形式を非競合的拮抗と呼ぶ。

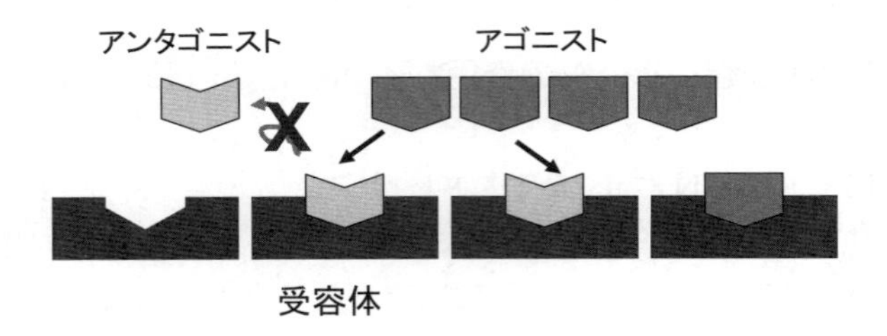

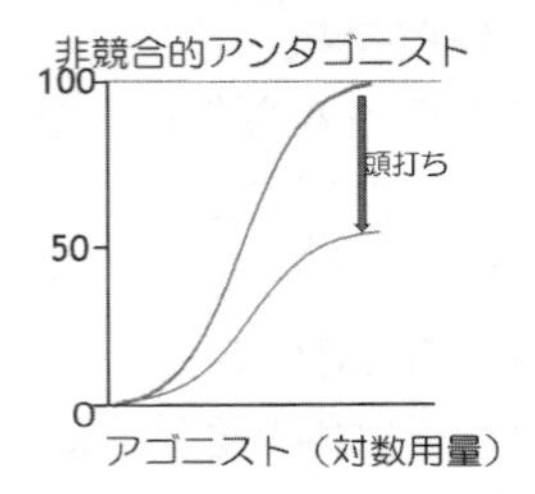

（2）-1 アンタゴニストが受容体に非可逆的に結合してアゴニストの結合を遮断する場合

アンタゴニストが、受容体に非可逆的に化学結合してしまうので、アゴニストの濃度を増してもアンタゴニストを追い出せず、質量作用の法則には従わない。このためアゴニストは、アンタゴニストが結合していない受容体にしか結合できないため、最大反応の大きさは 100%に達することはなく、用量反応曲線は頭打ちとなる。

例１：ノルアドレナリンとフェノキシベンザミン

　フェノキシベンザミンが、アドレナリンα_1受容体に非可逆的に結合するため、アゴニストの濃度を増やしても受容体から追い出すことができない。

例２：グルタミン酸 NMDA 受容体におけるグルタミン酸とメマンチン

　メマンチンは、NMDA 受容体のグルタミン酸結合部位ではなく、チャネル部位に結合して受容体機能を非可逆的に抑制する。

（2）-2 受容体結合には影響せず、受容体内の別の部位や作用発現に関与する情報伝達過程を遮断する場合

例：腸管収縮におけるアセチルコリンとパパベリン

　パパベリンは、ムスカリン性アセチルコリン受容体には直接影響を及ぼさず、細胞内の cAMP ホスホジエステラーゼを阻害して cAMP 濃度を上昇させる。この cAMP による情報伝達系により腸管平滑筋が弛緩するため、アセチルコリンによる収縮を非競合的に遮断する。

2-4-2-3　生理学的拮抗

２つの薬物が相反する作用を持ち、かつ両薬物の作用部位や作用機序が異なる場合の拮抗を生理学的拮抗という。機能的拮抗とも言う。

例：血圧に対するヒスタミン（血圧低下）とアドレナリン（血圧上昇）

　カフェインの中枢興奮作用とバルビツレートの中枢抑制作用

生理学的拮抗

作用する部位や受容体が異なる

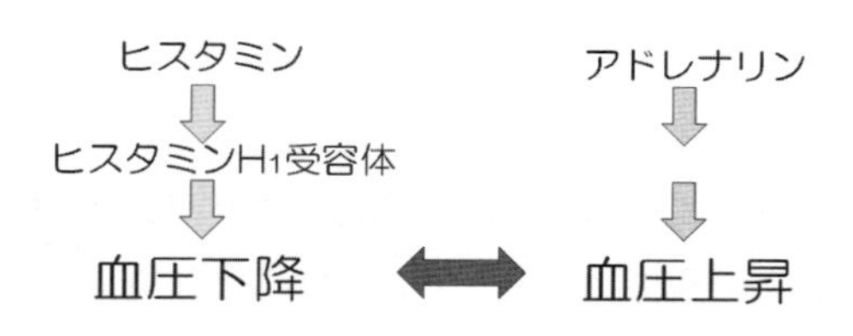

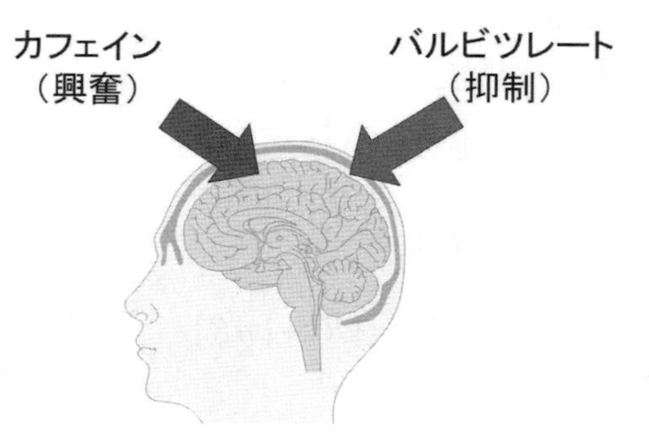

2-5　受容体結合論　－用量反応の関係式と刺激薬と遮断薬の活性を示す指標としての pD_2、pA_2、pD_2'　－

受容体刺激薬、競合的遮断薬、非競合的遮断薬の効力の指標として、pD_2、pA_2、pD'_2 が用いられる。

2-5-1　pD_2、pA_2、pD'_2 の定義・意味

	対象となる薬物	指標の定義
pD_2	アゴニスト 部分刺激薬	アゴニストの50%有効量（ED_{50}）のネガティブロガリズム（- log） pD_2= - log(ED_{50})
pA_2	競合的遮断薬	アゴニストの用量反応曲線を 2 倍だけ高濃度側に平行移動させるのに要する競合的遮断薬のモル濃度のネガティブロガリズム（- log）
pD'_2	非競合的遮断薬	アゴニストの最大反応を 50 %抑制するのに要する非競的拮抗薬のモル濃度のネガティブロガリズム（- log）

p がついたら、値が大きいほど作用が強力であるということになる。

pA_2=-log（アゴニストの用量反応曲線を2倍高濃度側に平行移動させるのに要する競合的拮抗薬のモル度）

pD_2'=-log（アゴニストの最大反応を50%抑制するのに要する非競的拮抗薬のモル濃度）

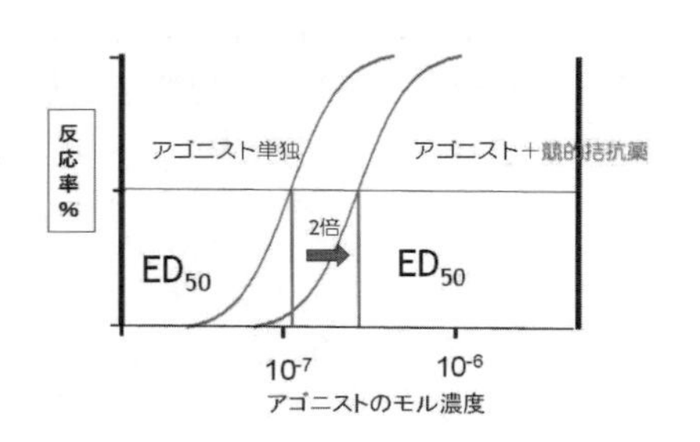

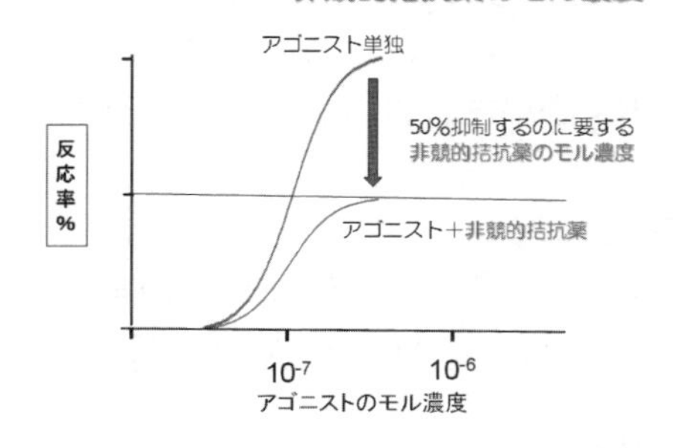

2-5-2　受容体刺激薬と解離定数 K_A および pD_2

$[A]$ = 受容体刺激薬 A のモル濃度

$[R]$= A と結合していない受容体のモル濃度

[AR] ＝A と結合している受容体　（受容体と結合しているA）のモル濃度
KA：解離定数

$$[A]+[R] \Leftrightarrow [AR]$$ ①質量作用の法則より

$$KA=\frac{[A][R]}{[AR]}$$ ②

$$[Rt]=[R]+[AR]$$ ③（総受容体数＝リガンド非結合受容体＋リガンド結合受容体）

$$[R]=[Rt]-[AR]$$ ④（リガンド非結合受容体＝総受容体数ーリガンド結合受容体）

④を②に代入する

$$[R]=[Rt]-[AR]$$
$$[A]([Rt]-[AR]) = KA[AR]$$
$$[A][Rt]-[A][AR] = KA[AR]$$
$$[AR](KA+[A]) = [A][Rt]$$

$$\frac{[AR]}{[Rt]}=\frac{[A]}{KA+[A]}$$ *[AR]*/*[Rt]*は受容体の占有率

$$\frac{[AR]}{[Rt]}=\frac{\frac{[A]}{KA}}{1+\frac{[A]}{KA}}$$ （左辺は受容体占有率を表している）

ここで受容体刺激薬の濃度[*A*]が *KA* と同一の値をとれば

$$\frac{[AR]}{[Rt]}=\frac{1}{1+1}=0.5$$ 受容体占有率は0.5、つまり総受容体の半分の受容体にリガンドが結合している

すなわち KA は全受容体の半分に A が結合するときの濃度となる。
KA が小さいということは低い濃度で受容体に結合できることを示しており、従って、KA が小さければ小さいほどその受容体刺激薬の受容体に対する親和性は高い。

ED_{50} と pD_2

ED_{50} は、薬理学的に求められた解離定数 K_A に等しい。
pD_2：<u>最大反応の 50%反応を起こすのに必要なモル濃度の negative logarithm</u>

$pD_2=-\log_{10}ED_{50}=-\log_{10}KA$
（pD_2 最大反応の 50%反応を起こすのに必要なモル濃度の negative logarithm）

2-5-3　競合的遮断薬と pA_2

受容体刺激薬 A と競合的遮断薬 B それぞれについて、質量作用の法則により平衡が成り立つ。

$$[A] + [R] \rightleftharpoons [AR]$$
$$[B] + [R] \rightleftharpoons [BR]$$

$[A]$= 受容体刺激薬 A のモル濃度
$[B]$= 競合的遮断薬 B のモル濃度
R = A と結合していない受容体のモル濃度
AR = A と結合している受容体　（受容体と結合している A）のモル濃度
BR = B と結合している受容体　（受容体と結合している B）のモル濃度
Rt =受容体の総数
KA： 解離定数、KB： 解離定数
$[R]$と$[BR]$を消去して、実際に測定できる量$[A]$、$[B]$に関する$[AR]$の関係式を導く。
（途中省略）

$$Y = \frac{[AR]}{[Rt]} = \frac{\frac{[A]}{KA}}{1 + \frac{[A]}{KA} + \frac{[B]}{KB}}$$

この式から受容体刺激薬 A 単独の場合の濃度反応曲線と比較すると、競合的遮断薬Bが共存することで、分母［B］/KB がついた分だけ高濃度側にシフトする。
ここである一定の大きさの反応について、受容体刺激薬 A 単独で得た場合の A の濃度を$[A_0]$、濃度$[B_x]$の競合的遮断薬存在下において同じ反応を起こす場合の A の濃度を$[A_x]$とする。

$$Y_0 = \frac{\frac{[A_0]}{KA}}{1 + \frac{A_0}{KA}} \qquad Y_x = \frac{\frac{[A_x]}{KA}}{1 + \frac{[A_x]}{KA} + \frac{[B_x]}{KB}} \qquad \frac{\frac{[A_0]}{K_A}}{1 + \frac{A_0}{K_A}} = \frac{\frac{[A_x]}{KA}}{1 + \frac{[A_x]}{KA} + \frac{[B_x]}{KB}}$$

等しい反応と仮定しているので整理すると　$\frac{[A_x]}{[A_0]} = 1 + \frac{[B_x]}{KB}$

両辺の対数をとると

$$\log\left(\frac{[A_x]}{[A_0]} - 1\right) = \log[B_x] - \log KB$$

$[\mathrm{A_x}]/[A_0]$をCRとすると

$$\log(\mathrm{CR} - 1) = \log[B_x] - \log KB$$

$[Ax]/[A_0]$は競合的遮断薬 B が存在しないときと存在するときの活性薬の同じ反応を起こす濃度比を示すものであるから、用量比 （dose ratio）または濃度比（concentration ratio）と呼ばれる。

pA₂：受容体刺激薬の反応曲線を 2 倍だけ高用量側に平行移動させるのに必要な競合的遮断薬のモル濃度の negative logarithm

pA_2 は受容体刺激薬の濃度比を 2 とするような競合的遮断薬のモル濃度の negative logarithm であるから、そのような競合的遮断薬の濃度を［B_2］とすれば、$pA_2=-\log[B_2]$

$$2 = 1 + \frac{[B_2]}{[KB]}$$

すなわち$[B_2]=KB$、両辺負対数をとって

$$-\log[B_2]=-\log KB$$

$$pA_2=-\log KB$$

従って、pA_2 は競合的遮断薬と受容体との結合の解離定数の negative logarithm を薬理学的に求めたものである。

3 薬の作用するしくみ ―薬物の標的因子

3-1 薬物の作用点としての受容体、酵素、チャネル、トランスポーター

薬物の作用点は、タンパク質、糖鎖、DNA など様々であるが、主に作用する分子は、タンパク質で構成される受容体、酵素、チャンネル、トランスポーターなどである。

3-2 薬物の作用点としての受容体（receptor）

薬物受容体は、神経伝達物質、ホルモン、オータコイドなどの細胞外からの情報（信号）を受け取って、細胞内にその情報を伝達するためのタンパク質で、その多くは細胞膜に存在する膜タンパク質である。ステロイドホルモンや、甲状腺ホルモンなどの一部の受容体は、細胞質や核内に存在する。

受容体への薬物の結合特異性

受容体は光学異性体のうち一方（左）のみが結合でき、もう一方（右）のコンフィグレーションを持つものは結合できない場合が多い。モルヒネなどの麻薬性鎮痛薬は、*l* 体のみが鎮痛作用を示し、*d* 体にはこのような作用はない。

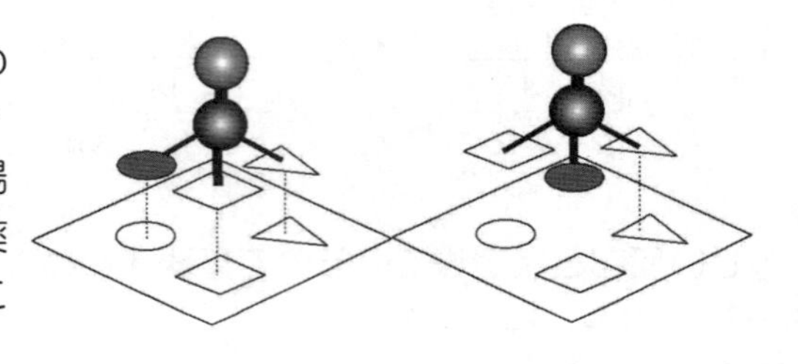

3-2-1 細胞膜に存在する受容体の分類

細胞膜に存在する受容体は、イオンチャネル内蔵型、GTP 結合タンパク質（G タンパク質）共役型、酵素内蔵型の３種に大別されるが、いずれも分子量の大きなタンパク質である。神経伝達物質の受容体は、シナプス後部の樹状突起や細胞体に存在するものが多いが、シナプス前膜や軸索に存在するものもある。

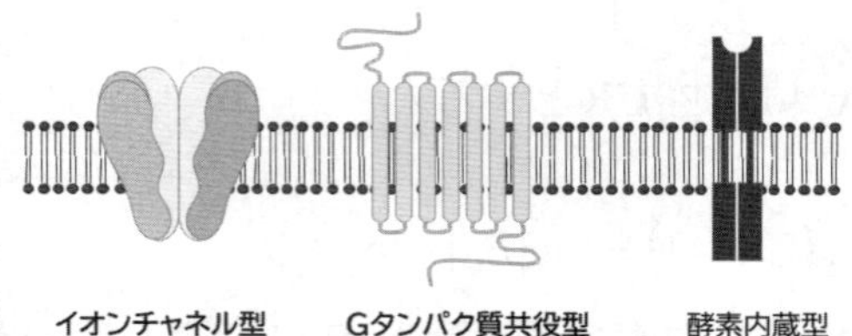

3-3 薬物の作用点としての酵素

薬物によっては特定の酵素に直接作用して薬理作用を発現するものがある。酵素に直接作用する薬物には、その酵素の基質が結合する活性中心に作用するものや、活性中心ではなく、酵素活性を調節するアロステリック（allosteric）な部位に作用するものもある。また、アロステリック部位に結合する薬物の作用として、酵素の不活性化（阻害）が起こる場合と活性化（促進）がおこる場合がある。

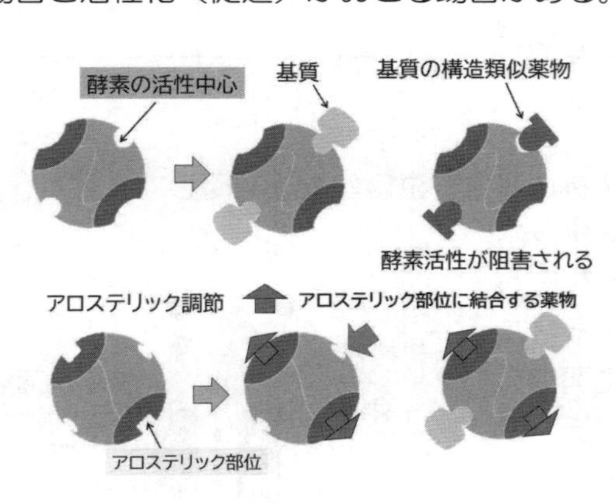

葉酸（基質、上）とメトトレキサート（悪性腫瘍薬、下）。葉酸はジヒドロ葉酸レダクターゼの基質である。メトトレキサートは葉酸に構造がよく類似しており、葉酸よりも強固に本酵素に結合するため酵素活性が阻害される。

アロステリック調節
酵素において、活性部位以外の別の場所に、特異的に物質を結合する機能を持ち、この部位に薬物（物質）の結合が行われると構造変化が起こって、機能が変化する現象。

酵　素	薬　物	作用	作　用　機　序	適　用
コリンエステラーゼ	ネオスチグミン ドネペジル	阻害	ACh の分解抑制	重症筋無力症 認知症
モノアミンオキシダーゼ	セレギリン	阻害	ドパミンの分解抑制	パーキンソン病
COMT	エンタカポン	阻害	ドパミンの分解抑制	パーキンソン病
Na^+. K^+-ATPase	強心配糖体	阻害	細胞内 Na^+の上昇	うっ血性心不全
H^+,K^+-ATPase	オメプラゾール	阻害	胃酸分泌抑制	消化性潰瘍
シクロオキシゲナーゼ	NSAID	阻害	プロスタグランジン生成抑制	抗炎症・鎮痛
トロンボキサン A_2 合成酵素	オザグレル トラピジル	阻害	血小板凝集抑制	血栓症
ホスホジエステラーゼ Ⅲ	ベスナリノン	阻害	心筋での cAMP 分解抑制	急性心不全
ホスホジエステラーゼ Ⅴ	シルデナフィル バルデナフィル	阻害	陰茎海綿体における cGMP 分解抑制	勃起不全
α-グルコシダーゼ	アカルボース ボグリボース	阻害	腸管での単糖類への分解抑制	糖尿病
チミジル酸合成酵素	フルオロウラシル	阻害	DNA 合成に必要なチミン生合成抑制	悪性腫瘍
トポイソメラーゼⅠ トポイソメラーゼⅡ	イリノテカン エトポシド	阻害 阻害	DNA のトポロジー調節の抑制	悪性腫瘍

炭酸脱水酵素	アセタゾラミド ドルゾラミド	阻害	H^+と CO_3^-の産生抑制による Na^+輸送抑制	緑内障 てんかん
HMG-CoA レダクターゼ	スタチン類	阻害	コレステロール合成阻害	高脂血症
アデニル酸シクラーゼ	コルホルシンダロパート	促進	cAMP 産生促進	心不全
グアニル酸シクラーゼ	ニトログリセリン 硝酸イソソルビド	促進	NO を遊離し、NO が活性を増大	狭心症

3-4　薬物の作用点としてのイオンチャネル

細胞膜に存在するイオンチャネルは、細胞内外のイオン濃度勾配を利用してイオンを輸送する機構である。受容体に内蔵されているチャネル以外に、単独のイオンチャネル分子として存在して機能しているものがあり、これをイオンチャネルと呼んでいる。活性化すると pore（孔）を全開にしてイオンを透過させる。薬物の中にはイオンチャネルを標的とするものがあり、治療薬として用いられているものも少なくない。イオンチャネル開口の引き金になる因子はいくつか存在するが、多くのイオンに共通する活性化因子として、膜の脱分極のような電位の変化があり、このような電位の変化で開口するイオンチャネルを電位依存性イオンチャネルと呼んでいる。電位依存性のチャネル以外に Ca^{2+}放出チャネルのように細胞内の小器官に存在して、細胞内のイオン濃度を調節するチャネルもある。

イオンチャネルの種類と治療薬

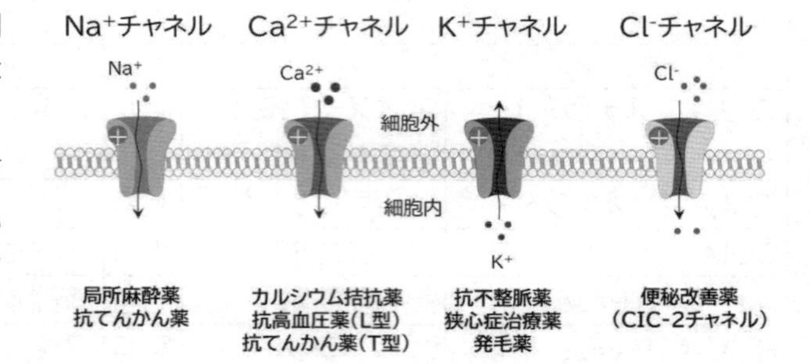

3-4-1　イオンチャネルの分類

（イオンチャネル型受容体は除く）

3-4-1-1　Ca^{2+}チャネル

Ca^{2+}に選択性をもつチャネルで、細胞膜には膜電位依存性 Ca^{2+}チャネルが存在している。Ca^{2+}放出チャネルは、細胞内の小胞体に存在しており、小胞体からの Ca^{2+}放出に関与している。

① 電位依存性 Ca^{2+}チャネル

細胞膜の脱分極に依存して開口する Ca^{2+}チャネルであり、数個のサブユニットで構成されている。開口すると、細胞外から細胞内に Ca^{2+}が流入する。α_1 サブユニットの違いによりＬ型、Ｔ型、Ｎ型、P/Q 型、Ｒ型に分類されている。
ほとんどのカルシウム拮抗薬は、Ｌ型 Ca^{2+}チャネルを抑制する薬物である（抗高血圧の項参照)。抗てんかん薬のエトスクシミドは、視床に存在するT型Ca^{2}チャネルを抑制する。

② Ca^{2+}放出チャネル(細胞内チャネル)

細胞内にも**Ca^{2+}チャネルが存在し、イノシトール3リン酸(IP_3)**で活性化されるIP_3受容体と**Ca^{2}**で活性化されるリアノジン受容体がある(名称は受容体だが、分類上はチャネル)。Gqタンパク質に共役する受容体系によりホスホリパーゼが活性化されると、IP_3とジアシルグリセロールが生成する。このIP_3が小胞体上のIP_3受容体に結合すると、Ca^{2+}が細胞内に遊離されて細胞内Ca^{2+}濃度が上昇する。リアノジン受容体は、細胞質のCa^{2+}濃度の上昇によって活性化され開口する。

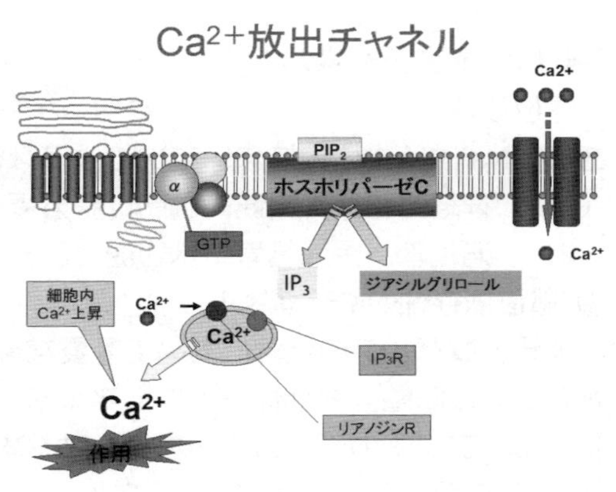

3-4-1-2 K^+チャネル

K^+に選択性をもつチャネルで、K^+漏洩チャネル、電位依存性チャネル、内向き整流性チャネルに大別される。K^+チャネルに作用する薬物は、不整脈、心筋虚血、糖尿病、高血圧などの治療に用いられている。

① K^+漏洩チャネル(K^+ leak channel)

細胞膜には、刺激がなくてもいつも開いているK^+漏洩チャネル(K^+ leak channel)が存在する。K^+濃度はNa^+-K^+ポンプの働きにより細胞内が外より高く保たれているため、K^+は濃度勾配に従い、漏洩チャネルを通って外へと出て行く。K^+が出れば、それだけ細胞内はマイナスの電位になるから、そのマイナス電位が、プラスの陽イオンであるK^+がさらに出て行くのをひきとめる。結局、K^+の濃度勾配によりK^+が出ていこうとする力と、細胞内のマイナス電位によるK^+を内部に引き留める力とが釣り合ったところで、K^+の移動は見かけ上止まる。こうなった時の電位がK^+による平衡電位であり、静止電位は、ほぼK^+の平衡電位に等しい。

② 電位依存性K^+チャネル

6回膜貫通型で中枢や末梢神経系、心臓などに分布しており、抗不整脈薬のVaughanWilliams分類でクラスⅢ群のアミオダロン、ニフェカラント、ソタロールは、このチャネルを抑制して、頻脈性不整脈を改善する。

③ 内向き整流性K^+チャネル(K_{ir})

2回膜貫通型で、ATP依存性K^+_{ir}(K^+_{ATP})チャネル、Gタンパク質制御K^+チャネルなどがある。ニコランジル(抗狭心症薬)とミノキシジル(発毛薬)は、ATP依存性K^+チャネルを開口させて薬理作用を発現する。経口糖尿病治療薬であるスルホニル尿素系薬物は、膵臓のB細胞においてK^+_{ATP}チャネルを抑制して脱分極を起こしインスリン放出を促進する。Gタンパク質制御K^+チャネルは、

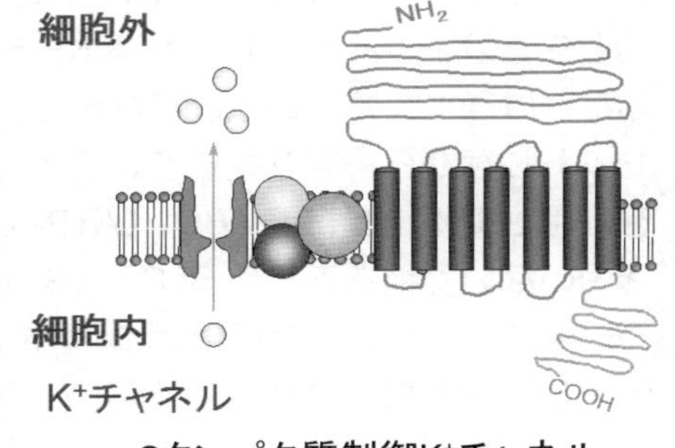

Gタンパク質制御K^+チャネル

アセチルコリンで活性化される Gi の$\beta\gamma$サブユニットで活性化され、心臓において徐脈を引き起こす。

3-4-1-3　Na^+チャネル

電位依存性 Na^+チャネルとアミロライド感受性 Na^+チャネルがある。Na^+は、生体内において次のような役割を持っている。

（1）　神経細胞、骨格筋、心筋：脱分極
（2）　消化管、腎尿細管：水輸送と腺分泌

① 電位依存性 Na^+チャネル

神経インパルスの伝導において重要な役割を果たしている。局所麻酔薬は、知覚神経の軸索における電位依存性 Na^+チャネルを細胞の内側から遮断して、インパルスの伝導を抑制する。フグ毒のテトロドトキシンは、本チャネルの遮断薬である。

② アミロライド感受性 Na^+チャネル

遠位尿細管・集合管にある Na^+チャネルで、アルドステロン受容体の刺激で活性化され、Na^+を再吸収する（抗利尿）。アミロライドやトリアムテレンは、この受容体機能を遮断し、利尿作用を引き起こす。

3-4-1-4　Cl^-チャネル

Cl^-は、生体内において次のような役割を持っている。

（1）　骨格筋：膜電位の安定化・維持
（2）　脳、心筋、脾臓：Cl^-の排出、細胞容積調節
（3）　腎臓：尿細管 Cl^-の再吸収、水輸送

電位依存性 Cl^-チャネルは、10 ～ 12 回膜貫通領域を有し、ClC-1 から 7 までの 7 種類が同定されている。ルビプロストンは、ClC-2　Cl^-チャネルに対する世界初の局所性活性化物質で、腸管内への水分分泌を増やして排便を促す新しい便秘薬となっている。.

3-5　薬物の作用点としてのトランスポーター

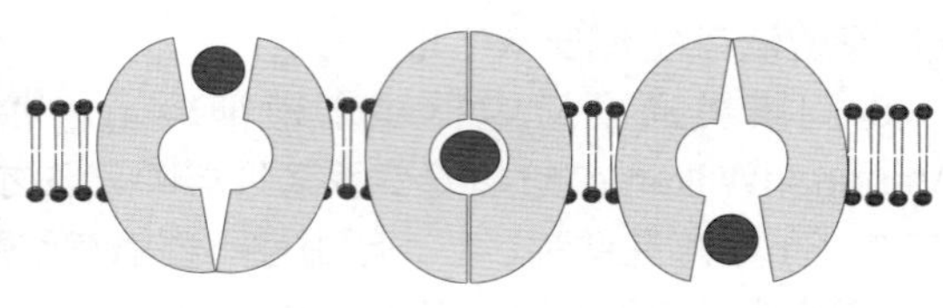

トランスポーターは、チャネルや受容体とともに細胞膜に存在する膜タンパク質で、様々な基質、例えば脂質、糖、ビタミン、その他の代謝に関わる物質、外来の薬物、イオン、ペプチド、タンパク質などを輸送する分子である。トランスポーターは、チャネルとは異なり、ポア pore が全開になることはなく、輸送のたびに基質結合部位の向きを細胞内・外に一回ごとにスイッチ・リセットしながら物質を輸送する。トランスポーターは、現在 ATP の加水分解エネルギーを利用して輸送を行う ABC （ATP-binding cassette） ファミリーと、ATP のエネルギーを用いないで輸送を行う SLC （Solute carrier） ファミリーの二つに分けられ、ヒトにおいては 48 種類の ABC トランスポーター遺伝子と 319 種類の SLC トランスポーター遺伝子が同定されている。

3-5-1 イオントランスポーター（イオン輸送系）の分類

イオントランスポーターは、機能的に、能動輸送系、共輸送系、交換輸送系の３種類に分類される。

3-5-1-1 能動輸送系（ポンプ）

能動輸送系は、濃度勾配に逆らってイオンを移動させるが、自発的には進行せず自由エネルギーの供給が必要である。

Na^+,K^+-ATPase：Na^+ポンプで、ATP の加水分解により Na^+と K^+の濃度勾配の形成・維持するポンプ。ジギタリスは、心臓の Na^+,K^+-ATPase を阻害して、強心作用を示す。

H^+,K^+-ATPase：胃粘膜の壁細胞に存在し、胃酸を分泌するのに必須な機構でプロトンポンプとも呼ばれる。プロトンポンプ阻害薬は、H^+,K^+-ATPase を阻害して、胃酸の分泌を抑制する。

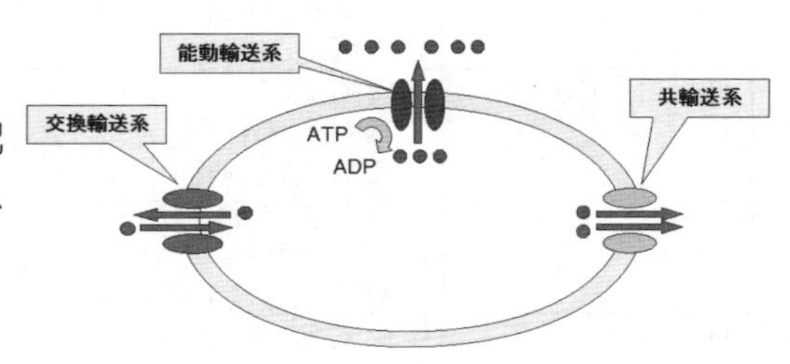

3-5-1-2　共輸送系　（シンポーター）

Na^+/K^+/2Cl^-輸送系：主に細胞内外の Na^+勾配を利用して、陽イオンと陰イオンを細胞内へ輸送する機構。

3-5-1-3　交換輸送系（アンチポーター）

Na^+-H^+交換体、Na^+-Ca^{2+}交換体、Cl^--HCO_3^-交換体（赤血球）などがある。

4　薬物受容体の分類、サブタイプ

本来受容体は、生体内の神経伝達物質、オータコイド、ホルモンなどの情報を伝達するものであるが、1 つの伝達物質に対して受容体は 1 つではなく 2 つ以上のサブタイプが存在する場合が多い。また、それぞれのサブタイプの受容体は、さらにサブフォームに分類されることも多い。

4-1 アセチルコリン受容体

アセチルコリン（ACh）受容体には、イオンチャネル内蔵型のニコチン性 ACh 受容体と G タンパク質共役型のムスカリン性 ACh 受容体のつのタイプが存在する。ニコチン性 ACh 受容体には、骨格筋型の N_M と自律神経型の N_N の２つのサブタイプが存在する。ムスカリン性 ACh 受容体には、M_1 ～ M_5 のサブタイプが存在し、共役する G タンパク質も異なっている。

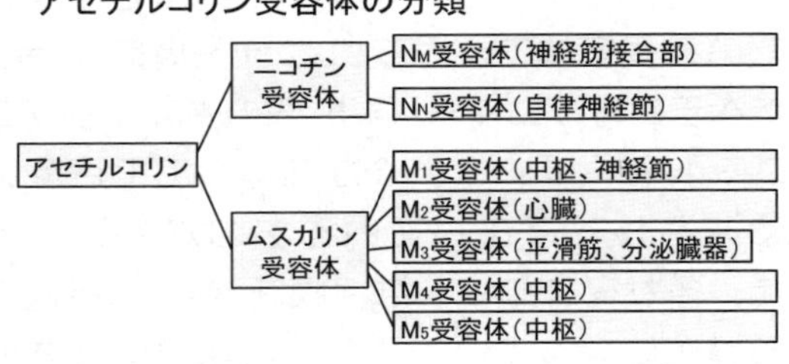
アセチルコリン受容体の分類

4-2　アドレナリン受容体

アドレナリン受容体は、α と β タイプに分類され、α 受容体は、$α_1$ と $α_2$ サブタイプに分類される。$α_1$ 受容体は、さらに $α_{1A}$、$α_{1B}$、$α_{1D}$ のサブフォームに分類される。β 受容体は、$β_1$, $β_2$, $β_3$ サブタイプにさらに分類される。

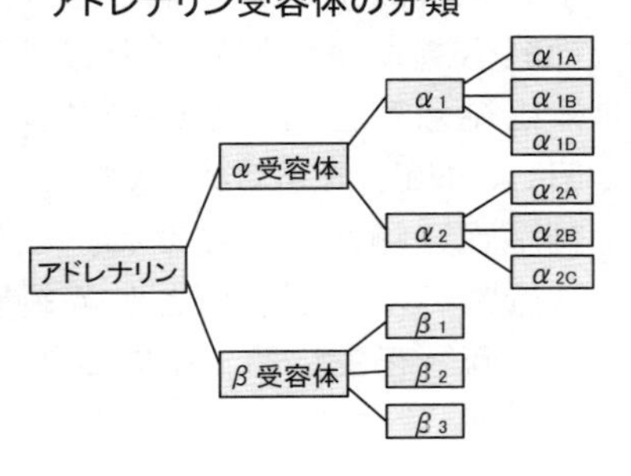
アドレナリン受容体の分類

4-3　ヒスタミン受容体

ヒスタミン受容体には、H_1 ～ H_4 の 4 つのタイプが存在し、下表のように様々な作用を司っている。

ヒスタミン受容体				
	共するGタンパク質	機能	受容体遮断薬	ﾋｽﾀﾐﾝとの親和性（ヒト）
H_1	Gq, PLC ↑	平滑筋 　回腸・気管支筋収縮 　血管透過性亢進 　小動脈拡張（NO、PGI_2） 知覚神経刺激（かゆみ・痛み） 概日リズムの調節 中枢神経系における神経伝達 Th1 反応の増強	ジフェンヒドラミン クロルフェニラミン フェキソフェナジン プロメタジン ケトチフェン	pKi=4.2
H_2	Gs, Ca^{2+} ↑	心機能調節 　陽性変力作用 　陽性変時作用 　陰性変周期作用 胃酸分泌亢進 平滑筋弛緩（毛細血管,ラット子宮筋）	ラニチジン シメチジン ファモチジン	pKi=4.3
H_3	Gi	中枢での神経伝達 シナプス前自己受容体	シプロキシファン クロベンプロピット チオペラミド	pKi=8.0
H_4	Gi	マスト細胞等の免疫細胞の遊走	チオペラミド JNJ 7777120	pKi=7.8

5　受容体と細胞内情報伝達系

細胞膜に存在する薬物受容体に薬物が結合した後に生じる応答は、細胞内へ情報が伝達され、その結果生じた反応で、それは「作用」である。

5-1 イオンチャネル内蔵型受容体とその情報伝達系

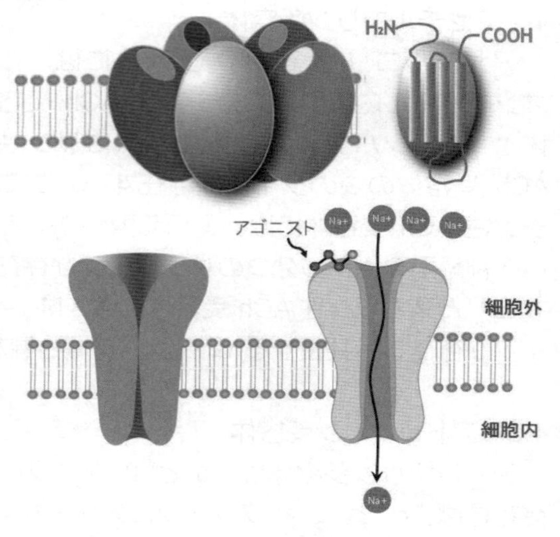

受容体分子内にイオンチャネルを形成している受容体で、サブユニット構造を持ったヘテロオリゴマー（4-5 個の異なるサブユニットα、β、γ、δが合体してできている）として存在しているものが多い。また、各サブユニットは、膜を 4-5 回貫通する構造になっていて、これにより受容体分子の中心にイオンチャネルが形成される。神経伝達物質や薬物（アゴニスト）が受容体に結合すると、このイオンチャネルが開口し、Na^+、K^+、Ca^{2+}、Cl^-のようなイオンが細胞膜を越えて移動する。これらのイオン透過性の変化が情報として細胞内に伝達され、応答を生じる。イオンチャネル型受容体は、陽イオンの透過性を亢進する陽イオン

チャネル内蔵型と陰イオンの透過性を亢進させる陰イオンチャネル内蔵型に大別される。また、イオンチャネル内蔵型受容体の中には、$GABA_A$ 受容体のように、ベンゾジアゼピン結合部位やステロイド結合部位、ピクロトキシンのような痙れん誘発物質の結合部位が受容体分子内に共存し、イオンチャネル機能を調節するものもある。

5-2　陽イオンチャネル内蔵型受容体

Na^+と Ca^{2+}の細胞外の濃度は細胞内よりも高いので、イオンチャネルの開口により細胞外から細胞内に流入する。これにより脱分極を生ずる。脱分極により膜電位が変化すると電位依存性 Na^+チャネルも活性化され、活動電位が発生する。

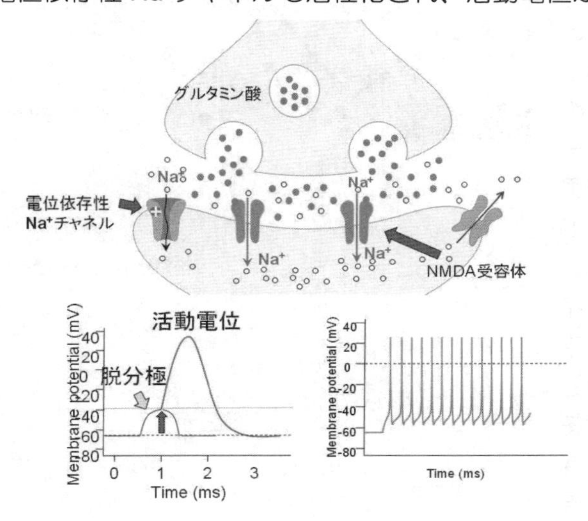

> **脱分極と過分極**
> 細胞内が電気的にマイナス、細胞外がプラスになっている状態を「分極状態」という。神経細胞の膜電位が、何らかの原因で静止膜電位からゼロに近づく現象を、分極状態から脱するという意味で**「脱分極」**と呼び、逆にさらにマイナスの値が大きくなることを**「過分極」**と呼ぶ。

5-2-1　ニコチン性アセチルコリン受容体

ニコチン性アセチルコリン受容体は、自律神経節に存在する N_N 型と骨格筋終板に存在する N_M 型に分類されている。このチャネルは一種類のイオンのみを通すのではなく、Na^+、K^+と少量の Ca^{2+}も通す。そのためチャネルが開いても、それだけでは活動電位は発生しない。このチャネルが開くと、脱分極が発生し膜電位が 0 mV に近づく、この脱分極により、近傍にある電依存性 Na^+チャネルが開口することによって活動電位が発生し、細胞内の電位がプラス側に傾く。これを興奮性シナプス後電位（EPSP）、あるいは、終板電位という。N_M 型では、この活動電位が最終的に骨格筋収縮を引き起こす信号となる。

5-2-2 イオンチャネル型グルタミン酸受容体

NMDA 受容体と non-NMDA 受容体に分類されている（グルタミン酸受容体には、G-タンパク質共役型　(GPCR) のものも存在する)。

A　NMDA 受容体　イオン透過性：Na^+、(K^+)、Ca^{2+}

グルタミン酸が NMDA 受容体に結合しても、静止膜電位が-70mV 程度であれば、NMDA 受容体は Mg^{2+}により阻害を受けているので、NMDA 受容体は活性化されない。膜電位が上昇すると、Mg^{2+}イオンによる遮断（Mg ブロック）が取り除かれ、受容体が活性化される。

B　non-NMDA　**AMPA 受容体**　イオン透過性：Na^{+}、K^{+}

速い興奮伝導を担っており、グルタミン酸が結合すると速く開口するが、速い脱感作を示す。静止膜電位付近でのシナプス電流のほとんどは、AMPA 受容体を介した電流である。

C　non-NMDA　**KA（カイニン酸）受容体**　イオン透過性：Na^{+}、K^{+}

持続的な脱分極をもたらすことが多く、入力の時間的統合に寄与する。

5-3　陰イオンチャネル内蔵型受容体

シナプス前抑制：シナプス前部では、細胞内の Cl^{-}濃度が細胞外よりも高いので、Cl^{-}が細胞外に流出し脱分極が起こる。脱分極が起こると、細胞体からの刺激は消失してしまい、興奮性神経伝達物質の放出抑制が起こる。その結果興奮性神経伝達は抑制される。この抑制をシナプス前抑制という。

シナプス後抑制：シナプス後部では、イオンチャネルの開口により、Cl^{-}が細胞内に流入し**過分極**を引き起こす。過分極状態になると、活動電位が発生するためにより強い興奮が必要となり、活動電位の発生が抑制される。$GABA_{A}$ 受容体、グリシン受容体は、陰イオンチャネル型受容体である。この抑制をシナプス後抑制という。

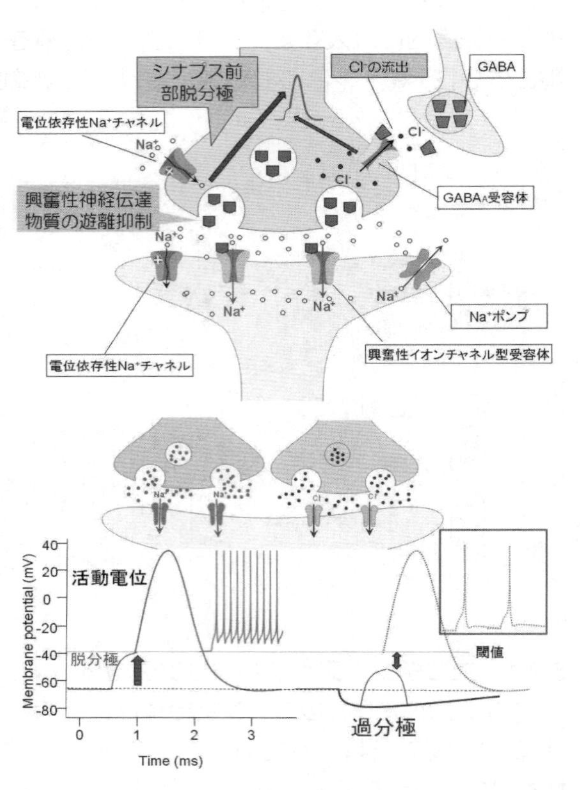

イオンチャネル内蔵型受容体と透過するイオンおよび電位変化のまとめ

受容体	透過するイオン	細胞内の電位変化
ニコチン性アセチルコリン受容体	Na^{+}、(K^{+})、Ca^{2+}	脱分極
グルタミン酸受容体 NMDA型 non-NMDA型	 Na^{+}、(K^{+})、Ca^{2+} Na^{+}、(K^{+})	 脱分極 脱分極
$GABA_{A}$受容体	Cl^{-}	過分極
グリシン受容体	Cl^{-}	過分極

5-4　G タンパク質共役型受容体 G protein-coupled receptor とその情報伝達系

G タンパク質共役型受容体は、細胞膜を貫通する**αヘリックス領域を 7 つ持つ**ため、7 回膜貫通型受容体とも呼ばれ、GTP 結合タンパク質（G タンパク質）、を介して、効果器すなわち単独で機能する酵素やイオンチャネルなどと共役し、それらの活性を調節する。

G タンパク質共役型受容体容体は、アミノ基末端（N 末端）を細胞外に出して膜を7回貫通する構造を有する。カルボキシル末端（C 末端）は細胞内にある。イオンチャネルなどの構造は分子内に有していない。

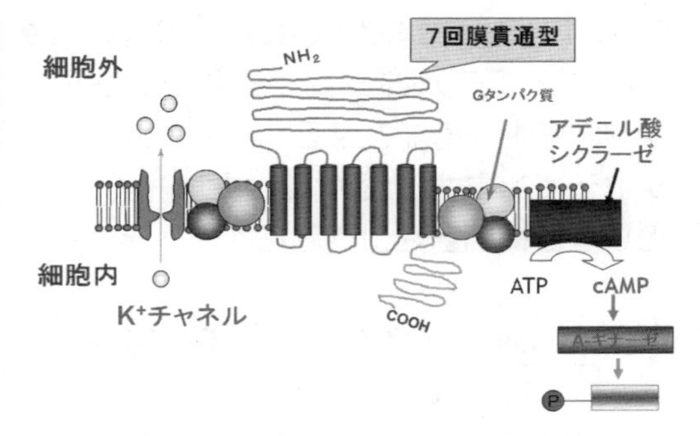

GTP 結合タンパク質：G-タンパク質

G タンパク質は、α、β、γの 3 つのサブユニットからなり、αサブユニットには、GTP または GDP が結合する。GDP が結合していると不活性型で、この状態で受容体と結合している。アゴニストが受容体に結合すると、その情報が G タンパク質に伝わり、GDP を遊離して GTP が結合し、G-タンパク質のαサブユニットがβ、γサブユニットから離れる。分離したαサブユニットとβ/γサブユニットは、下流にある効果器に会合してその活性を調節する。αサブユニットは GTPase 活性を有しており、結合している GTP を GDP に水解して不活性化状態に戻す。

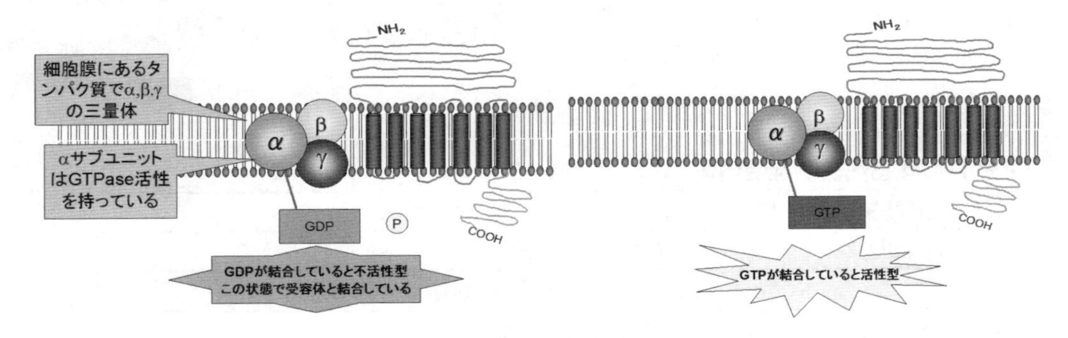

5-4-1 GTP 結合タンパク質（G-タンパク質）の種類

G タンパク質は、αサブユニットである G αの違いにより Gs、Gi（$G_{i/0}$）、Gq（$G_{q/11}$）のサブファミリーに分類されている。アデニル酸シクラーゼを促進（stimulatory）するタイプを Gs、抑制（inhibitory）するタイプを Gi、ホスホリパーゼ C を活性化するものを Gq と呼んでいる。

Gs 、Gi、 Gq の性質の比較

種類	作用する酵素	変化	細胞内情報	毒素感受性
Gs	アデニル酸シクラーゼ	活性化	cAMP上昇	コレラ毒素
Gi	アデニル酸シクラーゼ	抑制	cAMP減少	百日咳毒素
Gq	ホスホリパーゼ C	活性化	IP_3, DG上昇	感受性無し

5-4-1-1　Gs と共役する受容体の情報伝達

Gs：アデニル酸シクラーゼを活性化して cAMP 産生を増加させる。cAMP 増加によりプロテインキナーゼ A（A-キナーゼ）を活性化し、各種応答を引き起こす。

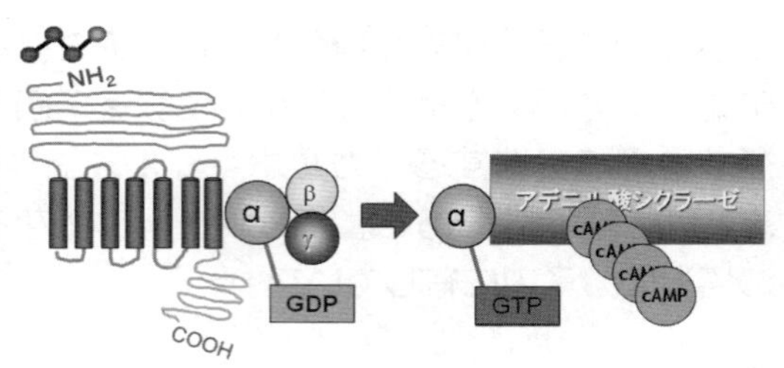

Gs と共役する代表的な受容体

伝達物質	サブタイプ	発現する作用
アドレナリン	β_1	心収縮力増強
	β_2	気管支拡張、ホスホリラーゼ活性化
	β_3	膀胱括約筋弛緩、脂肪分解による遊離脂肪酸増加
ヒスタミン	H_2	胃酸分泌促進

5-4-1-2　Gi と共役する受容体の情報伝達

Gi：アデニル酸シクラーゼを抑制して cAMP 産生を減少させる。cAMP 減少によりプロテインキナーゼ A（A-キナーゼ）の活性を抑制し、各種応答を抑制する。

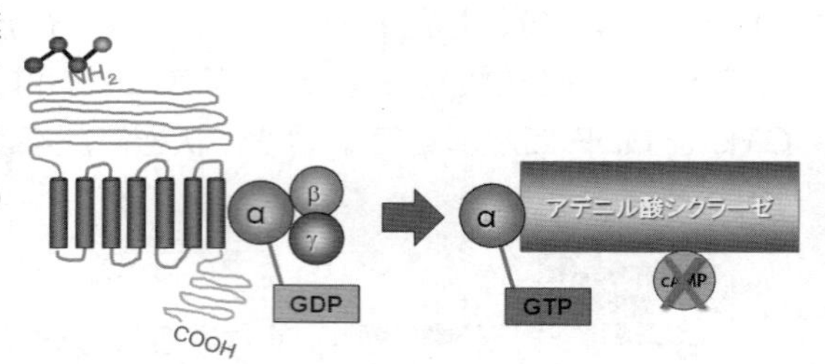

Gi と共役する代表的な受容体

伝達物質	サブタイプ	発現する作用
アセチルコリン	M_2	心機能抑制（徐脈）
アドレナリン	α_2	ノルアドレナリン遊離抑制（シナプス前部）
γ-アミノ酪酸	$GABA_B$	脊髄反射調節・抑制
ドパミン	D2	精神機能、錐体外路調節（脳）

5-4-1-3　Gq と共役する受容体（ホスホリパーゼ C を調節する）

受容体にアゴニストが結合すると、Gq を介してホスホリパーゼ C を活性化し、膜リン脂質由来の基質であるホスファチジルイノシトール二リン酸（PIP_2）からイノシトール三リン酸（IP_3）とジアシルグリセロール（DG）が生成する。Gq の q は、queer（奇妙な）の意。

（a）IP_3

ホスホリパーゼ C によって産生された IP_3 は、小胞体に働きかけて Ca^{2+}の遊離を引き起こす。遊離され

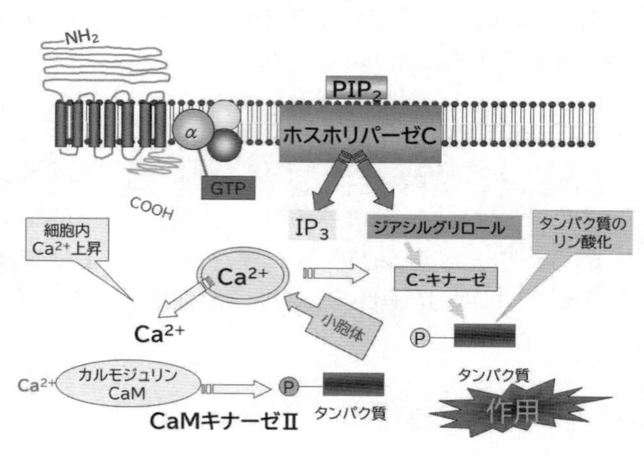

た Ca^{2+}は、カルモジュリン（CaM）を活性化して、引き続きカルシニューリン、CaM キナーゼ、NO シンターゼ等の酵素を活性化させて様々な生体反応を引き起こす。平滑筋に存在する受容体では、CaM キナーゼの活性化に引き続いてミオシン軽鎖キナーゼが活性化され、筋の収縮機構を駆動させるため筋収縮が起こる。

カルモジュリン

カルモジュリンは、細胞内の Ca^{2+}レベルを感じて、様々なカルシウム感受性の酵素、イオンチャネルおよび他のタンパク質へシグナルを伝える仲介の役割をしている。構造は、2 つの球形の領域からなる小さなダンベル形のタンパク質で、おのおのの末端には 2 つの Ca^{2+}が結合している。

（b）ジアシルグリセロール（DG）

ジアシルグリセロール（DG）は、プロテインキナーゼ C（C-キナーゼ）を活性化して、タンパク質のリン酸化を起こし、それに引き続く情報伝達ににより生体反応を引き起こす。

Gq と共役する代表的な受容体

伝達物質	サブタイプ	発現する作用
アセチルコリン	M_1 M_3	胃酸分泌促進 腸管平滑筋収縮、外分泌促進
アドレナリン	α_1	血管、下部尿路平滑筋収縮
ヒスタミン	H_1	血管透過性亢進、血圧下降、I 型アレルギー
アンギオテンシン	AT_1	血管平滑筋収縮(オータコイド)
セロトニン	5-HT_2	平滑筋収縮、血小板凝集

イノシトール３リン酸から一酸化炭素（NO）への伝達系

血管内皮細胞の Gq 共役型受容体の活性化によるカルモジュリン（CaM）の活性化を介して一酸化窒素（NO）合成酵素が活性化されて NO 合成が促進する。この NO は、血管平滑筋細胞のグアニル酸シクラーゼを活性化し cGMP 産生が上昇する（抗狭心症薬の項参照）。cGMP はプロテインキナーゼ G（G-キナーゼ）を活性化し、ミオシン軽鎖ホスファターゼが活性化される。この活性化酵素によりミオシン軽鎖が脱リン酸化されて、ミオシンがアクチンから解離し、血管平滑筋が弛緩する。

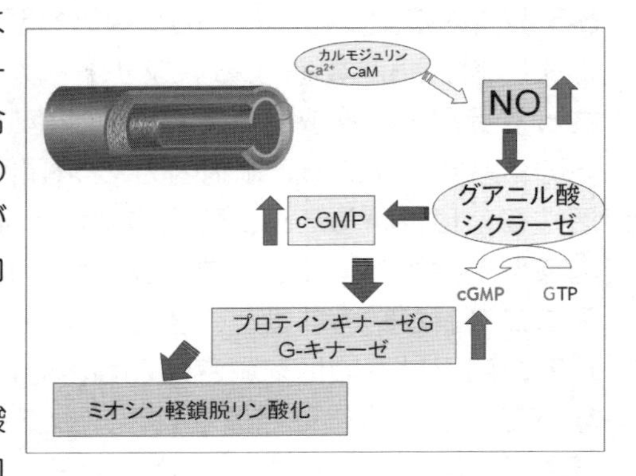

5-4-1-4 Gタンパク質の毒素感受性

バクテリアの産生する毒素には G タンパク質を標的としているものがある。Gs はコレラ毒素の、Gi は百日咳毒素の標的であり、これらの毒素の影響をうけると細胞内の情報伝達系に変化が起こる。

（a） Gs タンパク質　コレラ毒素感受性

Gs は、コレラ毒素によりαサブユニットが ADP リボシル化を受け、GTPase 活性が消失し、GTP を GDP に変換できなくなり、受容体刺激がなくても Gs によるアデニル酸シクラーゼの活性化状態が保持される。このため、cAMP 産生を著しく増加させる。

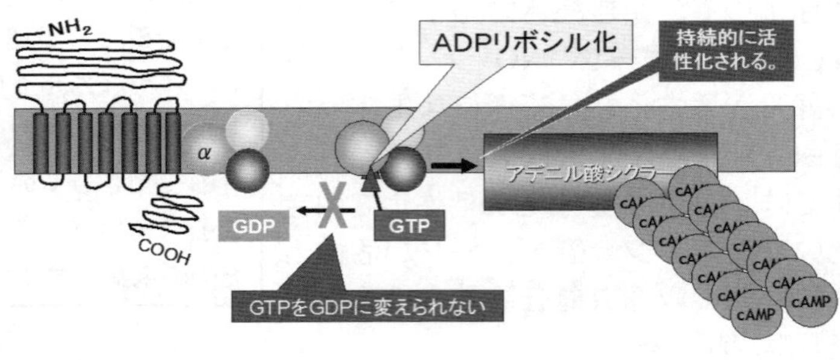

（b）Gi タンパク質　百日咳毒素感受性

Gi は、百日咳毒素により受容体と結合する部分のシステイン残基が ADP リボシル化されるため、Gi が受容体と脱共役し、Gi からの情報が効果器に伝達されなくなる。このため、アデニル酸シクラーゼへの抑制がうまくかからなくなり、その結果 cAMP 産生が増加する。

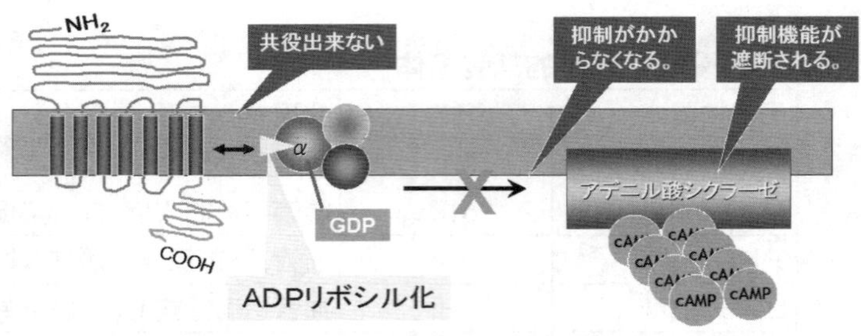

（c）Gq タンパク質　両毒素に非感受性

どちらの毒素にも感受性をもたないタイプ。

5-5 酵素内蔵型受容体とその情報伝達系

細胞膜を一回貫通するペプチド鎖が１－４本合わさって受容体が形成されており、細胞外にはアゴニストの結合部位がある。細胞内の C 末端側の一部が酵素活性を有しているため、酵素内蔵型と呼ばれる。酵素内蔵型受容体の多くはチロシンキナーゼ活性を持ち、アゴニストが結合すると、チロシンキナーゼを活性化して、自己リン酸化を引き起こし、それがシグナルとなって核内に情報を伝達する。インスリン、上皮増殖因子（EGF）、血小板由来増殖因子（PDGF）、肝細胞増殖因子（HGF）、などがこのシグナル伝達系を介して作用を発現する。このほか、非受容体型チロシンキナーゼと共役している受容体がある。インターロイキン受容体などのサイトカイン受容体がこのタイプである。ナトリウム利尿ペプチド受容体も酵素内蔵型受容体でグアニル酸シクラーゼ活性を内蔵している。

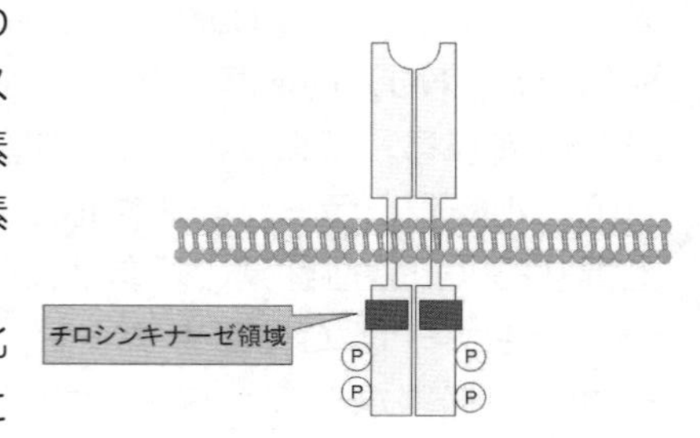

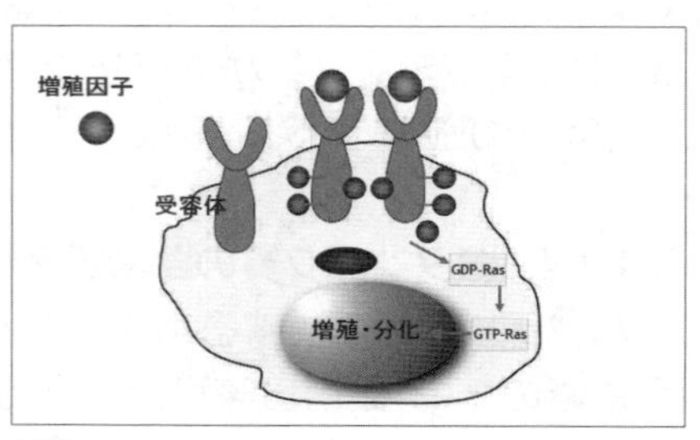

伝達物質	受容体の構造	発現する作用
インスリン	2個のαサブユニットと2個のβサブユニットからなる四量体で活性化により、インスリン受容体基質(IRS)が活性化される。	血糖値低下、細胞増殖
上皮成長因子(EGF)	2量体で、EGFにより受容体内のチロシン残基がリン酸化される。このリン酸化により標的タンパク質のリン酸化を起こす。	上皮成長・増殖
神経成長因子(NGF)	リガンド(ニュートロフィン)が結合すると、受容体であるTrkが2量体化し、細胞内ドメインのチロシン残基を相互にリン酸化する。このリン酸化チロシンに種々の分子が結合し、細胞内にシグナルを伝達する	末梢神経細胞の分化・生存維持 シナプスの可塑性

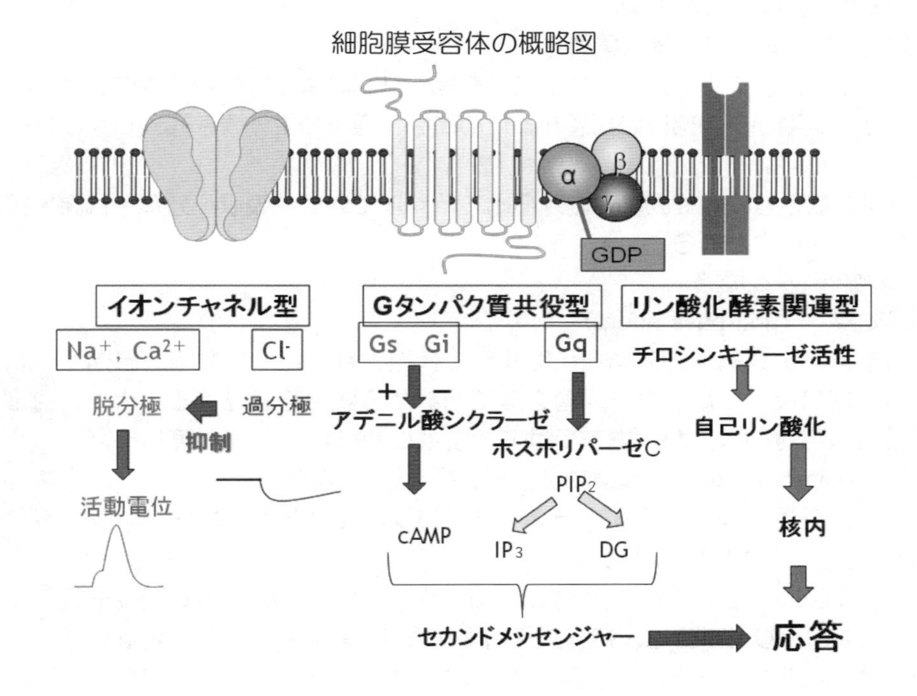

5-6 細胞内および核内受容体

ステロイドホルモンや甲状腺ホルモンの受容体は、細胞膜を通過して、細胞質にある受容体と結合する(ステロイドホルモンの項参照)。糖質コルチコイドの受容体は、細胞質にあり、グルココルチコイドが細胞質で受容体に結合すると、ホルモン-受容体複合体が核内に移行し、遺伝子の発現を調節する。

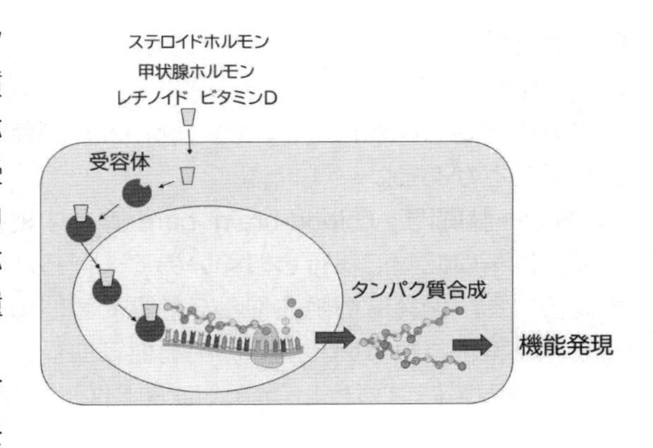

甲状腺ホルモンは、細胞膜を透過して細胞内に入り、核内にある甲状腺ホルモ

ン受容体に結合する。これにより標的遺伝子の転写が促進され、タンパク質合成が促進される。

ペルオキシソーム増殖剤活性化受容体（peroxisome proliferator-activated receptor: PPAR）は、細胞内のオーファン受容体（リガンドが同定されていない受容体タンパク質、孤児受容体）の 1 つでα、β、γの３種のタイプの存在が知られている。PPAR αおよびγはすでに薬物のターゲットとなっている。脂質異常症治療薬のフィブラート系薬物は、PPAR αを活性化して、高脂血症を改善し、糖尿病治療薬のピオグリタゾンは PPAR γを活性化して結合してインスリン感受性を改善する。

6. 薬物の生体内運命と薬効

6-1 薬物の体内動態（生体内運命）

薬物が作用を現すためには、標的となる組織や細胞のような作用部位に到達せねばならない。また、薬物が作用部位に到達するためには、種々の生体膜を通過しなければならない。

薬物が生体に入り、最終的に体内から出て行くまでには、**吸収・分布・代謝・排泄**という４つのパラメータがある。

6-1-1 薬物の吸収と経路

初回通過効果　(first-pass effect)

経口投与後、全身循環に入る前に腸や肝で代謝されることを初回通過効果という。経口投与した場合、腸管をへて門脈から肝臓を通過するため、この過程で投与量の大半が代謝を受けて、全身に運ばれる薬物が著しく減少することがある。このような薬物は、経口投与には適さない。

初回通過効果を受けやすい薬物：テストステロン、エストラジオール、プロゲステロン、ニトログリセリン

吸収される前に消化管内で分解される薬物、消化管吸収のよくない薬物も経口投与不適である。ニトログリセリンは、初回通過効果が大きく経口投与には適さないが、吸収後、直接静脈から心臓に至るために初回通過効果をうけない舌下錠で投与できる。

舌下 ──► 静脈 ──► 心臓 （初回通過効果をうけない）

6-2 薬物の分布

6-2-1 臓器バリアー

生体の特定な臓器には、関門（barrier）が存在し、薬物によっては組織への移行を制限されることがある。

① 血液ー脳関門 （blood-brain barrier） 中枢神経系への移行

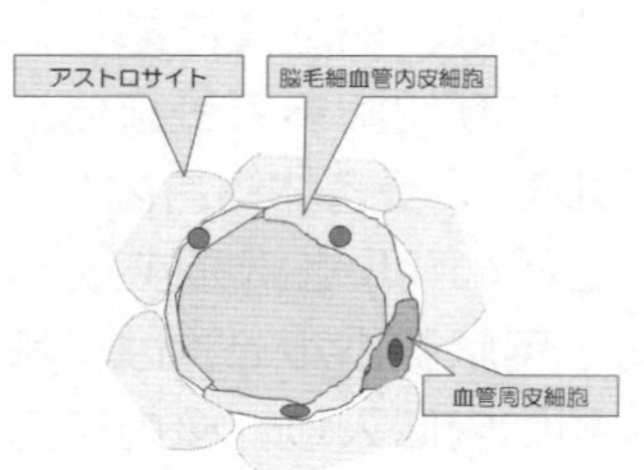

薬物は一般に脳に移行しにくいので、何らかの関門があると考えられる。例えば静脈注射した色素で、他の臓器が染色されても脳は染色されない。脳内の毛細血管血管まで薬物が到達しても、脳実質には移行しない。血液-脳関門の実態は、毛細血

管の内皮細胞にあると考えられている。

通過しやすい薬物：血中でイオン化しないもの。高い脂溶性のもの。グルコース、アミノ酸は通過する。

通過しにくい薬物：イオン化するもの、極性の高いもの

② 血液-脳脊髄液関門（Blood-cerebrospinal fluid barrier）

血液から脳脊髄液への薬物への移行は制限され、移行する場合には高い脂溶性が要求される。

③ 血液-胎盤関門（Blood-placenta　barrier）

母体血と胎児血の間の関門であるが、血液-脳関門ほど厳密な関門ではない。水溶性の薬物や極性の高い薬物は、移行しにくい。

④ 血液-精巣関門（Blood-testis barrier）

種々の色素投与実験で、精巣の染色の度合いは、多の臓器と比較して低い。関門としては、精巣間壁と Sertoli cell junction の存在が明らかにされている。

6-3 薬物の代謝　　生体内変化（biotransformation）

6-3-1　第Ⅰ相反応と第Ⅱ相反応

薬物代謝は一般的に 2 段階で行われる。第Ⅰ相反応ではもとの薬物を酸化、還元、加水化により、化合物の中に官能基（-OH や-NH_2 など）を導入あるいは露出させ、代謝物に変換する。

第Ⅱ相反応は、薬物あるいは代謝産物に内因性の物質（例：グルクロン酸、硫酸など）を結合（抱合）させることによって、極性を有する物質をつくる。この極性の高い胞合体は一般に不活性で、尿や糞中に排泄される。

第Ⅰ相反応と第Ⅱ相反応は必ずしも、その順番で起きるわけではなく、第Ⅱ相反応が選考して起こる場合もある。

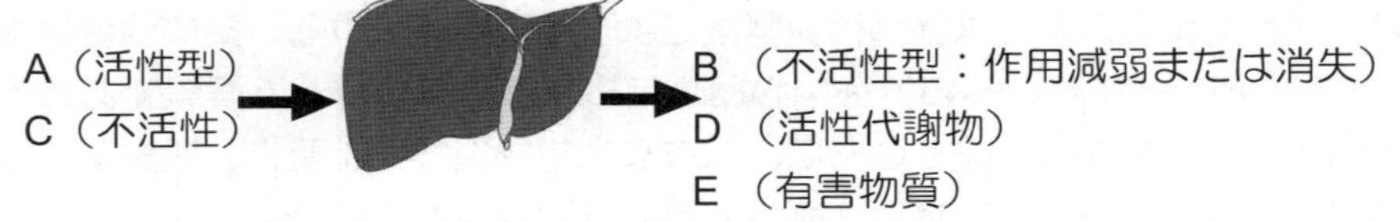

（1）　第Ⅰ相反応：酸化・還元・加水分解

酸化：水酸化、*O*-脱アルキル反応、*S*-脱アルキル反応、*N*-脱アルキル反応

還元：ニトロ基還元、アゾ基還元、還元的脱ハロゲン反応、カルボニル還元反応

加水分解：エステル分解、酸アミド分解、エポキシド分解

（2）　第Ⅱ相反応：抱合

1）**グルクロン酸抱合**：肝細胞中の滑面小細体にあるグルクロニルトランスフェラーゼによって、グルクロン酸が薬物に結合し水溶性の物質に変わる。クロラムフェニコール、メプロバメート、モルヒネは、この経路で代謝される。

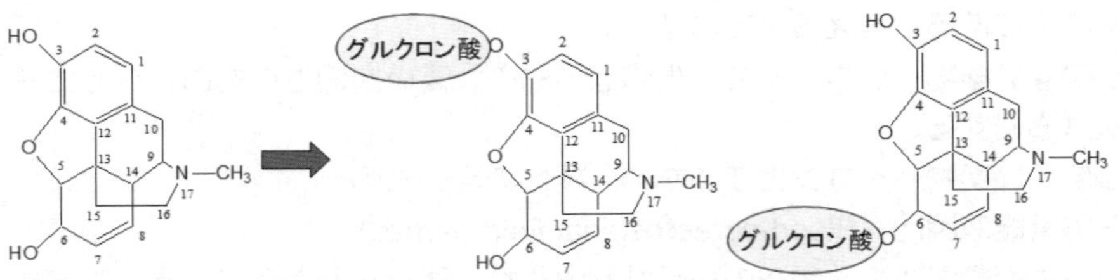

2）**硫酸抱合**：フェノール類やアルコール類と無機硫酸塩との反応であり、無機硫酸塩の一部はシステインのようなイオウを含むアミノ酸（例：システイン）に由来している。生成された硫酸エステルは、極性が強く、尿中に排泄される。硫酸抱合される薬物には、アセトアミノフェン、エストラジオール、メチルドパ、ミノキシジル、チロキシンがある。

3）**アセチル抱合**：肝のN-アセチルトランスフェラーゼによる薬物の不活性化で主として芳香族アミンである。

4）**アミノ酸抱合**：グリシン、グルタミン、タウリンなどのアミノ酸と薬物のアミド結合により抱合体を形成するもの。

5）**メチル胞合** O-メチル化、S-メチル化

（3） 薬物代謝酵素系 （drug metabolizing enzymes）

体内に取り込まれた薬物の多くは薬物代謝酵素によって代謝を受ける。薬物代謝酵素系は、ヘムタンパクのチトクロム P-450 を中心とした複雑なミクロソーム酵素である。この酵素系は遺伝子により制御されるとともに、様々な化学物質（例：薬物、殺虫剤、除草剤、喫煙、カフェイン）に反応し、誘導（刺激）または阻害される。

1原子酸素添加酵素（monooxygenase）　シトクロム P_{450} CYP

$A + NADPH + 0_2 + H^+ \rightarrow AO + NADP^+ + H_2O$

特徴

1. 肝ミクロソームに局在　（他の臓器の活性は 1/5 ～ 1/30）
2. 多数のイソ酵素が存在　（薬物の代謝に関係するのは、1-3 群）

   1A2、2A6、2C9、2C19、2D6、2E1、3A4

   分子種の酵素活性はヒトにより大きく異なっている。

   分子種により基質特異性がある。
3. 脂溶性の薬物しか酸化しない。
4. 基質特異性がきわめて低い。
5. 多くの化学物質により酵素誘導（enzyme induction）を受ける。

6. 基質特異性が低いので、他の薬物や化学物質により活性が阻害されやすい。

6-4 薬物の排泄

6-4-1 腎からの排泄：糸球体ろ過によるものと腎尿細管から分泌されるものがある。

（1） 糸球体ろ過

分子量が 5000 以下のものはすべて腎糸球体でろ過される。ろ過される薬物の量は、遊離型薬物の濃度に比例して増大する。血漿アルブミンなどに結合した薬物はろ過されないため、この機構では排泄されない。糸球体でろ過された一部の薬物は、主として近位尿細管で再吸収されて、血中に戻される（再吸収）。

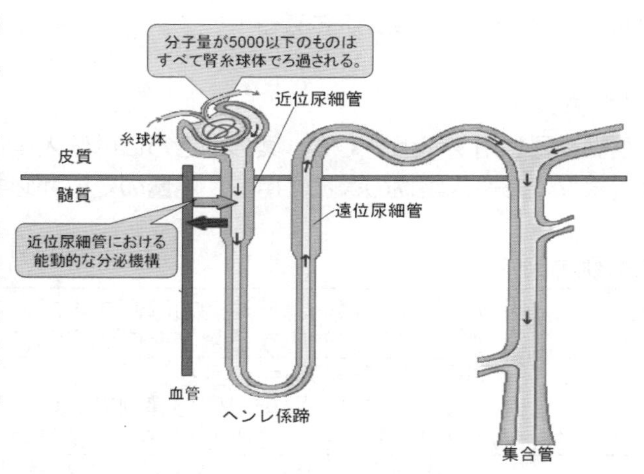

（2） 尿細管分泌

本来は、生体で産生される尿酸などの排泄のために存在している機構であるが、薬物によってはこの機構を介して尿細管に分泌される。近位尿細管における能動的な分泌機構で、有機アニオンおよびカチオントランスポーターや P 糖タンパク質を介して行われる。ペニシリン、サリチル酸などの多くの薬物の排泄に重要である。

6-4-2 肝-胆汁中への排泄

分子量 300 以上の薬物や、極性基と親油性基をもつ薬物は、胆汁中により排泄されやすい。強酸性薬物、強塩基性薬物、強心配糖体などは、能動輸送を介して、胆汁中へ排泄される。胆汁中に排泄された薬物が、腸管から再び吸収され、血中に移行することがあり、これを**腸肝循環**と呼んでいる。この機構は、本来ビタミン D やビタミン B_{12}、葉酸、ピリドキシン、エストロゲンなどの生体成分の有効再利用のためのものであるが、ジゴキシン、インドメタシン、モルヒネなどはこの機構により再吸収される。モルヒネなどは、グルクロン酸抱合を受けて胆汁中に排泄されるが、小腸内の細菌叢のβ-グルクロニダーゼで抱合が外されて元の薬物になり再吸収される。

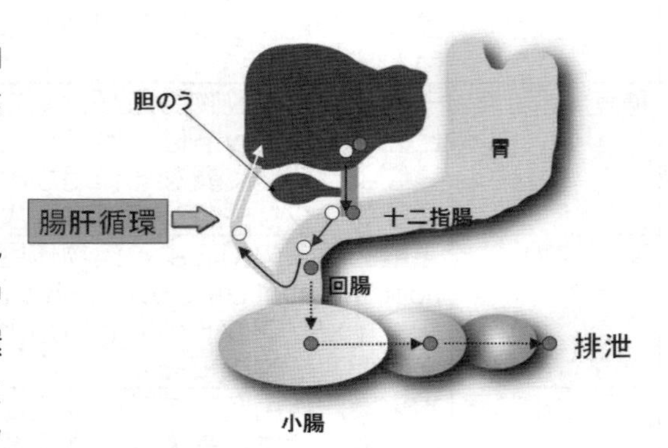

6-4-3 その他の部位からの排泄

（1）**呼気からの排泄**：薬物によっては、揮発性の麻酔薬やアルコールのように呼気から排泄されるものもある。

(2) 唾液：多くの場合は受動輸送によって唾液腺から唾液中に排泄される。一部の薬物には能動輸送系が存在すると考えられている。

(3) 乳汁：一般に受動輸送によるものと考えられている。炭酸リチウムやニコチンなどは、乳汁中に一部排泄されるため、乳児の安全性を考慮に入れなければならない。

その他、汗からの薬物の排泄もある。

7. 薬効の個人差

同じ薬物を同じ用量で用いても、薬の効き方には個人差が生じる。薬効に個人差が生じる要因は様々であり、薬物の選択、用法、用量の変更が必要となる要因となる。

7-1 生体側の因子

個体差	吸収、分布、代謝、排泄能力は個体差が大きい。 薬物の投与量に対応する臨床反応の予測を困難にする一要因
病態	肝障害、腎障害の有無、全身状態 例：モルヒネは、腎排泄型の薬物であり、腎障害がある患者では 6 位のグルクロン酸抱合体の排泄が減少するため作用が増強される。
年齢	小児：小児の生理機能の発達には個人差が大きく、予想外に薬の作用が強く現れることもある。 例：新生児は、グルクロン酸抱合能が低いので、クロラムフェニコールを投与すると血中に長くとどまりグレイ（灰白）症候群を引き起こすことがある。 高齢者では、薬の作用が 強く現れることがある。 例：ベンゾジアゼピン系催眠薬の効果は、高齢者で著しく強く現れる。
性別	女性の方が薬物に感受性が高い傾向がある。 動物での例：ラットではヘキソバルビタールの睡眠時間は、雌の方が長い。
種差	一般的に高等動物の方が、薬物に対する感受性は高い。 ヒトとモルモットは、ヒスタミンに感受性が高い。 種によって全く異なる作用が出現することもある。 （薬効スクリーニングでは、よく考えておく必要がある）
遺伝的因子	遺伝的酵素欠損による薬物作用の変化が知られている。 poor metabolizer と extensive metabolizer の存在、遺伝多型性 例：イソニアジドのアセチル化は白人と日本人では異なる。 （薬理遺伝学の項参照）
プラセボ効果	本来薬理作用を持たない物質が治療効果を持つこと。 新薬開発では、考慮すべき重要な効果。
アレルギー	じん麻疹、発熱、ぜん息、顆粒白血球減少、ショック
生体リズム（時間薬理・時間治療）	薬物代謝酵素に日内変動があるため、一日のうちでも時間帯によって主作用の強さや副作用の強さが変わる。その他の生理機能にも日内リズムが存在する。 疾患にも、発症する時刻や病状の増悪する時刻に、日内リズムが認められることがある。

7-2 薬物側の因子

投与量	一般に増量により薬理効果は増加する（用量-反応曲線）。 薬物によって、血中濃度が線形（一次速度過程）を示すものと、非線形（ゼロ次速度過程）を示すものがある。非線形を示す薬物の場合は、投与量が 2 倍になると、血中濃度は 2 倍以上になり、中毒症状を発現することもある。また、非線形性を示す薬物の投与量を急激に減らすと、急激に血中濃度が減少し、離脱症候群が発現する場合がある。
適用方法	経口、注射、吸入、舌下、直腸内 一般に薬物が生体膜を通過すればするほど薬物の作用は弱くなる。 静脈注射では、生体膜を通過することなく薬物が血中に入るので、投与直後に血中濃度のピークが現れる。
薬物間相互作用	薬力学的相互作用 薬物動態学的相互作用 【薬理遺伝学の項参照】

7-3　その他の薬の作用強度を規定する因子

7-3-1 受容体と薬物の親和性

親和性とは、受容体に結合する強さを示す指標であり、内活性の有無とは関係がない。受容体に対する**薬物の親和性（affinity）**は、それぞれの薬物によって異なる。従って同じ受容体に作用する薬物でも、同じだけの効果を示す用量や濃度はそれぞれの薬物で異なる。

7-3-2 受容体の過感受性（supersensitization）

除神経や薬物により神経伝達物質を枯渇させたままにしたり、持続的に伝達物質の遊離を抑制すると、受容体のアゴニストに対する感受性が著しく亢進することがある。このような現象を**過感受性（supersensitization）**と呼んでいる。この原因として、受容体の数の増加（up-regulation）や受容を介した情報伝達系の亢進などが知られている。また、アンタゴニストに長時間暴露させた後投与を中止し、アゴニストを投与したときにも過感受性がみられることもある。

7-3-3　受容体の脱感作（desensitization）

薬を持続的または短時間に頻回投与すると、その薬物に対しての反応性が急激に低下することがある。一度受容体にアゴニストが作用すると、数十秒から数時間にかけて受容体が反応しなくなることがある。また、長時間アゴニストに暴露されたままの状態になると、受容体の数が減少し反応性が低下する。このような現象を総称して**脱感作または脱感受性（desensitization）**と呼んでいる。治療薬の中で、リュープロレリンのように脱感作を主作用とするものもある（抗腫瘍薬の項参照）。

7-3-4 タキフィラキシー （tachyphylaxis）：　tachy 早い　　phylaxis 防御

薬物を短時間に反復投与するとき、作用が急速に消失する現象を「タキフィラキシー」（促成耐性）と呼んでいる。フェニレフリンのアドレナリン α_1 受容体を介する昇圧反応は、反復静注によりタキフィラキシーを生じて急激に作用が消失するが、これはα_1受容体が脱感作を起こすためである。

アンフェタミンやエフェドリンを頻回に静脈投与すると、遊離されうる交感神経終末のノルアドレナリンが枯渇するために、血圧上昇効果はタキフィラキシーを生じて急激に低下する。

8. 薬物相互作用

二種類以上の薬物を併用することにより、薬効が減少したり、逆に強くなったり、さらには予期できない有害事象が発生することがある。これらを総称して薬物相互作用（Drug interaction）という。臨床において、薬物相互作用は、薬物の併用投与時に多かれ少なかれ起きている現象である。メカニズムの違いから、薬力学的相互作用と薬物動態学的相互作用に分類される。

8-1 薬力学的相互作用（pharmacodynamic drug interaction）

複数の薬の間で薬理作用が重なり合ったり、また、相反する作用でうち消しあったりすることにより、あるいは併用薬が薬物感受性変化を引き起こすことにより起こる現象。

作用が増強される例としては、以下のようなものが挙げられる。

① 全身麻酔薬のハロタンは、心臓に対するカテコールアミンの作用を増強するため、ノルアドレナリン等の投与により不整脈を起こす。

② アルコール（飲酒）により、催眠薬などの中枢抑制薬の作用は増強される。

③ アミノグリコシド系抗生物質により、ツボクラリンの筋弛緩作用が増強される。

④ 納豆やブロッコリー（ビタミン K が多い）は、抗血栓薬ワルファリンの効果を減弱させる。

8-2 薬物動態学的相互作用　（pharmacokinetic drug interaction）

薬物の吸収、分布、代謝および排泄の過程における相互作用の結果、薬物あるいは活性代謝物の血中濃度あるいは組織分布が変化することにより引き起こされるものである。

8-2-1　吸収過程における薬物相互作用

胃内容排出速度に影響する薬物との併用は、錠剤の崩壊性や小腸移行速度を変化させることにより消化管からの薬物の吸収速度を変動させる。抗コリン薬は、胃内容物の排出を遅らせるので、経口投与された他の薬物の消化管での吸収を遅延させる。また、摂食により胃内容排出速度が遅くなり、小腸からの吸収が遅くなることが多い。

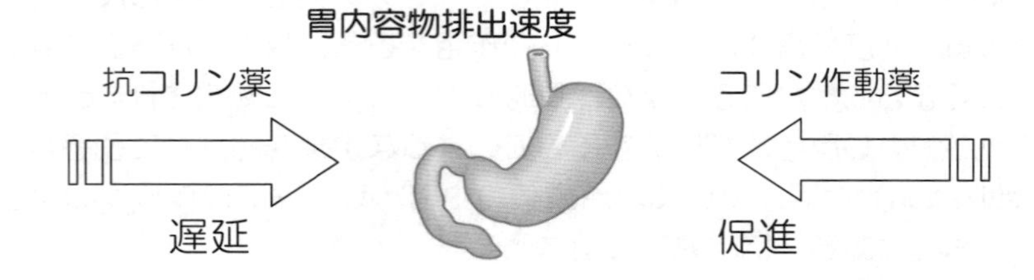

吸着作用の強い薬物と吸着されやすい薬物併用すると、薬物どうしのの吸着がおこり．吸収に影響が出る場合がある。
例：コレスチラミンは陰イオン交換樹脂で吸着力が強く、吸収されない薬物である。ワルファリンと併用すると、ワルファリンは、コレスチラミンに吸着されて一緒に排泄されるため、ワルファリンの吸収は著しく低下する。

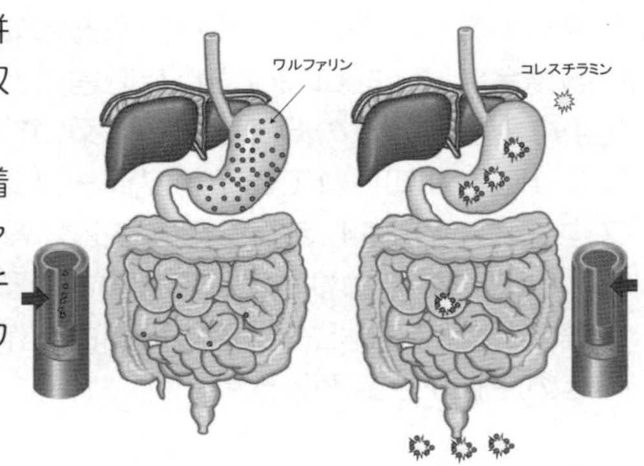

8-2-2 分布過程における薬物相互作用

多くの薬物は、血漿中で血漿タンパク質（とくに、アルブミン）と結合して、一部あるいは大部分が結合型として存在する。また、組織内ではタンパク質やある種の組織成分と結合している。一部の薬物は α1-酸性糖タンパク質、リポタンパク質、あるいはその他のタンパク質に結合する。血漿と組織の間の薬物の移行は非結合形（型）によってのみ行われるので、他の薬物Bの投与で薬物 A のタンパク質結合が置換され、非結合型の割合が増加すると、薬物相互作用の原因となることがある。また、一部の薬物については、その組織分布にトランスポーターの関与が報告されている。特にアルブミンと結合しやすい薬物にワルファリンが知られており、他薬との併用に注意が必要となっている。

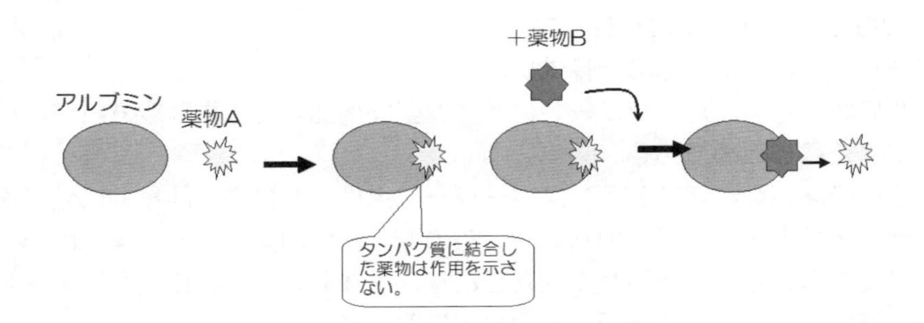

8-2-3 代謝過程における薬物相互作用

代謝過程における薬物相互作用の代表的なものとしては、薬物代謝酵素チトクロム P450（CYP）に関連するものがある。チトクロム P450 には CYP1A2、CYP2C9、CYP2C19、CYP2D6 および CYP3A4 などの多くの分子多型が知られている。P450 多くの薬物の代謝に関与し、基質特異性が低いことから、薬物間で程度の差はあるものの競合的阻害が起こる。しかし、代謝される分子種と阻害する分子種は必ずしも一致しないこともあり、その薬物を代謝しない P450 の分子種を阻害することもある。たとえば、キニジンは、主として CYP3A4 で代謝されるが、CYP2D6 を強く阻害する。P450 は肝臓のみならず小腸においても

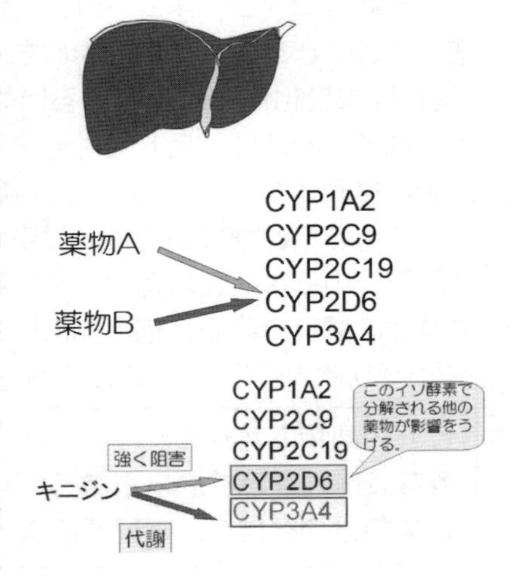

発現しており、その分子種が初回通過効果に関与している場合には、経口投与された阻害薬、あるいは飲食物中の阻害成分との間でしばしば薬物相互作用を引き起こすことが知られている。グレープフルーツジュース中には CYP3A4 を強く阻害する物質が存在するので、CYP3A4 により主として代謝されるカルシウム拮抗薬などの経口薬との併用した場合、作用が増強されるため注意が必要である。

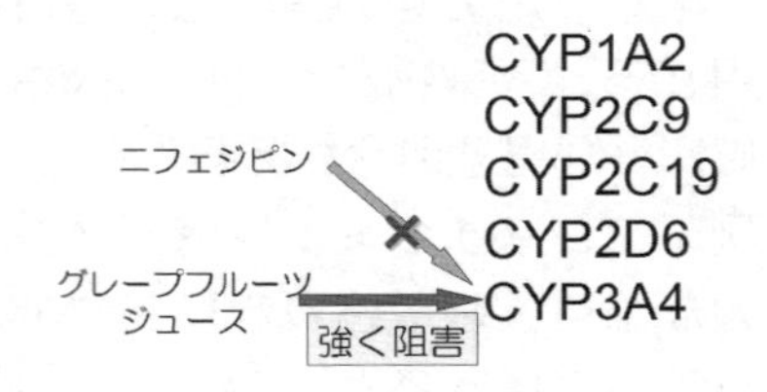

8-2-4 排泄過程における薬物相互作用

薬物の多くは腎臓の腎糸球体でろ過され、尿細管で受動的に再吸収されるが、極性の高い薬物は一般的に再吸収されずに尿中へ排泄される。再吸収率の高い薬物（弱酸性、弱塩基性薬物）は、尿の pH を変化させる薬物を併用すると尿中排泄が変動し薬物相互作用が起こることがある。例えば、バルビツレートの排泄は、炭酸水素ナトリウムなどを投与して尿をアルカリ性にすると促進される。これは、尿の pH がアルカリ側に傾くと、バルビツレートのイオン型が増加して、再吸収されにくくなり、排泄されやすくなるためである。

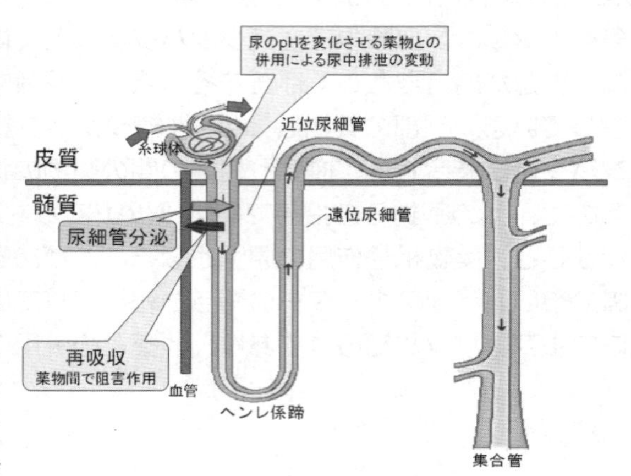

一方、極性の高い薬物にはトランスポーターにより尿細管中に能動的に分泌されるものが多く、その後再吸収されるものもある。この際、酸性の薬物間で、または塩基性の薬物間で阻害作用が起こり、薬物相互作用を起こすことがある。一般に、酸性の薬物については塩基性の薬物にくらべて薬物相互作用の報告例が多い。

痛風治療薬のプロベネシドは、尿酸と有機アニオン輸送系で競合するため、尿酸の排泄を増大する。また、代謝物の中にも併用薬との間で相互作用を起こすものもある。

薬物は未変化体のまま、あるいはグルクロン酸や硫酸などの抱合体として、胆汁中へ排泄される。例えば、ヒトでは分子量が比較的大きく（約 450 以上）、かつ水溶性の未変化体または代謝物の多くは、もっぱら胆汁中へ排泄される。これらの排泄はトランスポーターによることが多いので、併用により薬物相互作用が起こることがある。また、抱合体は、胆汁中に排泄され消化管内で脱抱合され、再吸収されることが多く、この現象は腸肝循環と呼ばれている。抱合体の胆汁中排泄における薬物相互作用が生じると血漿中での未変化体の滞留時間や AUC に影響を与えることがある。

ヒトの薬物に対する反応は、すべて同じではない。著しい個人差や、予想もしない特殊な反応性を示す場合もある。薬物反応性の中で、遺伝的因子が関与するものがあり、この部分の領域を、薬理遺伝学　Pharmacogenomicsと呼んでいる。

9. 薬物依存性と耐性

9-1 薬物依存 （drug dependence）

薬物を摂取したときの快適な気分を味わい、連用すると、薬物が切れたときの苦痛や不快感を生ずるようになり、この状態から逃れるために、連続的または周期的に薬物を激しく摂取しようとする状態をいう。薬物依存は **精神依存と身体依存に分類される**こともあるが、特に厳密に分けられない場合もある。

9-1-1 精神依存

ある薬物の特定の作用を経験したいために、薬物摂取への耐え難い脅迫的欲求が起こっている状態。

9-1-2 身体依存

薬物の反復使用に反応して生体のホメオスタシス機構が変化することにより生じた適応の結果として発現する状態。このため、身体依存の状態になると薬物なしでは正常な機能が働かず、各種の身体的な障害、すなわち退薬症状（禁断症状）が生じ、薬物の摂取を中止することができなくなる。

適切な医学的な指示のもとに正しい用量の薬剤を摂取している患者でも身体依存を示すことがある。

各薬物の依存の型

タイプ	中枢作用	精神依存	身体依存	耐性	代表薬物
アルコール	抑制	＋＋	＋＋＋	＋＋	アルコール
バルビツレート	抑制	＋＋	＋＋＋	＋＋	バルビツレート、ベンゾジアゼピン系薬
オピオイド	抑制	＋＋＋	＋＋＋	＋＋＋	モルヒネ, ヘロイン,コデイン,ペチジン
アンフェタミン	興奮	＋＋＋	—	＋＋＋	アンフェタミン, メタンフェタミン
コカイン	興奮	＋＋＋	—	—	コカイン
大麻型	抑制	＋＋	—	—	マリファナ （ハシシュ）
幻覚発現薬	興奮	＋	—	＋＋	LSD-25, メスカリン
有機溶媒	抑制	＋	—	?	トルエン

—：なし　＋：軽度　＋＋：中等度　＋＋＋：高度

9-1-3 中毒と依存

この 2 つはしばしば混同して用いられるが、中毒の場合は、自分の意志とは関係なく薬物を摂取して起こる状態を言う。依存の場合は、自ら薬物を求め、摂取することを言う。

9-2 報酬効果と強化効果

ヒト・動物の脳において、欲求が満たされたとき、あるいは満たされることが分かったときに活性化し、その個体に快の感覚を与える効果のことを報酬効果という。薬物の使用により脳内の報酬系と呼ばれる神経系が活性化されると快く感じる。この報酬系では腹側被蓋野ー中脳辺縁系のドパミン作動神経が中心的な役割を果たしており、覚せい剤などは、このドパミン作動神経終末部のシナプス間隙でドパミンを増やすため、強い快感を覚える。これが報酬となり、次の使用の引き金になり、連用から薬物依存に至る。

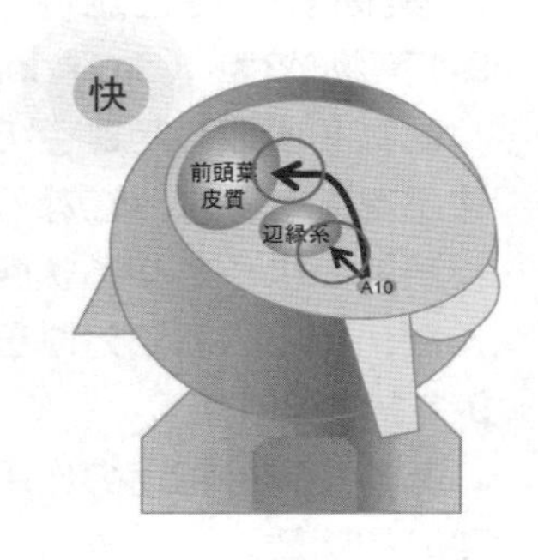

薬物の連用により報酬効果が強くなることを**強化効果**という。
強化効果には正の強化効果と負の強化効果がある。

正の強化効果：今までに感じたことがない快感や満足感をもたらすことで、快楽を誘発する行為が反復的になっていく過程。

負の強化効果：不快な症状が終わることにより得られる利益慢性使用後の突然の中断は、不快感および渇望に基づく行動パターンを引き起こし、このような不快感を避けるために薬物を使用する。

9-3 退薬症状

身体依存を生じた患者が、その薬物の投与を中止すると、使用薬物によっても異なるが、不安、不眠、嘔吐、関節の痛み、筋肉痛、痙れん、振戦、発熱などの特有の症状を生じる。この症状を退薬症状という。離脱症状、禁断症状ともいう。薬物によって、生じる退薬症状は異なる。

9-4 耐性 （tolerance）

薬物を連用することにより、用量を増加しないと初期の効果が現れなくなること。薬物依存にならない薬物でも耐性を生成するものがある。

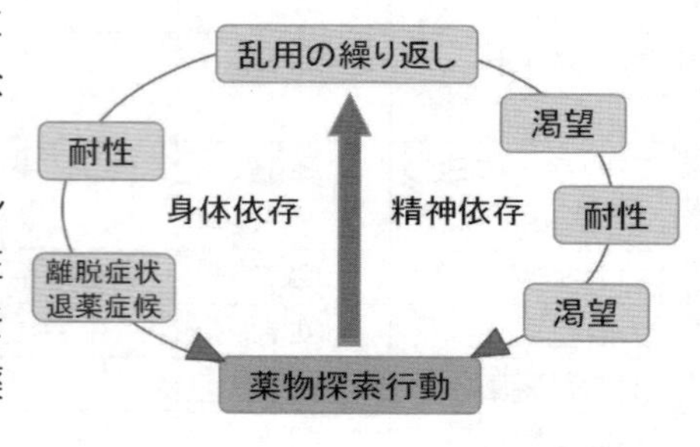

耐性を生ずると、薬物の投与量や投与頻度が増加しやすくなる。薬物依存を起こす薬物の中には、耐性を起こすものが多いが、全ての依存性薬物が耐性を生ずるわけではない。また、耐性を起こしやすい薬物が、すべて薬物依存を生じるわけではない。

交差耐性 （cross tolerance）：ある薬物に耐性ができると他の薬物に対しても耐性ができること。

9-5 フラッシュバック現象

いったん病的な状態になると、脳に薬物の記憶が残り、ストレスを感じたり、飲酒したりした場合に、突然薬物を使用した時と同じような幻覚や妄想が現れる場合がある。これをフラッシュバックという。

9-6 薬物乱用

薬物の乱用とは、医薬品を、医学の常識を無視した用途または用法によって使用すること、または医療目的では使用されない薬物を不正に使用することによって、個人または社会に有害となる状態のことをいう。「薬物乱用」は、社会規範からの逸脱という尺度で評価した用語で、本質的には医学的用語ではない。このため世界保健機関の国際疾病分類第10版（ICD-10）では文化的・社会的価値基準を含んだ薬物乱用（drug　abuse）という用語を廃し、精神的・身体的意味での有害な 使用パターンに対しては「有害な使用（harmful use）」という用語を使用している。

薬物依存と薬物乱用

薬物依存を起こす薬物が必ずしも乱用されるわけではなく、乱用される薬物が必ずしも依存に至るわけではない。しかし、乱用によって薬物依存に至るケースは非常に多い。薬物の乱用は、薬事法や覚醒剤取締法、麻薬および向精神薬取締法、あへん法、薬物および毒物取締法によって規制されており、使用すると厳しく処罰される。

10. 薬理遺伝学（Pharmacogenomics）

10-1 遺伝的形質と薬物反応

10-1-1 生体における薬物代謝変化

1．イソニアジドの代謝遅延

イソニアジドの代謝には著しい個人差があり、代謝の遅いグループと代謝の早いグループの2群に分額される。多発性神経炎や全身性ループスはslow acetylatorで出現しやすい。

Rapid　acetylator は、N-アセチルヒドラジンが生成されやすく、このため肝炎の発生に関係する。

$CONHNH_2$ → N-acetylation → $CONHNHCONH_2$

薬効(+)
多発性神経炎(+)

COOH + H_2N-$NHCOCH_3$

肝障害(+)　尿中排泄

①原因：肝アセチル化酵素の低下
②遺伝型式：常染色体劣性
③特徴：slow acetylator：白人50%、日本人10%
④その他の関連する薬物：ヒドララジン、スルファメタジン

2．スキサメトニウム過敏症

麻酔時にスキサメトニウムによる筋弛緩が異常に長く続く患者が時々みられ、無呼吸の持続により死亡するケースがある。

①原因：血清仮性コリンエステラーゼの異常
②遺伝型式：常染色体劣性
③特徴：白人では3000人に1人

3．薬物代謝酵素（チトクロムP450の異常）

デブリソキン代謝不全

チトクロムP450には数多くの分子種が存在する。交感神経遮断薬のデブリソキンの水酸化にはextensive metabolizer（EM）とpoor metabolizer（PM）が存在する。

①原因：デブリソキン4-水酸化酵素の活性低下

②遺伝型式：常染色体劣性（CYP2C6の発現欠損が関与）

③特徴：白人では2～3%、東洋人では1%以下

④その他の関連する薬物：プロプラノロール、メトプロロール、フェナセチン

4. メフェニトイン立体選択的水酸化不全

メフェニトインはS - 体が立体選択的に代謝される。S-メフェニトイン4’－水酸化酵素が低下している。ヒトでは尿中への排泄のS/R比が異常に増加するとともに、強い傾眠傾向が見られる。

①原因：S - メフェニトイン4’－水酸化酵素異常

この酵素は、CYP2C19であることが同定された。

②遺伝型式：常染色体劣性（CYP2C19の発現欠損が関与）

③特徴：白人では2～3%、東洋人では20%

④その他の関連する薬物：ヘキソバルビタール、ジアゼパム

5. アルコールおよびアルデヒド代謝の個人差と人種差（日本人や東洋人がアルコールに抵抗性が弱い原因）

アルコールデヒドロゲナーゼの多型性とアルデヒドデヒドロゲナーゼの多型性、人種差

①原因：異型アルデヒドデヒドロゲナーゼ

②遺伝型式：不明（酵素分子中の47番目のアルギニンがヒスチジンに変化している）

③特徴：白人では4～20%、東洋人では90%

アルコール性flush

血漿アセトアルデヒドが50～100倍高くなる。顔面紅潮、悪心、嘔吐

①原因：アルデヒドデヒドロゲナーゼlow Km酵素の欠損

②遺伝型式：不明（酵素分子中の47番目のアルギニンがヒスチジンに変化している）

③特徴：白人ではごくまれ、日本人では40%

10-2 生体組織の薬に対する異常感受性

1. 薬物による溶血

①原因：G-6-Pデヒドロゲナーゼ活性の欠如によるGSHの低下

②遺伝型式：性染色体不完全優性　女性に多発

③特徴：黒人と地中海住民

④関速する薬物：プリマキン、アセトアニリド、フェニルヒドラジンなど多数

2. 薬物性メトヘモグロビン血症

①原因：メトヘモグロビンレダクターゼの欠如

②遺伝型式：常染色体劣性

③特徴：全人口の約1%
④関連する薬物：G-6-Pデヒドロゲナーゼ活性の欠如の場合と同じ薬物

3. 悪性高熱症
①原因：リアノジン受容体変異
②特徴：麻酔患者中0.005%
③関連する薬物：種々の全身麻酔薬、特にハロタン

4. アドレナリンβ$_2$受容体アゴニスト抵抗性
①原因：β$_2$アドレナリン受容体脱感作亢進
②特徴：白人・日本人ともに30%
③関連する薬物：β$_2$アドレナリン受容体アゴニスト

11. 薬物の主作用と副作用および毒性

①主作用（main effect）/ 副作用（side effect）/ 有害事象（adverse event）

主作用：治療の目的に合致する作用
副作用：治療上不必要かまたは有害作用
（目的でない残りのすべての作用）

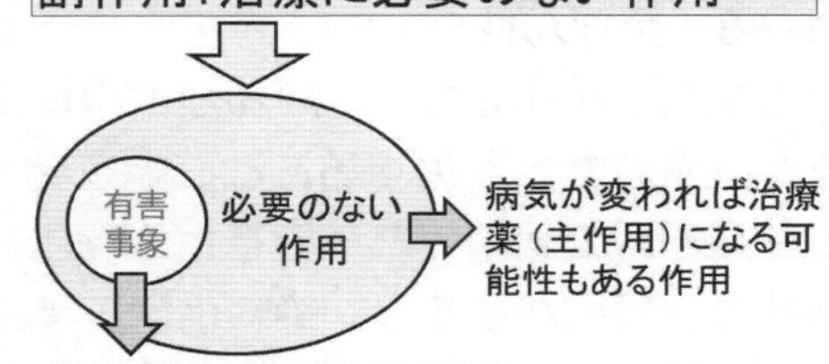

11-1 副作用と有害事象

副作用（side　effect）とは目的以外の作用を示している。たとえば、ベンゾジアゼピン系薬物には、抗不安作用、催眠作用、鎮静作用、筋弛緩作用があり、どれも治療上重要な作用で主作用となりうるが、抗不安作用のみの目的で使用すると他の作用は必要のない、つまり副作用となるのである。<u>有害事象（adverse event）とは、生体にとって好ましくない作用のこと</u>であり、本来副作用は、好ましい作用でないことが多いため、副作用と有害作用という言葉が混同されやすい。有害事象は、決して主作用になることはないので、副作用と有害事象という言葉は本来概念が異なるものである。

11-2　薬物の有害作用と毒性

11-2-1　薬物の毒性

「毒と薬は紙一重」という言葉があるが、妙薬も適正に使用されなければ一転して毒となることを示している。毒性（toxicity）とは、薬物の示す薬理作用の 1 つであり、以下の 3 つに大別される。

① 主作用が過大となったことに基づく毒性（抗高血圧薬の過量投与による過度の血圧下降など）
② 薬物が持つ目的とする作用以外の作用すなわち副作用に基づく毒性（アトロピンを鎮痙薬として用いたときの散瞳など）
③ 患者の素質・素因に基づく過敏反応と特異体質による毒性がある。主作用に基づく

毒性は、通常用量依存的に起こることが多いため予測が可能であり、発見も容易な場合が多いのに対し、副作用に基づく毒性は予想が困難で、見逃してしまう場合も多く重大な結果を招く原因となるケースもある。

薬物による毒性としては、細胞毒性（cell toxicity）、発ガン性（carcinogenicity）、催奇形性（teratogenecity）遺伝毒性、薬物アレルギー（drug allergy）があげられる。

11-2-2　細胞毒性

細胞に毒性を引き起こす薬物のうち、薬物そのものが毒性を引き起こすものは少なく、その代謝産物が活性中間体であったり、DNA やタンパク質などと反応して共有結合体を形成したり、細胞内において酸化的ストレスを生じたりすることによりネクローシスやアポトーシスのような細胞死を発現するものが多い。薬物によって誘発される細胞毒性は、肝臓において認められることが多いが、この原因の 1 つは、肝において薬物が濃縮され濃度が高くなることである。かつて全身麻酔薬として使用されたクロロホルムは肝毒性が強く、現在は使用されなくなった。四塩化炭素は、投与により速やかに活性代謝産物となり小胞体でフリーラジカルが生成し、そのために脂質過酸化が生じて肝障害を引き起こす。解熱鎮痛薬のアセトアミノフェンは、N-水酸化体が肝障害を生ずる。また、腎臓においても薬物が濃縮され、濃度が高くなることがある。急性腎不全を起こす薬物として、シクロスポリンやアミノグルコシド系抗生物質、シスプラチンなどが知られている。

11-2-3　発がん性

化学発がんすなわち、がんが化学物質によって発生することは、煤煙に長期間暴露されると皮膚にガンを生ずることに端を発しており、1775 年に初めて科学的に、すすとタールが発がんの原因であろうことが報告された。その後、1930 年代になって化学物質による発ガン研究がすすみ、染料化学工業従事者に膀胱がんが多いことから、1937 年に 2-ナフチルアミンの膀胱発がん性が実験病理学的に突きとめられた。発がん性を示す化学物質の数は、年々増加の一途をたどっている。また、自然食品中にも多くの発がん性物質が見いだされるようになっている。医薬品の発がん性の一例として、合成卵胞ホルモン薬のジエチルスチルベストロールは、前立腺がんの治療に用いられるが、過去に流産防止などの目的で妊娠中に本薬による治療をうけた婦人の女児において、膣や子宮に腺がんが発生したことが明らかになっているため、女性への適用はない。また、アニリン誘導体のフェナセチンは、解熱薬として過去に用いられていたが、ラットに大量経口投与すると鼻腔および尿路系に高率にがんが発生することが明らかとなっており、現在は使用されていない。

11-2-4　催奇形性

奇形の原因が外的因子によるものであることを最初に指摘したのは Gregg（1941）で、風疹にかかった妊婦 78 人が死産や、視覚障害、聴覚障害の子供を出産したことを報告した。催奇形性とは、ある環境因子が、ある動物種において、一定の条件下で、先天性異常を惹起せしめる能力をいう。催奇形性をもつ薬物の胎児に及ぼす影響は、胎児の発生段階によって異なり、胎芽期つまり器官形成期は薬物に対する感受性が高いため、この時期に催奇形性を持つ薬物が投与されると先天性奇形が誘発される。胎児期は、組織形成期とも呼ばれ、各器官が分化しながら発育するが、この時期には先天性奇形はほとんど見られない。ただし、中枢神経系や生殖器官の分化が進行する時期であるため、脳障害や性器の生態的な異常が起こることがある。サリドマイドは、ドイツで開発された催眠薬で、当初は主作用による毒性は低く安全な催眠薬と考えられていた。また、妊婦のつわり予防や治療のためにも用いられるようになったが、1961 年からアザラシ肢症（Phocomelia）が発生し、これがサリドマイドの服用により発現したことがわかった。時すでに遅く、世界 20 加国で約 8000 人の被害者が出る深刻な薬害となった。日本では、大日本製薬が独自の製法を開発し、1958 年 1 月 20 日に「イソミン」の名称で販売を開始した。また、1959 年 8 月 22 日に胃腸薬「プロバンM」に配合して市販した。日本での被害者は 309 人で主に四肢の障害と聴覚障害であった。米国では、1960 年 9 月に米国メレル社がアメリカ食品医薬品局（FDA）販売許可を申請したが、審査官 F.C.ケルシー女史がサリドマイドの副作用、安全性に疑問を抱き審査継続を行ったため、治験段階に 19 名の犠牲者を出したのみにとどまった。後にケルシー女史はジョン・F・ケネディ大統領から表彰されている。

一方で、FDA は、1998 年にハンセン病に対する処方薬としてのサリドマイド使用を承認した。1999 年には多発性骨髄腫（骨髄がん）への臨床試験が行われ、日本でも 2008 年サレドカプセルの商品名で再承認された。使用にあたって「サリドマイド製剤安全管理手順」の遵守の下で処方される。

11-2-5　薬物アレルギー

薬物アレルギーの発症の報告は、1894 年 Brocq によるアンチピリン固定疹に関するものが最初である。薬物がハプテンとなって、体内のタンパク質が変化して抗原となり、抗体が生じることにより免疫システムが誘発される。感作された患者における二度目あるいはその後の薬物への曝露により、免疫応答を引き起こし、抗原抗体反応により生体に病的な変化が生じる。これを薬物アレルギー（drug　allergy）と呼ぶ。その主な症状として、アナフィラキシーショック、発熱、発疹、顆粒球減少症、再生不良性貧血、血小板減少性紫斑病、溶血、膠原病症状、肝炎、腎炎などがある。ペニシリン系の抗生物質は、薬物アレルギーの頻度が高い薬物として知られている。

11-2-6　薬物の相互作用による有害反応と毒性

二種類以上の薬物を併用することにより予期できない有害反応が発生し、毒性が発現することがある。薬物動態学的相互作用によるものと薬力学的相互作用に分類される。薬物動態学的相互作用の代表的なものとしては、薬物代謝酵素 CYP に関連するものがある。イトラコナゾールは、チトクロム P450　CYP　3A4 を阻害するため、同じ酵素で分解されるベンゾジアセピン系薬物のジアゼパムなどの作用を増強する。また、食品と薬物の相互作用の例として、グレープフルーツ果汁が、ヒドロピリジン系カルシウム拮抗薬の生体内利用率を高め、効果を増強させ有害反応を生じることがあるが、これはグレープフルーツ果汁に含まれる成分が CYP3A4 を阻害するため、ヒドロピリジン系カルシウム拮抗薬の分解が阻害されるためである。薬力学的相互作用による有害反応の例としては、ヒドロクロロチアジドによる低カリウム血症によりジギタリス中毒が増強されることをはじめ、多くの相互作用がすでに知られている。

11-2-7　薬害

薬害とは単に副作用や有害事象を示すのではない。医薬品に関して、故意にせよ過失にせよ製薬会社が薬物の危険性について注意を払っていなかったり、既定の方法とは異なる方法で製造したり、危険性を知りながら販売を続けたりすることによって引き起こされる有害事象のうち、社会問題となるまで規模が拡大した人災的な健康被害である。日本でもこれまでに多くの薬害が繰り返されてきた。

スティーブンス・ジョンソン症候群（中毒性表皮壊死症）

皮膚粘膜眼症候群とも言われ、発熱、赤い斑点が全身にできることからはじまり、水ぶくれができてやけどのように皮膚がむけたりする。ひどい場合は喉や肺、内臓も同様な状態となる。また目の結膜や角膜もおかされ、最悪の場合は目の表面が皮膚化し、失明、極端な視力低下が起こる。さらに症状がひどい状態が、中毒性表皮壊死症（TEN）（別名：ライエル症候群）と言われている。

特徴

1. 一般的な薬剤が原因となり、誰にでも発症する可能性がある。
2. 発疹が重症化するか否か、初期の段階で診断する必要がある。
3. 発症すると急激に悪化して全身症状に至る為、早期治療が必要。
4. 死亡率が30%と非常に高い。
5. 目や肺などに重い後遺症を残す恐れがある。

ステロイドの大量投与等が有効

12. 薬理学と創薬と薬物治療

個人至適化医療（personalized medicine）

（テーラーメイド薬物治療）

個人至適化医療の主役は薬理ゲノミクス（pharmacogenomics）である。適切な患者に適切な薬を投与することを目標に、各個人の遺伝子プロフィールから薬効および副作用の予測をすることを目標としている。

一塩基多型（single nucleotide polymorphisms、SNPs、スニップ）

ヒトゲノムの 3.2×10^9 の塩基配列は、あくまでも典型的な塩基配列情報（ドラフト配列）であり、この配列は、民族によっても異なるし、たとえ民族が同一であっても各人において、兄弟姉妹においてもどこか異なる塩基配列がどこか異なっている部分がある。その異なる塩基配列の最小単位が SNP である。SNPs をもとに、個人の遺伝子多型解析と薬の効果や副作用、薬物代謝のデータを得ることが可能となる。

分子標的治療薬

疾患に特異性の高い標的分子を見つけ出し、この標的分子に特異的に作用する薬物の開発が行われている。このような目的で開発された特異的な治療効果を示す薬物を、分子標的治療薬と呼ぶ。従来の化学療法における殺細胞効果がこれにあたるが、最近は腫瘍等においてその生物学的特性を規定している分子を探索し、それを標的とする薬物の開発が行われている。

13. 薬理学的試験法

目的とする薬効を試験するために用いられる方法には次のようなものがある。

分類	試験法	方　法
鎮痛薬	熱刺激法	Tail Flick 法　マウスまたはラットの尾などに輻射熱を照射し、尾を振り動かすまでの時間（潜時）を測定する。
		熱板法　55 ℃に熱した板の上にマウスを置き、足をなめたり、跳躍などの行動を指標とする方法。
	化学的刺激法	酢酸ライジング法　マウスの腹腔内に酢酸を投与すると、マウスが独特の苦悶症状（ライジング）を示す。このライジング反応の数で評価する方法で、非ステロイド抗炎症薬などの弱い鎮痛効果に対しても有効な方法である。
	機械的刺激法	Haffner 法　マウスの尾根部や足などを機械的に圧で刺激したときの痛み反応（啼鳴など）を指標とする方法。
抗不安薬	葛藤（コンフリクト）試験	断水したマウスをケージに入れ、レバーを押すと水が飲めるが同時に電気刺激を底面から与えられる条件下にすると、マウスは水が飲みたいが、電気刺激の苦痛をさけたいため、葛藤し飲む行為を抑える。抗不安薬は、この葛藤を抑制するので、電気刺激を気にすることなくレバーを押して飲水する。これを指標とする方法。
抗うつ薬	レセルピン誘発眼瞼下垂試験	レセルピンによる眼瞼下垂（まぶたの垂れ下がり）を指標とする方法。
抗痙れん/てんかん	最大電撃痙れん法	最大電撃をマウスの両耳を介して負荷すると、強直痙れんが起こる。これを指標として、強直-間代痙れんに対する有効性を評価する方法。
	ペンテトラゾール誘発痙れん法	ペンテトラゾールの比較的低用量で発現する痙れんの場合、脳波上棘徐波複合を発現する欠神様発作であり、この発作を指標に欠神発作に対する有効性を評価する方法。
抗精神病薬	条件回避反応	音や光と共にマウスに電気刺激を与えると、音や光だけで電気刺激を回避しようとする反応（例えば棒によじ登る）を呈する。この反応の抑制の度合いから薬効を評価する方法。
抗炎症薬	カラゲニン浮腫法	起炎物質であるカラゲニンを足蹠（足裏）に皮下投与すると浮腫が生じる。この浮腫の腫れ具合（容積）を指標とする方法。
	アジュバンド法	結核菌や牛酪菌をアジュバンドとして足蹠に投与すると、遅発性アレルギーによる関節リウマチ様の炎症を起こす。この浮腫の腫れ具合（容積）を指標とする方法。
抗潰瘍薬	ラット幽門部結紮法	ラットを開腹して幽門部を結紮して縫合し、20 時間後に胃を摘出して生じた潰瘍を観察する。
	ストレス負荷法	ラットを、狭い場所に拘束したり、さらに水中で拘束するとストレス性の潰瘍を生じる。これを指標とする方法。

2 自律神経作用薬

Drug affecting on the Autonomic Nervous Systems

シナプスと薬理作用

シナプス synapse

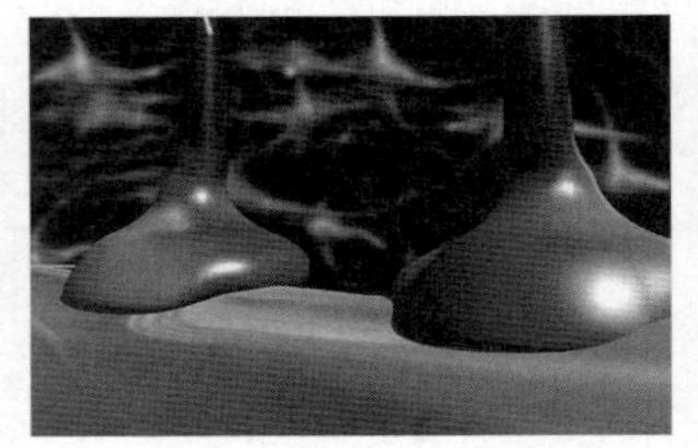

２個のニューロン間、または神経細胞と種々の筋細胞の接合部のこと。その間をシナプス間隙といい、約 200 Åである。シナプス前部は、シナプス小頭やシナプスボタンを形成する。

シナプスの機能的特徴

伝達は一方向性
シナプスを通過するとき時間の遅れをとる（シナプス遅延）
反復刺激すると疲労して、シナプス伝達能力が失われる
薬物に対する感受性が強く、種々のシナプスが特異なる反応を示す

化学伝達（ある物質 A が、その神経において伝達物質である条件）

① A の投与による効果と神経刺激による効果が一致する
② A が伝達に関与するシナプスの前部に含まれる
③ A は神経刺激によって遊離され、探知される
④ A の合成系、分解系がシナプスの前部に存在する

末梢神経の分類

解剖学的分類：　脳神経：脳より発する 12 対の神経
　　　　　　　　背髄神経：背髄より出る 31 対の神経

機能的分類

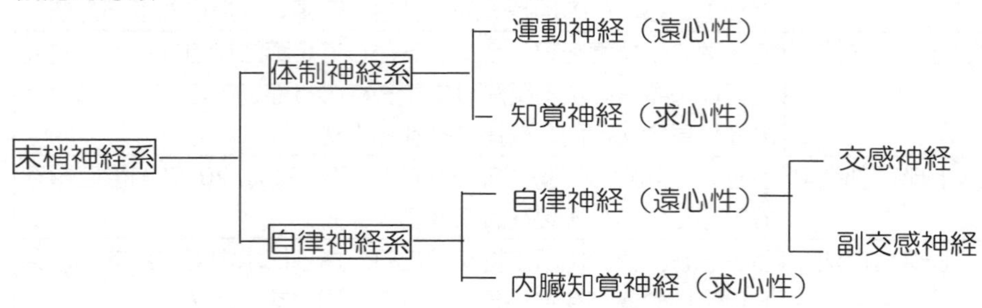

末梢神経の特徴

文字分類		数字分類	髄鞘の有無	神経線維直径（μm）	伝導速度（m/S）	神経
A	α	Ⅰa	有（厚い）	12～20	70～120	筋の知覚神経（筋紡錘）・体性神経（運動）
		Ⅰb				筋の知覚神経（腱紡錘）・体性神経（運動）
	β	Ⅱ		5～12	30～70	知覚（触・圧）
	γ			3～6	15～30	γ一運動ニューロン
	δ	Ⅲ		2～5	12～30	知覚神経（痛・温・触）
B			有（薄い）	<3	3～6	交感神経節前線維
C	背髄後根	Ⅳ	無	0.5～2	0.5～2	知覚神経（痛）反射神経
	交感神経			0.3～1.3	0.7～2.3	交感神経節後線維

	交感神経系	副交感神経系
節前線維	短い、有髄	長い、有髄
節後線維	長い、無髄	短い、無髄
神経節	効果器より遠い	効果器に近い

自律神経系　Autonomic nervous system

自律神経遠心性線維は、交感神経と副交感神経に分類され、それぞれ節前線維と節後線維からなる。節前線維は、背髄の側柱または脳神経運動核を起始核とし、その多くは有髄神経である。節前線維と節後線維の間にはシナプスがあり、この部分を**自律神経節**と呼ぶ。自律神経節の神経伝達物質は、アセチルコリンであり、節後線維のニューロンに存在するニコチン性アセチルコリン ACh 受容体（N_N）に作用する。自律神経節には、交感神経節と副交感神経節があり、交感神経節は、支配臓器から離れているが、副交感神経節は、臓器の近傍か臓器内に存在する。節後線維は無髄神経で 1 本の節前ニューロンの軸索は、数本の節後ニューロンに発散している。節後線維の終末部は、多数に分岐しており広範囲に拡散する。自律神経は、生体の内部環境の恒常性を保ち、調節する主要な役割をはたしており、主に平滑筋と腺組織に分布して、その運動ないし分泌を司るものである。したがって自律神経の支配範囲は主として脈管と内臓であり、汗腺・脂腺・立毛筋・内眼筋などの腺や筋もその支配下にある。自律神経遠心性線維は、常時自発性に活動している。一般に一つの器官を交感神経と副交感神経の両方が支配しており、交感神経と副交感神経は拮抗的に働いていることが多いが、これを**拮抗的二重支配**と呼んでいる。

交感神経系 Fight・flight・Fright（攻撃・高揚・恐怖）
瞳孔散大、心拍数増加、血圧上昇、皮膚血管収縮
血糖や遊離脂肪酸レベル上昇
エネルギーレベル上昇（異化促進）

副交感神経系 Rest and Digest（休息と消化）
胃腸運動亢進、外分泌亢進
グリコーゲン合成促進、エネルギー蓄積

アドレナリン作動性とコリン作動性神経の拮抗的二重支配

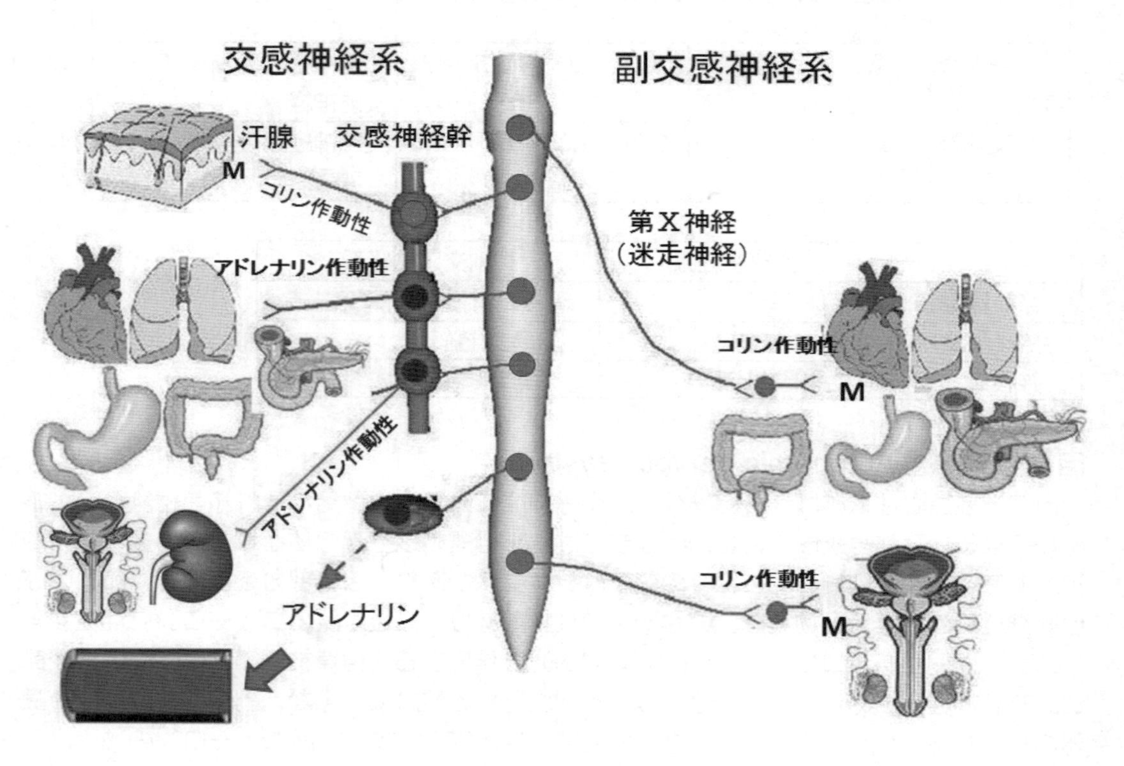

交感神経系　sympathetic nervopus system

交感神経は、視床下部に起始し延髄網様体を通って背髄に下降する。 交感神経の節前ニューロンは、前根から背髄を出て白色交通枝を通り、交感神経幹に至る。 そこで節後線維にニューロンを代える。 交感神経節は、傍背椎部、前背椎部、および終末部の3カ所に存在する。節後線維の終末部からはノルアドレナリンが遊離されるが、例外として、汗腺を支配する交感神経節後線維からは、アセチルコリンが遊離される。

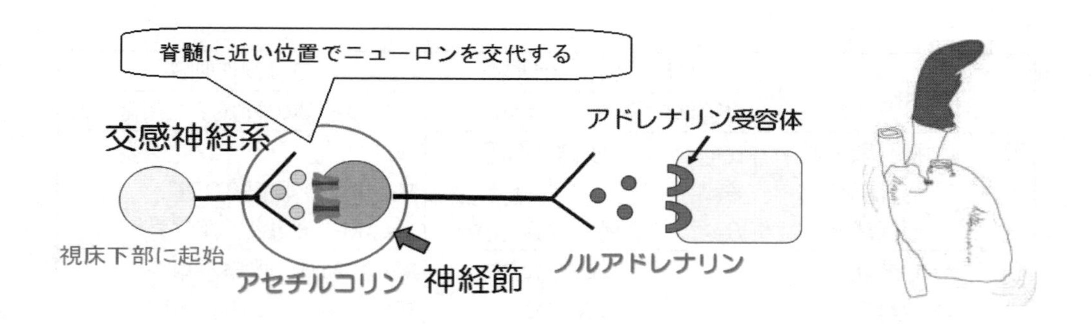

副腎髄質　adrenal meddula

副腎髄質の細胞は、交感神経節後神経細胞と発生学的に起源が同じであるが、髄質においてはフェニルエタノールアミン N-メチルトランスフェラーゼが存在し、ノルアドレナリンがアドレナリンに変換されるため、節前線維からの刺激により髄質の細胞は主にアドレナリンを放出する。ノルアドレナリンの放出も 20 ％程度あるが、80%はアドレナリンが放出される。遊離されたアドレナリンは、血流に入って心臓や、気管支、血管などの効果器に到達し、その効果器のアドレナリン受容体を刺激することにより作用を発現する。このため、交感神経の場合とは異なって局所的な作用を示すのではなく、広範囲の器官でホルモンとしての作用を示す。

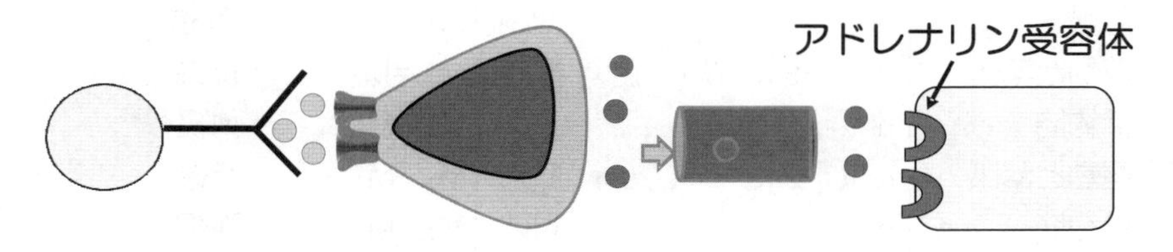

副交感神経系　parasympathetic nervopus system

副交感神経は脳幹または仙髄に起始し、それぞれ頭部遠心性・仙骨部遠心性と呼ばれる。延髄からは、第Ⅶ、第Ⅸ、第Ⅹ脳神経がアウトプットされるが、第Ⅹ神経は、迷走神経とも呼ばれ、その多くは胸部、および腹部の内臓の表面、あるいはその中に存在する神経節で節後線維とシナプスを形成する。このように、副交感神経節は、効果器の近傍または効果器内に分布するので節後線維はきわめて短い。節後線維からはアセチルコリンが遊離され、効奏器官側に存在するムスカリン受容体に作用する。

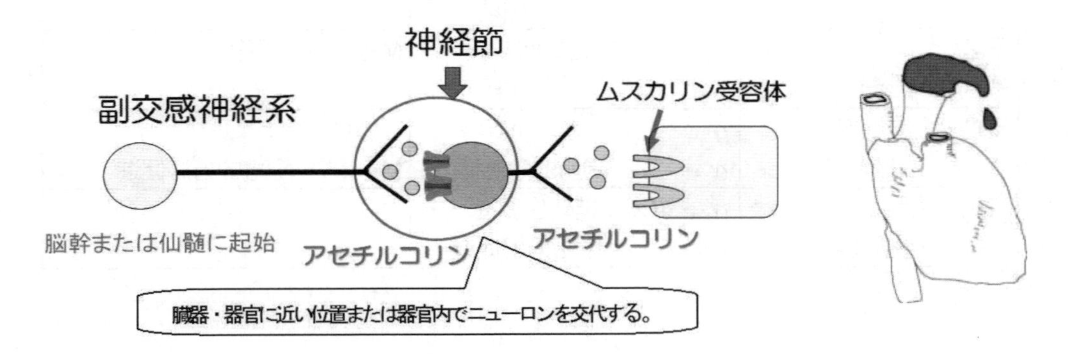

		アドレナリン作動性		コリン作動性	
		受容体の種類	反応	受容体の種類	反応
眼	瞳孔散大筋	α_1	収縮（散瞳）	—	
	瞳孔括約筋	—		M_3、M_2	収縮（縮瞳）
	毛様体筋	β_2	弛緩（遠方視）	M_3、M_2	収縮（近方視）
心臓	心房筋	β_1	収縮力増大	$M_2 >> M_3$	収縮力減少
	心室筋	β_1	収縮力増大	$M_2 >> M_3$	収縮力減少
	洞結節	β_1	心拍数増加	$M_2 >> M_3$	心拍数減少
血管	皮膚、粘膜	α_1, α_2	収縮		神経支配なし
	骨格筋	$\beta_2 > \alpha$	拡張, 収縮		拡張
	冠状血管・肺	$\beta_2 > \alpha_1, \alpha_2$	拡張>収縮		神経支配なし
	脳	α_1	収縮（微弱）)		神経支配なし
	腹部内臓	$\alpha_1 > \beta_2$	収縮>拡張		神経支配なし
呼吸器	気管支平滑筋	β_2	弛緩	$M_3 = M_2$	収縮
	気管支分泌	α_1、β_2	分泌↓：分泌↑	M_3、M_2	促進
消化器					
胃	分泌	α_2	抑制	M_1	促進
	運動と緊張	α_1、α_2、β_1、β_2	抑制	$M_3 = M_2$	促進
	括約筋	α_1	収縮	M_3、M_2	弛緩
腸	運動と緊張	α_1、α_2、β_1、β_2	抑制	M_3、M_2	促進
	括約筋	α_1	収縮	M_3、M_2	弛緩
	分泌	α_2	抑制	M_3、M_2	促進
膵臓	島	α_2分泌抑制, β_2分泌促進			
腎臓	レニン分泌	α_1、β_1	減少：増加		
泌尿器	膀胱基底部	β_3、β_2	弛緩	$M_3 > M_2$	収縮
	括約筋	α_1	収縮	$M_3 > M_2$	弛緩
	輸精管	α_1、β_2	収縮、収縮抑制		
	前立腺	α_{1A}, α_{1D}	収縮（尿道）圧迫）		
	陰茎	α_1	射精	M_3（NO）	勃起（細動脈拡張）
子宮		α_1	妊娠時収縮	M_3	収縮
		β_2	弛緩		
皮膚	立毛筋	α_1	収縮		
	汗腺	α_1	局所的分泌促進	M_3、M_2	全身的分泌促進
代謝	肝	α_1、β_2	糖新生促進		
	脂肪組織	β_3	脂肪分解促進		

1. 自律神経系に作用する薬物

自律神経系に作用する薬物は、交感神経系に作用する薬物（刺激薬、遮断薬）、副交感神経系に作用する薬物（刺激薬、遮断薬）、自律神経節に作用する薬物（刺激薬、遮断薬）に分類される。

2. 交感神経系に作用する薬物

2-1 交感神経系より遊離される内因性物質

交感神経系においては、節後線維においてノルアドレナリンが合成されて、神経刺激により遊離される（汗腺を支配する交感神経節後線維は例外でコリン作動性）。副腎髄質からはノルアドレナリンのメチル化によりアドレナリンが合成されて遊離されるが、このアドレナリンは、血中に入り標的部位の受容体に到達する。

ノルアドレナリンは、中枢においても神経伝達物質として働いているが、脳内カテコラミンで最も多いのはドパミンで約 50%を占める。5-10%はアドレナリンで、これ以外がノルアドレナリンである。

2-2 交感神経興奮薬（アドレナリン受容体刺激薬）

交感神経興奮薬とは、直接的あるいは間接的にアドレナリン受容体を刺激薬する薬物で、カテコラミン系と非カテコラミン系に大別される。

2-2-1 カテコラミン（Catecholamines）

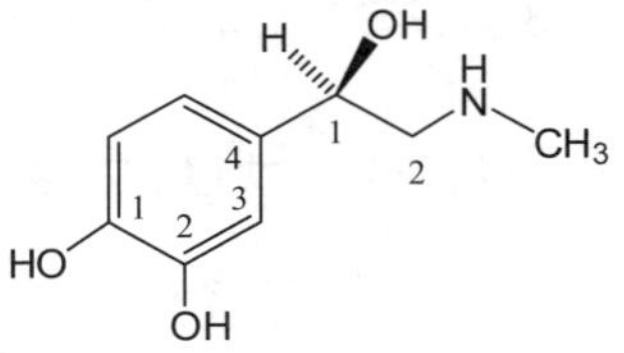

カテコール骨格とエチルアミンあるいはエタノールアミンの側鎖持つものの総称として用いられる。カテコールアミンも同じ意味である。

生体内で最もカテコラミンを含有しているのは、副腎髄質クロム親和性細胞である。

カテコラミンは、末梢に投与しても血液—脳関門を通過しないため、中枢作用はないが、3 位および４位の水酸基が水素に置換された薬物は中枢へ移行し作用を発現する。ノルアドレナリン（IUPAC 名 4-[(1R)-2-amino-1-hydroxyethyl]benzene-1,2-diol とアドレナリン（IUPAC 名：4-[(1R)-1-Hydroxy-2-(methyl-amino) ethyl]benzene-1,2-diol）のβ_1受容体刺激作用はほぼ同等であるが、ノルアドレナリンは、強力なα刺激薬で、β_2受容体刺激作用は弱い。アドレナリンは、多くの臓器でノルアドレナリンよりも強いα作用を示し、β_2受容体刺激作用はノルアドレナリンよりも強力である。イソプレナリン（イソプロテレノール）は、内因性のカテコラミンではなく合成薬物で、β_1刺激作用は、アドレナリンよりも強力であるが、β_2刺激作用はアドレナリンとほぼ同程度である。α受容体刺激作用はアドレナリンやノルアドレナリンと比べて著しく弱い。これらのことは、以下の構造活性相関で説明される。

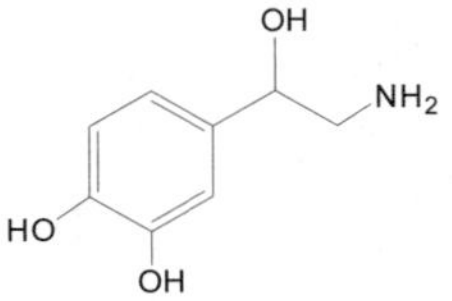

ノルアドレナリン 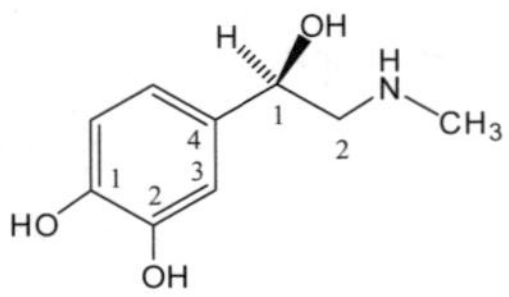　　アドレナリン 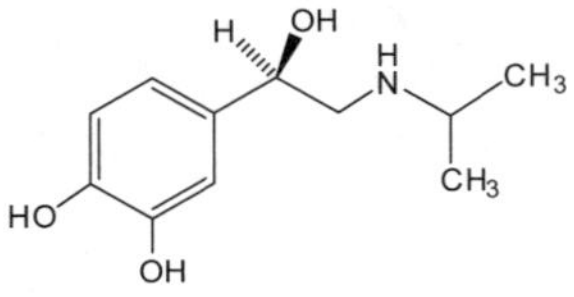　　イソプレナリン

（1） フェノール性水酸基

フェノール性水酸基の存在は、末梢作用を強化する。ジ置換では、1 位、2 位の置換が作用は最強である。モノ置換では、ジ置換よりもβ作用は弱くなる。

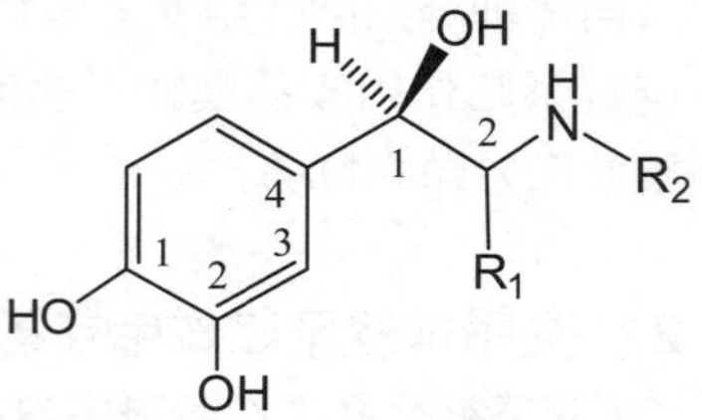

モノ置換（OH 基が 1 位または 2 位のみについている場合）では、2-OH の方が、1-OH よりも血管収縮作用は強い（α作用の強さは、メタ＞パラ＞オルト）が、心臓に対する作用（β_1作用）は逆に減弱する。

芳香環に OH 基がある物質の代謝は、COMT と MAO によって行われる。

（2） 炭素鎖

エチル基の 2 位のメチル化（R1=CH_3）：MAO により分解されにくくなる。

エチル基の 1 位に－ OH が入ると、末梢作用が強い（エフェドリン）。

（3） アミノ基

1 級アミン（$-NH_2$）：α 作用が強力、2 級アミン（-NH-）β 作用増大

$-NH-C_3H_7$ になるとβ刺激薬（イソプレナリン）となる。

3 級アミンになると活性が低下する。

N:1級アミン（$-NH_2$） α作用が強力
N:2級アミン（−NH- ） β作用増大

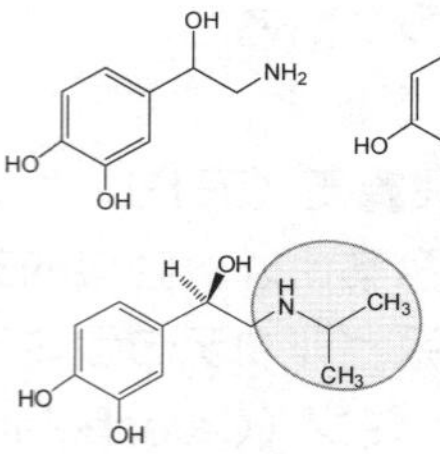

$-NH-C_3H_7$になるとβ作動薬

ノルアドレナリンおよびアドレナリンの生合成経路

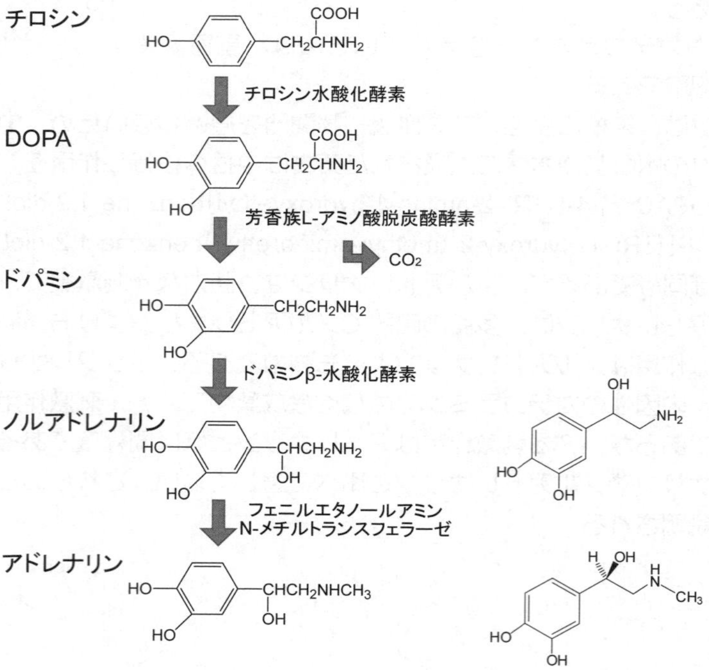

貯蔵

交感神経や中枢神経では、細胞内顆粒（シナプス小胞）に、副腎髄質ではクロム親和性細胞に貯蔵され、刺激により分泌される。交感神経から遊離したノルアドレナリンの約90%は、アミントランスポーターを介して神経終末に再取り込みされる。

分解　MAO と COMT

細胞内ではモノアミンオキシダーゼ（monoamine oxidase、MAO）により代謝される。MAO は、ミトコンドリア外膜に組み込まれており。反応としては酸化的脱アミノ化である。交感神経を切除しても MAO は減少しないことから、神経以外にもかなり存在すると考えられるが、ノルアドレナリンのようなカテコラミンは細胞内ミトコンドリア外膜の MAO で代謝される。

MAO には A 型、B 型の２種類があり（アイソザイム）、MAO_A はノルアドレナリンやセロトニンを主に分解する。MAO_B は、細胞外のドパミンやチラミンおよびヒスタミンを分解する。パーキンソン病治療に用いられるセレギリンは MAO_B に選択性の高い阻害薬である。

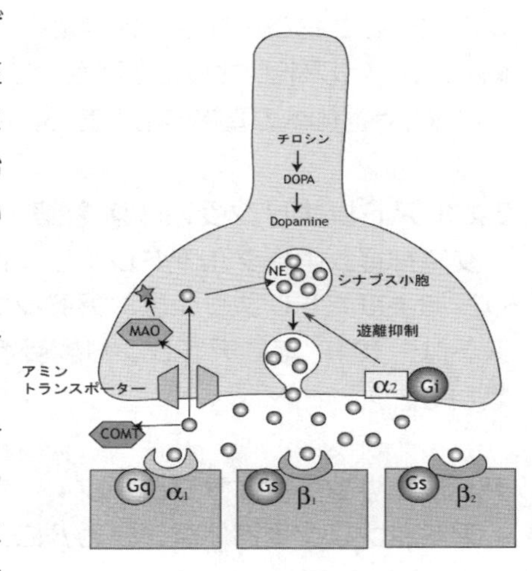

細胞外では、カテコール-O-メチルトランスフェラーゼ　（COMT）により代謝される。反応としてはカテコール核の m-水酸基の O-メチル化である。外来性薬物の効果は、COMT の阻害により延長する。ノルアドレナリンは、COMT の作用でノルメタネフリンとなる。ノルメタネフリンは、MAO による酸化的脱アミノ化で、3-メトキシ-4-ヒドロキシマンデル酸アルデヒドとなる。

HO-(HO)-C6H3-CH(OH)CH2NH2 —COMT→ HO-(H_3CO)-C6H3-CH(OH)CH2NH2 —MAO→ HO-(H_3CO)-C6H3-CH(OH)CHO

ノルアドレナリン　　ノルメタネフリン　　3-メトキシ-4-ヒドロキシマンデル酸アルデヒド

2-2-2　非カテコラミン

（1）　直接型：フェニレフリン（α_1）、ドブタミン（β_1）

直接アドレナリン受容体に結合して作用を発現するが、カテコラミンではない化合物である。例：フェニレフェリンは、アドレナリンのカテコール骨格から 3 位の水酸基を除いたもので、選択的α作用を示す。

（2）　間接型

アドレナリン受容体には結合しないが、神経終末からのノルアドレナリンの放出を促進する。末梢では交感神経終末からノルアドレナリンの遊離を促進する。

アンフェタミン、メタンフェタミン：中枢に移行するため中枢興奮作用が出現する。α 炭素にメチル基が導入されているため MAO を抑制する

NH_2　H　CH_3
アンフェタミン

H N CH_3　H　CH_3
メタンフェタミン

ので神経内に長く存在する。*d* 体は *l* 体の 3-4 倍強力であり、頻回投与によりタキフィラキシーを引き起こす。

チラミン：生体内で芳香族 L-アミノ酸デカルボキシラーゼの作用によりチロシン（Tyr）から産生されるアミンである。フェネチルアミン誘導体の一つで、食物中のタンパク質が微生物により分解を受けることにより生じる腐敗アミンとしても産生され、チーズやワインなどに多く含まれている。アミンポンプ（トランスポーター）を介して神経終末内に入り、交感神経終末からノルアドレナリンを遊離する。タキフィラキシーを起こす。MAO_B で分解される。

（3）　混合型：エフェドリン

直接作用と間接作用を併せ持つもので、代表的薬物にエフェドリンがある。中枢に移行するため中枢興奮作用が出現するが、メタンフェタミンに比べると脂溶性が低い分中枢への移行は少ない。α 作用（血管収縮）は、ノルアドレナリン遊離を介する間接作用であり、気管支拡張作用は β_2 受容体への直接作用である。l 体の活性が *d* 体よりも強い。

2-2-3 アドレナリン受容体刺激薬

交感神経、中枢ノルアドレナリン作動性神経および副腎髄質から遊離したノルアドレナリンおよびアドレナリンは、アドレナリン受容体に結合して作用を発現する。アールクイストは、1948 年にアドレナリン受容体を、その作用の違いから α 受容体と β 受容体に分類した。

アドレナリン受容体サブタイプ

アドレナリン受容体は、α と β に分類されている。また、それぞれは、α_1、α_2 と β_1、β_2、β_3 にサブタイプ分類されている。最近では、α_1 は 1A、1B、1D に、α_2 は 2A、2B、2C のようなサブフォームに細分化されている。以下に、アドレナリン受容体サブタイプの機構・機能および代表的な刺激薬をまとめた。

アドレナリン受容体の分類

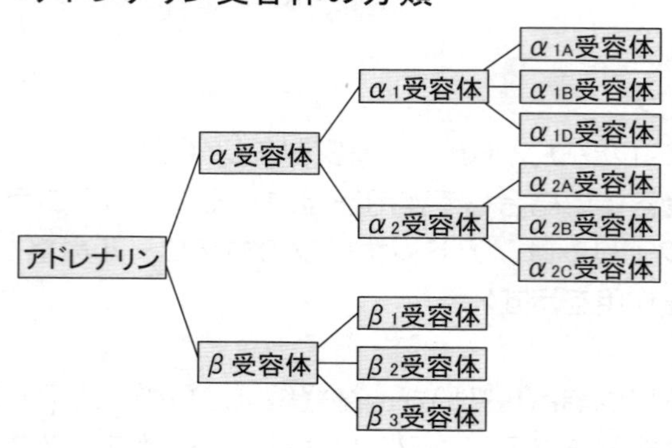

アドレナリン受容体サブタイプの性質

受容体サブタイプ	存在	細胞内情報伝達機構	主な機能	作用の強さ 代表的薬物
α_1	シナプス後部 （興奮性）	ホスファチジルイノシトール（PI）代謝回転亢進（Gq タンパクと共役） 細胞内 Ca^{2+}濃度上昇	血管収縮（皮膚、粘膜、内臓） 散瞳（瞳孔散大筋収縮） 括約筋収縮（下部尿路平滑筋など）	Adr ≧ NA>>Iso フェニレフリン
α_2	シナプス前部 （抑制性）	アデニル酸シクラーゼ抑制（Gi タンパクと共役） タンパク質リン酸化抑制	ノルアドレナリン遊離抑制	Adr ≧ NA>>Iso クロニジン
β_1	シナプス後部 （興奮性）	アデニル酸シクラーゼ活性化（Gs タンパクと共役）	心機能亢進 レニン分泌増加	Iso ＞ Adr=NA ドブタミン
β_2	シナプス後部 （抑制性）	アデニル酸シクラーゼ活性化（Gs タンパクと共役）	平滑筋（気管支、血管（骨格筋・冠血管）、胃腸管、子宮、膀胱壁）弛緩 内臓血管収縮 グリコーゲン分解 グルカゴン分泌増大	Iso ≧ Adr>>NA サルブタモール
				イソプレナリン $\beta_1\beta_2$
β_3	シナプス後部 （抑制性）	アデニル酸シクラーゼ活性化（Gs タンパクと共役） NO 合成酵素活性化	脂肪分解 特定の血管弛緩 膀胱平滑筋弛緩	NA ≧ Adr Iso ＝ NA ＞ Adr ミラベグロン

1) アドレナリン α_1受容体刺激薬 α_1-receptor agonists

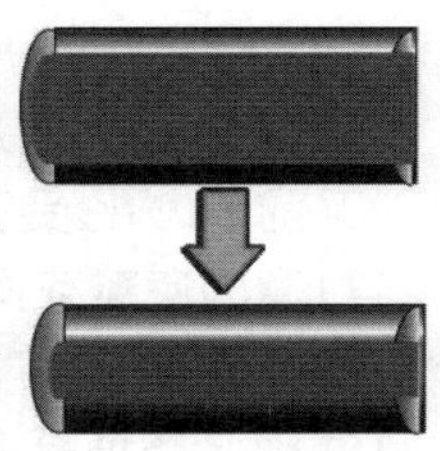

【薬理作用】 α_1 受容体に選択性が高い薬物で、受容体を直接刺激するする。受容体の活性化による代表的な作用は、血管の収縮である。血管収縮作用により、血圧が上昇する。昇圧作用は、内因性アゴニストのアドレナリンやノルアドレナリンより弱いが、構造上の特性から作用が長く持続する。

フェニレフリン Phenylephrine

血圧上昇はアドレナリンの約 1/5 であるが、COMT でによる代謝を受けないため、効力はアドレナリンより持続する。水酸基が 1 つのモノ置換体のため、β作用は非常に弱く心臓刺激作用はアドレナリンの 1/20 以下であり、アドレナリン様の頻脈を起こさない。

【適用】急性低血圧又はショック時の補助治療、散瞳と調節麻痺

ミドドリン Midodrine

経口投与後、肝、腎、空腸、血球など種々の臓器で脱グリシン化されて活性本体となりα_1受容体を直接刺激する。COMT で分解されないので作用持続時間が長い。

ミドドリン

【適用】本態性低血圧、起立性低血圧

ナファゾリン Naphazoline

局所血管のα_1受容体を刺激して血管を収縮する。アドレナリンより強い末梢血管収縮作用を有し、作用持続時間も長いので充血の除去に用いられる。

ナファゾリン

【適用】鼻充血、結膜充血、上気道粘膜の表面麻酔時における局所麻酔薬の効力持続時間の延長

【禁忌】**甲状腺機能亢進症の患者**：甲状腺機能亢進症の患者は、ノルアドレナリン等と類似の作用を持つ交感神経刺激薬により過度な反応を起こすあめ禁忌である。

α作用とβ作用を併せ持つ薬物

エチレフリン Etilefrine

α作用とβ作用を併せ持ち、α_1受容体刺激により末梢血管抵抗を増加させ、血圧の上昇が起こる。β受容体刺激により心収縮力、心拍出量、分時拍出量を増加させるが、心拍数には影響を及ぼさない。

エチレフリン

【適用】本態性低血圧、症候性低血圧、起立性低血圧、網膜動脈の血行障害

2）α_2受容体刺激薬 α_2-receotor agonists

クロニジン Clonidine

【作用機序】中枢のα_2受容体（抑制性）を刺激して、交感神経の作用を減弱させるため、血管拡張、心拍数の減少を引き起こし、降圧する。

末梢アドレナリン作動性神経終末のシナプス前膜のα_2受容体に作用してノルアドレナリンの遊離を抑制し、交感神経の伝達を抑制する。

【適用】各種高血圧症（本態性高血圧症、腎性高血圧症）

【副作用】幻覚、口渇、眠気・鎮静

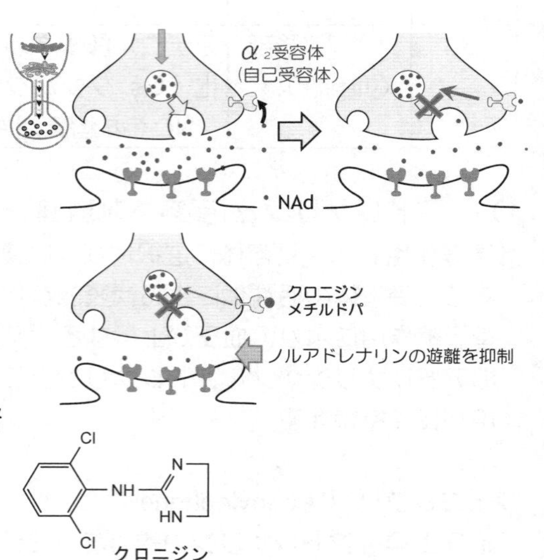

メチルドパ　Methyldopa

生体内でα-メチルノルアドレナリンに代謝され、中枢および末梢交感神経シナプス前膜のα_2受容体に作用すると考えられている。中枢性の副作用は、クロニジンよりも弱い。

メチルドパ

3）β_1受容体刺激薬

β_1効果が顕著に出現するのは心臓で、受容体刺激により陽性変力作用が出現する。心原性ショックや慢性心不全に用いられる。

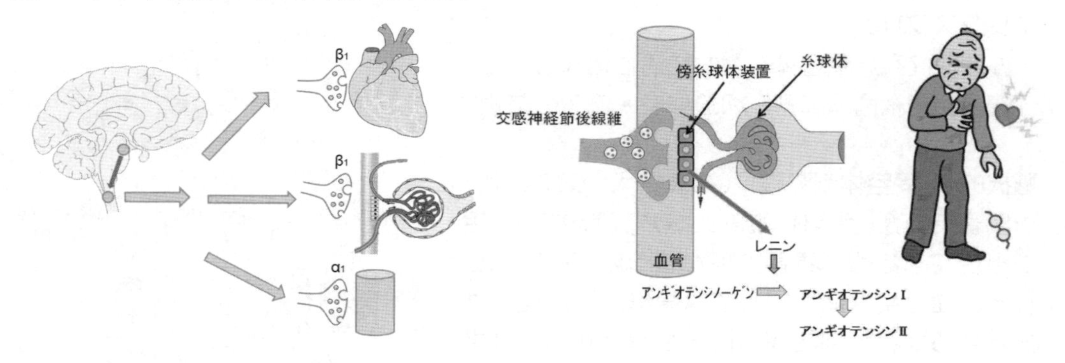

ドブタミン Dobutamine

【薬理作用】 ドパミンの誘導体（カテコールアミン）で、心臓のβ_1受容体に働いて強い心機能亢進作用を引き起こす。（急性循環不全における心収縮力増強）

【適用】　心原性ショックの循環管理、急性循環不全における心収縮力増強

【副作用】 不整脈（頻脈・期外収縮等）、血圧低下、過度の血圧上昇、動悸、胸部不快感

ドブタミン

デノパミン　Denopamine

【薬理作用】 心筋収縮力を選択的に増強するが、心拍数血圧への影響は少ない。また不整脈誘発作用も弱い。

【適用】 慢性うっ血性心不全に経口で用いる。

【副作用】 心室頻拍等の不整脈

デノパミン

4）β_2受容体刺激薬　β_2-receptor agonists

第１世代:　β_1/β_2受容体刺激薬（非選択的））

β_1およびβ_2受容体をともに活性化する薬物である。治療薬としては、イソプレナリン（イソプロテレノール）とイソクスプリンがある。

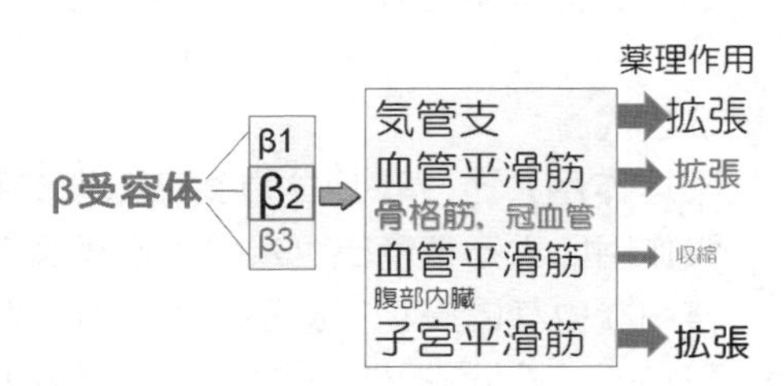

イソプロテレノール イソプレナリン　Isoproterenol

イソプレナリンは、過去に気管支ぜん息の治療に用いられたが、心室性不整脈や連用による心筋壊死を引き起こすため、現在では気管支ぜん息には使用されなくなった。

イソプレナリン

【薬理作用・作用機序】典型的なβ刺激薬でα作用は無視できるほど弱い。β_1作用により収縮期圧は上昇するが、β_2作用により主に骨格筋の血管が弛緩して末梢抵抗が減少するため、拡張期圧は低下し、平均血圧の低下をきたす。

【適用】現在は徐脈および内耳障害によるめまいに適用がある。

イソクスプリン

β_1およびβ_2受容体をともに活性化する

【適用】末梢循環障害、切迫早産・流産の防止

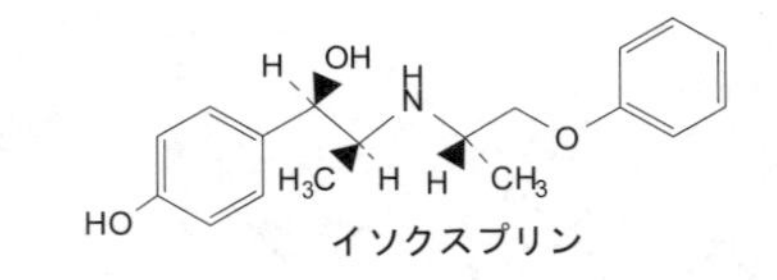

イソクスプリン

選択的β_2受容体刺激薬　（第2世代、第3世代）

気管支のβ_2受容体刺激により気管支拡張作用が出現するため、気管支ぜん息の治療に用いられる。血管平滑筋に対しては骨格筋、冠血管は拡張するが、腹部内臓の血管は収縮する。骨格筋の血管が弛緩により末梢抵抗が減少するため、拡張期圧は低下するが、血圧下降の目的では用いられない。子宮筋はβ_2受容体刺激により弛緩するため、切迫流産・早産の防止目的でに用いられるものもある。

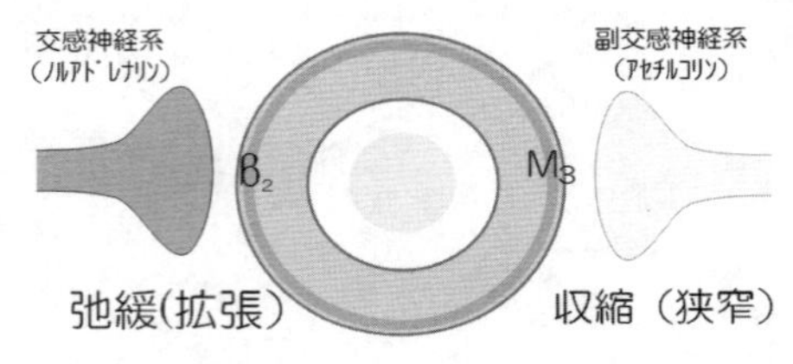

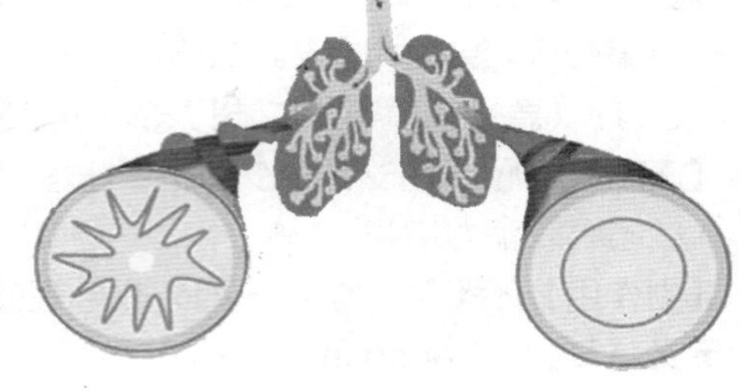

【副作用】β_2受容体刺激薬は、血清カリウム値を低下させ、低カリウム血症による不整脈を起こすおそれがある点に注意が必要である。上室性期外収縮・上室性頻拍・心室性期外収縮等、動悸、頻脈、ほてり

第2世代

サルブタモール Salbutamol　テルブタリン　Terbutaline

【薬理作用】β_2選択性が比較的高く、β_1受容体刺激による心刺激作用が少ない。

【適用】気管支ぜん息、肺気腫、急・慢性気管支炎、肺結核

サルブタモール

第3世代

【薬理作用】イソプレナリンに類似の構造を持ち、気管支拡張作用による気管支ぜん息の治療薬で、β_1による心臓刺激作用が少ない薬物である。第2世代のサルブタモールと比較して、β_2選択性がより高い、作用が持続的、抗炎症作用を有するなどの点で優れている。

テルブタリン

プロカテロール Procaterol（β_2選択性が特に高い）

【薬理作用】β_2選択性が特に高い。また抗アレルギー作用を有し、イソプレナリン、オルシプレナリンおよびサルブタモールよりも作用は強力である。

プロカテロール

クレンブテロール　Clenbuterol（β_2作用が強く持続的）

【薬理作用】サルブタモールより作用は強く、気管支拡張持続時間が長い。抗アレルギー作用もサルブタモールより強い。クレンブテロールは腹圧性尿失禁にも適用がある。

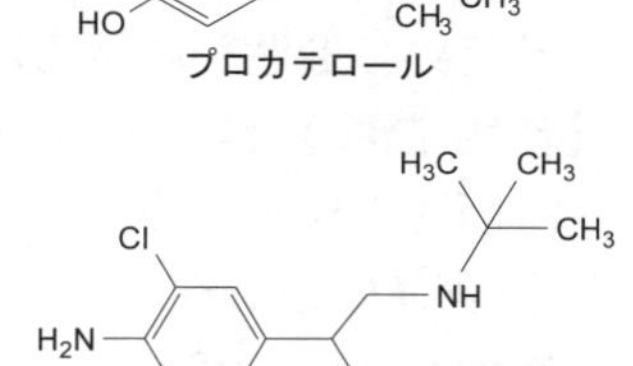

クレンブテロール

サルメテロール　Salmeterol

【薬理作用】長時間型吸入予防薬で、吸入投与による心拍数増加はイソプレナリン、プロカテロールより弱く、サルブタモールとほぼ同等であり、β_2受容体に対する選択性が高い。抗炎症作用も有する。

サルメテロール

ツロブテロール　Tulobuterol

【薬理作用】気管支平滑筋に対する選択性は高く、心刺激作用は弱い。肺機能改善作用、気管線毛運動促進作用および鎮咳作用を示す。経口剤が使用される。また、β_2刺激薬としては初の経皮吸収剤（テープ）が気道閉塞や夜間発作の予防に使用されている。

ツロブテロール

ホルモテロール Formoterol

【薬理作用】気管支拡張作用は、サルブタモールよりも強力でかつ持続時間も長く、抗アレルギー作用（肥満細胞からのケミカルメディエーター遊離抑制作用）もサルブタモールより強い。また、気管支拡張作用を示す用量で肺水腫抑制作用を有する。

ホルモテロールフマル酸塩水和物

インダカテロール Indacaterol

【薬理作用】作用持続時間は、サルブタモール、ホルモテロールおよびサルメテロールより明らかに長く、持続的である。吸入で長期管理に用いる発作予防薬。

インダカテロール

リトドリン　Ritodorine

【薬理作用】子宮平滑筋のβ_2受容体に選択的に作用し、cAMP 含量を増加させ、Ca^{2+}の貯蔵部位への取り込みを促進して子宮筋を弛緩させる。

【適用】緊急に治療を必要とする切迫流・早産

【副作用】肺水腫、心不全、横紋筋融解症、汎血球減少

リトドリン

5)　β_3受容体刺激薬　β_3-receptor agonists

ミラベグロン　Mirabegron、ビベグロン Vibegron

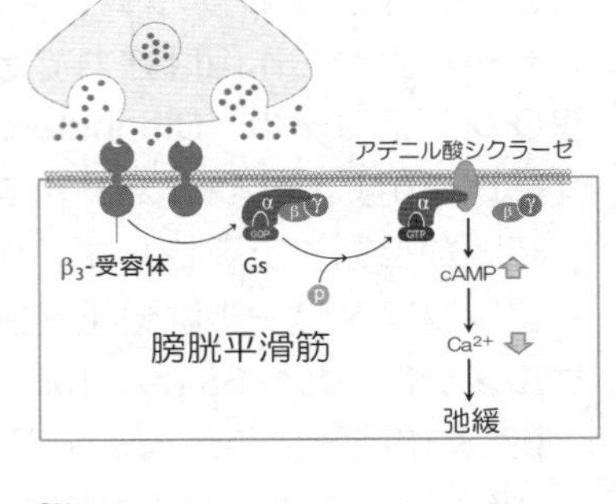

【薬理作用】膀胱平滑筋は、β_3受容体刺激により弛緩するため、過活動膀胱の治療に用いられる。

【作用/機序】膀胱平滑筋のβ_3受容体を刺激して膀胱平滑筋を弛緩させる。β_1受容体やβ_2受容体に比べ、β_3受容体に選択性が高い。

【適用】過活動膀胱における尿意切迫感、頻尿および切迫性尿失禁

【副作用】重篤な血清カリウム値の低下など

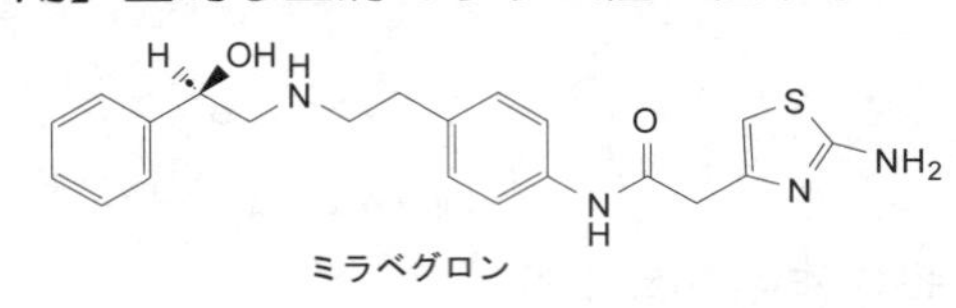

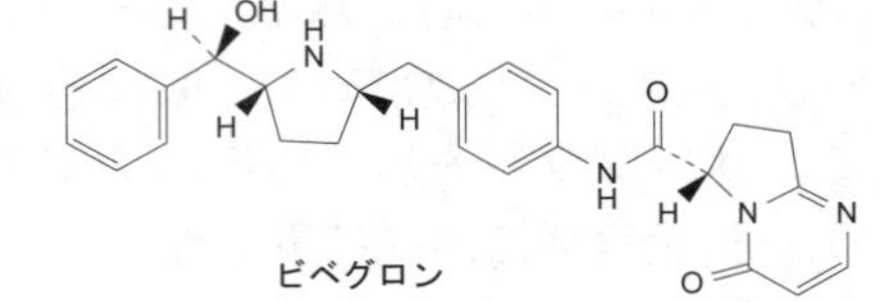

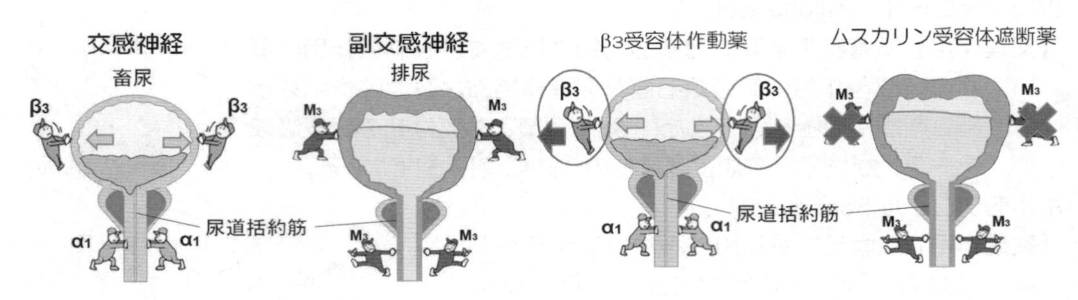

6)　その他のアドレナリン作動薬

アメジニウム

【作用機序】交感神経終末へのノルアドレナリン再取り込み阻害作用と MAO 阻害作用によって交感神経機能を亢進する。

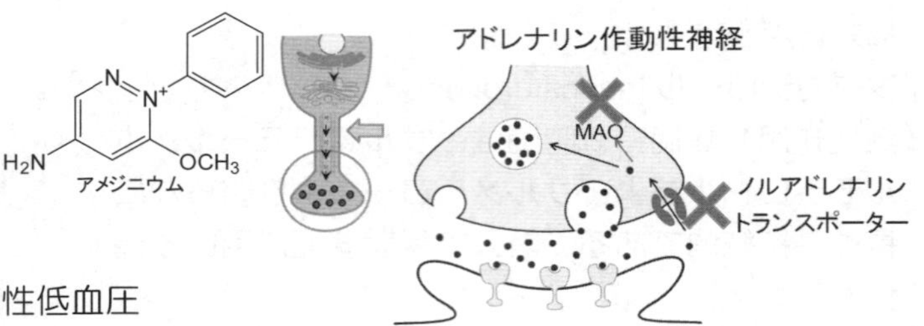

【適用】本態性低血圧、起立性低血圧

2-3　アドレナリン作動性遮断薬、アドレナリン受容体遮断薬

ノルアドレナリンやアドレナリンの作用を抑制する薬物には、受容体遮断薬とノルアドレナリンやアドレナリンの貯蔵や遊離を抑制したり枯渇させるアドレナリン神経抑制薬がある。

2-3-1 アドレナリン受容体遮断薬

アドレナリン刺激薬の効果を受容体レベルで減弱または消失させる薬物である。それぞれの受容体タイプ（α_1受容体、α_2受容体、β_1受容体、β_2受容体、β_3受容体）に特異

的な遮断薬が開発されている。また、αおよびβ両方の受容体を遮断する薬物（αβ受容体遮断薬：α_1受容体、β_1受容体、β_2受容体には部分作動または遮断）も臨床で使用されている。α_2受容体遮断薬およびβ_2受容体遮断薬は、臨床的な利用価値がないため医薬品としては用いられていない。

α受容体遮断薬

	薬物名	作用	臨床適用
α_1受容体遮断薬 （α_1選択的）	プラゾシン ブナゾシン テラゾシン ドキサゾシン	血管拡張により降圧 （血管にあるα_1受容体はおもにα_{1B}） 前立腺、尿道の弛緩	抗高血圧薬 前立腺肥大症（排尿障害）治療
	タムスロシン* ナフトピジル	α_{1A}に対する親和性が高い。前立腺、尿道の弛緩 α_{1D}に対する親和性が高い。前立腺、尿道、膀胱括約筋の弛緩	前立腺肥大症（排尿障害）治療 前立腺肥大症（排尿障害）治療
α_2受容体遮断薬 （α_2選択的）	ヨヒンビン	交感神経興奮により遊離されるﾉﾙｱﾄﾞﾚﾅﾘﾝ量が増加	臨床的な用途なし
α_1/α_2受容体遮断薬	フェントラミン	α遮断作用以外に平滑筋に対する直接作用がある	褐色細胞腫の診断 副：不整脈
	ﾌｪﾉｷｼﾍﾞﾝｻﾞﾐﾝ	平滑筋収縮抑制が顕著	神経性の末梢疾患 （ﾚｲﾉｰ病など）
	エルゴタミン （α_1の部分アゴニスト）	下肢静脈のα受容体に作用し、起立時に不足する静脈の緊張を高める	

α_2受容体を遮断すると、ノルアドレナリン遊離抑制機能が解除されるため、シナプス間隙に遊離されるノルアドレナリン量が増加する。心臓においては、この遊離増加によりβ_1受容体が刺激されるので、α_1/α_2受容体遮断薬を用いると頻脈が悪化することがある。

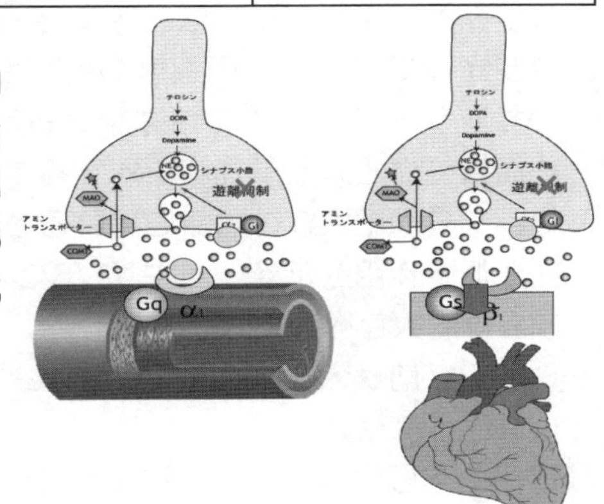

1）α_1受容体遮断薬　α_1-receptor antagonists

α_1受容体には、α_{1A} α_{1B} α_{1D} の受容体サブタイプがあり、血管平滑筋にはα_{1B}受容体が多く分布している。前立腺や膀胱などの下部尿路平滑筋にはアドレナリン作動性神経

αR
α_1
α_2
α 1A → 下部尿路平滑筋
α 1B → 血管平滑筋
α 1D → 下部尿路平滑筋

が豊富に分布し、ヒト正常前立腺に主に発現しているのは、α_{1A}と α_{1D}であり、α_{1A} サブタ

イプが 63 ％と多く、特に肥大した前立腺組織では 85 ％である。

それに比してα$_{1B}$受容体サブタイプは少ない。また、α$_{1D}$受容体サブタイプは前立腺と膀胱排尿筋に多い。α$_1$受容体遮断薬は、高血圧症および前立腺肥大症に伴う排尿障害に適用がある。

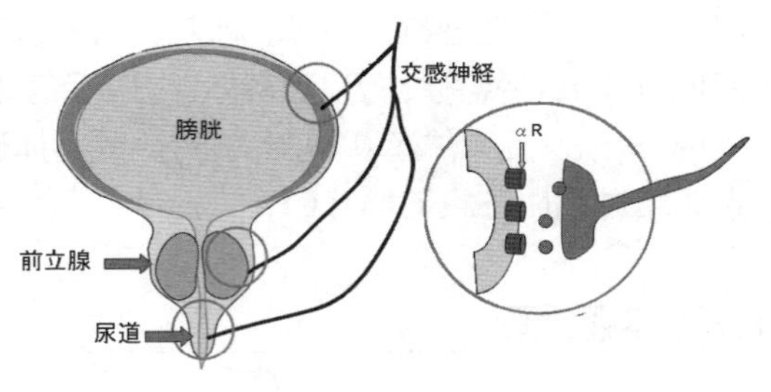

	アドレナリン作動性		コリン作動性	
膀胱平滑筋	β$_3$	弛緩	M$_3$＞M$_2$	収縮
膀胱括約筋	α$_1$	収縮	M$_3$＞M$_2$	弛緩

β$_3$ β$_3$ α$_1$ α$_1$ 尿道括約筋 蓄尿 M$_3$ 排尿 前立腺肥大 排尿

α$_1$受容体遮断薬（各論）

プラゾシン Prazosin、テラゾシン Terazosin、ドキサゾジン Doxazosin、ブナゾシン bunazosin

【薬理作用・作用機序】 α$_1$受容体を遮断することにより末梢血管を拡張させ、その抵抗を減少させることにより血圧下降作用を示す。プラゾシン、テラゾシンは、α$_{1A}$ α$_{1B}$ α$_{1D}$のどのサブタイプに対しても同程度の親和性を有し、特定のサブタイプへの親和性は認められない。このため血管（血圧）と前立腺に対する作用は同程度であり、前立腺肥大症の治療に用いると血管拡張により血圧低下作用を示す。ドキサゾジンとブナゾシンは前立腺肥大症へ適用はない。

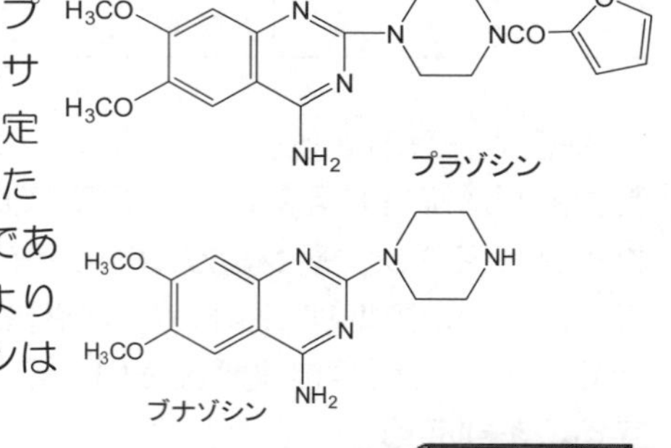

シナプス前α$_2$受容体にはほとんど作用しない。長期連用による耐性発現はみられない。

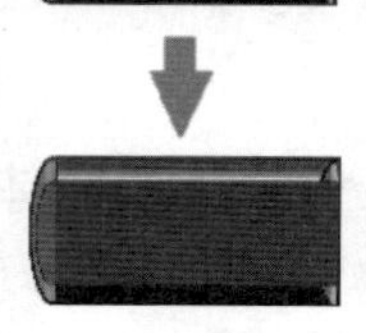

【適用】 本態性高血圧症、腎性高血圧症、前立腺肥大症に伴う排尿障害

【副作用】 失神・意識喪失、狭心症

タムスロシン　Tamsulosin

【薬理作用・作用機序】 尿道および前立腺部のα$_1$受容体を遮断することにより、前立腺部圧を低下させるため前立腺肥大症に伴う排尿障害を改善する。α$_{1A}$受容体に親和性が高いため下部尿路平滑筋弛緩作用が強く、ヒト前立腺標本での受容体結合実験において、

塩酸プラゾシンより 2.2 倍、メシル酸フェントラミンより 40 倍強いα_1受容体遮断作用を示す。α_{1A}受容体を選択的に遮断して尿道抵抗を下げるため、プラゾシンやテラゾシンとは異なり循環器系への作用は少なく血圧降下作用は軽微である。

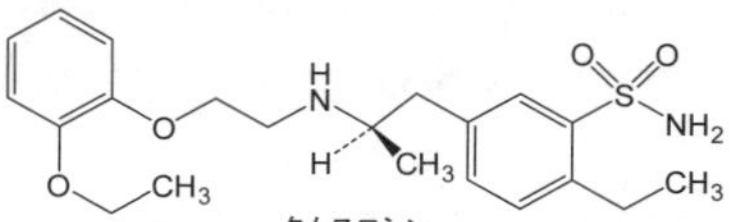

タムスロシン

【適用】前立腺肥大症に伴う排尿障害

【副作用】失神・意識喪失、肝機能障害

ナフトピジル　**Naftopidil**

【薬理作用】排尿障害を改善する。尿道および前立腺部においてα_{1A}やα_{1B}受容体よりもα_{1D}に対する高い親和性を示す。このため血圧降下等の副作用は少ない。

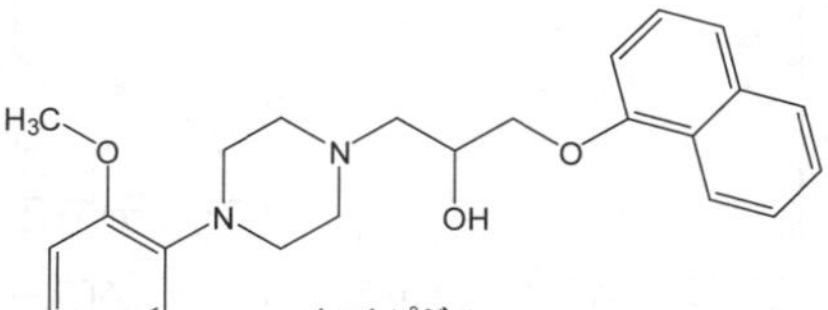

ナフトピジル

【適用】前立腺肥大症に伴う排尿困難・残尿感などの自覚症状の改善に加え、尿流率などにも改善効果がある。

【副作用】　肝機能障害、黄疸

フェントラミン　**Phentolamine**

【薬理作用】ネコ、イヌによる実験でフェントラミンは、アドレナリンのα_1作用による昇圧反応を遮断する。

【作用機序】α_1作用を競合的に遮断する。また、シナプス前部のα_2受容体も遮断するので神経終末からのノルアドレナリンの遊離を促進し、これが頻脈の原因となる。

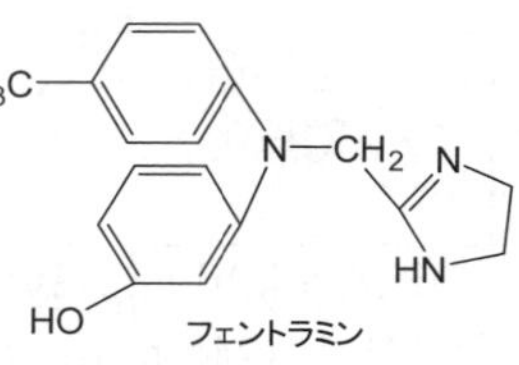

フェントラミン

【適用】褐色細胞腫の手術前·手術中の血圧調整、褐色細胞腫の診断

β受容体遮断薬　β-receptor antagonists

β受容体のうちβ_1受容体遮断作用をもつ薬物は、正常時の心臓にはほとんど効果を示さないが、運動時のように交感神経系が緊張しているときには強い抑制効果を示す。

β受容体遮断薬は、高血圧、虚血性心疾患および頻脈性不整脈の治療に効果がある薬物で、循環器系疾患の治療に広く用いられている。また、現在では、一部の慢性心不全患者にも使用されている。

歴史的背景

最初に見いだされたβ受容体遮断薬は、アゴニストのイソプレナリンの構造を修飾したジクロロイソプレナリンであったが、この薬物は、部分作動薬であり、臨床では用いられなかった。その後プロネサロールが開発されたが、β受容体遮断薬のプロトタイプは、プロプラノロール Propranolol である。

β受容体遮断薬は、β_1受容体に対する選択性だけでなく、内因性交感神経興奮作用

（Intrinsic Sympathomimetic Action：ISA）および膜安定化作用（Membrane Stabilizing Action：MSA）により分類されることが多い。

β受容体遮断薬 β-receptor antagonists

	薬物名	作用 ISA	作用 MSA	脂溶性	臨床適用
非選択的β_1/β_2（第１世代）	プロプラノロール	0	++	高	気管支息患者には禁忌
	ピンドロール	+++	+	低	
	チモロール	0	0	中	
	アルプレノロール	0	0		
	オクスプレノロール	++	0		
	カルテオロール	0	++	低	
β_1選択的（第２世代）	アテノロール	0	0	低	気管支息患者にも十分な注意をいながら使用できる
	メトプロロール	0	+*	中	
β_1選択的（第３世代）	アセブトロール	+	+	低	
	セリプロロール	0	+	低	
	ベタキソロール	+	0	中	
β_2受容体遮断薬（β_2選択的）	ブトキサミン	β_2受容体を介する血管、気管支筋の弛緩を遮断			臨床適用 なし

ISA（Intrinsic Sympathomimetic Action）：内因性交感神経興奮作用
MSA（Membrane Stabilizing Action）：膜安定化作用　　*大量投与時
第３世代: 血管拡張に寄与する他の作用を併せ持つもの

2）β_1受容体遮断薬 β_1-receptor antagonists

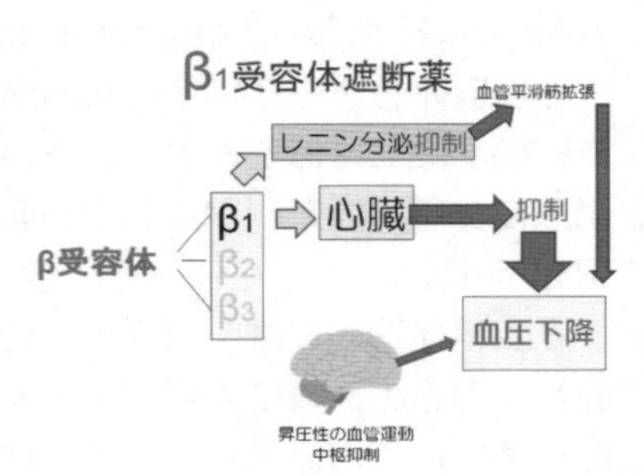

【薬理作用】 抗高血圧薬、狭心症予防薬、抗不整脈薬

β_1受容体を介した心抑制（心拍数および心拍出量の減少）、レニン産生抑制、および中枢作用（昇圧性の血管運動中枢β受容体遮断）により血圧下降作用を示す。

① β_1選択性か非選択性か

非選択的β受容体遮断薬は、β_2遮断により、（1）血管拡張が抑制され後負荷が増加する。（2）正常人の肺機能に対してはほとんど影響を及ぼさないが、**気管支ぜん息患者に対しては重篤な気管支収縮を起こす可能性がある**。そのため非選択性薬物は、気管支ぜん息患者に対して禁忌となっている。気管支ぜん息の患者に対しては、十分な注意を払いながら、β_2遮断活性が低いβ_1選択的作用を有する薬物を使用する（慎重投与）。気道抵抗の上昇した高齢者やCOPD患者などではβ_1選択性はリスクを軽減すると考えられている。

② 内因性交感神経刺激作用（Intrinsic Sympathomimetic Action、ISA）

β遮断薬の中には単に受容体を遮断するのみではなく、場合によってはβ受容体を刺激する作用を有するものが存在する。このような刺激作用を内因性交感神経刺激作用（Intrinsic Sympathomimetic Action、ISA）と呼んでいる。この作用は、β受容体遮断薬として矛盾するようのも思えるが、ISA（+）の薬物がβ受容体を刺激するか遮断するかは状況により異なり、内因性カテコールアミンやβ刺激薬の存在下においてはβ遮断薬として働くが、非存在下においてはむしろ受容体を刺激することもある。部分作動薬と考えると非常にわかりやすい。

高齢者などには、過度の心抑制を引き起こさないために、ISA 活性を持つ薬物の方が負担が少なく好ましいとされているが、狭心症の患者においては ISA（+）の薬物はむしろ心臓に対する負荷を大きくするため望ましくない。また、心筋梗塞の二次防止の点からも推奨されていない。ISA（＋）薬物の選択の意義としてはβ受容体遮断薬の副作用の軽減であるが、近年は ISA を持つ薬物を避ける傾向がある。

③ 膜安定化作用（局所麻酔作用、キニジン様作用）

β遮断薬の中には、プロプラノロールのように膜安定化作用を有するものがある。この作用は、β遮断作用とは関係がなく、細胞内への Na^+の流入を阻害することにより生じるもので、キニジン（抗不整脈薬）様作用または局所麻酔作用とも呼ばれる。最近、β遮断薬の抗不整脈作用が膜安定化作用によるものではないことが示され、臨床用量では膜安定化作用が期待できないことから臨床上は意味のない作用と考えられるようになった。

β_1受容体遮断薬各論

① β_1/β_2受容体遮断薬 （古典的非選択的β遮断薬：第１世代）

プロプラノロール Propranolol、ピンドロール Pindolol、
オクスプレノロール Oxprenolol、チモロール Timolol

純粋な遮断薬でβ_1受容体とβ_2受容体にほぼ同程度の親和性を持っている。プロプラノロールは、脂溶性が高く中枢に移行しやすい。β遮断薬の原型で抗高血圧薬として用いられ、他の薬物の比較対象となっている。初回通過効果を受けやすいため、投与量の 25% 程度しか全身循環に達しない。ピンドロールは、脂溶性は低いが ISA は強い。オクスプレノロール Oxprenolol は、頻脈性不整脈、狭心症の治療に用いられる。チモロール Timolol のように点眼薬として緑内障に用いられるものもある。

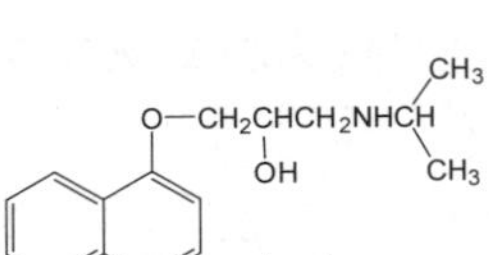

プロプラノロール 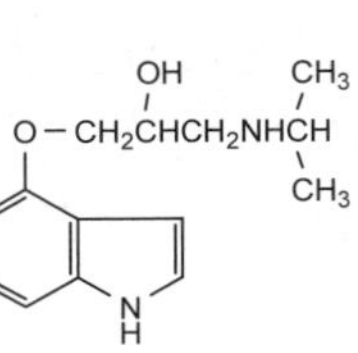　ピンドロール 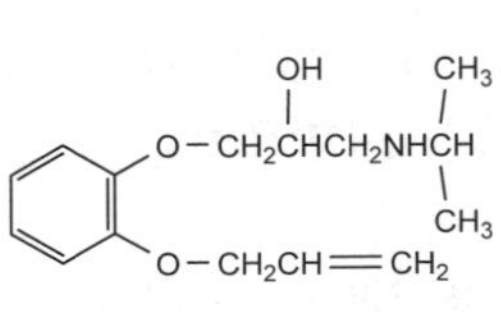　オクスプレノロール 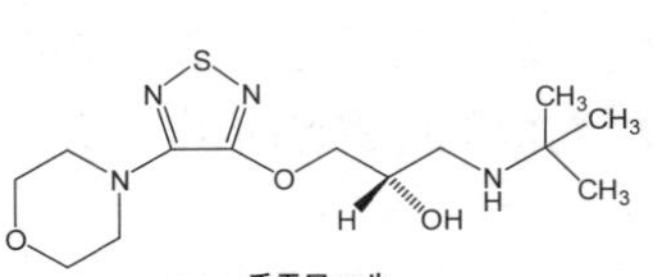　チモロール

② β_1選択的遮断薬（第２世代）

アテノロール Atenolol、 メトプロロール Metoprolol、アセブトロール Acebutolol

選択的心機能抑制（心拍数および心拍出量の減少）作用をもち、高血圧症患者に連続経口投与した場合には、心拍数、心拍出量の減少と共に血圧の有意な低下が認められる。気管支平滑筋、血管平滑筋等に分布するβ_2受容体にはほとんど影響を及ぼさない。

アテノロール Atenolol は、親水性でごくわずかしか中枢に移行しない。メトプロロール Metoprolol の脂溶性は中程度で、血漿タンパク質との結合が少ない。アセブトロール Acebutolol は、多少の ISA と膜安定化作用を有するが脂溶性は低い。

及び鏡像異性体

アテノロール

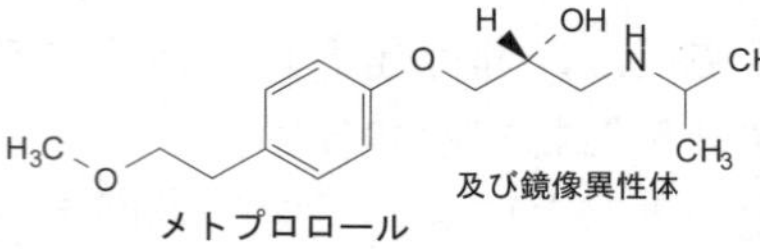

及び鏡像異性体

メトプロロール

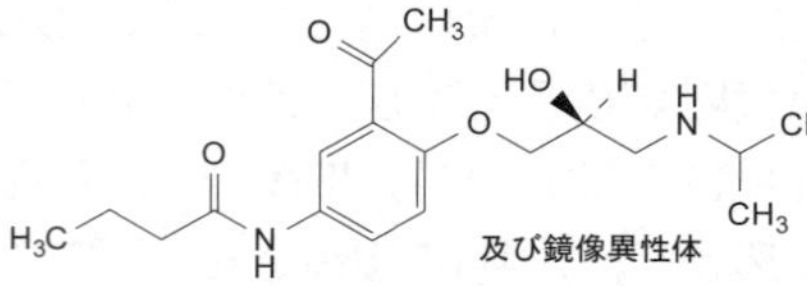

及び鏡像異性体

アセブトロール

③ β遮断薬で血管拡張に寄与する他の作用を併せ持つもの（第３世代）

一部の薬物については、血圧降下に関与する別の作用を有するものがある。

（1）一酸化窒素発生：セリプロロール（β_1選択的）、カルテオロール、ニプラジロール

（2）β_2受容体作動活性：セリプロロール（β_1選択的）、カルテオロール

（3）カルシウム流入抑制：カルベジロール、ベタキソロール（β_1選択的）

（4）抗酸化作用：カルベジロール

（5）α_1 受容体遮断作用（αおよびβ受容体遮断薬：後出）

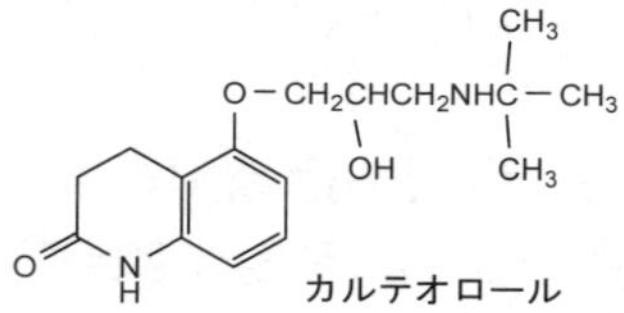

$O-CH_2CHCH_2NHC(CH_3)_2-CH_3$ (OH)

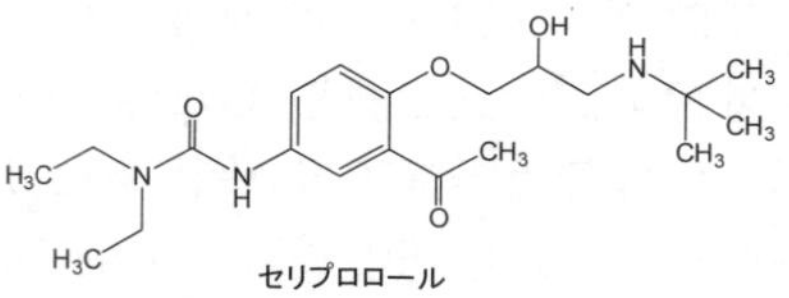

カルテオロール

セリプロロール Celiprolol はβ_1選択的で、カルテオロール Carteolol は、非選択的（β_1/β_2）である。カルテオロールは、強力なβ_1受容体遮断作用を示す（プロプラノロールの 5-10 倍）。両薬物ともに、脂溶性は低いが、β_2受容体に対してアゴニスト作用を示し血管を拡張させる。

セリプロロール

【適用】 本態性高血圧症（軽症～中等症）、心臓神経症、不整脈（洞性頻脈、頻脈型不整脈、上室性期外収縮、心室性期外収縮）、狭心症

【副作用】 房室ブロック、洞不全症候群、洞房ブロック、洞停止等の高度の徐脈性不整脈、うっ血性心不全、反射性に末梢抵抗増加

β遮断薬投与により悪夢をみることがあるが、**脂溶性の高い薬剤ほど脳内の薬物濃度が高くなり、発現頻度も高くなる傾向がある。**

3）β_2受容体遮断薬 β_2-receptor antagonists

ブトキサミン Butoxamine

気管支、血管などのβ_2受容体を遮断してアゴニストによる弛緩作用を選択的に遮断する。治療薬としての価値はなく臨床的に用いられることはない。

4）αおよびβ受容体遮断薬　αβ-receptor antagonists

アドレナリンα₁、β₁受容体を遮断する。α_1 受容体遮断による血管拡張およびβ ₁ 受容体遮断による心機能抑制作用により降圧をもたらす。β₂受容体遮断作用も有するが、この作用は治療目的には関係ない。通常のβ受容体遮断薬で問題になる反射性の末梢血管抵抗増加がα₁遮断作用によって抑制されるため、血行動態面では β 受容体遮断薬より優れた効果が期待できる。

【適用】本態性高血圧症、狭心症

通常のβ受容体遮断薬

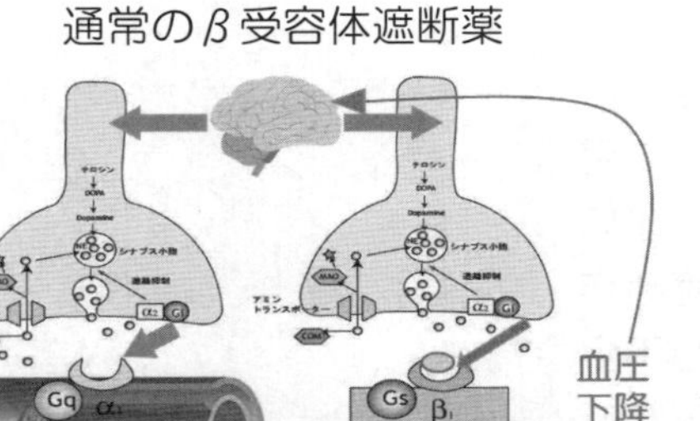

反射性の末梢血管抵抗増加

α 1受容体遮断薬

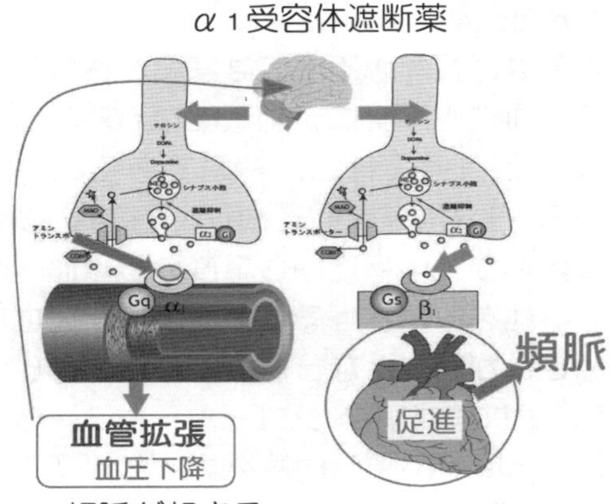

頻脈が起きる

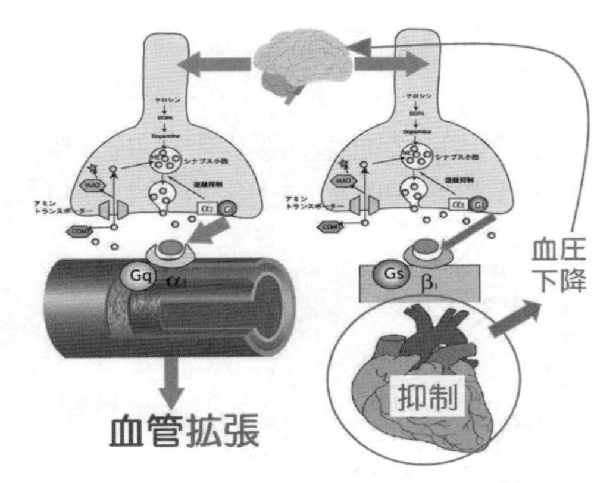

αおよびβ受容体遮断薬

β遮断薬で問題になる反射性の末梢血管抵抗増加がα₁遮断作用によって抑制される。

ラベタロール Labetalol（1:3）　（）内はα/β比

【薬理作用】成人高血圧症患者に投与した場合、心拍出量にほとんど影響を及ぼさずに、全末梢血管抵抗を減少し、血圧を降下させる。なお、心拍数はわずかに減少する。β 2 受容体に対しては、部分作動活性を示す。

及び鏡像異性体
ラベタロール

アロチノロール Arotinolol （1:8）

骨格筋のβ 2 遮断作用により抗振戦作用を発現する。

及び鏡像異性体
アロチノロール

アモスラロール Amosulalol（1.3:1）

水溶性で脳内に入りにくいので、気分の変調など中枢性の副作用が少ない。 ISA は 0 である

アモスラロール

カルベジロール Carvedilol（1:1）

膜安定化作用を有するが、ISA は 0 である。受容体を介する作用以外に抗酸化作用がある。心不全に適応がある（下記参照)。

カルベジロール

心不全とβ遮断薬

β遮断薬は、長年心不全には禁忌とされてきた。事実、うっ血性心不全にβ刺激薬が治療薬として用いられることを考えれば、禁忌であることは理に叶っている。しかしながら、近年、一部のβ遮断作用を持つ薬物が、中程度から重度のうっ血性心不全患者の心機能を改善させることにより、死亡率を低下させることが明かとなった。これらのエビデンスから、我が国でもカルベジロール（αβ遮断薬）とビソプロロール（β_1選択的遮断薬）に、「アンジオテンシン変換酵素阻害薬、利尿薬、ジギタリス製剤等の基礎治療を受けている患者の虚血性心疾患または拡張型心筋症に基づく慢性心不全」に対しての適応が追加された。

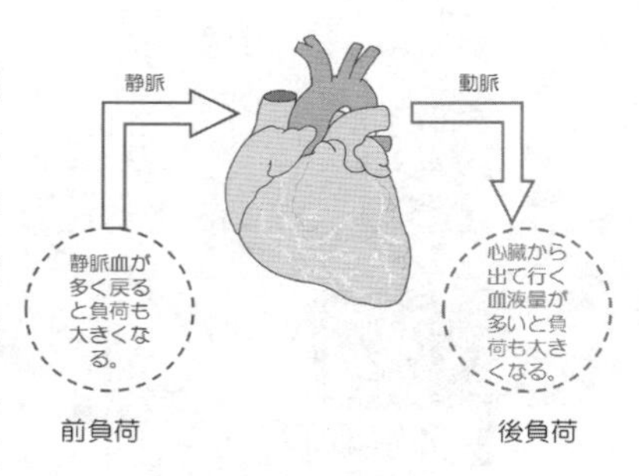

アドレナリンの血圧反転　（アドレナリン反転）

アドレナリンの血圧上昇作用は、血管収縮作用（α_1作用）が血管拡張作用（β_2作用）より強く現れるために起こる。α_1遮断薬のフェントラミンを投与した後にアドレナリンを投与すると、β_2作用のみが現れ血圧は下降する。

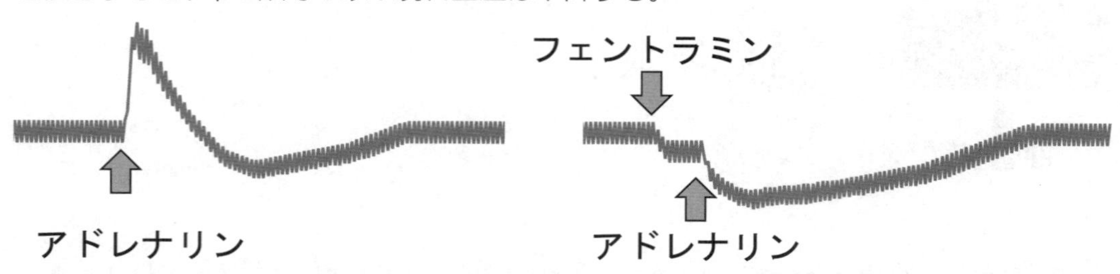

アドレナリンによる血圧反転は、1905年デイルにより記載された実験である。
元々のデイルの実験では、フェントラミンではなく、バッカクが用いられていた。その後、アドレナリン受容体のサブタイプαとβの概念が導入されて、α遮断によりβ作用だけが出現するということが説明できるようになった。薬理学の歴史上大変意味のある現象である。

2-3-2　アドレナリン神経抑制（遮断）薬　Adrenergic neuron blocking agents

シナプス前部に作用して、神経終末からのノルアドレナリンの遊離を抑制するかノルアドレナリンを枯渇させ、交感神経伝達を遮断する薬物である。

レセルピン　Reserpine

キョウチクトウ科に属するヒマラヤ山中原産のインド蛇木の根から抽出されるラウオルフィアアルカロイド

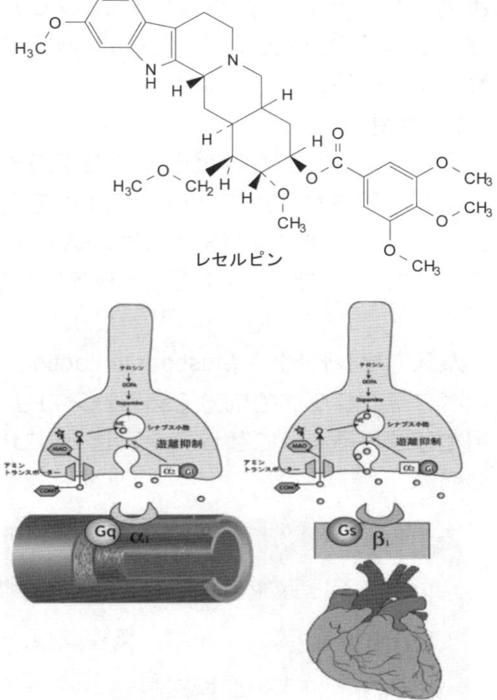

【作用機序】ノルアドレナリンの貯蔵顆粒への取り込みと結合を阻害する。これはシナプス小胞のモノアミントランスポーター（VMAT）阻害による作用である。ドパミンの貯蔵顆粒への取り込みも抑制する。これによって伝達物質であるノルアドレナリンを枯渇させる。中枢でも末梢でも作用を発揮する。

【薬理作用】降圧作用、静穏作用、体温低下作用、条件回避反応抑制作用

【副作用】うつ状態

3.　副交感神経系に作用する薬物

3-1　副交感神経系より遊離される神経伝達物質（内因性物質）

アセチルコリン acetylcholine　ACh

（1）生合成

アセチルコリンは、コリンアセチルトランスフェラーゼによりコリンとアセチル Co-A より合成されるエステルである。神経終末での合成能は非常に高い。コリンは神経系では合成されないので、終末内に取り込み機構を使って取り込んでいる。この取り込み機構は、ヘミコリニウム-3 によって抑制される。ヘニコリニウム-3 は、この取り込みを抑制してアセチルコリン含量を低下させる（医薬品としては使用されていない）。

コリン　＋　アセチルCoA　→（コリンアセチルトランスフェラーゼ）→　アセチルコリン

（2）貯蔵

アセチルコリンは、神経終末内に存在するシナプス小胞に小胞アセチルコリントランスポーターにより取り込まれる。また、約半分は細胞質中に存在している。どちらのアセチルコリンも刺激により遊離される。

（3）作用

アセチルコリンが神経伝達物質であることが証明される以前から、遮断薬の違いや、各組織における反応性の違いから、ニコチン作用とムスカリン作用に分類されていた。

A ムスカリン作用　Muscarinic　action

ベニテングダケの成分であるムスカリンの作用と類似していることから、ムスカリン作用と呼ばれるようになった。アセチルコリンは、ムスカリン作用は強いが、ニコチン作用は弱い。

組　織	作　　用
平滑筋	収縮（胃腸管、胆のう、胆管、膀胱尿筋）腸管蠕動運動亢進
外分泌腺	亢進（汗腺、気管支腺、唾液腺、涙腺、胃腸管外分泌）
循環器	末梢血管拡張 心臓抑制（陰性変時、陰性変伝導）
目	瞳孔括約筋収縮：縮瞳 毛様体筋収縮：線維柱体を広げ、シュレム管からの眼房水排泄を促進し眼圧低下

ムスカリン性アセチルコリン受容体（Muscarinic ACh receptor）

ムスカリン受容体は、**G タンパク質共役型（7 回膜貫通型）**で、5 つのサブタイプ（M_1 ～ M_5）が存在する。

神経に存在する M_1、心臓に存在する M_2、平滑筋（気管支、消化管等）、外分泌腺に存在する M_3、中枢神経系に存在する M_4 と M_5 に分類されている。

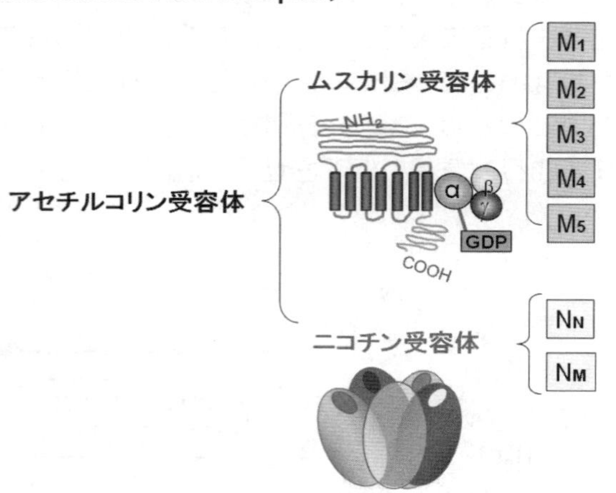

ムスカリン受容体の分類表（M_1 ～ M_3）

サブタイプ	局　在	おもな作用	細胞内情報伝達系	特異的アンタゴニスト
M_1	中枢神経 自律神経節 分泌組織	神経伝達 脱分極 胃酸分泌	Gq　PLC　PI 代謝回転促進	ピレンゼピン
M_2	心臓	心拍数減少 心収縮力低下	Gi　K^+チャネル開口　過分極 Gi　アデニル酸シクラーゼ抑制	メトクラミン
M_3	心臓以外の器官 平滑筋 外分泌腺 （脾臓 M_3 のみ）	瞳孔縮小 血管拡張 平滑筋収縮 分泌促進	Gq　PLC　PI 代謝回転 NO 産生 細胞内 Ca^{2+} 上昇	チオトロピウム

B ニコチン作用 Nicotinic action

ニコチン作用は、自律神経節と運動神経と骨格筋の間にある神経筋接合部においてみられる刺激作用で、大量のニコチンでこの作用が阻害されることから、ニコチン作用と呼ばれることになった。

アトロピン存在下で、大量のアセチルコリンを投与すると血圧は上昇するが、これはアトロピンで遮断されない自律神経節および副腎髄質のニコチン受容体（N_N 受容体）にアセチルコリンが作用して、交感神経末端からノルアドレナリンがまた副腎髄質からアドレナリンが放出されることによる。運動神経の神経筋接合部のニコチン受容体（N_M 受容体）にアゴニストが作用すると、骨格筋の収縮が起こる。

ニコチン性アセチルコリン受容体（Nicotinic ACh receptor）：イオンチャネル型

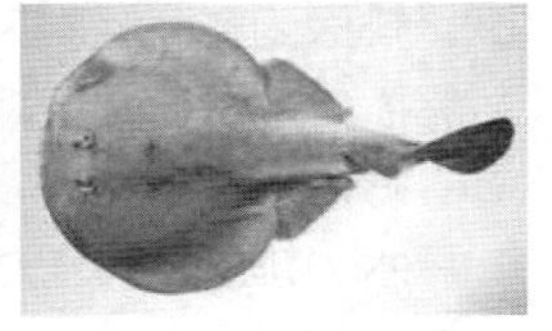

中枢神経系および自律神経系に存在する受容体は、N_N 型、神経筋接合部（終板）の受容体は N_M 型に区別されている。

ニコチン受容体は、1983 年に沼らによってシビレエイから生成されたタンパク質をもとに、クローニング技術を駆使し受容体の分子構造が明らかにされた。受容体の中で、分子構造が明らかになった最初の例となった。

（4）分解

アセチルコリンは**エステル**であるので、コリンエステラーゼによってコリンと酢酸に分解されて不活化される。コリンエステラーゼにはアセチルコリンに特異性の高い真性アセチルコリンエステラーゼ AChE（シナプス膜に固着している）と非特異的プソイドコリンエステラーゼ ChE（血漿で活性が高い）がある。アセチルコリンは AChE や ChE で速やかに分解されるために、作用は一過性である。

アセチルコリン（H_3C–CO–O–CH_2CH_2–$N^+(CH_3)_3$） → コリンエステラーゼ → コリン（HO–CH_2CH_2–$N^+(CH_3)_3$）＋ 酢酸（H_3C–CO–H）

（5）アセチルコリン系に関連する毒素

蛇毒　　αブンガロトキシン、βブンガロトキシン

台湾産アマガサヘビの蛇毒中に含まれる。αブンガロトキシンは、神経筋接合部のニコチン受容体に強固に結合するため、放出されたアセチルコリンが受容体へ結合するのを阻害して神経伝達を遮断する。βブンガロトキシンは、コリン作動性終末部に作用して終末部を傷害するためアセチルコリンの遊離を阻害するとともに枯渇させる。

A 型ボツリヌス毒素

嫌気性菌であるボツリヌス菌が産生する毒素で、神経終末部に作用して、開口分泌に関与する神経終末タンパク質を切断するためアセチルコリンの遊離を可逆的に阻害する。アセチルコリンだけではなくほとんどの神経伝達物質の遊離を阻害する。

テトロドトキシン

フグ毒の成分で、電位依存性 Na^+チャネルを抑制する。このためアセチルコリンの遊離を強力に阻害する。

3-2　　副交感神経興奮薬　コリン作動薬　Cholinergic agonists

コリン作動薬は、コリンエステル類、コリン作動性アルカロイド、コリンエステラーゼ阻害薬の 3 種にに分類される。

コリンエステラーゼ阻害薬は、シナプス間隙に遊離したアセチルコリン濃度を上昇させることにより**間接的**に作用を引き起こす。

適応症

① 麻痺性イレウス（腸閉塞）、術後の腸管麻痺

腸閉塞や腹部の手術後や脳梗塞後、急性腹膜炎などで腸の動きが悪くなり、腸に貯まったものが流れなくなり、イレウス（閉塞）の症状が出る病気

② 排尿困難（膀胱アトニー）

膀胱の平滑筋が収縮できず尿を自分で出せなくなる状態

③ 緑内障

房水の排出に異常が生じて眼圧の上昇がおこり、その結果視神経が圧迫され、視障害や視野欠落などの視機能障害を起こす疾患で、失明に至ることもある。

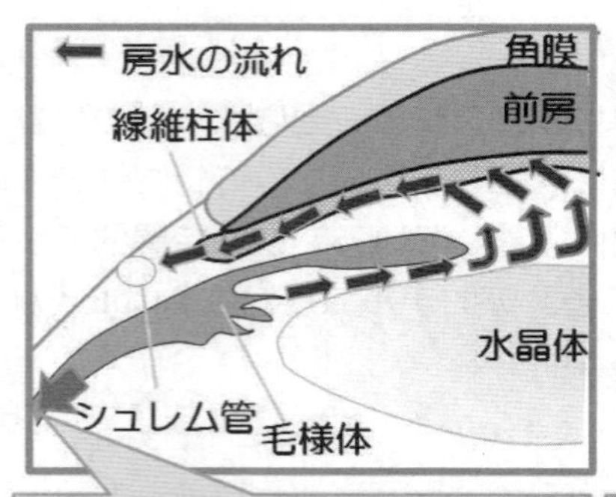

毛様体は平滑筋（毛様体筋）で、アセチルコリンやコリン作動薬で収縮する。収縮すると、角膜と虹彩の間（隅角）が開き、眼房水が流出する。

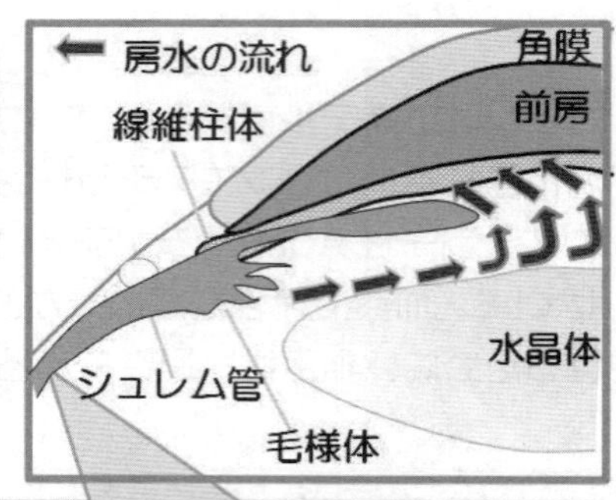

毛様体筋が弛緩すると、隅角が狭く（狭隅角）または、閉塞（閉塞隅角）し、房水が流出できなくなり、眼圧が上昇する（狭隅角緑内障）。

3-2-1　コリンエステル類　Choline esters

アセチルコリンは、麻痺性イレウス（腸閉塞）に対する適用はあるが、投与しても作用が一過性で薬効としての価値は高くない。血液ー脳関門を通過しないため、中枢作用は出現しない。合成コリンエステル類は、アセチルコリンの類似物質であり、アセチルコリン受容体を直接刺激して作用を発現する。β位の炭素にメチル基が入ると、ニコチン作用は減弱する（メタコリン、ベタネコール）。アセチル基がカルバモイル化（H_2N-CO-の誘導体にすること）されると、コリンエステラーゼに対する感受性が低下する（カルバコール、ベタネコール）。カルバコールとベタネコールはアセチルコリンと比較してコリンエステラーゼに対する感受性が低いため作用が持続する。

コリンエステル類の比較

薬　物		コリンエステラーゼ感受性	ニコチン作用	臨床適用
アセチルコリン	$H_3C-N^+(CH_3)_2-CH_2CH_2OCOCH_3$	＋＋＋	＋＋	麻痺性イレウス・円形脱毛症
メタコリン	$H_3C-N^+(CH_3)_2-CH_2CH(CH_3)OCOCH_3$	＋	＋	現在は用いられていない
カルバコール	$H_3C-N^+(CH_3)_2-CH_2CH_2OCONH_2$	―	＋＋＋	現在は用いられていない
ベタネコール	$H_3C-N^+(CH_3)_2-CH_2CH(CH_3)OCONH_2$	―	―	術後の腸管麻痺 麻痺性イレウス 排尿困難（尿閉）

3-2-2　コリン作動性アルカロイド Cholinergic alkaloids

ピロカルピン Pilocarpine

ピロカルピン

【薬理作用】三級アミンで、ムスカリン作用を示すが、ニコチン作用は弱い。分泌線と目に対して強い作用を示す。

全身投与による適用はなく、点眼薬として緑内障に用いる。

副交感神経支配の毛様体筋を収縮させることにより線維柱帯が広がるため、房水流出が促進され眼圧が下降する。瞳孔括約筋のムスカリン受容体に作用して収縮させるため、縮瞳する。

【副作用】　眼類天疱瘡. 眼類天疱瘡（結膜充血、角膜 上皮障害、乾性角結膜炎、結膜萎縮、睫毛内反、眼瞼眼球癒着等）　目に作用する薬物の項参照

セビメリン　Cevimeline

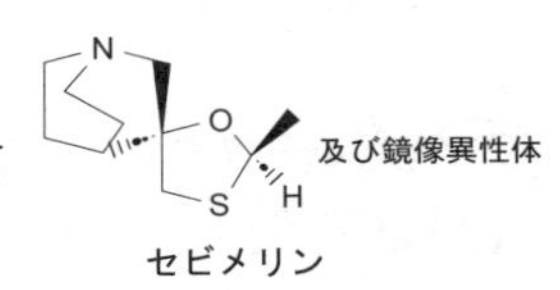

セビメリン

【薬理作用】唾液腺の M3 受容体に作用して、唾液分泌を促進させる。唾液分泌促進薬として用いられる。

【適用】 シェーグレン症候群患者の口腔乾燥症状の改善
【副作用】 間質性肺炎の増悪

3-2-3　コリンエステラーゼ阻害薬　Choline esterase inhibitors

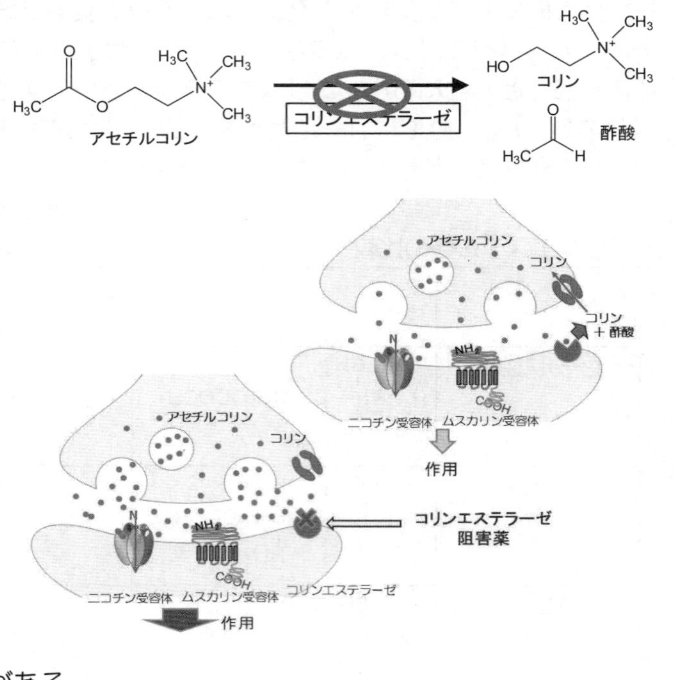

コリンエステラーゼ阻害薬は、遊離されたアセチルコリンを分解するコリンエステラーゼを阻害し、シナプス間隙におけるアセチルコリンの存在時間を延長させる。ムスカリン受容体が存在している副交感神経節後線維の末端では、ムスカリン作用を発現する。またニコチン受容体が存在しているシナプスではニコチン作用を発現する。コリンエステラーゼ阻害薬には、**可逆性**のものと**非可逆性**のものが存在する。治療上用いられる薬物は、すべて可逆性のものである。非可逆性のものには、有機リン系殺虫剤やサリン、ソマン、タブン、VXなどの神経ガスがある。

（1）可逆性コリンエステラーゼ阻害薬

アセチルコリンが遊離されるシナプスや神経ー神経筋接合部などで、コリンエステラーゼを可逆的に阻害して、アセチルコリンの分解を抑制するため、アセチルコリンが蓄積して作用を発現する。自律神経系においては、副交感神経支配の効果器のムスカリン作用および自律神経節（交感、副交感両神経節）でニコチン作用を発現する。

②　自律神経系：緑内障、術後腸管麻痺（麻痺性イレウス）と膀胱アトニー（排尿困難）
②　運動神経系：重症筋無力症の診断と治療

治療の目的には、作用が強く持続性で、ムスカリン様副作用が少ないものが用いられる（アンベノニウム、ピリドスチグミン）。

3 級化合物は、血液脳関門（BBB）を通過するので中枢作用を発現し、不安、振戦、運動失調、言語障害、錯乱が出現する。このため、中枢作用が必要ではない、末梢の平滑筋緊張低下や重症筋無力症などには、４級アンモニウム化（N^+）した中枢に移行しない薬物が用いられる。

フィゾスチグミン　Physostigmine（3 級）

【薬理作用】 ナイジェリア地方の、カラバル豆に含まれるアルカロイドである。コリンエステラーゼのエステル結合部をカルバモイル化し、可逆的阻害作用を示す。ムスカリン作用としては、心臓機能抑制、胃腸管運動亢進、消化腺分泌亢進、縮瞳など。神経筋接合部では、骨格筋の収縮（れん縮）が見られる。

臨床では用いられていない。

フィゾスチグミン

ネオスチグミン　Neostigmine（4 級）

【薬理作用】アセチルコリンの分解を抑制し、間接的にアセチルコリンの作用を増強するとともに、自らもアセチルコリン様の作用を有するコリン作動薬（副交感神経興奮薬）である点でフィゾスチグミンとは異なる。４級アンモニウム化合物で、血液脳関門は通過しないので中枢作用はない。消化管吸収も不良である。

【適用】消化管機能低下がみられる手術後および分娩後の腸管麻痺、術後・分娩後における排尿困難、重症筋無力症、クラーレ薬（ツボクラリン等）による遷延性呼吸抑制

ネオスチグミン

エドロホニウム　Edrophonium（4 級）

コリンエステラーゼの陰性部のみと結合するため阻害作用が弱く効果も短時間である。ニコチン受容体に対する直接作用もあるが、作用時間が短いため、重症筋無力症の診断用に用いる。

【適用】重症筋無力症の**診断**、筋弛緩薬投与後の遷延性呼吸抑制の鑑別診断

エドロホニウム

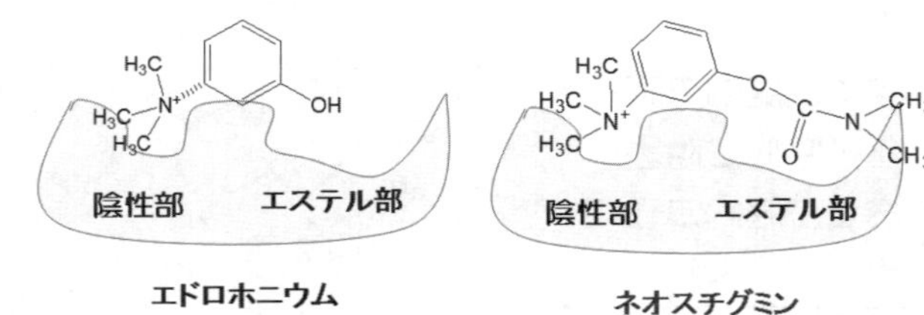

ネオスチグミンは、エステル部をカルバモイル化してジメチルカルバメートを形成するため乖離しにくい。

エドロホニウムは、陰性部のみと結合するため乖離しやすい。

ジスチグミン　Distigmine（4 級）

ネオスチグミンより強力で持続的である。

【適用】手術後および神経因性膀胱などの低緊張性排尿困難に用いる。また、点眼で緑内障に用いる。重症筋無力症にも用いる

ジスチグミン

ピリドスチグミン　pyridostigmine（4 級）

抗クラーレ作用等はいずれもネオスチグミンより弱く、作用発現は緩徐でより持続的。

【適用】経口で重症筋無力症に用いる。

ピリドスチグミン

【可逆性コリンエステラーゼ阻害薬の副作用】
腹痛、下痢、吐き気、唾液分泌過多などの消化器症状、心悸亢進、頭痛、めまい、発汗、縮瞳、線維束れん縮等、コリン作動性クリーゼ

> **コリン作動性クリーゼ** コリンエステラーゼ阻害薬による治療中に起こる呼吸困難を伴うアセチルコリン過剰症状の急激な悪化とされ、人工呼吸を要する状態

アコチアミド Acotiamide

【作用機序】消化管においてコリンエステラーゼを阻害して、消化管機能（特に胃前庭部の運動亢進および胃運動低下改善作用）を改善し、機能性ディスペプシアにおける食後膨満感、上腹部膨満感、早期満腹感を改善する。

アコチアミド

【適用】 機能性ディスペプシアにおける食後膨満感、上腹部膨満感、早期満腹感 （食前に服用する）

【副作用】下痢、便秘、悪心、嘔吐

> 機能性ディスペプシア（Functional dyspepsia, FD）
> 機能性胃腸障害（Functional gastrointestinal disorder：FGID）
> 内視鏡検査などで癌や潰瘍といった器質的疾患が見られないにもかかわらず、胃の痛みやもたれ感、食後の膨満感、不快感などを覚える疾患

ドネペジル　Donepezil

【薬理作用・作用機序】中枢に移行しやすく、脳内のアセチルコリンエステラーゼ（AChE）を可逆的に阻害することにより、脳内 ACh 量を増加させ、脳内コリン作動性神経系を賦活する。

ドネペジル

【適用】アルツハイマー型認知症　中枢神経作用薬の項参照

コリンエステラーゼ阻害薬を適用する場合に、以下の患者には慎重投与となる。

気管支ぜん息の患者〔気管支ぜん息の症状を悪化させる。〕
消化器の機能亢進状態の患者〔消化管機能を更に亢進させ、症状を悪化させる。〕
胃・十二指腸潰瘍の患者〔消化管機能を亢進させ潰瘍の症状を悪化させる。〕
徐脈・心臓障害のある患者〔心拍数低下、心拍出量低下を起こす。〕
てんかんの患者〔てんかんの症状を悪化させる。〕
パーキンソン症候群の患者〔パーキンソン症候群の症状を悪化させる。〕

（2）非可逆的コリンエステラーゼ阻害薬

神経ガス　（サリン、ソマン、タブン、VX）

コリンエステラーゼを抑制する致命的な有機リン系化合物である。

1934 年、イーゲーファルベン（IG-Farben、ドイツの化学工業トラスト）の化学者ゲル

ハルト・シュレーダー（Gerhard　Schrader）は、殺虫剤を開発する任務を与えられた。彼は、2 年後に非常に高い毒性を持つリン化合物を合成した。この物質は、タブンと名付けられ、後に神経ガスとされる物質の最初のものとなった。地下鉄サリン事件に用いられたサリンは、同類の神経ガスである。。

- タブン、GA: $(CH_3)_2N\text{-}P(=O)(\text{-}CN)(\text{-}OC_2H_5)$
- サリン、GB: $CH_3\text{-}P(=O)(\text{-}F)(\text{-}OCH(CH_3)_2)$
- ソマン、GD: $CH_3\text{-}P(=O)(\text{-}F)(\text{-}CH(CH_3)C(CH_3)_3$
- GF: $CH_3\text{-}P(=O)(\text{-}F)(\text{cyklo-}C_6H_{11})$
- VX: $CH_3\text{-}P(=O)(\text{-}SCH_2CH_2N[CH(CH_3)_2]_2)(\text{-}OC_2H_5)$

（3）コリンエステラーゼ　解毒薬（コリンエステラーゼ再賦活薬）

プラリドキシム（PAM）

【薬理作用】有機リン化合物は、コリンエステラーゼのエステル結合部をリン酸化して不可逆的に酵素活性を阻害するが、プラリドキシム（PAM）は、コリンエステラーゼに結合したリン酸の加水分解を促進して再賦活化するため、有機リン系薬物の解毒薬として用いられる。

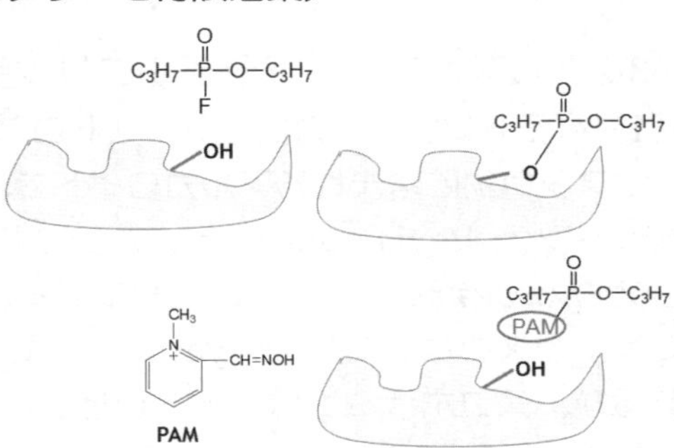

3-3　ムスカリン性アセチルコリン受容体遮断薬（抗コリン薬）
Cholinergic antagonists

3-3-1 ムスカリン性アセチルコリン受容体遮断薬（抗コリン薬）総論

副交感神経支配の効奏器官に存在するムスカリン受容体において受容体刺激薬（アゴニスト）と競合的に拮抗作用を示す薬物（ムスカリン性アセチルコリン受容体遮断薬）を抗コリン薬と呼んでいる。

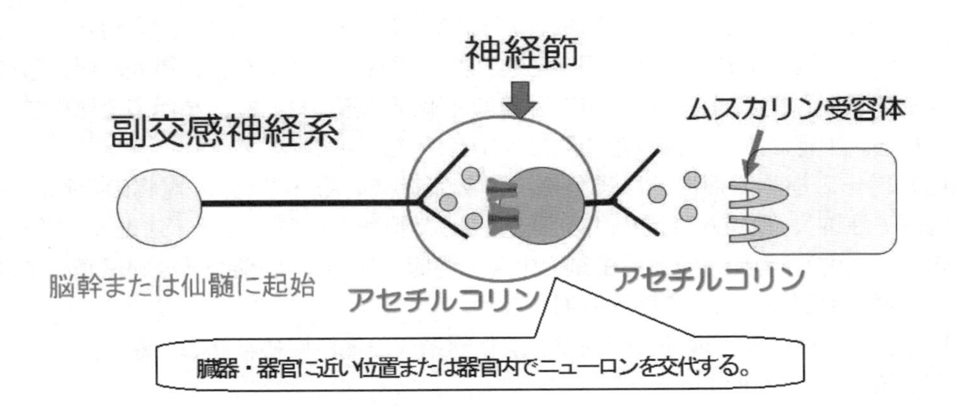

ムスカリン受容体遮断作用を持つ薬物の主な作用

部位・器官	作用
循環系	低用量では徐脈、高用量では心拍数増加
平滑筋	消化管、気管支などの運動、緊張を減弱　鎮痙薬
目	散瞳（瞳孔括約筋弛緩）、眼内圧の上昇（毛様体筋が弛緩しシュレム管が狭小となる。緑内障の患者には禁忌
分泌腺	外分泌の分泌抑制　唾液腺分泌を抑制するので口腔乾燥、口渇
汗腺	抑制　皮膚に熱感をもち乾燥　（交感神経であるがコリン作動性）

副作用：口渇、便秘、悪心・嘔吐、排尿困難、遠視性調節麻痺、眼圧上昇

3-3-2　ムスカリン性アセチルコリン受容体遮断薬（抗コリン薬）各論

（1）ベラドンナアルカロイド　（トロパン系アルカロイド）

ナス科植物に含まれるアルカロイドで、古代インド時代にはすでに使用されていた。ベラドンナ *Atropa belladonna*、ハシリドコロ *Scopolia japonica*、ヒヨス *Hyoscyamus nigre* に含まれている。**アトロピン**（*dl*-ヒヨスチアミン）とスコポラミン（l-hyoscine）は、ほぼ同じ作用を持つはずであるが、スコポラミンは、アトロピンよりも血液-脳関門を通過し易いため、中枢作用が現れやすい。

【適用】 ロートエキスとして、食欲不振、胃部不快感、胃もたれ、嘔気・嘔吐、胃痛に用いられる。

アトロピン　Atropine

【薬理作用】 ムスカリン性アセチルコリン受容体において内因性のアセチルコリンやムスカリン受容体刺激薬と競合的に拮抗する。この作用は、平滑筋、心筋および外分泌腺のムスカリン受容体に対し特に選択性が高い。消化管、胆管、膀胱、尿管等のれん縮を緩解すると共に、唾液、気管支粘膜、胃液、膵液等の分泌を抑制する。心臓に対し、低用量では通常徐脈があらわれるが、高用量では心拍数を増加させる。中枢に対しては大量で興奮作用を示す。

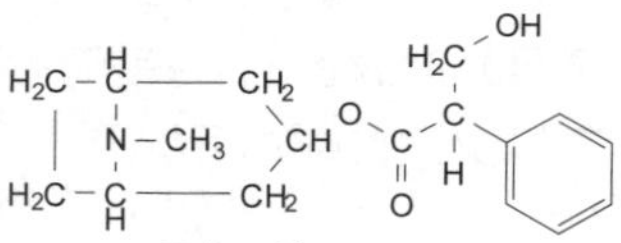

アトロピン

【適用】 胃十二指腸潰瘍における分泌・運動亢進（内服・注射）、胃腸の痙れん性疼痛（内服・注射）、痙れん性便秘（内服・注射）、胆管の疝痛（内服・注射）、尿管の疝痛（内服・注射）、有機リン系殺虫剤の中毒（内服・注射）、副交感神経興奮薬の中毒（内服・注射）麻薬前投与（内服・注射）など

【副作用】 視調節障害、散瞳、緑内障、消化器系（口渇、便秘、悪心、嘔吐）

スコポラミン　Scopolamine

【薬理作用】 末梢作用は、アトロピンとほぼ同じであるが、アトロピンより血液-脳関門を通過しやすく、中枢抑制（鎮静）のみが出現する。臨床では使用されていない。

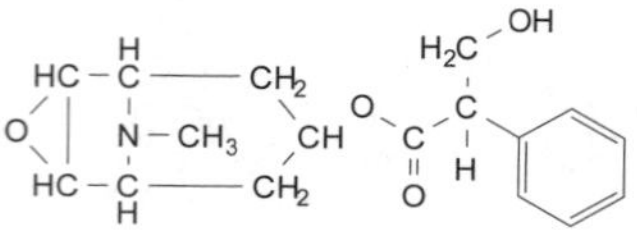

スコポラミン

（2）合成鎮痙薬（アトロピン代用薬でベラドンナアルカロイドを４級アンモニウム化）

胃腸の炎症（急性胃炎等）のような場合に、末梢作用のみを期待する場合には、中枢作用は必要ないばかりか副作用となる。そのため４級アンモニウム化して中枢への移行を止め、好ましくない中枢作用を持たない薬物が用いられる。４級アンモニウム化により中枢作用は消失あるいは減弱するが、消化管からの吸収も低下する。

ブチルスコポラミン　Butylscopolamine、プロパンテリン　Propantheline、チメピジウム Timepidium、

内臓平滑筋のムスカリン M_3 受容体に結合して遮断し、平滑筋の緊張を緩和する。ブチルスコポラミンは、スコポラミンのアルキル化誘導体である。

ブチルスコポラミン　プロパンテリン　チメピジウム

ピペリドレート Piperidolate　（三級アミン）

胃、腸管、Oddi 括約筋、尿細管のムスカリン M_3 受容体を遮断して鎮痙効果を示す。切迫流産・早産防止薬としても用いられる。

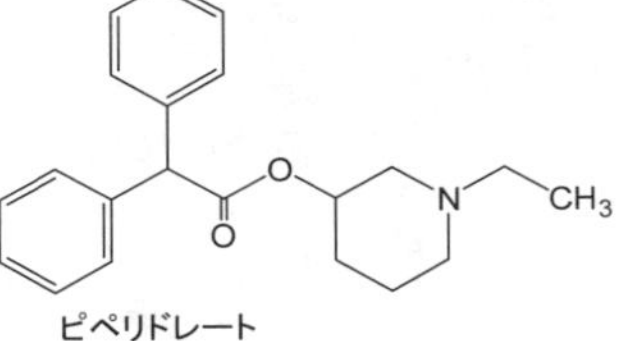

ピペリドレート

【適用】胃潰瘍、十二指腸潰瘍、胃炎

ピペリドレートは、Oddi 括約筋収縮を抑制するため胆石症、胆嚢炎、胆道ジスキネジーなどの痙攣性疼痛にも用いられる。

メペンゾラート　Mepenzolate

【薬理作用】消化管の自動運動抑制作用およびれん縮緩解作用をもつ。この作用は上部消化管に対するより、下部消化管（結腸）により強くあらわれる。

【適用】過敏大腸症（イリタブルコロン）に用いられる。

【副作用】視調節障害、消化器系（口渇、便秘）

メペンゾラート

ピレンゼピン　Pirenzepine

【薬理作用・作用機序】分泌細胞や副交感神経節に存在する M_1 受容体を遮断して、胃液分泌を抑制する。抗ガストリン作用を併せ持つため、ガストリンによる胃液、胃酸、ペプシンの分泌亢進も抑制する。心臓、唾液腺、眼、膀胱などに対する抗コリン作用は弱い。消化性潰瘍の項参照

【適用】急性胃炎、慢性胃炎の急性増悪期、胃潰瘍、十二指腸潰瘍

【副作用】無顆粒球症（頻度不明）　アナフィラキシー様症状

ピレンゼピン

（3）散瞳薬

【薬理作用・作用機序】副交感神経支配の瞳孔括約筋ムスカリン受容体でアセチルコリンと拮抗するため、瞳孔括約筋が弛緩し散瞳する。散瞳薬としては、三級アミンで結膜から吸収されやすいものが適している。アトロピンも強い散瞳作用を持つが作用が持続して長時間作用するので治療には向いているが、検査目的には不適である。そのため、検査の目的には、ホマトロピン homatropine、トロピカミド Tropicamide、シクロペントラート Cyclopentolate などの短時間作用型のものが用いられる。

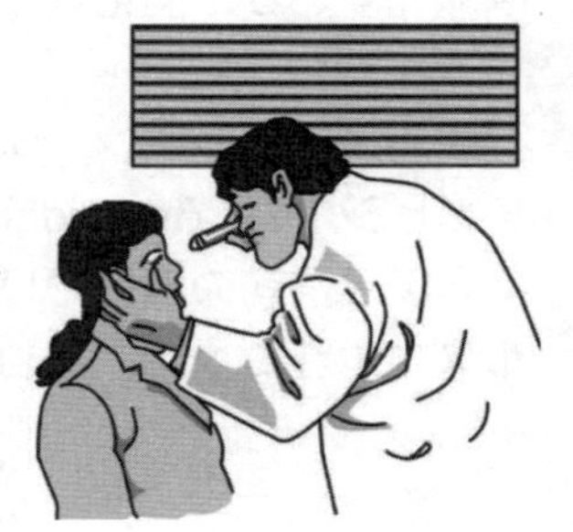

【副作用】緑内障および狭隅角や前房が浅いなどの眼圧上昇の素因のある患者では急性閉塞隅角緑内障の発作を起こすことがある。目に作用する薬物の項参照

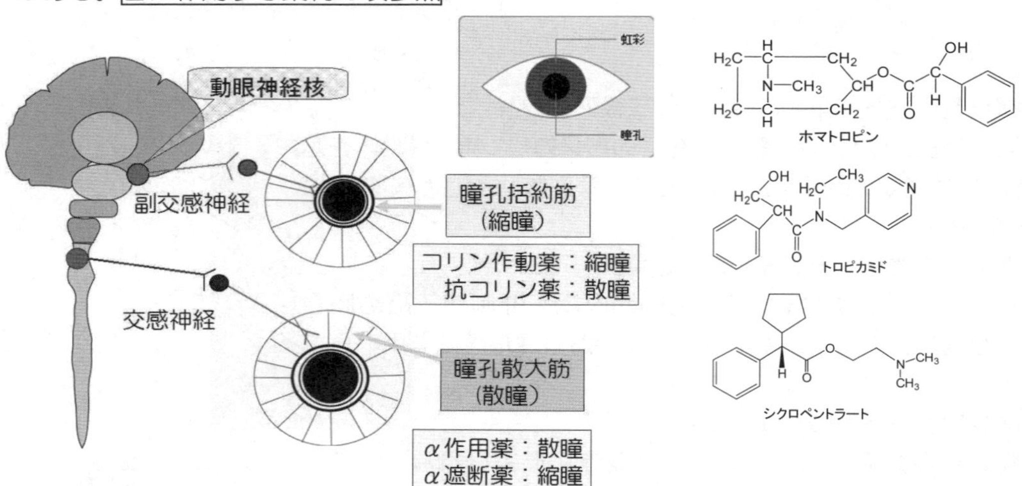

ホマトロピン Homatoropine	アトロピンの構造のトロパ酸をマンデル酸に置き換えたもの、作用時間が短く検査に適する。
トロピカミド Tropicamide	診断および治療を目的とする散瞳と調節麻痺に用いる。
シクロペントラート Cyclopentolate	速効性で作用持続時間が短く、屈折能検査時の調節麻痺に適している。

（4）気管支ぜん息治療薬

イプラトロピウム Ipratropium、チオトロピウム Tiotropium
グリコピロニウム Glycopyrronium

【薬理作用】口腔より吸入で投与された臭化イプラトロピウムなどの抗コリン薬は、迷走神経支配の副交感神経末端部のムスカリン M_3 受容体を

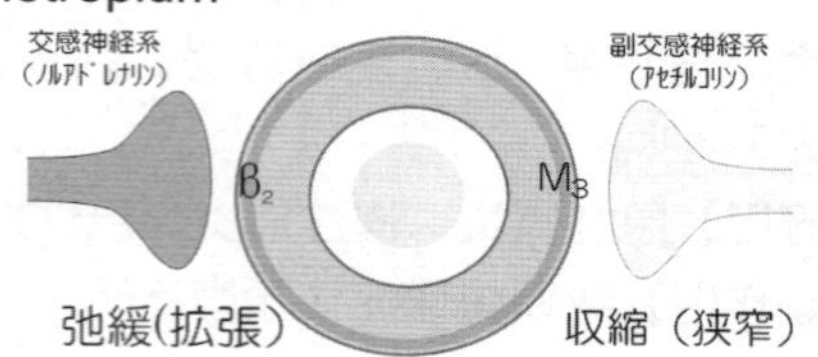

遮断することにより、気管支平滑筋の収縮を抑制し、気管支拡張作用を示す。
吸入で用いる。他の投与法の場合、気道分泌を抑制して痰の排出が抑制されるので好ましくない。

イプラトロピウム　グリコピロニウム（及び鏡像異性体）　チオトロピウム

呼吸に作用する薬物の項参照
ぜん息惹起前に吸入適用した場合、その気道収縮抑制効果は顕著であるが、ぜん息発作時の効果はβ_2刺激薬に比べ弱い。
【適用】気管支ぜん息、慢性気管支炎、肺気腫

発作予防のみ

（5）　頻尿・尿失禁治療薬

プロピベリン　Propiverine

【薬理作用】膀胱容量の増加作用、排尿運動の抑制作用
【作用機序】抗コリン作用と平滑筋直接作用の両方の作用で、膀胱に尿がたまっても膀胱が収縮反応をおこしにくくして、頻尿や失禁を抑制する。

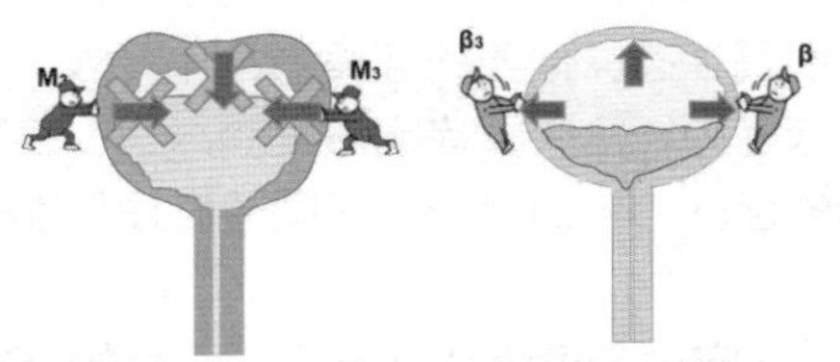

抗コリン薬とβ_3作動薬の薬理作用の違い

【適用】神経因性膀胱、神経性頻尿、不安定膀胱、膀胱刺激状態（慢性膀胱炎、慢性前立腺炎）

プロピベリン

オキシブチニン　Oxybutynin

【薬理作用】選択的に膀胱に作用し、膀胱運動抑制作用、排尿調節作用を示す。
【作用機序】抗コリン作用や膀胱平滑筋に対する直接作用、非コリン作働性神経の伝達物質の候補として知られているATPに対する拮抗作用（向神経作用）、局所麻酔作用などが総合的に働いて薬理作用を示す。
【適用】神経因性膀胱、不安定膀胱（無抑制収縮を伴う過緊張性膀胱状態）時の頻尿、尿意切迫感、尿失禁

オキシブチニン

（6）　切迫流産・早産防止薬

ピペリドレート　Piperidolate（三級）

【薬理作用】抗コリン作用により子宮筋を弛緩させるため、オキシトシンによる収縮を抑制し、切迫流産・早産を防止する。合成鎮痙薬の項に記載されているように、鎮痙作用もあり消化管の痙攣性疼痛にも適用がある。

ピペリドレート

【適用】切迫流産・早産

切迫性流産・早産防止薬には、アドレナリンβ_2刺激薬のリトドリンと抗コリン薬のピペリドレートがある。ピペリドレートは、妊娠初期に使用されることが多い。硫酸マグネシウムも、点滴で切迫早産に用いられるが、副作用等によりリトドリン塩酸塩の投与が制限される場合、またはリトドリン塩酸塩で収縮が抑制されない場合に投与する。

(7)　中枢性抗コリン薬（三級アミン）

抗パーキンソン病薬としては、三級アミンで血液－脳関門を通過しやすいトリヘキシフェニジル、ビペリデン、プロフェナミンなどの薬物が用いられている。薬物誘発性のパーキンソニズムに対しても、これらの薬物が用いられる。　抗パーキンソン病薬の項参照

主作用以外に抗コリン作用を持つ薬物は、比較的高用量で抗コリン作用に基づく副作用が出現する。代表的な薬物としては、三環系抗うつ薬、抗ヒスタミン薬、クロルプロマジンなどの統合失調症治療薬やベンゾジアゼピン系薬物などがある。これらの薬物と上記の治療目的の抗コリン薬を同時に投与する場合にも注意が必要である。

4.　自律神経節に作用する薬物 Drugs acting on the Autonomic Ganglion

ニコチン受容体サブタイプの存在部位、機能、遮断薬

サブタイプ	存在部位	関連するカチオン	機能	遮断薬
神経型（N_N）	自律神経節 中枢神経	Na^+、K^+	シナプス後膜の脱分極	ヘキサメトニウム トリメタファン メカミラミン
筋肉型（N_M）	神経筋接合部	Na^+、K^+	横紋筋収縮	デカメトニウム ツボクラリン α-ブンガロトキシン

4-1　自律神経節刺激薬　Ganglionic stimulants

自律神経節のシナプス後部に存在する、N_N 受容体に作用して、節後線維からの神経伝達物質の放出を促進する。

アセチルコリン

アトロピンやスコポラミンを前処置した動物に大量のアセチルコリンを静注すると、交感神経節刺激により交感神経終末からノルアドレナリンの遊離が促進され、一過性の著しい血圧上昇が認められる。自律神経節に対する作用は、アセチルコリンを大量を投与しないと出現しない。この血圧上昇には、副腎髄質からのアドレナリン放出も関与している。

ニコチン　Nicotine

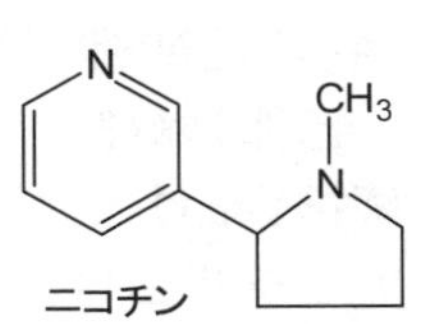

中枢作用：はじめ興奮作用を示し、その後抑制に移行する。（振戦、呼吸興奮、嘔吐）

神経筋接合部：一過性の骨格筋の線維束性攣縮、ついで筋弛緩

自律神経節：はじめに神経節を興奮、ついで持続的な神経遮断。大量では初期刺激後速やかに伝達遮断（ともに脱分極による作用）

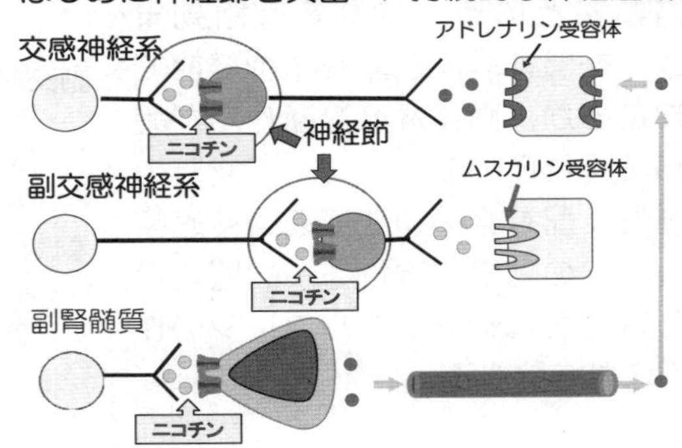

心血管系：心臓でははじめに副交感神経節刺激により心拍数減少、次いで抑制により心拍数増加　血管では、はじめに交感神経節刺激により血管収縮、後に、拡張

致死量：ヒトでの致死量は、40 ～ 60mg である。

急性中毒：悪心、流涎、嘔吐、腹痛、下痢、呼吸筋麻痺により死亡

慢性中毒：心臓の刺激伝導系障害、循環障害、血圧上昇、気管支炎

タバコ中に含まれ、その害毒は深刻である。なお、現在はニコチンガム、貼付薬などとして、禁煙補助薬として用いられる。

ニコチン性アセチルコリン受容体部分作動薬　経口禁煙補助薬

バレニクリン　**Varenicline**

【薬理作用】世界初のニコチン性アセチルコリン受容体部分作動薬であり、従前の禁煙補助薬であるニコチンガム、ブプロピオン、ニコチンアンタゴニストなどとは薬理作用は異なる。日本初の経口錠剤禁煙補助薬である。

【作用機序】脳内の$\alpha_4\beta_2$ニコチン性アセチルコリン受容体に、ニコチンの代わりに結合して部分作動薬として作用する。脳内において、受容体刺激作用により少量のドパミン遊離を促進して、禁煙に伴う離脱症状やタバコへの切望感を軽減する。また、服用中に喫煙するとニコチンに対する拮抗作用により$\alpha_4\beta_2$ニコチン受容体にニコチンが結合するのを阻害して喫煙から得られる満足感を抑制する。

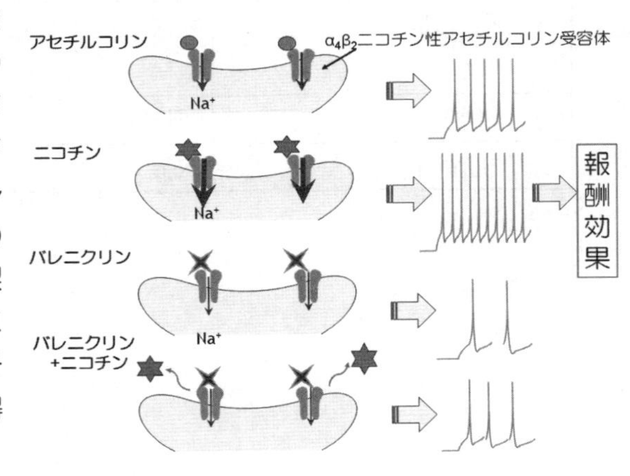

【適用】ニコチン依存症の喫煙者に対する禁煙の補助

【副作用】嘔気、不眠症、異常な夢、頭痛、鼓腸

4--2 自律神経節遮断薬　Ganglionic blockers

自律神経節（交感神経節と副交感神経節）において、ニコチン性アセチルコリン受容体でアセチルコリンの作用に拮抗する薬物を節遮断薬という。神経節遮断効果は、交感神経節と副交感神経節で起こるが、両神経節遮断作用が等しく現れるのではなく、正常時の優位支配神経の神経節を強く遮断し、この効果が現れる。副腎髄から遊離されるアセチルコリンの作用にも拮抗する。

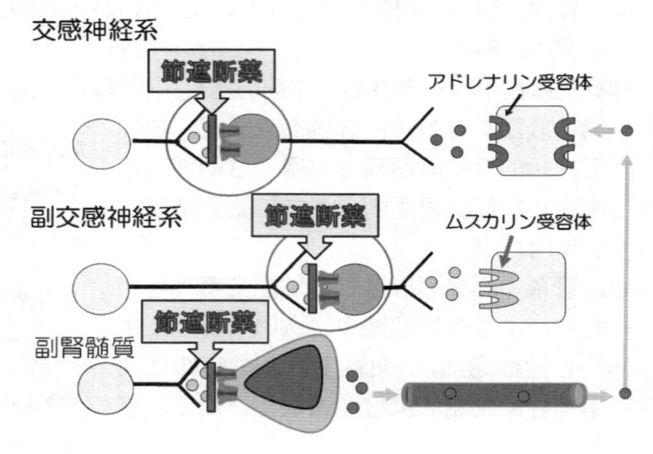

ヘキサメトニウム　Hexamethonium　（C6）、テトラエチルアンモニウム（TEA）

交感神経節および副交感神経節を遮断するので、その症状は複雑で下表のようになる。
過去には、抗高血圧薬として使用されたが、急激な血管拡張による起立性低血圧、ショックなどの副作用が強いため、現在臨床では使用されていない。

$$(CH_3)_3N^+-(CH_2)_6-N^+(CH_3)_3$$

ヘキサメトニウム

各臓器・器官における節遮断効果により出現する効果とその機序

臓器・器官	優位性	節遮断により出現する効果	出現機構
心　臓	副交感	心拍数増加	洞結節 M_2 抑制の解除
消化管	副交感	筋緊張低下、運動低下	平滑筋収縮抑制
腺分泌	副交感	分泌抑制	腺組織への刺激の減弱
瞳　孔	副交感	散大	瞳孔活約収縮筋・毛様体収縮筋の緊張抑制（M_3）
膀胱	副交感	尿貯留	M_3 を介した排尿の抑制
血管	交感	拡張	α 作用の低下

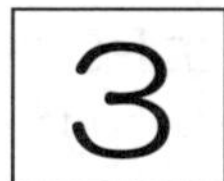

神経筋接合部に作用する薬物

Drugs affecting on the Neuromuscular Junction

運動神経は、脊髄前角に細胞体を有し、軸索の末端部が髄鞘を失って、骨格筋の筋線維膜が肥厚して終わっている。この部分を神経筋接合部（neuromuscular junction）という。また、この部分の筋肉側を終板（endplate）と呼ぶが、ここにはニコチン性アセチルコリン（N_M）受容体が存在し、運動神経軸索の終末部より遊離されるアセチルコリンがこの受容体と結合する。受容体の活性化とそれに続く電位依存性 Na^+の開口により、筋細胞膜において Na^+と K^+に対する透過性が増加して脱分極がおこり、活動電位が発生する。この活動電位は、筋細胞膜・横行小管を介して、筋小胞体へと伝達され、小胞体より Ca^{2+}が放出される。この Ca^{2+}が、トロポニンに結合し、アクチンとミオシンのスライドが起こることにより骨格筋が収縮する。運動神経系に作用する薬物とては、神経筋接合部興奮薬や遮断薬、骨格筋に直接作用する薬物などがある。

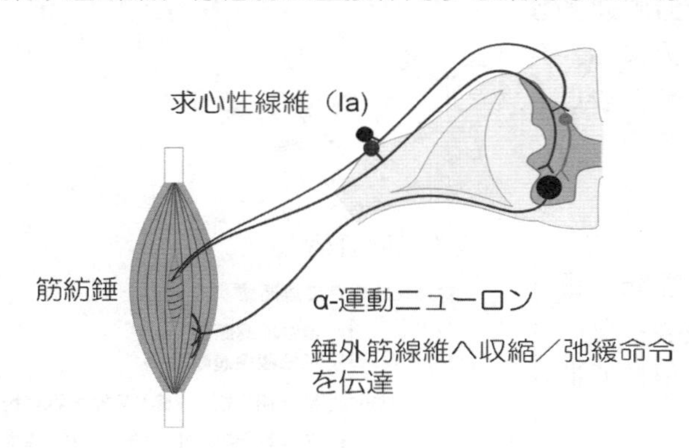

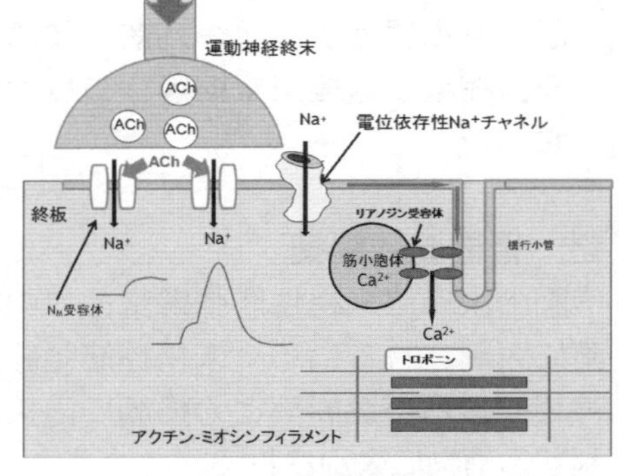

1．神経筋接合部興奮薬

Neuromuscular stimulating agents

運動神経終末からのアセチルコリンの遊離を促進する薬物（グアニジン）は、実験的に用いられるが臨床的には用いられていない。ネオスチグミンのようなコリンエステラーゼ阻害作用と終板のニコチン受容体に同時に作用する薬物が、重症筋無力症の治療や診断に用いられている。

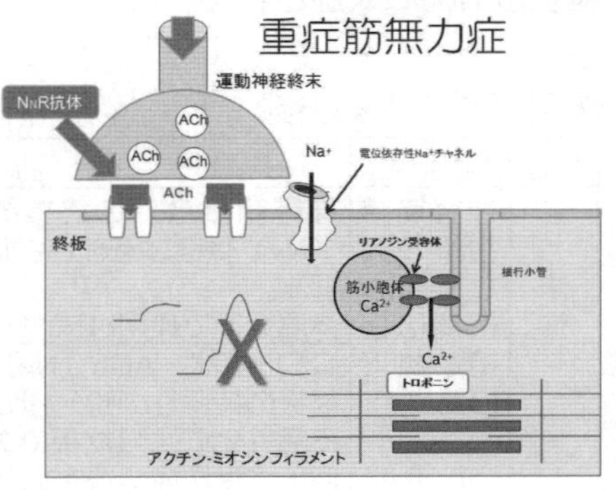

コリンエステラーゼ阻害薬 （副交感神経作用薬の項参照）

ネオスチグミン Neostigmine

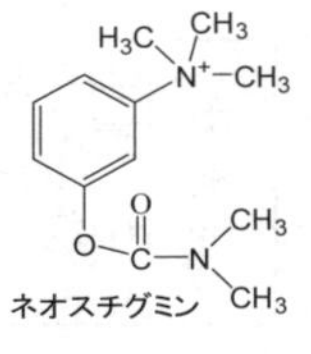

アセチルコリンの分解を抑制し、間接的にアセチルコリンの作用を増強するとともに、自らもアセチルコリン様の作用を有する。コリンエステラーゼの陰性部とエステル部の両部位に作用し、エステル部をカルバモイル化してジメチルカルバメートを形成するため乖離しにくい。

エドロホニウム Edrophonium

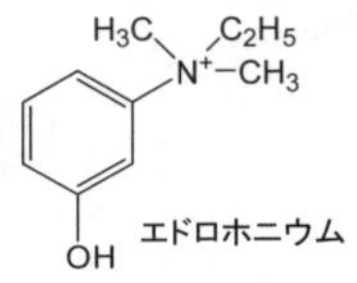

コリンエステラーゼの陰性部のみと結合するため作用が弱く、効果も短時間である。ニコチン受容体に対する直接作用もあるが、作用時間が短いため、重症筋無力症の診断用に用いる。

【適用】重症筋無力症の診断、筋弛緩薬投与後の遷延性呼吸抑制の鑑別診断

陰性部　エステル部

エドロホニウム　ネオスチグミン

アンベノニウム　ambenonium

作用が持続性でムスカリン作用が弱いので、重症筋無力症の治療に向いている。

アンベノニウム

ジスチグミン　Distigmine

ネオスチグミンより強力で持続的である。

【副作用】腹痛、下痢、吐き気、唾液分泌過多などの消化器症状、心悸亢進、頭痛、めまい、発汗、縮瞳、線維束攣縮等、コリン作動性クリーゼ

ジスチグミン

2．骨格筋弛緩薬

下図のように末梢性筋弛緩薬と　中枢性筋弛緩薬に大別されている。末梢性筋弛緩薬はさらに神経筋接合部遮断薬と骨格筋に直接作用して抑制する薬物に大別される。

- 末梢性筋弛緩薬
  - 神経筋接合部遮断薬
    - 競合性遮断薬
    - 脱分極性遮断薬
  - 骨格筋に直接作用して筋収縮を抑制する薬物
    - 骨格筋の興奮収縮連関に作用し、筋小胞体からのCa^{2+}の放出を抑制する
- 中枢性筋弛緩薬

作用部位による分類

種類	作用部位	作用機序	臨床適用	薬物	投与法
末性	神経筋接合部 機能は保持されている。	神経筋接合部の終板のニコチン性 ACh（N_M）受容体を競合的に遮断し、脱分極を抑制。 体温低下で作用は減弱	腹部手術 骨折の整復時	ベクロニウム ロクロニウム	手術時に注射
		ニコチン性 ACh（N_M）受容体に結合して終板の持続性の脱分極によりN^+チャネルの不活性化により終板での ACh の感受性を低下させ興奮伝達を抑制する。 体温低下で作用は増強	気管内挿管 電気ショック治療時の骨折予防	スキサメトニウム	手術時に注射
	骨格筋に直接作用	興奮収縮連関のうち筋小胞体からの Ca^{2+}遊離を抑制することにより筋を弛緩させる。 筋の活動電位には影響を及ぼさない。	痙性麻痺 悪性症候群 悪性高熱	ダントロレン	経口 注射
中枢性	主として脊髄（＋上位中枢）	脊髄性単および多シナプス反射を抑制。	主に外傷性、炎症性、神経疾患性の筋痙縮 痙性麻痺 頸肩腕症候群	バクロフェン チザニジン トルペリソン ジアゼパム	経口

2-1 神経筋接合部遮断薬（筋弛緩薬）Neuromuscular blocking agents

神経筋接合部遮断薬は、末梢性筋弛緩薬であり、その作用点は、終版のニコチン性 ACh 受容体 N_M である。

神経筋接合部遮断薬各論　Neuromuscular Blocking Agents

1)　競合性遮断薬

運動神経末端から遊離された ACh と N_M 受容体で競り合い、ACh の作用を遮断するため、活動電位が発生せず、インパルスの伝達が遮断される。静止膜電位は変化せず、筋自体の機能（興奮性）も変わらないため、筋肉を直接電気刺激すれば収縮が起きる。競合性遮断薬の作用は体温の低下により減弱する。ネオスチグミンの併用によって作用は拮抗される。

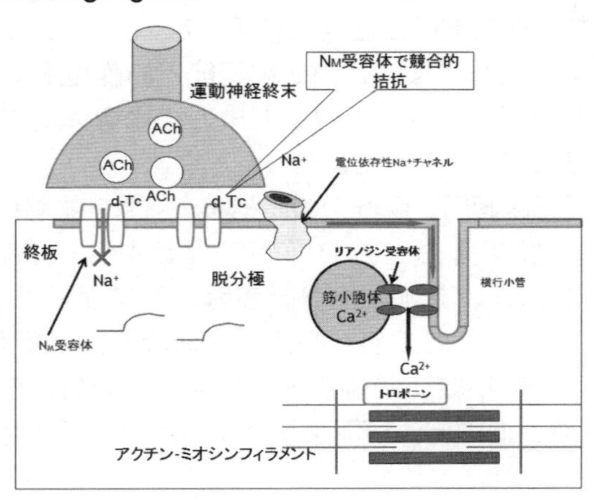

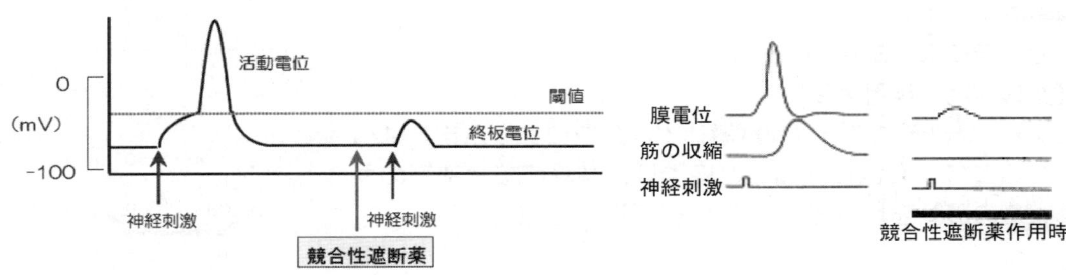

d-ツボクラリン　*d*-Tc

【薬理作用】環状ベンジルイソキノリン構造を有し、投与により目、耳、足指などの単筋がまず弛緩し、ついで四肢の筋、頸筋、横隔膜の順に弛緩する。エーテル、ハロタン、シクロプロパンなどの全身麻酔薬と併用すると、これらの薬物の終板安定化作用により作用が増強される。肥満細胞からヒスタミンを遊離するので気管支痙れん、低血圧、唾液腺分泌の増加が起こる。このためアレルギー患者には用いられない。

ツボクラリン

【臨床適用】現在は、臨床においては用いられていない。以前は以下のような適用があった。

（1）麻酔時の筋弛緩、気管内挿管時・骨折脱臼の整復時・喉頭痙れんの筋弛緩：塩化ツボクラリンとして、通常成人には全身麻酔中に最初 6 ～ 15mg を静脈内に徐々に注射し、筋弛緩の状態を観察し、必要に応じ数分後さらに 3 ～ 6mg を追加注射する。

（2）局所麻酔薬中毒・破傷風などに伴う痙れん

（3）重症筋無力症の診断：塩化ツボクラリンとして、通常成人初回 0.0075 ～

0.015mg/kg を静脈内注射し、著変がなければさらに同量を追加する。もし重症筋無力症であれば数分以内に著しい反応が現れる。

ベクロニウム　Vecuronium、ロクロニウム Rocuronium

【薬理作用・作用機序】 *d*-ツボクラリンの 5 倍の効力を持ち、循環器系に対する作用がない。。ヒスタミン遊離作用はほとんどない。自律神経節遮断作用も非常に弱い。ロクロニウムは、ベクロニウムの誘導体でありこの二つが臨床で用いられている

ベクロニウム

【臨床適用】 麻酔時の筋弛緩、気管内挿管時の筋弛緩

【副作用】 ショック アナフィラキシー様症状 （気管支痙れん、頻脈、全身発赤等、異常が認められた場合には、直ちに投与を中止し適切な処置を行う）遷延性無呼吸 横紋筋融解症（筋肉痛、脱力感、CK（CPK）上昇、血中および尿中ミオグロビン上昇を特徴とする。）

ロクロニウム

解毒薬

スガマデクス　Sugammadex

【薬理作用・作用機序】

合成シクロデキストリン誘導体で、ロクロニウムまたはベクロニウムを包接することにより、神経筋接合部での両薬剤の濃度を減少させ、筋弛緩作用を阻害する。

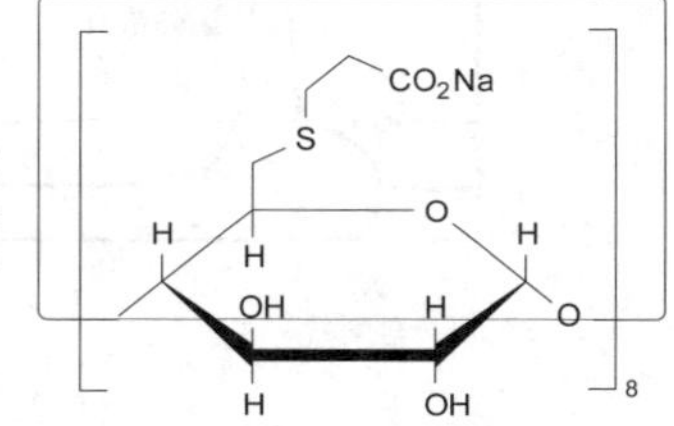

スガマデクスナトリウム

2)　脱分極性遮断薬

d-ツボクラリンの化学構造を基礎にして開発合成されたものであるが、作用機序はかなり異なっている。

スキサメトニウム

【作用機序 / 薬理作用】 アセチルコリンが 2 個結合したもので、作用には第 1 相と第 2 相がある。

スキサメトニウム

第 1 相

アセチルコリンと同様に終板のニコチン性 N_M 受容体に作用して脱分極を起すが、真性コリンエステラーゼに抵抗性をもつため、脱分極はアセチルコリンよりも持続する。神経終末部より遊離した ACh は、すでに脱分極を起こしている N_M 受容体に結合しても、さらに脱分極を起こすことはない。持続性脱分極のため電位依存性 Na+チャネルが不活性化状態となり、興奮伝達が遮断されて弛緩性筋

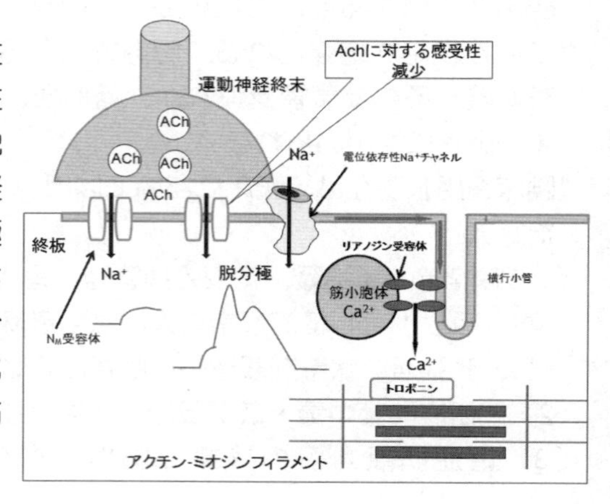

麻痺がおこり、筋が弛緩する。弛緩の前に一過性のれん縮を起こすことがある。静注で用いられ、約 5 分以内に非特異的コリンエステラーゼによりコリンとコハク酸に分解されるため筋弛緩作用の持続時間は短い。スキサメトニウムの作用は、ネオスチグミンなどでは拮抗されず、併用によりかえって分解が阻止されて作用が増強する。作用持続時間は 4 － 8 分。

第２相

　高用量または持続注入で発現する作用で、終板はもとの分極状態に回復しているが、競合的遮断薬と類似の筋弛緩作用が発現する（正確な機序は不明だが、N_M 受容体の脱感作によるものと考えられている）。ネオスチグミンなどのコリンエステラーゼで拮抗される。作用持続時間は長く、20 分以上持続する。

脱分極性遮断薬の作用は、体温の低下により第 1 相と第 2 相ともに増強される。

【臨床適用】 常用量では、作用は短時間で筋弛緩効果を調節しやすいため、気管内挿管や電気ショック治療時の骨折予防に用いられる。

【禁忌・副作用】呼吸抑制：呼吸停止を起こす可能性が高い。呼吸停止が起こった場合には、薬液の注入を筋弛緩維持に必要な量まで減ずるか、一旦中止し、人工呼吸によって積極的に酸素を補給しないと危険である。緑内障には禁忌（外眼筋の拘縮をおこし、眼圧が上昇する。薬理遺伝学の項参照）、悪性高熱症

スキサメトニウム過敏症

　麻酔時のスキサメトニウムによる筋弛緩が異常に長く続く患者が時々みられ、無呼吸の持続により死亡するケースがある。原因：血清仮性コリンエステラーゼの異常

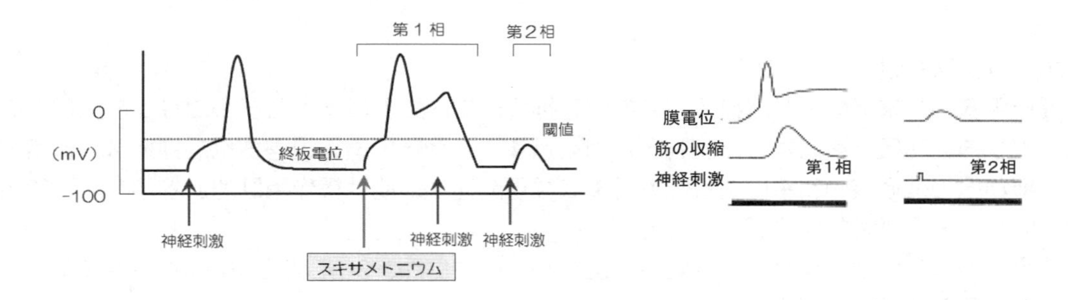

2-2　骨格筋に直接作用して筋収縮を抑制する薬物

ダントロレン　Dantrolene

【薬理作用・作用機序】 ヒダントイン誘導体あるが、フェニトインなどの他のヒダントイン系薬物とは異なり、主に T-システムから筋小胞体に信号が伝達される興奮収縮連関において、リアノジン受容体を遮断し、筋小胞体からの Ca^{2+} の放出を抑制しトロポニンに結合する Ca^{2+} を減少させる。**筋の活動電位は発生するが収縮は起こらない。** 心筋や平滑筋に対しては、治療用量では影響を及ぼさない。

ダントロレン

【臨床適用】痙性麻痺、こむら返り病
悪性高熱症 malignant hyperthermia（揮発性麻酔薬やスキサメトニウムによって急速に体温が上昇し、60-70 %が死に至る症候群）
悪性症候群 syndrome malin（急に体温が上昇し、死に至る。筋小胞体膜の Ca^{2+}放出チャネルの異常で、長期間にわたって細胞内 Ca^{2+}濃度が上昇する。）

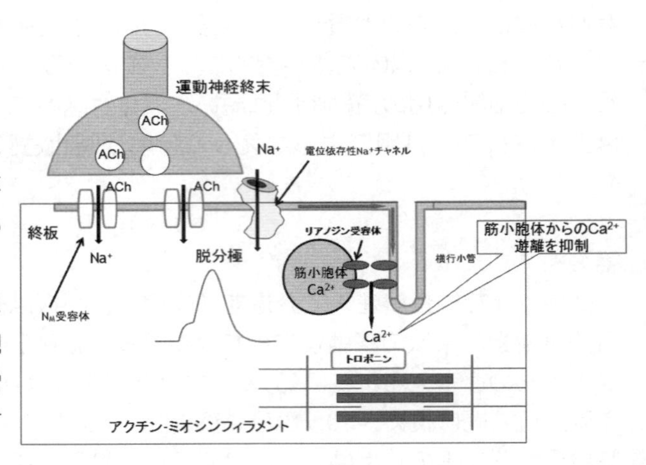

【禁忌・副作用】眠気、頭痛、消化器障害
閉塞性肺疾患あるいは心疾患により、著しい心肺機能低下のみられる患者
筋無力症状のある患者

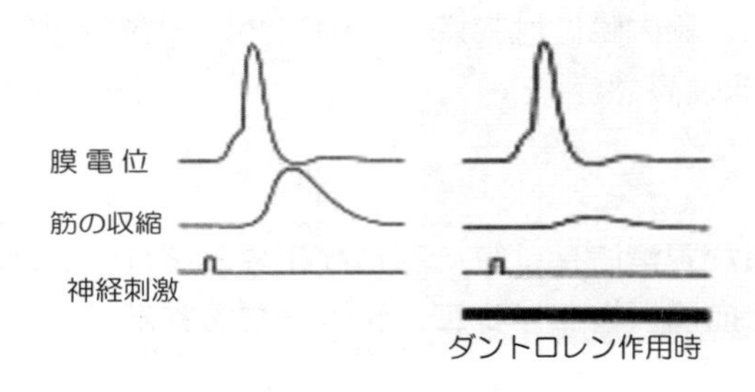

ダントロレン適用時の膜電位と筋の張力との関係
ダントロレンの場合、神経刺激により脱分極は起こるが、筋収縮を生じない。

ボツリヌス毒素（A 型、B 型）
【作用機序】末梢の神経筋接合部における神経終末内におけるアセチルコリン放出抑制により神経筋伝達を阻害し、筋弛緩作用を示す。神経筋伝達を阻害された神経は、軸索側部からの神経枝の新生により数ヵ月後には再開通し、筋弛緩作用は消退する。筋注で用いる。A 型が最も毒性が強く安定。
【臨床適用】 眼瞼痙れん、片側顔面痙れん、痙性斜頸、2 歳以上の小児脳性麻痺患者における下肢痙縮に伴う尖足

4

局所麻酔薬

Local anesthetics

知覚神経の伝導を抑制し、意識や反射機能を消失させることなく、目的とする部分にのみ無痛を生じさせる薬物を局所麻酔薬という。作用は局所に限定され一過性である。作用機序は、神経に存在する電位依存性Na^+チャネルを神経細胞の内側から作用して遮断することである。

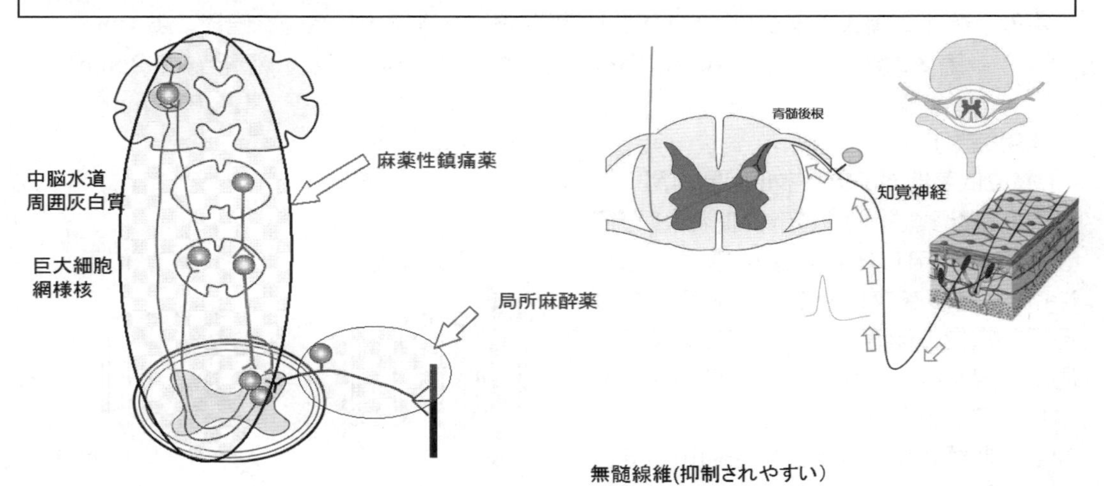

4-1　体制神経系

体制神経系には、知覚および運動機能を司る神経系がある。知覚神経は、細胞体が神経節にあり、その一方の軸索は末梢の知覚受容器に、またもう一方は脊髄に向かっている。末梢における様々な刺激は、特殊な受容器（知覚神経の自由終末）に受け入れられ、知覚神経のインパルスとなって伝導されて脊髄に入り、上行して大脳知覚領に達する。

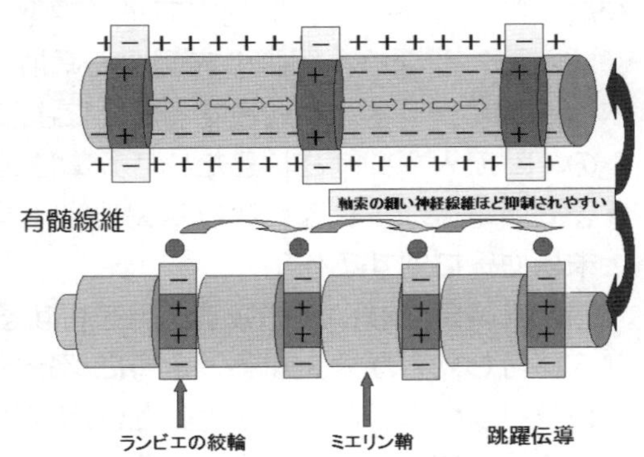

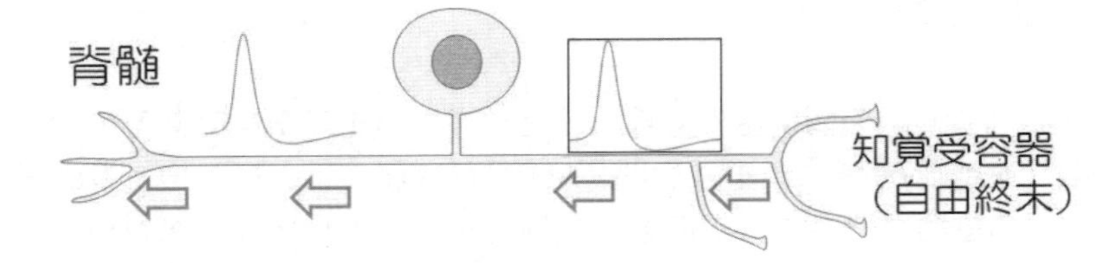

感覚の種類

感覚には、圧覚、触覚、温度感覚、痛覚があり、痛覚は痛覚受容器（侵害受容器ともいう）で受け入れられた刺激であり、危険信号として重要な役割を果たしている。

4-2　局所麻酔薬の薬理作用と作用機序および副作用

【薬理作用】 末梢知覚神経の伝導を遮断すれば、知覚は消失し無痛を生じさせることができる。

① 局所麻酔薬は、知覚神経、自律神経、運動神経のいずれの神経伝導も抑制する。（神経の伝導メカニズムは、どの神経でも同じ）

② 軸索が細い神経線維ほど抑制されやすい。軸索の太さが等しい場合は、無髄線維は、有髄線維より感受性が高い。そのため局所麻酔薬は、運動神経よりも知覚神経に対して作用が出現しやすい。

③ 感覚麻痺は、痛覚、温度感覚（冷感次いで温感）、触感の順に起こる。

痛み　第 1 の痛み：チクリ、ピリピリ（即時痛　A δ 線維　有髄　直径 2-5　mm）
　第 2 の痛み：うずくような痛み（遅延痛　C 線維　無髄　直径 0.5-2 mm）
　参考　α 運動ニューロン　直径　12-20　mm

【作用機序】

①電位依存性 Na^+ チャネル阻害作用

局所麻酔薬は、主に知覚神経および運動神経に作用して神経膜の電位依存性 Na^+ チャネルをブロックし、神経における活動電位の伝導を可逆的に抑制する。局所麻酔薬は、細胞の外側から Na^+ チャネルをブロックするのではなく、非イオン型（非解離型）が細胞膜を通過して、神経細胞内に移行し、細胞内でイオン型（解離型）となり、細胞の内側から電位依存性 Na^+ チャネルと結合することによりチャネルの機能を抑制する。その結果、細胞内への Na^+ 流入が抑制されるため活動電位の活性が阻止される。このためインパルスを伝導する局所電流が生じなくなり知覚神経（や運動神経）の興奮伝導は抑制される。

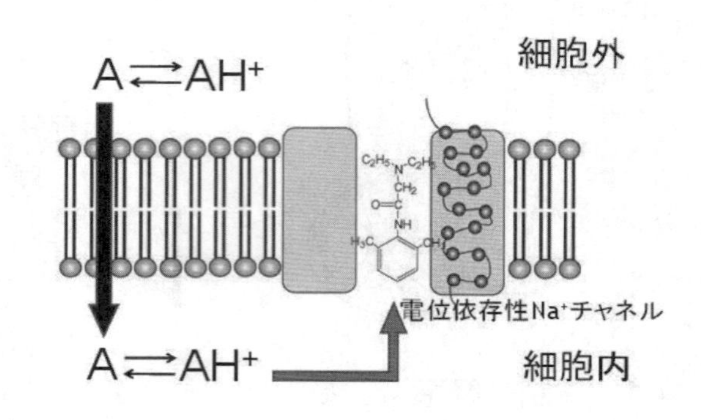

②末梢血管に対する作用

局所麻酔薬には、血管拡張作用を有するものが多いため、適用した部位の血管から速やかに移行し効力が消失する。全身に移行すると中毒症状を来すため、アドレナリンやフェニレフリンのような血管収縮薬を併用する。コカインおよびメピバカイン、ブピバカインは、神経終末部に存在するモノアミントランスポーターを阻害するため末梢血管は収縮するため、血管収縮薬を用いなくても良い。

③組織のpHと作用

局所麻酔薬は、3 級または 2 級の**弱塩基**であり、細胞外液は pH ≒ 7.4 であるので、細胞外では、非イオン型（遊離塩基 A）とイオン型（AH^+）が存在する。リドカインの場合だと遊離塩基とイオン型の割合は約 1：3 である（酸性でイオン化しやすいベンゾカイン以外）。例えば pH　6.9 になると 1：10 でイオン型が圧倒的に多くなる。従って、作用部位が酸性になると吸収されない。炎症巣では、pH が酸性に傾くので陽イオン型が増加し、作用部位へ到達しにくくなる。

リドカイン　pH ≒ 7.4　　[A] :[AH$^+$]= 1：3
　　　　　　pH ＝ 6.9　　[A] :[AH$^+$]= 1：10　イオン型が圧倒的となり吸収されない
　　　　　（炎症巣）

【副作用】

① 過敏症：局所刺激によるアレルギー症状として発赤を引き起こすことがある。まれにアナフィラキシーショックを起こすこともある。特にエステル型で見られやすい。これは、代謝産物の *p*-aminobenzoic acid（PABA）によるものである。アミド型薬物はそれ自体過敏症を引き起こすことはまれである。

② 急性中毒：局所麻酔薬が循環中に入ると、急性中毒を引き起こし、循環反射が消失して脳虚血症状を引き起こす。重症の場合には、延髄が抑制され呼吸中枢を含む中枢抑制、痙れん、循環虚脱などのショック症状を引き起こす。

③ 血管収縮薬（アドレナリン、ノルアドレナリン、フェニレフリン）を添加して投与する場合には、これらの薬物による相互作用等（三環系抗うつ薬、MAO 阻害薬、ブチロフェノン系、フェノチアジン系等の抗精神病薬、α遮断薬等）についても注意が必要である。

4-3　局所麻酔の適用方法

局所麻酔薬には、表面麻酔、浸潤麻酔、伝導麻酔、硬膜外麻酔、脊髄麻酔のように様々な適用方法がある。適用方法によって、使用出来る局所麻酔薬が限定されることがある。

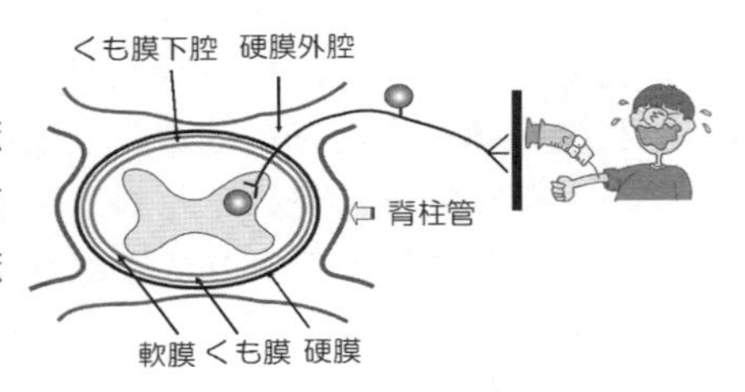

方　法	特　　徴	適応　適用部位
表面麻酔	薬物は、粘膜や角膜、創傷面に浸透して知覚神経末端に作用するので、作用が強力で浸透性が良いものが用いられる。極性の高いプロカインは,浸透性が悪いので用いられない。	挿管、外傷、火傷、潰瘍の疼痛除去 粘膜（口腔、咽頭、結膜など）、角膜 耳鼻咽喉科、泌尿器科領域の手術
浸潤麻酔	目的とする部位に、皮下または皮内注射により浸潤させ、知覚神経の末端を麻痺させる。	抜歯、皮膚の手術など
伝導麻酔	神経線維の途中である神経幹、神経節の周辺に注射し、その神経支配の領域の比較的広範囲に作用する。	三叉神経痛、舌咽神経、顔面神経、骨折整復など
硬膜外麻酔	脊柱管内の硬膜外腔に注射する。硬膜外は髄液で満たされていないので、投与位置を限定することができる。	下腹部、胸部の手術 脊髄後根の周辺 L3 ～ L4、L4 ～ L5 の腰椎領域
脊椎麻酔	脊柱管内のくも膜下腔に注射し、神経根を麻酔してその領域の知覚神経を麻痺させる。	下半身の手術、産婦人科の手術

4-4　局所麻酔薬（Local anesthetics）各論

局所麻酔薬は、脂溶性部分、エステルまたがアミド部分および疎水性部分からなる。その構造からエステル型とアミド型に大別される。

$R_1CO—R_2—N(R_3)(R_4)$

脂溶性部分	エステルまたはアミド部分	親水性部分

エステル型　　アミド型

4-4-1　エステル型：血中のエステラーゼで分解されやすいので作用時間は短い。

アルカロイド　コカイン Cocaine（エステル型）

コカ葉に含まれるトロパン骨格を持つアルカロイドである。

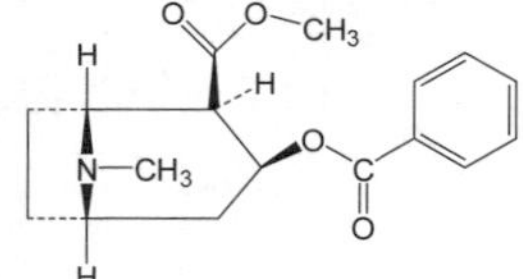

【薬理作用】コカインは、安息香酸の構造をもつエステルであるため局所麻酔作用を示す。交感神経終末のモノアミントランスポーターに直接結合して、ノルアドレナリンの再取り込みを抑制するため、血管を収縮させ、局所麻酔時間が延長される。中枢神経系に作用すると強い興奮作用を示すが、これはドパミンの再取り込み阻害によるものである。連用すると精神的依存を起こしやすい。この作用は、慢性中毒の原因ともなる。

【臨床適用】毒性と麻薬性のため表面麻酔のみに適用される。

合成局所麻酔薬

コカインは、毒性や副作用のために表面麻酔にしか用いられないため、合成局所麻酔薬が開発された。現在は合成局所麻酔薬が汎用されている。合成局所麻酔薬の場合、作用を持続させるためにアドレナリン等の血管収縮薬を併用することがある。ただし、血行障害を起こすため、指、陰茎部などには禁忌である。

プロカイン Procaine、テトラカイン Tetracaine、パラブチルアミノ安息香酸ジエチルアミノエチル Diethylaminoethyl p-butylaminobenzoate、ピペリジノアセチルアミノ安息香酸エチル Ethyl Piperidinoacetylaminobenzoate、アミノ安息香酸エチル ethyl 4-aminobenzoate

【薬理作用】

プロカイン：麻酔作用は弱いが毒性も少ない。粘膜からの浸透性が悪いため表面麻酔には使用しない。

テトラカイン：効力も毒性もプロカインより強く、分解も遅い。いずれも塩酸塩として臨床で用いられている。

パラブチルアミノ安息香酸ジエチルアミノエチル：麻酔持続時間はテトラカインより長い。ジブカインとほぼ同一の作用強度を有するが、麻酔作用の発現はジブカインより速やかで、麻酔持続時間は短い傾向がある。

ピペリジノアセチルアミノ安息香酸エチル：アミノ安息香酸エチルより軽度の表面麻酔作用を示す。また、プロカインと同程度の浸潤麻酔作用及び表面麻酔作用を示す。

アミノ安息香酸エチル：潰瘍化した表面、炎症粘膜面および創傷表面などの痛みを寛解し、また胃粘膜刺激による嘔吐を抑制する。

【臨床適用】

プロカイン：浸潤、伝達、硬膜外

テトラカイン：表面、浸潤、伝達、硬膜外、脊椎（脊椎麻酔によく用いられる）

パラブチルアミノ安息香酸ジエチルアミノエチル：表面、浸潤、伝達

ピペリジノアセチルアミノ安息香酸エチル：胃炎に伴う胃痛・嘔気・胃部不快感（内服）

アミノ安息香酸エチル：胃炎、胃潰瘍における疼痛・嘔吐（内服）

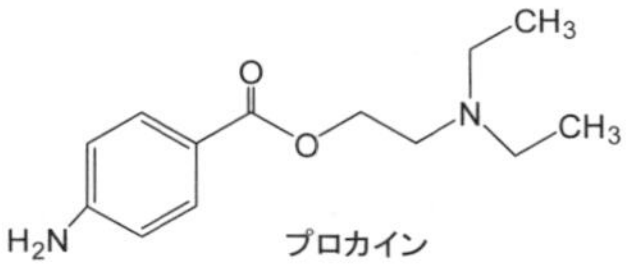

CH_3 O O N CH_3 H_2N プロカイン

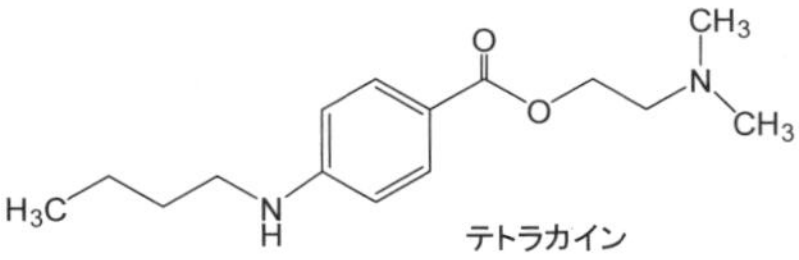

O CH_3 O N CH_3 H_3C N H テトラカイン

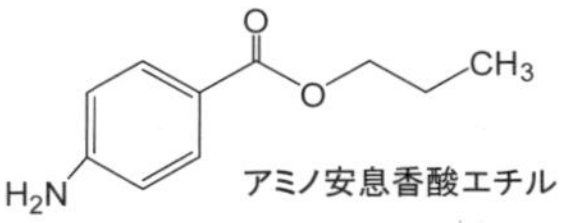

O O CH_3 H_2N アミノ安息香酸エチル

4-4-2　アミド型：血漿中の仮性コリンエステラーゼや肝のエステラーゼでで分解されにくく、血漿タンパクとの結合性が強いため、作用時間が長い。

リドカイン Lidocane、ジブカイン Dibucaine、 メピバカイン Mepivacaine、
ブピバカイン Bupivacaine、ロピバカイン Ropivacaine、
レボブピバカイン Levobupivacaine

リドカイン：表面・浸潤・伝達麻酔効果は、プロカインよりも強く、作用持続時間はプロカインよりも長い。エステル型に過敏性の場合には第１選択薬である。中枢に移行すると抑制作用を示す。血管収縮作用はない。

メピバカイン：リドカインと同様の作用を示すが、作用発現が早く、持続時間はやや長い（薬物自身が弱い血管収縮作用を有する）。

ブピバカイン：リドカインよりも強力な作用を有し、作用時間も長い。ブピバカインは、エナンチオマー（光学異性体：S（-）および R（+）-エナンチオマー）が存在し、ブピバカインは２つのエナンチオマーの比率が 50：50　のラセミ体である（薬物自身が弱い血管収縮作用を有する）。

ロピバカイン：S（-）-エナンチオマーのみからなる最初の局所麻酔薬である。S（-）-エナンチオマーであるため、ラセミ体であるブピバカインに比べ、 神経膜 Na チャンネルに対する作用選択性が高く、心筋 Na チャンネルへの作用は弱い。ブピバカインに比べて痛覚神経遮断作用は同程度で、運動神経遮断作用は弱い。作用時間は長い。

レボブピバカイン：ブピバカインの S（-）-エナンチオマーである。ブピバカインは、S（-）-エナンチオマー（レボブピバカイン）および R（+）-エナンチオマー（デクスブピバカイン）がともに活性を持つが、その活性は、レボブピバカインの方が高いことが示され、また、心毒性はレボブピバカインの方が低いことも示されている。

【臨床適用】

リドカイン：表面、浸潤、伝達、硬膜外

ジブカイン：表面、浸潤、伝達、硬膜外
メピバカイン：浸潤、伝達、硬膜外
ブピバカイン：伝達、脊椎（腰椎）、硬膜外麻酔
ロピバカイン：浸潤、伝達、硬膜外
レボブピバカイン：伝達、硬膜外麻酔

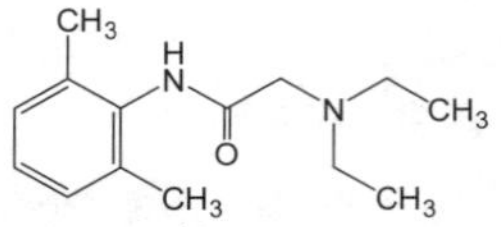

リドカイン 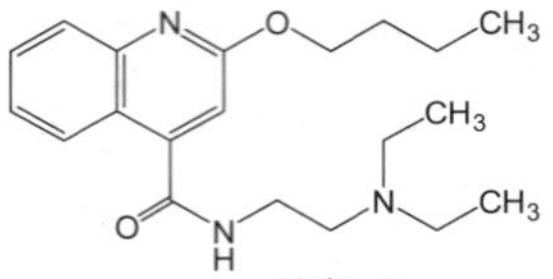　ジブカイン 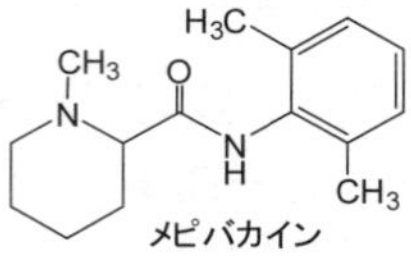　メピバカイン

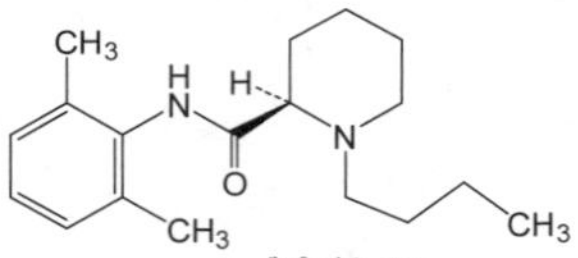

ブピバカイン 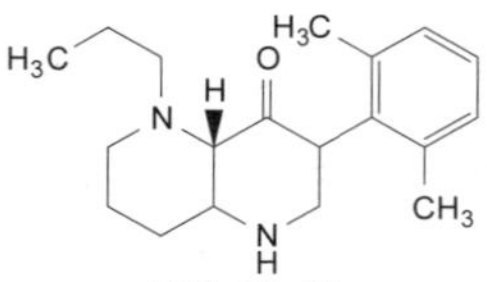　ロピバカイン

オキセサゼイン　Oxethazaine

強酸性化でも安定で、pH1 でも作用を発揮する。胃からのガストリン分泌を抑制し、二次的に胃酸分泌を抑制する。胃腸管運動も抑制する。食道炎、胃炎、胃・十二指腸潰瘍、過敏性大腸症（イリタブルコロン）に用いられる。

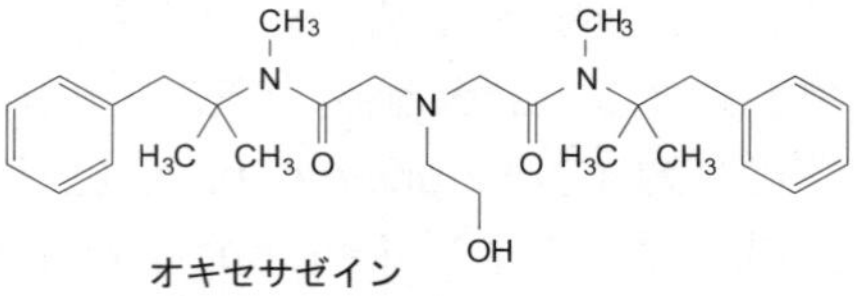

オキセサゼイン

【作用時間による分類】

短時間型	60 分以内	コカイン、プロカイン
中時間型	60 ～ 120 分	リドカイン、メピバカイン
長時間型	120 分以上	ジブカイン、テトラカイン、ブピバカイン、ロピバカイン、レボブピバカイン

中枢神経系に作用する薬物

Drugs affecting on the Central Nervous System

5

5-1　中枢神経系　Central nervous system

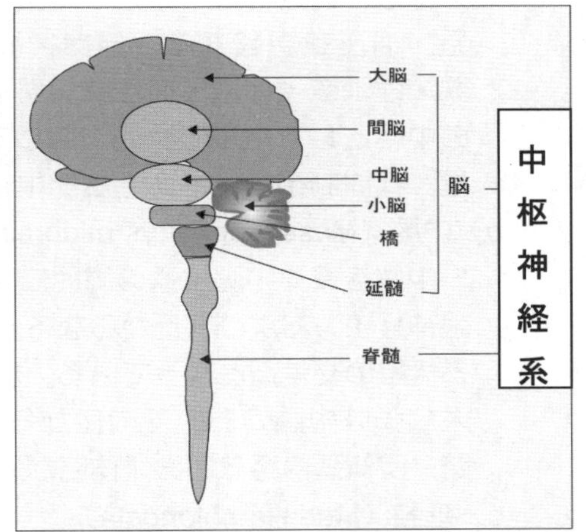

発生学的には外胚葉の神経板から形成される。これは、神経溝を経て、神経管に変わり、最終的に脳と脊髄に分化する。脳は頭蓋腔（頭蓋骨）内にあり、脊髄は脊柱管にあり脊椎で囲まれている。中枢神経系は、多数のニューロンの集合体であり、機能的には統合と反射をつかさどっている。脳は、さらに大脳、間脳、中脳、小脳、橋、延髄に分類される。

5-1-1　脳　Brain

1）大脳（Cerebrum）

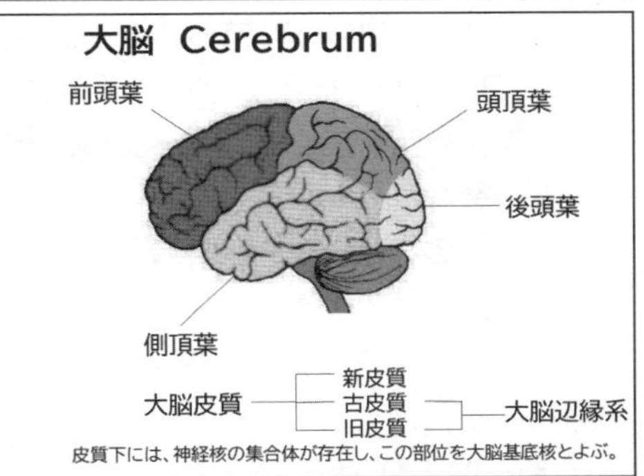

大脳は、前頭葉、頭頂葉、側頭葉、後頭葉の 4 つの葉に分けられる。大脳皮質（cerebral cortex）には、運動領、知覚領、総合中枢などがあり、ヒトでは総合中枢が発達している。皮質は、新皮質、古皮質、旧皮質の３部位に分けられる。新皮質は、創造と適応をつかさどっている。旧、古の両皮質は、大脳辺縁系とも呼ばれる。大脳辺縁系には、海馬 hippocampus や網様体賦活系 reticular activation system があり、海馬は記憶に深く関連している。網様体賦活系は視床を上行し、意識の覚醒をつかさどっている。 皮質下には、神経核の集合体が存在し、この部位を大脳基底核（basal ganglia）とよぶ。大脳基底核は、狭義には、線条体（尾状核、被核）と淡蒼球をさすが、広義には、視床下核、黒質を含める。

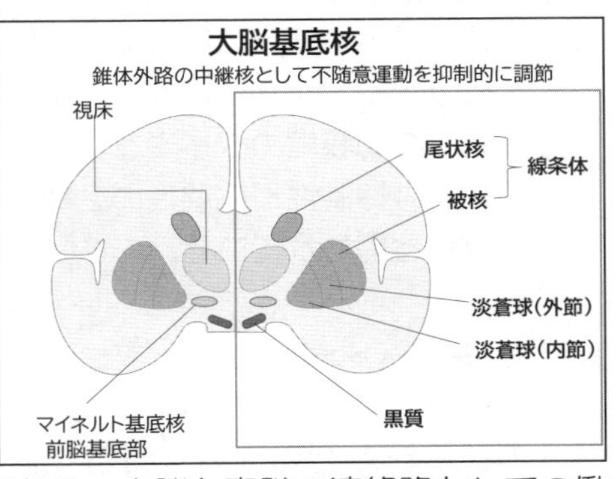

2）脳幹（Brain stem）

脳幹は、間脳、中脳、橋、延髄により構成されており、大脳と脊髄の連絡路としての働きをなしている。また、自律神経系の調節と体性神経系における反射活動もつかさどっている。

a）間脳（Diencephalon）

中脳と大脳半球との間にある脳部であり、間脳には視床と視床下部がある。視床は嗅覚以外のすべての感覚が集まる中枢であり、入力線維の大部分はさらに大脳へと投射される。 視床下部は、自律神経中枢として食欲・睡眠欲・体温・血圧を調整する。自律神経中枢として食欲・睡眠欲・体温・血圧を調整する。内分泌系の中枢としてホルモンを制御している。摂食中枢、代謝制御中枢、体温調節中枢が存在する。

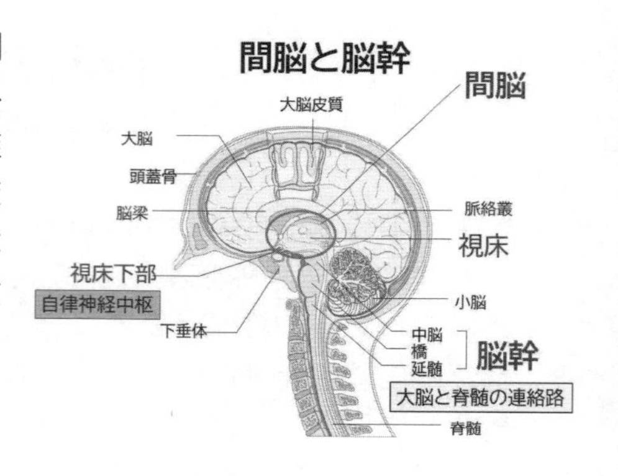

b）中脳（Mesencephalon, midbrain）

中脳を貫く中脳水道の周囲には中心灰白質がある。大脳脚と上丘（赤核、 黒質、動眼神経核）および下丘からなる。大脳半球のほぼ全ての入力と出力を下位中枢と中継する信号の交差点となっている。また、聴覚に基づく各種の反射の中枢として働いている。大脳脚は中脳において内包からの線維が収束して延髄錐体に送っている。 皮質脊髄路・皮質延髄路などの錐体路が通る経路となっている。

c）延髄（Medulla oblongata）

小脳の前方にあり、下端は脊髄に連絡している。種々の神経核が存在し、孤束核には血管運動があり、血圧調節に関与する。呼吸中枢、心臓調節中枢も存在する。化学受容器引き金帯（chemoreceptor trigger zone,　CTZ）は嘔吐に関係する。

d）橋　（Pons）

橋は、その内部構造から橋背部と橋底部とに区別される。橋背部は橋被蓋ともいい、内側毛帯の腹側縁が橋底部との境になっている。橋被蓋は古い脳に属し、橋底部は新しい脳に属する。大脳半球から小脳へ向かうニューロンを多く含んでいる。

3）小脳（Cerebellum）

橋と延髄の後方にあって、外層が灰白質、内層が白質からなっている。脳幹と小脳の間には第四脳室が存在する。小脳は運動調節機能を担っており、複雑な運動を行なう際に個々の筋収縮のタイミングを決定する。また、平衡機能もつかさどっている。小脳への入力は脊髄性と脳幹性の２種類があり、脊髄性の場合筋紡錘からの入力を伝える脊髄小脳路と言われている。

4）脊髄（Spinal cord）

白質と灰白質からなり、白質は脊髄の外周の灰白質を囲む白みを帯びた部分で、上行性・下行性の有髄／無髄線維が走行している。灰白質は主に神経細胞の細胞体が存在し、前角、側角、後角からなる。脊髄からは31 対の脊髄神経が出ている。前根は運動神経と自律神経の出口で、後根は求心性の知覚神経の入口となっている。

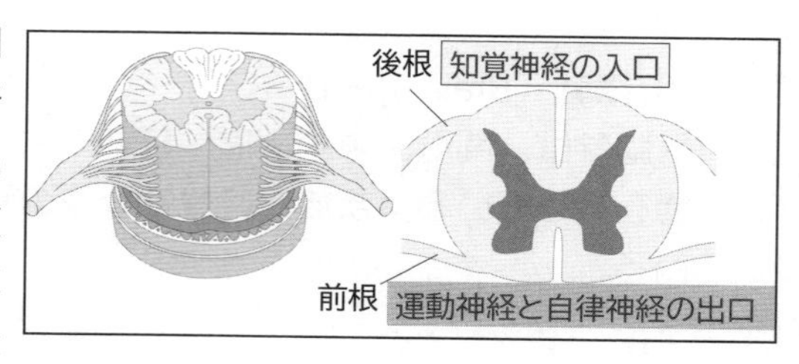

5-1-2　血液脳関門（Blood-brain barrier）

中枢神経系（central nervous system, CNS）は、特別な仕組みである臓器バリアーで保護されており、他の器官と比べて外因性の物質である薬物などに対して選択性をもち、極性の高い物質など特定の分子については脳内への移行が制限される。例えば、ある酸性色素を静注しても、他の臓器は染まっても脳は染まらない。そのため毛細血管から中枢神経系に至るまでの過程に、透過する物質とさせない物質を選択する関門があると想定された。この仕組みを血液脳関門（Blood-brain barrier）と呼んでいる。薬物は、脳の毛細血管から中枢神経系に入るが、関門の実態としては、グリア細胞（アストロサイト）、毛細血管内皮細胞、血管周皮細胞とその間隙などが考えられている。薬物が中枢神経系に作用するためにはこの血液脳関門を通り抜ける必要がある。

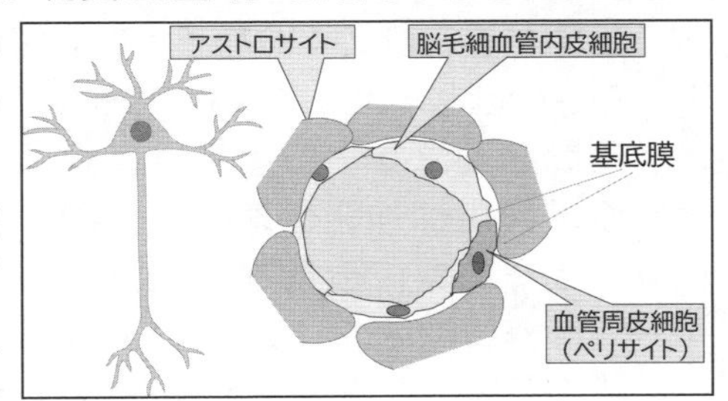

血液脳関門の特徴
小分子は通りやすいが、分子量の大きい物質は通りにくい。
小分子でもタンパクと結合していると通りにくい。
水溶性の薬物や極性の高い薬物、イオン化している薬物は通りにくい。

また、血管から髄液内への移行に関しても、選択性があり、透過するためには高い脂溶性が要求される。これを、**脳脊髄液関門（blood-cerebrospinal fluid barrier）**という。脳脊髄液から脳への移行は、それほどの選択性はなく、髄液内に薬物を投与すると比較的脳内に入りやすい。

血液 → 脳脊髄液 → 脳　の経路での移行は微量である。

5-1-3　中枢興奮と中枢抑制

中枢神経系には興奮性のニューロンと抑制性のニューロンが存在する。

興奮性神経伝達物質：アセチルコリン、グルタミン酸、ノルアドレナリンなど

抑制性神経伝達物質：γ-アミノ酪酸（GABA）、グリシン

興奮性と抑制性の２つのニューロンがほどよく保たれて初めて正常な脳としての活動が保たれる。

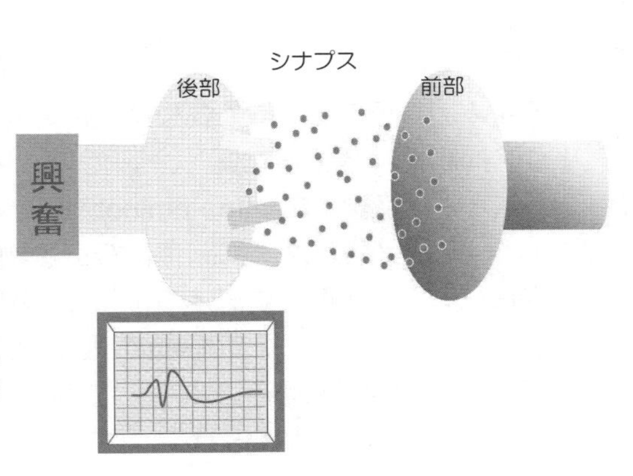

シナプス後抑制と前抑制

興奮性ニューロンから神経伝達物質が放出されると、シナプス後部の受容体に結合して、興奮性シナプス後電位（EPSP）を発生させ、後部ニューロンは脱分極をおこして興奮する。

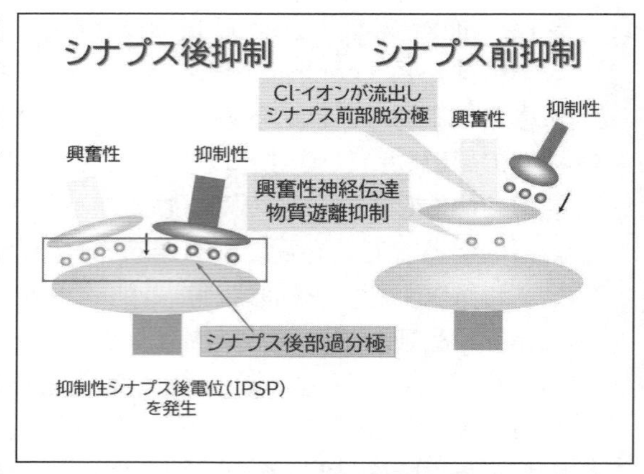

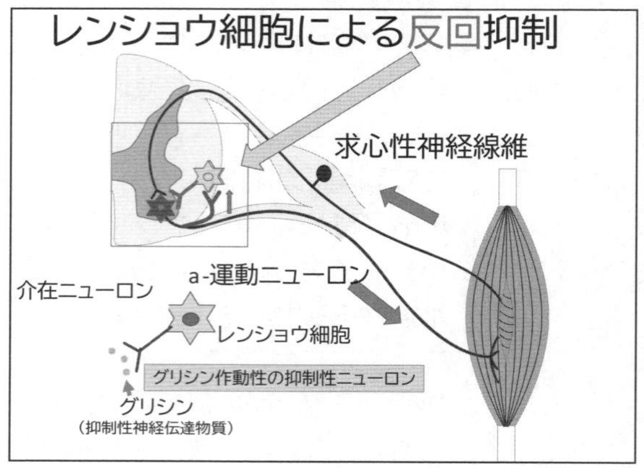

シナプス後抑制においては、興奮性ニューロンに平行する抑制性ニューロンからも神経伝達物質が放出されて、抑制性シナプス後電位（IPSP）を発生させる。両方の神経伝達が同時に起こると、二つの電位が相殺されることになり、脱分極が起こりにくくなる。抑制性ニューロンのほとんどは GABA 作動性である。背髄運動ニューロンには反回抑制があり、興奮性神経伝達の一部は、抑制性ニューロンに伝達される。この抑制性ニューロンは、レンショウ（renshaw）細胞とよばれ運動ニューロンに抑制をかける。このニューロンの神経伝達物質は、主にグリシンである。ストリキニーネは、グリシン受容体のアンタゴニストで、この反回抑制を遮断して、運動ニューロンの異常興奮を引き起こし、強直性痙れんを誘発する。

シナプス前抑制の場合には、興奮性シナプスのシナプス前部に、抑制性ニューロンが来ており（図右）、このニューロンから抑制性神経伝達物質が放出されると、興奮性神経終末部で、Cl^-が流出し（神経終末部では、外部の Cl^-濃度が内部よりも低いため）脱分極が起こる。この脱分極により、興奮性神経のインパルスは、情報の伝達前に途絶えてしまい、興奮性神経伝達物質の放出が抑制される。この結果、興奮性神経伝達は抑制される。

5-1-4　中枢における重要な神経伝達物質

1）抑制性神経伝達物質

γ-アミノ酪酸　Gamma-aminobutyric acid （GABA）

H_2N　COOH

GABA

γ-アミノ酪酸は、抑制性神経伝達物質の代表的なものであり、末梢組織には網膜と腸管を除いて痕跡程度しか存在しない。GABA は、L-グルタミン酸の脱炭酸で脳内で生成される。分解は、主としてアミノ基転移反応により、コハク酸セミアルデヒドとなり、次いでコハク酸となり TCA 回路に入り代謝される。

$GABA_A$ 受容体複合体と $GABA_B$ 受容体

GABA 受容体としては、従来からビククリンに感受性のあるイオンチャネル型の GABA 受容体のみが想定されていた。1980 年になって、ビククリン非感受性の GABA 受容体が Bowery らによって発見されたことから、ビククリン感受性の受容体を $GABA_A$ 受容体、ビククリン非感受性の受容体を $GABA_B$ 受容体と呼んで区別するようになった。

① $GABA_A$ 受容体複合体

イオンチャネル内蔵型受容体で Cl^-チャネルを内蔵している。GABA が受容体に結合する Cl^-透過性が亢進する。ベンゾジアゼピン結合部位（受容体）とバルビツール酸結合部位を内蔵するため $GABA_A$ 受容体複合体と呼ばれている。$GABA_A$ 受容体遮断薬は、GABA による Cl^-チャネルの開口を阻害するため、体内に投与すると中枢興奮をおこし、激しい痙れんが見られる。

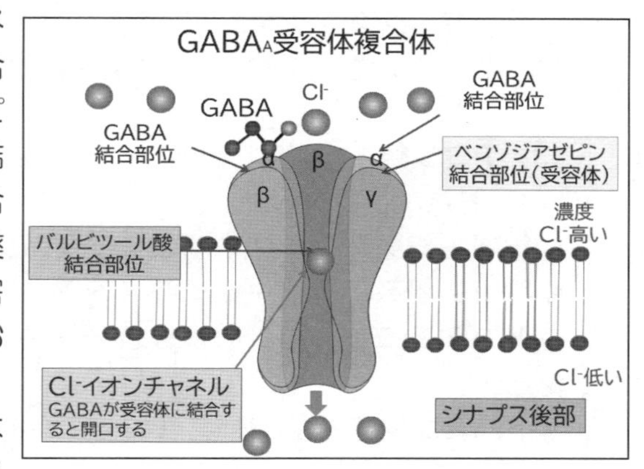

ビククリンは競合的、ピクロトキシンは非競合的（Cl^-イオンチャネル遮断薬）である。

② $GABA_B$ 受容体

抑制性Gタンパク質（Gi）と共役する Gタンパク質共役型（代謝調節型）受容体であるが、他の多くの受容体と異なり $GABA_B$　R1 と R2 サブユニットがヘテロダイマーを形成している。Gi と共役してアデニル酸シクラーゼ活性抑制、K^+チャネル促進、Ca^{2+}チャネル抑制などの作用を介して興奮性ニューロンの抑制を引き起こす。

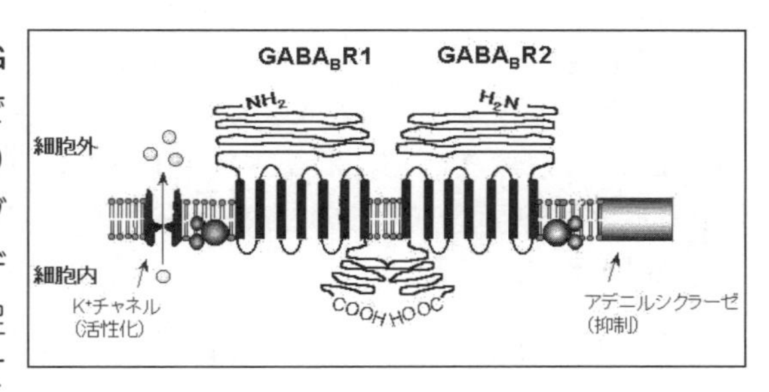

代表的なアゴニストは、バクロフェン　Baclofen で中枢性骨格筋弛緩薬として痙性麻痺などに用いられている。

グリシン　Glycine

グリシンは、脊髄および脳幹に多く存在するアミノ酸であり、GABA とともに代表的な抑制性神経伝達物質と考えられている。グリシン受容体は、グリシンの刺激により GABA 受容体と同様に Cl^-イオンチャネルが開口し、Cl^-の透過性が増大する（レンショウ細胞の図参照）。

H_2N–CH_2–COOH

Glycine

この受容体を介する作用は、競合的遮断薬であるストリキニーネにより遮断される（中枢興奮薬の項参照）。また、グルタミン酸 NMDA 受容体の中にもグリシンの作用部位が存在するが、この部位はストリキニーネには感受性はない。

2）興奮性神経伝達物質

グルタミン酸　glutamic acid

グルタミン酸は、中枢神経系において主要な興奮性神経伝達物質であり、記憶・学習などの脳高次機能に重要な役割を果たしている。しかし、シナプス間隙に過剰に遊離されると異常興

H_2N COOH HOOC

Glutamic acid

奮や興奮毒性によるや神経細胞死を誘発するため、主要な精神疾患にも関与すると考えられている。

グルタミン酸受容体には、イオンチャネル内蔵型受容体（NMDA 受容体、AMPA 受容体、カイニン酸受容体）と代謝調節型（G タンパク質共役型）受容体がある。

3）アミン類

（1）ドパミン　Dopamine

黒質－線条体、中脳－前頭葉皮質系、中脳－辺縁系、隆起－漏斗系（下垂体）のドパミンニューロンの神経伝達物質である。

ドパミン受容体は５種類（D_1 ～ D_5）のサブタイプが明らかとなっている。また、大別すると Gs と共役してアデニル酸シクラーゼを活性化させる D1 サブファミリー（D_1 、D_5）と Gi と共役してアデニル酸シクラーゼを抑制する D_2 サブファミリー（D_2、D_3、D_4）に分類される。黒質－線条体系のドパミンニューロンが退行変性するのがパーキンソン病であり錐体外路障害がおこる。

	Ki 値 (nM)				
	D_1	D_2	D_3	D_4	D_5
作用薬					
ドパミン	2000	2000	30	450	250
アポモルヒネ	700	70	70	4	400
拮抗薬					
ハロペリドール	45	4	3	10	40
クロルプロマジン	56	19		12	
リスペリドン	750	3.3		16.6	
クエチアピン	455	160		1164	
オランザピン	31	11		9.6	
ブロモクリプリン	700	70	70	4	400

中枢神経系におけるノルアドレナリン作動性神経系

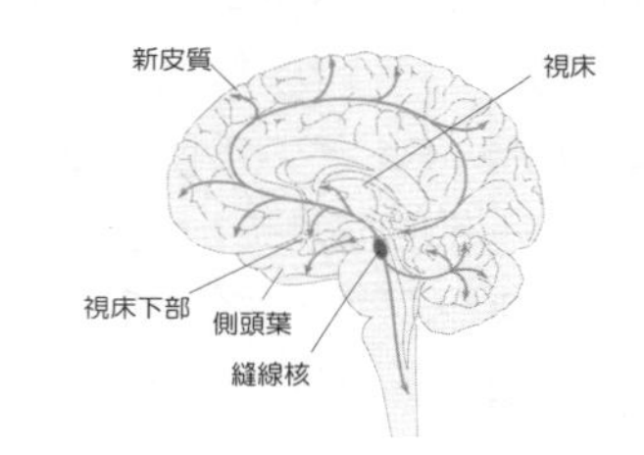

（2）ノルアドレナリン　Noradrenaline

ノルアドレナリン含有神経細胞群は主に、橋・延髄に存在する。青斑核は、ノルアドレナリン含有神経が存在する最大の細胞群である。ノルアドレナリン系は広く脳全体に分布しており、多くの機能調節に関与している。

中枢神経系におけるセロトニン作動性神経系

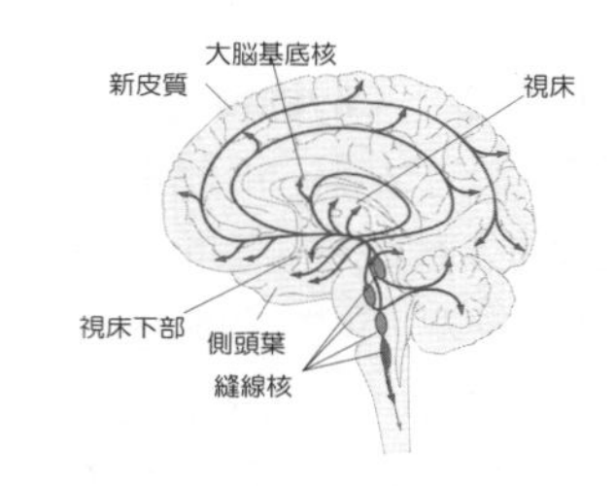

（3）セロトニン　Serotonin

セロトニン神経の細胞体は、中脳、橋、縫線核群に分布しており、軸索は、小脳・中脳・間脳・辺縁系・大脳皮質などに投射している。セロトニンは、生体リズム・神経内分泌・睡眠・体温調節などの生理機能と、気分障害・統合失調症・薬物依存などの病態に関与している。セロトニン受容体には様々なサブタイプが存在し、各々の作用は異なっている。

中枢神経系におけるアセチルコリン作動性神経系

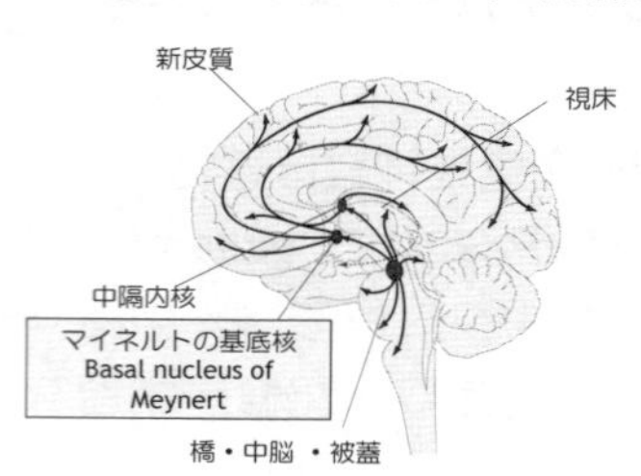

（4）アセチルコリン　Acetylcholine（ACh）

前脳内側基底部細胞群、錐体外路細胞群、および脚橋－被蓋細胞群、脳神経－脊髄神経が ACh を含有している。大脳皮質などの運動機能をつかさどる神経や大脳における情動や記憶学習に関する神経はコリン作動性である。マイネルト基底核から前頭前野に至る経路は、アルツハイマー病で最も初期に変性が起こるACh作動性ニューロンである。

5-1-5　中枢神経系作用薬の分類

中枢神経作用薬は、中枢神経抑制薬と興奮薬に大別される。医薬品として用いられる薬物としては、中枢神経抑制薬が圧倒的に多い。中枢神経抑制薬は、図示したように一般的（非選択的）抑制薬と選択的抑制薬および向精神薬のように特定の中枢神経機能を選択的に修飾する薬物に分類することができる。中枢興奮薬は、通常作用する部位別に分類されている。

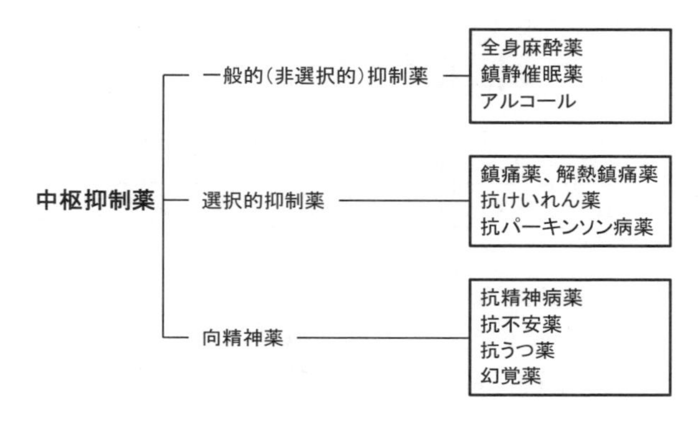

中枢興奮薬の分類

大脳皮質興奮薬	主として大脳皮質に作用するもの	カフェイン 覚醒アミン アトモキセチン
脳幹興奮薬	主として延髄の呼吸中枢に作用するもの	ピクロトキシン ペンテトラゾール ベメグリド ドキサプラム ジモルホラミン
脊髄興奮薬	主として脊髄に興奮的に作用するもの	ストリキニーネ

5-2 全身麻酔薬　general anesthetics

中枢神経系の機能を抑制して知覚麻痺ととも意識を消失させる薬物で、主に外科手術のための麻酔に用いられる。

5-2-1　全身麻酔薬総論

5-2-1-1 全身麻酔薬としての条件

（1）意識の完全消失

（2）十分な筋弛緩（不動化）

（3）無痛（鎮痛）

（4）侵害刺激に対する健忘
（5）自律神経反応の抑制

これらが全身麻酔薬としての必須の条件と考えられている。しかし、現在用いられている全身麻酔薬単独で、これらの条件をすべて満たすわけではないので、麻酔前投与薬（後出）で作用を補っている。

5-2-1-2　全身麻酔薬の分類

（1）吸入麻酔薬　Inhalant General Anesthetics

呼吸によって排出が容易にできるなどの特長を持つが、大がかりな吸入装置が必要となる。現在使用されている吸入麻酔薬は 麻酔導入回復ともに速やである。吸入麻酔薬は、物理的性質によって以下の様に揮発性麻酔薬とガス性麻酔薬に大別されている。

揮発性麻酔薬（常温１気圧で液体）	イソフルラン、セボフルラン、デスフルラン
ガス性麻酔（常温１気圧で気体）	亜酸化窒素（笑気、N_2O）

（2）静脈麻酔薬 Injectable Anesthetics

静脈から投与する麻酔薬のことで、吸入麻酔薬とは全く別の薬物である。導入期・発揚期は短く、速やかに手術期に達する。一方で、麻酔の調節、維持が吸入麻酔薬と比べて難しい場合がある（プロポフォールを除く）。

5-2-1-3　全身麻酔薬の薬理作用と作用機序

全身麻酔薬は、ある特定の脳部位や神経系のみに作用するのでなく、非特異的かつ広範囲に中枢機能を可逆的に抑制し、外的刺激への反応や記憶を消失させる。

（1）吸入麻酔薬

これまでに吸入麻酔薬の作用機序については多くの学説が提唱されてきたが、どの学説も十分に作用を説明できるところまでは至っていない。全身麻酔薬が作用を及ぼす機能性タンパク質としては以下のような分子が考えられている。また、これらのタンパク質以外に、物理化学的には細胞膜を構成する脂質への作用も機序として考えられている。

① $GABA_A$ 受容体
② K2P チャンネル
③ NMDA 受容体
④ グリシン受容体
⑤ ニコチン性アセチルコリン受容体・ムスカリン受容体
⑥ カチオンチャンネル
⑦ シナプス前膜の電位依存性ナトリウムチャネル

（2）静脈麻酔薬

静脈から投与する麻酔薬のことで、バルビツール酸誘導体、ベンゾジアゼピン誘導体、プロポフォールは、脳内の $GABA_A$ 受容体複合体に作用して Cl^-の透過性を増加させて抑制性伝達機構を亢進することが示唆されている。ケタミンは、グルタミン酸 NMDA 受容体を遮断して意識、記憶、痛覚を遮断する。

5-2-1-4　麻酔の徴候と経過

全身麻酔薬としては、大脳→間脳→中脳→脊髄→延髄の順に抑制する不規則的下行性麻痺を示す薬物が用いられる。延髄の抑制は、中毒期を意味し、生体にとって危険な状態を引き起こす。そのため延髄は、脊髄が抑制されて脊髄反射が消失し、骨格筋が弛緩した後に抑制されることが望ましい。モルヒネは、大脳→間脳→中脳→延髄→脊髄の順に抑制する**規則的下行性麻痺**を示ため全身麻酔薬としては用いることはできない。

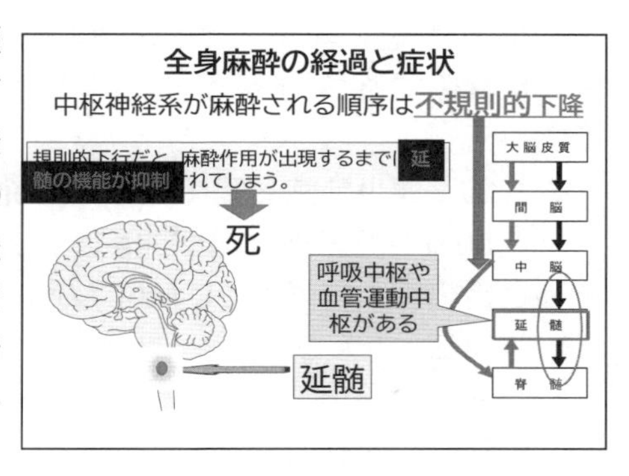

全身麻酔の時間的経過　（エーテル麻酔）

第Ⅰ期 誘導期	意識レベルは保たれているが、痛覚は鈍麻する。随意運動は可能。
第Ⅱ期 発揚期	上位脳から抑制系が解除され、見かけ上の興奮状態や筋緊張の増大が認められる。不規則的呼吸になる。身体的負担が高いのでこの期間は短ければ短いほどよい。
第Ⅲ期 手術期	意識および痛覚は消失し、脊髄にまで作用が及んだ状態。多シナプス反射が抑制され、骨格筋は弛緩する。第Ⅲ期はさらに、4相に分かれ、第1相から第3相が手術期。
第Ⅳ期 呼吸麻痺期、 中毒期	麻酔薬の作用が延髄にまでおよび、呼吸麻痺を起こした状態で危険。すべての反射は消失し、瞳孔は散大。

5-2-1-5 全身麻酔の動態に関連した指標

（1）　**分配係数**：麻酔の導入速度と覚醒速度の指標

血液ガス分配係数とは、37 ℃、760mmHg において血液 1 mL に溶けるガスの mL 数のことで、この値が大きいと、麻酔薬が血液に溶け込みやすく、血液中のガス分圧がなかなか上昇しないため血液における溶解型が飽和するまでに時間がかる。脳・脊髄での麻酔薬の濃度を上昇させるには、血液中のガス状態での麻酔薬の分圧をいかに上げられるかがポイントであるので、分配係数が大きいとガス状態の薬物の分圧がなかなか上昇せず、導入速度が遅くなる。

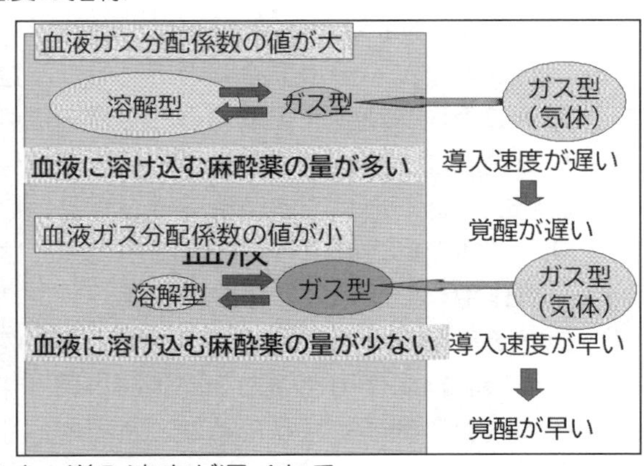

一方、分配係数が大きいと、薬物の投与を中止した場合、血液に溶け込んでいる薬物が多いために、排泄に時間がかかり、覚醒に至るまでの時間は長い。

分配係数の値が小さい薬物は、血液に溶解しにくく、ガス状態の薬物の分圧が上がりやすいため、導入速度は速い。また、血液に溶け込んでいる薬物が少ないために、投与中止後の消失が早いので覚醒も早い。血液－ガス分配係数は、麻酔導入時間や覚醒までの時間に関係するが、麻酔薬の強度とは必ずしも一致しない。

（2） 最小肺胞濃度（MAC；minimum alveolar concentration）

50%の患者が皮膚切開刺激に対して反応しなくなるときの肺胞内濃度で、MAC が小さいことは麻酔作用が強いことを示す。

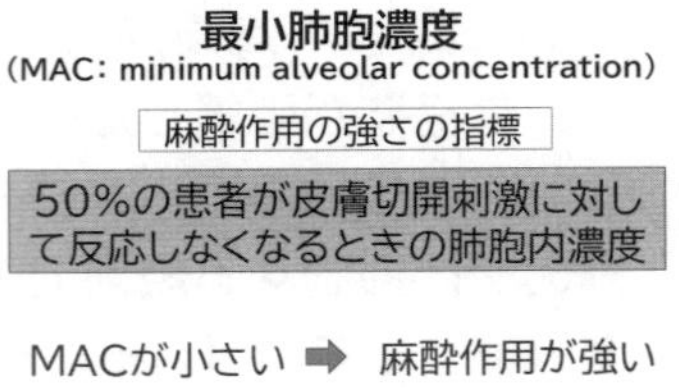

最小肺胞濃度
(MAC: minimum alveolar concentration)

麻酔作用の強さの指標

50%の患者が皮膚切開刺激に対して反応しなくなるときの肺胞内濃度

MACが小さい ➡ 麻酔作用が強い

5-2-2 全身麻酔薬各論

5-2-2-1 吸入麻酔薬

（1）揮発性麻酔薬

ハロゲン化麻酔薬：エーテル基に Br、Cl、F が結合したハロゲン化合物である。

セボフルラン Seboflurane、イソフルラン Isoflurane、デスフルラン Desflurane

不燃性の液体で、麻酔効力はハロタンと同程度だが、心筋のカテコラミン感受性を増大しにくいため、不整脈を起こしにくい。デスフルランは、イソフルランのα - 炭素に結合した塩素をフッ素で置換した化合物である。「全身麻酔の維持」セボフルランは、血液や組織への溶解度が低いため、導入・覚醒が特に早く、麻酔の調節が容易である。気道刺激性もない。肝でほとんど代謝されないので、肝障害を起こしにくい。

【副作用】（三つの薬物に共通の重篤な副作用）悪性高熱、ショック、アナフィラキシー、肝機能障害、重篤な不整脈

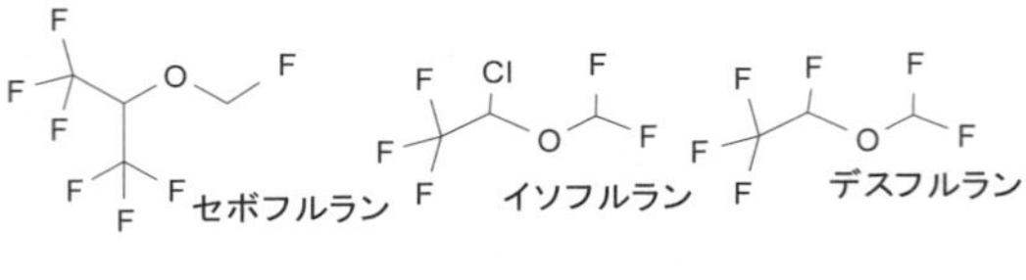

セボフルラン　イソフルラン　デスフルラン

ハロタン Halothane （現在は使用されていない）

麻酔力はエーテルより強力であるが、主に麻酔の維持に用いられる。心筋のカテコラミン感受性を増大して心筋の被刺激性を亢進するため、血漿アドレナリン濃度が上昇すると重篤な不整脈を誘発しやすい。循環器抑制作用が強く、動脈圧を低下させて血圧を下降させる。心拍出量を低下させるため除脈を起こす。脳血流増大により脳脊髄圧を亢進させる。

【副作用】 肝障害、悪性高熱症

エーテル Ether （現在は使用されていない）

$C_2H_5-O-C_2H_5$
エチルエーテル

十分な鎮痛作用と強力な筋弛緩作用（中枢性＋末梢性）を示し、単独で手術期まで到達させることができるが、引火性が高いことが大きな難点である。末梢性の筋弛緩作用は、エーテル自体のクラーレ（ツボクラリン）様神経筋接合部遮断作用による。麻酔導入までの時間は、比較的長い。現在は使われていない。

【副作用】過酸化物を生成して気道を刺激し分泌を亢進する。長期保存すると、アセトアルデヒドや過酸化物を生じ、これらによる局所刺激作用により嚥下性肺炎を起こすことがある。

(2)　ガス性麻酔薬　　亜酸化窒素　笑気（N_2O）

沸点が低いため常温・1 気圧で気体で、引火性はないが他の物質の燃焼を助ける助燃性がある。導入・覚醒は速やかで鎮痛作用は強力である（鎮痛効果は 20%程度で得られる）。呼吸抑制作用は軽微である。筋弛緩作用はない。

麻酔力が弱いため高気圧下でないと手術可能な麻酔深度が得られないが、80%以上の濃度では酸素欠乏に陥るので、必ず 20%以上の O_2 を保つ（笑気 80、酸素 20 の割合で用いられる。）毒性は弱く、心筋のカテコラミン感受性にも影響しない。生体内では代謝を受けないので、ほとんどが未変化体として排泄され、その経路は肺である。

麻酔薬としての笑気の発見

亜酸化窒素は、1800 年頃にイギリスの科学者 Sir H m nphry Davy によって発見された。その後、このガス体は、「吸うと笑う不思議なガス」として見世物に使われていた。

1884 年 12 月 10 日に、ハートフォートという田舎町で笑気ガスショーが行われ、たまたま歯科医 H.　Wells 聴衆のなかにいた。そのショーで、笑気ガスを吸入した一人が酩酊状態で、片足の向こう脛をベンチに激しく打ちつけたが、当人はケロリとしていて、笑気ガスの効力が消えるまで打撲の痛みをまったく感じなかった。これを見ていた Wells は、笑気ガスに、痛みを消失させる作用があることに気づいた。翌日、このショーの主催者を呼び、自ら患者となり、友人の歯科医師 J. M. Riggs に頼んで笑気ガス吸入後に、自分の左側上顎智歯（親知らず）を抜去してもらったが、痛みもほとんどない静粛な抜歯手術となった。そのとき、Wells は、「抜歯に新しい時代がきた」と叫んだといわれる。その後、Wells の自殺など、紆余曲折はあったが、この発見をもとに亜酸化窒素は、麻酔薬として使用されるようになった。Wells は彼の死後 150 年を経て「The "Discoverer of Anesthesia」として賞賛されるのであった。

5-2-2-2　静脈麻酔薬

吸入麻酔薬のような特別な器具を必要とせずに速やかに全身麻酔状態が得られるが、麻酔深度の調節が難しく、わずかな増量や注射速度に応じて呼吸中枢や心筋の抑制、アナフィラキシーを生じることがある。

投与法：大きく分けて、単回投与法と持続点滴法がある。

全静脈麻酔（TIVA; totalintravenous anesthesia）

持続点滴静注で麻酔を行う場合は、麻酔を維持している間に、体内に蓄積しにくく、作用時間の短い薬物が用いられる。現在は、プロポフォールが主流となっている。必要に応じて、催眠薬、鎮痛薬、筋弛緩薬を組み合わせて持続点滴を行う。代謝が遅く、体内に蓄積しやすい麻酔薬は、麻酔後の覚醒時間が長くなる。

静脈麻酔に使用される薬物

イソプロピルフェノール誘導体	プロポフォール
ベンゾジアゼピン系	ミダゾラム、ジアゼパム、フルニトラゼパム
フェンサイクリジン系	ケタミン
バルビツール酸系 （チオバルビツレート）	チオペンタール
	チアミラール
神経遮断性鎮痛	ドロペリドール＋フェンタニル
オピオイド	レミフェンタニル

静脈麻酔薬の薬理作用

バルビツール酸誘導体 （チオペンタール Na） 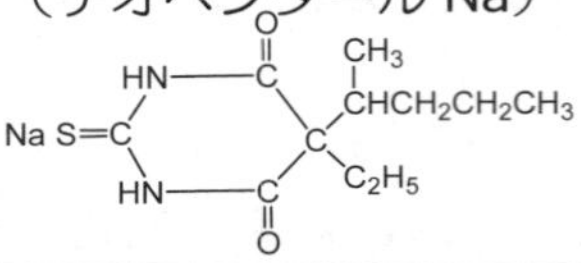	一般的に導入麻酔、基礎麻酔、吸入麻酔薬の補助薬として用いる。全身麻酔に用いる場合には、亜酸化窒素のような吸入麻酔薬と併用する。作用機序は、催眠薬の項参照。チアミラールも同様の作用を有する。
ケタミン　ketamine 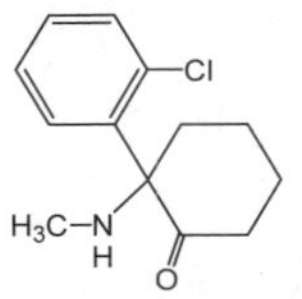	新皮質や視床に対しては抑制作用、大脳辺縁系や脳幹網様体賦活系に対してはむしろ興奮を示す**解離性麻酔薬**。ケタミンは、グルタミン酸 NMDA 受容体遮断薬として作用する。体表面の痛みを強く抑制する。 副作用：急性心不全、呼吸抑制（過量投与）
プロポフォール Propofol 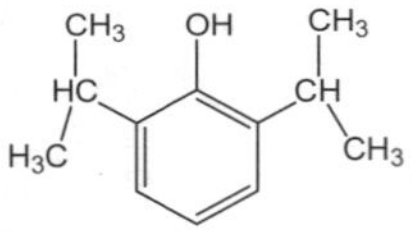	イソプロピルフェノール誘導体で、非水溶性である。反復投与による麻酔時間の延長はチオペンタールより明らかに軽微である。導入・覚醒はきわめて早く、持続点滴で麻酔深度の調節が可能。反復投与による麻酔時間の延長はチオペンタールより明らかに軽微である。 副作用：低血圧、アナフィラキシー症状
レミフェンタニル Remifentanil 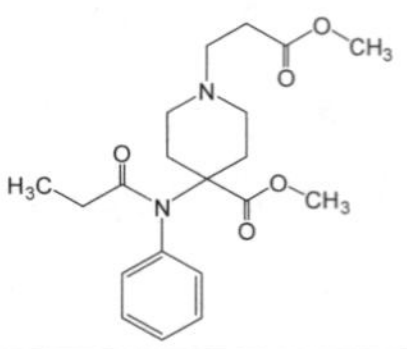	フェニルピペリジン誘導体の選択的μ-オピオイド受容体アゴニストで、全身麻酔の導入および維持における鎮痛（成人）に用いる。作用発現が早く、血液中および組織内の非特異的エステラーゼによる代謝を受け易い構造を有しているため、作用時間が短い（超短時間作用性）。
神経遮断鎮痛 （NeuroleptanalgesiaNLA）	神経遮断薬のドロペリドール（ブチロフェノン系抗精神病薬）とフェンタニル（麻薬性鎮痛薬）の併用またはその改良法で、呼びかけには応答できる程度の意識はあるが、不安が除かれ、周囲に無関心で体動も抑制され、手術可能な無痛状態を引き起こす。

主な吸入麻酔薬の諸性質

	血液/ガス分配係数	導入覚醒	MAC (V/V%)	麻酔作用	鎮痛作用	筋弛緩作用	心筋被刺激性亢進作用	肝障害作用	気道刺激作用	引火性
ハロタン	2.3	速	0.78	+++	+	+	+	++	-	-
エンフルラン	1.9	速	1.68	+++	++	+++	-	+	-	-
イソフルラン	1.3	速	1.20	+++	++	+++	-	+	-	-
セボフルラン	0.6	速	1.71	+++	++	+++	-	+	-	-
エーテル	15	遅	1.90	+++	+++	++++	-	±	+	+
亜酸化窒素（笑気）	0.4	速	105	+	++	-	-	-	-	-

MAC値は年齢により変化する。

5-2-2-3　麻酔前投与薬

外科手術の際に、全身麻酔を行うことにより、鎮静・催眠、無痛、筋弛緩・不動化、反射遮断の状態を作り出すことが必要であるが、全身麻酔薬の単独使用でこれらの作用を得るのは難しいばかりでなく、安全性についても考慮して、補助薬を用いるのが一般的である。また、不整脈や血圧下降などの手術中の予期しうる副作用に対して前もって対処することも可能となる。

麻酔前投薬（premedication）

基礎麻酔導入を容易にする	チオペンタール、チアミラール、プロポフォール、ミダゾラム
精神的興奮の除去・制吐	クロルプロマジン、ハロペリドール
骨格筋の充分な弛緩	筋弛緩薬:　ベクロニウム、スキサメトニウム
不安の減少、術前の十分な睡眠	ジアゼパム、ニトラゼパム、ドロペリドール
術中、術後の痛みを減弱	モルヒネ、ペチジン、ペンタゾシン
全身麻酔の導入および維持における鎮痛	レミフェンタニル
麻酔中の不整脈を抑制	プロプラノロール
手術に伴う侵襲ストレスによる胃潰瘍	H_2受容体遮断薬

5-3　鎮静・催眠薬　Sedative・Hypnotic drugs

5-3-1　鎮静・催眠薬総論

5-3-1-1　睡眠の定義

睡眠は、「生体の内部的な必要性から発生する、随時覚醒可能な、全般的な身体機能および意識水準の一時　的低下現象」と定義されている。

5-3-1-2　睡眠・覚醒に関与する生体内の生理活性物質

（1）メラトニン

松果体から分泌されるホルモンで、体内時計に働きかけることで、覚醒と睡眠を切り替えて、眠りを誘う作用がある。夜になると、メラトニンの分泌が高まり、その作用で深部体温が低下して、休息に適した状態に導かれ眠気を感じるようになる。また、視交叉上核（SCN）は、体内時計としての役割を担っており、メラトニン MT_1、MT_2 受容体が存在し、メラトニンが受容体に作用すると覚醒シグナルの抑制、体内時計（概日リズム）の昼夜への同調、リズムの位相前進を惹起して脳と身体の状態を覚醒から睡眠へ切り替えて、睡眠を誘導する。

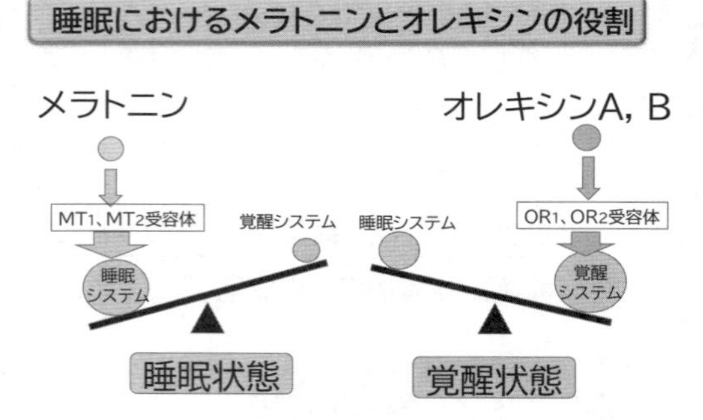

（2）オレキシン（覚醒ペプチド）

神経ペプチドの一種であるオレキシンは、視床下部外側野限局するニューロンに局在し、情動やエネルギーバランスに応じて睡眠・覚醒や報酬系そして摂食行動を適切に制御する統合的な機能を担っている。最近の研究からオレキシン産生ニューロンの変性・脱落がナルコレプシーの原因であることが明らかになり、オレキシンが覚醒の維持にも重要な役割を担っていることが示された。オレキシンには、オレキシン A とオレキシン B が存在し、それぞれオレキシン 1 受容体およびオレキシン 2 受容体に結合する。オレキシンは、脳幹と視床下部のモノアミン作動性神経機能を更新させ,大脳皮質への興奮性の影響を与え、覚醒の維持に関与する。最近、オレキシン受容体遮断薬のスボレキサントが新たな作用機序を持つ催眠薬として上市された。

5-3-1-3　網様体 reticular formation と上行性賦活系 activating system と覚醒・睡眠

網様体は、延髄、橋、中脳の被蓋を含んでおり、中枢神経系の高次中枢に達する上行路（上行部賦活系）からの刺激を受けている。網様体はこれらの上行路から受けた情報を大脳皮質の広い領域に投射し、大脳皮質に感覚入力が絶えず投射されることで、意識がある状態が保たれている。覚醒の程度は、網様体の活動の程度に依存する。上行部賦活系が抑制されると、意識

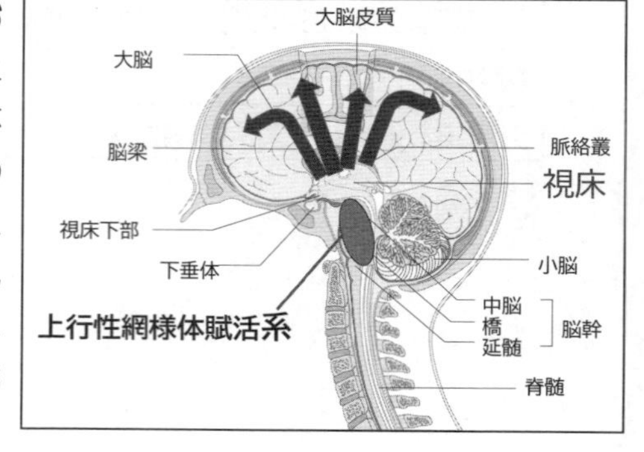

レベルは低下し、睡眠状態をもたらす。バルビツール酸誘導体は、脳幹網様体上行部賦活系を抑制して、睡眠を誘導する。てんかん患者が意識を失うのは、間脳上部の網様体の活動が抑制されてしまうためである。

5-3-1-4 睡眠障害

睡眠障害の原因は様々であるが、治療の原則としては、まず原因となっている疾患を取り除くことが大切である。しかし、不眠の原因が不明なことも多いため、催眠薬を投与して睡眠不足に陥らないようにすることが治療として必要となってくる。

不眠症とは、睡眠時間の長さによって判断されるものではなく、その人が朝起床した際にだるさや眠気といった不快感を持ち、一日の日常生活を行う上で支障をきたすものをいう。

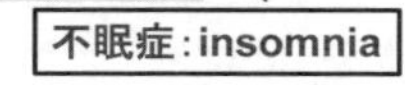

睡眠障害にはいくつかのパターンがある。

① **就（入）眠障害**：寝ようとしてから就眠に至るまで時間がかかるもので、いったん寝付いてしまえば問題はない。このため入眠障害には、速効型で、作用時間の短いものを用いる。

② **熟眠障害**：就眠障害はないが、眠りが浅いく眠った気がしない状態。また、一晩に 2 回以上覚醒する（**中途覚醒**：眠りが浅いことが原因）や途中覚醒後の再入眠の障害もここに含まれる。遅効性で、催眠作用が長い、中時間～長時間型のものを用いる。

③ **早期覚醒**：就眠障害はなく、夜中に覚醒もしないが、好ましい目覚め時間より２時間以上前に覚醒する症状。うつ病・うつ症状で見られることが多い。遅効性で、長時間型のものを用いる。

5-3-1-5 鎮静薬（sadative drugs）・催眠薬（Hypnotic drugs）とは

脳神経に作用し、不安（恐怖）・緊張といった症状を緩和させる作用を持つ薬物を鎮静薬という。また、正常の睡眠と似た中枢抑制状態を起こす薬物を**催眠薬**という。バルビツール酸誘導体やベンゾジアゼピン系薬は少量で鎮静効果を示し、さらに用量を増やすと催眠効果が得られる。ベンゾジアゼピン系薬とバルビツール酸誘導体の作用点は多少異なっているが、$GABA_A$ 受容体の Cl^- 透過性亢進という作用は共通している。メラトニンアゴニストやオレキシンアンタゴニストは、鎮静作用を発現せず睡眠を誘導する。

5-3-1-6 理想的な睡眠薬の条件

自然と同様な REM 睡眠と Non-REM 睡眠が一晩に 90 ～ 120 分周期で 4 ～ 5 回繰り返される睡眠パターンが得られる。

REM 睡眠：眠りはじめてからおよそ 1 時間半から 2 時間すると、脳波パターンは突然低振幅、不規則状態を示し、覚醒期に近いパターンとなる。この時、通常の入眠期とは異なり、閉じたまぶたの下で、眼球が水平方向にすばやく動く現象（rapid eye movement:REM）が観察される。呼吸・心拍などは不規則となる。このとき夢を見ていることが多い。持続時間 10 ～ 20 分。

Non-REM 睡眠：急速な眼球運動を伴わない睡眠　脳波上は徐波で、筋は一定の活動状態である。

5-3-2　鎮静・催眠薬各論　催眠薬の分類

5-3-2-1 ベンゾジアゼピン系薬　Benzodiazepine receptor agonists

最初のベンゾジアゼピン系催眠薬であるクロルジアゼポキシド発見の経緯

1950 年代にロシュの科学者であったステルンバッハは、メプロバメートに代わる不安を抑制する薬物を開発する目的で、様々な物質を合成した。メプロバメート自体は、期待されたような抗不安効果はほとんど示さなかったからである。

メプロバメート

しかし、ステルンバッハの合成した薬物は、どれも期待した様な不安を取り除く効果を持つものではなかった。そのためこの研究プロジェクトは中止となり、落胆の末、助手とともに実験台の片付けと清掃をしていたとき、助手が、片隅に置かれていてまだスクリーニングをしていない１つの化合物 Ro5-0690 が転がっているのを見つけた。ステルンバッハは、この最後の薬物をロシュ社の薬理部長であるランドールに渡し、ランドールは、これらを薬効スクリーニングにまわした。その結果、この薬物こそが、従来の薬物にはない、まさに抗不安作用を持つ薬物であること明らかとなった。

ステルンバッハは、当時この薬物の構造に関してキナゾリン系化合物だと推定していたが、実際には予期せぬ反応が起きていて、キナゾリンとは異なるベンゾジアゼピン構造を持っていたこともその後判明した。以来、3 つの環構造の側鎖の変更などから多くのベンゾジアゼピン系薬が開発された。ステルンバッハが、Ro5-0690 をランドールに渡していなかったら・・・・。

予想していた構造とは違う

この薬物 Ro5-0690 こそがクロルジアゼポキシドである。

ベンゾジアゼピン系薬には、鎮静・催眠作用、抗不安作用、筋弛緩作用、抗痙れん作用があり、薬理学的なスペクトルが広いのが特徴である。

本項では鎮静・催眠作用について記す。抗不安作用については、抗不安薬の項を、筋弛緩作用については中枢性筋弛緩薬の項を、抗痙れん作用については、抗痙れん薬の章に詳しく記されている。

ベンゾジアゼピン受容体（結合部位）に作用する薬物の構造

（1）ベンゾジアゼピン系薬の基本骨格と構造活性相関

ベンゾジアゼピンは、右に示したような骨格をもっており、①～⑤の特徴を示す。

①　１位に-CH_3が入ると活性は増強される。

②　２位の C=O は活性が増強される。

③　４位と５位の二重結合がジヒドロ化する作用は減弱する。

④　５位のフェニル基の 2'位にハロゲンが入ると活性は増強される。

⑤　７位の置換基のうち- NO_2が効力は最も強くなる。ハロゲンは Br ＞ Cl

(2) チエノジアゼピン系薬

ジアゼピン環とチオフェン環が縮合した複素環式化合物である。ベンゾジアゼピン受容体（結合部位）に作用し、ベンゾジアゼピン系薬と同様の作用を発現する。

(3) 非ベンゾジアゼピン系薬

ベンゾジアゼピン骨格やチエノジアゼピン骨格を有しないが、ベンゾジアゼピン受容体（結合部位）に結合し、作用を発揮する。イミダゾピリジン系骨格をもつゾルピデムやシクロピロロン系骨格をもつゾピクロン、エスゾピクロンなどがある。Z で始まる名称のものが多いので「Z 薬 Z-Drug」と呼ばれることもある。

ベンゾジアゼピン系薬およびその関連薬物の構造式

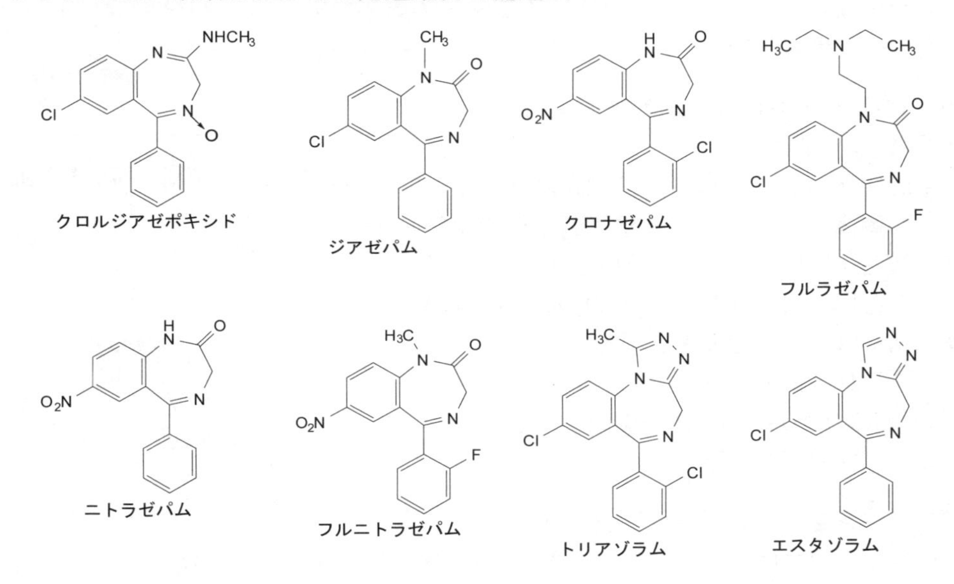

チエノジアゼピン系薬

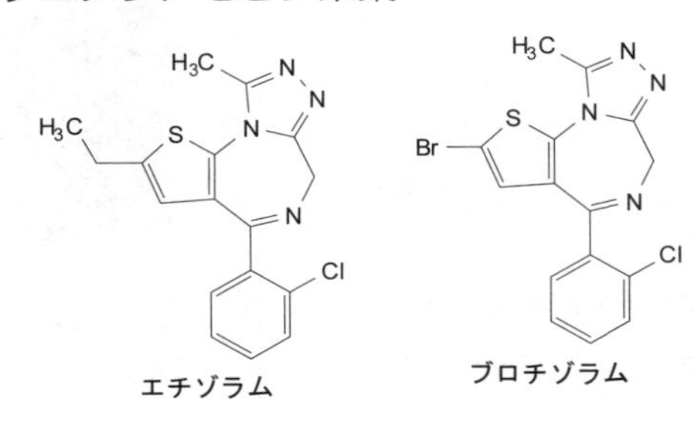

非ベンゾジアゼピン系薬

ゾルピデム

ゾピクロン

作用機序・薬理作用

GABA$_A$ 受容体複合体中に存在するベンゾジアゼピン受容体（結合部位）にベンゾジアゼピン系薬が結合すると、GABA$_A$ 受容体の機能を亢進し、Cl^-の透過性が亢進する。

1）作用点としての GABA$_A$受容体複合体

ベンゾジアゼピン系薬の特徴の一つとして、薬理学的スペクトルが広いことが挙げられるが、受容体レベルの作用機序については、鎮静・催眠作用、抗不安作用、筋弛緩作用、抗痙れん作用ともに上記に示したメカニズムである。ただし、それぞれの作用を発現する GABA$_A$ 受容体のサブユニット構造や脳領域は異なる。

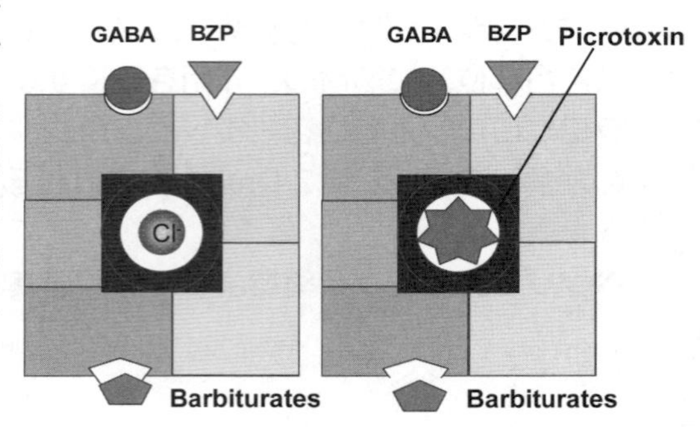

2）ベンゾジアゼピン系薬の薬理作用

（1）鎮静・催眠作用

主に扁桃核に作用して、情動障害（不安・緊張）や興奮をとり除き、覚醒賦活系への余剰刺激伝達を遮断して睡眠を誘導する。バルビルレートと比較して REM 睡眠の抑制は少ない。睡眠誘導は、以下の要因による。

① 入眠潜時の短縮

② 入眠後の覚醒回数・覚醒時間短縮

③ 睡眠時間の延長

ベンゾジアゼピン受容体サブタイプ

ベンゾジアゼピン受容体には、大別して中枢型と末梢型の 2 つがある。また中枢型は、ω 1とω 2 に分類されている。

A　中枢型：中枢作用を発現する受容体

ω 1（BZ1）鎮静

ω 2（BZ2）認知、記憶、運動機能

ほとんどのベンゾジアセピン系薬はω 1,ω 2 を区別しないが、クアゼパムとゾルピデムはω 1（BZ1）選択性があるといわれている。

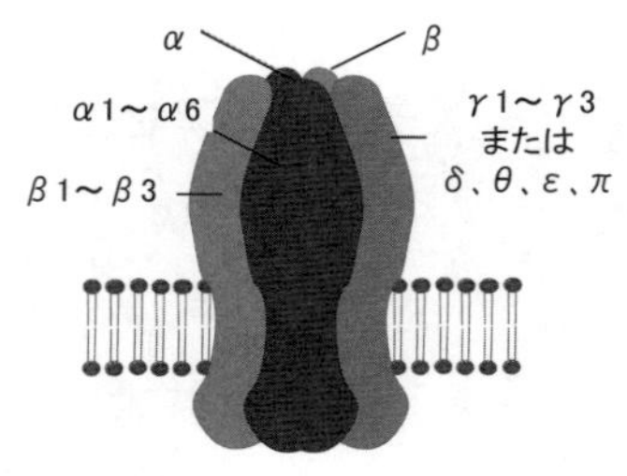

ω 1、ω 2 という概念は、古典的な薬理学実験にもとづく抽象的なものであり、現在このような違いは、GABA$_A$ 受容体複合体を形成するサブユニットの種類の違いであることが明らかになっている。

ω 1：α 1サブユニットを含む受容体構成
　催眠作用と鎮静作用の発現に関与

ω2：α2, α3 または α5 サブユニットを含む受容体構成
　抗不安作用、抗痙攣作用、筋弛緩作用などの発現に関与

B　末梢型（ω3）

末梢型ベンゾジアゼピン受容体（PBR）は、ストレスに際してのステロイドホルモン合成に重要な役割を演じていることが分かっている。末梢という名前が付いているが脳にも存在する。

3）作用時間による分類

ベンゾジアゼピン系薬（非ベンゾジアゼピン系を含む）は、消失半減期の違いから、超単時間型（2～4時間）、短時間型（6～10時間）、中間作用型（20～30時間）、長時間型（50～100時間）に分類されており、不眠症の症状により使い分けられている。一般的に副作用は少ないが、注意すべき点が作用時間によっても異なっている。

a）超短時間型：睡眠導入—就眠困難　体内動態については下表を参照のこと。

トリアゾラム　Triazolam

イミダゾベンゾジアゼピン骨格を持ち、ヒトにおいては鎮静催眠作用および抗不安作用を示すが、筋弛緩作用や抗痙れん作用は弱い。

ゾルピデム Zolpidem

ω1（α1 サブユニットを含む）受容体に対して比較的選択的な親和性を示す。睡眠後は REM 睡眠に影響することなく徐波睡眠を増加させ、翌朝への持ち越し効果、反跳現象はほとんどみられない。

ゾピクロン　Zopiclone　エスゾピクロン　Eszopiclone

鎮静・催眠作用および抗不安作用は強いが、抗痙れん作用、筋弛緩作用は非常に弱い。副作用としてアナフィラキシー様症状が知られている。

ゾルピデムには光学異性体が存在し、一方の光学異性体である S 体は薬理学的効果を示すが、R 体は作用をもたない。そのため、S 体だけを単離・精製したエスゾピクロンも用いられており、力価はゾピクロンの約２倍である。

b）短時間型：睡眠導入—就眠困難

エチゾラム　Etizolam、ブロチゾラム Rilmazafone、リルマザホン　Rilmazafone、ロルメタゼパム　Lormetazepam

短時間型であるので翌日への持ち越し効果はないが、連用中止により反跳性不眠を起こしやすいので、退薬に関しては徐々に行う必要がある。

エチゾラムは頸椎症、腰痛症、筋収縮性頭痛などの筋緊張性疾患にもよく用いられる。

c）中間作用型：就眠薬ー間欠型不眠

エスタゾラム　Estazolam、ニトラゼパム NItrazepam、ニメタゼパム Nimetazepam

d）　長時間型：熟眠薬ー早期覚醒型不眠

フルラゼパム Flulazepam、ハロキサゾラム Haloxazolam、クアゼパム Quazepam

長時間型は、翌日への持ち越しをもたらすことが多く、運動機能の抑制から転倒事故を起こしやすいが、退薬による反跳現象を起こすことはない。クアゼパムは、ω1選択性で、筋弛緩作用が比較的弱く高齢者の転倒も少ないといわれている。

ベンゾジアゼピン系催眠薬の体内動態

分類	薬物名	血中 半減期（hr）	用量（頓用） （mg/kg）	効果発現 （min）	持続 （hr）
長時間型	フルラゼパム	47～100*	10～30	15	6～8
	ハロキサゾラム	42～123	5～10	30～40	6～9
	クアゼパム	36.6	20	15～60	6～8
中間作用型	エスタゾラム	24	1～4	15～30	4～6
	ニメタゼパム	21	3～5	15～30	4～8
	ニトラゼパム	27.1	5～10	15～45	6～8
	フルニトラゼパム	24	0.5～2	30	6～8
短時間型	ロルメタゼパム	10	1～2	15～30	4～6
	ロラゼパム		1～3	30	4～6
	リルマザホン	10	1～2	30～60	7～8
（チエノジ	エチゾラム	6	3	30	6
アゼピン）	ブロチゾラム	7	0.25	15～30	7～8
超短時間型	トリアゾラム	1.78 ～ 2.3	0.25～0.5	15	3
（シクロピ	ゾルピデム	0.7～0.9	5～10	15～60	6～8
ロロン）	ゾピクロン	4	7.5～10	15～30	（半減期）4

*活性代謝物を含む

（2） 抗不安作用：抗不安薬の項参照

意識や高次機能への影響は少なく、選択的に不安や緊張を緩和する。神経症や心身症で見られる視床下部自律神経反応（交感神経興奮、血圧上昇）を抑制する。

（3） 抗痙れん作用：抗てんかん薬の項参照

抗痙れん作用を有し、熱性痙れん、てんかん発作（大脳皮質、海馬、扁桃）を抑制する。ジアゼパム （てんかん重積発作に静注で用いる）クロナゼパム （ミオクロニー発作、欠神発作）

（4）筋弛緩作用（中枢性）：中枢性筋弛緩薬の項参照

痙性麻痺、固縮（背髄反射の抑制）、腰痛
主にジアゼパム、エチゾラムなどが用いられる。
老年者では作用が強く現れる。転倒・転落などの副作用になりやすい。

（5）アルコール中毒患者の離脱症状の緩解（振戦、せん妄）

主としてジアゼパムが用いられる。

【禁忌】急性狭隅角緑内障（弱い抗コリン作用により悪化する。）隅角：眼房水の流出口、重症筋無力症（筋弛緩作用があるため）
【併用禁忌】リトナビル ：チトクローム P450 に対する競合的阻害により、本剤の血中濃度が大幅に上昇し、過度の鎮静や呼吸抑制等が起こる可能性がある。

【副作用】一般的に副作用は少ないが以下のようなものがある。

一般的なもの	ねむけ、行動力低下、運動失調
反跳性不眠	連用を中止すると不眠を引き起こす。また、不安が強くなる。 （短時間型、超短時間型）
前向性健忘	中途覚醒時の記憶がない。　　（短時間型、超短時間）
持ち越し効果 hangover	翌日に眠気や精神運動機能抑制が起こりやすい。（長時間型） 高齢者では、薬物代謝能が低下しており、そのため血中濃度が上昇しやすく作用が持続する。一般的に多段階代謝を受けるものは作用が持続する。
薬物依存 退薬症候・ 耐性	薬物依存・耐性は、バルビツレートに比べるとはるかに起こりにくいが、最近は常用量依存などが問題になりつつある。 長期投与後に急に投与を中止すると退薬症状が出現することがある。

ベンゾジアゼピン系薬の依存症

　ベンゾジアゼピン系薬は、日本では精神科以外でも広く処方され、抗不安薬としての処方件数は欧米の 6 ～ 20 倍とも言われている。不眠や不安の解消などさまざまな場合で処方されるが、近年ベンゾジアゼピン系薬の依存・乱用が問題になっており、国内での向精神薬の依存や乱用の原因の約９割を占めている。ベンゾジアゼピン系薬の依存や乱用はアルコール依存や気分障害、不安障害、睡眠障害などの治療中に発症することが多い。ベンゾジアゼピン系薬は、用量内でも乱用・依存に陥る可能性（常用量依存）が指摘されており、欧米では処方を避ける傾向にある。医師の不適切な処方が発症につながる原因になっており、依存性の高い薬を長期間処方し続けたり、多種、大量に処方したりすることが依存症の発症につながる。また、診察なしの処方は依存症や乱用による兆候を見過ごすので、絶対すべきでない。

ベンゾジアゼピン受容体遮断薬

フルマゼニル　**Flumazenil**

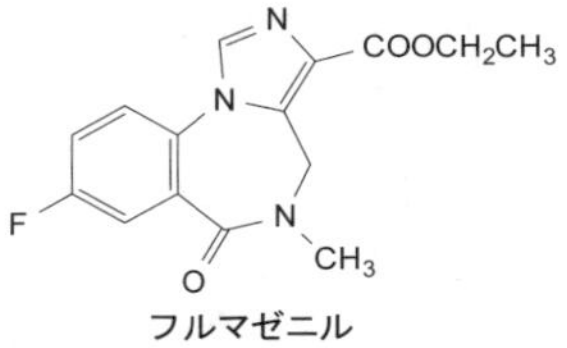

　ベンゾジアゼピン受容体の特異的遮断薬であり、ベンゾジアゼピン系薬による鎮静の解除および呼吸抑制の改善に臨床において用いられている。長期間ベンゾジアゼピン系薬物を投与されているてんかん患者に対して投与すると痙れんなどの反跳発作を生じるので禁忌である。バルビツレートや、メラトニンアゴニストのラメルテオンやオレキシン受容体アンタゴニストのスボレキサントなどに対しては拮抗または競合しない。

$COOCH_2CH_3$　N　F　O　CH_3

フルマゼニル

【適用】ベンゾジアゼピン系薬による鎮静の解除および呼吸抑制の改善

5-3-2-2　バルビツール酸誘導体 **Barbiturates**

　1903 年、Fisher と von　Mering により導入された脂溶性が高い薬物で、マロン酸と尿素のアミノ基２つが結合したマロニル尿素である。安全域が狭く、耐性/依存性も強いため、現在催眠薬としてはあまり用いられなくなった。

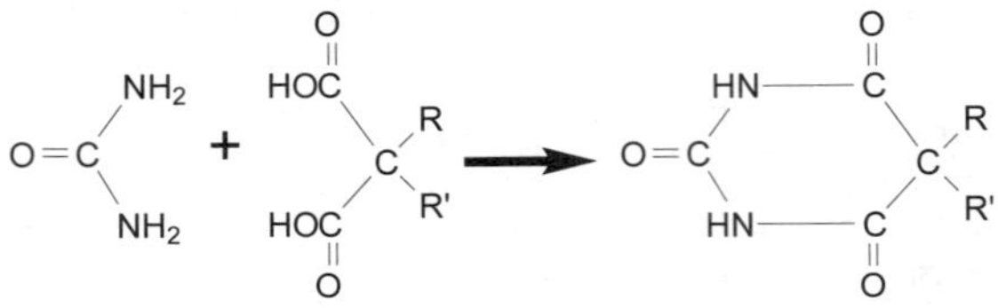

尿素　マロン酸　バルビツール酸

（1）薬理作用と構造活性相関

主に脳幹網様体に作用して脳の意識水準を低下させることにより、鎮静、催眠、麻酔作用を発現する。R と R' の合計が、4 以上で、分子量が 180 以上の物質が作用発現する。生理的な睡眠と比較して、REM 睡眠が短く、non-REM 睡眠が延長されるため目覚めた時の不快感や宿酔感が残ることがある。

その他の作用：延髄の呼吸中枢を抑制する。催眠量では循環器や骨格筋に対する影響はほとんどない。高用量では、延髄の血管運動中枢や血管平滑筋が抑制されるため、血管は拡張し、血圧は下降する。

（2）作用機序

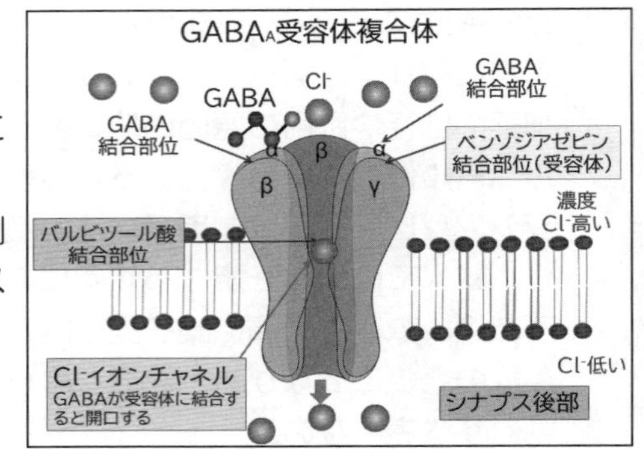

GABA$_A$ 受容体複合体のバルビツール酸部位に結合し、Cl^-の透過性を亢進させる。その結果、抑制性機能を亢進して、興奮性神経伝達を抑制する。大脳皮質への覚醒系の興奮性インパルスは減弱して睡眠が誘導される。

（3）作用時間による分類

1）　長時間型　（熟眠薬、抗てんかん薬）

バルビタール Barbital、フェノバルビタール Phenobarbital

長時間型のものは、比較的脂溶性が低く、組織への分布が緩やかである。睡眠時間は 6 時間以上持続する。

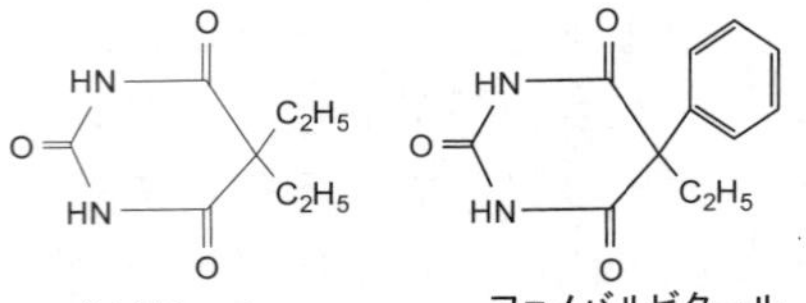

フェニル基が導入されると、催眠作用が増強されるのみではなく、運動領に対する抑制作用が増加するので、抗てんかん作用が出現する。2 個ともにフェニル基が導入されると無効となる。また、シクロヘキシル基を導入すると、抗てんかん作用は消失する。

バルビタール　フェノバルビタール

2）　中時間型　（入眠薬、熟眠薬）

アモバルビタール Amobarbital 、アロバルビタール Allobarbital

睡眠時間は 3 ～ 6 時間持続する。強い催眠作用を示し、作用発現は早いが、持続時間は短い。

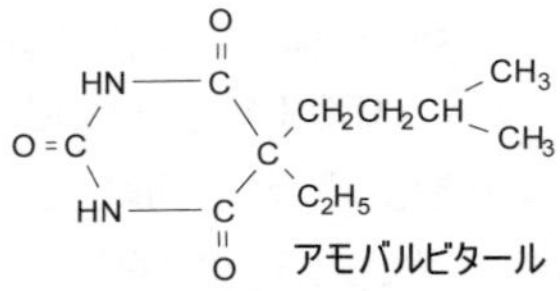

アモバルビタール

3)　短時間型　（入眠薬）

ペントバルビタール Pentobarabita、セコバルビタール　Secobarbital

5 位のアルキル基の C 数の和が増加するとともに、効力は増大する。C ＝ 7 のアモバルビタール、ペントバルビタールで最大となる。アルキル基が、不飽和、イソ型になると催眠作用は強力になるが、毒性も増す。

ペントバルビタール

セコバルビタール

4)　超短時間型　（静脈麻酔薬）

チオペンタール Thiopental、チアミラール Thiamyral
ヘキソバルビタール Hexobarabital

チオペンタール、チアミラールは、通常のバルビツール酸誘導体の構造とは異なり、2 位の炭素に S が結合しているチオバルビツレートである。このため、高い脂溶性を示し急速に脳に分布して、短時間内に作用を発現する。また組織への分布も早いため、作は一過性である。

チオペンタール

チアミラール

【副作用】頭痛、めまい、脱力感、悪心、嘔吐、消化器症状、皮膚疹など

急性中毒：呼吸麻痺　過量により延髄の呼吸中枢を麻痺させる。血管運動中枢抑制により血圧は顕著に低下する。解毒には、蘇生薬のジモルホラミンを用いるが、炭酸水素ナトリウムを投与し、アルカリ尿にすると排泄を速めることができる。

耐性：主に肝の薬物代謝酵素誘導が関与するが、神経細胞の感受性の低下も一因となっている。

依存性：下表参照　急な投与中止により、不眠、振戦、幻覚などの禁断症状が発現する。

依存の型	精神依存	身体依存	耐性
バルビツレート・アルコール型	＋＋	＋＋＋	＋＋

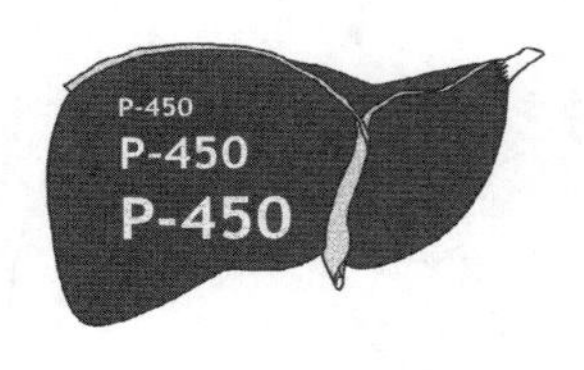

ベンゾジアゼピン系薬とバルビツール酸誘導体との比較

	バルビツール酸系薬	ベンゾジアセピン系薬
抗不安効果	抗不安効果よりは鎮静・催眠	強力
催眠効果	レム睡眠を抑制	レム睡眠抑制は軽度
耐性	起こしやすい（酵素誘導）	起こしにくい
安全性	安全域が狭い	安全域が広い
薬物依存	起こしやすい	比較的起こしにくいが、常用量でも依存症を引き起こすことがある。

5-3-2-3　メラトニン受容体アゴニスト

　メラトニン受容体アゴニストは、ベンゾジアゼピン系薬のような催眠薬と異なり、鎮静作用や抗不安作用はない。

ラメルテオン　Ramelteon

【作用機序】視交叉上核（SCN）において睡眠に深く関わるメラトニンの MT_1、MT_2 受容体に選択的に作用し、覚醒シグナルの抑制、体内時計（概日リズム）の昼夜への同調、リズムの位相前進を惹起して、脳と身体の状態を覚醒から睡眠へ切り替えて、睡眠を誘導する。

ラメルテオン

　ラメルテオンの特徴として、依存性がない、ふらつきが少ない、前向性健忘がない、転倒・転落のリスクが少ない、自然な眠りをもたらす、他薬との併用可能といったことがあげられる。

【適用】不眠症（就寝前に経口投与）

【副作用】めまい、頭痛、眠気、発疹、便秘、倦怠感など

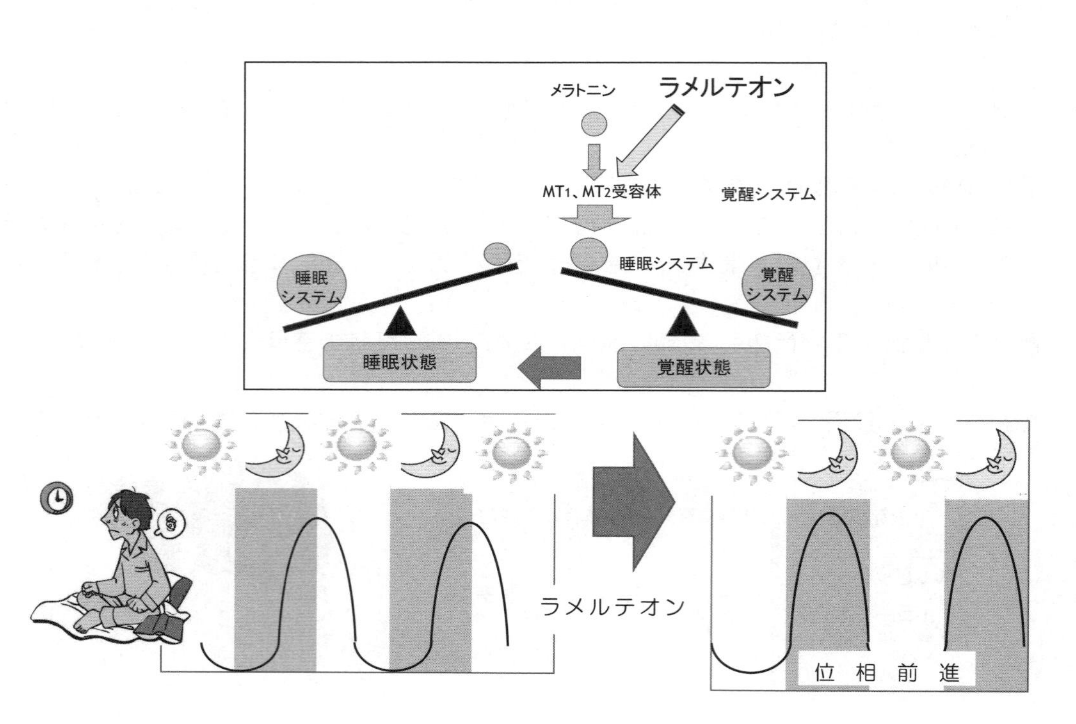

5-3-2-4　オレキシン受容体アンタゴニスト

スボレキサント　Suvorexant、レンボレキサント　Lemborexant

【作用機序】オレキシン A とオレキシン B が、オレキシン OX_1 受容体およびオレキシン OX_2 受容体に結合するのを可逆的に阻害することで、脳を覚醒状態から睡眠状態へ移行させ、睡眠を誘発する。

スボレキサントは、γ-アミノ酪酸 （GABA）、セロトニン、ドパミン、ノルアドレナリン、メラトニン、ヒスタミン、アセチルコリンおよびオピオイド受容体に対しては親

和性を示さないことが報告されている。
【適用】不眠症 （食後、食間（空腹時）の服用は避け、就寝前に投与する。）
【副作用】 傾眠、頭痛、疲労など

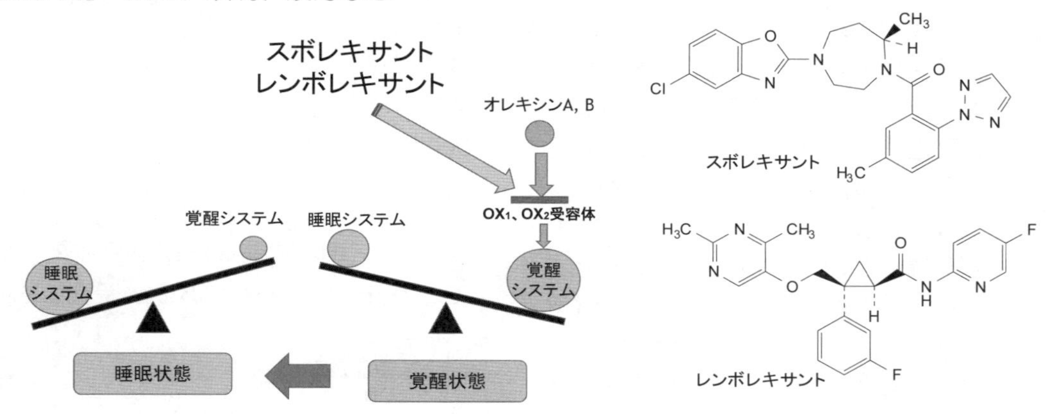

5-3-2-5 ブロムワレリル尿素 bromvalerylurea

1908 年 Knoll 社から発売され、後に日本でも発売されたが、過去に最も事故例の多い催眠薬である。

ブロムワレリル尿素

【作用機序】臭素を含む、尿素誘導体である。臭素化合物は、鎮静・催眠、抗痙れん作用を示す。血中に入ると Br^- を遊離し、この Br^- が鎮静・催眠作用を示すものと考えられている。Br^- は生体内の Cl^- と置換して脳や脊髄にも移行して興奮を抑制する。催眠薬としてよく使用されてきたが、ベンゾジアゼピン系薬物と比較して、耐性・依存性が生じやすく副作用が多い。
【適用】不眠症、不安緊張状態の鎮静
【副作用】ブロムは、使用量が多いのと、排泄が遅いことから蓄積されて、慢性ブロム中毒を引き起こし、ブロム疹や精神神経障害が出現することがある。

5-3-2-6 その他

抱水クロラール Chloral hydrate、トリクロホス Triclofos、

抱水クロラールおよびトリクロホスは、ともにトリクロロエタノールに変化して鎮静・催眠作用を発現するが、いずれの薬物も、ベンゾジアセピン系催眠薬と比較して、利点はほとんど見い出されず、現在はほとんど使用されていない。

5-3-2-7 鎮静薬

手術後に ICU に移された患者で、術後安静にしておかなくてはいけないのに、患者が混乱して動いてしまったり、カテーテルやドレーンなどを触ったり抜去して、術後の回復が遅れることがある。このような場合に鎮静薬を使用して健忘を伴う鎮静状態にすることがある。

アドレナリンα_2受容体刺激薬

デクスメデトミジン　**Dexmedetomidine**

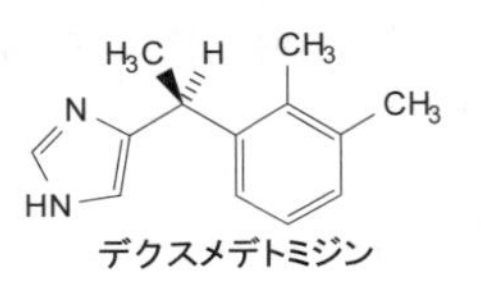

デクスメデトミジンは脳内青斑核に分布する中枢性α_2アドレナリン受容体を刺激して、大脳皮質等の上位中枢の興奮・覚醒レベル上昇を抑制することにより鎮静作用を発現する。デクスメデトミジンのα受容体刺激作用はα_2受容体に選択的で、α_2受容体に対する親和性は、α_1受容体に対する親和性より1000倍以上高い。

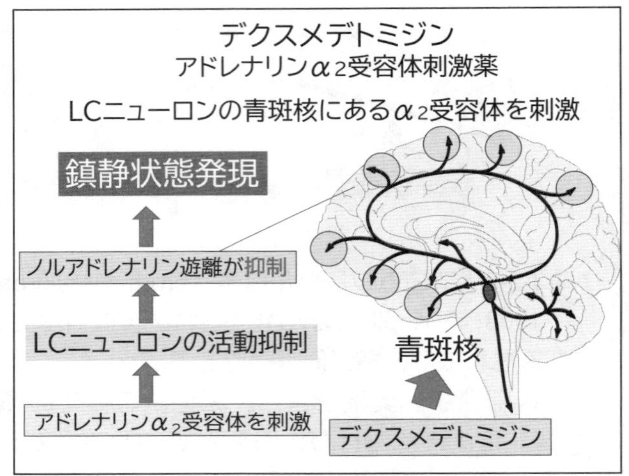

通常、青斑核ノルアドレナリンニューロン（LC ニューロン）は大脳皮質などの上位中枢の興奮・覚醒レベルを上げる方向に機能しているが、α_2アドレナリン受容体が賦活化されると、負のフィードバック機構により神経末端からのノルアドレナリンの遊離が抑制され、結果的にLC ニューロンの活動が抑制されて、鎮静状態が発現する。デクスメデトミジンは、持続投与で十分な鎮静が得られている場合でも、必要に応じて意識レベルを回復させることができる。患者は鎮静されて就眠するが、刺激により容易に覚醒し、命令に従うことができるといった特徴がある。また、鎮静作用とともに鎮痛作用も有している。

【適用】集中治療における人工呼吸中および離脱後の鎮静、局所麻酔下における非挿管での手術および処置時の鎮静

【副作用】低血圧、高血圧、徐脈、心室細動、心停止、低酸素症、無呼吸、呼吸困難、呼吸抑制、舌根沈下が、重大は副作用とされているが、他の鎮静薬と比較すると、呼吸抑制作用は弱いとされている。

5-4　エタノールの薬理作用　Pharmacological action of Ethanol

【薬理作用】　脂肪族アルコールは、一般的に中枢抑制作用を有する。この作用は、分子量の増加とともに強くなり、炭素数 6 ～ 8 程度で最大となる。ハロゲンが導入されると作用は強くなる。

アルコールも、$GABA_A$ 受容体に作用点があり $GABA_A$ 受容体の機能を亢進し、Cl^-の透過性を亢進することが知られている。この作用が、中枢抑制作用発現に大きく関与している。しかしながら、$GABA_A$ 受容体のどの部位に作用して Cl^-の透過性が亢進するのかについては不明である。

【吸収】　エタノールは、胃・小腸から吸収される。

エタノールの作用

中枢	抑制作用：本質的には、全身麻酔薬と同様の不規則的下行作用を示すが、発揚期が著しく長いため、全身麻酔薬としては使用できない。 大脳皮質 → 間脳 → **脊髄** → 延髄の順　（不規則性）
心循環系	皮膚血管が拡張（血管運動中枢抑制の結果） アセトアルデヒドも血管拡張作用を持つ。 皮膚血管拡張により、熱放散を促進し、暖かく感じるが体温は低下する。大量では、体温低下作用が顕著である。
呼吸	少量のエタノールは呼吸を興奮（血圧下降による反射性反応）させるが、大量では呼吸中枢を抑制し、呼吸は抑制される。
利尿作用	抗利尿ホルモン（ADH）の分泌抑制により利尿を誘発する。
胃酸分泌促進作用	少量のアルコールは胃酸分泌を促進する。これは、胃粘膜刺激作用とガストリン分泌促進による作用である。 中毒量では胃酸分泌を含めすべての消化機能が抑制される。
アドレナリン遊離作用	副腎からのアドレナリンを遊離させる。 　高血糖、アルコール摂取後の急性高脂血症（β受容体を介する脂肪動員）になりやすい。 　慢性アルコール中毒患者の高脂血症はリポタンパクリパーゼの活性低下により、脂肪の分解が遅れるため。

アルコールと酔い

摂取量	状　態
0〜50 mg/100mL	ビール２本、ウイスキーグラス２杯まで。 脱抑制
100-150mg/100mL	ウイスキーグラス６杯くらいまで。気分はよい、反応は鈍い。 感覚機能は低下、思考判断力も低下
200-350mg/100mL	眠る、視力・言語障害、記憶喪失
350-500mg/100mL	昏睡 血中濃度が 350mg/100mL を超えると昏睡、呼吸抑制、循環不全が起こる。

アルコールの代謝

　エタノールは、主として肝において NAD 依存性アルコールデヒドロゲナーゼで代謝（90〜95%）されてアセトアルデヒドとなり、次いでアルデヒドデヒドロゲナーゼで無害な酢酸となる。残り数%は肝ミクロソームの NADP 依存性エタノール酸化系（microsomal ethanol oxidizing system、MEOS）により代謝される。

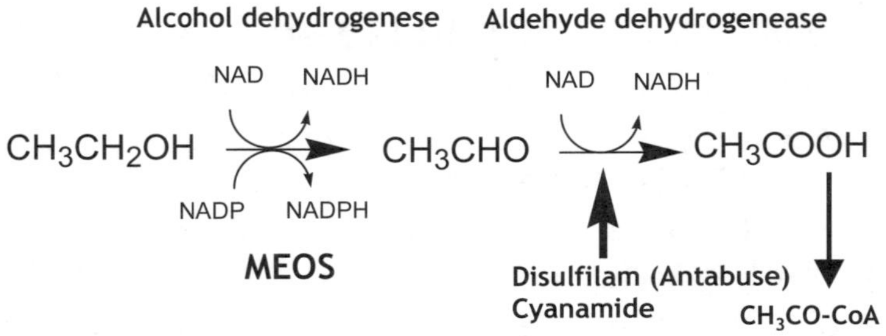

　アセチル CoA は、一部脂質代謝に関与して脂肪肝のもととなり、アセトアルデヒドは、悪心、嘔吐、顔面紅潮、心拍増加、拍動性頭痛を起こす。

慢性アルコール中毒（Alcoholism）

アルコール飲料を定期的にかつ大量飲用すると、身体依存と中程度の耐性を生じ、やめられなくなる。

アルコール依存症：アルコール性脂肪肝、肝硬変、アルコール性胃炎、振戦、多発性末梢神経障害、視神経萎縮、Korsakoff 症候群、Wernicke 脳症、小脳変性

禁断症状：振戦せん妄（手指振戦、自律神経症状、幻覚、せん妄）、痙れん

メチルアルコールは、中枢作用はエタノールと類似しているが、代謝過程でホルムアルデヒドとギ酸になり、中毒症状を呈する。特に網膜と視神経に対する作用が重篤で、視力低下を引き起こし重篤な場合には失明する。

アルコール依存症治療薬

嫌酒薬

慢性アルコール中毒（Alcoholism）からの離脱を目的として用いられる薬物で、アルデヒドデヒドロゲナーゼを阻害するためアセトアルデヒドが蓄積する。

ジスルフィラム　Disulfilam

肝臓中のアルデヒドデヒドロゲナーゼを阻害することにより、飲酒時の血中アセトアルデヒド濃度を上昇させる。 アルコール摂取後 5　～ 10 分で顔面潮紅、熱感、頭痛、悪心・嘔吐などの急性症状を発現させる。アルコールに対する感受性はジスルフィラム服用後少なくとも 14 日間は持続する。

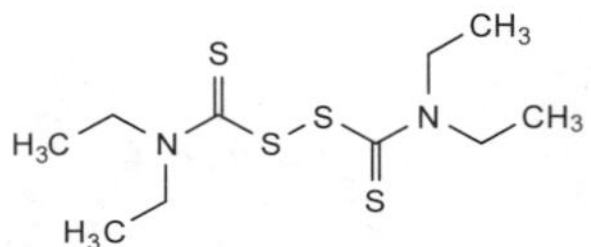

ジスルフィラム

シアナミド　Cyanamide

シアナミドは、アルコールデヒドロゲナーゼも抑制する。

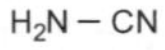

H_2N-CN
シアナミド

その他

アカンプロサート　Acamprosate

アルコール依存症時には、グルタミン酸作動性神経の活動が亢進し、興奮性神経伝達と抑制性神経伝達の間に不均衡が生じると考えられているが、アカンプロサートは、依存で亢進したグルタミン酸作動性神経活動を抑制することで神経伝達の均衡を回復させ、エタノールの自発摂取抑制や報酬効果抑制につながると推察されているが明確な機序は不明である。

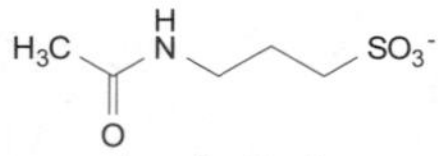

アカンプロサート

ナルメフェン　Nalmefene

明確な機序は不明であるが、μ オピオイド受容体および δ オピオイド受容体に対しては拮抗薬として、κ オピオイド受容体に対しては部分的作動薬として作用することにより飲酒量の低減作用を発揮すると考えられている。

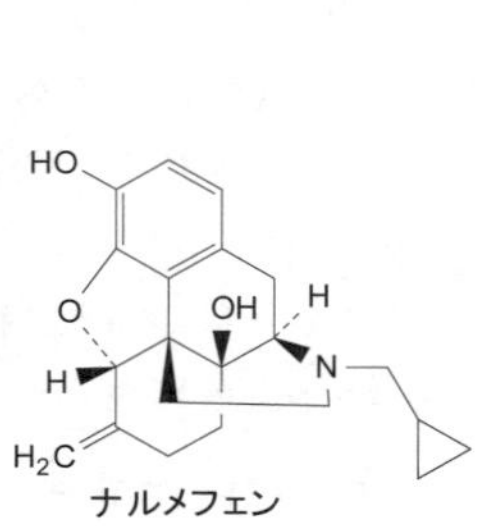

ナルメフェン

5-5　鎮痛薬（麻薬性鎮痛薬、解熱性鎮痛薬）、鎮痒薬
Narcotic analgesics、antipyretic analgesics

5-5-1　痛みの生理　痛みはいかに脳に伝えられるのか。

5-5-1-1 一次感覚線維（一次侵害求心線維）

一次感覚線維の終末は、体の表面をはじめ様々な部位に存在するが、これは痛みの刺激を受容する侵害受容器（Nociceptor）の役割を果たしており、この部位が刺激されると、その刺激は一次感覚線維により脊髄後角に伝導する。この痛みは、A δ線維による第 1 の痛み（即時痛：チクリ、ピリピリ）と C 線維による第 2 の痛み（遅延痛：うずくような痛み）に分類される。A δ線維や C 線維においては、それぞれ複数の神経伝達物質やニューロペプチドが存在するが、侵害情報の伝達に最も関与するのは A δ線維ではグルタミン酸であり、C 線維ではサブスタンスPとグルタミン酸である。

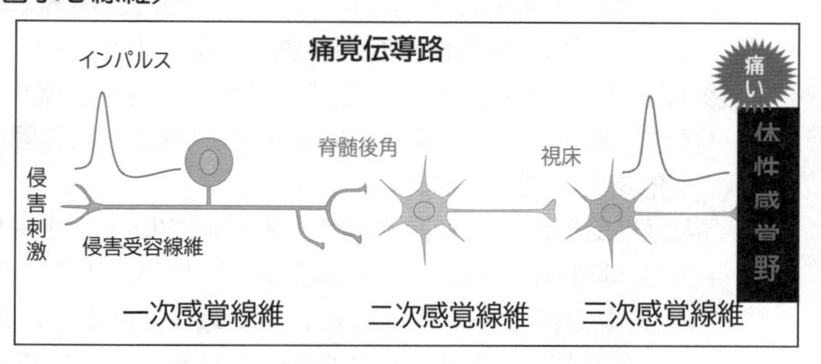

5-5-1-2　二次・三次感覚線維

一次感覚線維からの入力は、脊髄後角でシナプスを介して二次感覚線維に伝達され、反対側の脊髄前側索を上行し、視床の中継核のシナプスを経て大脳皮質知覚領で伝達される系である新延髄視床路（主にC線維による鈍い痛みを伝達する）と延髄網様体や中脳水道周囲灰白質、視床下部、視床髄板内核群へ投射する系である古延髄資料路（痛みによって生ずる不安や恐怖などの情動活動）などがある。またこれらの情報は、大脳皮質体性感覚野に伝達される。

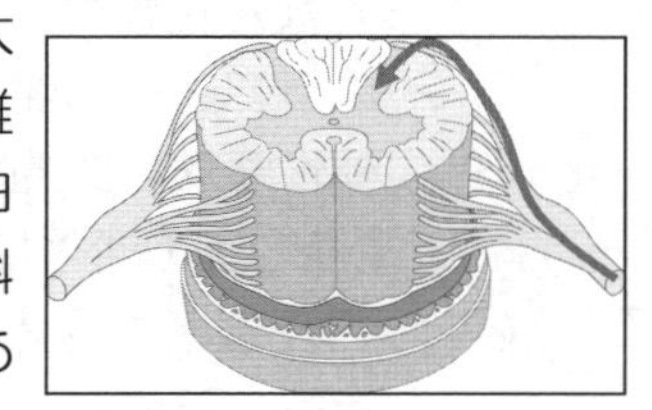

5-5-1-3　下行性痛覚抑制系（内因性疼痛抑制機構）

中脳水道周囲灰白質や延髄網様体などの脳幹部からは下行性に背髄に至る、痛みを抑制するセロトニンやノルアドレナリン作動性神経が投射しており、背髄後角の知覚ニューロンを間接的に抑制している。この経路を下行性抑制系と呼んでいる。正常時においても、痛みはこの下行性抑制系からの抑制をある程度受けている。日常的な抑制は弱いものであるが、この抑制機構を活性化することによ

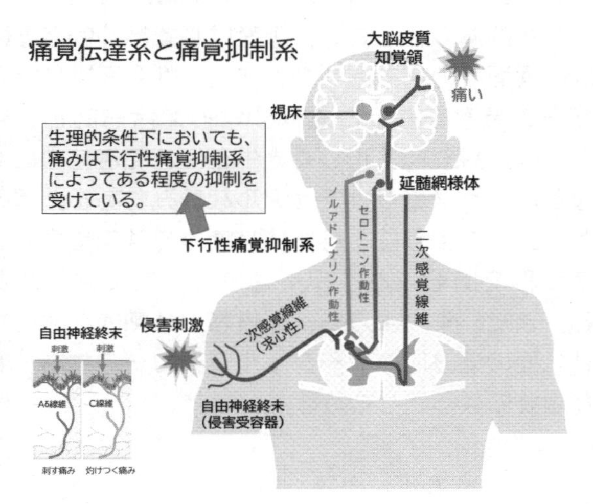

り、激しい痛みを軽減することが可能であり、モルヒネなどの麻薬性鎮痛薬の作用点としても重要である。

5-5-1-4　痛みの分類

① **表在痛**　Superficial　pain：主として皮膚の痛みで、刺激された部位は明確である。痛みに対する防御反応あるいは逃避反応を伴う。

② **深部痛**　Deep pain：体性深部痛と内臓性深部痛がある。

体性深部痛：筋、関節、腱、骨膜の痛みで、広範囲にわたって痛みが投射されるので障害部位は特定できない。

内臓性深部痛：腹部諸臓器の病的な状態によって生じる痛み

（1）体性痛：表在性ものは腹膜に感じる痛みで、深在性のものは、腹膜、腸間膜、横隔膜の炎症や刺激によるものである。麻薬性、および解熱性鎮痛薬が用いられる。

（2）内臓痛：管腔臓器の内圧の上昇を伴う、痙れん、親展、拡張、結石などが原因となって生ずる痛み。主として鎮痙薬が用いられる。

（3）関連痛：内臓の痛みは、内臓知覚神経を介して背髄でその刺激を同じ高さの体性知覚神経に伝えるたため、その体制知覚神経が支配する皮膚に痛みを感じる。

（4）心臓痛：狭心症および心筋梗塞によって起こる痛み。心筋細胞からの発痛物質の遊離による。

（5）月経痛：月経時に起こる下腹部痛や腰痛で、PG 産生や子宮筋や子宮血管の収縮によるもので、NSAIDs が用いられる。

（6）がん性疼痛：がんの浸潤や転移、神経組織の圧迫や浸潤、管腔臓器の閉塞などによって起こる痛み。

③ **中枢性疼痛**　頭痛：頭部に感ずる痛みの総称で、片頭痛型血管性頭痛、筋緊張性頭痛、頭蓋内圧の変化に伴う牽引性頭痛などがある。

④ **心因性疼痛**：身体に侵害刺激がなく、痛覚伝導路に器質的な異常がないのにも関わらず感じる痛み。

5-5-1-5　全人的な痛み（Total pain）

身体的痛みとともに、患者は必ず精神的あるいは心理面での痛みをもつ。また、社会面での痛みがその患者をもっとも悩ませる場合もある。また、「なぜ私が」「正しく人生を生きてきたのに」などというスピリッチュアルな痛みもある。痛みとは、このように、身体的な痛みではなく全人的な痛みであることを良く理解しておく必要がある。また、薬物よりも、医療者の共感的な態度や社会面の痛みにはソーシャルワーカーのサポートが重要になることもある。

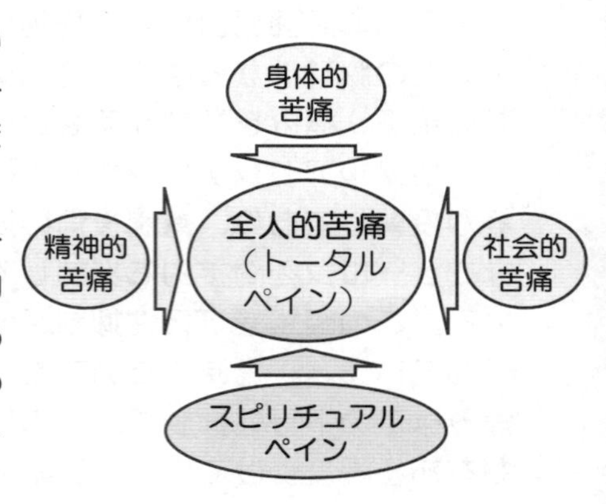

5-5-2　鎮痛薬 analgesics

鎮痛薬とは、意識消失をおこさず、また触覚などの他の諸感覚に影響を及ぼさない用量で選択的に痛覚を抑制する薬物をいう。

鎮痛薬	オピオイド鎮痛薬	作用点は脊髄より上位の中枢
	神経障害性疼痛治療薬	作用点は知覚神経
	解熱性鎮痛薬、抗炎症薬	作用点は主に末梢

5-5-3　オピオイド鎮痛薬（麻薬性鎮痛薬、非麻薬性鎮痛薬）

5-5-3-1　オピオイド鎮痛薬総論

アヘンの歴史と麻薬性鎮痛薬の変遷・歴史的背景

紀元前 4000 年にケシの抽出物に関すると思われる記録が中東スメリア地方で発見されている。 ケシ Papaver　somniferum の未熟果実に傷をつけ、得られる乳状の液体を乾燥した樹脂状物を阿片とよぶ。阿片は 20 種類以上のアルカロイドを含んでおり、主なものはフェナンスレン誘導体（モルヒネ、コデイン、テバイン）とイソキノリン誘導体（パパベリン、ノスカピン、ナルセイン）である。

古代ギリシャ時代　ギリシャ人は、慰安と医療の目的であへんを用いていた。紀元前 9 ～ 8 世紀ホメロス「オデュッセイア」には「植物から作られた「ペンテ」という忘憂の薬物が、静かな心地よさと幸福感、そして眠気と睡眠をもたらす」と記されている。

ローマ時代　眠りの神であるソムヌスがしばしばケシの絞り汁を入れた容器をもって描かれていることから、ローマ時代にはかなり重要な薬物であったことがわかる。

アヘンは常に医療において重要な位置を占めてきたが、その後アヘンの耽溺性が問題となってきた。すでに 16 世紀、17 世紀の医師達は、アヘンの危険性を警告している。

1805 年　ドイツの科学者ゼルテュルナー（当時 20 歳）がケシからモルヒネを分離した。古代ギリシャ神話の夢の神 Morheus に由来して、morphine と命名（英語ではモルフィンと発音するが、日本ではモルヒネと呼ぶ）。

1898 年　バイエル社がヘロインを発売。当初は鎮咳薬で内服していたので急激な多幸感は生じなかった。その後注射で使用することで常用者が増加し、1924 年には全米の常用者が 20 万人に達した。

1973 年　オピオイド受容体の発見

米国の南北戦争（Civil War、1861-1865）では、軍医たちが負傷した兵士に対し痛み止めとして大量のモルヒネを投与したため、約 10 万人にモルヒネ中毒が発生し、モルヒネ依存が問題となった。これがきっかけとなり、依存性のない鎮痛薬の研究が進む中、体内にモルヒネの受容体があることが 100 年以上後の 1973 年にジョンズホプキンス大学のスナイダーらのグループにより証明された。その後の研究から、オピオイド受容体には、μ、δ、κ のようなサブタイプが存在することが明らかとなった。

オピオイドとは何か？

麻薬性鎮痛薬や関連合成鎮痛薬などのアルカロイドあるいは内因性モルヒネ様ペプチドを合わせてオピオイドと総称する。生体内に存在する内因性モルヒネ様ペプチドを内因性オピオイドと呼ぶこともある（後述）。

1975 年　内因性オピオイドの発見

「ヒトはモルヒネを持って生まれてくるわけではない。しかるにオピオイド受容体を持っているのはなぜか」モルヒネはケシ Papaver somniferum の一成分であり、ヒトの内因性物質ではないので、このような疑問が生じた。このような疑問に対して、「生体内でモルヒネのような物質が存在するのではないか。」との仮説が立てられた。

エンケファリン　Enkephalin

1975 年スコットランドのジョン ヒューズとハンス コスタリッツがブタの脳に内因性オピオイド（ペプチド）が存在することを証明し、**エンケファリン**と命名した。

from the Greek **ενκέφαλος**, "cerebrum"

Tyr-Gly-Gly-Phe-Met（メチオニンエンケファリン）

Tyr-Gly-Gly-Phe-Leu（ロイシンエンケファリン）

このようなオピオイドペプチドが、オピオイド受容体の内因性リガンド（結合物質）であることが示された。

【薬理作用】エンケファリンは、鎮痛作用のほか、モルヒネと同様に快感ももたらすことが示されており、この効果は、遮断薬のナロキソンで打ち消される。

その後、エンドルフィン、ダイノルフィンを初め様々な内因性オピオイドペプチドが発見されるとともに、人工的なオピオイドペプチドも合成されている。

β-エンドルフィン endorphin

エンケファリンが発見されたのと同じ年 1975 年に、Simantov と Snyder が仔牛の脳から精製した。鎮痛効果と中脳腹側被蓋野の μ 受容体に作動し、GABA ニューロンを抑制することにより、中脳腹側被蓋野から出ている A10 神経のドパミン遊離を促進させ、多幸感をもたらすことが明らかとなっている。

ランナーズハイ：走っているうちに快感をおぼえること。脳内オピオイドの放出が関連している。

5-5-3-2　オピオイド受容体

オピオイドは、特異的な受容体であるオピオイド受容体を介して作用を発現する。オピオイド受容体は、μ（MOP）、κ（KOP）、δ（DOP）に分類されており、μ受容体は、モルヒネの作用する受容体として、Morphine の M のギリシャ文字「μ」をとったものである。δ受容体は、初め Enkephalin が特異的に結合する受容体としてマウス輸精管（mouse vas deferens）に存在することが明らかとなり、次いで脳内にも存在することが確認された。vas deference の d のギリシャ文字「δ」をとってδ受容体と命名された。

κ受容体は、Ketocyclazocine が作用することから、ギリシャ文字「κ」をとったものである。現在はそれぞれの受容体タイプに選択的な遮断薬が合成されている。オピオイド受容体は、すべてＧタンパク質共役型で７回膜貫通型である。

サブタイプ	存在部位	内因性オピオイド	作動薬	遮断薬	機能
μ（モルヒネの m のギリシャ文字） μ_1 と μ_2 のサブタイプがある。	脳、脊髄 モルモット回腸	β-ｴﾝﾄﾞﾙﾌｨﾝ エンケファリン	モルヒネ コデイン フェンタニル DAMGO	ﾅﾛｷｿﾝ β-FNA CTOP	鎮痛 陶酔感 呼吸抑制 消化管運動抑制 薬物依存 かゆみ誘発
δ（vas deference の d のギリシャ文字）	脳、脊髄 マウス輸精管	エンケファリン	DPDPE DSLET	ﾅﾙﾄﾘﾝﾄﾞｰﾙ	鎮痛、情動、 呼吸抑制
κ（ケトサイクラゾシンの k のギリシャ文字）	脳、脊髄	ﾀﾞｲﾉﾙﾌｨﾝ A(1-17)	ｹﾄｻｲｸﾗｿﾞｼﾝ ペンタゾシン ﾌﾞﾄﾙﾌｧﾉｰﾙ	Nor-BNI	鎮痛、鎮静、縮瞳、利尿、嫌悪感 鎮痒

5-5-3-3 オピオイド鎮痛薬（麻薬性鎮痛薬）各論

（1）オピウムアルカロイド　Opium alkaloids

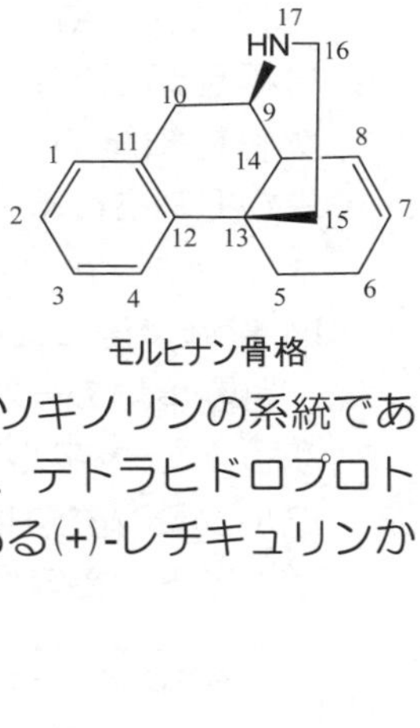

アヘンアルカロイドは、モルヒナン系、ベンジルイソキノリン系、フタリドイソキノリン系、テトラヒドロプロトベルベリン系など、6 つの骨格群に分類される。これらはチロシンを前駆体とするアミノ酸経路で生合成され、生成するアルカロイドの構造は極めて多種・多様である。アヘンアルカロイドも、チロシンを前駆体とするモルヒナン系アルカロイドで、フェナンスレンが基本骨格であるが、植物化学的には他のアルカロイドと同じベンジルイソキノリンの系統である。しかし、モルヒナン系アルカロイドは、(-)-レチキュリンから、テトラヒドロプロトベルベリンに由来するその他のアルカロイドはその鏡像異性体である(+)-レチキュリンから生合成される。

モルヒナン骨格

1）　モルヒネ　Morphine

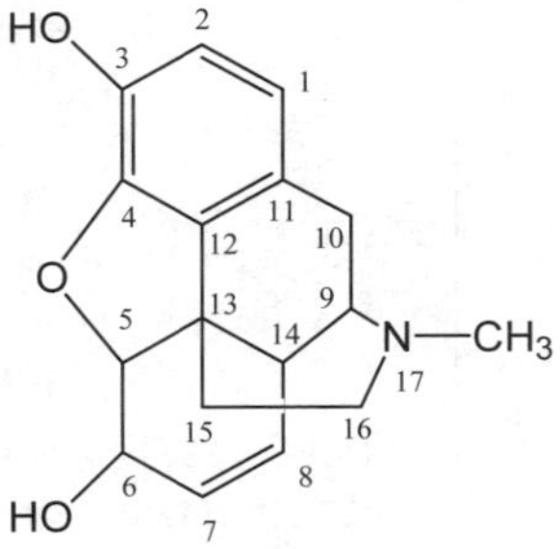

モルヒネは長い間、連用により薬物依存を起こしやすい薬物であると考えられてきたが、現代医療では痛みに対して適切な用量を決められた投与法で用いれば、多くの副作用や薬物依存は回避できることがわかってきた。また、MS コンチン、カディアンなどの硫酸モルヒネ徐放性製剤（controlled-release morphine）が開発されて、経口投与が容易となったため、薬物依存の発現に至らずに疼痛を制御できるようになってきており、がん疼痛制御では欠くことができない徐痛における主役になっている。

薬理作用（主にオピオイドμ受容体を介する作用）

1. 中枢神経系に対する作用

① 鎮痛作用

運動中枢や触覚などの他の知覚にほとんど影響を及ぼさない用量で痛覚を低下させる。鎮痛作用機序：モルヒネが痛覚抑制作用を示すのは以下の a 上位の中枢と b 脊髄の 2 カ所である。

a 中脳水道周囲灰白質、延髄網様体に作用して下行性抑制系を賦活 （間接的作用）

痛みは生理的条件下においても、痛覚抑制系からある程度の抑制を受けている。その役割を果たしているのが中脳水道周囲灰白質、延髄網様体から脊髄への下行性の投射系である。モルヒネは、中脳水道周囲灰白質、延髄網様体のオピオイド μ 受容体に作用して、下行性の痛覚抑制ニューロンを活性化（賦活）し、投射先の脊髄で放出される神経伝達物質（ノルアドレナリンやセロトニン）が、脊髄後角知覚ニューロンの細胞膜に過分極を起こす。これにより二次感覚線維のインパルスの発生が抑制される。

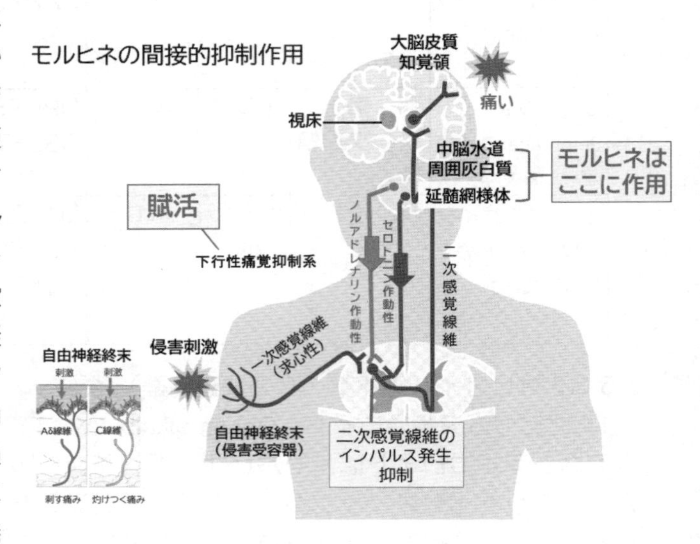

b 脊髄後角ニューロンに対する直接抑制作用

脊髄後角の一次感覚線維のオピオイド μ 受容体に作用して、受容体に直接作用し共役する K^+チャネルを介して K^+を放出して過分極を起こす。これにより神経伝達物質である、グルタミン酸やサブスタンス P の遊離が抑制される（下図左）。また、二次感覚線維のオピオイドμ受容体に作用して、インパルス（活動電位）の発生を抑制する（下図右）。

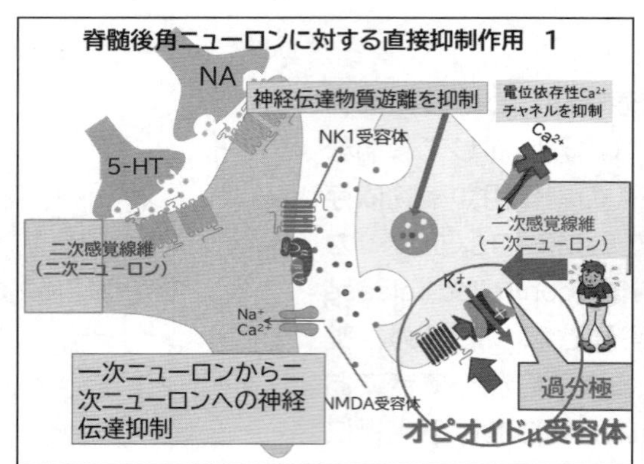

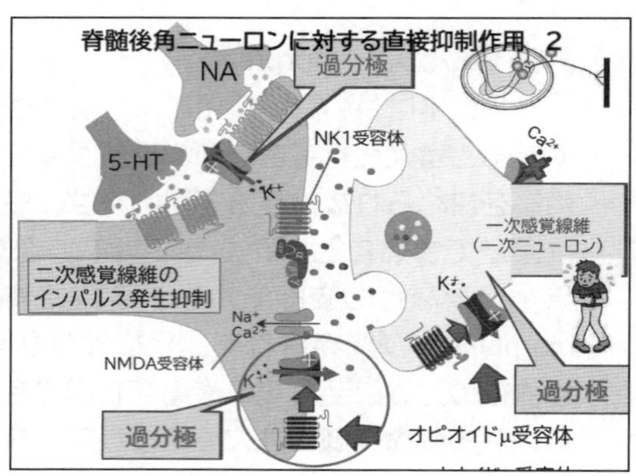

モルヒネが効きにくい痛み

がん細胞が神経内に浸潤（神経障害性疼痛、ニューロパシックペイン）したり、骨転移による体動時痛にはモルヒネをはじめとする麻薬性鎮痛薬は効きにくい。

モルヒネは天井効果のない薬

その患者に必要な量であるならば、モルヒネはどこまでも増量でき、有効限界はない。つまりモルヒネには、これ以上使ってはいけないという「天井」はない。

② 鎮静作用・催眠作用

モルヒネもの鎮静作用には種差があり、ヒト、サル、ウサギ、ラットでは鎮痛量で鎮静作用が発現するが、ウマ、ブタ、ネコ、マウスでは興奮作用が現れる。さらに高用量になれば、鎮静作用や催眠作用を現す。モルヒネは規則的下行性麻痺を生ずるので、単独で全身麻酔薬としては使用できないが、麻酔補助薬としては使用できる。

③ 呼吸抑制作用

延髄の呼吸中枢のオピオイド受容体に作用して呼吸を抑制する。呼吸数は減少し、深度は大きくなるため換気量は増大する。この作用は鎮痛量でもみられる。大量ではチェーンストークス呼吸となり、急性中毒による死亡原因は呼吸抑制作用である。呼吸抑制作用は最も注意すべきモルヒネの副作用であるが、**痛みのある患者**では、痛み自体が呼吸ドライブを刺激することと、呼吸抑制作用に対しては耐性形成が早いことから、鎮痛効果が発現する量まで増量しても呼吸抑制はほとんど生じない。逆に痛みのない場合に投与すると、呼吸抑制を生じやすい。

④ 鎮咳作用

咳嗽中枢を強く抑制して咳をとめる（作用はモルヒネの方がコデインよりも強い）。鎮咳作用は、鎮痛に必要な用量よりも低い用量でしばしば認められる。肺うっ血や肺浮腫などの場合に見られる激しい咳に用いられる。ただし、気管支ぜん息には禁忌である。

⑤ 興奮作用（脊髄反射亢進作用）

ウマ、ブタ、ネコ、マウスでは、鎮痛用量で興奮作用が現れる。マウスでは脊髄反射を亢進し、**ストラウブ挙尾反応**を引き起こす。錯乱、譫妄があらわれることがある。

⑥ 縮瞳（中枢興奮作用）

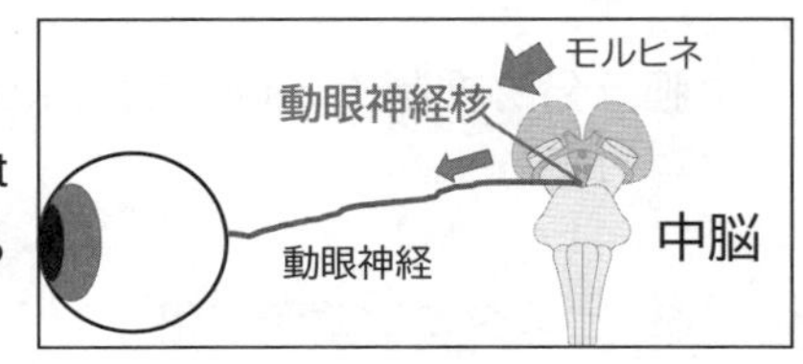

動眼神経核を刺激し、縮瞳を引き起こす（pin-point pupil）。作用点は中枢なので、点眼では縮瞳は認められない。

⑦ 悪心・嘔吐 （中枢興奮作用）

第四側脳質底にある化学受容器引き金帯（CTZ）刺激

モルヒネは、CTZ のドパミン D_2 受容体を刺激して悪心・嘔吐を引き起こす。この作用は、比較的耐性を起こしやすい。悪心・嘔吐は、出現してから制吐薬を投与しようとしても内服自体が困難になる場合が多い。あらかじめ予防的措置をとることが重要である。クロルプロマジン等の D_2 受容体遮断薬で遮断される。

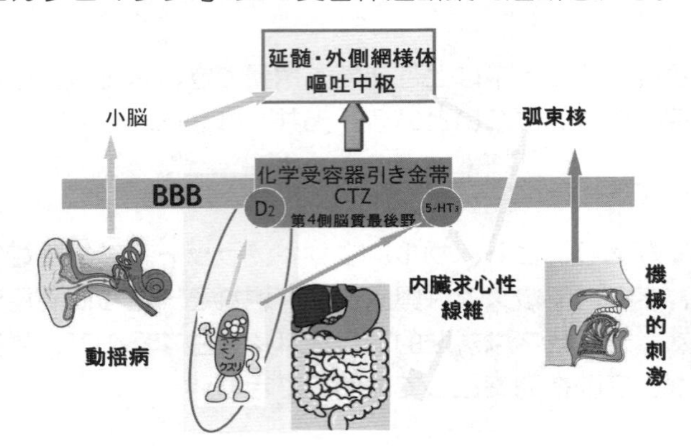

化学受容器引き金帯(CTZ)にはドパミンD2受容体とセロトニン5-HT3受容体が存在し、これらの受容体のどちらかが刺激されると、嘔吐中枢を刺激して悪心・嘔吐を起こす。

⑧　その他の中枢作用：多幸感、精神混濁、情緒変動

2. 消化管に対する作用

① 止瀉、便秘

消化管の平滑筋を収縮させ、胃および腸管の運動を抑制するため、強い止瀉作用を有する。鎮痛を目的に使用した場合は、副作用としての便秘がほとんどの患者において出現する、この作用は、耐性を生じない。

胃液、胆汁、膵液の分泌を減少させ、また肛門括約筋の緊張を高める。

【便秘（止瀉機序】
腸内神経叢からのアセチルコリン遊離を抑制し、蠕動運動を抑制する。
腸管壁からのセロトニン遊離を促進し、消化管緊張を亢進する。

② 胃内滞留時間延長

胃の幽門括約筋を収縮し、食物が胃内に滞留する時間が延長される。

3.　その他の器官系に対する作用

① 平滑筋・括約筋に対する作用

尿閉：尿道と膀胱括約筋の緊張を高め、尿の貯留を引き起こす。

胆汁分泌抑制：Oddi 括約筋の収縮作用により胆汁分泌は抑制される。

Oddi 括約筋の収縮
尿閉、胆汁分泌抑制
尿閉は、ほとんどが男性で、前立腺肥大や尿道狭窄がある人に起こ

② ヒスタミン遊離作用

この作用によりショックを起こすことがある。気管支を収縮させるため気管支ぜん息患者には禁忌。ヒスタミン遊離により血圧も下降する。モルヒネは痒みを誘発するが、この痒みにもヒスタミンが一部関与している。

③ 掻痒感誘発

オピオイドの痒み誘発作用には、末梢作用と中枢作用が関与し、末梢においてはヒスタミン遊離作用によるものと考えられている。静注により、皮膚血管が拡張し、上半身の皮膚の紅潮とかゆみを示すことがある。中枢性の痒みは、脊髄後角や脳幹内の μ オピオイド受容体にモルヒネなどのアゴニストが結合することで引き起こされる。

4. 構造ー活性相関

① 鎮痛作用発現にはモルヒネの部分構造である N-メチルフェニルピペリジン骨格が必須である。（μ 受容体を介して鎮痛作用を示す化合物は必ず依存性を持つ）

② 3位のフェノール性 OH 基をメトキシ基に置換すると、μ受容体への親和性は著明に低下する（コデイン）。

③ 4～5 位のエーテル結合は、鎮痛効力とは無関係

④ 2 個の水酸基をアセチル化すると陶酔感と鎮痛作用が強くなる（ヘロイン）。

⑤ ピペリジン部の窒素原子（17 位）の置換基が飽和アルキル基であればアゴニストであり、不飽和アルキル鎖（特にアリル基、シクロプロピルメチル基、シクロブチルメトキシ基）に変えるとアンタゴニスト性が出現する。

5. 代謝

体内では大部分が、3 位の OH がグルクロン酸抱合（M3G）されてノルモルヒネとなるが、一部は、活性型の 6 位のグルクロン酸抱合体（M6G）となる。M6G は、モルヒネと比較して腎からの排泄が遅いため、腎機能が低下している場合には、活性型の M6G が蓄積して傾眠、鎮静、せん妄、呼吸抑制が現れることがある。

不活性型：モルヒネ-3-グルクロナイド
活性型：モルヒネ-6-グルクロナイド

6. モルヒネの副作用とその対策

便秘	下剤の併用（硫酸マグネシウム、センナなどの大腸性下剤（便を軟らかくして、大腸の動きを刺激する）
悪心・嘔吐	プロクロルペラジン、メトクロプラミドハロペリドールやドンペリドンなどの D_2 遮断薬　（予防的な対処が重要）
呼吸抑制	軽度であればドキサプラム、強い呼吸抑制にはナロキソンの静脈注射
かゆみ	抗ヒスタミン薬、投与法の変更、他のオピオイドへの変更
眠気、錯乱	過量投与の可能性を疑い、減量（投与開始後数日は、眠気や軽い傾眠傾向が見られるが、過量投与とは異なる。）
慢性中毒	漸減療法（急な休薬は、禁断症状を発現する）、置換療法

薬物依存

中枢抑制作用に対しては惹起されるが、中枢興奮作用、止瀉・便秘作用には起こらない。痛みのある患者に対し、適正な用量を投与する限りにおいては、耐性や依存性形成はほとんど生じない。慢性中毒患者に、ナロキソンなどの遮断薬を投与すると、禁断症状を発現し危険である。

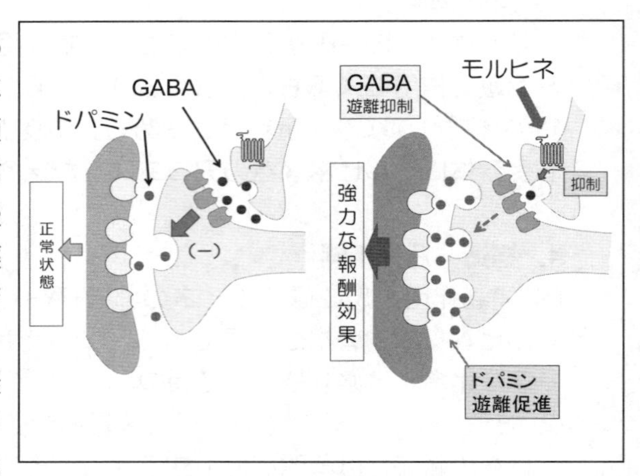

通常の報酬効果は、GABA 作動性神経によるシナプス前抑制がかかるため、ドパミンの遊離にかなり抑制がかかっている。モルヒネは、GABA ニューロンのシナプス前部おオピオイオド受容体を介して GABA の放出を抑制するため、シナプス前抑制がかからなくなり、ドパミンの放出が増大し強力な報酬効果が得られる。これが、薬物依存に繋がるのである。

2）コデイン　Codeine、ジヒドロコデイン dihydrocodeine

【薬理作用】コデインは、アヘンに 0.5 ％含まれる天然アルカロイドで、鎮痛または鎮咳薬として用いられるが、コデインのオピオイドμ受容体への親和性はモルヒネの 1/100 程度で極めて低い。コデインは体内でチトクロム P450 の CYP2D6 により約 10%作用がモルヒネに代謝されて、鎮痛効果を発現する。コデインはオピオイドμ受容体を介する弱オピオイドとして、軽度から中程度の痛みに用いられる。鎮痛効果はモルヒネの 1/6 程度である。鎮咳薬としての効果もモルヒネよりも弱い。本来コデインは麻薬であるが、希釈した家庭麻薬のレベルにおいては一般用医薬品にも用いられている。ジヒドロコデインは、コデインを還元して得られる物質で 7-8 位の 2 重結合がなく、CYP2D6 によりジヒドロモルヒネに代謝されて作用を発現するが、コデインより約 2 倍強力である。

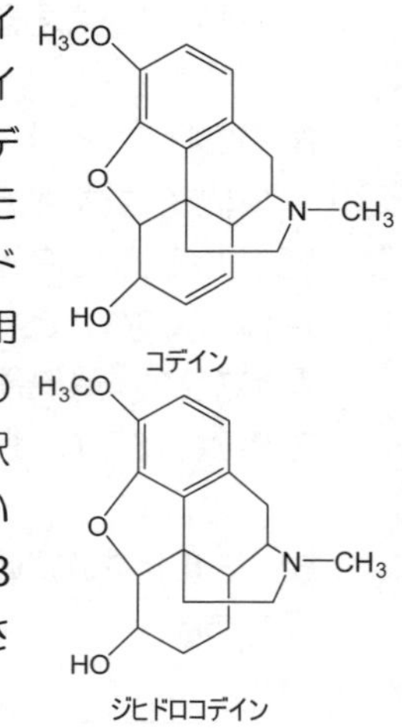

【副作用】モルヒネに比べて呼吸抑制、悪心・嘔吐、便秘作用は弱い。

5-5-4　モルヒネ関連の合成麻薬性鎮痛薬

鎮痛作用を有するものの構造には N,N-dialkyl-3,3-dialkyl-3-phenylpropanamine という共通点があり、以下の三点を満たす。

1. メチル基のような小さなアルキル基をもつ３級窒素が存在する。
2. ４級炭素が少なくとも一つあり、その一つにフェニル基が結合する。
3. ３級窒素と４級炭素の間に２個のスペーサー炭素がある。

1）ペチジン Petidine （メペリジン）

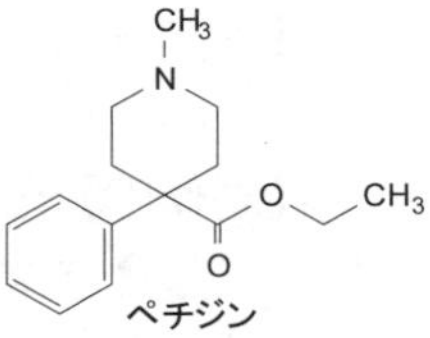

【**薬理作用**】モルヒネの骨格から、鎮痛作用発現に必須な構造だけを取り出した**フェニルピペリジン誘導体**で、鎮痛効果はモルヒネの1/6 ～ 1/10 である。代謝はモルヒネに比べて早いので、作用持続時間は短い。鎮咳、嘔吐、便秘作用はほとんどない。依存性、耐性、呼吸抑制作用もモルヒネよりはるかに弱い。

ペチジン

産科での無痛分娩の第一選択薬である。副交感神経支配器官においてアトロピン様の作用とパパベリン様の平滑筋に対する直接の作用により、鎮痙作用を示す。このため痙れん性内臓痛に良く効く。

【**副作用**】モルヒネよりは弱いが、呼吸抑制、錯乱、せん妄、薬物依存

2）フェンタニル Fentanyl、レミフェンタニル Remifentanil

【**薬理作用・作用機序**】**フェニルピペリジン誘導体で、厳密には上記基準を満たさない。**

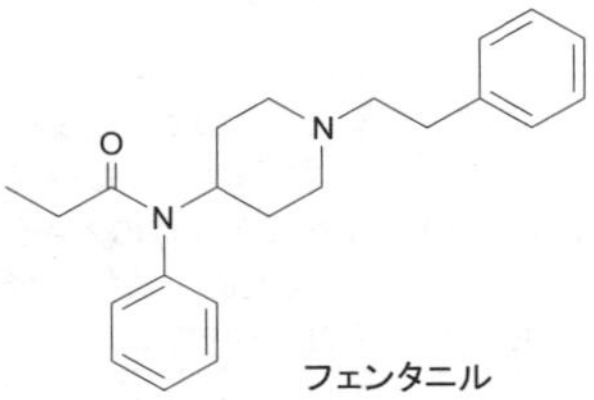

鎮痛効果はモルヒネの 50-80 倍であるが、即効性で作用時間は短い。注射薬は、激しい疼痛、全身麻酔における鎮痛、局所麻酔における鎮痛補助に用いる。注射薬（フェンタネスト）以外に、貼付剤が開発され、がん疼痛制御に積極的に使用されている（**デュロテップパッチ**）。貼付薬は、中等度から高度の疼痛を伴う各種がんにおける鎮痛に用いる。貼付剤の利点としては、経口投与と違い吸収直後に肝での代謝をうけないことがある。オピオイドμ受容体を介して作用するが、モルヒネと異なり、μ_1受容体にのみ作用するので、便秘作用はモルヒネよりも弱い。デュロテップパッチの血中消失半減期は約 17 時間である。神経遮断麻酔（NLA）に、ドロペリドールとともに使用される（全身麻酔薬の項参照）。関連化合物にレミフェンタニルがある。レミフェンタニルもμ-オピオイド受容体選択的アゴニストとして作用し、鎮静効果と強力な鎮痛作用を示すが、**超短時間作用性のため**、全身麻酔の導入および維持における鎮痛にのみ用いられる。

フェンタニル

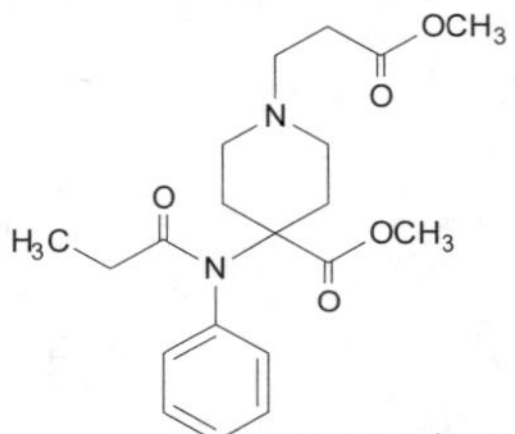

レミフェンタニル

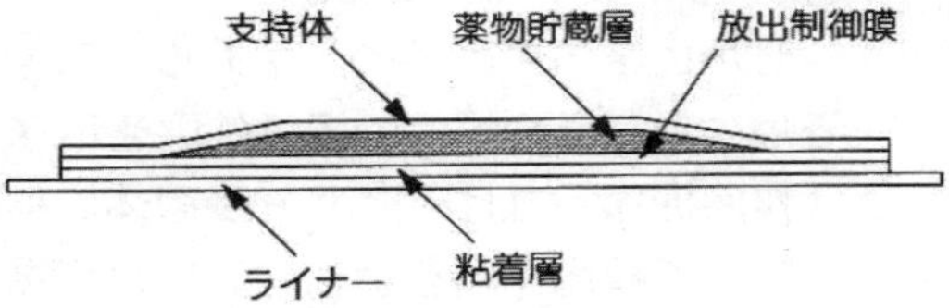

支持体　薬物貯蔵層　放出制御膜　ライナー　粘着層

フェンタニルパッチ

【**副作用**】呼吸抑制、無呼吸、血圧降下、ショック、アナフィラキシー様症状

3）オキシコドン Oxicodone

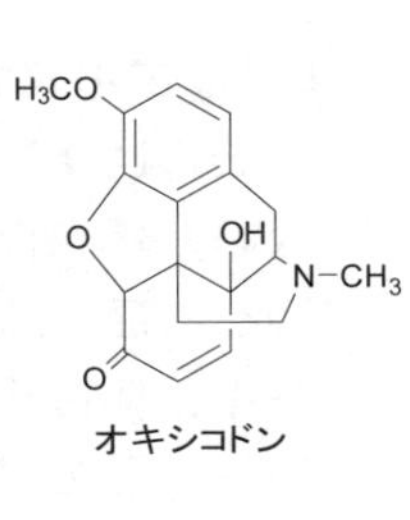

天然アヘンアルカロイドであるテバインの半合成体として 1916 年に合成された。初回通過効果を受けにくく、生物学的な利用率はモルヒネの2倍で、経口では約1.5倍の効力を示し、がん性疼痛の制御に用いられている。現在、モルヒネと同様にオキシコドン徐放性製剤（controlled-release oxicodone 、オキシコンチン）が上市されてお

オキシコドン

り、使いやすさの面ではモルヒネに勝っている。

【作用機序】オピオイドμ受容体を介して作用するが、μ受容体だけではなく、κ受容体に対してもアゴニスト作用を有している。

【副作用】モルヒネとほぼ同様の副作用を示すが、モルヒネに比べて幻覚作用は少ない。モルヒネは嘔気を起こしやすいのに対し、オキシコドンは便秘を起こしやすい。

【代謝】肝で代謝され、不活性なノルオキシコドンと約 15 倍程度強力なオキシモルフォンに代謝されるが、経口でのオキシモルフォンの産生はきわめて少ない。肝排泄型であり、腎機能が低下した患者ではモルヒネよりも使いやすい。

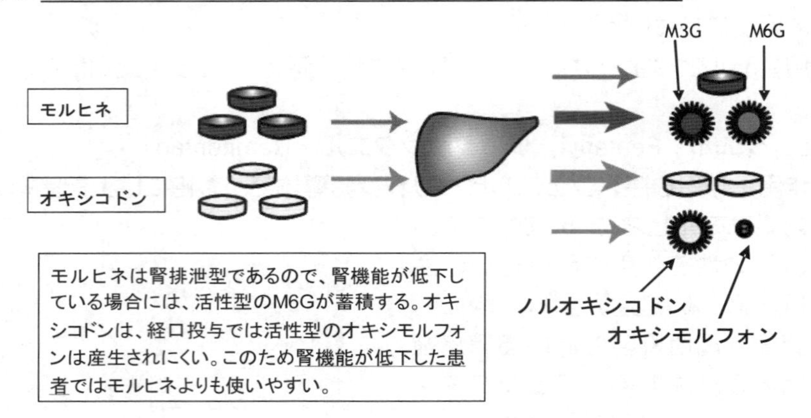

4）メサドン　Methadone

モルヒネやオピオイド系アルカロイドと構造的に関連しないが、モルヒネとほぼ同等の鎮痛効果を示す。麻薬に指定されている。

【作用機序】オピオイドμ受容体に高い親和性を有し、本受容体を介して鎮痛作用を示す。活性代謝物が存在しないため、腎機能低下症例に適用できる。他のオピオイドとの交差耐性は少ない。また NMDA　受容体拮抗作用がありオピオイド耐性と痛覚過敏を回復させる作用も有する。

メサドン

【適用】他の強オピオイド鎮痛剤の投与では十分な鎮痛効果が得られない患者で、かつオピオイド鎮痛剤の継続的な投与を必要とするがん性疼痛の管理にのみに適用する。ヘロインの退薬症候は、メサドンへの置換により抑制できることが示されており、海外では厳密な治療計画のもと段階的にヘロイン乱用の断薬を目指す治療にも用いられている。

【副作用】一般的なオピオイドの副作用に加え、心停止、心室細動、心室頻拍（Torsades de pointes を含む）、心不全、期外収縮（頻度不明）、QT 延長

5）レボルファノール　Levorphanol

モルヒナン化合物で、*l*-体には鎮痛作用があるが、*d*-体にはほとんどない。鎮痛作用はモルヒネよりも 5 倍強く、作用時間も長い。呼吸抑制と依存性は顕著であるが、嘔吐および便秘作用は強くない。*d*-体のメトキシ体はデキストロメトルファンで、鎮痛効果はないが、鎮咳効果を有するので鎮咳薬として用いられる。日本では用いられていない。

レボルファノール

6）トラマドール　Tramadol

【作用機序】セロトニンやノルアドレナリンの再取り込みを阻害することで、下行性痛覚抑制系を賦活する。脱メチル化体がオピオイドμ受容体に対する部分アゴニスト作用を有するが、この作用は著しく弱い。弱オピオイドとしてコデインの代替薬として使用される。鎮痛効果はモルヒネの 1/5 ～ 1/7、ペチジンの約 1/2、アミノピリンより数倍強く、ジヒドロコデインと同程度である。麻薬の指定は受けていない。

トラマドール

7）タペンタドール　Tapentadol

【作用機序】トラマドールのシクロヘキサン環を解裂させた構造をもつ。脳内移行性が高く、下行性抑制系のノルアドレナリン再取り込み抑制作用による鎮痛作用を示す。オピオイド受容体刺激作用を有するが、モルヒネに比べるとこの作用は、1/10 ～ 1/100 程度で弱い。中等度から高度の疼痛を伴う各種がん疼における徐痛に使用される。麻薬性である。

タペンタドール

8）ジアセチルモルヒネ　diacetylmorphine

モルヒネを無水酢酸で処理して得られる物質で、最初はドイツの製薬会社が「ヘロイン」という販売名で咳止め薬として発売した。鎮痛作用、鎮咳作用、呼吸抑制作用は最も強いが、毒性、習慣性などの中毒性も最も強く、早く形成される。

現在は、ジアセチルモルヒネの製造、所持、使用は法律で禁止されている。

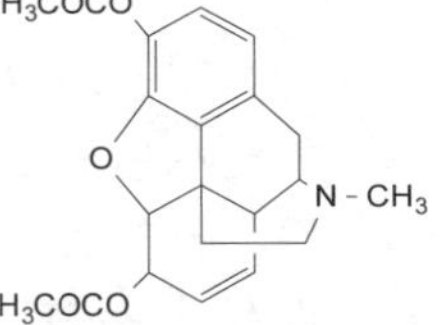

ジアセチルモルヒネ

5-5-5 麻薬拮抗性鎮痛薬 Mixed agonist-antagonists

ピペリジン部の窒素原子の置換基をアリル基、ジメチル基、シクロプロピルメチル基に置換すると麻薬拮抗性を持つようになる。ペンタゾシン、ブプレノルフィン、ブトルファノールは、単独投与により鎮痛作用を発現するが、モルヒネなどに対しては拮抗性を示すので、麻薬拮抗性鎮痛薬と呼ばれている。また、これらの薬物では、κ受容体に高い親和性を示すものが多い。麻薬拮抗性を有するので、モルヒネなどのオピオイドアゴニストとは併用できない。

ベンゾモルファン系、ベンズアゾシン系

1）ペンタゾシン Pentazocine

【薬理作用・作用機序】ヒトでの投与時の効果は、モルヒネと同様で、鎮痛、鎮静、呼吸抑制が認められる。ペンタゾシンは、μ受容体に対しては、弱い遮断薬または部分刺激薬（partial　agonist）として作用する。このため低用量では呼吸抑制が認められるが、モルヒネとは異なり、これ以上用量を増やしても呼吸抑制効果の顕著な増強は認められない。モルヒネとは異なり

ペンタゾシン

50-100mg 以上の用量では、効果は頭打ちとなって天井効果（ceiling effect）が出現する。モルヒネの鎮痛効果に対してはナロキソンの 1/50 程度の拮抗作用を示すが、呼吸抑制作用に対しては拮抗作用を示さない。モルヒネ慢性中毒患者に投与すると退薬症状を引き起こして危険である。マウスなどのモルヒネで興奮作用が出やすい動物においても、モルヒネとは異なり鎮静効果が認められる。この鎮静効果と鎮痛効果は、κ受容体を介している。鎮痛効果は、リン酸コデインの約 1/3 ～ 1 倍、アスピリンの約 3.5 倍である。麻薬の指定を受けていない。

【副作用】 ショック、アナフィラキシー様症状、無顆粒球症、依存性

2）ブプレノルフィン Buprenorphine

オリパビン誘導体でシクロプロピルメチル基を有するのでアンタゴニスト性を有し、μ受容体に対しては部分作動薬（partial agonist）として作用する。モルヒネの 50-80 倍でかつ長い鎮痛効果を示す。高用量では、効果は頭打ちとなって天井効果（ceiling effect）が出現する。モルヒネに対する拮抗作用はナロキソンとほぼ同程度かやや弱い。麻薬の指定を受けていない。

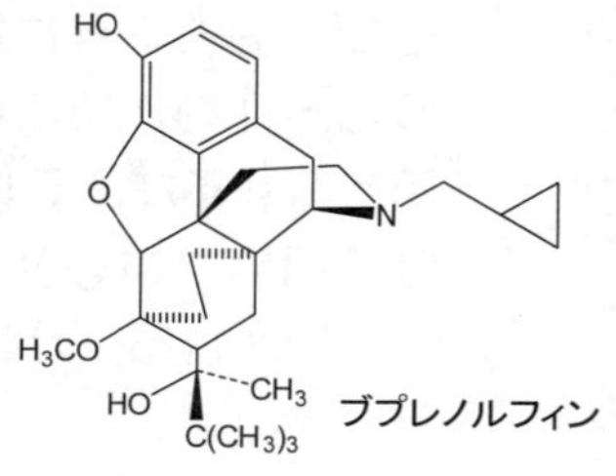

ブプレノルフィン

3）ブトルファノール Butorphanol

ピペリジン部の窒素原子の置換基はシクロブチルメトキシ基であり、μオピオイド受容体に部分アゴニスト活性とアンタゴニスト活性を、κ-オピオイド受容体に部分アゴニスト活性を示す。鎮痛効果は塩酸モルヒネの 1.4 ～ 20 倍、ペンタゾシンの 3 ～ 40 倍である。麻薬の指定を受けていない。以前はヒトにも使用されていたが、2022 年 6 月現在、動物用の鎮痛薬として使用されている。

ブトルファノール

5-5-6 オピオイド受容体遮断薬 Opioid antagonists

ナロキソン Naloxone

ピペリジン部の窒素原子の置換基はアリル基で、ほぼ純粋な遮断薬である。μオピオイド受容体に比較的特異性が高い。急性モルヒネ中毒の緩解に用いる。慢性中毒患者に使用すると禁断症状を発現し危険である。 置換基のアリル基をメチル基に変えた化合物は、オキシモルフォンで、強力な鎮痛作用を示す。

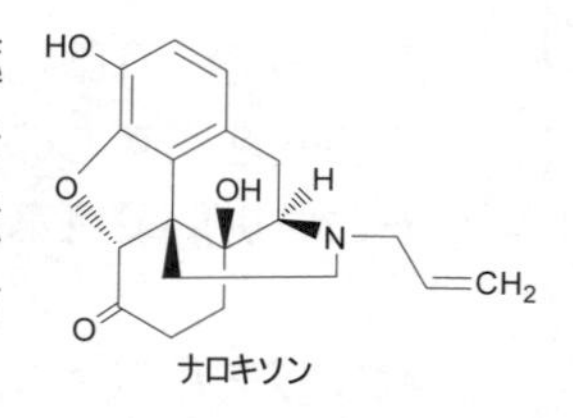

ナロキソン

【適用】 麻薬による呼吸抑制ならびに覚醒遅延の改善

レバロルファン Levallorphan

レバロルファンもアリル基を持ち麻薬拮抗薬に分類されるが、κ受容体に対して作動薬として作用する点でナロキソンほど明瞭なオピオイド遮断薬ではない。

レバロルファン

5-5-7　末梢オピオイド受容体作用薬

1）末梢オピオイド受容体遮断薬

ナルデメジン　Naldemedine

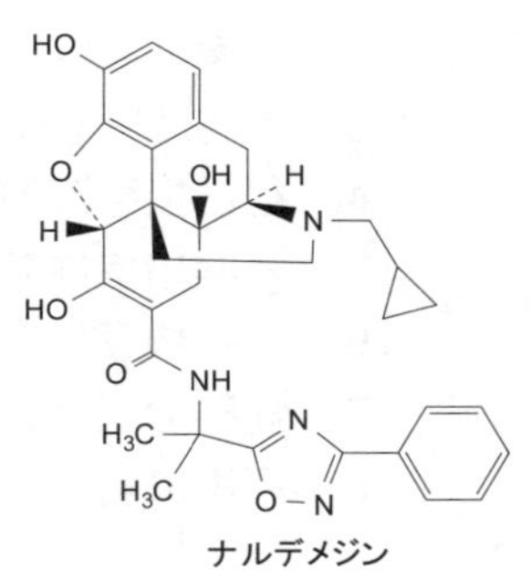

【薬理作用・作用機序】末梢においてオピオイドμ、δおよびκオピオイド受容体に対し、アンタゴニスト活性を示すため、オピオイド誘発性の便秘を抑制する。モルヒネなどと併用しても、薬用量において鎮痛効果には影響を及ぼさない。

【適用】オピオイド誘発性便秘症

【副作用】　重度の下痢、オピオイド離脱症候群

2）末梢オピオイド受容体刺激薬

ロペラミド　Loperamide

【薬理作用・作用機序】フェニルピペラジン骨格を持っているが、腸管からの吸収が悪く中枢へもほとんど移行しないため鎮痛作用はない。腸管のオピオイド受容体に作用し腸管運動を抑制して腸管内の輸送を遅延させるとともに水分吸収を促進して下痢を抑制する。

ロペラミド

【適用】下痢症

【副作用】　イレウス、巨大結腸、　ショック、アナフィラキシー、中毒性表皮壊死融解症、皮膚粘膜眼症候群

がん疼痛治療

WHO 方式がん疼痛治療指針

がん患者ががんの痛みから解放されるように、WHOが作成した指針

①三種類の鎮痛薬を効力の強さに応じて段階的に使用する（WHO三段階がん除痛ラダー）

②痛みが消える薬用量を時刻を決めて投与する（「頓用」だけの処方はしない）

③できる限り経口で用いる

④痛みの治療の開始は病期によらない

NSAIDs

エトドラク、メロキシカム、ロキソプロフェン、ジクロフェナク、ナプロキセン　など

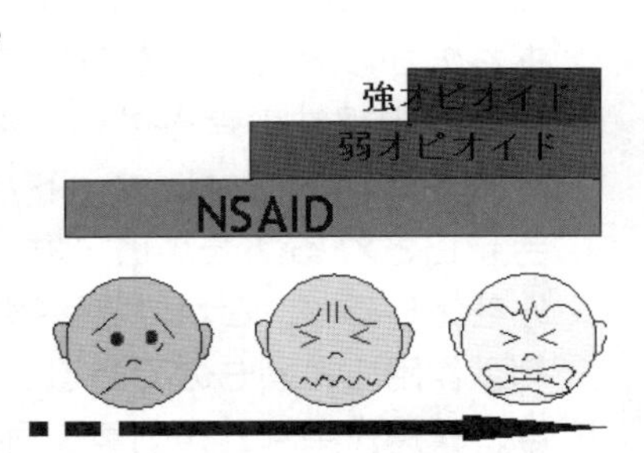

弱オピオイド

コデイン、リン酸コデイン、オキシコドン（低用量）、トラマドール、

強オピオイド

モルヒネ、オキシコドン、フェンタニル、メサドン、タペンタドール、ブプレノルフィン

A　癌の痛みの治療におけるポイント

1. モルヒネの処方をためらわない
2. 不適切な鎮痛薬の併用はさける
3. 投与間隔を短縮せずに鎮痛薬を増量する
4. 経口投与が可能なときに無用な注射をしない
5. 麻薬拮抗性鎮痛薬をモルヒネなどと併用しない
6. 患者や家族への指導を怠らない
7. 痛みの原因を１つ１つ把握し別々に治療する
8. 患者の言うことに耳を傾ける

B　痛みとモルヒネに対する反応性

1. モルヒネによく反応する痛み
   内臓転移痛、軟部組織への浸潤による痛み
2. モルヒネにある程度反応する痛み
   骨転移痛、神経圧迫による痛み、頭蓋内圧亢進による痛み
3. モルヒネに反応しないまたは抵抗する痛み
   筋攣縮痛（ジアゼパムを使う）
   痛覚求心路遮断による痛み　（三環系薬や抗痙れん薬を使う）
   交感神経系が関与した痛み（交感神経ブロックを使う）
4. モルヒネに反応するが使うべきでない痛み
   胃膨満痛（抗鼓腸薬を使う）
   大腸収縮による痛み（腸蠕動刺激薬を使う）
   便秘による痛み　（浣腸、緩下剤を使う）

5-5-8 そう痒改善薬

痒みとオピオイド

痒みも痛みも同じ自由神経終末で受容され、ともに C 線維で大脳皮質へ入力される。肌をこすったり、患部を爪で押したりすることで痒みがとまるのは、A β線維と A δ線維が、C 線維に対して抑制的に働くからである。 痒みには中枢性のかゆみと末梢性のかゆみの 2 種類が存在する。中枢性の痒みは脊髄後角や脳幹内のオピオイド受容体にオピオイドが結合することで引き起こされる。モルヒネは、副作用としてかゆみを生じるが、これはμ受容体遮断薬の投与で改善されることからオピオイドμ受容体の刺激作用によるものであることが明らかになっている。一方、オピオイドκ受容体作動薬は、鎮痛作用はμ作動薬と同様に出現するが、かゆみに対してはμ受容体の作用に拮抗し、かゆみを抑える方向に働くことが明らかになっている。

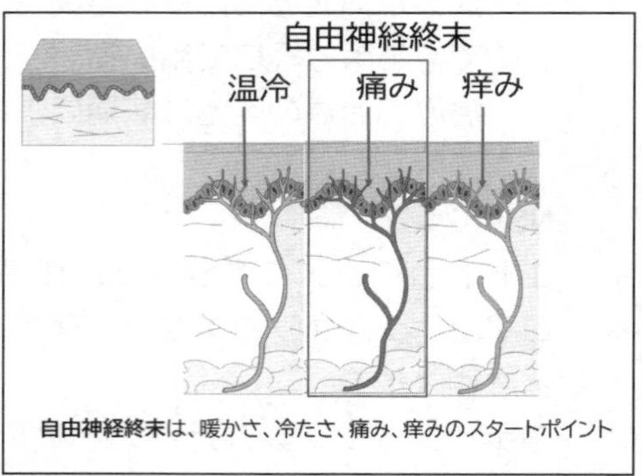

自由神経終末は、暖かさ、冷たさ、痛み、痒みのスタートポイント

ナルフラフィン　Nalfurafine

【**薬理作用・作用機序**】ナルフラフィンは、日本で開発された世界初の**選択的オピオイドκ受容体作動薬**であり、抗ヒスタミン薬などの既存薬が無効なかゆみに対する有効性が確認されている。これまでになかった新しい作用機序をもつオピオイドそう痒改善薬である。オピオイドであるが、薬物依存性をもたない。

ナルフラフィン

【**適用**】血液透析患者におけるそう痒症の改善（既存治療で効果不十分な場合に限る）

【**副作用**】眠気、不眠、めまい

5-5-9　末梢性神経障害性疼痛治療薬

プレガバリン　Pregabalin、ミロガバリン　Mirogabalin

【**薬理作用・作用機序**】抗てんかん薬のガバペンチンの構造類似体（ガバペンチノイド）で、中枢神経系においてシナプス前部の電位依存性 Ca^{2+}チャネルの機能に対し補助的な役割をなす α2δ サブユニット（プレガバリン）または α2δ-1 サブユニット（ミロガバリン）への結合を介して、Ca^{2+}流入を抑制し、**グルタミン酸などの神経伝達物質遊離**を抑制して、神経因性疼痛を抑制する。糖尿病などによる末梢神経障害性疼痛にも用いられる。

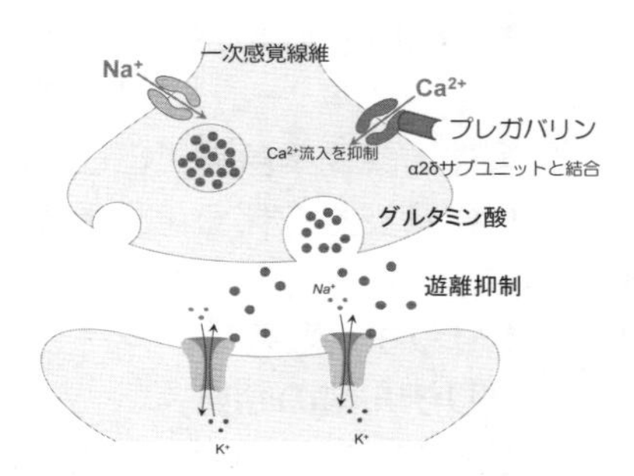

【**適用**】**プレガバリン**：神経障害性疼痛、筋線維痛症に伴う疼痛、**ミロガバリン**：末梢性神経障害性疼痛

プレガバリン　ミロガバリン

【**副作用**】浮動性めまい、傾眠、浮腫

5-5-10　解熱鎮痛薬 antipyretic analgesics

① **鎮痛作用**：主な鎮痛作用点は末梢であると考えられているが、アセトアミノフェンは視床に作用して作用を発現すると考えられている。アスピリンなどのサリチル酸系の解熱鎮痛薬は局所においてシクロオキシゲナーゼを阻害し、プロスタグランジン E_2（PGE_2）合成を阻害するため、PGE_2 による痛覚増強を除去する。麻薬性鎮痛薬と比較すると、鎮痛効果ははるかに弱いため、激しい疼痛には無効である。頭痛や表面痛（歯痛、関節痛、筋肉痛、生理痛）に有効。内臓痛には無効である。

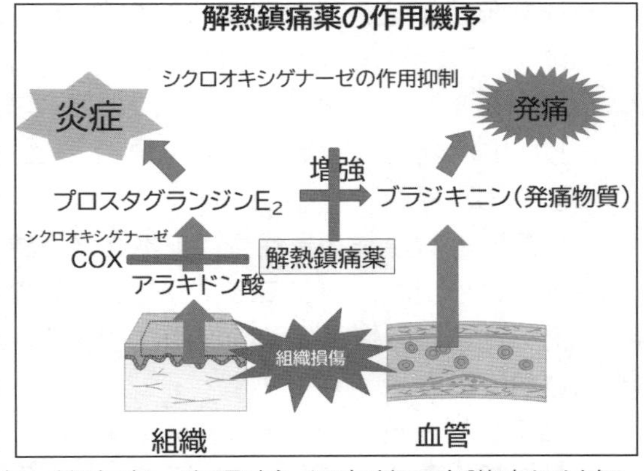

② **解熱作用**：視床下部の体温中枢に作用して、皮膚血管を拡張させ熱放散を増加させることにより解熱作用を示す。正常体温には影響せず発熱体温を下降させる。

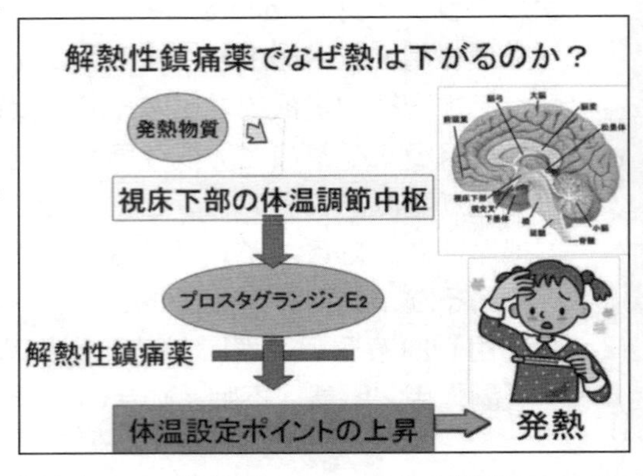

③ **抗炎症作用**：シクロオキシゲナーゼ（COX）の阻害による。アスピリンは、シクロオキシゲナーゼの活性部位をアセチル化して不可逆的に阻害する。（アセトアミノフェンとスルピリンは抗炎症作用はほとんど無い）

④ **血小板凝集抑制作用**：少量のアスピリンによりトロンボキサン A_2 産生が選択的に抑制されるため、一過性脳虚血発作などの血栓症に用いる。

⑤ **消化性潰瘍の悪化**　：PG 合成抑制による胃血流量の減少を引き起こすため。

解熱・鎮痛薬各論（ここでは抗炎症薬として分類されている薬物で、急性上気道炎（急性気管支炎を伴う急性上気道炎を含む）に解熱・鎮痛の適用があるものを含んでいる）。

1 サリチル酸系

サリチル酸の発見

1819 年にイギリスの神父エドワード・ストーンが、ヤナギ（柳）の成分で、悪寒・発熱・腫れを抑制する効果がある物質を発見し、サリシン（サリチル酸の配糖体）と名付けた。ラテン語のヤナギを意味するサリクスが語源となっている。1838 年にイタリアのラファエレ・ピエリが、サリシンを分解してサリチル酸を合成した。サリチル酸は、19 世紀には、鎮痛薬として使われたが、胃腸障害がかなり強かった。日本では昔から歯痛にヤナギの楊枝（ようじ）を使う習慣があるが、それにもそれなりの理由があったのである。

アスピリン　Aspirin

シダレヤナギの樹皮中に含まれるサリシンから合成されたサリチル酸のアセチル化体。アスピリンの語源は「ア」と「スピリ」と「ン」。「ア」はアセチルのア。「スピリ」はサリチル酸（ドイツ語でスピール酸）の別名。「ン」は接尾辞。

COOH, $OCOCH_3$ — Aspirin　　$CONH_2$, OC_2H_5 — Etenzamide　　COONa, ONa — Sodium saliciric acid

急性上気道炎（急性気管支炎を伴う急性上気道炎を含む）に解熱・鎮痛の適用がある。アスピリンは、シクロオキシゲナーゼの活性部位をアセチル化して不可逆的に阻害する。その他の解熱性鎮痛薬の作用は可逆的。現在は、上記以外の適用では抗炎症薬として分類されている。

エテンザミド　サリチル酸誘導体であり、アスピリンと同様に用いられる。

サリチル酸ナトリウム　外用剤として用いられる。

【副作用】消化管潰瘍の悪化

2 パラアミノフェノール誘導体（アニリン誘導体）

アセトアミノフェン　Acetoaminophen

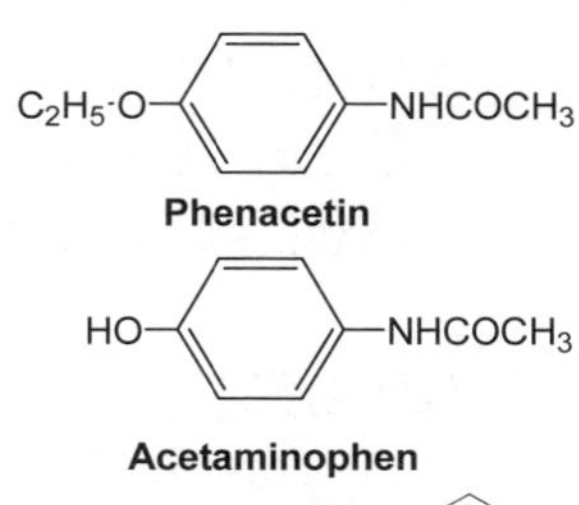

解熱鎮痛作用はアスピリンと同程度であるが、抗炎症作用はほとんどなく、COX 阻害作用もほとんどない。作用は視床下部であると考えられている。フェナセチン Phenacetin の代謝産物で、メトヘモグロビン形成能はフェナセチンよりも低い。小児に良く用いられる。

【副作用】胃腸障害　顆粒球症、再生不良性貧血

3. ピラゾロン系（ピリン系）誘導体

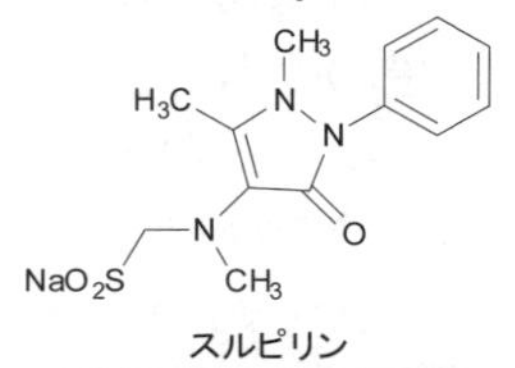

スルピリン

スルピリン　Sulpirine

イソプロピルアンチピリン　Isopropylantipyrine

比較的強い解熱作用があるが、鎮痛作用は弱い。急性上気道炎（急性気管支炎を伴う急性上気道炎を含む）に解熱・鎮痛の適用がある。

【副作用】胃腸障害、腎障害、無顆粒球症、再生不良性貧血、ピリン疹（発疹）

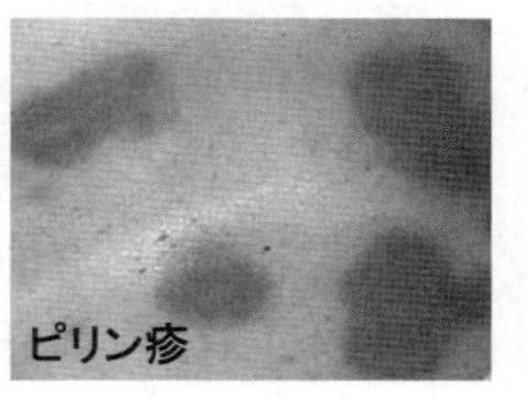

5-6　抗てんかん薬　（抗痙れん薬 anticonvulsants）

5-6-1　抗てんかん薬総論

てんかんとは

てんかん（epilepsy）は、脳の神経細胞の伝達システムに異常が起こって、痙れんなどの発作が出現したり、意識や記憶がなくなるといった症状が長期間にわたって繰り返し起こる疾患である。てんかんの罹患率は、0.5 ～ 1%（100 ～ 200 人に 1 人）と推定され、我が国では約 0.8%とされている。

病因

何らかの理由により**大脳皮質でニューロンが異常放電**を起こし、その結果として異常興奮を引き起こす。発作に拠って影響を受ける部分は、主に意識と随意運動で意識の変調や運動性活動で、感覚性症状、場違いな行動を伴うこともあり、突発性で短時間の様々な発作を引き起こす。呼吸や瞬き・瞳孔反射といった通常の不随意運動はあまり影響されない。

原因によるてんかんの分類

症候性てんかん	脳内病変を特定することができる器質性のてんかん a. 脳腫瘍、代謝障害、中毒性疾患、先天性代謝異常
特発性てんかん	脳内病変を特定できないもの　（真性てんかんともいう） てんかんの 80 %を占め、小児に多い。

検査と診断

発作症状の観察（ビデオモニタリングなど）と**脳波**による診断が重要で、脳波検査は、診断のために必須である。

脳波の異常としては、徐波化、左右差などの持続的な基礎律動異常、棘波、鋭波、棘徐波複合（神経細胞の過同期的発射）などがあげられる。

診断には、CT、MRI、PET による所見も有用である。

大発作（高振幅速波）

欠神発作（棘波徐波複合）

精神運動発作（高振幅陽性棘波）

薬物治療

抗てんかん薬による治療は、発作のコントロールであって疾患の根本的な治療ではない。

抗てんかん薬は、有効血中濃度と中毒濃度との差や投与量のわずかな差で血中濃度が大きく変動するものが多い。

抗てんかん薬による治療は単剤から始めることが原則である。その主な理由として、①相互作用により血中濃度が高くなりすぎる可能性がある、②投与量に比例した血中濃度が得られない、③副作用が出やすくなったり、発作頻度が逆に増加することがあるといった 3 点があげられる。

単剤で充分な血中濃度が得られるにもかかわらず、発作が抑制されないときに初めて次の抗てんかん薬を追加する。薬物は、発作型に基づき、適切なものを選択する。

てんかん発作の分類

全般発作と部分発作に大別される。

全般発作：強直発作、間代発作、強直間代発作
欠神発作、ミオクロニー発作、脱力発作

部分発作：単純部分発作、複雑部分発作

全般発作と部分発作の起こり方

全般発作

部分発作

脳体が興奮して起こる

脳の一部が興奮して起こる

発作の種類	症　　状
強直発作	持続して筋肉が収縮するため、手足を突っ張って痙れんを起こし、背中を弓状に反らす。
間代発作	律動的に足や手をがくがくとふるえるように動かす。
強直間代発作	両方の発作が交互に起こる。これらの発作が何分間か続いた後、昏睡状態または深い睡眠に入り、その後短時間で意識が回復する。
欠神発作	小児に多く見られる発作で、突然に5～20秒位の意識消失が起こる。動作が止まり、目がうつろに一点を見つめるようになる。痙れん発作は認められない。発作の頻度は1日10～100回。
ミオクロニー発作	両手両足の筋肉が、不随意的に急に「ぴくん」と収縮する発作で、大きな手足の痙れんは起きない。意識はあり、持続時間は数秒から数十秒程度。
複雑部分発作（精神運動発作）	部分発作のうち、意識障害を伴うもの。発作中の記憶はない。精神が異常な状態に陥り、幻覚が起きたり、もうろう状態になって、目的もなく歩き回ったり、テーブルに上ったりというような異常行動を引き起こす。発作は数分から数日続く場合もある。
単純部分発作	部分発作のうち、意識障害を起こさないもの。病因となる脳内の異常興奮や脳波上の変化が、一側の大脳半球に始まる発作

てんかん発作の発現機構と抗てんかん薬の作用機序

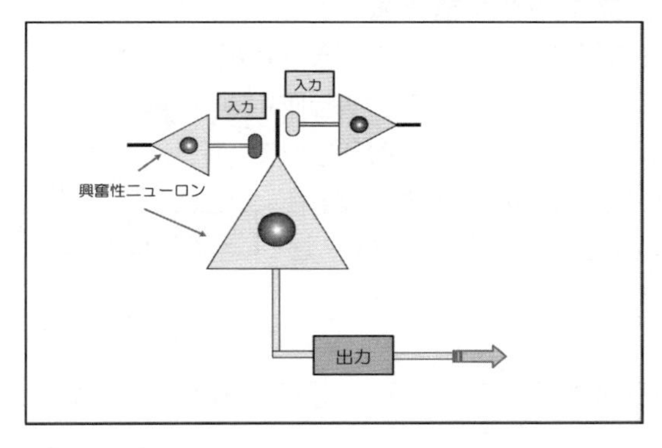

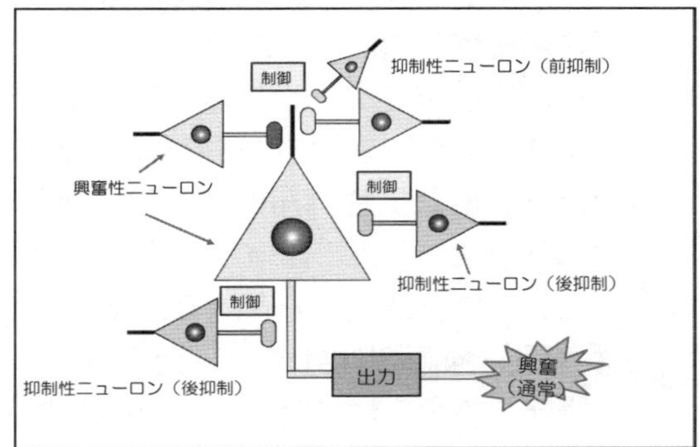

上側の興奮性ニューロンからの入力により、中央の興奮性ニューロン（図左）は脱分極し、それを出力する。上側の興奮性ニューロンからの入力は、抑制性ニューロン（GABA 作動性）からのシナプス前抑制による制御を受けており（図右）、また中央のニューロンの興奮性は、GABA 作動性ニューロンによるシナプス後抑制を受けているので（図右）、通常このニューロンからの出力は暴走しないようにコントロールされている。

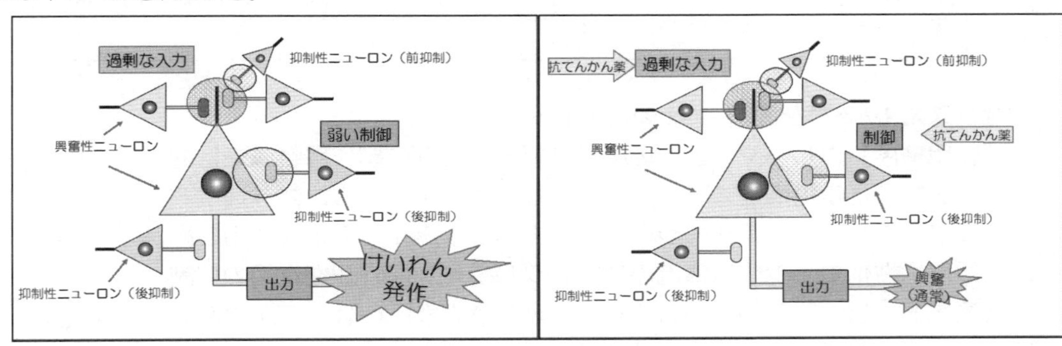

上側の興奮性ニューロンから過剰な刺激が入力したり、抑制系ニューロンの働きが低下して制御（抑制）が弱まると、中央の興奮性ニューロンに強く持続的な脱分極が起こり、それが大きな出力となって、他のニューロンも同期して発火すると痙れん発作が出現する（図左）。抗てんかん薬は、過剰な入力を抑制したり、抑制性ニューロンの活動を増強することにより、抗てんかん作用を示す（図右）。

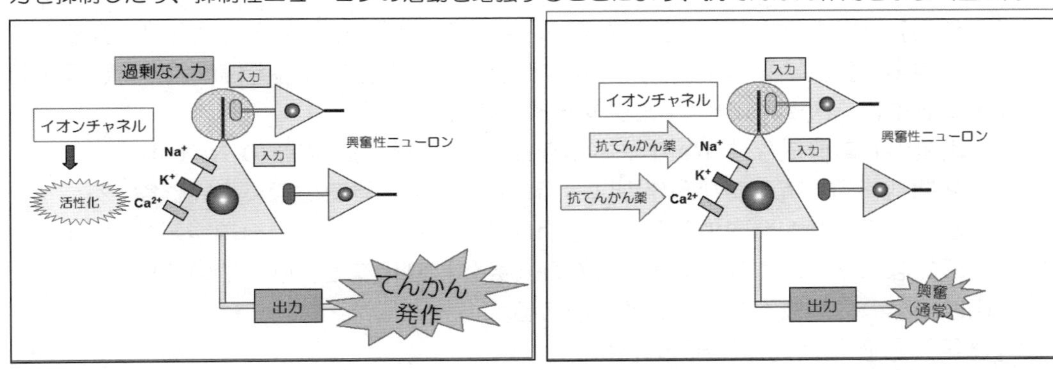

興奮性ニューロン（中央）にある電位依存性 Na^+チャネルや Ca^{2+}チャネルの働きが亢進すると、このニューロンに強く持続的な脱分極が起こり、それが大きな出力となって、他のニューロンの発火も同期すると痙れん発作が出現する。てんかん発作においては、ニューロンが別々に発火するのではなく、同期して一斉に活動する。ある種の抗てんかん薬は、これらのチャネルを抑制して、てんかん発作を抑する。

5-6-2　抗てんかん薬各論

カルバマゼピン　Carbamazepine　イミノスチルベン誘導体

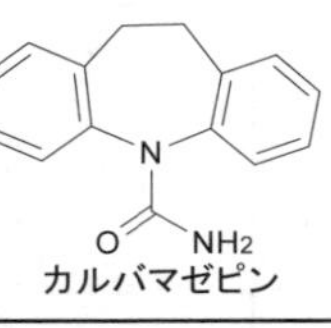

カルバマゼピン

三叉神経痛にも有効

【作用機序】 電位依存性 Na^+チャネルの不応期からの回復を遅延させることで反復発火（脱分極））を抑制することにより抗てんかん作用を示す。1960 年代には三叉神経痛治療薬として開発され使用されていたが、後に抗痙れん作用が明らかとなり、てんかん発作に適用になった。フェニトインに作用は類似しているが、カルバマゼピンには、躁病にも有効である。

【適用】 強直間代発作　部分発作

躁病、躁うつ病の躁状態、統合失調症の興奮状態に対しても抑制作用を示す。躁病にも用いる。

【副作用】 運動失調、再生不良性貧血、汎血球減少、無顆粒球症、単球性白血病、血小板減少、溶血性貧血、皮膚粘膜眼症候群（Stevens-Johnson 症候群）、中毒性表皮壊死症（Lyell 症候群）、SLE 様症状、重篤な肝障害、急性腎不全

> 全身性エリテマトーデス SLE：免疫疾患で、関節症状、皮疹（蝶形紅斑、円板状紅斑）、中枢神経病変、腎障害、心肺病変、血液異常などがみられる。

オクスカルバマゼピン　Oxcarbazepine

O
N
O　NH_2
オクスカルバマゼピン

併用療法のみ適用

【作用機序】 カルバマゼピンの中枢神経系などへの副作用軽減を目的として、化学構造を修飾した抗てんかん薬である。電位依存性ナトリウムチャネルの遮断の他に、カリウムチャネルとの相互作用と高電位活性化カルシウム電流の抑制、グルタミン酸介在性作用の抑制

【適用】　他の抗てんかん薬で十分な効果が認められないてんかん患者の部分発作（二次性全般化発作を含む）に対する抗てんかん薬との併用療法」。4 歳以上の小児に使用するが、15 歳以上の患者における有効性および安全性は確立していないことから、15 歳以上の患者に新規投与は行わないこととされている。

【副作用】　傾眠、嘔吐、浮動性めまい、発疹などがあり、全身症状を伴う重篤な皮膚障害（中毒性表皮壊死融解症、皮膚粘膜眼症候群、急性汎発性発疹性膿疱症、多形紅斑）

フェニトイン　Phenytoin　　ヒダントイン誘導体

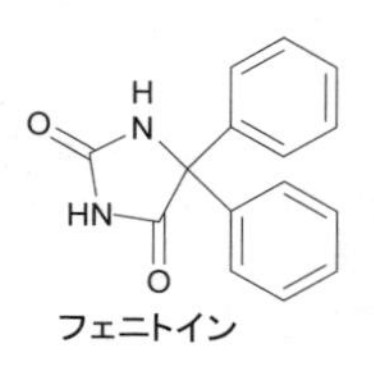

フェニトイン

【作用機序】 電位依存性 Na^+チャネルを抑制し、神経細胞内への Na^+の流入を抑制する。抗てんかん作用は、痙れん閾値の上昇ではなく、発作焦点からのてんかん発射のひろがりを阻止することによる。中枢神経系の全般的な抑制を示さないため、てんかん発作抑制用量では眠気や鎮静作用は少ない。類似薬にエトトインがある。

【適用】 強直間代発作　部分発作

【副作用】 連用により歯肉増殖（成人で約 40%　口腔内を清潔に保つ）、異所性発毛症（数ヶ月で多毛が起こる。投薬を中止しても消失しないこともある）、催奇形性（神経管欠損（二分脊椎））、再生不良性貧血、汎血球減少、顆粒球症、単球性白血病、血小板減少、溶血性貧血、間質性肺炎、小脳萎縮（長期投与）

フェノバルビタール　Phenobarbital

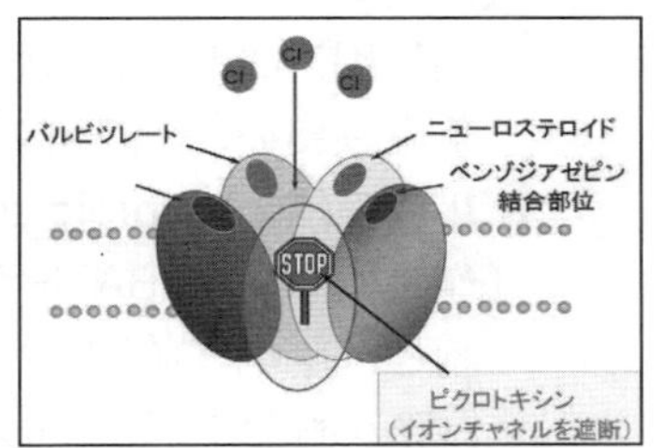

　バルビツレートの5位の炭素にフェニル基が導入されているため、運動領に対する抑制作用が強い。

【作用機序】GABA・ベンゾジアゼピン受容体・Cl^-チャネル複合体のバルビツレート認識部位に働き、Cl^-の透過性を上昇させ、過分極を起こす。（催眠薬の項参照）。

後シナプス膜安定化作用があり不応期を延長させる。また、痙れん閾値を上昇させ、発作焦点からの異常放電を発火しにくくする。

【適用】強直間代発作　部分発作

【副作用】ねむけ（鎮静）、薬物代謝酵素（CYP3A）誘導（耐性）、依存性、呼吸抑制

プリミドン　Primidone

【作用機序】生体内でフェノバルビタールとフェニルエチルマロンアミドに変換される。この両代謝産物も抗痙れん作用をもつので、臨床効果としては代謝産物の作用も寄与している。

プリミドン

【適用】強直間代発作　部分発作

【副作用】ねむけ、めまい

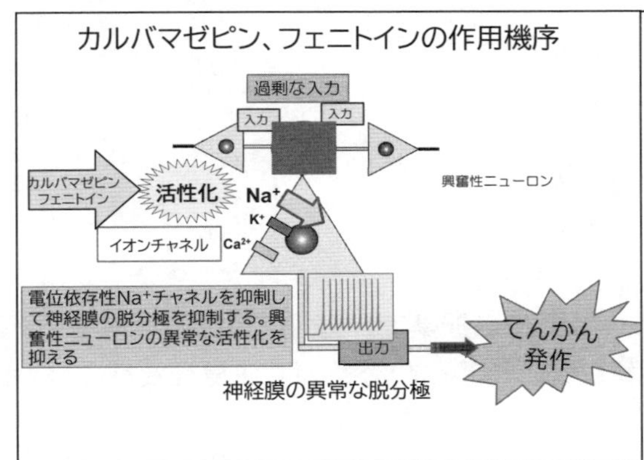

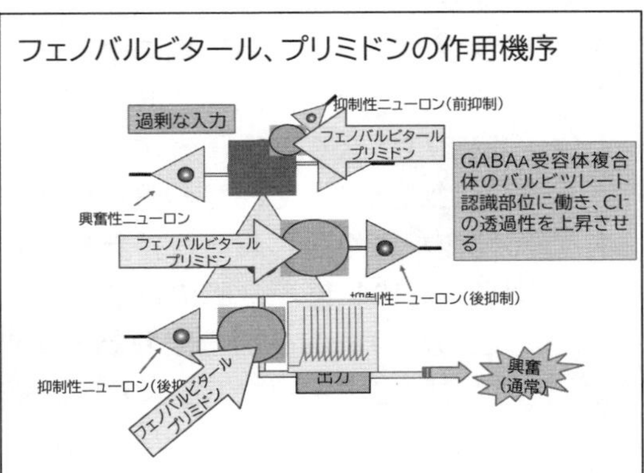

エトスクシミド　Ethosuximide　トリメタジオン　Trimethadione

【作用機序】T 型 Ca^{2+}チャネルを遮断し、低閾値 Ca^{2+}電流を減少させて興奮性神経の発火を抑制する。欠神発作の患者において臨床発作の改善と並行して、異常脳波、特に小発作波形（3 c/s spike and wave）の減少をもたらす。臨床的に、強直ー間代発作を悪化させる。また、部分発作には無効である。

エトスクシミド

トリメタジオン

エトスクシミド、トリメタジオンの作用機序

【適用】定型欠神発作　ミオクローヌス発作、失立（無動）発作

【副作用】SLE 様症状（発熱、紅斑、筋肉痛、関節痛、リンパ節腫脹、胸部痛等）、再生不良性貧血、汎血球減少

バルプロ酸　Valproic acid

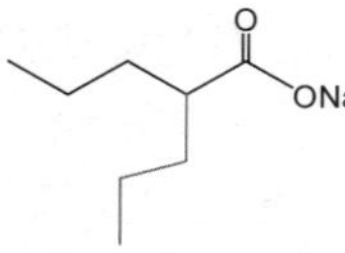

【作用機序】GABA トランスアミナーゼを阻害して GABA の分解を抑制し、脳内 GABA 濃度を上昇させる。抗てんかん作用は、脳内の抑制系の賦活作用に加え、フェニトインやカルバマゼピン類似の電位依存性 Na^+チャネルの抑制による。エトスクシミド様の T 型 Ca^{2+}チャネルの抑制作用も有しており、欠神発作に対する抑制作用はこの作用に基づくと考えられている。ドパミン濃度の上昇、セロトニン代謝の促進も認められている。

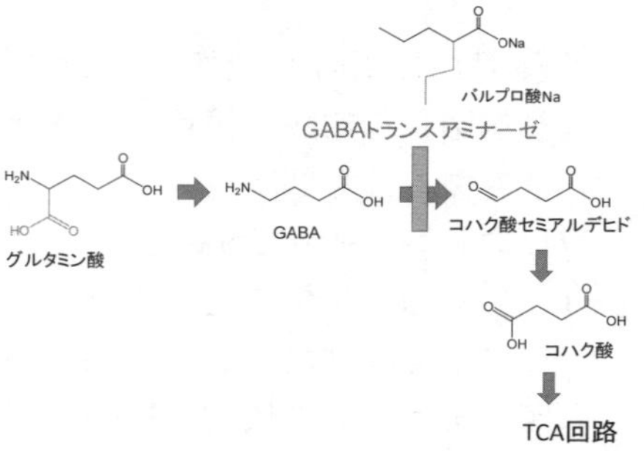

バルプロ酸ナトリウム

【適用】強直間代発作、欠神発作・強直・間代発作混合型の場合には第１選択薬である。

【副作用】肝障害（劇症肝炎など）、消化器症状、溶血性貧血、汎血球減少、血小板減少、顆粒球減少、催奇形性、神経管欠損（二分脊椎）

ベンゾジアゼピン系薬

ベンゾジアゼピン系薬物の中で、抗痙れん作用が強いのは、ジアゼパム、ニトラゼパム、クロナゼパム、クロバザムである。

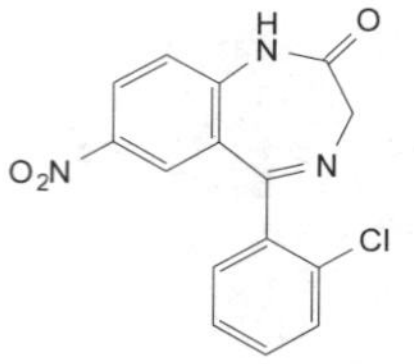

ジアゼパムは、てんかん重積症（重積発作：てんかん発作が繰り返し起こり、発作と発作の間に意識が回復しない状態で、脳の低酸素状態により後遺症を起こしたり、生命の危険もある状態）の第一選択薬で、静注で用いる。静注時に、舌根沈下により呼吸抑制が起こることがあるので注意を要する。 比較的若年齢から長期使用されるので、耐性の上昇に十分注意する。

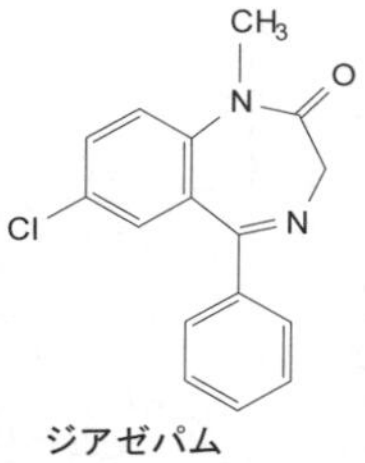

クロナゼパム

ジアゼパム

【作用機序】$GABA_A$ 受容体複合体のベンゾジアゼピン結語部位に作用して GABA の機能を増強して抑制機能を賦活する。

【適用】

薬　物	略 号	適応となる発作等
クロナゼパム	CZP	ミオクローヌス発作
ジアゼパム	DZP,DAP	重積状態の第一選択薬
ニトラゼパム	NZP	異型小発作群：点頭てんかん、ミオクローヌス発作、失立発作等 焦点性発作：焦点性痙れん発作、複雑部分発作、自律神経発作等
クロバザム	CLB	他の抗てんかん薬で十分な効果が認められない下記の発作型における抗てんかん薬との併用 部分発作：単純部分発作、複雑部分発作、二次性全般化強直間代発作 全般発作：強直間代発作、強直発作、非定型欠神発作、ミオクロニー発作、脱力発作

ゾニサミド　Zonisamide

【作用機序】 まだ完全に解明されてはいないが、発作活動の伝播過程の遮断、てんかん原性焦点の抑制等が示唆されている。T 型の Ca^{2+}電流を抑制するとの報告もある。

ゾニサミド

【適用】部分てんかんおよび全般てんかんに有効である。
部分てんかん、全般てんかん （非定型欠神発作を含む）、混合発作

【副作用】再生不良性貧血、無顆粒球症、急性腎不全、間質性肺炎
中毒性表皮壊死融解症、皮膚粘膜眼症候群、紅皮症（剥脱性皮膚炎）

ガバペンチン　Gabapentin

【作用機序】抗痙れん作用の機序はいまだ不明な点が多い。電位依存性Ca^{2+}チャネルの$\alpha_2\delta$サブユニットに結合して前シナプスでCa^{2+}の流入を抑制し、興奮性神経伝達物質の遊離を抑制する。GABA 関連受容体を含めて各種受容体および主要なイオンチャネルには結合しない。

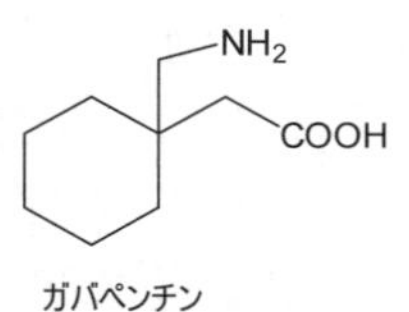

ガバペンチン

【適用】成人患者への単剤使用を追加承認した。追加された効能は「成人てんかん患者の部分発作（二次性全般化発作を含む）および強直間代発作に対する単剤療法」。
他の抗て他んかん薬で十分な効果が認められないてんかん患者の部分発作（二次性全般化発作を含む）に対する抗てんかん薬との併用療法

【副作用】急性腎障害、皮膚粘膜眼症候群、横紋筋融解症

ラコサミド　Lacosamide

【作用機序】 電位依存性 Na^+チャネルの緩徐な不活性化を促進し、過剰な興奮状態にある神経細胞膜を安定化させて抗痙れんを抑制すると考えられている

ラコサミド

【適用】部分発作（二次性全般化発作を含む）、他の抗てんかん薬で十分な効果が認められないてんかん患者の強直間代発作に対する抗てんかん薬との併用療法

【副作用】房室ブロック、徐脈、失神、中毒性表皮壊死融解症（Toxic Epidermal Necrolysis: TEN)、皮膚粘膜眼症候群（Stevens-Johnson 症候群)、薬剤性過敏症症候群、 無顆粒球症

ラモトリギン　Lamotrigibe

【作用機序】 Na^+チャネルを頻度依存的かつ電位依存的に抑制することによって神経膜を安定化させ、グルタミン酸等の興奮性神経伝達物質の遊離を抑制する。また、Ca^{2+}チャネル阻害作用も持ち、これも抗てんかん作用に関与すると考えられてい

ラモトリギン

【適用】単剤療法：部分発作（二次性全般化発作を含む、強直間代発作、定型欠神発作
併用療法：部分発作（二次性全般化発作を含む)、強直間代発作
（他の抗てんかん薬で十分な効果が認められないてんかん患者）

【副作用】皮膚粘膜眼症候群（Stevens-Johnson 症候群）および中毒性表皮壊死症（Lyell 症候群)、過敏症症候群、再生不良性貧血、汎血球減少、無顆粒球症、肝炎、肝機能障害および黄疸、無菌性髄膜炎

レベチラセタム Levetiracetam

【作用機序】各種受容体および主要なイオンチャネルとは結合しないが、神経終末のシナプス小胞たん白質 2A（SV2A）と結合し、この結合親和性と発作抑制作用との間に相関が認められることから、レベチラセタムと SV2A の結合が、てんかん発作抑制作用に寄与していると考えられている。その他、N 型 Ca^{2+}チャネル阻害、細胞内 Ca^{2+}の遊離抑制などの作用により、興奮性神経伝達物質の遊離を抑制すると与すると考えられている。

レベチラセタム

【適用】てんかん患者の部分発作（二次性全般化発作を含む)、他の抗てんかん薬で十分な効果が認められないてんかん患者の強直間代発作に対する抗てんかん薬との併用療法

【副作用】皮膚粘膜眼症候群（Stevens-Johnson　症候群）および中毒性表皮壊死症（Lyell 症候群)、過敏症症候群、重篤な血液障害、肝炎、膵炎

ペランパネル Perampanel

【作用機序】シナプス後部の AMPA 受容体に対して選択的かつ非競合的に結合することにより、グルタミン酸による神経の過剰興奮を直接抑制し、他の抗てんかん薬で十分な発作抑制効果が得られない 12 歳以上の部分てんかん（二次性全般化発作を含む)、全般てんかんの強直間代発作に対し、併用療法により発作抑制効果を示す。

【適用】他の抗てんかん薬で十分な効果が認められないてんかん患者の下記発作に対する抗てんかん薬との併用療法
部分発作（二次性全般化発作を含む)、 強直間代発作

ペランパネル

【副作用】易刺激性、攻撃性、不安および怒り等の精神症状、浮動性めまい、傾眠

ガバペンチン、ラモトリギン、ラコサミド、レベチラセタム、ペランパネルの作用機序

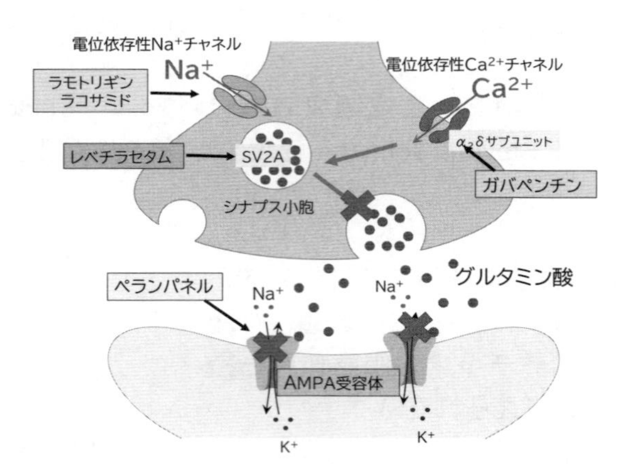

ガバペンチン、ラモトリギン、ラコサミド、レベチラセタムは、最終的にグルタミン酸のような興奮性神経伝達物質の遊離を抑制する。
ペランパネルは、シナプス後部のAMPA受容体に対して選択的かつ非競合的に遮断する。

トピラマート　Topiramate

【作用機序】AMPA/カイニン酸型グルタミン酸受容体機能抑制、電位依存性 Na^+チャネル遮断作用、電位依存性 L 型 Ca^{2+}チャネル抑制作用、炭酸脱水酵素阻害、GABA 存在下

における $GABA_A$ 受容体機能増強により、興奮性を抑制すると考えられている。

トピラマート

【適用】他の抗てんかん薬で十分な効果が認められないてんかん患者の部分発作（二次性全般化発作を含む）に対する抗てんかん薬との併用療法

【副作用】続発性閉塞隅角緑内障およびそれに伴う急性近視、腎・尿路結石、代謝性アシドーシス、乏汗症およびそれに伴う高熱

ビガバトリン　**Vigabatrin**

【作用機序】GABA トランスアミナーゼに擬似基質として不可逆的に結合することにより酵素活性を阻害し、脳内の GABA 濃度を増加させることにより抗てんかん作用を発揮する

ビガバトリン

【適用】点頭てんかん West 症候群（ウェスト症候群、ウエスト症候群）とほぼ同義語 1 歳未満に発症する乳児スパスム、精神運動発達の停止、ヒプスアリスミアを主徴とし、従来の抗てんかん薬が効きにくい。

【副作用】視野障害、視力障害、激越、不眠症

ルフィナミド　**Rufinamide**

【作用機序】作用機序は確定していないが、in vitro 試験結果では電位依存性 Na^+チャネルの関与（不活性化）が示唆されている。

【適用】他の抗てんかん薬で十分な効果が認められない Lennox-Gastaut 症候群における強直発作および脱力発作に対する抗てんかん薬との併用療法

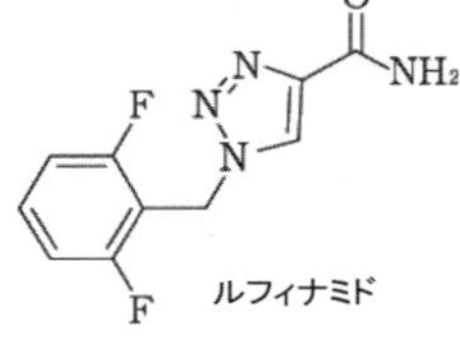

ルフィナミド

【副作用】視野障害、視力障害、激越、不眠症

< Lennox-Gastaut 症候群>

幼児期（主として、1～6歳）に好発し、まれに思春期に発現する悪性てんかんで、特殊型原因不明の、年齢依存性てんかん性脳症の一つである。「臨床脳波学的に複数の全般発作（主体は強直発作と非定型欠神発作）と脳波上の全般性の遅棘徐波複合を特徴とし、極めて難治で頻回にてんかん発作重積状態に陥り、疾患の進行とともに知的機能の荒廃を示す年齢依存性てんかん性脳症」と定義されている。

5-6-3　その他の抗てんかん薬

炭酸脱水酵素阻害薬

スルホンアミド誘導体で、スルチアム（精神運動発作に有効）、アセタゾラミド（他の抗てんかん薬で効果が十分でないときに併用する）が複雑部分発作に用いられる。

スルチアム

Dravet 症候群治療薬

スチリペントール　**Stiripentol**

【作用機序】GABA 取り込み阻害作用、GABA トランスアミナーゼ活性低下作用、脳組織中 GABA 濃度の増加作用および $GABA_A$ 受容体に対する促進性アロステリック調節作

用により、GABA 神経伝達を亢進する。α_3 あるいはδサブユニットを有する$GABA_A$受容体により強い活性を示す。

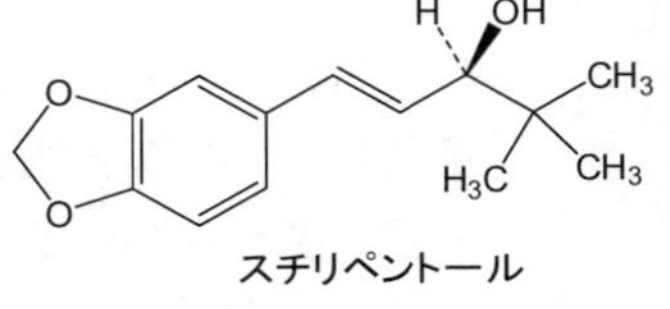

スチリペントール

【適用】クロバザムおよびバルプロ酸ナトリウムで十分な効果が認められない Dravet 症候群患者における間代発作又は強直間代発作に対するクロバザムおよびバルプロ酸ナトリウムとの併用療法

【副作用】好中球減少症、血小板減少症

> ＜Dravet症候群＞
> 乳児重症ミオクロニーてんかんとその類似症を含めたもので、小児てんかんの中でも特に難治で強直間代発作など重い痙れん発作を起こしやすく、加えて発達障害を伴うなど予後も良好ではない。

5-6-3 発作型とその特徴、治療薬の関係

発作の型	特徴	通常の治療薬	新規の治療薬*
単純部分発作	運動発作 感覚発作 自律神経発作 精神発作 （意識障害はない）	カルバマゼピン フェニトイン バルプロ酸	ガバペンチン ラモトリギン トピラマート ゾニサミド レベチラセタム
複雑部分発作	意識障害（30秒～2分程度）があり、舌を鳴らしたり、手を強く握りしめたり目的のない動作を伴う。	カルバマゼピン フェニトイン バルプロ酸	ガバペンチン ラモトリギン トピラマート ゾニサミド レベチラセタム
強直間代発作	全身の筋の収縮（強直性）とそれに続く筋収縮と弛緩の期間が交互に起こる（間代性）。	バルプロ酸 カルバマゼピン フェノバルビタール フェニトイン プリミドン	ガバペンチン ラモトリギン トピラマート ゾニサミド
欠神発作	凝視と動作の中止を伴う意識障害。持続は通常30秒以内。	バルプロ酸 エトスクシミド	ラモトリギン
ミオクローヌス発作	短時間（1秒くらい）のショックのような「ピクッ」とするような四肢の一部の筋収縮	クロナゼパム バルプロ酸	ラモトリギン トピラマート

*：他の抗てんかん薬で十分な効果が認められないてんかん患者の部分発作（二次性全般化発作を含む）に対する抗てんかん薬との併用療法として用いる。ラモトリギンは、成人患者への単剤使用が追加され、追加された効能は、成人てんかん患者の部分発作（二次性全般化発作を含む）および強直間代発作に対する単剤療法。

第一選択薬と多剤との併用による変化

◎第一選択薬　○有効　　×無効　　××悪化

	部分発作	強直・間代	欠神発作	ミオクローヌス	他剤との併用
CBZ	◎	○	×	××	VPA：奇形児出現率増加、欠神発作重積 PB：血中濃度低下
PB	○	○	×		VPA：血中濃度上昇
PHT	○	○	××		VPA：血中濃度変動 ZSM：血中濃度上昇
ESM	×	××	◎	○	VPA：血中濃度上昇
VPA	○	◎	◎	○	PB,CBZ,PHT：作用減弱
ZSM	○	○	○ 非定型		PHT, CBZ：血中濃度低下
CZP	○		○	◎	PHT：血中濃度低下

抗てんかん薬の作用機序

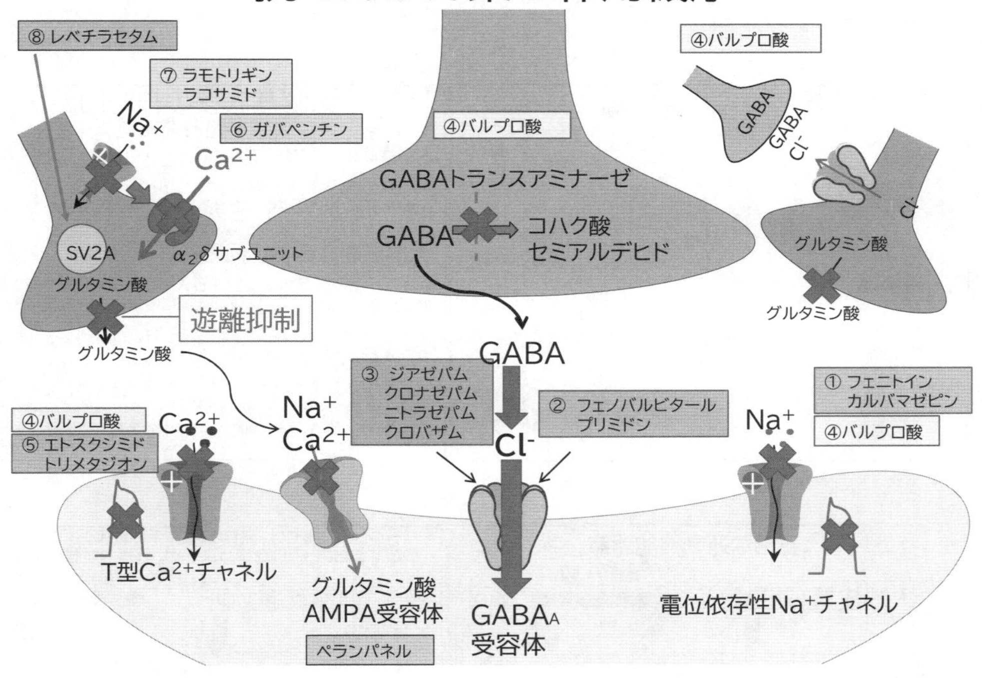

5-7　パーキンソン病／パーキンソン症候群治療薬
Treatment of Parkinson's disease

5-7-1　パーキンソン病治療薬総論

病因

正常人とパーキンソン病患者の黒質の比較

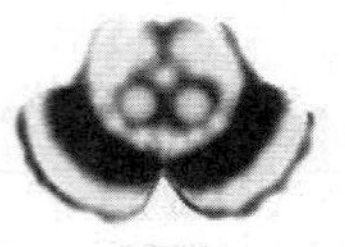

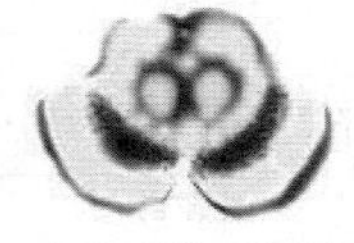

錐体外路系の退行性疾患の 1 つで、大脳基底核の黒質（緻密帯）ー線条体ドパミン作動性ニューロンの変性・脱落により、ドパミンによる線条体の直接路ニューロンへの興奮性入力（D_1）と、間接路ニューロンへの抑制性入力（D_2）が低下する（下図参照）。その結果、運動遂行時に大脳皮質から線条体に入力が入ってきても、直接路ニューロンの興奮性が低下してしまう一方で、間接路ニューロンの興奮性が増大するようになる。このような変化によって、淡蒼球内節から視床に至る神経路は異常に抑制された状態となる。このような異常興奮や異常抑制が原因となって、パーキンソン病症状である静止時振戦や筋固縮、無動などが生じる。孤発性で 50 歳代で発症することが多く、発症の平均年齢は 57 歳である。進行すると青斑核などにも病変がおよび、ノルアドレナリンニューロンの変性も伴う。青斑核の病変は、すくみ足（現象）と関連している。病名はイギリスの医師 James Parkinson にちなんでつけられたものである。発病率は人口 10 万人あたり約 100 人である。

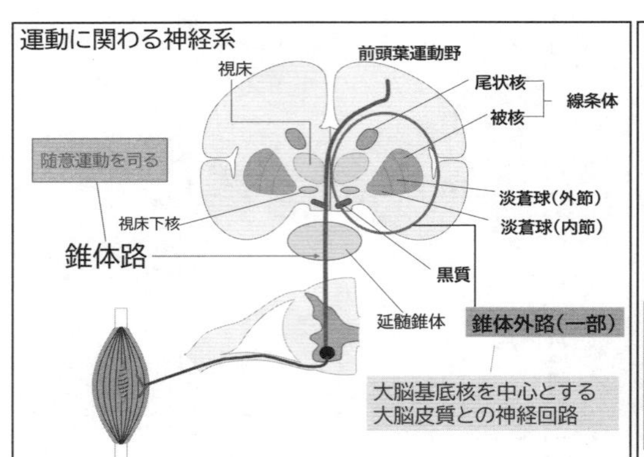

大脳基底核の神経回路
（直接路と間接路）

大脳基底核の入力部と出力部

線条体と視床下核：大脳基底核の入力部
淡蒼球内節と黒質網様部が出力部で視床や脳幹に投射している。

大脳基底核の神経回路

ハイパー直接路： 大脳皮質から入力を受けた視床下核ニューロンが、直接、淡蒼球内節・黒質網様部に投射している経路。

直接路：線条体の投射ニューロンのうち、主にGABAニューロンが、直接、淡蒼球内節・黒質網様部に投射している経路。

間接路：線条体の投射ニューロンのうち、主にGABAニューロンが、淡蒼球外節に投射し、淡蒼球外節から視床下核を順に経由して、に淡蒼球内節・黒質網様部に至る経路。運動をストップさせる役割。

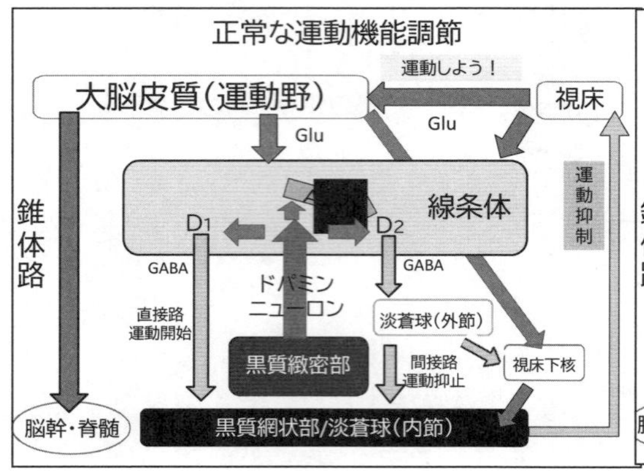

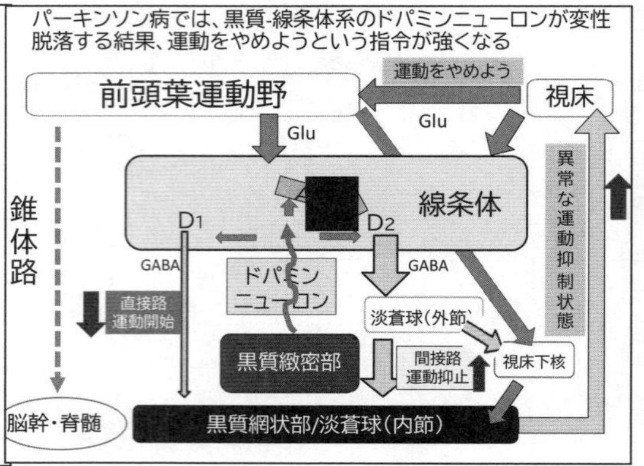

【パーキンソン病の症状】

Ⅰ　**静止時振戦**（丸薬まるめ型振戦 pill-rolling　tremor）：パーキンソン病患者の 50 ～ 80 %において、丸薬を丸めるような振戦が認められる。振戦は静止時時に最大で、動作中は減少し、睡眠時には認められない。

Ⅱ　**筋固縮**：筋肉の緊張がとれにくく、何をするにも抵抗に逆らいながら手足を動かしているような感じがする。歯車現象と呼ばれ、患者の関節を動かしてみるとがくがくと歯車用の抵抗感を感ずることが多い。

Ⅲ　**無動**：緩徐で乏しい運動動。始動困難。典型的パーキンソン病の患者では少しうつむき加減に顔をじっとしている。瞬きもあまりなく仮面様顔貌を呈する。立つときもゆっくりと動き、歩き出すまでに時間がかかる。すくみ足。

Ⅳ　**姿勢反射異常**：平衡感覚を保ちにくくなり、転倒しやすい。一度体が前に出るとその姿勢を立て直すことが困難で、前につんのめるように進んで行く（突進歩行）。パーキンソン病の特徴的症状のひとつ。

二次障害として　すくみ足（現象）、言語障害、認知障害がある。認知症は、30%程度の患者で認められる。

バーキンソン病の重症度：パーキンソン病の症状は一側性（片側性）に始まり、両側性へと進展し、重症化していく。重症度の判定には、Hoehn-Yahr の重症度評価尺度（重症度は 5 段階）が用いられる。

Hoehn-Yahrの重症度評価尺度

重症度	特徴
Ⅰ度	症状は一側性で、機能障害はないか、あっても軽度。生活に対する支障はあまり大きくないと考えられる。
Ⅱ度	両側性の障害があるが、姿勢保持の障害はない。生活に不便を感じるようにようになるが、日常生活・就業は行いうる。
Ⅲ度	立ち直り反射に障害がみられる。活動はある程度は制限されるが、職種によっては仕事が可能であり、機能障害は軽度～中程度で、日常生活に支障をきたすようになるが、まだどうにか自力で生活を送ることができる。
Ⅳ度	重篤な機能障害を有し、自力のみによる生活は困難になるが、まだ、支えなしに立つことや歩くことはどうにか可能である。
Ⅴ度	立つことも不可能で、ベッドまたは車椅子での生活を送ることになる。日常生活に全面的な介助が必要である。

パーキンソン症候群　Parkinsonian syndrome

症候性パーキンソニズム

孤発性のもの以外に、脳血管障害、ウイルス性脳炎、頭部外傷、マンガンや一酸化炭素中毒、薬物（レセルピン、抗精神病

パーキンソン病とは、病因が全く異なるものであるが、症状は似ている。
レボドパは無効

薬)、脳腫瘍などによる続発性のパーキンソニズムがあり、これらをパーキンソン症候群（Perkinsonian syndrome）と呼んでいる。

薬物誘発パーキンソニズム

統合失調症治療薬（抗精神病薬）投与中に起こるパーキンソニズムは、線条体におけるドパミン受容体遮断作用によるもので、黒質ー線状体ドパミンニューロンの器質的な障害が起こらない点で、パーキンソン病そのものとは異なる。統合失調症治療薬は、比較的強力なドパミン D_2 受容体遮断作用があるため、線条体の D_2 受容体が遮断され、運動症状を発現する。このため、レボドパは無効で、抗コリン薬が効奏する。

5-7-2　パーキンソン病治療薬各論

5-7-2-1　ドパミンの補充　レボドパ　Levodopa

【作用機序】ドパミンを経口投与したり、静注しても血液脳関門を通過しないため脳内に移行しないが、ドパミンの前駆物質であるレボドパは、血液脳関門にある長鎖中性アミノ酸トランスポーター（LAT1）を介して脳内に能動輸送される。脳内に移行したレボドパは、黒質のドパミン作動性ニューロンに取り込まれ、ドパ脱炭酸酵素（末梢では芳香族 L-アミノ酸脱炭酸酵素と呼ばれる）によりドパミンに変換されて、不足したドパミンを補い、線条体にある神経終末部からのドパミンの放出を増加させる。レボドパは、消化管からの吸収は良好であるが、初回通過効果を受けやすく、95%は末梢の芳香族 L-アミノ酸脱炭酸酵素により末梢でドパミンに変換される。レボドパは、末梢のカテコール-*O*-メチルトランスフェラーゼ（COMT）により 3-*O*-メチルドパ（3-OMD）に代謝され、3-OMD は、LAT 1 でレボドパと競合するためレボドパの脳内移行を低下させる。このため、脳内へ移行するレボドパは、単独投与の場合 1 %程度で、レボドパ単独療法だと大量を内服しないと期待される効果が得られない（維持量として 1 日 2,000 ～ 3,600mg）。そのため、後述の末梢性芳香族 L-アミノ酸脱炭酸酵素阻害薬と併用してレボドパの末梢での代謝を阻害し、脳内移行性を高めている。

ドパミン

レボドパ

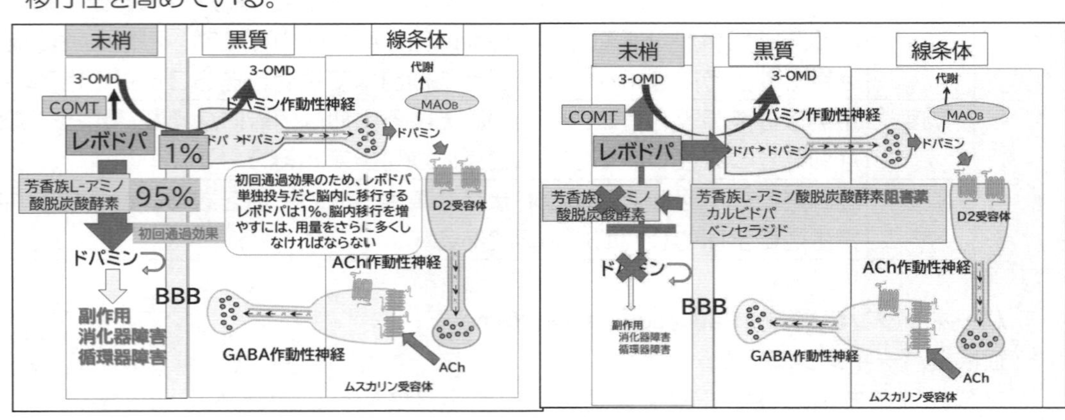

【薬理作用】固縮・無動には非常に有効、**振戦には効果が劣る**（55%）。副作用などの問題点も多い薬物であるが、最も確実な作用を期待できる治療薬でもある。

【副作用】

消化器症状：悪心・嘔吐、精神症状：錯乱、幻覚 、抑うつ、運動系：不随意運動

循環器症状：動悸、不整脈、起立性低血圧

急激な減量又は投与中止により、悪性症候群（Syndrome malin）

【その他】高タンパク質食の摂取は、レボドパの脳への取り込みを抑制する。ビタミン B6 は芳香族 L-アミノ酸脱炭酸酵素の補酵素で、併用すると末梢におけるドパの代謝が促進し、目的とする作用（脳への以降）が減弱する。

5-7-2-2　末梢性芳香族 L-アミノ酸脱炭酸酵素阻害薬（レボドパ作用増強薬）

カルビドパ　Carbidopa　ベンセラジド　Benserazide

【作用機序】末梢性芳香族 L-アミノ酸脱炭酸酵素阻害薬で脳内には移行しない。レボドパとの併用で、末梢でのみレボドパの分解が抑制されるため、レボドパの血中濃度が上昇し、その結果脳内に移行するレボドパの量が増加する（下図参照）。レボドパの脳内移行を高めることが本来の作用であるため単独で使用しても有効ではない。本薬との併用により、投与するレボドパの量を 1/5 程度に減量することができるので、レボドパの副作用も軽減される。

COOH
H_3C NH—NH_2
HO
OH
カルビドパ

OH
HO
H
N
N
H
NH_2
OH
O
HO
ベンセラジド

【副作用】悪心・嘔吐、錯乱、幻覚 、抑うつ、不随意運動、急激な減量又は投与中止により、悪性症候群

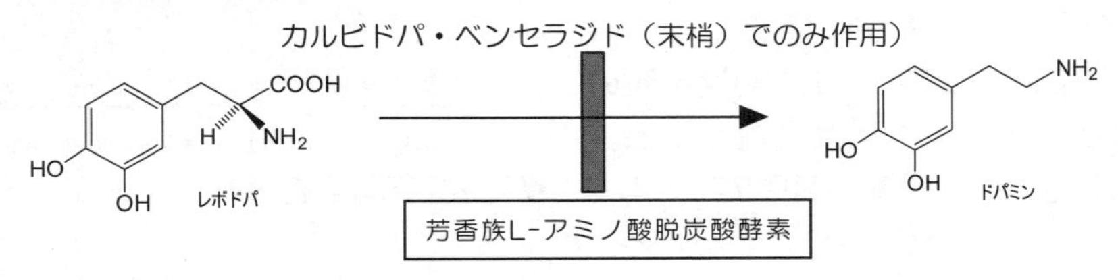

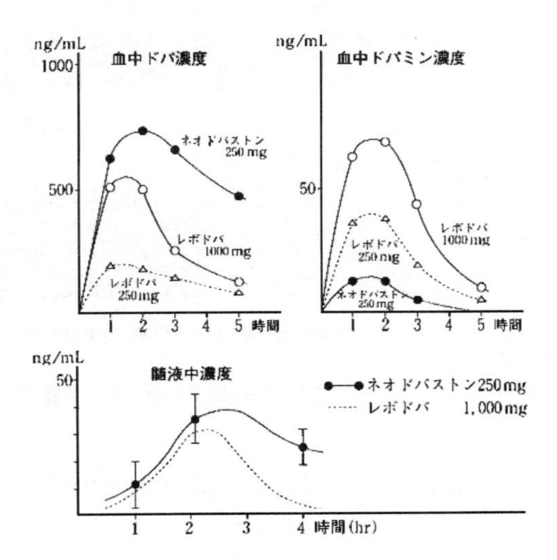

パーキンソン病患者（64才：男）における血中ドパ・ドパミン濃度
ネオドパストン：レボドパ（250mg）／カルビドパ（27mg）ネオドパストンの場合、レボドパ単独1000ｍｇよりも血中ドパ濃度が顕著に高くなる。また、血中ドパミン濃度は、ネオドパストンの場合、レボドパ単独投与よりも顕著に低下している。髄液中のレボドパ濃度は、レボドパ単独投与時と比較して、低下しにくいことがわかる。

レボドパによる長期治療の問題点：長期レボドパ投与症候群　運動合併症

レボドパによる薬物治療を受けると、たいていの人は症状が改善し、多くの患者は自分がパーキンソン病患者であることを忘れるほどになる。このような「ハネムーン状態」という調子のいい期間が 2 年～ 5 年続いた後に、ほとんどの患者はレボドパが以前のように長く効かず、薬の効果がだんだん減ってくるのに気がつくようになる。このころから、長期レボドパ投与症候群という「運動合併症」が出現する。

ジスキネジア　Levodopa-related Diskinesia

ジスキネジアとは、患者の意図に反して手足が勝手に動く様になるものの総称（舌のこね回し、腰ふり、首をねじる）。多くは、レボドパのような治療薬の影響が一時的に過大になるために起こる（Peak-dose-Dyskinesia）。効果の効き始めと効き終わりに出現する（効果が減弱するために起こる）Diphasic　Diskinesia や、効き終わりに出現する End-of Dose Diskinesia などもある。

〈対処法〉レボドパの投与量の調整（1 回投与量の減量ないしは分割投与）、併用するアゴニストの種類・投与量の調整、アマンタジンがやや有効である。

Wearing off 現象

ドパの服用により症状が安定していたのに、晩期になってドパの効果持続時間が減少して急に症状が再現するようになること。血中濃度に依存する。ドパミンニューロンの減少により神経終末でのドパミンの保持ができなくなることと共に、レボドパの半減期が約 1 時間と短いことが関与していると考えられている。

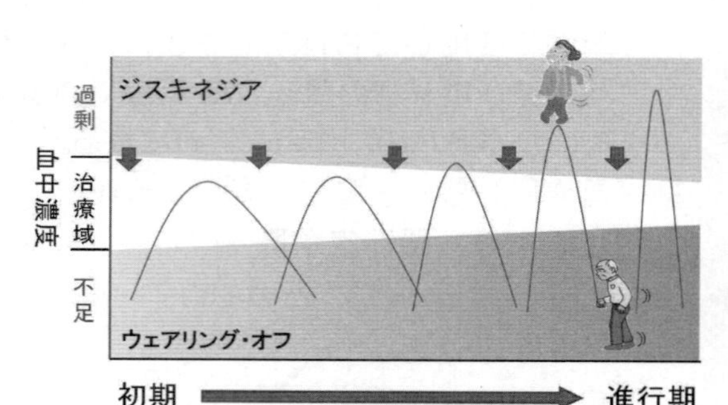

〈対処法〉① 1 日用量の範囲内で、レボドパの投与回数を増やす。②エンタカポン、オピカポン、イストラデフィリン、サフィナミドをレボドパと併用する。③レボドパとブロモクリプチンなどのドパミンアゴニストを併用してレボドパの血中濃度ができるだけ一定になるようにする。

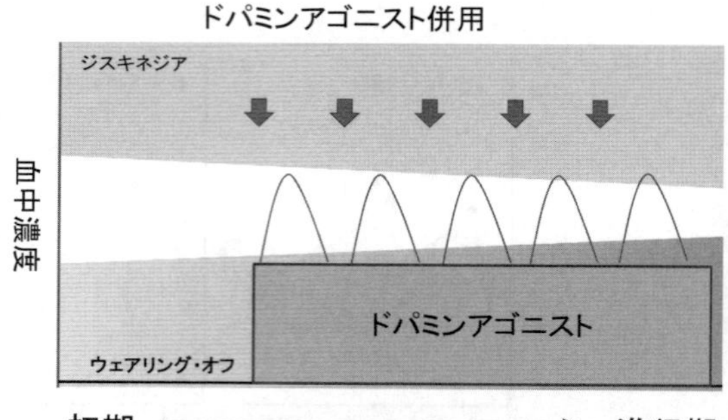

On off 現象

服薬時間に関係なく効果がみられる時間とみられない時間が交互に変わる状態。突然スイッチを切ったように薬効が切れる off 状態と自己制御不能のジスキネジアを伴う on 条体の間を急速に揺れ動く現象。レボドパの血中濃度に依存しない。

〈対処法〉ドパを減量し、ブロモクリプチンなどのドパミンアゴニストを併用

Off 症状のレスキュー療法　　アポモルヒネ（皮下注）

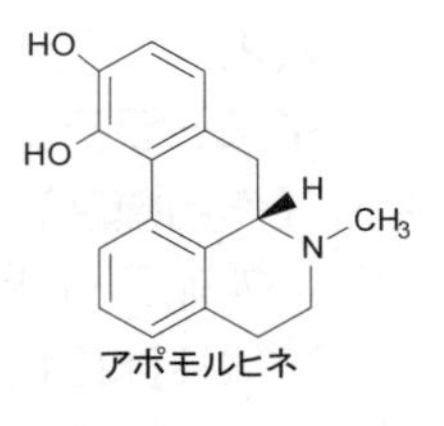

アポモルヒネ

Off 状態では自立的活動が抑制され、日常生活に支障をきたすことが多い。On 状態では既存の治療薬で自立活動が可能であるが、Off 時では、非麦角系ドパミンアゴニストのアポモルヒネを皮下注（自己注）することでレスキュー的に用いる。副作用としての前兆のない突発的睡眠および傾眠等に注意が必要である。

5-7-2-3 レボドパによる Wearing off 現象に適用がある治療薬

Wearing off 現象の出現を抑えるためには、レボドパの血中濃度ができるだけ一定に保つような薬物また、Wearing off 現象発現に関与する間接路 GABA ニューロンによる抑制を緩和する薬物を用いる。前者としては、COMT 阻害薬（エンタカポン、オピカポン）、MAO 阻害薬（サフィナミド）、後者としてはアデノシン A_{2A} 受容体遮断薬のイストラデフィリンがある。

（1）　末梢性 COMT（catechol-*O*-methyl-transferase）阻害薬

エンタカポン Entacapone

オピカポン Opicapone

エンタカポン　オピカポン

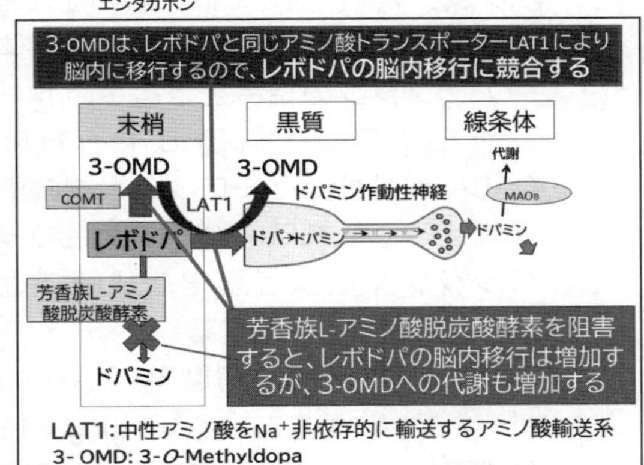

【作用機序】末梢性 COMT 阻害薬は、Wearing-off 現象による症状の日内変動を改善することを目的として開発された薬物である。

レボドパに、芳香族 L-アミノ酸脱炭酸酵素阻害薬を併用すると、血中レボドパ濃度が上昇し、脳内に移行するレボドパは増加するが、COMT によって 3-*O*-methyldopa（3-OMD）への代謝も促進される（右図参照）。3-OMD は、レボドパと同じアミノ酸トランスポーター LAT1 により脳内に移行するので、レボドパと競合してレボドパの脳内移行を低下させる。末梢性 COMT 阻害薬は、中枢には移行せずに、末梢の COMT を阻害してレボドパから 3-OMD への代謝を阻害するため、レボドパの脳内移行率を高め、半減期を延長させる。オピカポンは、1 日 1 回の投与で有効である。

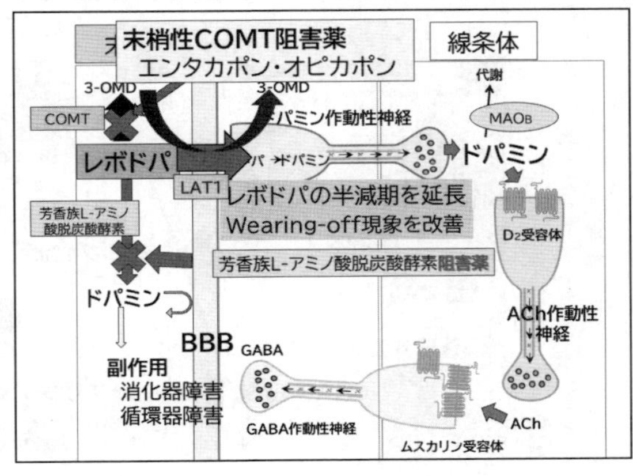

【適用】レボドパ・カルビドパ又はレボドパ・ベンセラジド塩酸塩との併用によるパーキンソン病における症状の日内変動（wearing-off 現象）の改善。

【副作用】悪性症候群、横紋筋融解症、突発的睡眠、傾眠、幻覚、幻視、幻聴、錯乱など

（2） アデノシンA_{2A} 受容体遮断薬

イストラデフィリン Istradefylline

【作用機序】アデノシン A_{2A} 受容体は、線条体、淡蒼球外節、側坐核などに限局しており、線条体から淡蒼球外節に投射している間接路の GABA 作動性ニューロンの軸索や神経終末に促進的な調節を担っている。このニューロンには、ドパミン D_2 受容体も存在しこちらは抑制的な調節を担っている。黒質線条体ドパミン作動性ニューロンの変性脱落によりドパミン遊離が減少すると、A_{2A} 受容体と D_2 受容体による GABA ニューロンの調節機構のバランスが崩れて GABA の遊離が亢進し、それが黒質網状部／淡蒼球内接に運動抑止としてインプットされる。これが wearing-off 現象発現に関与している。イストラデフィリンは、アデノシン A_{2A} 受容体に高い親和性を有するアンタゴニストであり、A_{2A} 受容体へのアデノシンの結合を阻害し、ドパミン神経の変性・脱落による間接路 GABA 作動性ニューロンの過剰興奮を抑制する。それにより、間接路の神経のシグナル伝達を正常な状態に近づけ、運動症状を改善する。

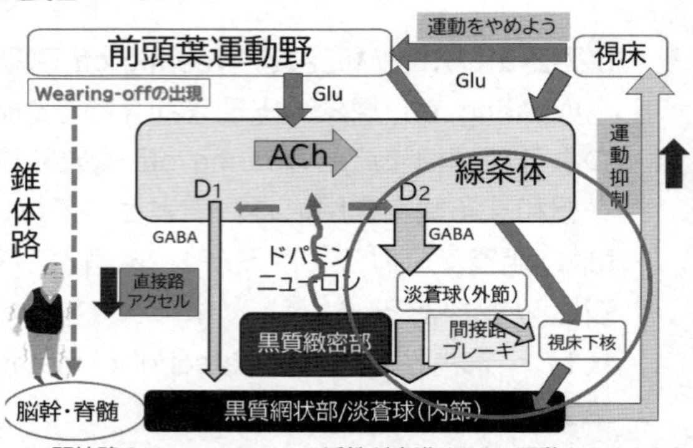

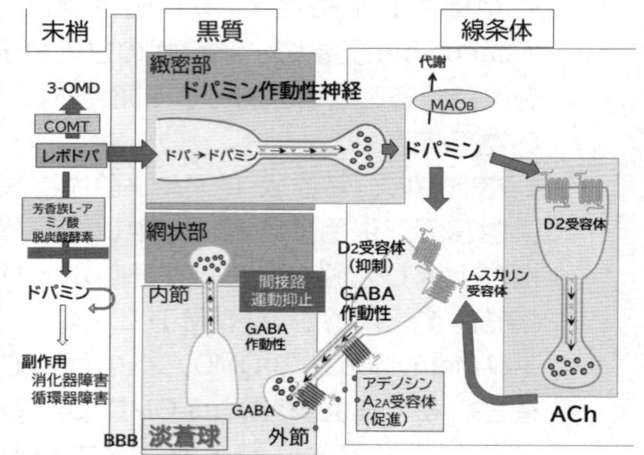

間接路のGABAニューロンの活性が亢進すると、運動をやめようという指令が強くなってWearing-off が発現する。

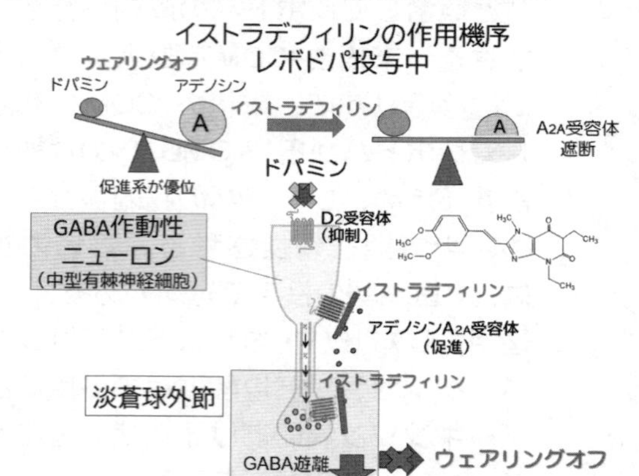

【適用】レボドパ含有製剤で治療中のパーキンソン病における wearing-off 現象の改善

【副作用】幻視、幻覚、妄想、せん妄不安障害、うつ病、被害妄想、衝動制御障害

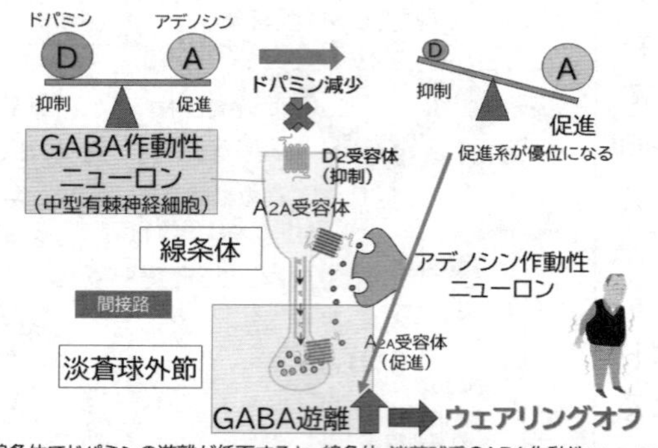

線条体でドパミンの遊離が低下すると、線条体-淡蒼球系GABA作動性ニューロンにおいてドパミン（抑制）とアデノシン（促進）とのバランスが崩れ間接路のGABAニューロンの活動が亢進する

イストラデフィリンの作用機序
レボドパ投与中

5-7-2-4　ドパミンアゴニスト　Dopamine agonists　（ドパミン受容体刺激薬）

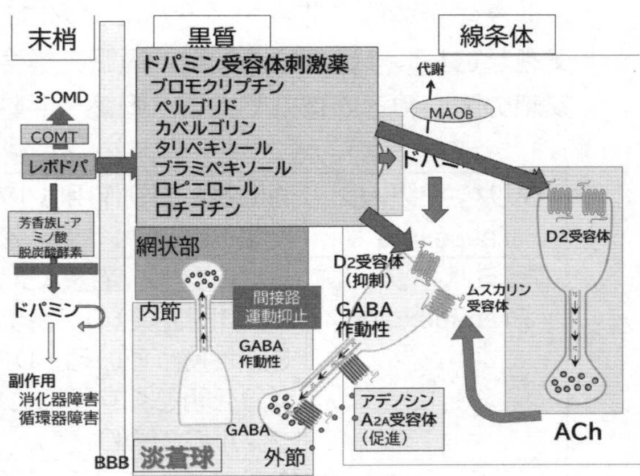

レボドパによる薬物治療では、前述のように長期使用により不随意運動（ジスキネジア）や症状の日内変動が起きるなどの運動合併症が発現するため、最近は、パーキンソン病初期治療薬として合併症を発症しないドパミンアゴニストを使うようになってきている。ドパミンアゴニストは、ジスキネジアなどの付随運動を惹起しないので、本薬物で治療を始めることにより、レボドパの使用を先送りし、レボドパによる運動合併症の出現をできる限り遅らせることができるようになった。

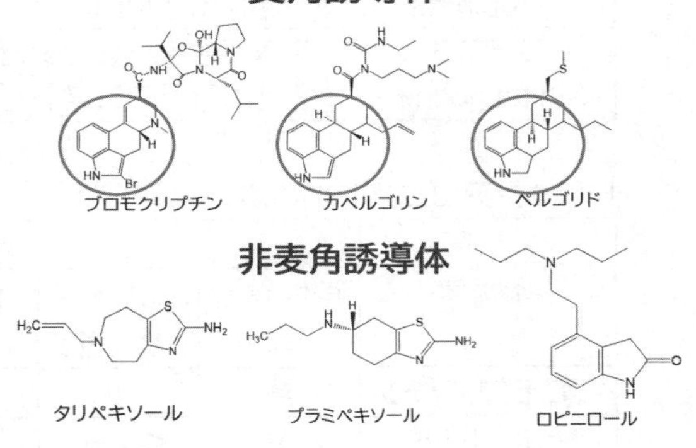

【作用機序・薬理作用】持続的なドパミン受容体刺激作用を有し、主に線条体シナプス後部に存在するドパミン D_2 受容体を直接刺激してシナプス後部の活動を亢進させ、抗パーキンソン病作用を示す。ドパミン受容体に直接作用するため、黒質－線条体系ドパミンニューロンの変性の程度とは無関係に作用が発現する。ドパミン受容体刺激薬の効果は、レボドパよりは弱いが、抗コリン薬やアマンタジンよりは強い。ドパミン受容体刺激薬は、ブロモクリプチンなどの麦角誘導体とロピニロールなどの非麦角誘導体に分類されている。

【利点】レボドパによる長期にわたる治療でのドパミン受容体増加による不随意運動の出現リスクを減ずる。

1）麦角誘導体

麦角誘導体（麦角系ドパミン受容体刺激薬）は、消化器系の副作用を発現しやすい。また、心エコー検査により、心臓弁尖肥厚、心臓弁可動制限およびこれらに伴う狭窄等の心臓弁膜の病変が確認された患者およびその既往のある患者には、禁忌である。

ブロモクリプチン Bromocriptine	高齢でない限り、早期の比較的軽い症状には、ファーストチョイスとして用いられることが多い。高プロラクチンによる排卵障害や乳汁漏出症などの治療にも適用がある。
ペルゴリド Pergolide	ドパミン D_1 および D_2 両受容体に作用する。ドパミン受容体増加による不随意運動の出現を減ずる。レボドパよりは効果は弱いが、抗コリン薬やアマンタジンよりは強い。
カベルゴリン Cabergoline	作用時間が長く、１日１回の内服で症状の変動を抑えることができる。副作用は比較的少ない。

2）非麦角誘導体

非麦角誘導体（非麦角系ドパミンアゴニスト）は、消化器系の副作用は少ないが、眠気を起こしやすいため、突発的睡眠、極度の傾眠に注意が必要である。夜間不眠患者や不安感の強い患者に有効である。固縮・無動には非常に有効、振戦には効果が劣る。

タリペキソール Talipexole	消化器系の副作用は少ないが、眠気を起こしやすい。 夜間不眠の患者や不安感の強い患者に有効。
プラミペキソール Pramipexole	ドパミン D_2 受容体ファミリー（D_2、D_3、D_4）に対し高い親和性を示すが、D_1 および D_5 受容体に対する親和性はほとんどない。神経保護作用も併せ持っている。D_3 受容体への親和性が特に高く.不安感を解消し、気分を明るくすることが知られているが、不安を感じないがためにギャンブルにのめり込む、いわゆる病的賭博を起こすことがある。
ロピニロール Ropinirol	中枢性ドパミン D_2 受容体系に高い親和性を示すが D_1 受容体系には親和性を示さない。
ロチゴチン Rotigotine	すべてのドパミン受容体サブタイプ（D_1 ～ D_5）に対して高い結合親和性およびアゴニスト活性を示す。

ドパミンアゴニストの特徴

薬物名	ドパミンアゴニストの特徴				
	消化器症状	眠気・突発性睡眠	幻覚・妄想	肺胸膜線維症・心臓弁膜症	D3/D2比
ブロモクリプチン	多	少	やや少	報告有り	2
ペルゴリド	多	やや少	やや多	報告有り	5
カベルゴリン	多	少	やや少	報告有り	−
タリペキソール	少	多	やや多	きわめて稀	16
プラミペキソール	少	やや多	やや多	きわめて稀	63
ロピニロール	少	やや少	やや少	きわめて稀	20

ドパミンのD3/D2比＝20　　麦角誘導体特有の副作用としてレイノー病がある。

薬物名	性状	D_2 ﾌｧﾐﾘｰ			D1 ﾌｧﾐﾘｰ	
		D_2	D_3	D_4	D_1	D_5
ブロモクリプチン	麦角	++	++	+	−	+
ペルゴリド	麦角	+++	+++	+	+	+
カベルゴリン	麦角	+++	?	?	0	?
プラミペキソール	非麦角	++	++++	++	0	?
ロピニロール	非麦角	++	++++	+	0	0

?: 不明、－：抑制、0：作用なし

【副作用】

胃腸症状：悪心・嘔気・嘔吐（重症の場合末梢性制吐薬のドンペリドンを併用する)、

食欲不振、胃部不快感等
精神症状：幻覚・妄想、めまい・ふらつき、ジスキネジア
循環器症状：立ちくらみ、低血圧
前兆のない突発的睡眠および傾眠等（非麦角系）、悪性症候群

【その他の作用】

内分泌系に対する作用

1）プロラクチン分泌抑制作用

下垂体前葉の D_2 受容体に作用してプロクチン分泌を抑制し、産褥時の生理的な乳汁分泌あるいは種々の病態における乳汁漏出（高プロラクチン血症）を抑制する。産褥性乳汁分泌抑制、乳汁漏出症、高プロラクチン血性排卵障害 、高プロラクチン血性下垂体腺腫（外科的処置を必要としない場合に限る） に用いる。

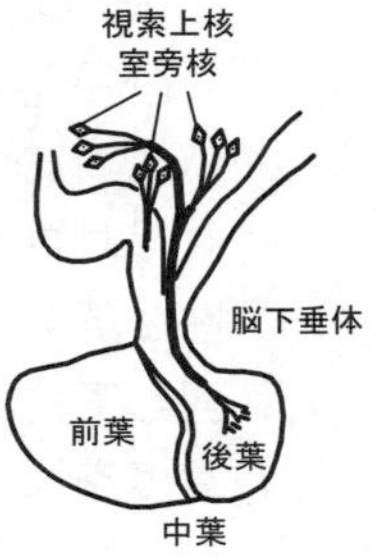

2） 成長ホルモン分泌抑制作用

健常人では成長ホルモン分泌を促進するが、末端肥大症患者にみられる過剰分泌は抑制する。末端肥大症、下垂体性巨人症に用いる。

ドパミンアゴニストとレストレスレッグス症候群

レストレスレッグス症候群（通称：むずむず脚症候群）は、脚に不快な感覚が起こり動かしたくなる、安静にした方が症状が強くなり脚を動かすと症状が軽くなる、夕方～夜にかけて症状が強くなると言った特徴がある。原因が明らかではない特発性レストレスレッグス症候群と二次性レストレスレッグス症候群（鉄欠乏性貧血や透析などによる）に分けられる。病因は明らかではないもののレボドパやドパミン受容体刺激薬を投与すると改善し、中枢性ドパミン受容体遮断薬投与により悪化することからドパミンと D_2 受容体が関与すると考えられており、ロチゴチンおよびプラミペキソールには、パーキンソン病以外に中等度から高度の特発性レストレスレッグス症候群に適用が認められている。

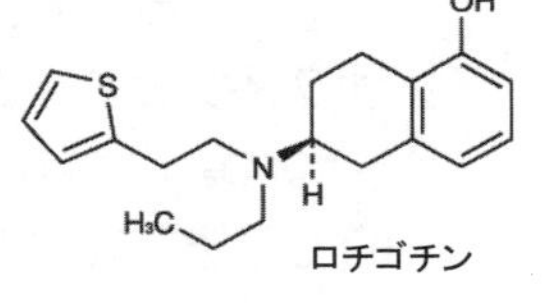

ロチゴチン

5　ドパミン放出促進薬

アマンタジン　Amantadine

【作用機序】ドパミンの放出促進作用・再取り込み抑制作用・合成促進作用によりドパミン作動ニューロンの活動を亢進し、シナプス間隙のドパミン量を増加させることにより効果を示す。

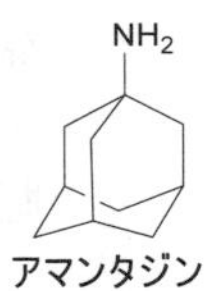

アマンタジン

【その他の作用】

脳代謝改善作用：脳梗塞後遺症に伴う意欲・自発性低下の改善、A 型インフルエンザウイルス感染症；感染初期にウイルスの脱殻の段階を阻害し、ウイルスのリボヌクレオプロテインの細胞核内への輸送を阻止する。

【副作用】悪性症候群、消化器症状

6　MAO（モノアミン酸化酵素）B 阻害薬

セレギリン　Seregiline、ラサギリン Rasagiline

【作用機序】神経細胞から遊離されたドパミンの一部は MAO によって分解される。MAO には A 型と B 型のタイプがあるが、ドパミンは主に MAO_B によって分解される。MAO_B 阻害薬は、線条体で MAO_B を阻害し、内因性ドパミンおよび投与したレボドパから生成したドパミンの分解を抑制する。セレギリンとラサギリンは、MAO_B に高度な選択性が認められ、非可逆的に MAO_B を阻害して線条体のシナプス間隙でドパの濃度を高める。単独治療、またはレボドパ併用で用いられている。

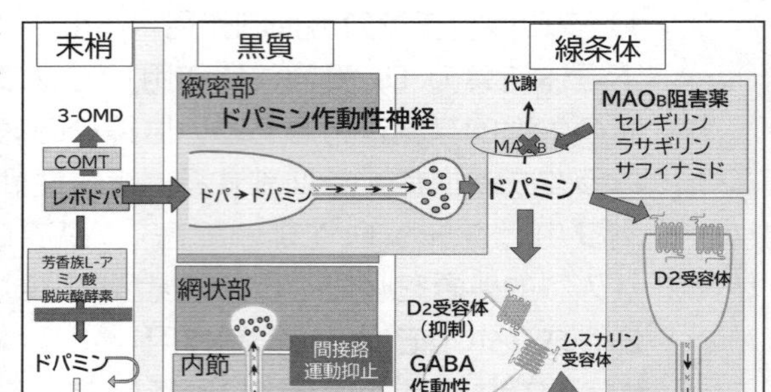

【適用】パーキンソン病

【副作用】　ジスキネジア、幻覚、妄想、錯乱、せん妄、悪性症候群

サフィナミド　Safinamide

MAO_B に高度な選択性を示す阻害薬であるが、作用は可逆的である。非ドパミン作動性作用である電位依存性 Na^+チャネル阻害によるグルタミン酸放出抑制作用を併せ持つ。
レボドパ含有製剤の投与量又は投与回数の調節を行っても wearing-off 現象が認められる患者に対して使用する。

【適用】レボドパ含有製剤で治療中のパーキンソン病における wearing-off 現象の改善。

【副作用】幻覚等の精神症状、衝動制御障害（病的賭博、病的性欲亢進、強迫性購買、暴食等の衝動障害）、セロトニン症候群 、悪性症候群

> **モノアミンオキシダーゼ （MAO）の種類とその阻害薬**
> MAO は神経内だけでなく、神経細胞外にも存在するが、カテコラミン代謝で重要なのは神経内に存在する MAO_A である。MAO_A はノルアドレナリンやセロトニンを基質とし、クロルジリンやハルマリンで特異的に阻害される。一方 **MAO_B は、細胞外でのドパミンやチラミンの分解に関与**し、セレギリン等で特異的に阻害される。

7　ドロキシドパ　Droxydopa（ノルアドレナリンの補充）

（L-threo-dihydroxyphenylserine　L-threo-DOPS）

経過の長い症例では、歩行開始時に足がスムーズにでないすくみ現象（すくみ足）がにしばしば認められる。すくみがレボドパの切れている時間帯、即ち off 時に主に出現するのか、それとも on 時にも出現するのかによって対応は異なるが、経過の長い症例ではノル

アドレナリンの合成能が低下するために、すくみ現象が出ると考えられている。

【作用機序】 ドロキドパは、人工的なノルアドレナリンの前駆物質で、投与すると生体内に広く存在する芳香族 L-アミノ酸脱炭酸酵素により、ドパミンを経由せずに直接 *l*-ノルアドレナリンに変換される。無動症、特に**すくみ現象である**フリージング（すくみ足、その他上肢のすくみ、言葉のすくみ）に著効を示す。

【副作用】 消化器症状、幻覚、妄想

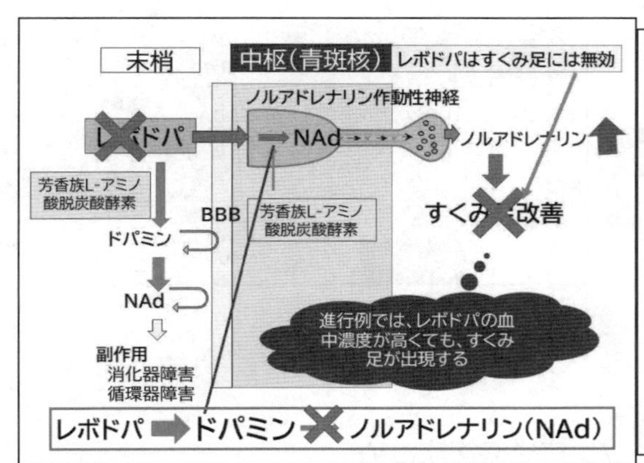

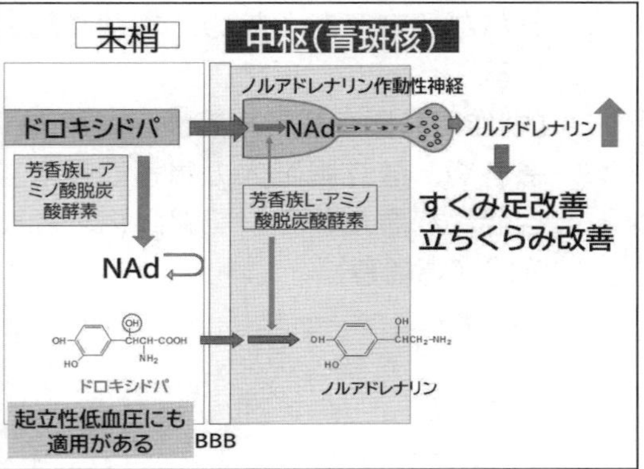

8　ゾニサミド　Zonisamide

パーキンソン病の患者がてんかん発作を発症したので、その治療のためにゾニサミド 300mg を処方したところ、てんかん発作も消失したが、同時にパーキンソン症状が著明に改善した。それまで、立ち上がり、歩行などに介助が必要であったのが、トイレもお風呂もゆっくりながらすべて一人でできるようになった。その後、用量の低い製剤（商品名：トレリーフ）でパーキンソン病にも適応を拡大した。抗てんかん薬の場合の商品名は、エクセグラン。

ゾニサミド

【作用機序】 チロシン水酸化酵素 mRNA 発現増加をともなうドパミン合成亢進と中等度のモノアミン酸化酵素阻害作用が明らかにされている。さらにゾニサミドは各種パーキンソン病モデルで神経保護効果を示したとの報告もある。

【副作用】 体重減少、眠気、食欲不振、発疹、幻覚、精神症状の悪化、転倒

9　中枢性抗コリン薬

トリヘキシフェニジル Trihexyphenydyl、ビペリデン Biperidene

トリヘキシフェニジルが治療に用いられるようになったのは、1949 年でレボドパの適用（1960 年以降）よりも古い。

トリヘキシフェニジル　　ビペリデン

【作用機序】 ドパミンニューロンの変性脱落で、相対的に高まった線条体のコリン作動性神経の活動を抑制することにより、抗パーキンソン効果を発現する。効果はレボドパの少量またはアマンタジンと同程度である。振戦・固縮に対しての抑制作用が強く、無動には効果が弱い。

【薬理作用】 パーキンソン病に対しては補助的な使用が多い。認知症のない非高齢者で、振戦が強い症例などで用いることがある。高齢者では認知症状が出やすい。末梢の抗コリン作用としての平滑筋弛緩、分泌抑制、散瞳などを認めるが、いずれもアトロピンより弱い。向精神薬投与による薬剤性パーキンソニズム・ジスキネジア（遅発性を除く）に対してはレボドパが無効であるため、本薬が用いられる。

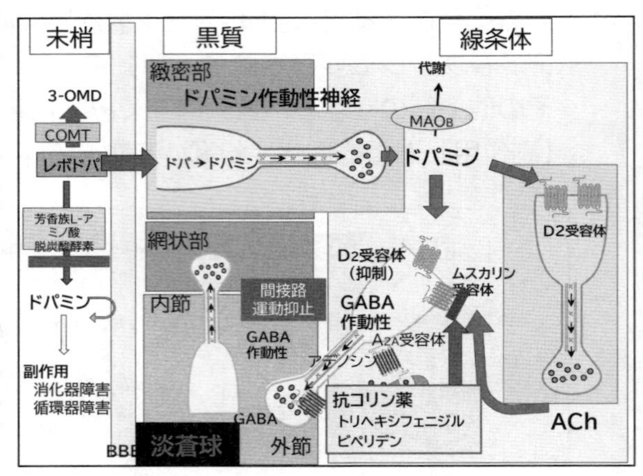

【副作用】 副交感神経遮断症状緑内障の患者や、前立腺肥大の患者に投与すると症状が悪化する。記銘障害、認知症症状（高齢者）

パーキンソン病治療薬まとめ

A　パーキンソン病治療薬　　　B　Wearing off 改善薬

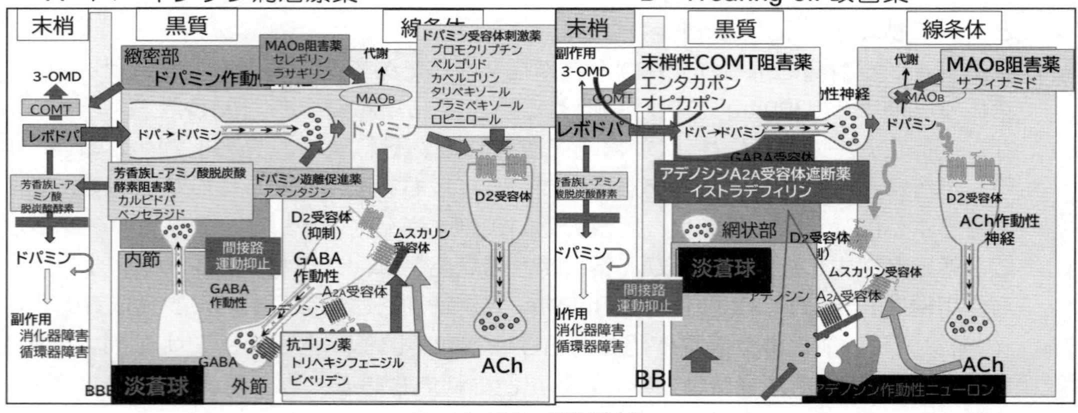

C　すくみ足改善薬

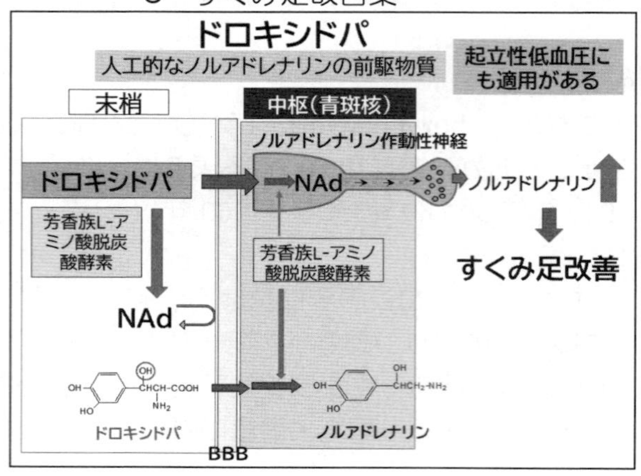

MPTP：1-メチル-4-フェニル-1,2,3,6-テトラヒドロピリジン
（1-methyl-4-phenyl-1,2,3,6-tetrahydropyridine）

MTPT は、純度の低い合成麻薬の副産物である。1982 年にアメリカの若年性パーキンソン病の男性患者を診察した医師ラングストンは、患者の妹も同様な病状であったことから、この二人の症例を不審に思った。調べてみると彼らは、合成麻薬であるペチジンの乱用者で、その中に MPTP が混入していることを突き止めた。この MPTP は、薬物乱用者パーキンソニズムの原因となっていたわけだが、皮肉にもこの物質がパーキンソン病解明の足がかりにもなっている。また、環境物質として取り込まれる物質によってパーキンソン病が引き起こされる可能性も考えられるようになった。しかしながら、特発性のパーキンソニズムの原因はまだ明らかとなっていない。

petidine
$COOCH_2CH_3$
$N—CH_3$
MPTP
$N—CH_3$ → MPP^+ $N^+—CH_3$
MPTP が MAO_B によって酸化された物質で、この MPP^+ が毒性を示す。

5-8 認知症治療薬（アルツハイマー病）薬、脳梗塞治療薬、脳代謝改善薬
Drugs Acting on Dementia and Affecting on the Cerebral Metabolism

5-8-1　認知症とその治療薬 Drugs Acting on Dementia

記憶とは

感覚、知覚した内容を記銘し（record）、記銘されたものを保持し（storage）、必要に応じて引き出して想起する（recall）という 3 つの精神活動を総括して記憶（memory）という。記憶の機序については、古くから古皮質の海馬と新皮質の側頭葉が重要な働きをしていることがわかっているが、近年の脳科学の進歩により記憶に関する様々な知見が得られつつある。

認知症の原因となる疾患：アルツハイマー病、レビー小体型、前頭側頭型などの変性疾患や、脳血管障害、感染性疾患（クロイツフェルトヤコブ病など）、外傷性疾患（脳挫傷）、中毒性疾患、代謝性疾患などがある。

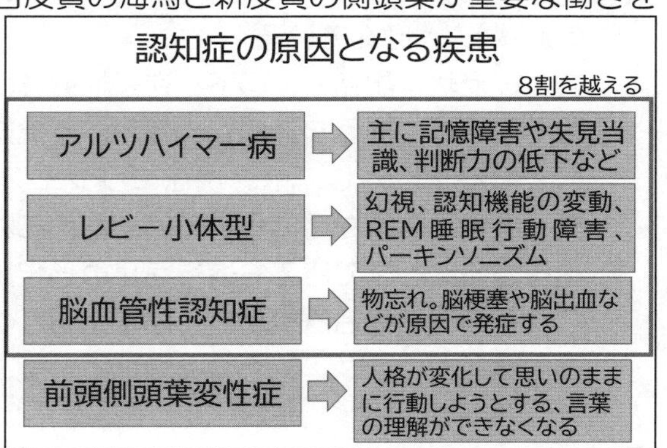

5-8-1-1　アルツハイマー病の病態

【病因】不明原因としては、遺伝、環境および生活習慣などの複数の因子が絡み合っていると考えられる。

【特徴】

1　神経原線維変化

変性した神経にみられる線維束構造物で老人斑の変性突起内部に高濃度に存在する。

2　老人斑

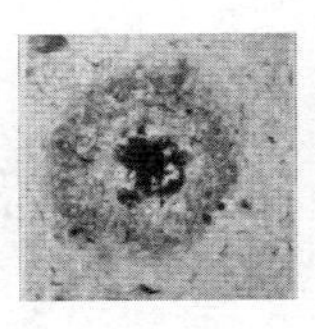

神経細胞の変化がまだみられない時期に、凝集性が高いアミロイドβタンパク質（Aβ、41-42 残基からなるポリペプチド）が、脳内の神経細胞の外に蓄積する変化。大脳辺縁系である海馬、海馬傍回を中心とする側頭葉内側面と大脳皮質の連合野に多く存在する。

3　アミロイドβタンパク質 Aβ の脳血管への沈着

Aβ が脳血管に沈着しアミロイドアンギオパチーを形成する。

【所見】進行により、前脳基底層、大脳皮質やその他の脳野の細胞の脱落をきたす。コリン作動性ニューロンとその標的神経細胞がおかされ、特に、初期ではマイネルト基底核からのコリン作動性神経の脱落が認められる。脳溝や脳室は拡大し、脳は萎縮する。

【認知症の経過】記憶障害が緩徐に進行するが、古い記憶はかなり後まで保たれる。病状の進行に伴い人格が崩壊する。

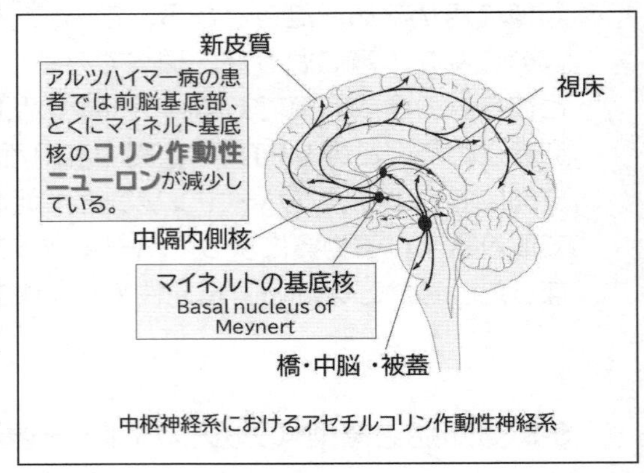

中枢神経系におけるアセチルコリン作動性神経系

5-8-1-2　アルツハイマー病（アルツハイマー型認知症）治療薬

アルツハイマー病の症状は、中核症状と周辺症状（Behavioral and psychological Symptoms of Dementia, BPSD）に大別される。中核症状と周辺症状を合わせて、「認知症症状」と呼んでいる。

①中核症状：記銘力の低下、逆行性健忘、失見当識、実行機能障害など

②周辺症状：抑うつ、幻覚、妄想、不機嫌、興奮、譫妄など

上記症状に対しては、現在コリンエステラーゼ阻害薬とグルタミン酸 NMDA 受容体チャネル阻害薬が用いられているが、これらの薬物は、アルツハイマー病の病態の進行を遅らせることはできても進行を止める作用は有していない。また、周辺症状の改善には、これらの認知症治療薬だけでは不十分なケースもあり、チアプリドや抑肝酸、非定形抗精神病薬などのほか、抗うつ薬や抗不安薬、睡眠薬などが用いられる。

1　アセチルコリンエステラーゼ阻害薬

ドネペジル　Donepepezil（アリセプト）、**ガランタミン　Galantamine、**
リバスチグミン　Rivastigmine

ドネペジル　　ガランタミン　　リバスチグミン

【作用機序】　アルツハイマー型認知症では、脳内コリン作動性神経系の顕著な障害が起こる。特に認知症初期では、記憶機能に重要なマイネルトの基底核のアセチルコリン作動性神経の変性脱落が認められる。ドネペジル、ガランタミン、リバスチグミンは、中枢移行性の高いアセチルコリンエステラーゼ阻害薬で、可逆的に本酵素を阻害することにより脳内 ACh 量を増加させ、脳内コリン作動性神経系を賦活する。

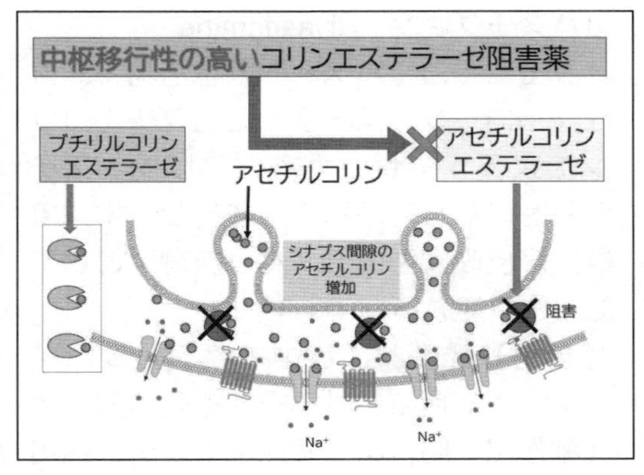

コリンエステラーゼ阻害薬の過量投与は、高度な嘔気、嘔吐、流涎、発汗、徐脈、低血圧、呼吸抑制、虚脱および痙れん等のコリン系副作用を引き起こす可能性がある。筋脱力の可能性もあり、呼吸筋の弛緩により死亡に至ることもあり得る。

【副作用】失神、徐脈、心ブロック、心筋梗塞　悪心・嘔吐、食欲不振、下痢

アセチルコリンエステラーゼ阻害薬 3 種類の特徴

ドネペジル　**Donepepezil**（アリセプト）

アセチルコチンコリンエステラーゼ（AChE）を選択的かつ可逆的に阻害することにより、脳内ACh量を増加させ、コリン作動性神経を賦活する。

【適用】アルツハイマー認知症における認知症状の抑制。　レビー小体型認知症における認知症状の抑制

【副作用】徐脈、心ブロック、心筋梗塞、消化性潰瘍、十二指腸潰瘍、消化管出血など

ガランタミン　**Galantamine**

マツユキソウ（*Galanthus woronowi*）の球茎から単離された第 3 級アルカロイドである。アセチルコリンエステラーゼ（AChE）阻害作用に加えて、ニコチン性アセチルコリン受容体（nAChR）のアロステリック活性化リガンド（allosteric potentiating ligand, APL）として、ACh 結合部とは異なる部位（アロステリック部位）に結合し、ACh による nAChR の活性化を増強する作用も有する。

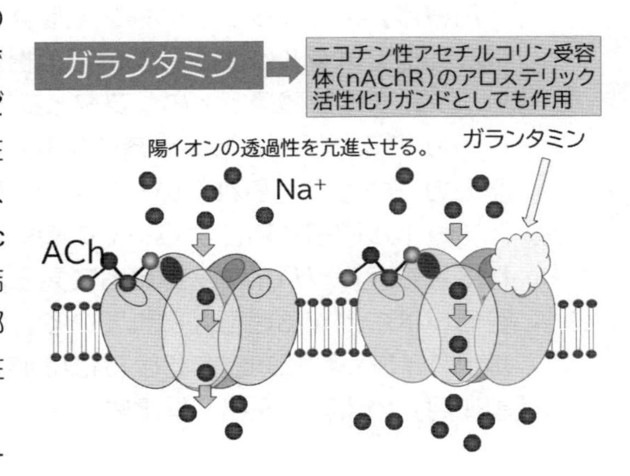

【適用】軽度および中等度アルツハイマー認知症における認知症状の抑制。

【副作用】失神、徐脈、心ブロック、QT 延長、急性汎発性発疹性膿疱症、肝炎、横紋筋融解症など

リバスチグミン　Rivastigmine

フェニルカルバメート系化合物で、アセチルコリンエステラーゼとブチルコリンエステラーゼの両方のコリンエステラーゼに対して阻害作用を持つ。本邦では、経皮吸収型製剤（パッチ剤）として認可されている。

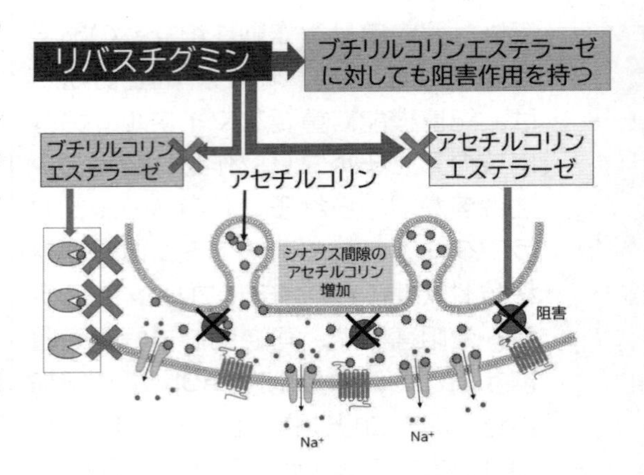

【適用】軽度および中等度アルツハイマー認知症における認知症状の抑制。

【副作用】 貼付薬：適用部位紅斑、適用部位搔痒感

コリンエステラーゼ阻害薬と抗コリン薬との併用

上記のように脳内で ACh を増加させる薬物は、認知障害改善作用を示すが、逆に中枢に移行する抗コリン薬（例：トリヘキシフェニジルやビペリデン）は、特に高齢者の認知機能を低下させることが多い。高齢者が何らかの薬物治療を初めてから、認知症状が現れた場合には、治療薬の中に主作用または副作用において抗コリン作用がある薬物があるかどうかをチェックした方がよい。抗コリン薬は、認知障害以外にも転倒事故や全死因死亡率を増加させるとの報告もある。上記のコリンエステラーゼ阻害作用を主作用とする薬物の投与時に抗コリン作用を持つ薬物が併用されれば、当然コリンエステラーゼ阻害作用は減弱するので注意が必要である。中枢神経に作用する多くの薬物が、副作用として抗コリン作用を持っていることを常に頭に入れておく必要がある。

2　グルタミン酸 NMDA 受容体チャネル阻害薬

メマンチン　Memantine

【作用機序】 アマンタジンの構造類似体で、アルツハイマー型認知症ではグルタミン酸神経系の機能異常が関与しており、グルタミン酸受容体のサブタイプである NMDA（N-メチル-D-アスパラギン酸）受容体チャネルの過剰な活性化が原因の一つと考えられている。メマンチンは NMDA 受容体チャネル阻害作用により、その機能異常を抑制する。これによりアルツハイマー病患者で見られる高い神経ノイズを低レベル化すると考えられている。中等度および高度アルツハイマー型認知症における認知症症状の進行を抑制する。

NH_2　NH_2　CH_3　CH_3

アマンタジン　メマンチン

【副作用】 めまい、便秘、体重減、頭痛

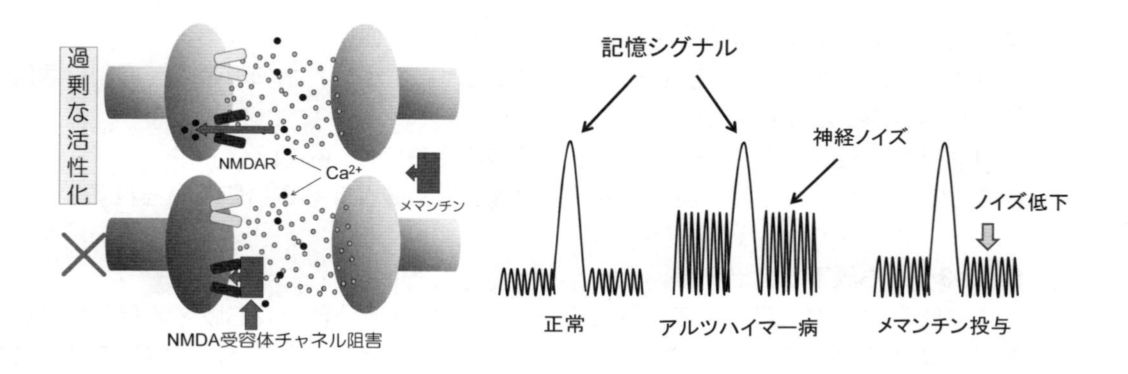

5-8-1-3 レビー小体型認知症に伴うパーキンソニズム治療薬

認知機能の動揺、繰り返し現れる幻視、REM 睡眠行動障害、パーキンソニズムの４つが中核症状として現れる認知症のひとつ。

ゾニサミド　Zonisamide

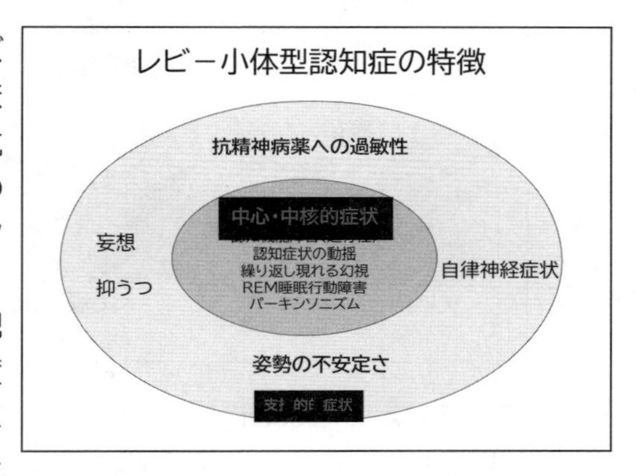

レビー小体型認知症に伴うパーキンソニズムでは、パーキンソン病の運動機能障害とほぼ同様の症状がみられる。ゾニサミドは、抗てんかん薬、パーキンソン病治療薬としての適応に、レビー小体型認知症に伴うパーキンソニズムが効能追加された（2017）。

【作用機序】 チロシン水酸化酵素mRNA 発現増加をともなうドパミン合成亢進と中等度のモノアミン酸化酵素阻害作用が明らかにされている。さらにゾニサミドは各種パーキンソンモデルで神経保護効果を示したとの報告もある。

【副作用】 体重減少、眠気、食欲不振、発疹、幻覚、精神症状の悪化、転倒

5-8-2　脳血管障害治療薬（脳内出血、脳梗塞治療薬）、脳保護薬

5-8-2-1　脳血管障害の分類

1. 頭蓋内出血：脳内出血、くも膜下出血など
2. 脳梗塞：脳血栓症、脳塞栓症、ラクナ梗塞
3. 一過性虚血発作（TIA）

5-8-2-2　頭蓋内出血治療薬（脳内出血治療薬）

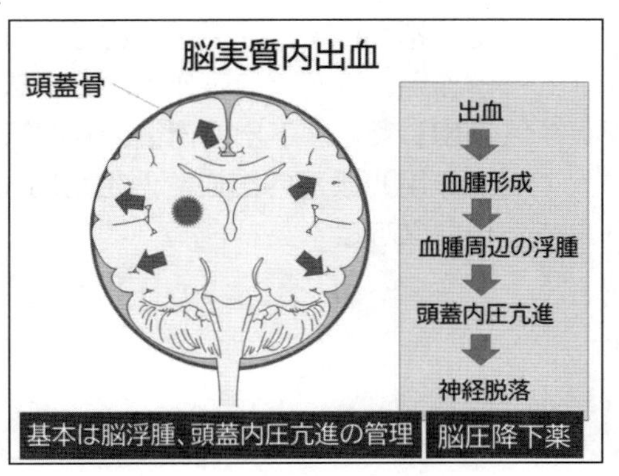

脳内出血は、脳の血管が破れて脳の中に出血し、その血液の塊が脳細胞を圧迫して壊してしまうことで、突然に頭痛、運動麻痺や言葉の障害、意識が悪くなるなどさまざまな症状が出現する。脳内出血のち、被核出血や視床出血が大

部分をしめる。脳内出血の急性期治療は、脳圧降下、血圧管理である。

浸透圧利尿薬　尿細管内の浸透圧を高く保つことによって、水の再吸収を抑制し尿量を増加させる薬物。点滴静注で用いられる。

グリセリン・果糖：頭蓋内圧亢進,頭蓋内浮腫の治療に用いられる。

D-マンニトール：脳圧降下および脳容積の縮小を必要とする場合に用いられる。

5-8-2-3　くも膜下出血治療薬

くも膜下出血は、脳を保護する 3 層の膜（外側から硬膜・くも膜・軟膜）のうち、くも膜と軟膜の間にある、「くも膜下腔」という隙間に出血が起こった状態である。薬物療法は補助的であるが、Rho キナーゼ阻害薬、トロンボキサン合成酵素阻害薬、脳圧降下薬が用いられる。

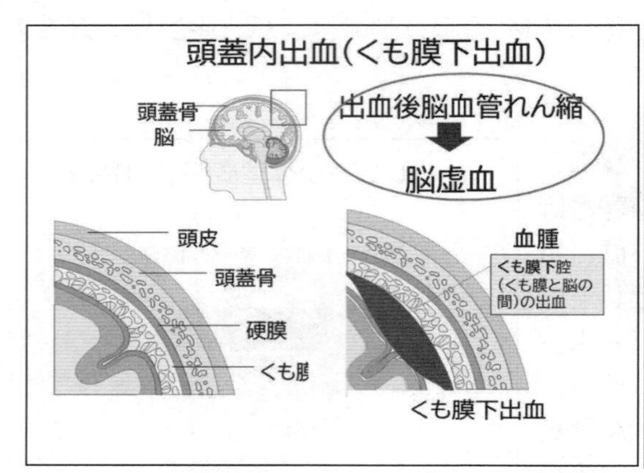

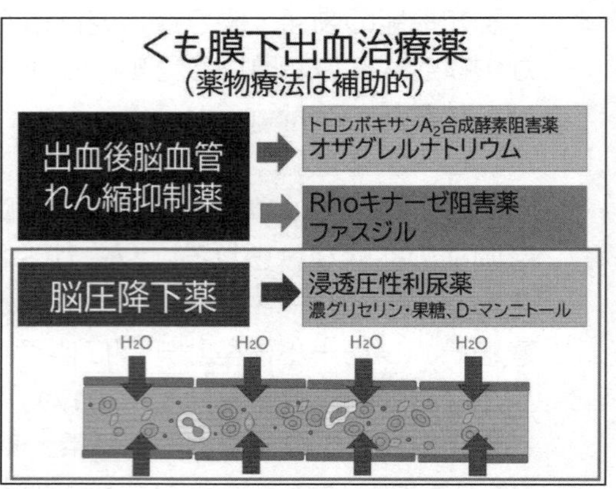

ファスジル　**Fasudil**

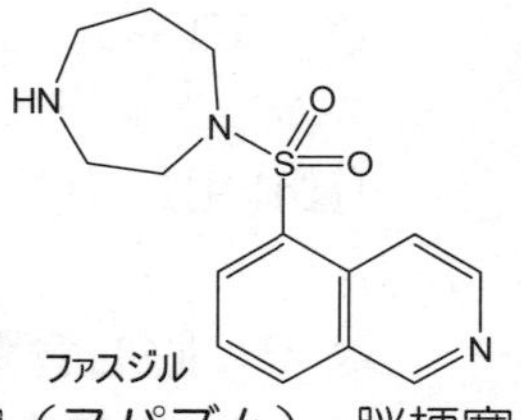

【作用機序】血管平滑筋において、ミオシン軽鎖キナーゼによりミオシン軽鎖（MLC）がリン酸化されると、アクチンとミオシンが重合し、収縮が発生する。Rho キナーゼは、ミオシンの他、様々なタンパク質をリン酸化する酵素で、ミオシン軽鎖脱リン酸化酵素（MLCP）を抑制するため、リン酸化したミオシン軽鎖の減少を抑制している。Rho キナーゼは遅発性脳血管れん縮（スパズム）、脳梗塞、心筋梗塞において血管平滑筋の異常収縮を来すなど、悪玉として働くことが明らかになってきた。ファスジルは、Rho キナーゼを阻害し、Rho キナーゼによって抑制されている MLCP　を活性化させ、血管平滑筋を弛緩させる。脳血管れん縮の予防および緩解作用、脳循環改善作用、好中球浸潤抑制作用、脳梗塞巣発生抑制作用を示す。

【適用】くも膜下出血術後の脳血管れん縮およびこれに伴う脳虚血症状の改善

【副作用】頭蓋内出血、消化管出血、肺出血、鼻出血、皮下出血、ショック 、麻痺性イレウスなど

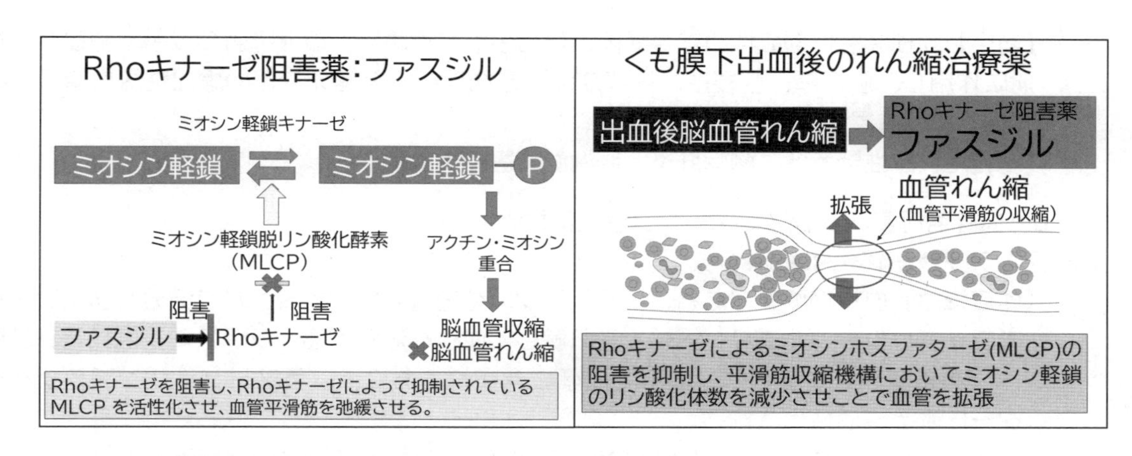

トロンボキサン A_2 合成酵素阻害薬（血小板凝集阻止薬の項参照）

オザグレルナトリウム

トロンボキサン A_2 合成酵素阻害薬で、TXA_2 合成を抑制し、脳血管れん縮およびこれに伴う脳虚血症状を改善する。

5-8-2-4　脳梗塞急性期治療薬

脳梗塞は、アテローム血栓性脳梗塞、心原性脳塞栓症、ラクナ梗塞に分類される。発作後は、詰まった血管のなかで血小板が集まりやすくなり、血液の凝固系の働きも活発になる。そのため、血液中のフィブリンが血栓の周囲を覆うようになり、血栓がますます大きくなっていく。また、脳梗塞の発作後は、脳浮腫が出現し、2～4日後にピークに達する。脳浮腫が強いと脳圧が高くなり、生命が危なくなる場合もある。脳梗塞の治療薬は急性期治療薬と慢性期治療薬に分類され、急性期治療薬は右図の様な薬物が用いられる。

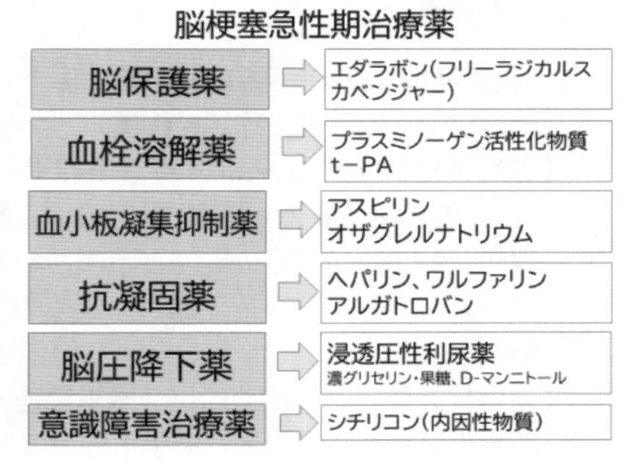

（1）急性期治療薬

A　脳保護薬　フリーラジカルスカベンジャー　Free radical Scavenger

エダラボン edaravone

【作用機序】 ハイドロキシラジカル（・OH）等のフリーラジカルが虚血に伴う脳血管障害の主要な 1 因子で、細胞膜脂質の不飽和脂肪酸を過酸化することにより、細胞膜障害ひいては脳機能障害を引き起こす。エダラボンは、フリーラジカルを消去し脂質過酸化を抑制する作用により、脳細胞（血管内皮細胞・神経細胞）の酸化的障害を抑制する。

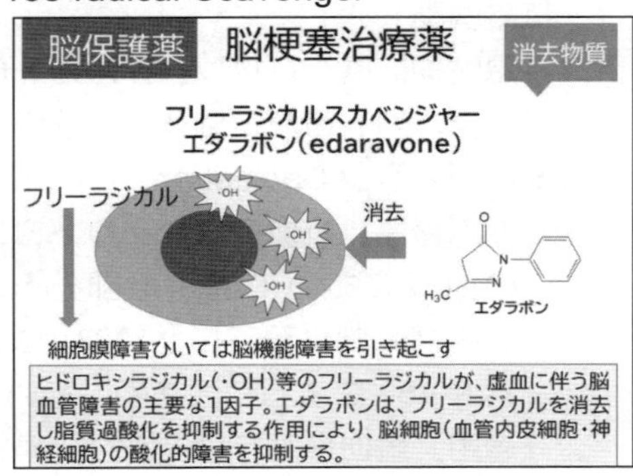

【適用】脳梗塞急性期に伴う神経症候、日常生活動作障害、機能障害の改善（脳梗塞急性期に作用し、脳浮腫、脳梗塞、神経症候、遅発性神経細胞死などの虚血性脳血管障害の発現および進展（増悪）を抑制する）

【副作用】急性腎不全、劇症肝炎、肝機能障害、黄疸

B　血栓溶解薬　プラスミノーゲン活性化物質

アルテプラーゼ　Alteplase

【作用機序】血栓溶解薬である。プラスミンは線溶系に属するタンパク質分解酵素の一種でフィブリンやフィブリノーゲンを分解して血栓を溶解する。プラスミンは通常、前駆体であるプラスミノーゲンの形で血漿に含まれており、プラスミノーゲンアクチベーターによって活性化される。

【適用】脳梗塞：発症から 4.5 時間以内の可能な限り早期に治療開始する。

C　脳圧降下薬

脳梗塞になると、血管が詰まった場所あるいはその周囲に、水分がたまり、脳浮腫を起こす。重篤な脳浮腫では、骨に囲まれた脳内の圧（脳圧）が高まって重要な脳の組織が圧迫され、生命にかかわる。

濃グリセリン・果糖溶液、D-マンニトール

点滴すると血液の浸透圧が高くなり、脳にたまった水分を血管の中へ誘導し、むくみを軽減させる。

D　脳梗塞急性期の意識障害治療薬

シチコリン（内因性生理活性物質）

【作用機序】上行性網様体賦活系促進（意識水準上昇）、錐体路系促進（運動機能亢進）、脳血流改善、脳内ドパミン増加等の関与が示唆されている。グルコースの脳内取込みを促進し、乳酸の脳内蓄積を抑制する。

【適用】頭部外傷や手術に伴う意識障害、脳梗塞急性期意識障害、脳卒中片麻痺患者の上肢機能回復促進

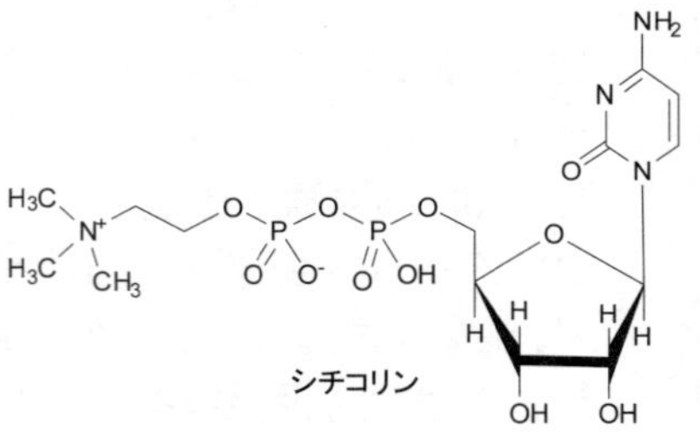

シチコリン

抗凝固薬・抗血栓薬・血小板凝集抑制薬（血液に作用する薬物の項参照）

抗凝固薬

急性期には**ヘパリン**、**アルガトロバン**が用いられる。ヘパリンはアンチトロンビン依存的、アルガトロバンは非依存的に抗凝固作用を示す。

ダビガトラン Dabigatran

【作用機序】**抗血栓薬**でありトロンビンの活性を特異的に阻害し抗血栓作用を示す。ヒトの血漿において活性化部分トロンボプラスチン時間（APTT）、エカリン凝固時間（ECT）およびプロトロンビン時間（PT）を濃度依存的に延長させる。肝薬物代謝酵素 P-450 による代謝を受けない。

【適用】虚血性脳卒中および全身性塞栓症の発症抑制

【副作用】出血（消化管出血、頭蓋内出血等）、間質性肺炎

血小板凝集抑制薬：アスピリン、オザグレルナトリウム

5-8-2-5　脳梗塞慢性期治療薬（脳循環・脳代謝改善薬）

脳循環を改善し、脳への栄養や酸素を送りやすくすることや脳の代謝を改善させることで脳梗塞や脳出血後のめまいや意欲の低下などを改善する薬物や、意識障害や錐体路系促進により、意識の改善や運動機能亢進に用いられる薬物である。

1　脳循環改善薬

イフェンプロジル Ifenprodil

【作用機序】血管平滑筋弛緩作用とα_1受容体遮断により、脳全体または、病巣部局所の血流を増加させる。血小板凝集抑制作用も有する。ミトコンドリアの呼吸賦活作用などによる脳代謝改善作用も示唆されている。

イフェンプロジル

【適用】脳梗塞後遺症、脳出血後遺症に伴うめまいの改善

ニセルゴリン　Nicergoline

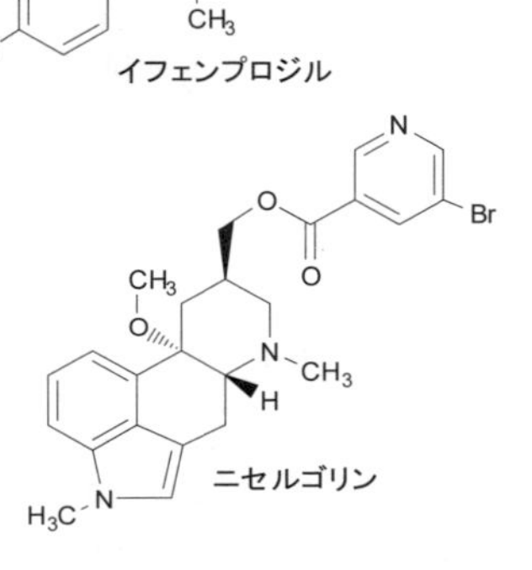

ニセルゴリン

【作用機序】エステル型麦角アルカロイド誘導体であり、脳血管障害患者における内頸動脈および骨動脈の血流量増加作用および虚血. 病巣部の血流増加作用が認められている。

【適用】　脳梗塞後遺症に伴う慢性脳循環障害による意欲低下の改善

イブジラスト　Ibudilast

プロスタサイクリン（PGI2）の血管平滑筋弛緩作用を増強し、脳血流改善作用、抗血小板凝集作用を示す。慢性脳梗塞患者の広義のめまい、ふらつ、立ちくらみを改善する。また、気管支ぜん息における気道過敏性の改善、 気道炎症および気道れん縮の抑制効果を有する。

イブジラスト

【適用】　脳梗塞後遺症の慢性脳循環障害によるめまいの改善

2　脳代謝改善薬

アマンタジン　Amantadine

【作用機序】**ドパミンの放出促進作用**・再取り込み抑制作用・合成促進作用によりドパミン作動ニューロンの活動を亢進し、シナプス間隙のドパミン量を増加させることにより脳代謝を改善する。パーキンソン病治療薬としても用いられる。

アマンタジン

【適用】脳梗塞後遺症に伴う意欲・自発性低下の改善

【副作用】悪性症候群（Syndrom malin）、消化器症状

プロチレリン　Protirelin

【薬理作用】甲状腺刺激ホルモン放出ホルモンの誘導体で、 脳エネルギー代謝改善作用を示すので、脳血管障害などの際の意識障害等に用いられる。

5-9　中枢性筋弛緩薬　Central muscle reluctants

5-9-1　中枢性筋弛緩薬総論

骨格筋をコントロールする上位神経としては、延髄錐体を通る錐体路（pyramidal system）と錐体を通らない錐体外路（extra pyramidal system）がある。これらの神経路は、脊髄前角の運動ニューロンを調節している。骨格筋の緊張を支配している中枢神経機構に選択的に働いて、筋弛緩作用を引き起こす薬物を中枢性筋弛緩薬という。主として脊髄における多シナプス反射の経路を抑制して筋弛緩を起こす。

【適用】痙性麻痺、筋痙縮、頸肩腕症候群、腰痛症

運動ニューロンは、脊髄前核に細胞体があり、軸索は骨格筋へと延びている。骨格筋の筋紡錘からは、脊髄に向かって求心性神経が脊髄後角から脊髄に入り、運動神経に直接（単シナプス経路）または介在ニューロンを介して（多シナプス経路）、間接的に反射経路を形成している。

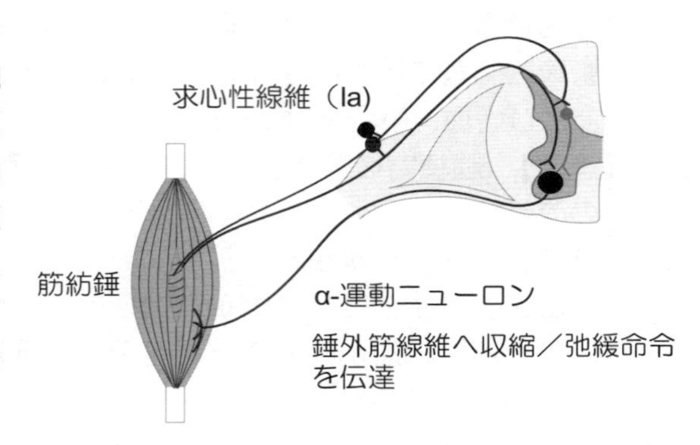

5-9-2　中枢性筋弛緩薬各論

バクロフェン Baclofen

GABA は血液脳関門を通過しないため、脳内に移行できる GABA 関連化合物の開発を目的として GABA の構造にクロルフェニル基を導入してできた薬物。最初の意図に反して、脳内での作用は GABA のそれとは異なっていた。その後バクロフェンは、従来の GABA 受容体すなわち $GABA_A$ 受容体には著しく親和性が低いことが明らかとなり、その後の研究で従来とは異なるタイプの受容体すなわち $GABA_B$ 受容体に結合して作用を発現することが明らかになった。バクロフェンは、$GABA_B$ 受容体の特異的なアゴニストである。

Cl
H_2N　COOH

バクロフェン
$GABA_B$ 受容体の特異的なアゴニスト

【薬理作用】単シナプスおよび多シナプス反射を抑制するが、単シナプス反射の抑制の方が強い。

【副作用】ねむけ、めまい、脱力感

トルペリゾン　Tolpeisone、エペリゾン　Eperizone

アミノケトン化合物で、トルペリゾンは脊髄において単および多シナプス反射を抑制する。動物実験では抗痙れん作用があり、強直性痙れんを強く抑制する。エペリゾンは、単および多シナプス反射抑制とγ - 系を介して筋紡錘の感度を緩和することにより筋弛緩作用を発現するが、それに加え血管平滑筋に対する Ca^{++}拮抗作用と交感神経抑制作用血管を拡張して、血行不良を改善する。

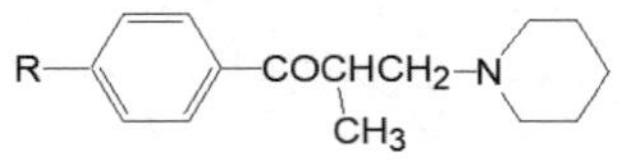

R—(benzene ring)—$COCHCH_2$—N(piperidine)
CH_3

R:CH_3-	Tolpeisone
R:CH_2CH_3-	Eperizone

チザニジン　Tizanidine

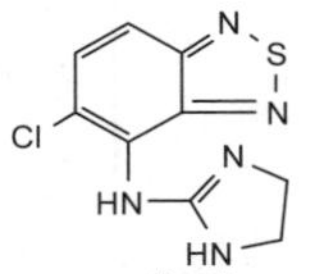

【薬理作用】イミダゾリン誘導体で、α_2アドレナリン受容体に作用する。脊髄多シナプス反射を抑制することに加えて、低用量で疼痛緩和作用がある。

【副作用】ショック、急激な血圧低下、心不全、呼吸障害、肝炎、肝機能障害、黄疸など

チザニジン

ベンゾジアゼピン誘導体

ジアゼパム　diazepam、エチゾラム　Etizolam

【薬理作用】一次反射弓における求心性ニューロンのシナプス前抑制の増強によるものと考えられている。鎮静作用が他の薬物に比べて強いのが短所であるが、筋痙縮に対してはバクロフェンと並んで最も有効である。

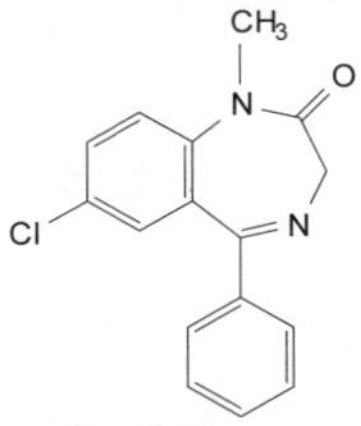

ジアゼパム 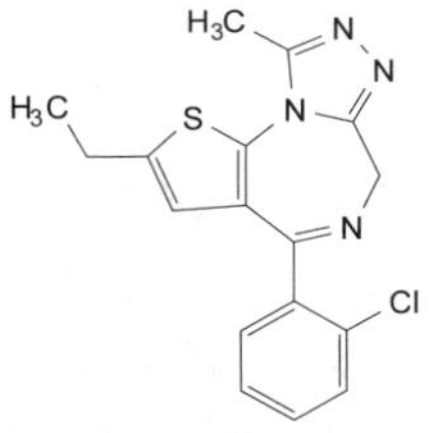　　エチゾラム

その他：クロルゾキサゾン、クロルフェネシンなどがある。

5-10　統合失調症治療薬　（抗精神病薬）　Antipsychotic drugs

5-10-1 統合失調症（schizophrenia）

陽性症状を示しつつ経過し、感情の平板化、思考の貧困、意欲の欠如などの陰性症状が発現し、多くは慢性に経過する精神疾患である。発症の原因として遺伝的素因も関連するものと考えられている。

特徴的症状

陽性症状と陰性症状および認知機能障害からなる。脳の様々な働きをまとめることが難しくなる病気である。

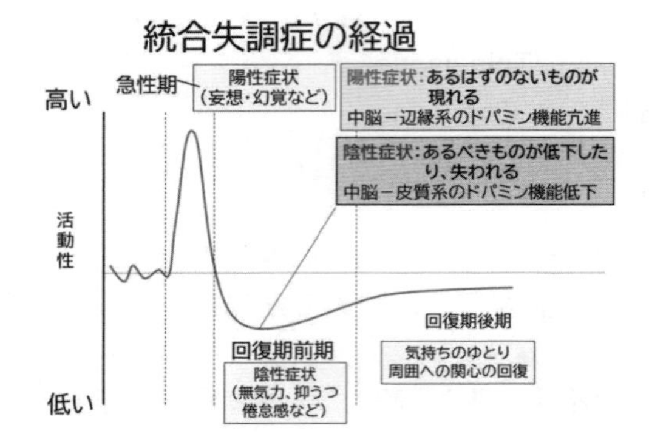

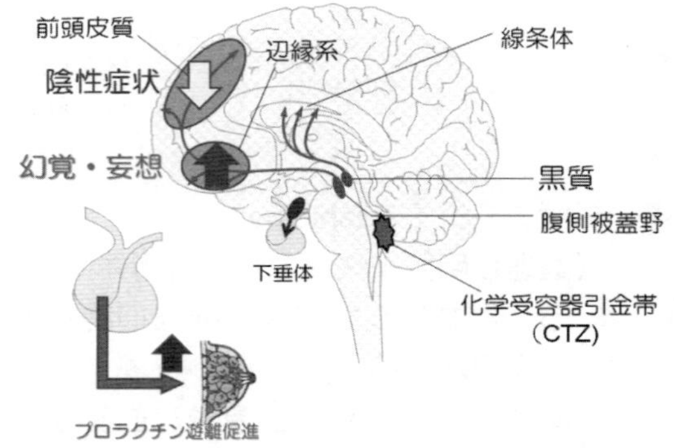

統合失調症におけるドパミン作動性神経系の機能変化

陽性症状

あるはずのないものが現れる。中脳ー辺縁系のドパミン機能亢進（急性期に多い）

妄想：一時妄想（妄想気分、妄想知覚、妄想着想）周囲の世界が何となく変わって見える。外界からの圧力を感じる状態。
二次妄想（被害妄想、関係妄想、追跡妄想、誅殺妄想、恋愛妄想）

幻覚：現実にないものをあると感じる。高頻度に出現し、ほとんどが幻聴、批判的な内容、命令の声

自我意識障害：させられ体験（人に操られている）、妄想伝搬（人に言っていないのに人に伝わったと思いこむ）

思考の障害、解体した会話：（頻繁な脱線または滅裂）、ひどく解体した会話

行動の異常：目的のない無意味な言葉や運動を繰り返す（常同症）、奇妙な芝居じみた挨拶や身振りをする（衒奇症）。

陰性症状

あるべきものが低下したり失われる。　中脳ー皮質系のドパミン機能の低下（慢性期に出現）

意欲喪失：意欲や気力が薄れ興味や関心がなくなる。

感情の鈍麻・平板化：自然な感情反応が起こらず、みんなが楽しい時も反応しない、喜怒哀楽がなくなる。

自発性欠如、人嫌い、自閉・引きこもり：周りに関心がなくなり、やる気もなくなる。家に引きこもる。

対人コミュニケーションの支障：しかし焦りはない（ここがうつ病との違い）。会話や思考も貧困になる。

認知機能障害： 情報や刺激を選んで、それに注意を向けることができない。

5-10-2　統合失調症の発症原因

発症の原因（仮説）

A 神経系の機能障害	CT や MRI の所見： 対照群に比べ脳室が拡大している。前頭葉や側頭葉が小さい。脳辺縁系の海馬や扁桃体がとくに左側で小さいことなどによる機能障害。
B ドパミン系の異常	陽性症状には、中脳一辺縁系ドパミン機能の亢進が関与する（幻覚、妄想など）。 陰性症状には、中脳一皮質系のドパミン機能の低下が関与し、これが意欲減退、感情鈍麻などを引き起こしている。
C グルタミン酸系の異常	NMDA 受容体を介したグルタミン酸作動性神経機能の低下。 グルタミン酸の受容体のうち、NMDA 受容体の機能を阻害グルタミン酸受容体遮断作用があるフェンシクリジンとよばれる乱用薬を使用した人に、陽性症状のみならず、陰性症状や認知機能障害に類似した症状を引き起こすことから、グルタミン酸が病態に関与していると考えられている。
D セロトニン系の異常	ドパミン（DA）受容体遮断作用のみを有する抗精神病薬では陰性症状は改善しないが、DA 受容体遮断作用に加えてセロトニン 5-HT_{2A} 受容体遮断作用のある薬物は陰性症状改善効果がみられることから、セロトニンが陰性症状の発現と関連しているものと考えられている。5-HT_{2A} mRNA が統合失調症患者の前脳皮質で低下している。

5-10-3　薬物療法総論

歴史的背景

クロルプロマジンは、フランスの製薬会社ローヌ・プーラン社が開発した、抗ヒスタミン薬であるプロメタジンの構造類自体である。クロルプロマジンには、抗ヒスタミン作用はあるものの、その作用は十分ではなく、鎮静作用が強すぎると判断されていた。1950 年フランスの神経外科医だったアンリ・ラボリは、当時全身麻酔時の鎮静と恐怖感を緩和する麻酔前投与薬の研究に抗ヒスタミン薬を用いていた。ラボリは、クロルプロマジンを取り寄せて実験に用いたところ、この薬物に顕著な平穏作用を発見した。そこで、ジーン・デレーとピエール・ドニケールに、統合失調症患者に適用してみるように勧めた。彼らは、クロルプロマジンの用量を徐々に増やし、患者において意識を失わせることなく、扱いにくい患者を扱いやすくさせる独特な効果を確信した。そこでローヌ社は急遽申請し、1952 年にクロルプロマジンに統合失調症治療薬としての効能・効果が加えられた。これらの努力が実り、クロルプロマジンは、有効な難治性精神疾患の治療薬がなかった時代に、統合失調症の「薬物による治療」という新しい光を投げかけた。

また、ほぼ同じ 1950 年代にはインド蛇木の抽出物やその成分であるレセルピン（自律神経系交感神経遮断薬の項参照）を用いた治療が開始された。レセルピンを主成分とするインド蛇木が、古代インドで、パガル・カ・ダワ（狂気に効く薬草）として精神病に効果があるとの言伝えがあり、ナタン・クラインがレセルピンを統合失調症の治療に用いてクロルプロマジンと同様の臨床効果を呈することを確認した。レセルピンは、クロルプロマジンとは異なり、ドパミンの貯蔵顆粒への取り込みを抑制することで作用を示すが、治療効果は弱く、抑うつ等の副作用から次第に使用されなくなった。

プロメタジン　　クロルプロマジン　　レセルピン

抗精神病薬の作用機序

抗ドパミン作用	主として**急性期の陽性症状に有効** 抗精神病作用と D_2 受容体への親和性が直線関係にあり比例する。抗精神病薬作用機序の第１段階で、陽性症状を改善する。陽性症状発現には**中脳ー辺縁系のドパミンニューロンの亢進**が関与しており、抗精神病薬は、この脳領域のドパミン D_2 受容体の遮断作用により作用を示す。 副作用として薬剤性パーキンソニズムを誘発する。
抗セロトニン作用	抗ドパミン作用に加えて抗セロントニン（$5\text{-}HT_{2A}$）作用を持ち、セロトニン受容体への親和性が高い薬物は、**非定型抗精神病薬**と呼ばれ、**陰性症状にも有効で錐体外路症状が出現しにくい。** セロトニンは、黒質ー線条体ドパミン経路に対して抑制的に働いており、$5\text{-}HT_{2A}$ 受容体が遮断されると、この抑制系が解除される。 食欲亢進作用にも関係している。
抗ノルアドレナリン作用	中枢 α_1 受容体遮断効果による鎮静作用を示し、不安、焦燥、精神運動性興奮などを抑制する。 末梢 α_1 受容体遮断により血圧下降、起立性低血圧を誘発する。 アドレナリン（禁忌）と併用すると、α_1 受容体遮断作用により、β - 受容体刺激作用が優位となり、血圧降下作用が増強される。
抗ヒスタミン作用	鎮静作用：一部の薬物では抗ヒスタミン薬としての適応がある（鎮痒など）眠気、**食欲亢進の原因**
抗ムスカリン作用	副作用の原因（中枢性：認知障害、せん妄、末梢性：腺分泌抑制、麻痺性イレウス、排尿障害）

統合失調症治療薬の分類

「定型抗精神病薬」と「非定型抗精神病薬」に大別される。

「定型抗精神病薬」は、第一世代の薬物群でドパミン D_2 受容体の遮断作用が主な作用となっている。「非定型抗精神病薬」は、第一世代以降に開発された薬物で、ドパミンだけでなくセロトニンやその他の神経伝達物質への作用を有する。現在は「非定型抗精神病薬」が主流の治療薬になっている。統合失調症治療薬は、世代を経るごとに改良が進むため、高い治療効果が得られると共に副作用は少なくなってきている。

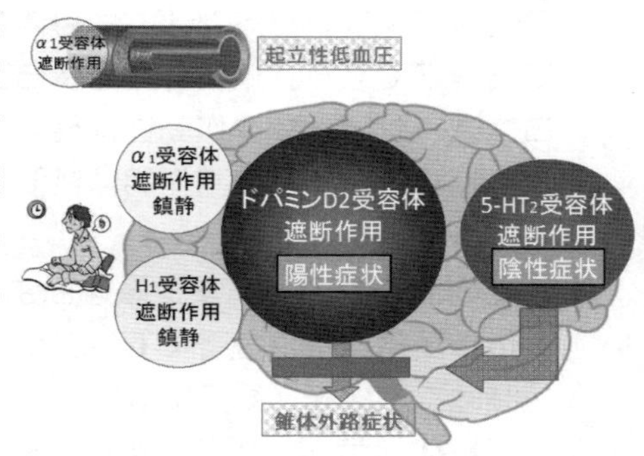

定形抗精神病薬と非定形精神病薬の作用の違い

定型抗精神病薬と非定型抗精神病薬の違いを、作用機序を受容体との関連で図に示すと以下のようになる。

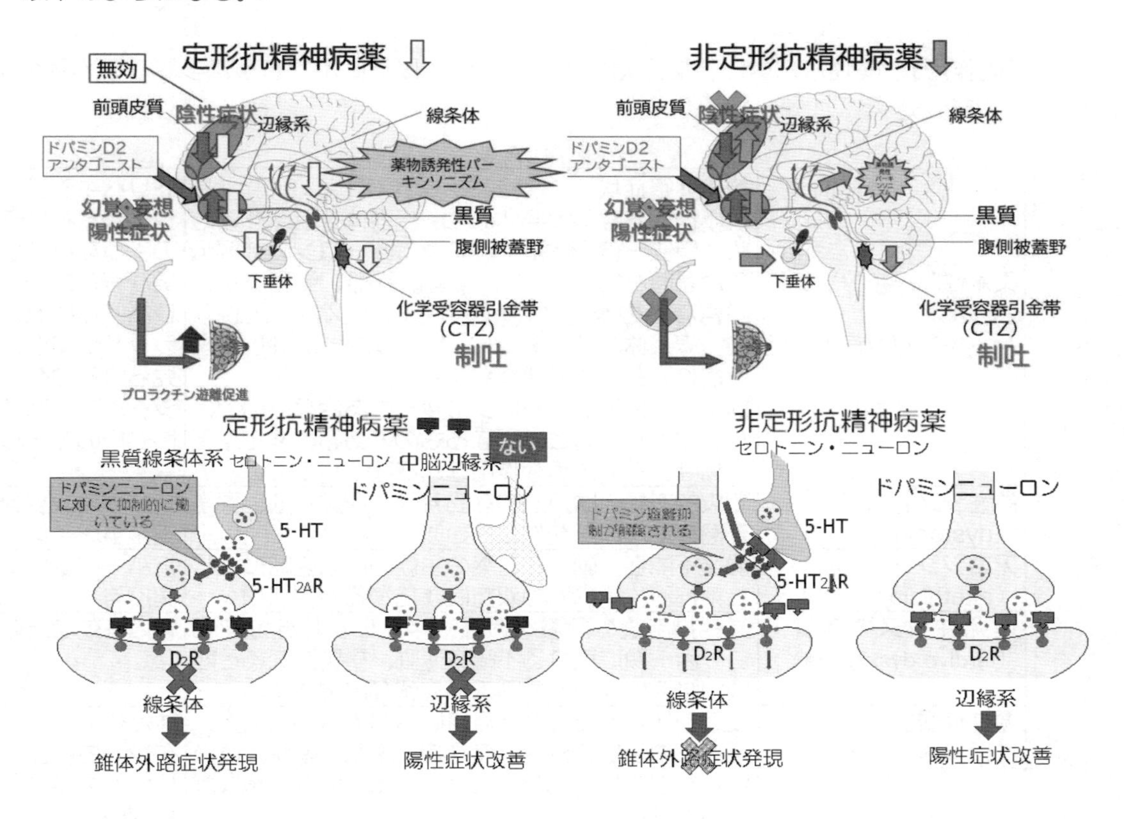

定型抗精神病薬(第一世代)は、中脳辺縁系のみではなく、黒質線条体系や中脳皮質系前頭葉皮質系および下垂体においてドパミン D_2 受容体を遮断するため、抗精神病作用以外に薬物誘発性パーキンソニズムなどの錐体外路症状やプロラクチン遊離促進などの副作用を示す。中脳皮質系および黒質線条体系ドパミン神経は、セロトニン神経により抑制を受けている。

非定型抗精神病薬は、ドパミン D_2 受容体の遮断に加えて前頭葉皮質および線条体においてドパミン作動性神経のシナプス前部の $5\text{-}HT_{2A}$ 受容体を遮断するため、セロトニン作動性神経からのドパミン遊離抑制が解除され、ドパミンの遊離が増大する。このドパミンの遊離によりドパミン D_2 受容体から非定型抗精神病薬がはずれる。このため、陰性症状にも有効であり、錐体外路症状も出現しにくくなる。一方、中脳辺縁系のドパミンニューロンは、セロトニン作動性神経による抑制を受けていないため、ドパミン遊離は増大せず、陽性症状に対する改善作用は減弱しない。

【その他の脳内ドパミン系遮断よって起こる作用】

化学受容器引き金帯 CTZ の D_2 受容体遮断による制吐：動揺病（乗り物酔い）には無効

下垂体前葉 D_2 受容体遮断（隆起ー漏斗系）　高プロラクチン血症、乳漏症

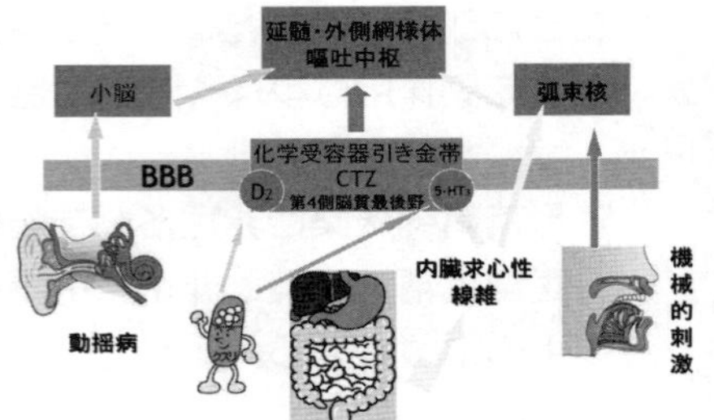

【副作用】　薬物療法中に特に注意すべきことは、以下に示すような多彩な副作用の出現である。

薬剤性パーキンソニズム パーキンソン病の悪化	**錐体外路症状** 抗精神病薬は、線条体の D_2 受容体を遮断するため、**黒質ー線条体系ドパミンニューロンの神経伝達が遮断され**、筋強剛、寡動、振戦、姿勢ー歩行障害などの薬物誘発パーキンソニズムが出現する。線条体のドパミン D_2 受容体が、80%以上占有されると、本症状が発現する。 黒質ー線条体ニューロンの変性はおきないので、パーキンソン病とは異なるものである。非定型型薬物は、このような作用を起こ起こしにくい。	トリヘキシフェニジルやビペリデンのような抗コリン薬が有効* レボドパは無効 ラットやマウスで見られるカタレプシー惹起作用は、最も良いモデル。
急性ジストニア （dystonia）	間欠的あるいは持続的な筋緊張、運動亢進、異常姿勢、てんかん発作にも類似。	抗パーキンソン病薬投与
アカシジア （akathisia）	静座不能症：動くことへの主観的欲求を特徴とした精神面、運動面の双方にまたがる不穏状態	抗パーキンソン病薬投与
遅発性ジスキネジア （tardive dyskinesia）	長期投与後の急激な減量や中止により発症する口ー舌ー顔に現れる不随意運動、重篤になると四肢が勝手に動いて舞踏病様症状が出現する。	特に有効な治療法なし
悪性症候群 （syndrome malin）	投薬を初めて 5-10 ヶ月目に体温の持続的上昇、混迷、カタレプシー、無動症、脱水、虚脱、けいれんを起こし死に至ることもある。最も重篤な副作用である。	体冷却 ダントロレンナトリウムの投与 投薬中止
麻痺性イレウス	腸管麻痺（食欲不振、悪心・嘔吐、著しい便秘、腹部の膨満あるいは弛緩および腸内容物のうっ滞等の症状）　抗コリン作用による。	
プロラクチン分泌増加	下垂体前葉のドパミン受容体の遮断により、プロラクチンの分泌が増加する。高プロラクチン血症を引き起こし、乳漏症、無月経となる。男性では女性化乳房、性欲減退などが起こることがある。	
起立性低血圧	末梢 α_1 受容体遮断により血圧下降する。 失神、高所からの墜落などの原因となる。	

薬剤性パーキンソニズム発現機序

真性のパーキンソン病と異なり、薬剤性パーキンソニズムではドパミンニューロンの脱落は起こらない。治療としては、抗コリン薬やアマンタジンを使用して、対症療法を行なうが、統合失調症治療薬の中にも抗コリン作用を有するものがあるので、薬剤性パーキンソニズム治療に中枢性抗コリン薬を用いると、抗コリン薬の副作用が顕著に出現するので注意を要する（無用であるのに漠然と投与されている場合もあるので、注意が必要である。）このような状況を回避するためには、できる限り単剤で薬物治療を行うことが推奨されている。

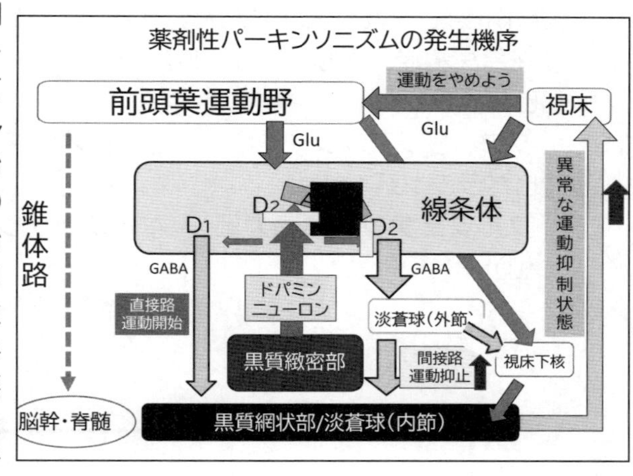

5-10-4　薬物療法各論

構造－活性相関と各薬物の薬理作用

各薬物の受容体親和性と副作用発現

	D_2	5-HT_2	5-HT_2/D_2	Mus	α_1	H_1	鎮静	錐体外路症状	血圧下降	成人日常使用用量
Chlorpromazine	19.0	1.4	0.07	60.0	0.6	9.1	+++	++	++	200-800
Thioridazine	2.3	41.0	17.8	10.0	1.1	16	+++	+	+++	150-600
Perphenazine	1.4	5.6	4.0	1,500	10.0	-	++	++	+	8-32
Haloperidol	4.0	36	9.0	>20,000	6.2	1,890	+	++++	+	2-20
Sulpiride	7.4	>1000	135	>1,000	-	-				
Zotepine	3.1	3.1	1.0	550.0	3.4	3.4				
Risperidone	3.3	0.2	0.05	>10,000	2.0	58.8	++	++	+++	2-8
Quetiapine	160.0	294.0	1.84	120.0	62.5	11.0	+++	0	++	300-500
Olanzapine	11.0	4.0	0.36	1.9	19.0	7.1	+	+	++	5-10
Clozapine	180.0	1.6	0.01	7.5	9.0	2.8	+++	++	++	150-450

5-10-4-1　定型抗精神病薬

フェノチアジン誘導体　**Phenothiazeine derivatives**

二つのベンゼン環が S と N 原子で連結されている三環構造をもっている。抗ヒスタミン薬のプロメタジンとよく構造が似ており、抗ヒスタミン作用が強い。脂肪族系およびピペリジン系は、鎮静作用が強く低力価の抗精神病薬であるが、ピペラジン系は、ドパミン D_2 受容体遮断作用が強く力価は高い。抗精神病薬以外にも、鎮静薬、制吐薬（動揺病以外）などとしても用いられる。動物では、顕著な鎮静作用と馴化作用を示す。

構造による分類

①脂肪族系　**クロルプロマジン**、レボメプロマジン

統合失調症、悪心・嘔吐、麻酔前投薬、人工冬眠、催眠・鎮静

②ピペリジン系

プロペリシアジン（統合失調症）**チオリダジン**（臨床適用なし）

③ピペラジン系

フルフェナジン（高力価）、ペルフェナジン（高力価）、トリクロルペラジン（高力価）

S, N, R1, R_2

		R1	R2
脂肪族系	クロルプロマジン Chlorpromazine	$-CH_2CH_2CH_2-N(CH_3)_2$	Cl
	レボメプロマジン Levomepromazine	$-CH_2CH(CH_3)CH_2-N(CH_3)_2$	OCH_3
ピペリジン系（クロルプロマジンと同様の遮断効果）	チオリダジン Thioridazine	$-CH_2CH_2-$（N-H_3C ピペリジン-2-イル）	SCH_3
ピペラジン系（D2遮断効果が強く力価は高いが、Mus作用は少ない）	フルフェナジン Fluphenazine	$-CH_2CH_2CH_2-N$（ピペラジン）$N-CH_2CH_2OH$	CF_3
	ペルフェナジン Perphenazine		Cl

クロルプロマジン　Chlorpromazine

【薬理作用】

静穏作用：大脳、大脳基底核および大脳辺縁系のドパミン D_2 受容体を遮断して諸機能を抑制する。精神的緊張を緩和し、情動を鎮静化する。周囲への関心も低下させる。

鎮静作用：大脳辺縁系、脳幹網様体賦活系、視床下部の α_1 受容体や H_1 受容体に作用して鎮静作用を示す。この α_1 受容体遮断作用は、躁状態や緊張状態の改善に関与する。

制吐作用：CTZ の D_2 受容体遮断作用による制吐作用がある（動揺病には無効）

体温下降作用：視床下部の体温中枢に作用して、正常体温を降下させるため、低体温麻酔に用いられる。

条件回避反応の抑制：無条件反射を抑制しない用量で条件回避反応を抑制する。この作用も静穏作用とともに、幻覚・妄想や概念の統合障害等の陽性症状の改善に関与する。

（動物に電気ショックを与えその刺激から回避させることを学習させる時に、同時に音や光などの条件刺激を与えると、条件刺激だけで回避行動をとるようになる。これを条件回避反応と呼んでいる。）

自発運動の抑制：少量では自発運動を抑制するが、大量投与によりカタレプシーを惹起する。

【副作用】 錐体外路症状、悪性症候群、突然死、再生不良性貧血、溶血性貧血、麻痺性イレウス、心室頻拍、遅発性ジスキネジア、抗利尿ホルモン不適合分泌症候群（SIADH）

ブチロフェノン誘導体 Butyrophenone derivative

ハロペリドール　Haloperidol、スピペロン Spiperone、ブロムペリドール Bromperidol

【薬理作用】 ハロペリドールは、鎮痛薬であるメペリジンの置換誘導体として開発された。強力なドパミン D_2 受容体遮断作用をもつため、幻覚、妄想などの陽性症状には最も有効である。鎮静作用は、フェノチアジン系に比べて弱い。ヒスタミン H_1、ムスカリン受容体、α_1 容体に起因する副作用もクロルプロマジンより弱い。抗精神病作用において、ハロペリドール 1mg は、クロルプロマジン 60mg に相当するが、この用量においてはハロペリドールの抗コリン作用や H_1 受容体を介した眠気などは著しく弱い。制吐作用は強力である。スピペロンとブロムペリドールは、ハロペリドールと同様な薬理作用を示すが、スピペロンのドパミン D_2 受容体への親和性は非常に高い。報告によれば、スピペロンは、統合失調症に対し、ハロペリドールの 10 倍以上、また、クロルプロマジンの 400 倍の力価をもつといわれる。統合失調症　（精神運動興奮、幻覚、妄想のような陽性症状に最も有効）以外に躁病にも用いる。ドロペリドールは、もっぱら神経遮断麻酔（NLA; Neuroleptanalgesia）に用いられる（全身麻酔薬の項参照）

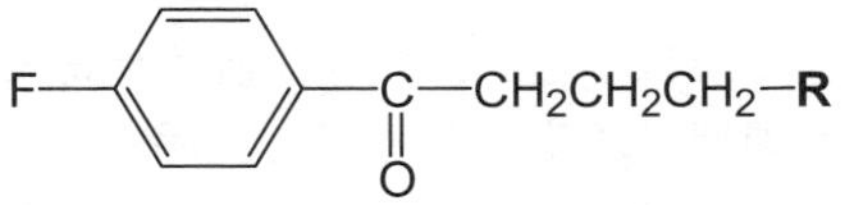

F—C₆H₄—C(=O)—$CH_2CH_2CH_2$—**R**

ハロペリドール　Haloperidol 精神運動、幻覚、妄想などの陽性症状に有効 鎮静効果は、弱い	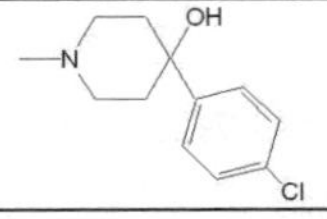
スピペロン Spiperone ブチロフェノン系では最も力価が高い。	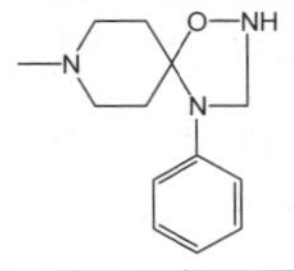
ブロムペリドール ハロペリドールとほぼ同等の作用を示すが、ラットでのカタレプシー惹起作用はハロペリドールより弱い	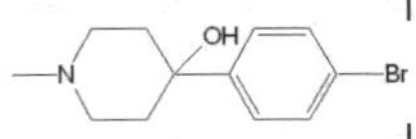

ハロペリドールデカン酸エステル

ハロペリドールデカン酸エステルはそれ自体活性を持たないプロドラッグで、血液脳関門を通過しない。筋肉内投与で徐々に血中に放出され、末梢組織で緩徐に加水分解を受けて、ハロペリドールに変換されるため薬理作用が長時間持続する。 血中濃度が安定しているため、

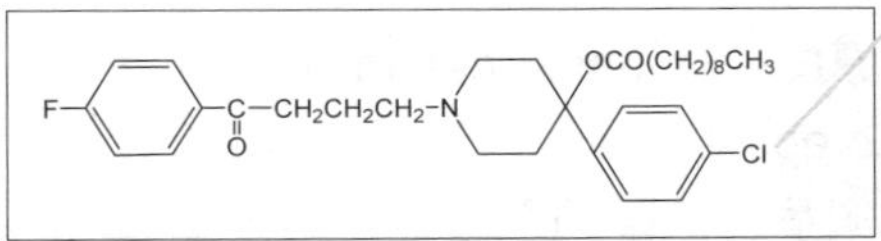

活性を持たないプロドラッグで、血液-脳関門を通過しない。

経口薬よりも副作用は少ない。通常ハロペリドールとして、通常 1 回量 50mg ～ 150mg を 4 週間隔で筋肉内投与する。治療拒否／コンプライアンス不良例の維持療法として用いられる。その他、デカン酸フルフェナジンやエナント酸フルフェナジンもある。

4週間隔で筋肉内投与
徐々に血中に放出
加水分解

【副作用】錐体外路症状、麻痺性イレウス、悪性症候群、心室頻拍、遅発性ジスキネジア

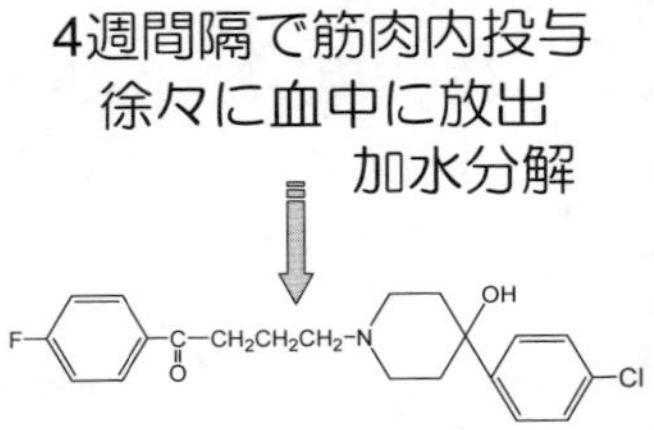

イミノジベンジル誘導体　Iminodibenzyl derivatives

低力価であり、陰性症状に対する賦活作用がある

カルピプラミン　Carpipramine

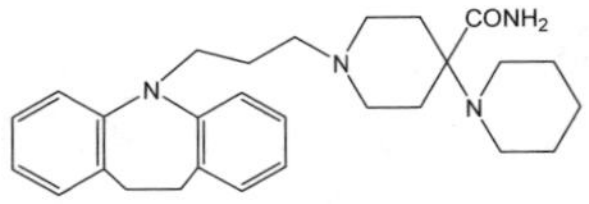

【薬理作用】意欲減退、抑うつを主症状とする慢性統合失調症に用いる。

モサプラミン　Mosapramine

D_2 および 5-HT_2 受容体を遮断し、陽性症状にも陰性症状にも有効である。

【副作用】悪性症候群、再生不良性貧血、心室頻拍、遅発性ジスキネジア、抗利尿ホルモン不適合分泌症候群（SIADH）

ベンズアミド誘導体　Benzamide derivatives

（抗精神病、うつ病・うつ状態、食欲増進）

スルピリド　Sulpiride、スルトプリド Srutopride

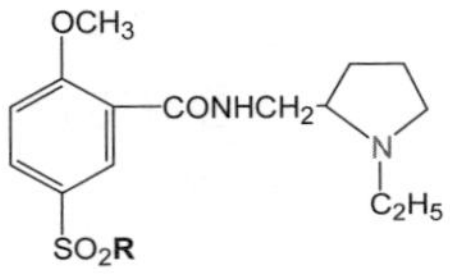

【薬理作用】脳内移行が悪く、末梢 D_2 受容体遮断作用である制吐作用や胃運動促進作用が強く現れるため、統合失調症治療薬以外に、胃機能調整薬（消化性潰瘍治療薬）としても汎用される。抗うつ作用も有する。副作用は少ない。スルトピリドは、鎮静作用が少なく、老年期精神病や遅発性ジスキネジアに用いられる。

Sulpiride:　R=NH_2
Sultopride:　R=C_2H_5

脳内移行が悪いのが特徴。

〈統合失調症〉スルピリドとして、通常成人 1 日 300 ～ 600mg を分割経口投与する。

〈うつ病・うつ状態 〉従来の三環系抗うつ薬のような生体アミンの取込み抑制作用は示さないが、実験的にも抗レセルピン作用を示すことから、抗うつ作用が確認されている。スルピリドとして、通常成人 1 日 150 ～ 300mg を分割経口投与する。

〈胃・十二指腸潰瘍〉 スルピリドとして、通常成人 1 日 150mg を 3 回に分割経口投与する。

【副作用】痙れん、悪性症候群、心室頻拍、遅発性ジスキネジア

5-10-4-1　非定型抗精神病薬

チエピン誘導体　Thiepine derivative

ゾテピン Zotepine

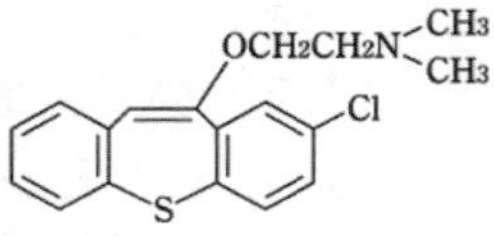

ゾテピンは鎮静、抗躁効果の強い薬物で比較的少量で顕著な抗躁効果を示し、過量投与ではうつ病相をきたす。抗ドパミン作用に比べて、抗 5-HT 力価が高く、5-HT_1 受容体と、 5-HT_2 受容体のうち、

ゾテピン

他の抗精神病薬よりも 5-HT_1 遮断作用を示す。

【副作用】 遅発性ジスキネジア、悪性症候群、痙れん、心電図異常

セロトニン－ドパミン遮断薬：Serotonin-Dopamine Antagonist （SDA）

リスペリドン Risperidone ベンズイソキサゾール誘導体

D_2 拮抗作用と強力な 5-HT_{2A} 受容体遮断作用

【薬理作用・作用機序】 ドパミン D_2 受容体拮抗作用は、ハロペリドールとほぼ同等で、強力な 5-HT_{2A} 受容体遮断作用を有する。陽性症状に対する効果以外に、引きこもりや感情鈍麻などの陰性症状に対しても有効である。錐体外路症状（パーキンソン症候群、アカシジア、ジストニア）が従来の統合失調症治療薬に比べて発現しにくい。このため、抗パーキンソン病薬として中枢性抗コリン薬（トリヘキシフェニジル等）を併用する頻度も低くなるため、抗ﾊﾟ薬投与による二次的な副作用の発現率も低下する。抗精神病作用は、ドパミン D_2 受容体拮抗作用およびセロトニン 5-HT_2 受容体拮抗作用に基づく、中枢神経系の調節によるものと考えられている。

パリペリドン　Paliperidone

リスペリドンの代謝産物である。 パリペリドンは半減期が約 20 ～ 23 時間と長く、徐放製剤化を施しているため 1 日 1 回の投与が可能となっている。

パリペリドンパルミチン酸エステルは、筋肉内投与することで投与部位で徐々に溶解し、活性本体のパリペリドンとなる持効性の筋肉内注射用プレフィルドシリンジ製剤である。

ペロスピロン　Perospirone

ヒトの錐体外路症状のと関連するカタレプシー惹起作用は、マウスにおいて、リスペリドンの約 1/70、ハロペリドールの約 1/20、クロルプロマジンの約 1/3 の強さであり、ヒトにおける錐体外路系の副作用もリスペリドンよりも少ない。

ブロナンセリン　Blonanserin

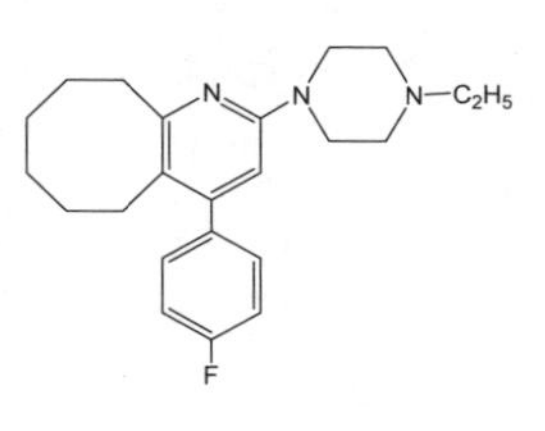

陽性症状に対する効果が強い。ドパミン D_2 受容体サブファミリー（D_2、D_3）およびセロトニン 5-HT_{2A} 受容体に対して親和性を示すが、アドレナリンα_1、ヒスタミン H_1、ムスカリン M_1 等の受容体に対する親和性は低い。食事の影響を受けやすく、有効性および安全性は食後投与により確認されている。

ルラシドン　Lurasidone

ドパミン D_2 受容体遮断作用、セロトニン 5-HT_{2A} 受容体および 5-HT_7 受容体遮断作用、およびセロトニン 5-HT_{1A} 受容体部分刺激作用を併せ持つ。

【副作用】 麻痺性イレウス、横紋筋融解症、悪性症候群、遅発性ジスキネジア、

ルラシドン

リスペリドン・ブロナンセリン・ルラシドン：高

血糖、糖尿病性ケトアシドーシス、糖尿病性昏睡
パリペリドン：抗利尿ホルモン不適合分泌症候群（SIADH）
ルラシドン：痙れん、肺塞栓症、深部静脈血栓症、無顆粒球症、白血球減少

リスペリドンとブロナンセリンの受容体親和性の違い

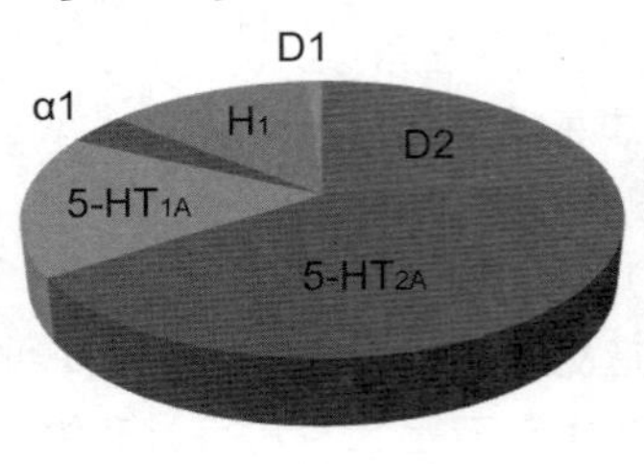

リスペリドン

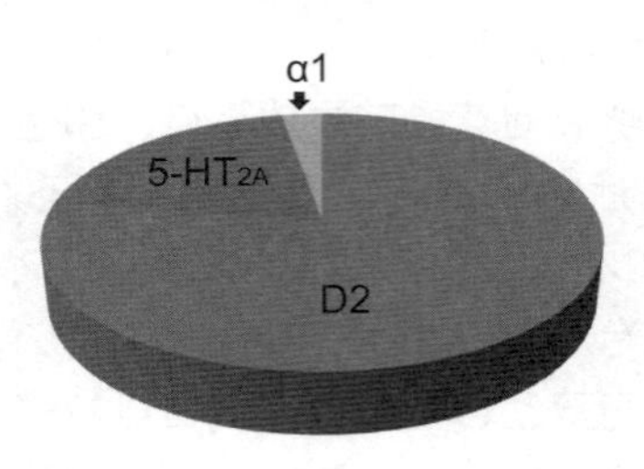

ブロナンセリン

多元受容体作用抗精神病薬（MARTA：Multi-acting-receptor-targeting-antipsychotic、MARTA）　その他のヘテロ環状化合物

多数の神経物質受容体に対する作用を介して統合失調症の陽性症状のみならず、陰性症状、認知障害、不安症状、うつ症状などに対する効果や錐体外路症状の軽減をもたらす。

多元受容体作用抗精神病薬（MARTA）
その他のヘテロ環状化合物

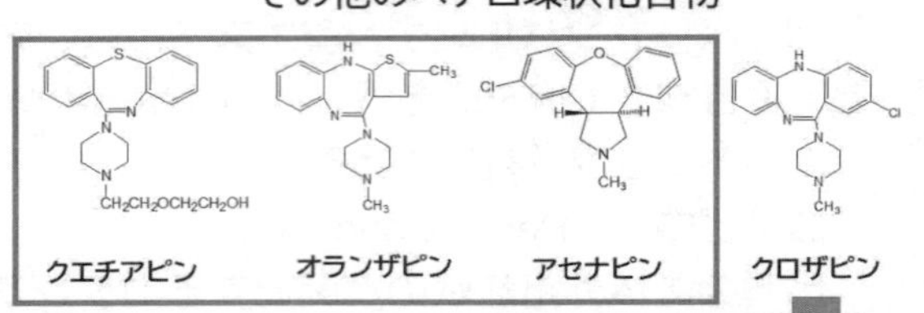

治療抵抗性統合失調症治療薬

【副作用】
高血糖、糖尿病性ケトアシドーシス、昏睡（致死的副作用）

オランザピン、クエチアピンは、糖尿病患者、糖尿病の既往歴のある患者には禁忌、アセナピンは慎重投与

クエチアピン　Quetiapine

【薬理作用・作用機序】ベンゾチアゼピン構造をもち、ドパミン D_1 および D_2 受容体、セロトニン 5-HT_1 および 5-HT_2 受容体、ヒスタミン H_1 受容体、アドレナリン α_1 および α_2 受容体に対して親和性を示すがいずれも親和性は低い。ムスカリン受容体およびベンゾジアゼピン受容体に対しての親和性はかなり低い。また、ドパミン D_2 受容体に比してセロトニン 5-HT_2 受容体に対する親和性が高い。このため、錐体外路症状を発現しにくい。クエチアピンは D_2 受容体に対する親和性が低く、内在性ドパミン量が多い線条体系においては、いったんクエチアピンが D_2 受容体に結合しても、すぐに内在性ドパミンに置き換わる。これが錐体外路症状出現の低さにつながっていると考えられている。一方、幻覚・妄想は辺縁系のドパミン系が関与しているが、この領域では D_2 受容体結合時に競合する内在性ドパミン量が線条体ほど多くないため、クエチアピンのように D_2 受容体に低い親和性を持っていても、受容体に結合することができ、抗精神病作用を示すものと考えられる。

オランザピン　Olanzapine

【薬理作用・作用機序】　他の抗精神病薬とは構造的に明らかに異なるチエノベンゾジア

ゼピン骨格を有する非定型抗精神病薬である。ドパミン D_2、D_3、D_4、セロトニン $5\text{-}HT_{2A}$、$5\text{-}HT_{2C}$、$5\text{-}HT_6$、アドレナリン α_1、ヒスタミン H_1 受容体にほぼ同程度の比較的高い親和性を示す。ムスカリン（M_1、M_2、M_3、M_4、M_5）受容体への親和性は *in vitro* と比較して *in vivo* では弱い。クエチアピンの場合と同様に、黒質−線条体よりも中脳辺縁系ドパミン神経伝達に選択的に作用するものと考えられる。大脳皮質前頭前野でドパミンとノルアドレナリンの遊離を増加させ、グルタミン酸神経系の伝達障害を回復させる作用もある。

【副作用】著しい血糖値の上昇から、糖尿病性ケトアシドーシス、糖尿病性昏睡等の重大な副作用が発現し、死亡に至る場合があるので、投与中は血糖値の測定等の観察を十分に行う必要がある。糖尿病患者、糖尿病の既往歴のある患者には禁忌であるが、オランザピン即効性注射剤は、治療上の有益性が危険性を上回ると判断されれば投与可能。肝機能障害、黄疸、遅発性ジスキネジア、痙れん

アセナピン　Asenapine

【薬理作用・作用機序】セロトニン受容体の各サブタイプ（$5\text{-}HT_{1A}$、$5\text{-}HT_{1B}$、$5\text{-}HT_{2A}$、$5\text{-}HT_{2B}$、$5\text{-}HT_{2C}$、$5\text{-}HT_6$、$5\text{-}HT_7$）に加え、ドパミン受容体（D_1、D_2、D_3）、アドレナリン受容体（α_{1A}、α_{2A}、α_{2B}、α_{2C}）およびヒスタミン受容体（H_1、H_2）に対して高い親和性を示す。ムスカリン受容体およびアドレナリン β 受容体への親和性は低い。In vivo では $5\text{-}HT_{1A}$ 受容体に対して刺激作用を有することが示唆されており、これらの受容体に対する作用により、抗精神病作用を示すと考えられている。

【副作用】悪性症候群（Syndrome malin）、遅発性ジスキネジア、肝機能障害、ショック、アナフィラキシー、高血糖、糖尿病性ケトアシドーシス、糖尿病性昏睡（糖尿病患者、糖尿病の既往歴のある患者に慎重投与）横紋筋融解症、無顆粒球症、白血球減少、痙れん、麻痺性イレウス

クロザピン　Clozapine　（治療抵抗性統合失調症治療薬：**認可**）

【薬理作用・作用機序】ドパミン D_2 受容体への親和性は他の受容体と比較すると極めて低く、D_4 受容体やセロトニン $5\text{-}HT_{2A}$ 受容体親和性は比較的高い。このため、D_2 受容体遮断作用に依存しない中脳辺縁系ドパミン神経系に対する選択的抑制により作用を発現するものと考えられている。

【副作用】無顆粒球症、白血球減少症、好中球減少症、高血糖（5 %以上）、糖尿病性ケトアシドーシス、糖尿病性昏睡

ドパミン受容体部分作動薬

アリピプラゾール　Aripiprazole　ブレクスピプラゾール　Brexpiprazole

【作用機序】ジヒドロキノリン誘導体で、定型および非定型抗精神病薬が常にアンタゴニスト作用を示すのに対し、部分作動薬は、アゴニストとしての作用も持つため、生体のドパミン作動性神経が亢進している場合にはアンタゴニストとして神経伝達を抑制するが、神経伝達機能が低下している場合には、アゴニストとしてドパミン作動性神経伝達を促進する。

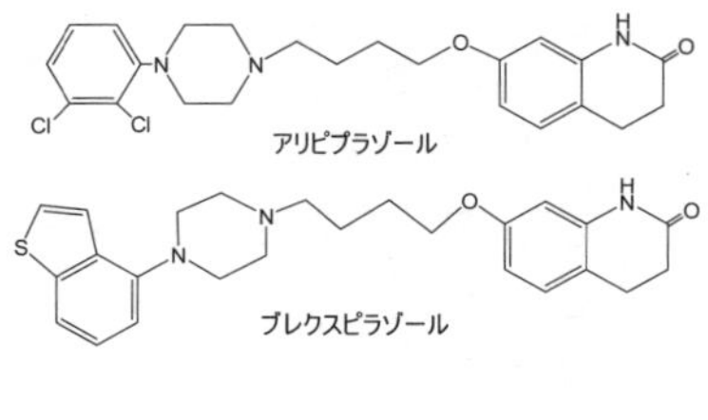

アリピプラゾール

ブレクスピラゾール

ブレクスピラピゾールは、ドパミン D_2 受容体遮断作用と 5-HT_{2A} 受容体遮断作用がやや強い。セロトニン 5-HT_{1A} 受容体にも部分作動薬として作用する。
このようにドパミン作動性神経の働きを適正化・正常化し、安定化する働きを持つため**ドパミンシステムスタビライザー**とも呼ばれている。

【副作用】頭痛、不眠、不安、悪心。錐体外路症状の発現頻度は低い。月経困難などの原因となるプロラクチン上昇や、近年新規の抗精神病薬で問題となっている体重増加や代謝異常の危険は少ない。

アリピプラゾールと他の薬物の副作用比較

薬　　物	錐体外路&TD	体重増加	血糖異常	脂質代謝異常	鎮静	低血圧	プロラクチン放出	抗コリン性副作用
ペルフェナジン	++	+	+?	+?	+	+	++	0
ハロペリドール	+++	+	0	0	++	0	+++	0
リスペリドン	+	++	++	++	+	+	+++	0
クエチアピン	0_A	++	++	++	++	++	0	0
オランザピン	0_A	+++	+++	+++	+	+	0	++
アリピプラゾール	0	0	0	0	+	0	0	0

0：リスクがないか少ない。＋：時に軽微に発症、＋＋：時に発症、＋＋＋：頻繁に発症

TD：遅発性ディスキネジア、A：アカシジアの可能性がある、？：データ不足

統合失調症患者の服薬とコンプライアンス

統合失調症の患者は、通常病識がなく、病気だから薬を飲むと言う考えは受け入れられにくい。この点は、内科の薬物療法とは大きく異なる。従って、「薬を飲まないと病気が悪くなるとか、飲まないとダメ」と言う考え方では、患者の同意は得られないケースも多い。患者が服用しやすいような製剤の開発も行われている。

5-11　不安障害（神経症）不眠症治療薬　抗不安薬　Antianxiety Drugs

不安障害とは

不安を主症状とする疾患群をまとめた総称
現在パニック障害、全般性不安障害、恐怖性障害、社交不安障害、広場恐怖症等に分類されている。
「神経症」という用語はすでに正式な診断名としては使われなくなっており、従来の不安神経症にあたる診断名は、現在では「パニック障害」か「全般性不安障害」となっている。
治療薬としては GABA 作動性ニューロンまたはセロトニン作動性ニューロンの活性を増大さ

GABAとセロトニンは、脳内で不安を抑制する

せるか、セロトニン受容体 $5\text{-}HT_1$受容体を直接刺激する薬物が治療薬として用いられている。

心身症

社会的因子などにより身体の器質的または機能的障害が認められる病態である。心身症患者は、社会に適応しようと過剰な負荷をかけ、情動を言葉で表現できずに身体症状として処理することにより症状を呈するようになる。

持続的な**強いストレス**がかかることが要因の一つで、これが引き金となって、交感神経系、下垂体ー副腎皮質系におけるホメオスタシスが崩れ、特に自律神経系支配の諸器官に機能障害が現れる。

不安障害の分類

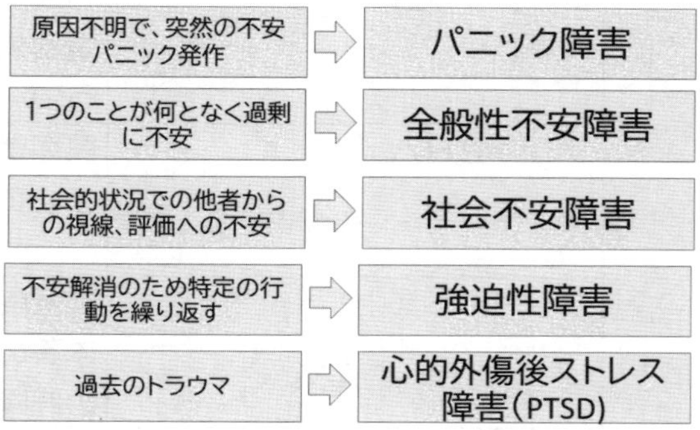

原因不明で、突然の不安パニック発作	⇨	パニック障害
1つのことが何となく過剰に不安	⇨	全般性不安障害
社会的状況での他者からの視線、評価への不安	⇨	社会不安障害
不安解消のため特定の行動を繰り返す	⇨	強迫性障害
過去のトラウマ	⇨	心的外傷後ストレス障害(PTSD)

5-11-1　不安障害治療薬（抗不安薬）とその作用機序

抗不安薬は、意識や高次精神機能に対する影響は少なく不安や緊張を選択的に除去あるいは軽減する薬物。治療薬としては、抗うつ薬である「選択的セロトニン再取込み阻害薬」（SSRI）を第一選択薬として用いる。

5-11-1-1　選択的セロトニン再取込阻害薬　SSRI

不安障害の第一選択薬は、この SSRI とされているが、不安障害にはいくつかの種類があり、1 つの SSRI がすべての、すべての不安障害に対して適用されるわけではない。それぞれの薬物の適応症は以下の通り。

	適応症
フルボキサミン	脅迫性障害、社会不安障害
パロキセチン	パニック障害、脅迫性障害、社会不安障害、外傷後ストレス障害
セルトラリン	パニック障害、外傷後ストレス障害
エスシタロプラム	社会不安障害

5-11-1-2　ベンゾジアゼピン骨格、またはチエノジアゼピン骨格を有する薬物

【薬理作用・作用機序】ベンゾジアゼピン受容体に刺激薬が結合すると、$GABA_A$ 受容体の機能を亢進し、Cl^-の透過性が亢進する。抗不安作用は、辺縁系（**扁桃核**、海馬、嗅球）および大脳皮質の $GABA_A$ 受容体の高進作用による。

意識や高次神経機能には作用を及ぼさない用量において、選択的に不安を減少し緊張を緩和する。**自律神経反応**（交感神経興奮、血圧上昇）を抑制する作用も有する。

動物では、攻撃行動を抑制する（馴化作用）。抗コンフリクト（葛藤）効果も有する。

エチゾラム（短） 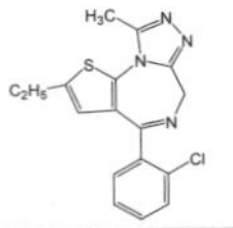	通常のベンゾジアゼピン構造ではなく、チエノジアゼピン構造を有している。不安・緊張などの情動異常を改善する
フルタゾラム（短） 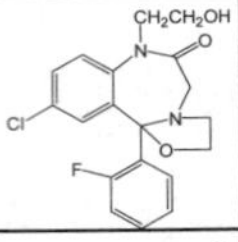	心身症（過敏性腸症候群、慢性胃炎、胃・十二指腸潰瘍）における身体症候並びに不安・緊張・抑うつ
ブロマゼパム（中） 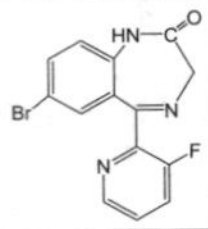	興奮状態になるのを抑え、余計な思考にとらわれずに実験等に集中できる
ロラゼパム（中） 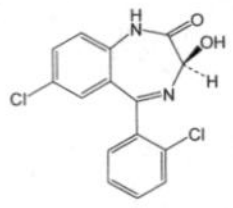	神経症、自律神経失調症によく用いられる。 本薬の代謝には、肝薬物代謝酵素が関与しないため肝障害患者や高齢者にも使いやすい。
フルトプラゼパム（長） 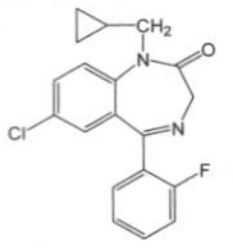	神経症における不安・緊張・抑うつ・易疲労性・睡眠障害。心身症における身体症候ならびに不安・緊張・抑うつ・易疲労性・睡眠障害。長時間型ベンゾジアゼピン系薬物である。
ジアゼパム（長） 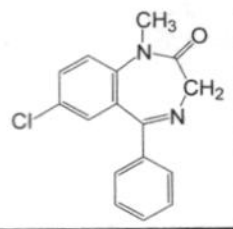	**唯一静脈内投与のできる薬物で、**パニック発作にはとりわけ効果発現がはやく重宝な薬物である
ロフラゼプ酸エチル（超長） 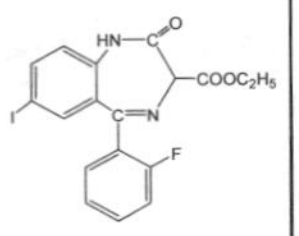	鎮静作用、意識水準の低下、筋弛緩作用および協調運動抑制作用は比較的弱い反面、抗痙れん作用や抗コンフリクト作用が強い。半減期が非常に長いのが特徴で１日１回投与が可能であり、服用中の interdose rebound anxiety や休薬・中止時の反跳現象や離脱症状のリスクも極めて少ない。

【適応症】不安障害に見られる自律神経症状を改善する。

【代謝】主に脱メチル化、脱アミノ化および水酸化反応により不活性化されて尿中に排泄される。代謝物が薬理活性を持つ場合があるが、このような薬物は作用が持続しやすい。（ジアゼパム、クロルジアゼポキシド）。ロラセパムの代謝には、肝薬物代謝酵素が関与しないため肝障害患者や高齢者にも使いやすい。

【副作用】反跳性不眠：短時間型のトリアゾラムは連用を中止すると不眠を引き起こす。また、不安が強くなる。

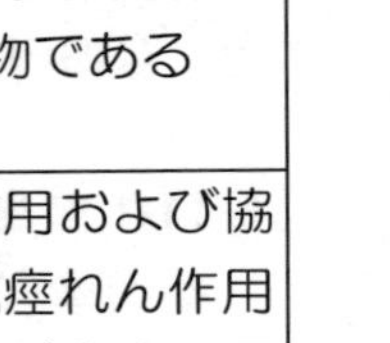

前向性健忘：中途覚醒時の記憶がない。

持ち越し効果：長時間型のものは、翌日に眠気や精神運動機能抑制が起こりやすい。

長期使用では薬物依存・耐性

高齢者：高齢者はこれらの薬に対する感受性が強く、転倒事故などの副作用が起こりやすい。初回の処方量を 1/2 にする、短時間型の薬物を用いるなどが注意点である。

【禁忌】 急性狭隅角緑内障（弱い抗コリン作用により悪化する）：隅角：隅角にはシュレム管という眼房水の流出経路があるが、抗コリン薬は隅角を狭くするためをシュレム管からの排泄が抑制され眼圧が上昇する。
重症筋無力症（筋弛緩作用があるため）

5-11-1-3　セロトニン 5-HT$_{1A}$ 受容体部分刺激薬

タンドスピロン　**Tandospirone**

【薬理作用・作用機序】 タンドスピロンは、セロトニン 5-HT$_{1A}$ 受容体部分作動薬で、海馬、外側中核、縫線核セロトニン神経の 5-HT$_{1A}$ 受容体を刺激する。セロトニン作動性神経のシナプ前部にある 5-HT$_{1A}$ 自己受容体に対しては完全刺激薬として作用するが、この受容体は持続刺激により脱感作するため結果的にセロトニンの放出が促進される。また。シナプス後部の 5-HT$_{1A}$ 受容体に対しては、部分刺激薬として直接作用する。これらの作用により、抗不安作用を発現する。

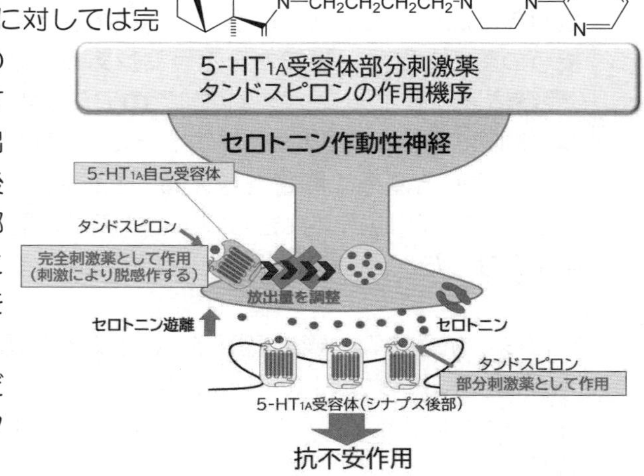

抗不安作用はジアゼパムと同等だが、罹患歴の長い患者やパニックを伴う不安障害には効果がない。
効果の発現には時間がかかり、1-2 週間程度が必要である。ベンゾジアゼピン誘導体とは異なり、睡眠作用が少なく、筋弛緩作用もない。依存性を形成しない。

【副作用】 眠気、ふらつき、悪心

【注意】 ベンゾジアゼピン系薬物とは交差依存性がないため、ベンゾジアゼピン系薬物から直ちに本薬に切り替えると、退薬症候が引き起こされ、症状が悪化することがある。

5-12　抗うつ薬　Antidepressant Drugs

5-12-1 うつ病（depression）：大うつ病性障害（major depressive disorder）

大うつ病、単極性うつ病、臨床的うつ病とも呼ばれるもので、いったん気が沈むような状態に陥ると、通常の抑うつ以上に持続してなかなか元に戻らない。大うつ病は、気分が低い側の「極」にとどまっており、双極性障害のように高く躁的な側の「極」に上がらない（単極性）。興味の喪失、気力の低下などの精神症状に加え、食欲・性欲の低下、睡眠障害などの身体症状を伴うことが多い。

> いわゆる「うつ病」は大うつ病性障害に分類されるため、「大うつ病」と呼ぶことがあるが、重症なうつ病という意味ではない

5-12-2 モノアミン仮説

抗結核薬であるイプロニアジドには、抗結核薬としての効果以外に気分高揚効果があることがわかり、このことから、抗うつ薬として初めて臨床で治療に用いられるようになった。その後の研究から、イプロニアジドが、モノアミンオキシダーゼ（MAO）抑制効果を有することがわかり、その後数々の MAO 阻害薬が開発されて治療に用いられた。研究者は、これらの抗うつ薬が中枢においてシナプス間隙のノルアドレナリンとセロトニンの濃度を上昇させることに気づき、うつ病の病因として、ノルアドレナリンあるいはセロトニン欠乏仮説が出されるに至った。1957 年に、当初統合失調症治療薬として開発されたイミプラミンが抗うつ作用をしめすことがクーンによって報告され、臨床で治療に用いられるようになった。イミプラミンなどの抗うつ薬を用いて治療を行うと、アミン取り込みは直ちに改善されるが、抗うつ作用が出現するのは 2-4 週間程度の時間がかかることから、抗うつ薬の効果は、単にカテコラミンあるいはセロトニンの取り込み阻害やシナプス前 α_2 受容体遮断によるシナプス間隙でのアミン濃度の上昇そのものによるのではなく、シナプス間隙のノルアドレナリン/セロトニン濃度上昇の結果としてシナプス後膜の受容体や細胞内情報伝達系に影響を与えることによって作用を発現するものと考えられるようになった。MAO 阻害効果をもつ抗うつ薬は、副作用による難点から、現在ではすべて使用中止となった。

5-12-3　抗うつ薬の臨床適用および分類と作用機序

臨床適用：抗うつ薬は、大うつ病性障害（major depressive disorder）の治療に用いられる薬物群であり、双極性障害（後述）には、一部の抗うつ薬を除いて使用されない。

分類

（1）三環系抗うつ薬 Tricyclic antidepressants、TCA （第 1 世代）

（2）その他の抗うつ薬　（四環系抗うつ薬、非三環系抗うつ薬）（第 2 世代）

（3）選択的セロトニン取り込み阻害薬
Selective serotonin reuptake inhibitor、SSRI

（4）選択的セロトニン・ノルアドレナリン取り込み阻害薬
Selective serotonin-noradrenaline reuptake inhibitor、SNRI

（5）ノルアドレナリン作動性・特異的セロトニン作動性抗うつ薬
Noradrenergic and Specific SSerotonergic Antidepressant、NaSSA

（6）セロトニン再取り込み/セロトニン受容体モジュレーター
Serotone reuptake inhibitor/receptor modulator、S-RIM

（7） MAO_A 阻害薬（MAO 阻害効果をもつ抗うつ薬は、副作用による難点から、現在ではすべて使用中止となった。）

【作用機序】 現在使用されている抗うつ薬は、ノルアドレナリントランスポーターまたはセロトニントランスポーター、あるいは両方のトランスポーターを阻害するものが多い。ミアンセリンとミルタザミンのような一部の薬物は、シナプス前部の、アドレナリン α_2 受容体を遮断してノルアドレナリン遊離やセロトニン遊離を促進する。最近セロトニン再取り込みに加えてロトニン受容体調節機構を有する薬物も上市されている。

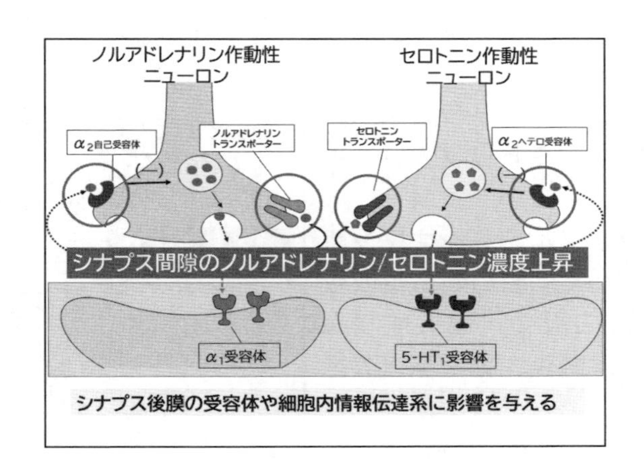

各抗うつ薬のトランスポーター阻害作用の比較

ノルアドレナリントランスポーター阻害作用	Ki（nM）	5-HT トランスポーター阻害作用	Ki（nM）
デシプラミン	0.83	パロキセチン	0.125
ノルトリプチリン	4.35	クロミプラミン	0.280
マプロチリン	11.1	フルボキサミン	2.22
アモキサピン	16.1	イミプラミン	1.41
アミトリプチリン	34.0	アミトリプチリン	4.33
イミプラミン	37.0	ミルナシプラン	9.10
クロミプラミン	37.0	デシプラミン	17.5
パロキセチン	40.0	ノルトリプチリン	18.5
ミルナシプラン	83.3	アモキサピン	58.5
フルボキサミン	1300	マプロチリン	5900
ミアンセリン	42	ミアンセリン	2300
ミルタザミン	1600	ミルタザピン	>31000

5-12-4　抗うつ薬各論

5-12-4-1　第一世代抗うつ薬

（1）　三環系抗うつ薬　Tricyclic antidepressants

抗うつ作用が出現するまでに2-4週間かかかる古典的な抗うつ薬であるが、現在も広く用いられている。

【薬理作用・作用機序】抗うつ薬の作用機序は完全には解明されていないが、脳内のセロトニンまたは／およびノルアドレナリンの神経終末への神経伝達物質の取り込み阻害により、シナプス間隙のアミンの量が増大する結果、受容体刺激が増強され、この効果が抗うつ効果と結びついていると考えられている。健常者に有効量を投与しても、気分高揚や情動の賦活は見られない。

A.　第3級アミン三環系抗うつ薬

イミプラミン Imipramine、クロミプラミン Clomiplamine

イミプラミンは、セロトニンおよびノルアドレナリン両トランスポーターに作用するが、ノルアドレナリントランスポーター阻害作用は、アミトリプチリンとほぼ同程度である。セロトニントランスポーターに対しては、アミトリプチリンよりやや強い。

クロミプラミンはノルアドレナリン取り込み阻害に比して、セロトニン取り込み阻害が非常に強く、選択性が高い。抑うつ状態、悲哀、絶望感を改善する。

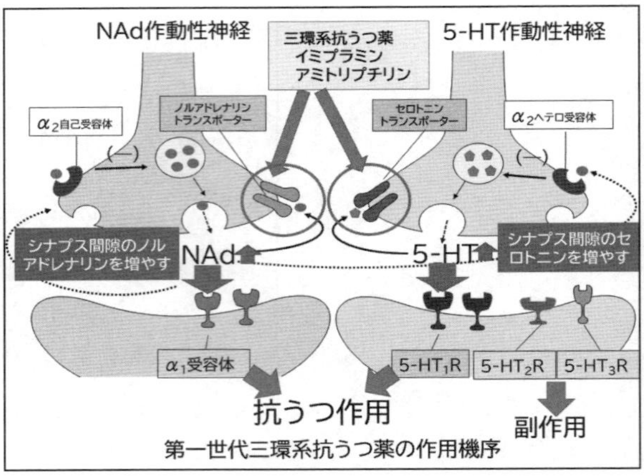

第一世代三環系抗うつ薬の作用機序

アミトリプチリン Amytriptilline

セロトニンおよびノルアドレナリン両トランスポーターに作用する。不安焦燥を改善する。

【適応症】うつ病、小児の遺尿症（イミプラミン、クロミプラミン）、夜尿症（アミトリプチリン）

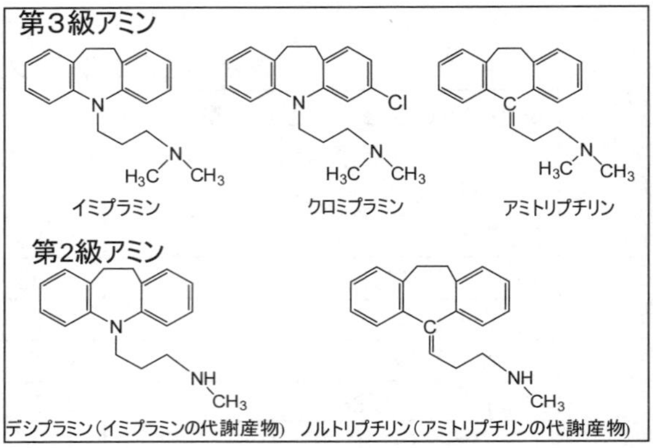

第3級アミン

イミプラミン　クロミプラミン　アミトリプチリン

第2級アミン

デシプラミン（イミプラミンの代謝産物）　ノルトリプチリン（アミトリプチリンの代謝産物）

B. 第２級アミン三環系抗うつ薬

主としてノルアドレナリン取り込み阻害を示す。第２級アミンのセロトニン取り込み作用は著しく弱い。

ノルトリプチリン Nortriptilline

アミトリプチリンの代謝産物であり、ノルアドレナリントランスポーター阻害作用はアミトリプチリンよりも約５倍強力である。意欲の欠如、無感動状態を改善する。

デシプラミン Desipramine

イミプラミンの代謝産物で、ノルアドレナリントランスポーター阻害作用が強力であるが現在は使用されていない。

【副作用】抗コリン作用：口渇、便秘、頻尿、眼圧上昇（緑内障には禁忌）

抗コリン作用はイミプラミン、アミトリプチリンが強い。

ヒスタミン H_1 受容体遮断作用：鎮静、眠気、脱力感の原因、 体重増加

アドレナリン α_1 受容体遮断作用：起立性低血圧の原因

5-12-4-2 第二世代抗うつ薬

従来の三環系より抗うつ作用出現が早く、抗コリン作用が少ない

アモキサピン Amoxapine

【薬理作用・作用機序】第二世代の第２級アミン系三環系抗うつ薬である。ノルアドレナリンの再取り込み阻害作用によるノルアドレナリン神経活動の亢進作用が抗うつ作用に関与する。即効性で、４日前後で効果が発現する。

【副作用】抗コリン作用に基づく副作用は非常に弱い。

ミアンセリン　Mianserin

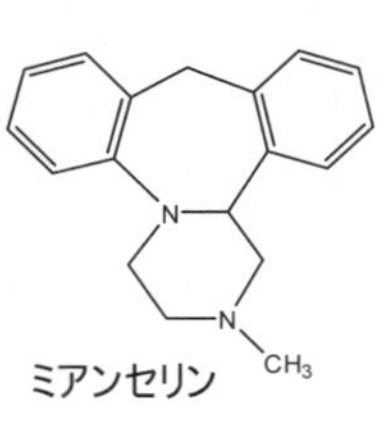

【薬理作用・作用機序】４環系で、脳内におけるノルアドレナリンの turnover の亢進、シナプスα_2受容体遮断によるノルアドレナリン遊離促進作用が抗うつ作用に関与するものと考えられている。セロトニンやノルアドレナリンの取り込みに対する作用は少ない。即効性で４日前後で効果が発現する。

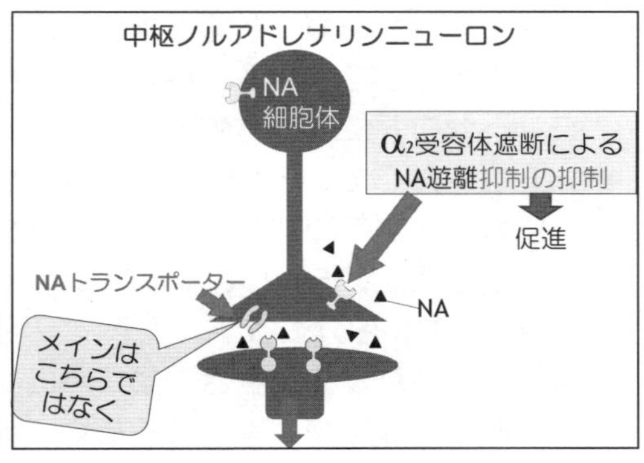

【副作用】H_1 遮断作用による眠気（ミアンセリンは H_1 受容体への親和性が高いため）

マプロチリン Maprotilline

【薬理作用・作用機序】４環系であるが、作用は三環系抗うつ薬に近く、ノルアドレナリンの再取り込みを阻害して抗うつ作用を発現する。中枢性の抗コリン作用をほとんど示さない。動物実験では強い馴化作用を示す。即効性で４日前後で効果が発現する。

【副作用】H_1 遮断作用による眠気、抗コリン作用に基づく副作用が出現する。従来の三環性抗うつ薬とほぼ同等かやや弱い程度である。胃腸系（口内乾燥、便秘等）

マプロチリン

トラゾドン　Trazodon

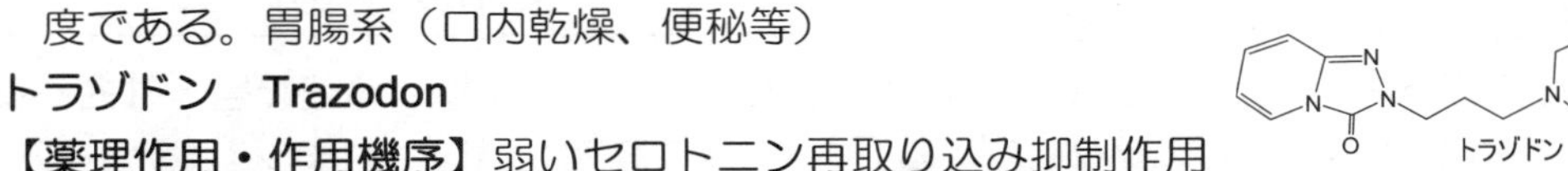

【薬理作用・作用機序】弱いセロトニン再取り込み抑制作用をもつ。代謝産物の m-クロルフェニルピペラジンがセロトニン 5-HT_1 受容体の部分アゴニスト・5-HT_2 受容体のアンタゴニストとして作用する。即効性である。間接的にノルアドレナリン神経機能を亢進することによる鎮静作用がある。

【副作用】眠気が強いが、抗コリン作用に基づく作用は比較的弱い。

第二世代抗うつ薬の作用機序

5-12-4-3　第三世代抗うつ薬

A　選択的セロトニン取り込み阻害薬　Selective serotonin reuptake inhibitor、SSRI

フルボキサミン　Fluvoxamine、パロキセチン　Paroxistine

セルトラリン Sertraline,　エスシタロプラム　Escitalopram

【作用機序】セロトニン神経終末にあるセロトニントランスポーターに特異的に作用して、セロトニンの再取り込みを阻害する。この作用は投与と同時に発現するが、SSRI は抗うつ作用の発現に約 2 週間以上を要する。この理由としては以下のことが考えられている。セロトニン神経においては、縫線核のセロトニン細胞体の樹状突起に自己受容

$5\text{-}HT_{1A}$ 受容体が、神経終末には自己受容体として $5\text{-}HT_{1B/1D}$ 受容体が存在し、セロトニンの産生・放出をコントロールしているが、SSRI 投与によりシナプス間隙のセロトニン量が増加すると、$5\text{-}HT_{1A}$、$5\text{-}HT_{1B/1D}$ の自己受容体を介したネガティブ・フィードバックが働き、セロトニンの産生・放出が抑制されるため、服用初期には実際シナプス間隙のセロトニン量は増加しないことになる。SSRI を反復投与すると、これらの自己受容体が脱感作して感受性が次第に低下するため、フィードバックによる抑制がはずれてセロトニンが持続的に遊離される。一方で SSRI のセロトニン再取り込み阻害は続いているため、シナプス間隙のセロトニン量は飛躍的に増加する。フルボキサミン、パロキセチン、セルトラリン、エスシタロプラムの 4 種類があり、うつ病、うつ状態、脅迫障害・社会不安障害（フルボキサミン、エスシタロプラム）、パニック障害（パロキセチン、セルトラリン）に用いられる。セルトラリンは、SSRI の中で最もセロトニンの取り込み阻害作用が強く、ドパミントランスポターの抑制作用もパロキセチンやフルボキサミンよりも強い。

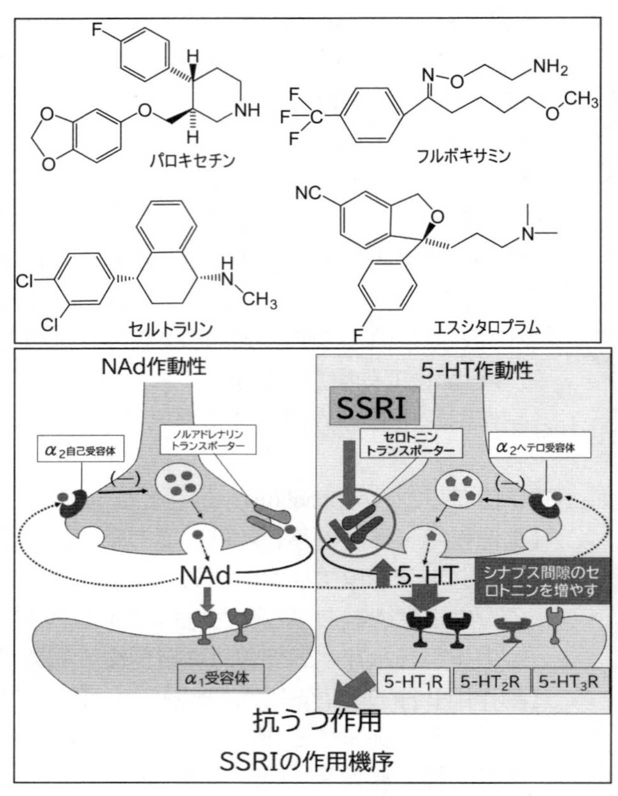

SSRIの作用機序

【副作用】 三環系抗うつ薬に比べて鎮静作用、抗コリン作用、心循環系作用が少ない。嘔気・嘔吐、眠気、セロトニン症候群（錯乱、発汗、幻覚、反射亢進、ミオクロヌス、頻脈など）、性機能障害

B 選択的セロトニン・ノルアドレナリン取り込み阻害薬

Selective serotonin-noradrenaline reuptake inhibitor、 SNRI

ミルナシプラン **Milnacipran**、デュロキセチン **Duloxetine**、

ベンラファキシン **Venlafaxine**

【作用機序】 うつ病・うつ状態に対する作用機序は、セロトニンおよびノルアドレナリン再取り込みの特異的な阻害である。各種の神経伝達物質の受容体にはほとんど親和性を示さないので、三環系抗うつ薬などの他の抗うつ薬と比較して、副作用は少ない。他の抗うつ薬と比べて作用の発現が早く、うつ病の急性期に有効である。

デュロキセチンは、ミルナシプランに次いで上市された SNRI であり、抗うつ作用以外に、**糖尿病性神経障害に伴う疼痛、変形性関節症に伴う疼痛にも適応がある。** この疼痛抑制作用は、知覚神経系の下行性抑制神経（ノルアドレナリンおよびセロトニン作動性）の賦活によるものである。2015 年より三つ目の SNRI としてベンラファキシンが上市された。

【副作用】 口渇、吐気・嘔吐、便秘、眠気、悪性症候群（Syndrome malin）、セロトニン症候群、痙れん、白血球減少発汗、不穏、昏睡

【禁忌】 モノアミン酸化酵素阻害薬（塩酸セレギリン）

ミルナシプラン

デュロキセチン　　ベンラファキシン

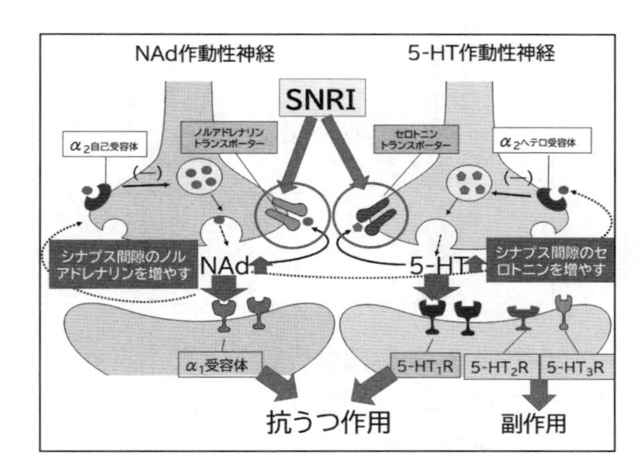

C　ノルアドレナリン作動性・特異的セロトニン作動性抗うつ薬

Noradrenergic and specific serotonergic antidepressant、NaSSA

ミルタザピン　Mirtazapine

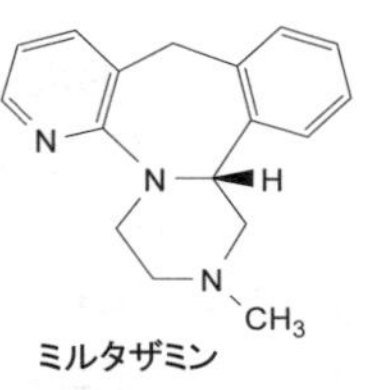
ミルタザミン

【作用機序】 アドレナリン作動性ニューロンのシナプス前α_2-自己受容体とセロトニン作動性ニューロンのシナプス前α_2-ヘテロ受容体に対してアンタゴニストとして作用し、ノルアドレナリンとセロトニンの神経伝達を増強する。また、5-HT_2 受容体と 5-HT_3 受容体を遮断する作用があるため、抗うつ作用に関連する 5-HT_{1A} 受容体のみを特異的に活性化することによって抗うつ効果を発揮する。ミアンセリンに構造が類似しているが、ミアンセリンは、アドレナリンα_1 受容体遮断作用が比較的強いため、セロトニン系に対する作用は発現しない。

作用機序は以下の①-⑤によるものと考えられている。

① NA 神経シナプス前α_2-自己受容体を遮断することにより NA 遊離を促進

② NA 細胞体に存在するα_2-自己受容体を遮断することにより NA 神経を活性化

③ NA 遊離の促進による 5-HT 神経細胞体α_1-受容体を介した 5-HT 神経活動の活性化

④ 5-HT 神経シナプス前α_2-ヘテロ受容体を遮断することにより 5-HT 遊離を促進

⑤ 後シナプス 5-$HT_{2、3}$ 受容体アンタゴニスト作用

ミルタザピンは、即効性で優れた抗うつ作用を有し、中等度および重度のうつ病の治療に有用な薬物である。また、不安症状および睡眠障害を有するうつ病に適している。

【副作用】 傾眠、口渇、倦怠感、便秘、体重増加、浮動性めまい、頭痛。5-HT_3 遮断作用を有するため、SSRI と比較して嘔気・嘔吐を生じにくい。多くの抗うつ薬がもつ性機能障害等の副作用が少ない（性機能障害改善に 5-HT_{2A} および 5-HT_{2C} 受容体のアンタゴ

ニスト作用が関与）。一方、H₁ 受容体遮断作用が強いため鎮静系の副作用が目立つ。

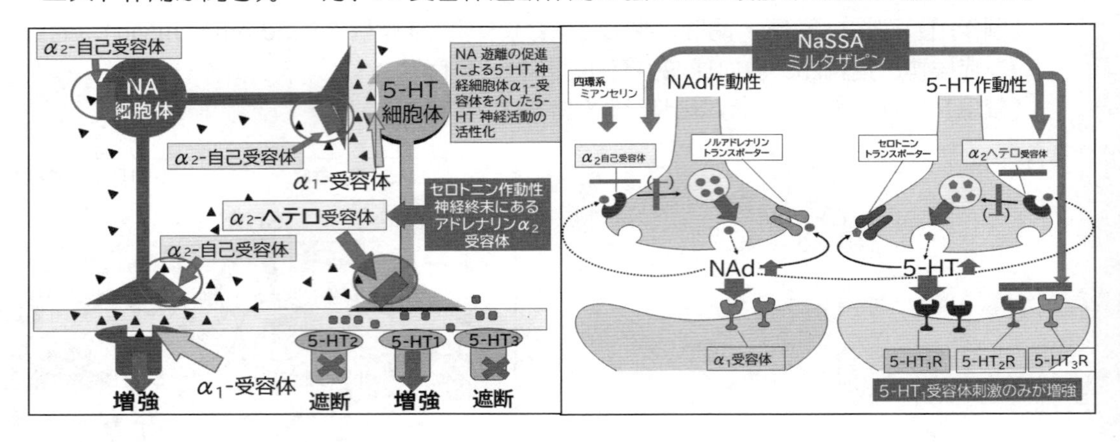

5-12-4-3-4　第四世代抗うつ薬

セロトニン再取り込み/セロトニン受容体モジュレーター

Serotone reuptake inhibitor/receptor modulator、S-RIM

ボルチオキセチン　Vortioxetine

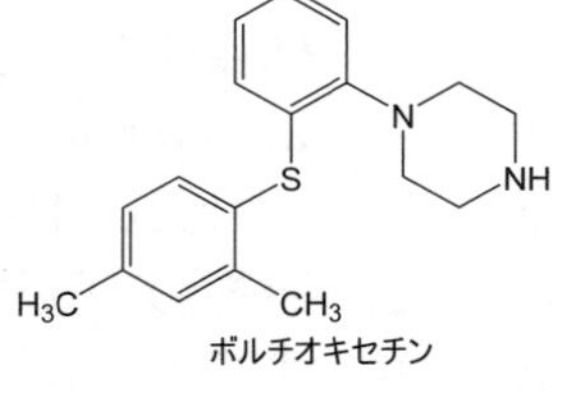

【作用機序】 ボルチオキセチンは、セロトニンニューロンへの6 つのターゲットを有している。

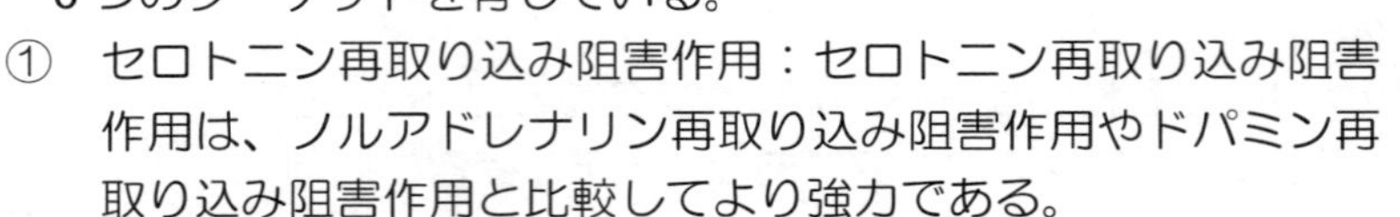

① セロトニン再取り込み阻害作用：セロトニン再取り込み阻害作用は、ノルアドレナリン再取り込み阻害作用やドパミン再取り込み阻害作用と比較してより強力である。

② 5-HT_{1A} 受容体刺激作用：cAMP 低下、セロトニン放出抑制（自己受容体：この作用は脱感作する→放出促進）。GABA 放出抑制（ヘテロ受容体：下流にあるドーパミンニューロン、アドレナリンニューロン、アセチルコリンニューロン（ACh）、ヒスタミンニューロン（HA）への抑制がかからなくなり（脱感作）放出が促進する。

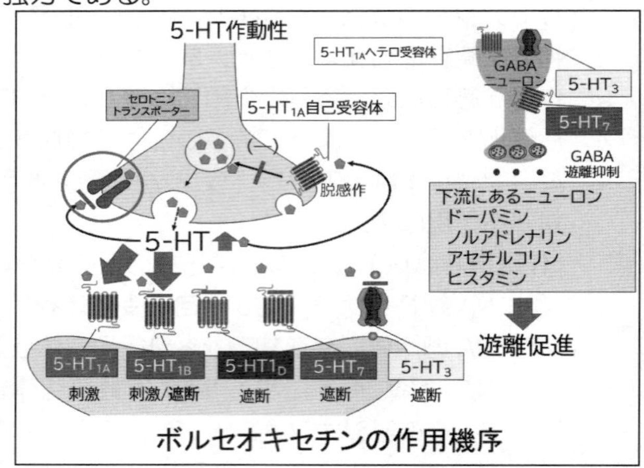

ボルセオキセチンの作用機序

③ 5-HT_{1B} 受容体部分刺激作用：刺激作用よりもアンタゴニストとしての作用が抗うつ効果に関与するらしい。

④ 5-HT_{1D} 受容体遮断作用

⑤ 5-HT_7 受容体遮断作用

⑥ 5-HT_3 受容体（リガンド依存性イオン　Na^+/Ca^{2+}）阻害作用：5-HT_3 受容体を阻害することで、アドレナリンニューロン、アセチルコリンニユーロン（ACh）における遊離抑制をブロックして遊離を増やす。

【副作用】 セロトニン症候群、痙れん、抗利尿ホルモン不適合分泌症候群、SSRI とは異なり、性機能障害および睡眠障害の発生率は非常に低い。

5-12-5 抗うつ薬の作用点-まとめ

三環系抗うつ薬と SNRI は、ノルアドレナリンとセロトニントランスポーターの両方を阻害する点で、主作用は同じだが、SNRI は、作用がトランスポーターに特異的であり、副作用が少なく、作用発現までの期間も短い。

ミルタザピンとミアンセリンは、構造上よく似ているが、ミルタザピンのほうが、主作用の作用点が多い。ミアンセリンは、ノルアドレナリン作動性神経前シナプスのアドレナリンα2自己受容体のみを遮断するので、作用は限定的である。

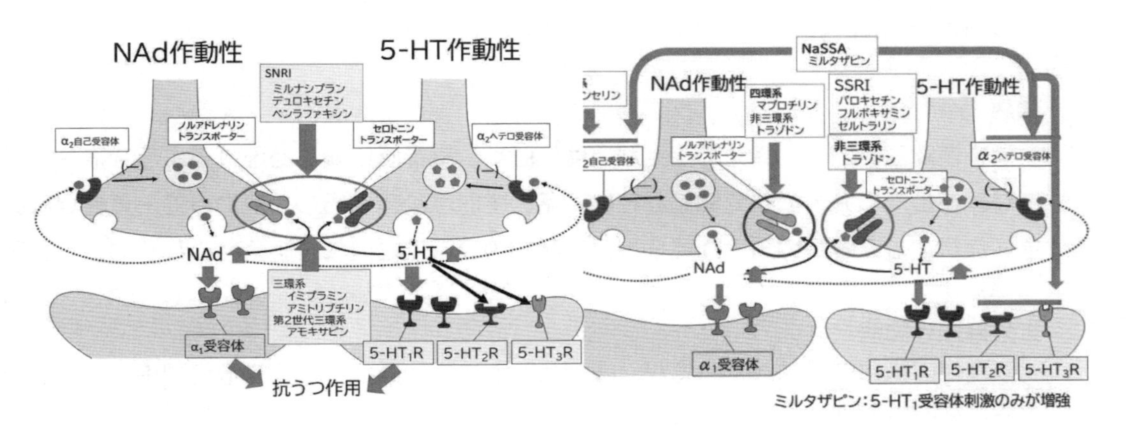

難治性うつ病

難治性のうつ病では、抗うつ薬に反応しない例もあり、治療抵抗性を示すこともある。三環系抗うつ薬は、難治性うつ病に有効な場合が多い。メチルフェニデートは、重症のうつ病に適用があったが、この適用は 2009 年から外されている。

カリフォルニアロケット燃料

米国の臨床精神薬理学者、スティーブン・ストールが提唱した合理的な抗うつ薬併用療法。セロトニン・ノルアドレナリン再取り込み阻害薬（SNRI）と、ノルアドレナリン作動性・特異的セロトニン作動性抗うつ薬（NaSSA）であるミルタザピンとの併用が、精神状態をつかさどる３種類のモノアミンを活性化する推進剤（ロケット燃料）として働くという例えである。SSRI や SNRI は、軽症うつ病の第一選択薬となっている。中等度から重症うつ病においても、副作用の少ない SSRI や SNRI が選択されることが多くなっている。

【うつ病における薬物療法と服薬指導】

うつ病は病気であること、薬物療法により治療が可能なこと、無理をしないことなどを充分に伝える。気休め的な態度や、励ましは有益ではない。三環系抗うつ薬は、抗うつ効果よりも先に副作用が発現してしまうことが多いため、副作用に関する説明を十分に行う必要がある。副作用により、服薬を中断すると、病状が遷延化するため、副作用に早く気づき、対処することが薬物療法のカギとなる。

5-13　双極性障害治療薬　Drugs acting on Bipolar disorder
抗躁薬　Antimanic drugs（気分安定薬 mood stabilizer）

5-13-1　双極性障害と気分循環性障害、躁病

旧来、躁うつ病と呼ばれていた疾患で、単極性の大うつ病とは異なり、躁症状（病）うつ症状（病）の「2つの極」という意味で、現在は双極性障害と定義されている。双極性障害は、以下の2つに大別されている。

双極性 I 型障害・・・ 躁病とうつ病
双極性 II 型障害・・・軽い躁症状とうつ症状

躁病

双極性障害おいて、気分の高揚が過度に強く、幸福感に満ちあふれるような症状。活動性が亢進して多弁・多動で抑制がない。話の主題はめまぐるしく変わって一貫性がない。身体症状として睡眠の短縮が見られ、短時間の睡眠でも疲れを訴えないなどの症状を示す。

気分循環性障害

双極性障害と症状は似ているが、躁症状とうつ症状は軽く、通常数日間程度続くもの。不規則な間隔でかなり頻繁に再発する。

5-13-2　双極性障害治療薬

双極性障害の薬物治療には、気分安定薬（炭酸リチウム、と抗てんかん薬のラモトリギン、バルプロ酸、カルバマゼピン）と非定型抗精神病薬（リスペリドン、オランザピン、クエチアピン、アリピプラゾールなど）が用いられる。双極性障害のうつ状態に対して、抗うつ薬を服用していると、うつ状態から急に躁状態が出現する躁転が引き起こされることがあるため、基本的に双極性障害に対して抗うつ薬は使用しない。最近、双極性障害におけるうつ症状改善薬としてルラシドン（SDA）が適用になっている。

炭酸リチウム　(Li_2CO_3)

【作用機序】様々な仮説が提唱されているが、気分安定作用の作用機序には不明な点も多い。

PI 代謝回転の抑制：イノシトール-1-リン酸（$I_{(4)}P$）分解酵素を抑制し、IP_3 からイノシトールへの分解が障害され、細胞内イノシトールが減少する。

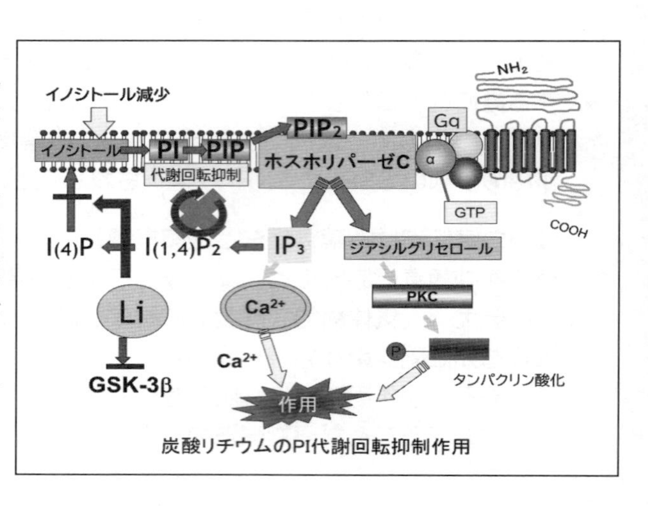

炭酸リチウムのPI代謝回転抑制作用

神経伝達物質の遊離抑制作用や Na^+ との置換により Na^+依存性の酵素反

応等を抑制して神経興奮を抑制することも考えられる。グリコーゲン合成酵素キナーゼ3β（GSK-3β）に対する抑制効果も報告されている。

【薬理作用】抗躁作用　0.8～1.2　mEq/L が至適濃度で 70～80%の躁状態の患者に抗操作用が現れる。他の鎮静薬とは異なり、意識水準を低下させることなく、躁状態を改善する。睡眠をとらない躁病患者においては睡眠異常を調節する。

【副作用】有効血中濃度と中毒濃度の差が少ない。1.5 mEq/L 以上で様々な副作用が出現する。

血中濃度	症状
1.5 mEq/L ～ 2.5 mEq/L	手指粗大振戦、悪心・嘔吐
2.5 mEq/L ～ 3.5 mEq/L	鎮静、筋緊張亢進、意識障害、虚脱
3.5 ～ 5 mEq/L	昏迷、昏睡、腎障害、死

ラモトリギン　Lamotrigine

【作用機序】　双極性障害において気分エピソードの再発・再燃までの期間を有意に延長する作用を有する。双極性障害の気分エピソードの急性期治療に対する有効性および安全性は確立していない。

Cl Cl H_2N N N N NH_2

ラモトリギン

【副作用】皮膚粘膜眼症候群（Stevens-Johnson 症候群）および中毒性表皮壊死症（Lyell 症候群）、過敏症症候群、再生不良性貧血、汎血球減少、無顆粒球症、肝炎、肝機能障害および黄疸、無菌性髄膜炎、発疹、胃腸障害

双極性障害におけるうつ症状改善薬

ルラシドン　Lurasidone

【作用機序】ルラシドンは、非定型抗精神病薬の SDA（serotonin-dopamine antagonist）であるが、双極性障害におけるうつ症状改善薬としての適用がある。
双極性障害におけるうつ症状に対する作用機序は、完全には解明されていないものの、ドパミン D_2 受容体、セロトニン 5-HT_{2A} 受容体、セロトニン 5-HT_7 受容体へのアンタゴニストとしての作用が関与するものと考えられている。

H H O N H H H O H N N N–S

ルラシドン

【副作用】悪性症候群、遅発性ジスキネジア、痙れん、高血糖、糖尿病性ケトアシドーシス、糖尿病性昏睡、肺塞栓症、深部静脈血栓症、横紋筋融解症、 無顆粒球症、白血球減少など

5-14　中枢興奮薬　Central stimulants

中枢神経系興奮薬　（central nervous system stimulant）

中枢神経系に作用して興奮を引き起こす薬物を総称して中枢興奮薬という。作用する部位によって、出現する効果は異なるが、多くの薬物が過量投与により痙れんを生じる。

5-14-1　中枢神経系興奮薬の分類

作用機序による分類

興奮性を増大させる薬物

抑制性機能を抑制させる薬物　　　シナプス前抑制、後抑制の抑制（脱抑制）

作用部位による分類

大脳皮質興奮薬	主として大脳皮質に作用するもの	カフェイン、覚醒アミン
脳幹興奮薬	主として延髄の呼吸中枢に作用するもの	ピクロトキシン、ペンテトラゾール、ベメグリド、ドキサプラム、ジモルホラミン
脊髄興奮薬	主として脊髄に興奮的に作用するもの	ストリキニーネ

5-14-2　中枢神経系興奮薬各論

Ⅰ　大脳皮質型興奮薬

（1）キサンチン誘導体　（メチルキサンチン）

カフェイン、テオフィリン、テオブロミンがある。

カフェイン　caffeine

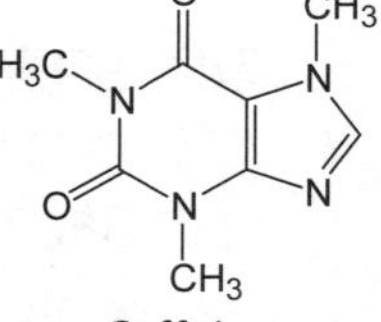
Caffeine

Theophylline

Theobromine

【中枢作用】　少量あるいは常用量で大脳皮質を興奮させ、眠気、疲労感が消失し、思考力が増進する。大量では、延髄血管運動中枢を興奮させて、血管を収縮する。さらに大量では、脊髄反射が亢進し、間代性痙れんを引き起こす。カフェインの感受性は個体差が大きい。
脳細動脈に直接作用して脳血管を収縮させ、その抵抗性を増加して脳血流を減少する。

【作用機序】

①アデノシン受容体の非特異的拮抗作用

②細胞内貯蔵 Ca^{2+} の遊離促進作用

③　強心作用・平滑筋弛緩作用：ホスホジエステラーゼを阻害して cAMP 量が増加する。アデニル酸シクラーゼと共役する伝達物質受容体の細胞内情報伝達系が亢進する。

【適用】 気管支ぜん息、片頭痛、呼吸促進、強心

【その他】 中枢作用に耐性は生じないが、利尿作用や血管拡張作用には耐性が生ずる。

薬理作用	作用の強さ	特　徴
中枢神経の興奮	caffe>theop>>theob	大脳皮質の興奮を引き起こす。麻酔薬などによる中枢抑制作用に拮抗する。精神機能亢進、知覚亢進、眠気や疲労感減少
利尿作用	theop>theob>caffe	心筋の収縮による間接的な利尿
心筋興奮作用	theop>theob>caffe	心収縮の増強
平滑筋弛緩作用	theop>theob>caffe	気管支、冠血管の拡張 （閉塞性肺疾患）
骨格筋興奮作用	caffe>theop>theob	筋小胞体からの Ca^{2+} の遊離促進
胃酸分泌促進	―	cAMP の増加による胃酸分泌促進

（2）　覚醒アミン　　（覚醒、活動性増大）

中枢興奮作用と、交感神経興奮作用がある。中枢作用としては、覚醒作用が顕著で、著明な精神機能賦活作用を示し、カフェインよりも強力である。

アンフェタミン　Amphetamine、メタンフェタミン　Methamphetamine

【薬理作用】　少量で大脳皮質の興奮、覚醒レベルの亢進、疲労感や眠気の減退、多弁・躁状態。

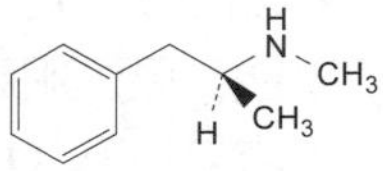

集中力や判断力の低下、食欲の低下。中枢作用は、末梢作用が現れるより低用量で発現する。脊髄性単および多シナプス反射を亢進する。末梢では、交感神経興奮作用が顕著で、血圧は上昇し、心拍数は増加する。胃腸運動は抑制される。

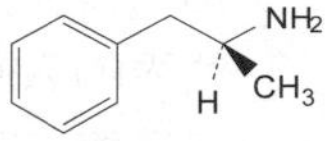

アンフェタミン

メタンフェタミン

【作用機序】ノルアドレナリンおよびドパミンの遊離促進、再取り込み抑制によってシナプスでのカテコラミン濃度を上昇させる。脳内報酬系としても知られる、腹側被蓋野から前頭前野と側坐核に投射するドパミン作動性神経のシナプス前終末からのドパミン放出を促進することで、覚醒作用、快の気分を生じさせる。モノアミンオキシダーゼ（MAO）阻害作用も有するが中枢作用との関連性は不明である。

フェニルアミノプロパン（アンフェタミン）、フェニルメチルアミノプロパン（メタンフェタミン）、およびその塩類やそれらを含有するものは覚醒剤取締法で規制されており、これらの乱用により激しい精神依存が起こる。また、連用すると耐性が生じる。統合失調症の様な精神病状態（薬物精神病）などの後遺症を起こすこともある。あらゆる犯罪に結びつくことから日本では麻薬とは区別され覚醒剤として、所持、製造、摂取が厳しく規制されている。

フラッシュバック現象

覚醒剤の使用を中断しているにも関わらず、使用時と同様の症状が突如現れることをフラッシュバック現象と呼ぶ。フラッシュバックは使用直後に生じる場合から、使用を中断して数年を経て発症する場合まである。覚醒剤後遺症として統合失調症と区別がつかないような、慢性の幻覚妄想状態や、意欲低下や引きこもりといった、統合失調症の陰性症状の様な症状を呈するようになり、精神科病院への入院が必要となる場合も多い。

依存の型	中枢作用	精神依存	身体依存	耐性	代表薬物
アンフェタミン型	興奮	＋＋＋	0	＋＋＋	amphetamine, methamphetamine

メチルフェニデート　**Methylphenidate**

【薬理作用】緩和なアンフェタミン様作用をもつが、末梢交感神経様作用はなく、依存性もない。REM 睡眠抑制効果の指標となる入眠時REM 期の持続時間の短縮が認められ、REM 睡眠抑制作用の存在が示されている。連用しても依存性は生じない。作用機序は、アンフェタミン・メタンフェタミンとほぼ同じである。

COOCH$_3$ CH－CH HN

メチルフェニデート

【適用】注意欠陥多動障害の子供、REM 型ナルコレプシー（10 ～ 40mg）に用いる。
抗うつ薬で効果の不十分な難治性うつ病、遷延性うつ病で抗うつ薬との併用

【副作用】悪性症候群（Syndrome malin）、脳動脈炎および梗塞、狭心症

ナルコレプシー

代表的な過眠症で、居眠り病とも呼ばれる。日中に耐え難い眠気を感じ、短時間の居眠りを反復する。通常居眠りをしないような状況におかれても、強い眠気とともに眠り込んでしまうことがある。また、興奮したり、大笑いしたときに、全身、あるいは膝、腰、頸、顎、頬、眼瞼などの筋肉が両側性に抜けてしまう、情動脱力発作が出現する。睡眠開始時時にレム（REM）睡眠期（Sleep-onset REM period: SOREMP が出現することが特徴的である。

注意欠如・多動性障害（注意欠如・多動症：AD/HD）治療薬

AD/HD は、主に学齢期の児童に認められる不注意、多動性、衝動性を中核症状とする発達障害として分類される精神疾患である。多動症の子供に、メタンフェタミンやメチルフェニデートを投与すると、予想に反して正常な生活ができるようになる。この疾患では、注意力が欠乏しているために多動となるわけで、メタンフェタミン等の投与により、注意力が亢進するために無用な動きが抑制されるものと考えられている。2007年10月に、メチルフェニデートが日本ではじめて認可になり、ヤンセンファーマから発売されている。成人期の ADHD は、小児期 AD/HD の多くが成人期に持ち越され、成人期に至っても機能的問題を抱えている。

AD/HD は、以前、注意欠陥・多動性障害と言われていたが、2013 年より、欠陥が欠如に代わった注意欠如・多動性障害または、注意欠如・多動症吐言われるようになった。

注意欠如・多動性障害（AD/HD）治療薬

アトモキセチン　Atomoxetine

【薬理作用】AD/HD には前頭前野の機能不全が関与していると考えられており、アトモ

キセチンは、前頭前野においてノルアドレナリン（NA）トランスポーターを選択的に阻害する。前頭前野の NA トランスポーターは、NA とドパミン（DA）の再取り込みに関与しており、アトモキセチンにより、前頭前野のノルアドレナリンとドパミン濃度が上昇する。これにより AD/HD の機能的問題が抑制されると考えられている。アトモキセチンは、側坐核や線条体のドパミン濃度を上昇させないため薬物依存やチックの発現を起こしにくい。MAO 阻害薬との併用は禁忌である。

アトモキセチン

【適用】 注意欠陥・多動性障害（添付文書は以前の疾患名のままとなっている）

【副作用】 悪心、食欲減退、傾眠、口内乾燥

食欲抑制薬

マジンドール　Mazindol

【薬理作用】 主として視床下部にある食欲中枢に作用し、摂食行動を抑制する。

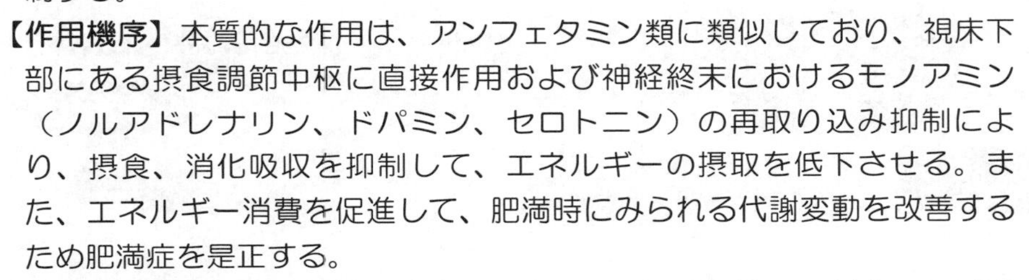

【作用機序】 本質的な作用は、アンフェタミン類に類似しており、視床下部にある摂食調節中枢に直接作用および神経終末におけるモノアミン（ノルアドレナリン、ドパミン、セロトニン）の再取り込み抑制により、摂食、消化吸収を抑制して、エネルギーの摂取を低下させる。また、エネルギー消費を促進して、肥満時にみられる代謝変動を改善するため肥満症を是正する。

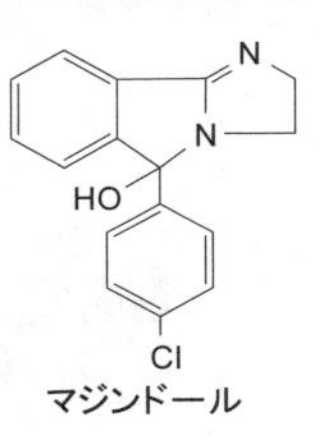

マジンドール

【適用】 高度肥満症（肥満度が＋ 70 ％以上又は BMI が 35 以上）で、あらかじめ適用した食事療法および運動療法の効果が不十分な患者に用いる。

【副作用】 精神依存の形成

乱用薬物

MDMA：3,4-Methylene-dioxymethamphetamine

MDA：3,4-Methylene-dioxyamphetamine

アンフェタミンの構造類似体で、いずれも合成麻薬であり、乱用薬物である。MDA はラブドラッグ、MDMA は、エクスタシーと呼ばれている。MDMA は、アンフェタミン様の興奮作用と、メスカリンとも構造に類似性があり視覚、聴覚を変化させる作用がある。乱用すると、混乱、憂うつ、睡眠障害、不安を生じ、何週間も経過した後でも作用が発現することがある。また、脱水症、高血圧、心臓や肝臓の機能不全を生じる。

Ⅱ　中脳・延髄興奮薬

ピクロトキシン Picrotoxin

南洋に産するツヅラフジ科の Anamirta　paniculata の種子中に含有する窒素を含まない物質である。ピクロトキシンは単一な化合物ではなく、中枢興奮性を示すピクロトキシニンと生物活性のないピクロチン各々１

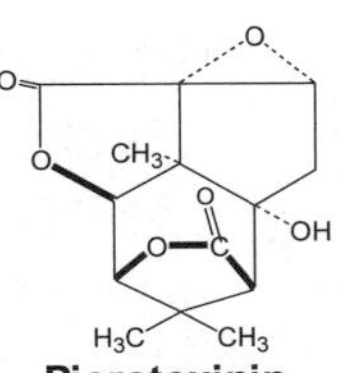

Picrotoxinin

分子より成る分子化合物である。過去には蘇生薬として用いられたこともあるが、現在、臨床適用はない。臨床的価値はないが、薬理学的には抗痙れん薬の薬理試験などで痙れんを誘発する場合に使用する重要な薬物である。

【薬理作用】延髄に作用して呼吸・血管運動中枢を興奮させ、呼吸促進および血圧上昇が現れる。嘔吐中枢を刺激するため、嘔吐を生じる。高用量では、はじめは間代性痙れんがおこり、ついで強直ー間代痙れんに移行する。

【作用機序】GABA$_A$ 受容体の、痙れん物質の認識部位に作用すると考えられている。主として GABA ニューロンによるシナプス前抑制を遮断することにより痙れんを引き起こす。また、GABA ニューロンによるシナプス後抑制も遮断する。

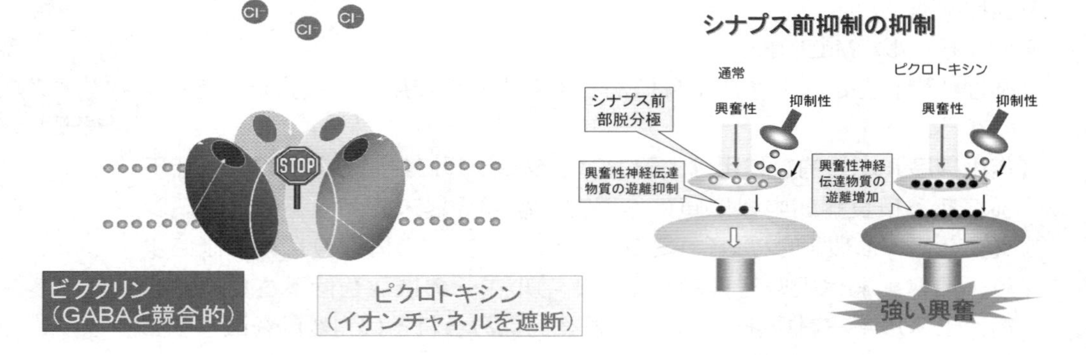

ペンテトラゾール Pentetrazol

中枢の広い部分に興奮作用を示す。ニューロンの不応期を短縮する。

【作用機序】ピクロトキシンとほぼ同じであるが、脳幹および大脳皮質を興奮させるため呼吸興奮が起きる。てんかん患者では特に痙れんを生じやすい。ペンテトラゾール痙れんを抑制する薬物には、抗てんかん薬としての可能性があるため、抗てんかん薬のスクリーニングに用いられる。

ペンテトラゾール

ベメグリド Bemeglide

【薬理作用】バルビツール酸と似た構造をもつが、作用は興奮性である。てんかんの異常脳波を賦活させる目的で診断に用いることがある。バルビツール酸に特異的な拮抗作用を示すわけではない。大量を静注すると痙れんを発現する。

ベメグリド

Ⅲ 蘇生薬 Analeptics

痙れんを起こしにくい安全係数の高い薬物で、麻酔時の呼吸抑制や肺の換気不全に用いられる。

ドキサプラム Doxapram

【薬理作用】延髄の呼吸中枢を選択的に興奮させる。また、頸動脈体の化学受容器に作用して呼吸量を増加させる。術後の麻酔下において、ドキサプラムは覚醒時間を短縮することが認められている。作用時間は短い。

ドキサプラム

【適用】 麻酔時および中枢神経系抑制薬中毒による呼吸抑制ならびに覚醒遅延
【副作用】興奮状態、振せん、間代性痙れん

ジモルホラミン Dimorpholamine

【薬理作用】呼吸中枢と交感神経系の興奮により、呼吸促進作用および血圧上昇を引き起こす。呼吸数の増加は軽度であるが、吸気の深度を増大して１回換気量を増加する。

【適用】麻酔薬使用時、新生児仮死、ショック、催眠剤中毒、溺水、肺炎、熱性疾患

【副作用】めまい、耳鳴り、咳そう

ジモルホラミン

Ⅳ　脊髄興奮薬

ストリキニーネ Strichnine

【薬理作用】インド原産のマチン属の植物ホミカ Strichnos nux vomica から得られるアルカロイドで、脊髄に対して反射興奮性を高める。音、光、接触、電気刺激などにより、強直性痙れんを誘発し、四肢は硬直する。体を弓のように曲げる後弓反張（オピストトーヌス）が見られる。市販の胃腸薬のなかにはホミカを含んでいるものがある。

ストリキニーネ自体は、中枢神経系の治療薬としての価値はなく、もっぱら、抗てんかん薬の薬理学実験で強直性痙れんを誘発するために用いられる。ホミカ（マチンとも呼ばれる）の主成分は、ストリキニーネおよびブルシンであるが、苦味健胃薬として用いられる。 種子一個でヒトの致死量に達する。"nux-vomica"は「嘔吐を起こさせる木の実」という意味であるが、種子には催嘔吐作用は無い。

【作用機序】グリシン受容体の競合的遮断薬である。骨格筋を支配する運動ニューロンはその一部を分枝し、介在ニューロンであるレンショウ細胞（glycine 作動性ニューロン）に連絡している。レンショウ細胞は、運動神経に対し、ネガティブフィードバックをかけている抑制性ニューロンで、神経伝達物質は主にグリシンである。ストリキニーネは、このグリシンと競合し、レンショウ細胞によるシナプス後抑制を遮断する。

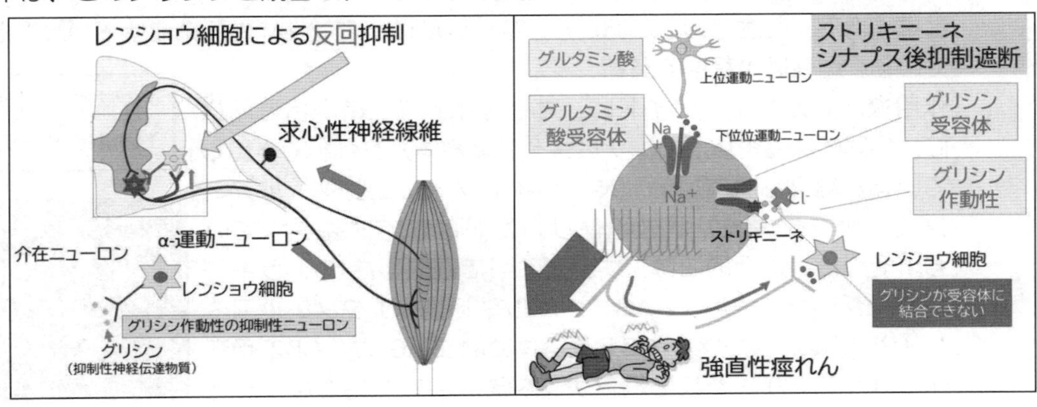

ドーピング

ストリキニーネは、競技時に禁止されているドーピング薬である。尿中濃度の基準値が設定されていないので、検出されれば直ちに違反が疑われる。ホミカ含有胃腸薬の服用でも、検出されれば同様にドーピングとみなされる。

V　精神異常発現薬

幻覚や妄想を引き起こし、思考や感情の以上を起こす薬物である。治療薬としての価値はほとんどない。

メスカリン　Mescaline

サボテンの一種「ペヨーテ」の幻覚をもたらす主成分である。昔はメスカレロ・アパッチ（インディアン）が儀式の際に用いていたもの。

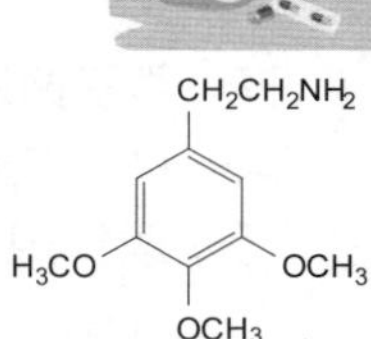

メスカリン

【薬理作用】　内服により幻覚を生じ、異常な状態の中に精神的に「彷徨う」（トリップする）作用が出現する。精神分裂病様の傾向を示して、発作的に不機嫌になったり何の理由もなく激昂したり、不安、混乱、抑鬱、振戦、悪心、不眠、食欲不振などが見られる。麻薬に指定されている。

LSD-25（リゼルグ酸ジエチルアミド　Lysergic acid diethylamide）

バッカク成分を加水分解するとリゼルギン酸（リセルグ酸）を生ずる。これをジエチルアミド化してできた物質である。

【薬理作用】1　mg という少量でも周囲が彩色されたマンガのように見えたり、物が動揺して見えたり、水面に映った画像のように見えたりする幻視を主とする幻覚を生ずる。中枢作用は、セロトニンと関係があると考えられている。麻薬に指定されている。

LSD-25

テトラヒドロカンナビノール　Tetrahydrocannabinol

【薬理作用】インド大麻の生薬をマリファナと呼んでいる。カンナビノール（CBN）、カンナビジオール（CBD）と同様にインド大麻の成分で、大脳辺縁系に作用し、陶酔感、幸福感、多弁、万能感、気分易変、攻撃性などの気分情動の変化を引き起こす。また錯視、幻視、聴覚敏感、幻聴、味覚の変化などの感覚知覚の変化と支離滅裂などの思考の障害も引き起こす。慢性中毒状態になると意欲低下、忍耐力低下がおこり、身体的には発ガン性や生殖機能低下が最近指摘されている。耐性は中程度である。

テトラヒドロカンナビノール

生薬はマリファナ

【作用機序】カンナビノイドは、オピオイドなどの場合と同様に、特異的な受容体（カンナビノイド受容体）を介して作用していると考えられている。N-アラキドノイルエタノールアミン（アナンダミド）が内因性リガンドとして発見されている。その後、構造的にはアナンダミドに類似した 2-アラキドノイルグリセロール（2-AG）やパルミトイルエタノールアミド（PEA）が発見され、CB1 受容体では 2-AG が、CB2 受容体では PEA が、それぞれアナンダミドよりも主要な役割を

カンナビノイド受容体
7 回膜貫通型受容体

担っていると考えられるようになった。

フェンシクリジン　Phencyclidine

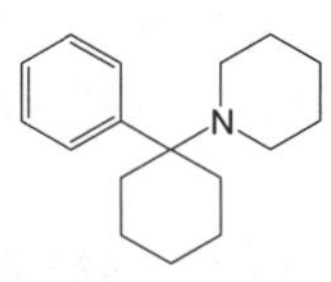

【薬理作用】フェンシクリジン、PCP、phencyclidine）は、エンジェルダストとも呼ばれ、脳の新皮質の機能を阻害するとともに、痛覚を抑制する。乱用者の多くは、隔絶された感じや疎外感を覚える。思うように話をすることもできず、話始めても支離滅裂となる。多量を乱用した場合には痙れん、昏睡、心臓発作、窒息、脳溢血などをきたす。麻薬に指定され、規制をうけている。

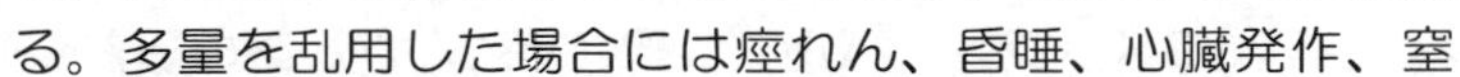

5-15　その他

5-15-1　片頭痛治療薬

片頭痛の発生機序

片頭痛とは、片側性の拍動性頭痛が数時間以上持続する物をいう。

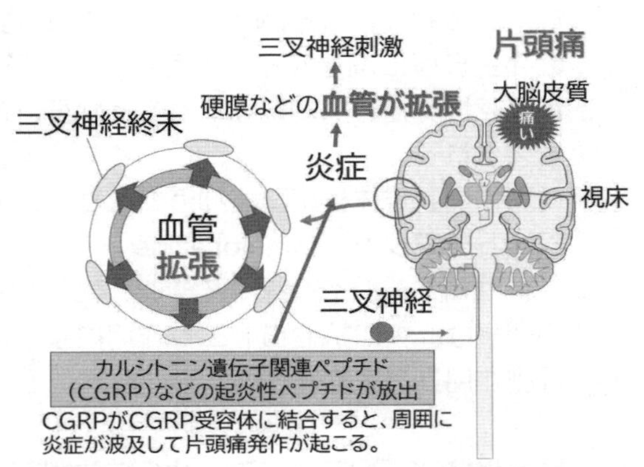

発症機序としては、三叉神経血管説が有力で、何らかの原因で過剰な太さに拡張した血管や異常な脳の興奮などにより刺激を受けた三叉神経からカルシトニン遺伝子関連ペプチド（CGRP）などの神経ペプチドが放出され、炎症が引き起こされる。その炎症によりさらに硬膜などの血管が拡張し、三叉神経に刺激を与え、これが“痛み”として認識されて頭痛が起きるとされている。発作時は痛みが強く、嘔心・嘔吐や光・音過敏などを伴い、寝込んでしまうこともあり、日常生活に支障をきたすことが多い。年間有病率は、調査により異なるが、総合的に考えると我が国を含むアジアでは 5 ～ 10%と考えられ、若年～中年の女性で高いことが示されている。

片頭痛治療薬

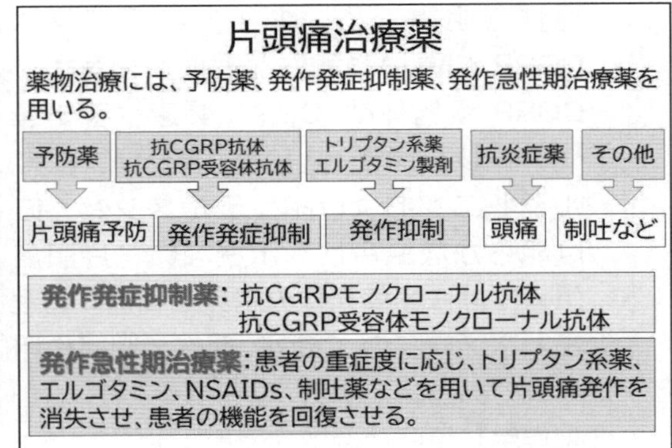

治療は、急性期治療と予防療法に分けて考えられる。急性期治療は、薬物療法が中心で、患者の重症度に応じ、NSAIDs、トリプタン、エルゴタミン、制吐薬などを用いて片頭痛発作を確実に、かつ、速やかに消失させ、患者の機能を回復させることである。一方、急性期治療のみでは、片頭痛による生活上の支障を十分に治療できない場合、予防療

法を行う。日本頭痛学会のガイドラインでは、発作が月に 2 回以上、あるいは 6 日以上ある患者で予防療法の実施について検討することが勧められている。また、急性期治療薬の乱用により、薬物乱用頭痛を誘発することから、急性期治療薬の過剰な使用がある場合も予防療法が必要とされている。

予防的治療薬

従来、予防的治療薬として、ロメリジン、バルプロ酸（抗てんかん薬の項参照)、プロプラノロール（β受容体遮断薬の項参照)、ジメトチアジンの 4 種が用いられてきたが、最近、ヒト化抗 CGRP モノクローナル抗体製剤、抗 CGRP 受容体抗体が開発されて上市された。

ロメリジン　Lomerizine

脳血管に選択性の高いカルシウム拮抗薬である。主に脳血管において、Ca^{2+}チャネルを遮断して血管収縮を抑制し、前駆期に生じる脳血管収縮を抑制する。また、spreading　depression（実験的に誘発する片頭痛の発生機序に関連すると考えられている現象）および神経原性炎症を抑制することことから、これらの作用も片頭痛の発症の阻止に関与すると考えられる。

ロメリジン

【副作用】錐体外路障害抑うつなど

ジメトチアジン　Dimetotiazine

抗セロトニン作用および抗ヒスタミン作用を持つ。発作抑制の機序は、主に抗セロトニン作用によると考えられている。

ジメトチアジン

【副作用】過敏症など

ヒト化抗CGRPモノクローナル抗体製剤（片頭痛発作の発症抑制）

ガルカネズマブ　Galcanezumab

【作用機序】カルシトニン遺伝子関連ペプチド（CGRP）に結合するヒト化 IgG4 モノクローナル抗体で、CGRP 受容体を阻害することなく CGRP の生理活性を阻害する。ガルカネズマブは CGRP に高い親和性と選択性を有し、CGRP 受容体や CGRP 関連ペプチド（アドレノメデュリン、アミリン、カルシトニンおよびインテルメジン）には明らかな結合性を示さない。片頭痛患者では片頭痛発作の誘発に関連するとされる CGRP の血中濃度が上昇しており、ガルカネズマブの CGRP 活性の阻害作用により、片頭痛発作の発症が抑制されると考えられている。

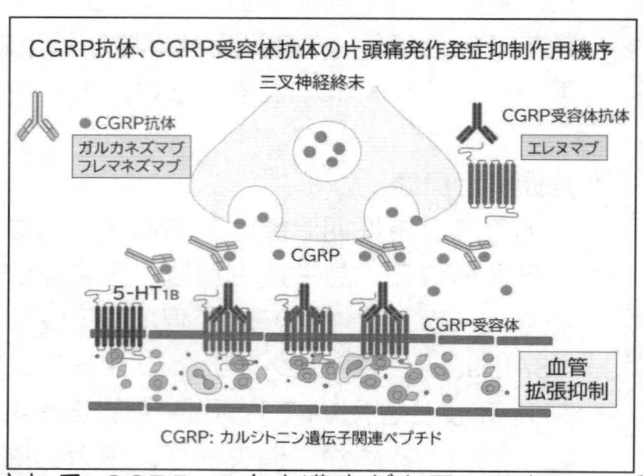

【副作用】重篤な過敏症反応

フレマネズマブ　Fremanezumab

【作用機序】ガルカネズマブと同様に CGRP に結合するヒト化モノクローナル抗体である。フレマネズマブは、CGRP に選択的に結合し、2 つのアイソフォーム（α-および β-CGRP）の CGRP 受容体への結合を阻害する。CGRP に高い親和性（α-CGRP：KD=159pM、β-CGRP：KD=112pM）と選択性を有する。

【副作用】重篤な過敏症反応

ヒト化抗 CGRP 受容体モノクローナル抗体製剤

エレヌマブ　Erenumab

【作用機序】カルシトニン遺伝子関連ペプチド（CGRP）受容体に直接作用するヒト IgG2 モノクローナル抗体である。エレヌマブが内因性の CGRP の CGRP 受容体への結合を阻害することにより、片頭痛発作の発現に関与するとされる CGRP 受容体シグナルの伝達を阻害して**片頭痛発作の発症を抑制する。**

【副作用】重篤な過敏症反応、重篤な便秘

急性期治療薬

急性期治療には、セロトニン 5-$HT_{1B/1D}$ 受容体刺激薬（トリプタン系薬）、セロトニン 5-HT_{1F} 受容体刺激薬およびエルゴタミン製剤が使用される。

セロトニン 5-$HT_{1B/1D}$ 受容体刺激薬（トリプタン系薬）

スマトリプタン Sumatriptan、ゾルミトリプタン Zolmitriptan、エレトリプタン Eletriptan、リザトリプタン Rizatriptan、ナラトリプタン Naratriptan

現在、我が国では、5 種のが用いられている。これらの薬物は、患者の発作頻度、強さ、日常生活支障度の程度、随伴症状、患者の嗜好、過去の治療歴などを考慮して選択される。

【作用機序】　ヒト 5-HT_{1B} および 5-HT-$_{1D}$ 受容体に対して高い親和性を示して、頭痛発作時に過度に拡張した頭蓋内外の血管を収縮させることにより片頭痛を改善する。トリプタン系薬物は、5-HT_2、5-HT_3 や他の受容体に対してはほとんど親和性を示さない。

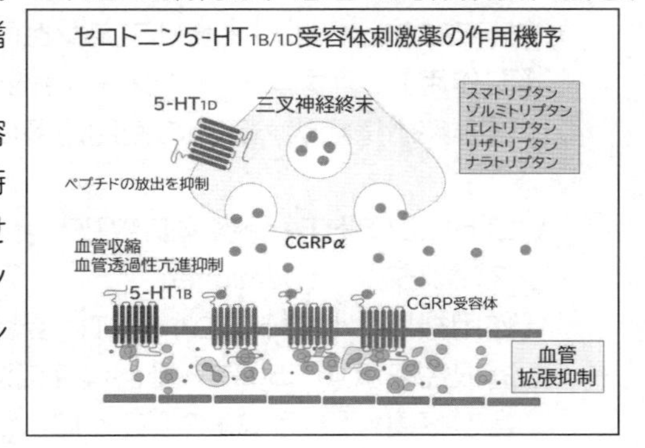

トリプタン系各薬物の特徴と重大な副作用

スマトリプタン：即効性である（注射は 10 分、点鼻は 15 分、錠剤は 30 分で効果が出るとされている）が、吸収率は低く、無反応例が 30%あると言われている。注射剤に近い速効性を有する点鼻液は、患者本人が携帯できるため、悪心や嘔吐時に用いることができる利点がある。

スマトリプタン

【副作用】アナフィラキシーショック、アナフィラキシー、虚血性心疾患様症状、てんかん様発作、薬剤の使用過多による頭痛ゾルミトリプタン：少量でも効果がある。スマトリプタンと効果はほぼ同様であるが、スマトリプタンに反応しない患者の 45%が反応したとの報告がある。脂溶性で中枢移行性がよいが、そのため、眠気やめまいなどの副作用も出やすい。

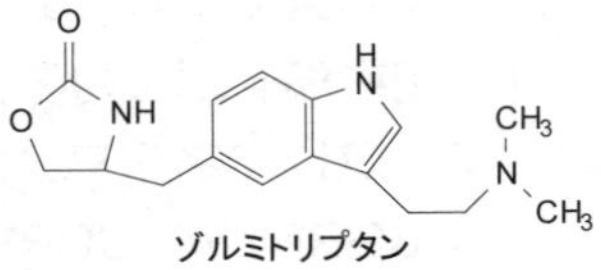

ゾルミトリプタン

【副作用】アナフィラキシーショック、アナフィラキシー、虚血性心疾患様症状、頻脈、薬剤の使用過多による頭痛、てんかん様発作

エレトリプタン：作用持続時間が比較的長く、発作時間が長い片頭痛の再発防止などに効果が期待できるとされる。中枢移行性はよいが、消失も速いため、中枢性副作用は少ない。

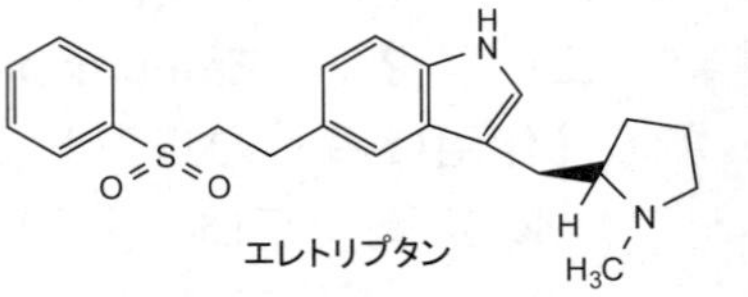

エレトリプタン

【副作用】アナフィラキシーショック、アナフィラキシー、虚血性心疾患様症状、てんかん様発作、頻脈、薬剤の使用過多による頭痛

リザトリプタン：内服 2 時間後の頭痛消失率がトリプタン系薬の中でもっとも優れていたとの報告がある。脂溶性で中枢移行性がよい。

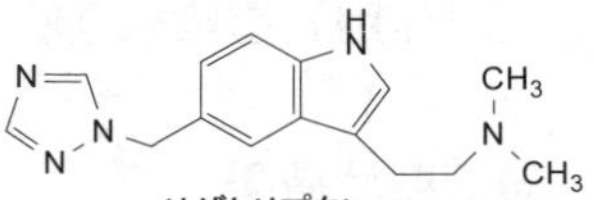

リザトリプタン

【副作用】アナフィラキシーショック、アナフィラキシー、虚血性心疾患様症状、不整脈、狭心症あるいは心筋梗塞を含む虚血性心疾患様症状、頻脈、てんかん様発作、血管浮腫、中毒性表皮壊死融解症、呼吸困難、失神、薬剤の使用過多による頭痛

ナラトリプタン：5 種の薬物の中で、もっとも半減期が長い。効果の持続性と再発抑制効果が認められ、忍容性の高いことから、海外ではジェントル・トリプタンと呼ばれている。

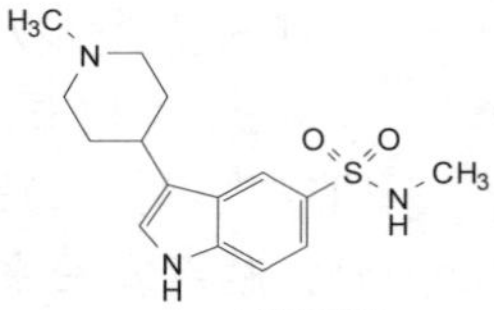

ナラトリプタン

【副作用】 アナフィラキシーショック、アナフィラキシー、虚血性心疾患様症状、薬剤の使用過多による頭痛

セロトニン 5-HT_{1F} 受容体刺激薬

ラスミジタン　Lasmiditan

【作用機序】セロトニン 5-HT_{1F} 受容体に高い親和性と選択性を示す。5-HT_{1F} 受容体を刺激して、三叉神経を含む疼痛経路を抑制することによって、ニューロペプチド放出を減少させ、片頭痛に対する治療効果を示すと考えられる。

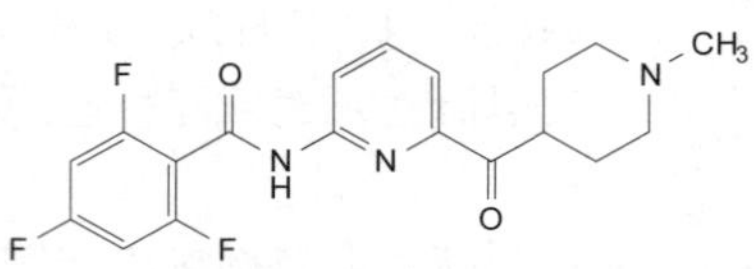

ラスミジタン

片頭痛の病態には、中枢での疼痛シグナル伝達、及び末梢での三叉神経系の過活動が関係しているとされるが、視床や大脳皮質および三叉神経系の神経細胞やシナプスに発現している 5-HT_{1F} 受容体は、この疼痛シグナル伝達や三叉神経の過活動を調整しているとされている。

【副作用】セロトニン症候群など

エルゴタミン　Ergotamine

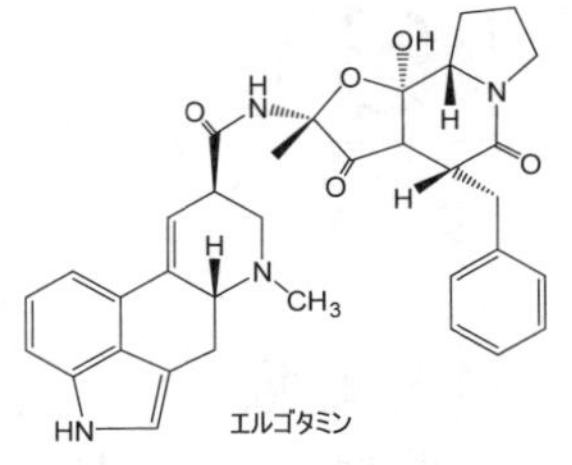
エルゴタミン

【作用機序】アドレナリン α_1 受容体の部分アゴニスト/アンタゴニストで血管を収縮させるので片頭痛に有効である。

【副作用】高度の血管収縮、動脈内膜炎、チアノーゼ長期連用による胸膜・後腹膜・心臓弁の線維化

【副作用】アナフィラキシーショック、不整脈、てんかん様発作

5-15-2　神経難病治療薬

筋萎縮性側索硬化症（Amyotrophic Lateral Sclerosis：ALS）とその治療薬

ALS は、錐体路（脊髄前角細胞）および脊髄・脳幹部運動ニューロンの変性が起こり神経が破壊された結果、運動障害が起こり、数ヵ月から数年の間に次第に骨格筋の麻痺が起こる疾患である。最後には食事を取ることや話すこともできなくなり、呼吸筋まで麻痺し、自力呼吸も不可能になることが少なくない。Amyotrophy（筋萎縮）という言葉は、骨格筋を支配している脊髄前角細胞（下位運動ニューロン）に原因があって筋肉が萎縮してくるもの（神経原性筋萎縮）を言い、骨格筋自体の病気で筋肉が萎縮するもの（筋原性筋萎縮）は含まない。また、lateral sclerosis（側索硬化症）とは、脊髄の側索（錐体路＝上位運動ニューロンの神経線維）が変性し、グリア細胞の増殖のため硬化していることを示す。

リルゾール　RiLuzole

神経系での作用は複雑であるが、グルタミン酸の遊離を抑制し NMDA 型およびカイニン酸型のグルタミン酸受容体の働きを遮断し、膜電位依存性 Na^+チャネルを抑制する。

脊髄性筋萎縮症とその治療薬

脊髄性筋萎縮症（spinal muscular atrophy : SMA）は、運動ニューロンの正常な機能を維持する survival motor neuron（SMN）タンパク質の欠乏により、下位運動ニューロンが変性し、四肢や体幹の筋萎縮をもたらす、常染色体劣性遺伝の神経筋疾患である。ほぼすべての SMA 症例は、*SMN1* 遺伝子の欠失又は突然変異により SMN タンパク質が欠乏し、それに付随して脊髄前角における運動ニューロンの変性が起こる。少量の SMN タンパク質は、*SMN1* 遺伝子の近傍に位置する *SMN2* 遺伝子によっても産生されている。

ヌシネルセン Nusinersen アンチセンスオリゴヌクレオチドで、*SMN2* mRNA 前駆体のイントロン 7 に結合し、エクソン 7 のスキッピングを抑制することで、エクソン 7 含有 SMN2　mRNA を生成させ、完全長 SMN タンパクを発現させることにより脊髄性筋萎縮症に対する作用を示すと考えられている。国内初の核酸医薬品である。

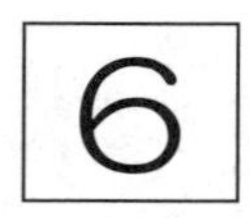

呼吸器作用薬

Drugs Affecting the Respiratory Systems

1．呼吸

呼吸は、外呼吸と内呼吸に分けられる。外呼吸は、肺胞気と血液の間で行われるガス交換のことであり、内呼吸は、血液と細胞との間で行われるガス交換のことである。

呼吸は、呼息と吸息がリズミカルに繰り返される。この呼吸運動は呼吸中枢によってコントロールされている。また、自律的な呼吸運動は末梢の伸張受容器や化学受容器等の修飾を受けている。

肺が広げられると気道平滑筋にある伸張受容器が刺激され、迷走神経を介して呼吸中枢に至り反射的に呼息を起こさせる。逆に肺が縮小すると迷走神経を介するインパルスが減少し、反射的に吸息に切り替わる。この反射を**ヘーリングブロイエル反射**という。

2．気管支ぜん息治療薬　Drugs for bronchial asthma

気管支ぜん息の主な症状は、咳と喘鳴であり、吸気よりも呼気が障害される。気管支ぜん息の病態として、従来は、「気管支平滑筋の収縮」が主であると理解されていたが、最近は、「慢性剥離性好酸球性気管支炎による気道の慢性炎症」という認識に変化してきている。これにより、治療に関する考え方も変化し、従来の気管支拡張薬を主体とする治療法から気道炎症抑制に主眼をおいた、抗炎症薬や抗アレルギー薬を用いた治療法へと変わってきている。また、副腎皮質ステロイド薬は、副作用の観点から使用が控えられていたが、吸入ステロイドの有効性が示され、現在は、積極的に使用されるようになっている。また、気管支ぜん息治療においては、急性増悪時（発作）に使用する薬物と長期管理・予防に使用する薬物が使い分けられている。

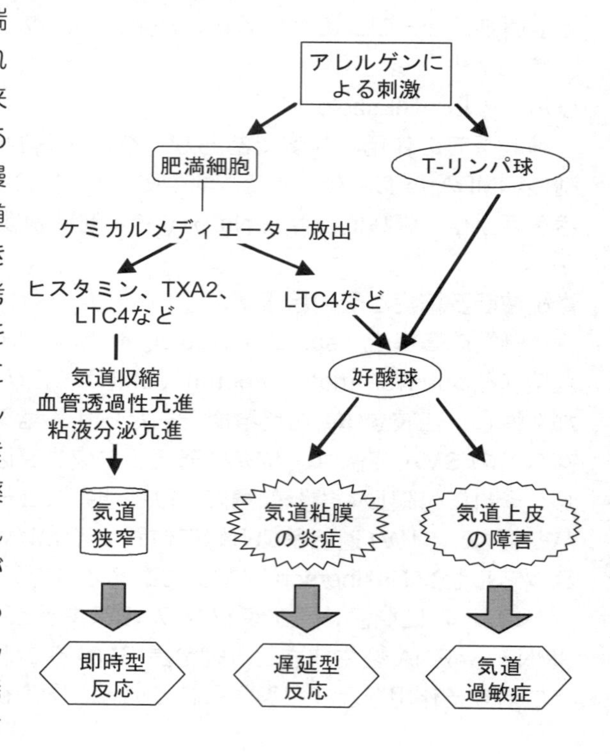

気管支ぜん息の病態の概念として、以下の４点が考えられる。進行に伴って、気道の再構築が進み、非可逆的な呼吸機能の障害を引き起こすことになるので、早期から充分な治療をしていくことが重要である。

1. 気道の慢性炎症
2. 可逆性の平滑筋収縮（気道閉塞）
3. 気道過敏性亢進
4. 気道のリモデリング

気管支ぜん息の原因

気管支ぜん息の原因として、以下のアレルギー反応の関与があげられている。

Ⅰ型アレルギー反応（即時型アレルギー）で気管支が攣縮　（IgE 抗体）

Ⅳ型アレルギー反応（遅延型アレルギー）（T　細胞）好酸球が気道粘膜に浸潤。粘膜の損傷、気道過敏

その他の原因もある（気道過敏症）。

気管支ぜん息治療の目標

治療の目標として、以下の 5 点があげられる。

1. 健常人と変わらない日常生活が送れること。正常な発育が保たれること
2. 正常に近い肺機能を維持すること
   ピークフローの変動が予測値の 10%以内
   ピークフローが予測値の 80%以上
3. 夜間や早朝の咳や呼吸困難がなく充分な夜間睡眠が可能なこと
4. ぜん息死の回避
5. 治療による副作用がないこと

気管支ぜん息治療薬

気管支ぜん息の治療薬として、現在、主に使用されている薬物は、以下の３つに分類することができる。

①　ケミカルメディエーターの遊離抑制薬または各種受容体遮断薬

②　気管支拡張薬（ケミカルメディエーターの遊離やその受容体には直接作用することなく気管支を拡張する薬物）

③　副腎皮質ステロイド

①　ケミカルメディエーターの遊離抑制薬または各種受容体遮断薬

アレルギーに関連するケミカルメディエーター（ヒスタミン、ロイコトリエン、トロンボキサン A_2 など）の作用を抑制する薬物で、各ケミカルメディエーターの遊離抑制薬および受容体遮断薬が含まれる（詳細は抗アレルギー薬の項）。個々に含まれる薬物は、さらに以下の a ～ e のように分類することができる。これらは、いずれも発作の予防に用いられる。

a　メディエーター遊離抑制薬

ヒスタミン等のケミカルメディエーターの遊離を抑制し、抗アレルギー作用を示すが、抗ヒスタミン作用（ヒスタミン H_1 受容体遮断作用）はもたない薬物である。

クロモグリク酸ナトリウム（吸入で使用）、トラニラスト、アンレキサノクス、イブジ

ラスト、ペミロラストなど。

b　抗ヒスタミン薬

ケミカルメディエーター遊離作用を併せもつヒスタミン H_1 受容体遮断薬（第二世代）が用いられる。第一世代の抗ヒスタミン薬は、抗コリン作用により喘鳴症状を悪化させたり、気道分泌を抑制して痰の排出を困難にするので、ぜん息治療薬としては不向きである。ケトチフェン、アゼラスチン、オキサトミド、メキタジン、エピナスチンなど

c　抗ロイコトリエン薬

プランルカスト（水和物）　Pranlukast

【薬理作用・作用機序】気管支ぜん息に深く関与しているロイコトリエン（LTC_4、LTD_4、LTE_4）受容体を遮断し、気道収縮反応、気道の血管透過性亢進、気道粘膜の浮腫および気道過敏性の亢進を抑制し、気管支ぜん息患者の臨床症状および肺機能を改善させる。

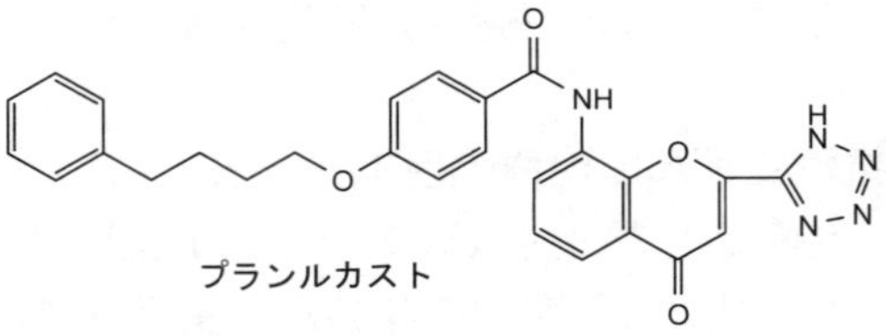

プランルカスト

【副作用】ショック、アナフィラキシー様症状、白血球減少、血小板減少、肝機能障害、間質性肺炎、好酸球性肺炎、横紋筋融解症など

モンテルカスト　Montelukast

【作用機序】システイニルロイコトリエン　タイプ1受容体（Cys LT_1 受容体）を、特異的に遮断して LTD_4 や LTE_4 による気管支収縮などの作用を抑制する。ぜん息の悪化時ばかりでなく、ぜん息が良好にコントロールされている場合でも継続して服用するよう指導する。

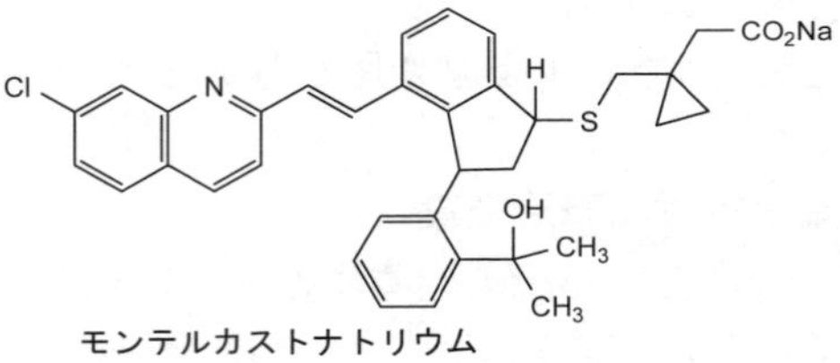

モンテルカストナトリウム

【副作用】アナフィラキシー様症状、血管浮腫、肝機能障害など。

d　抗トロンボキサン薬

塩酸オザグレル　Ozagrel hydrochloride

【作用機序】トロンボキサン合成酵素を選択的に阻害してトロンボキサン A_2 の産生を抑制し、トロンボキサン A_2 による気道平滑筋収縮作用を抑制する。

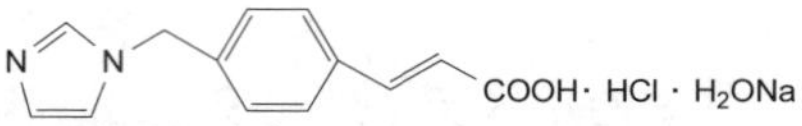

$COOH \cdot HCl \cdot H_2ONa$

塩酸オザグレル

【副作用】：発疹等の過敏症、消化器症状など

セラトロダスト　Seratrodast

【作用機序】TXA_2 と受容体で拮抗し、TXA_2 による気道平滑筋収縮作用を抑制し、即時型および遅発型ぜん息反応並びに気道過敏性の亢進を抑制する。

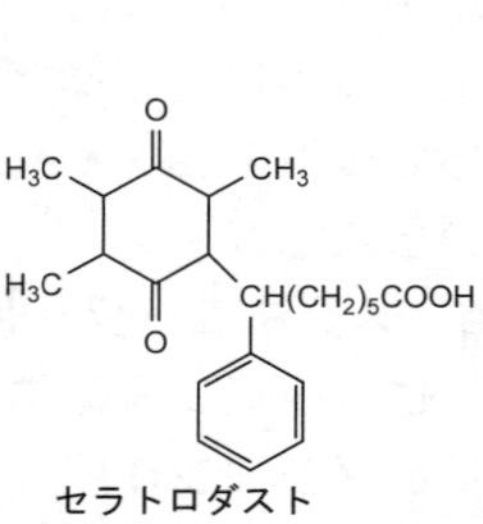

H_3C, CH_3, H_3C, $CH(CH_2)_5COOH$

セラトロダスト

【副作用】：肝障害など

e　Th2 サイトカイン阻害薬

スプラタスト　Suplatast

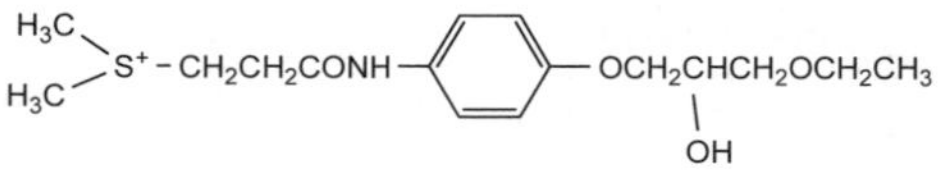

【作用機序】ヘルパー T 細胞の IL-4 および IL-5 産生を抑制することにより、好酸球浸潤抑制作用や IgE 抗体産生抑制作用を示し、抗ぜん息作用を示す。

スプラタスト

【副作用】肝機能障害、ネフローゼ症候群、消化器症状など

②気管支拡張薬

ケミカルメディエーターの遊離やその受容体には直接作用することなく気管支を拡張する薬物で、アドレナリンβ_2受容体刺激薬、抗コリン薬およびキサンチン誘導体が含まれる。

f　アドレナリンβ受容体刺激薬（β_2受容体刺激薬）

アドレナリンβ受容体刺激薬のうち、主にβ_2受容体刺激薬を気管支拡張薬として発作治療薬または長期管理薬として使用する。β_1受容体に対する刺激作用は、心機能亢進等、主に循環器系に対する作用として出現するが、これは、気管支拡張薬として使用する場合は、副作用となる。したがって、気管支拡張薬としては、β_1受容体は刺激せず、β_2受容体のみを選択的に刺激する薬物が理想的であり、現在では、β_2受容体に選択性の高い薬物が用いられるようになっている。なお、β_2受容体刺激薬は、β_2受容体に対する選択性の高さから、第一世代（$\beta_1 \fallingdotseq \beta_2$または$\beta_1 \leqq \beta_2$）、第二世代（$\beta_1 < \beta_2$）、第三世代（$\beta_1 \ll \beta_2$）に分類されている。発作時には、重症度とは関係なく短時間作用型吸入β_2刺激薬を用いる。また長期管理には、長時間作用型の薬物を吸入・貼付・経口のいずれかで用いる。

【作用機序】気管支平滑筋のアドレナリンβ_2受容体を刺激する。β_2受容体は、Gs タンパク質共役型受容体であり、受容体が刺激されると、アデニル酸シクラーゼが活性化され、気管支平滑筋細胞内の cAMP 濃度が上昇して気管支は拡張する。また、β受容体刺激薬は、肥満細胞においても受容体を介して、cAMP 濃度を上昇させ、メディエーターの遊離を抑制させる作用をもち、これによってもぜん息発作は、軽減される。

【副作用】重篤な血清カリウム値の低下、手指のふるえ、心悸亢進、アナフィラキシー様症状など

第一世代の薬物

イソプレナリン　Isoprenaline：（イソプロテレノールともいう）β_2刺激薬の中では、β_2受容体に対する選択性は低く、心臓に対する作用も強いが、注射剤は、ぜん息の重症発作が適応症となっている。また、吸入剤もぜん息の治療に使用されている。

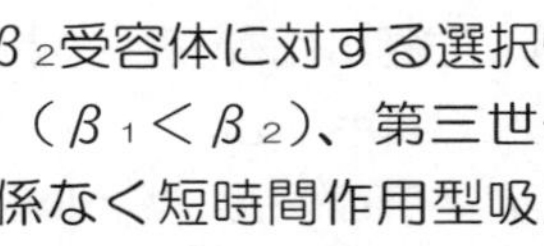

イソプレナリン

トリメトキノール　Trimetoquinol：第一世代の薬物であるが、β_1受容体に対し、β_2受容体に対する選択性が高くなっている。

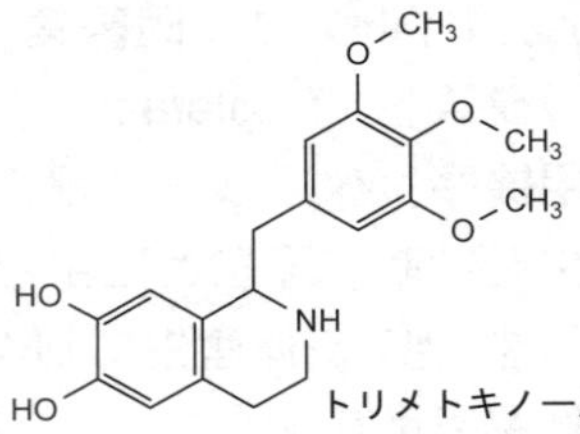

トリメトキノール

第二世代の薬物

サルブタモール　Salbutamol：吸入剤を発作時治療薬として使用する。また、経口剤が発作予防の目的にも使用されている。

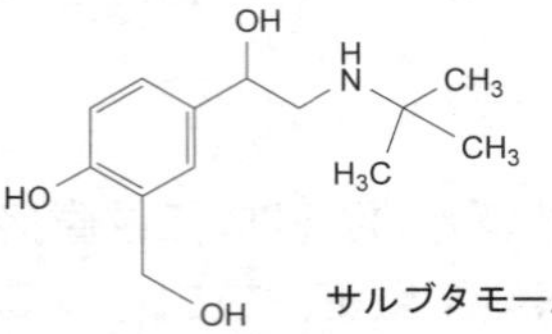

サルブタモール

テルブタリン　Terbutaline：実験的には、心筋に影響を与えない用量で気管支平滑筋の弛緩が認められる。

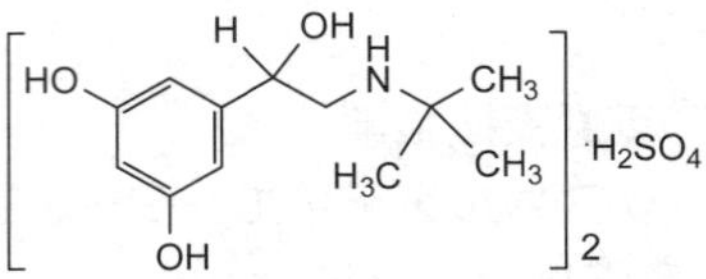

テルブタリン

第三世代の薬物

プロカテロール　Procaterol：サルブタモールよりもβ_2受容体への選択性が高いことが確認されている。また、サルブタモールよりも作用が強く、持続時間も長い。経口剤が使用される他、吸入剤を発作時治療薬として使用する。

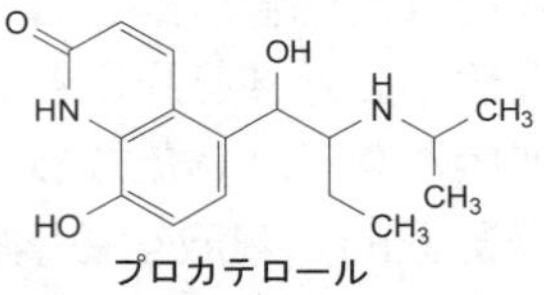

プロカテロール

フェノテロール　Fenoterol：吸入剤を発作時治療薬として使用する。また、経口剤も使用されている。

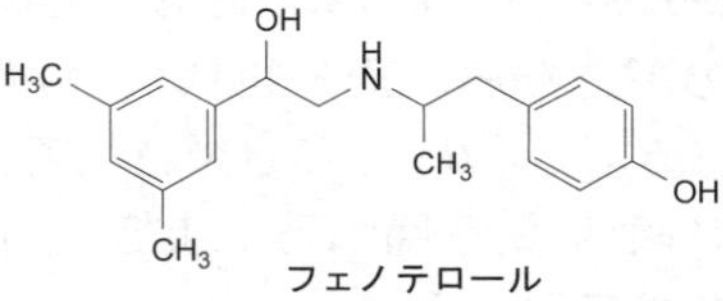

フェノテロール

ツロブテロール　Tulobuterol：経口剤が使用される。また、β_2受容体刺激薬としては初の経皮吸収剤（テープ）が気道閉塞や夜間発作の予防に使用されている。

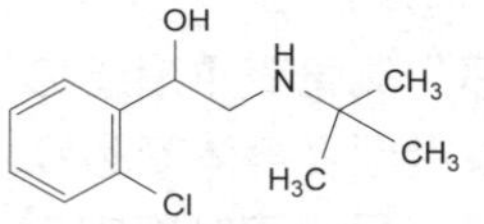

ツロブテロール

ホルモテロール　Formoterol：気管支拡張作用は、サルブタモールよりも強力でかつ持続時間も長く、抗アレルギー作用（肥満細胞からのケミカルメディエーター遊離抑制作用）もサルブタモールより強い。また、気管支拡張作用を示す用量で肺水腫抑制作用を有する。

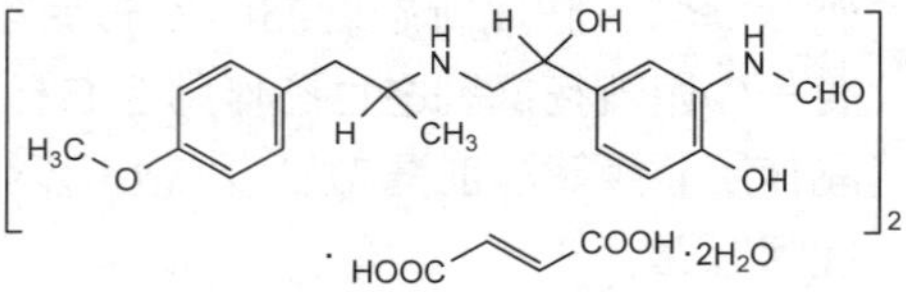

フマル酸ホルモテロール

サルメテロール　Salmeterol：長時間作用型のβ_2刺激薬で吸入剤であるが、予防薬である。

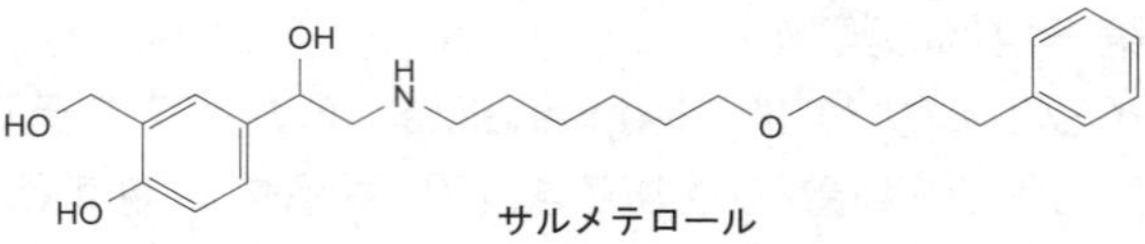

サルメテロール

クレンブテロール　Clenbuterol：経口で使用され、通常は、朝夕の服用であるが、頓用としても用いられる。イソプレナリンやサルブタモールよりも作用は強く、持続時間も長い。

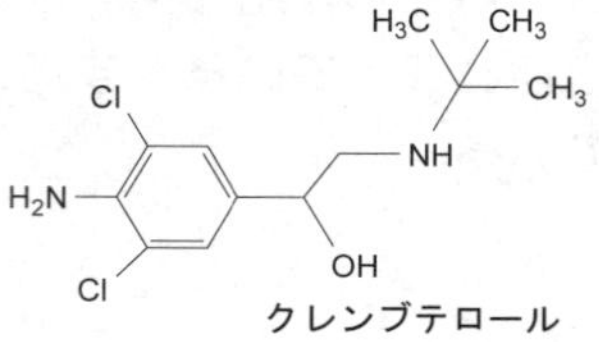

クレンブテロール

インダカテロール　Indacaterol：吸入で長期管理に用いる発作予防薬である。作用持続時間は、サルブタモール、ホルモテロールおよびサルメテロールより明らかに長く、持続的である。

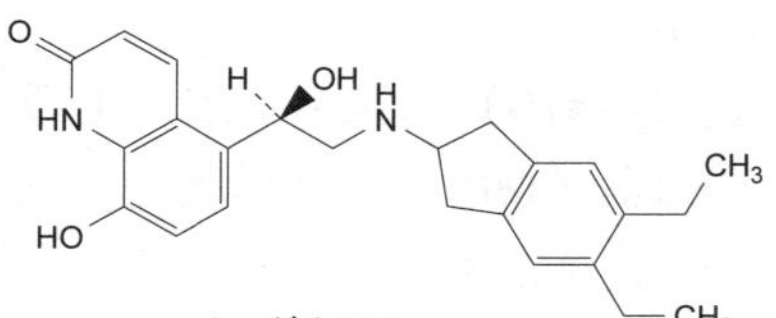

インダカテロール

g　吸入用抗コリン薬

抗コリン薬は、以下の薬物が吸入剤として、ぜん息発作予防の目的で使用されている。吸入以外の経路で投与すると、気道分泌を抑制して痰の排出を困難にするので、ぜん息治療には吸入剤のみが用いられる。

イプラトロピウム　Ipratropium、チオトロピウム　Tiotropium、グリコピロニウム　Glycopyrronium、アクリジニウム　Aclidinium、ウメクリジニウム　Umeclidinium

【作用機序】 気管支平滑筋のムスカリン受容体（M_3 受容体）を遮断して、気管支を拡張させる。気道上皮剥離により、露出した求心性の末端が刺激され、延髄ー遠心性副交感神経を介して気道収縮を起こした場合に有効である。狭窄状態の気管支に対して拡張作用を示し、その作用発現は β 刺激薬に比べてやや遅いが、持続時間が長く、心血管系に対する影響は弱い。なお、吸入剤は、ヒトの気管支分泌に対する抑制作用はほとんどみられない（痰の喀出を妨げない）。また、高齢者では β 受容体が減少していることが多く、高齢のぜん息患者に汎用される。

【適用】 気管支ぜん息、慢性気管支炎、肺気腫の気道閉塞性障害に基づく呼吸困難など諸症状の緩解

【副作用】 アナフィラキシー様症状、上室性頻脈、心房細動（イプラトロピウム）心不全、心房細動、期外収縮　（チオトロピウム）、心房細動（アクリジニウム、ウメクリジニウム）など

【禁忌】 緑内障、前立腺肥大症

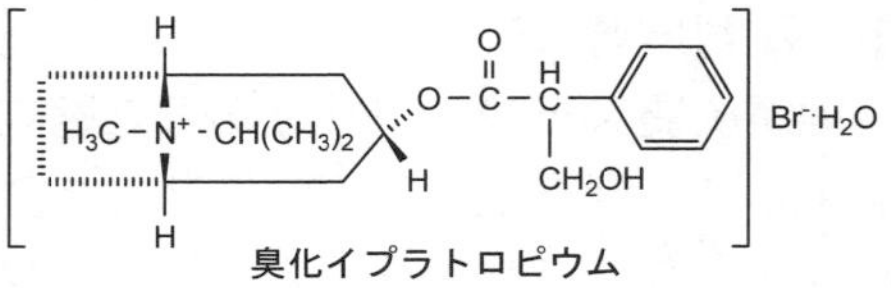

臭化イプラトロピウム

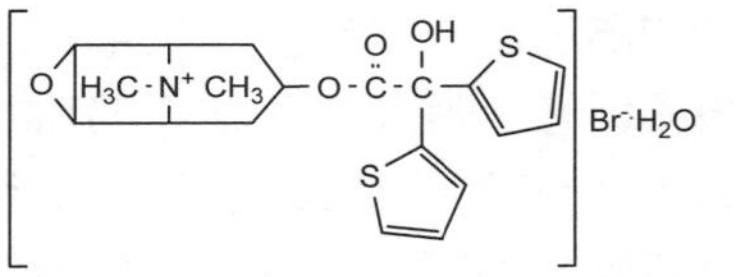

臭化チオトロピウム

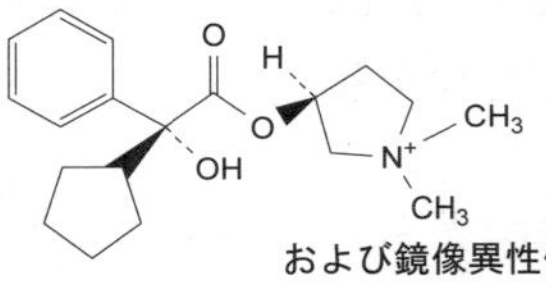

および鏡像異性体

グリコピロニウム

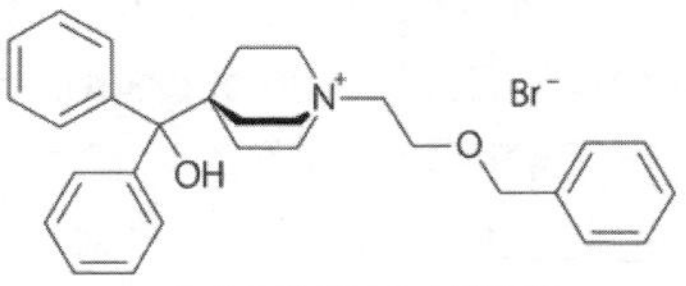

ウメクリジニウム臭化物

h　キサンチン誘導体

テオフィリン　Theophylline

テオフィリンはかなり以前からぜん息治療にも用いられるようになっていたが、副作用が出やすく、投与設計が難しい薬物と考えられてきた。しかし、近年、臨床薬理学的な研究がなされた結果、有効血中濃度が、8 ～ 20mg/mL であることが明らかとなって、使用については再び脚光を浴びている。有効血中濃度を超えると副作用が出やすいが、最近は除放性製剤が開発され、使いやすくなってきている。治療には、テオフィリンだけではなく、テオフィリンのエチレンジアミン塩であるアミノフィリンも使用され

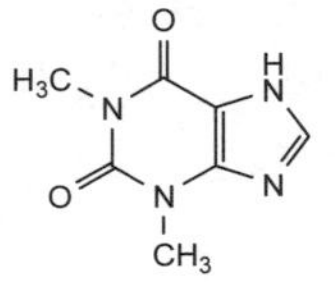

テオフィリン

ている。

【作用機序】ホスホジエステラーゼを阻害して気管支平滑筋の cAMP 分解を抑制し、細胞内濃度を上昇させで気管支筋を弛緩させる。また、アデノシン受容体を遮断して、気管支平滑筋を弛緩させる。最近は、抗炎症作用を示すことも報告されている。

アミノフィリン

【副作用】心拍数増加、頭痛、不眠、悪心・嘔吐など

【適用】気管支ぜん息・肺気腫

テオフィリン以外にもキサンチン誘導体として、ジプロフィリン、プロキシフィリンが用いられている。

i 副腎皮質ステロイド

副腎皮質ステロイドがぜん息に著効を示すことは、以前から知られていたが、副作用を考慮して使用を控える傾向にあった。しかし、ぜん息の基本的な病態が気道炎症であることが明らかにされたことに加え、全身投与に比べ、副作用がはるかに少ない吸入剤でも有効であることが示され、現在では、多くの気管支ぜん息患者に吸入ステロイド剤が使用されている。吸入ステロイド剤は、全身性の副作用は出にくいが、気管支拡張症は起こらず、したがって、既に起きている発作を速やかに軽減するための薬物には適さない（発作時には無効）ので、長期管理の目的で、軽症持続型～重症持続型までの患者に用いる。なお、発作の増悪期には、ステロイドの経口による短期投与が、また、急性発作時には静注が行われることがある。

吸入ステロイド

プロピオン酸ベクロメサゾン　Beclometasone dipropionate、
プロピオン酸フルチカゾン　Fluticasone propionate、ブデソニド　Budesonide、
シクレソニド　Ciclesonide、モメタゾン　Mometasone

【作用機序】T 細胞からのサイトカイン産生抑制作用、肥満細胞および好酸球減少作用などにより、ぜん息を抑制する。

【副作用】アナフィラキシー様症状（フルチカゾン）など

シクレソニドは、1 日 1 回の吸入ステロイドである。また、モメタゾンは、粒子径が 2 μ m で、肺への到達度が高いことが特徴である。

吸入剤の副作用は、経口剤や注射剤に比べはるかに少ないが、全身への吸収をできる限り抑えることが副作用軽減につながるので、このために、吸入後はうがいをさせることが重要である。

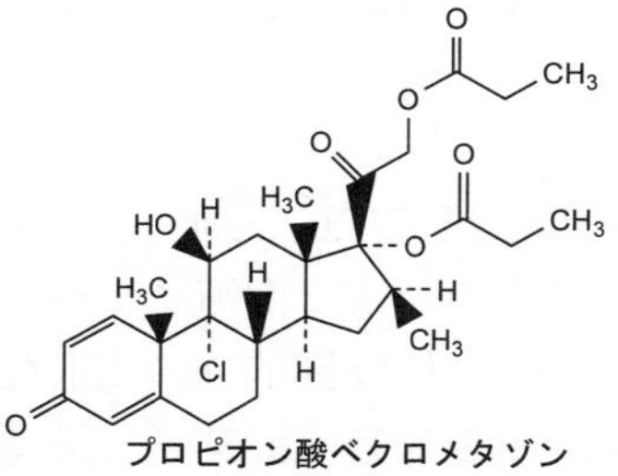

プロピオン酸ベクロメタゾン 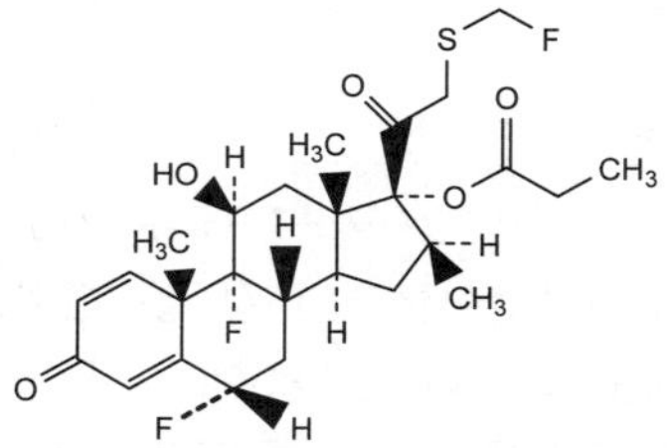　プロピオン酸フルチカゾン 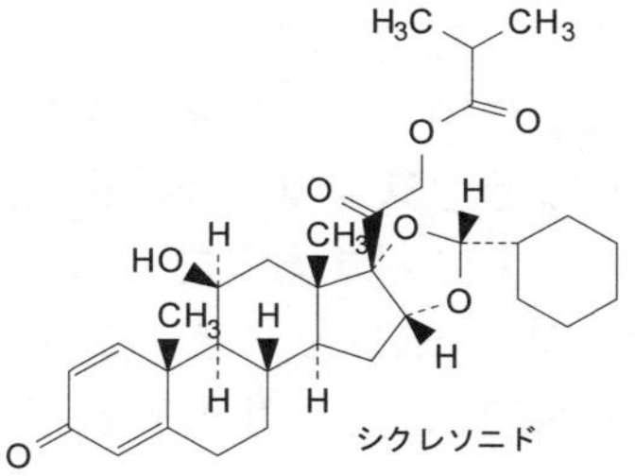　シクレソニド

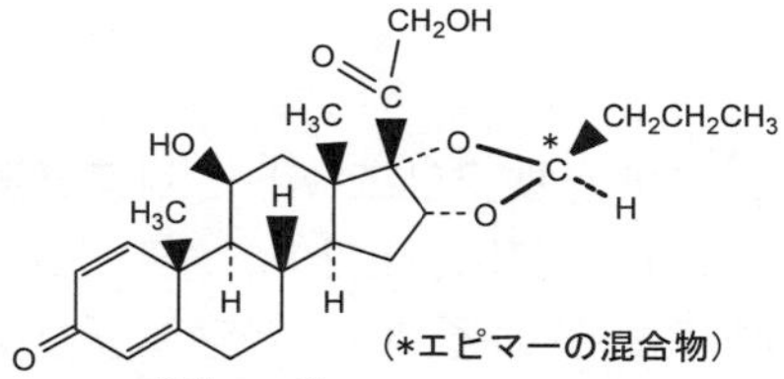

ブデソニド（*エピマーの混合物）　モメタゾンフランカルボン酸エステル

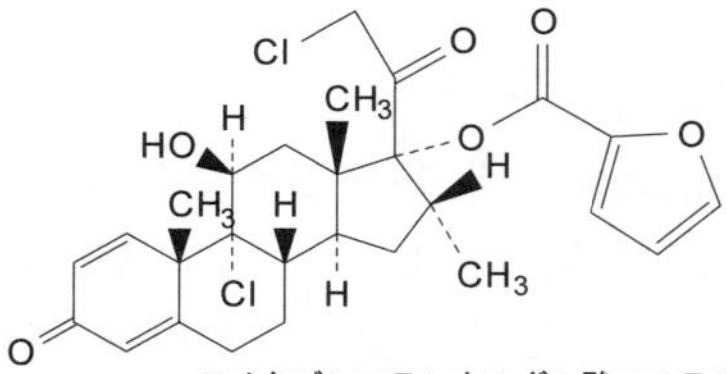

経口ステロイド剤

ぜん息が重症化し、他の薬物でコントロールすることが困難な場合には、投与される。

プレドニゾロン　**Prednisolone**

【副作用】①誘発感染症、感染症の増悪、②続発性副腎皮質機能不全、糖尿病、③消化管潰瘍、消化管穿孔、消化管出血、④膵炎、⑤精神変調、うつ状態、痙れん、⑥骨粗鬆症、大腿骨および上腕骨等の骨頭無菌性壊死、ミオパチー、⑦緑内障、後嚢白内障、中心性漿液性網脈絡膜症、多発性後極部網膜色素上皮症、⑧血栓症、⑨心筋梗塞、脳梗塞、動脈瘤、⑩硬膜外脂肪腫、⑪腱断裂など

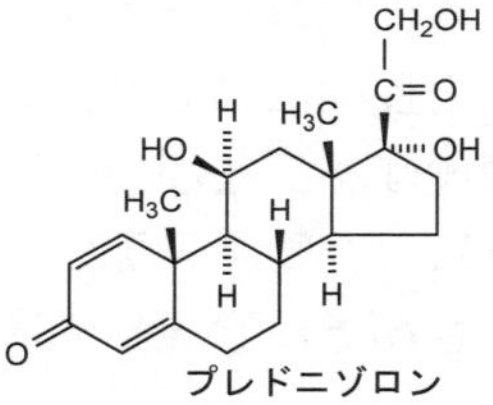

プレドニゾロン

注射剤

酢酸メチルプレドニゾロンなど

副作用は、プレドニゾロンに類似している。

j　抗体製剤

オマリズマブ　Omalizumab：ヒト化抗ヒト IgE モノクローナル抗体であり、IgE と高親和性受容体（Fc ε RI）の結合を阻害することで、好塩基球、肥満細胞等の炎症細胞の活性化を抑制する。ぜん息には、既存治療によってもぜん息症状をコントロールできない難治の患者に限って使用される。

【副作用】ショック、アナフィラキシーなど

メポリズマブ　Mepolizumab　抗ヒトインターロイキン-5（IL-5）抗体である。ヒトインターロイキン-5（IL-5）に対して特異的に結合し、好酸球の細胞表面に発現している IL-5 受容体 α 鎖への IL-5 結合を阻害することにより、IL-5 の好酸球増殖作用を抑制す

る。ぜん息には、既存治療によってもぜん息症状をコントロールできない難治の患者に限って使用される。

【副作用】アナフィラキシーなど

ベンラリズマブ　Benralizumab：ヒトインターロイキン-5 受容体 α サブユニット（IL-5R α）に対するフコース欠損型ヒト化免疫グロブリン G サブクラス 1、κ 型アイソタイプ（IgG1 κ）モノクローナル抗体である。本剤は、ヒト IL-5R α に特異的かつ高親和性で結合し、IL-5R α を発現する好酸球及び好塩基球のアポトーシスを誘導する。気管支ぜん息には、既存治療によってもぜん息症状をコントロールできない難治の患者に限って使用される。

【副作用】重篤な過敏症など

デュピルマブ　Dupilumab：ヒトインターロイキン-4 受容体の α サブユニットに対する遺伝子組換えヒト IgG4 モノクローナル抗体である。デュピルマブは、ヒトインターロイキン-4 およびインターロイキン-13 受容体の複合体が共有している IL-4 受容体 α サブユニットに特異的に結合することにより、IL-4 及び IL-13 の両シグナル伝達を阻害する。IL-4 および IL-13 はアトピー性皮膚炎、気管支喘息及び鼻茸を伴う慢性副鼻腔炎の病態において重要な役割を担う Type 2 サイトカインである。

【副作用】重篤な過敏症など

３．慢性閉塞性肺疾患（COPD）治療薬

慢性閉塞性肺疾患（COPD）とは、喫煙をはじめとして、加齢やウイルス感染などが原因で長期にわたり、気道が閉塞状態になる病気の総称である。喫煙者が罹患した場合は、禁煙することが重要である。治療薬としては、β_2 受容体刺激薬、テオフィリン徐放製剤、抗コリン薬、ステロイド薬等が症状等に応じて使用される。治療薬の作用については気管支ぜんそく治療薬の項を参照のこと。

４．ニコチン依存症治療薬

ニコチン依存症治療薬としてニコチンとバレニクリンが挙げられる。両薬物ともに使用にあたっては患者の禁煙意欲が必要である。

ニコチン　Nicotine

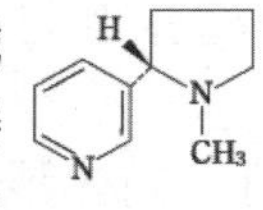

タバコ中に含まれるニコチンを経皮的に吸収させ、禁煙時の離脱症状を軽減することを目的とした禁煙補助剤である。循環器疾患、呼吸器疾患、消化器疾患、代謝性疾患等の基礎疾患をもち、医師により禁煙が必要と診断された禁煙意志の強い喫煙者が、医師の指導の下に行う禁煙の補助に用いる。

【副作用】アナフィラキシー様症状など

バレニクリン　Varenicline

$\alpha_4\beta_2$ ニコチン受容体に選択的な部分作動薬で、ニコチンと併用するとニコチン作用を抑制する。$\alpha_3\beta_4$、α_7、$\alpha_1\beta\gamma\delta$ ニコチン受容体やムスカリン受容体およびコリントランスポーターにはほとんど結合しない。ニコチン依存症の喫煙者に対する禁煙の補助に

バレニクリン

使用するが、本剤の使用にあたっては、患者に禁煙意志があることを確認することとなっている。

【副作用】 皮膚粘膜眼症候群（Stevens-Johnson 症候群）、多形紅斑、血管浮腫、意識障害、肝機能障害、黄疸など

5．抗線維化薬

肺の線維化に関わる因子の産生を調整して線維化を抑制し、肺機能の悪化を抑制する薬物である。

ピルフェニドン　Pirfenidone

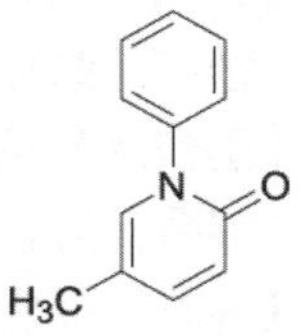

炎症性サイトカイン（TNF-α，IL-1，IL-6 等）の産生抑制と抗炎症性サイトカイン（IL-10）の産生亢進など、各種サイトカイン及び増殖因子に対する産生調節作用および線維芽細胞増殖抑制作用やコラーゲン産生抑制作用といった複合的な作用により抗線維化作用を示す。

ピルフェニドン

【適応症】 特発性肺線維症

【副作用】 肝機能障害、黄疸、無顆粒球症，白血球減少，好中球減少など

ニンテダニブ　Nintedanib

血小板由来増殖因子受容体（PDGFR）α、βおよび線維芽細胞増殖因子受容体（FGFR）1、2、3 および VEGFR の各受容体においてアデノシン 5'-三リン酸（ATP）結合ポケットを占拠する低分子チロシンキナーゼ阻害剤で、特発性肺線維症及び全身性強皮症に伴う間質性肺疾患の発症に関与すると報告されているシグナル伝達を阻害する。

ニンテダニブ

【適応症】 特発性肺線維症、全身性強皮症に伴う間質性肺疾患

【副作用】 重度の下痢、肝機能障害、血栓塞栓症（静脈血栓塞栓、動脈血栓塞栓）、血小板減少、消化管穿孔、間質性肺炎など

6．鎮咳薬　Antitussives

鎮咳薬は、咳発作や持続性咳を抑える薬物である。

咳の原因：咳反射を調節している中枢（咳中枢）は延髄神経知覚核嘔吐中枢の付近に存在する。

咳反射を起こす原因：機械的受容器、化学的受容器、伸張受容器の刺激

咳の種類：痰を伴う湿性咳と痰のでない乾性咳がある。鎮咳薬は痰の喀出を妨げるので湿性咳にはあまり用いない。

中枢性鎮咳薬

咳中枢に作用する薬物で、麻薬性の薬物と非麻薬性の薬物がある。

【作用機序】 咳中枢に作用して求心性インパルスに対する閾値を上昇させる。

麻薬性鎮咳薬

1　コデイン　Codeine、ジヒドロコデイン　Dihydrocodeine

オピオイド受容体を刺激するが、モルヒネより作用は弱い（麻薬性鎮痛薬参照）。実験的にはコデインの鎮咳効果はモルヒネの1/8 ～ 1/9 程度とされているが、鎮咳効果を得るための用量では、モルヒネより薬物依存を生じにくいとされている。気道分泌の低下を起こすので、気管支ぜん息などでは分泌物の粘度が高くなり肺機能不全をきたすことがある。

コデイン

ジヒドロコデイン

【適用】 各種呼吸器疾患における鎮咳・鎮静。他に疼痛時における鎮痛、激しい下痢症状の改善。

【副作用】 依存性、呼吸抑制、錯乱、無気肺、気管支痙れん、喉頭浮腫、麻痺性イレウス、中毒性巨大結腸など

【禁忌】 気管支ぜん息発作中の使用

2　オキシメテバノール　Oxymetebanol

コデインと同様にオピオイド受容体を刺激するが、コデインより作用が強く、実験的にはコデインの 5 ～ 14 倍の鎮咳作用を示す。また、コデインまたはジヒドロコデインを対照とした二重盲検試験においても有効性が認められている。

オキシメテバノール

【適用】 肺結核、急・慢性気管支炎、肺癌、塵肺、感冒における鎮咳

【副作用】 依存性など

非麻薬性鎮咳薬

1　*d*型モルヒナン系化合物（*d*型は非麻薬性、*l*型は麻薬性）

デキストロメトルファン　Dextromethorphan

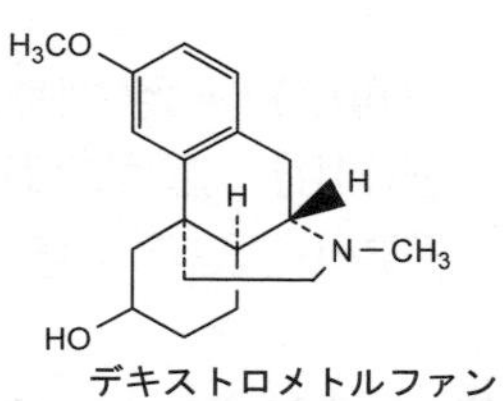

デキストロメトルファン

レボルファノールのメチル化体の *d* 異性体。コデインなどの *l* 体とは異なり鎮痛作用はない。鎮咳作用はコデインの 1/2 程度と弱くなるが、コデインのような気道分泌低下作用はない。

【適用】 急性気管支炎、慢性気管支炎、感冒・上気道炎、肺結核、百日咳に伴う咳嗽。シロップ剤は上記疾患に伴う咳嗽および喀痰喀出困難（シロップ剤には、クレゾールスルホン酸カリウムが配合されているが、去痰作用は、主に、クレゾールスルホン酸カリウムによるものである。クレゾールスルホン酸カリウムは、気道の分泌を促進し、粘稠な喀痰を液化するために去痰作用を示す）。

【副作用】 呼吸抑制、アナフィラキシーショックなど

ジメモルファン　Dimemorfan

デキストロメトルファンの誘導体で作用も同程度である。

ジメモルファン

2.　イソキノリン系アルカロイド

ノスカピン　Noscapine（アヘンアルカロイド）

咳中枢を抑制し、速効性の鎮咳作用を示す非麻薬性の鎮咳薬である。鎮けい作用および

軽度の気管支拡張作用を有し、痙れん性の咳に効果的であるとされている。気道分泌を抑制しないので、痰の排出を妨げることが少ない。一方、呼吸中枢刺激作用を有するが、鎮痛、鎮静作用はなく、耐性の発現や依存性もない。

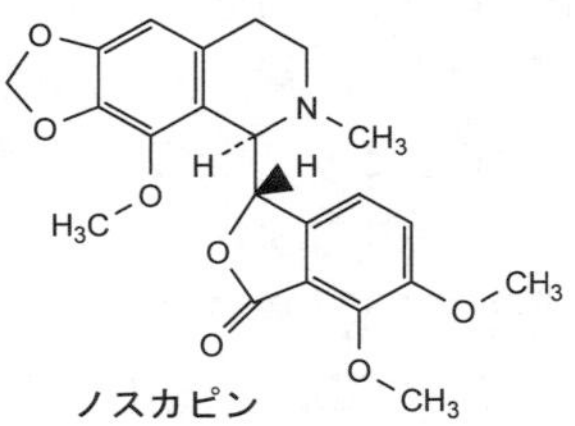

【適用】感冒、気管支ぜん息、ぜん息性（様）気管支炎等に伴う咳嗽。

【副作用】眠気、頭痛・頭重感等の精神神経系症状や消化器症状が報告されているが重大な副作用はない。

ノスカピン

3.　その他

ホミノベン　Fominoben

咳中枢を抑制して鎮咳作用を示す。また、気道分泌液を増加させ、喀痰粘度を低下させる。さらに、鎮咳作用を示す用量で延髄の呼吸中枢に作用し、呼吸興奮作用を示す。

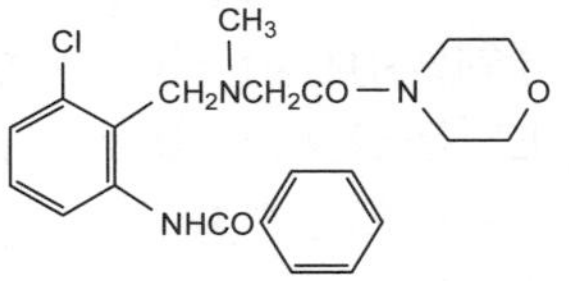

【適用】上気道炎、急性気管支炎、慢性気管支炎、肺結核、肺癌、じん肺に伴う咳嗽。

ホミノベン

【副作用】食欲不振などの消化器症状などが報告されているが重大な副作用はない。

チペピジン　Tipepidine

咳中枢を抑制して鎮咳作用を示す以外に、気管支腺分泌を亢進し気道粘膜線毛上皮運動を亢進することにより去痰作用を示す。
効力はコデインと同程度。

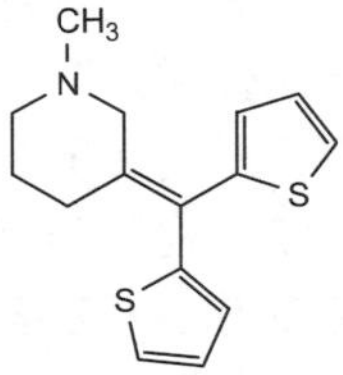

【適用】感冒、上気道炎（咽喉頭炎、鼻カタル）、急性気管支炎、慢性気管支炎、肺炎、肺結核、気管支拡張症に伴う咳嗽および喀痰喀出困難。

【副作用】咳嗽、腹痛、嘔吐、発疹、呼吸困難等を伴うアナフィラキシー様症状など

チペピジン

クロペラスチン　Cloperastine

咳中枢に直接作用して鎮咳作用を示す。また、パパベリンと同程度の気管支筋弛緩作用と緩和な抗ヒスタミン作用を示す。

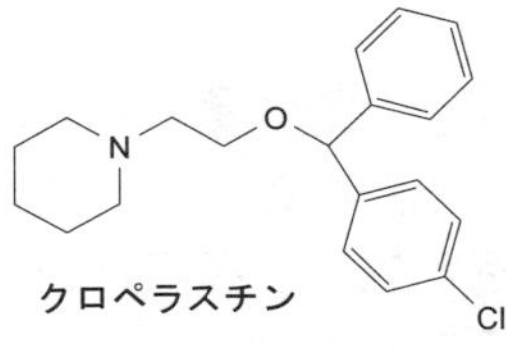

【適用】感冒・流行性感冒・気管支炎・気管支拡張症に伴う咳嗽

【副作用】眠気 、消化器症状（悪心、食欲不振、口渇）などが報告されているが重大な副作用はない。

クロペラスチン

クロフェダノール　Clofedanol

咳中枢に直接作用して鎮咳作用を示す。また、呼吸興奮作用と気管支筋収縮抑制作用をもつ。

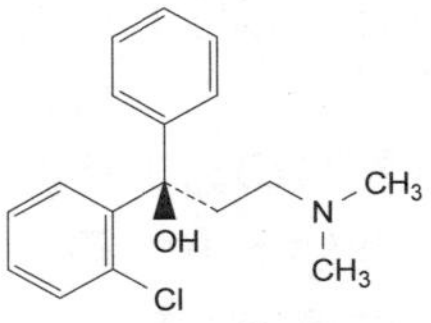

【適用】急性気管支炎、急性上気道炎に伴う咳嗽

【副作用】ショック、アナフィラキシー様症状 、皮膚粘膜眼症候群（Stevens-Johnson 症候群）、多形滲出性紅斑など

クロフェダノール

ペントキシベリン　Pentoxyverine

咳中枢に直接作用して鎮咳作用を示す。また、副交感神経抑制作用、平滑筋弛緩作用 、

局所麻酔作用をもつ。

【適用】感冒、ぜん息性気管支炎、気管支ぜん息、急性気管支炎、慢性気管支炎、肺結核、上気道炎（咽喉頭炎、鼻カタル）に伴う咳嗽

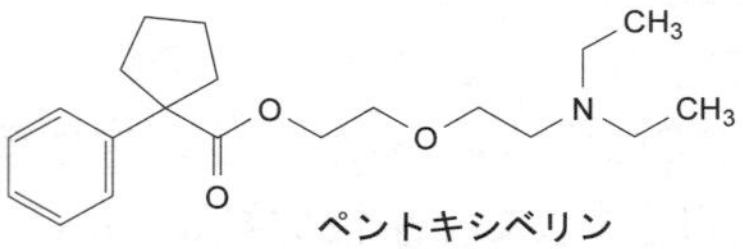

ペントキシベリン

【副作用】精神神経系（眠気、不快、頭痛、頭重、昏迷）や消化器症状などが報告されているが重大な副作用はない。

ベンプロペリン　Benproperine

咳中枢に直接作用して鎮咳作用を示す。また、一部は肺伸張受容器からのインパルスの低下および気管支筋弛緩作用が関与する。

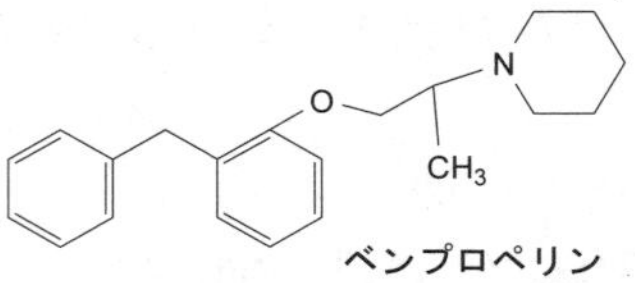

ベンプロペリン

【適用】感冒、急性気管支炎、慢性気管支炎、肺結核、上気道炎（咽喉頭炎、鼻カタル）に伴う咳嗽

【副作用】精神神経系や消化器症状などが報告されているが重大な副作用はない。

エプラジノン　Benproperine

咳中枢に直接作用して鎮咳作用を示す。また、 酸性ムコ多糖類線維・DNA 高含有線維溶解作用、喀痰粘稠度低下作用、気道内分泌液増加作用により、去痰作用を示す。

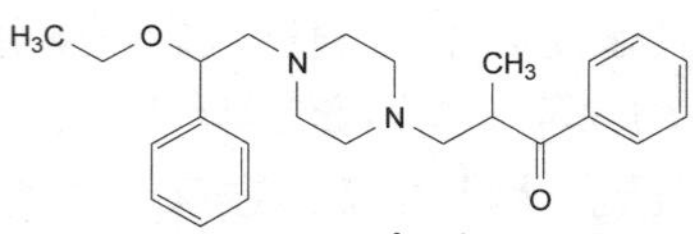

エプラジノン

【適用】肺結核、肺炎、気管支拡張症、気管支ぜん息、急・慢性気管支炎、上気道炎、感冒に伴う鎮咳および去痰

【副作用】過敏症や消化器症状などが報告されているが重大な副作用はない。

グアイフェネシン　Guaifenesin

咳中枢に作用する以外に、気道分泌線刺激作用があり、気道の分泌を亢進して去痰作用も示す。

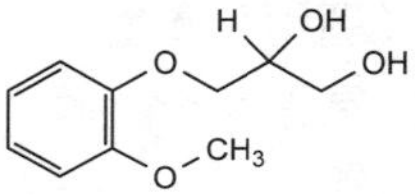

【適用】感冒、急性気管支炎、慢性気管支炎、肺結核、上気道炎（咽喉頭炎、鼻カタル）に伴う咳嗽および喀痰喀出困難。

グアイフェネシン

【副作用】消化器症状が報告されているが重大な副作用はない。

7．去痰薬　Expectorants

去痰薬とは、気道粘液の分泌を促進して気道の潤滑性を高めたり、痰を溶解して、喀痰を容易にする薬物を去痰薬という。

ブロムヘキシン　Bromhexine

【作用機序】気道分泌促進薬である。吸収された後、粘膜線から分泌され腺細胞に作用して気道分泌を促進する。リソソーム様顆粒の分泌を促進し、リソソーム酵素によって痰を分解し粘性を低下させる。硬く濃い痰に有効であるが、柔らかく薄い痰には無効である。

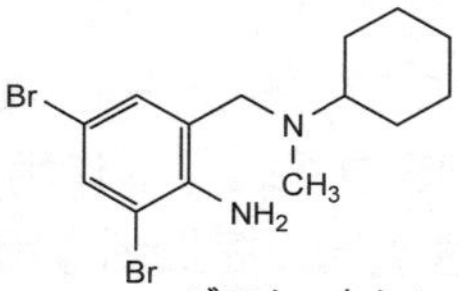

ブロムヘキシン

【副作用】アナフィラキシー様症状など

アセチルシステイン　Acetylcysteine

【作用機序】気道粘液溶解薬である。システイン誘導体で粘液構成物質

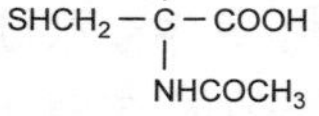

$SHCH_2-C(H)(NHCOCH_3)-COOH$

アセチルシステイン

であるムコ蛋白中の S-S 結合を開裂して粘性を低下させる。pH の上昇と共に薬剤の効力が増し、pH　7～9 で粘液溶解作用は最大となる。病的な気管支内分泌物の pH は、アルカリ側に傾いているので効果的に作用し、感染時にも使用できる。

【副作用】気管支閉塞、気管支痙れんなど

アセチルシステインの類似薬にメチルシステイン、エチルシステインがある。

カルボシステイン　Carbocisteine

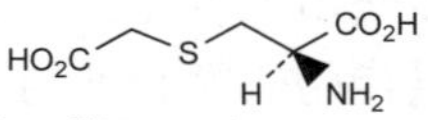

【作用機序】気道粘液修復薬である。慢性気道疾患患者の喀痰中のシアル酸とフコースの構成比を正常化したり、粘膜上皮の線毛細胞を修復し、粘膜を正常化する。カルボシステインは、アセチルシステインとは異なり SH 基をもたない。

【副作用】皮膚粘膜眼症候群（Stevens-Johnson 症候群）、中毒性表皮壊死症（Lyell 症候群）、肝機能障害、黄疸など

フドステイン　Fudosteine

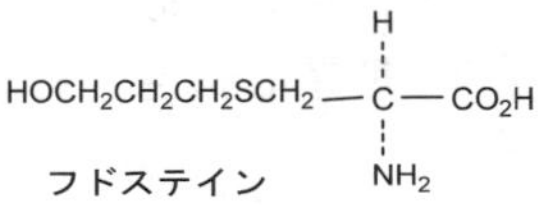

【作用機序】気道粘液修復薬である。ムチン（痰（気道粘液）の主成分）を分泌する杯細胞の過形成抑制作用、喀痰中のシアル酸とフコースの構成比の正常化作用、漿液性気道分泌亢進作用、気道炎症抑制作用により、去痰作用を示す。

【副作用】肝機能障害、黄疸など。

アンブロキソール　Ambroxol

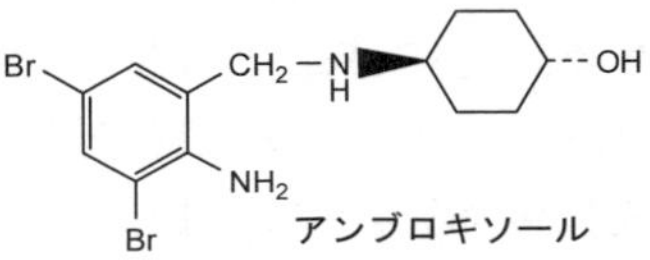

【作用機序】気道潤滑薬である。ブロムヘキシンの活性代謝産物である。肺胞細胞からの表面活性物質（肺サーファクタント）の分泌促進、気道液の分泌促進作用、線毛運動亢進作用により、粘液運動機能を増大させ、気道壁の潤滑化を促し、喀痰喀出効果を高める。抗酸化物質でもある。

【副作用】アナフィラキシー様症状など

その他

タンパク分解酵素（ブロメライン、セラペプターゼ）

　タンパク質を分解するので、膿性痰に有効であるが、血液凝固を阻止する作用もあるので使用にあたっては注意が必要。

反射性去痰薬　セネガ、オンジ、キキョウ

　サポニンによる刺激により反射的な去痰作用を示す。

８．呼吸興奮薬　Respiratory stimulants

呼吸を興奮させるには：

① 呼吸中枢の刺激　（中枢性呼吸興奮）

② 頸動脈小体を介した反射亢進　（末梢性呼吸興奮、化学受容器を介する作用）

ドキサプラム　Doxapram

【作用機序】主に末梢性化学受容器の反射を亢進して、呼吸中枢を興奮させる。呼吸中枢に対する選択性が高い。呼吸を興奮させる用量と痙れんを誘発させる用量との差が大きく、安全係数が高い。作用時間は 3 ～ 4 分程度と短い。

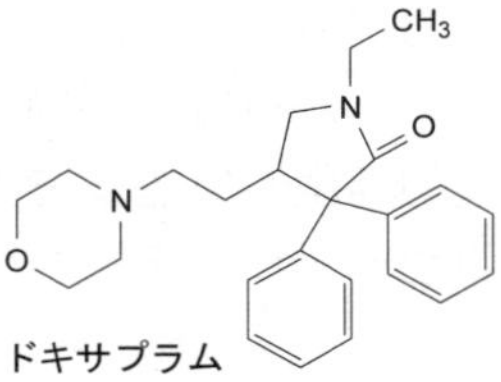

ドキサプラム

【適用】麻酔時の呼吸抑制、肺の換気不全時

【副作用】興奮状態、振せん、間代性痙れん等の中枢症状など

ジモルホラミン　Dimorpholamine

【作用機序】延髄の呼吸中枢を刺激し、呼吸興奮を起こす。血管運動中枢も刺激するので、血圧は上昇する。作用時間はドキサプラムより長い。安全性が高い。

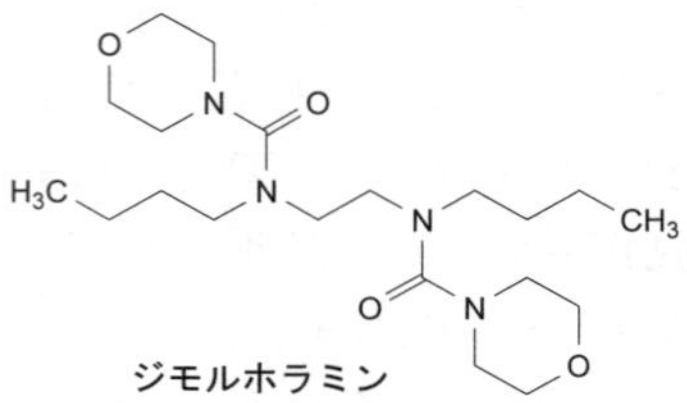

【適用】麻酔時や催眠薬中毒時の呼吸抑制

【副作用】咳嗽、精神神経系症状などがあるが、重大な副作用には指定されていない。なお、てんかん等の痙れん性疾患又はこれらの既往歴のある患者には、痙れん閾値を低下させる可能性があるので慎重に投与する。

ジモルホラミン

9．その他の呼吸器用薬

シベレスタット　Sivelestat

好中球エラスターゼを選択的に阻害し、全身性炎症反応症候群に伴う急性肺障害を改善する。好中球エラスターゼは、タンパク分解酵素の 1 つで、肺に集積した好中球から遊離され、肺結合組織を分解して肺血管透過性を亢進させ急性肺障害を誘発させる。また、好中球エラスターゼは、好中球遊走因子の産生を促進して炎症反応を増幅させ、全身性炎症反応症候群に伴う急性肺障害における重要な障害因子とされている。

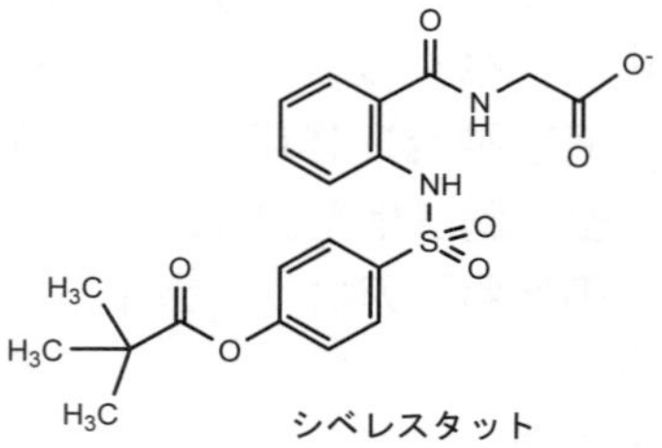

シベレスタット

【適用】全身性炎症反応症候群に伴う急性肺障害の改善

【副作用】呼吸困難、白血球減少、血小板減少、肝機能障害、黄疸など

ドルナーゼアルファ　Dornase Alfa

遺伝子組換えヒトデオキシリボヌクレアーゼ I である。DNA を選択的に加水分解する酵素であり、DNA を多量に含む膿性分泌物の粘稠性を低下させる。

【適用】嚢胞性線維症における肺機能の改善にジェット式ネブライザーを用いて吸入する。

【副作用】呼吸器障害や胃腸障害が挙げられているが重大な副作用はない。

肺サーファクタント

肺胞の気－液界面の表面張力を低下させて肺の虚脱を防止し、肺の安定した換気能力を維持する肺サーファクタントの生理的役割を代償し、表面張力を低下させる。

【適用】呼吸窮迫症候群（生理食塩液によく懸濁して気管内に注入、新生児に使用）

【副作用】副作用は報告がない。

7

心臓・血管系に作用する薬物

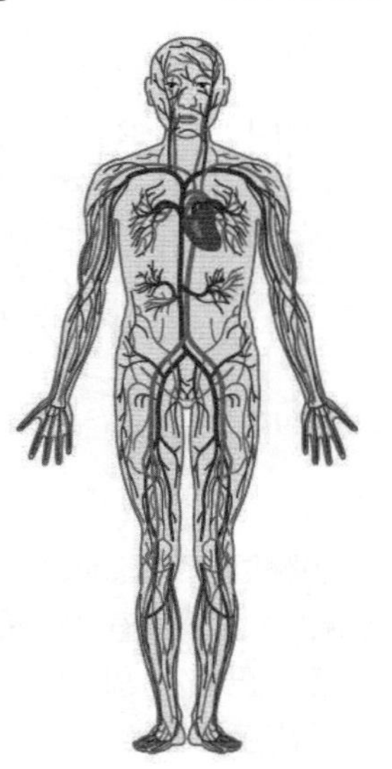

ヒトのほとんどすべての臓器は、循環器系の関与により血液を介して酸素が供給され、それぞれの機能を維持している。循環器疾患には様々な疾患があるが、高血圧、脳血管障害、狭心症、心筋梗塞、心不全、不整脈のように一般診療時にも非常に多くみられる疾患が含まれる。これらの疾患は、高年齢層に多いことが特徴の一つで、治療には薬物療法が重要な地位をしめる場合が非常に多く、治療により良好な経過をたどることも多いが、長期間の薬物投与が不可欠となるので、アドヒアランスの向上が必要となる。循環器系疾患には、心臓、脈管系および血液の状態が相互に関与するので、関連させて理解されるべきではあるが、ここでは、薬物治療の対象となる心臓および血管系の代表的な疾患治療薬について示す。

心臓

心臓は、全身に血液を送り出すためのポンプの役割を担っており、心臓自体は、冠循環により酸素の供給を受けて一定のリズムと強さで拍動を続けている。心臓の収縮の強さや頻度は、自律神経や液性因子により制御されている。

心臓の刺激伝導系の細胞は、律動的な活動電位をくり返し発生させている。洞房結節の細胞は、ペースメーカーとして働く。洞房結節で発生した電位は、房室結節へと伝わり、ヒス束からプルキンエ線維へと伝導される。

心筋細胞の興奮は、細胞膜に存在するイオンチャネルの連携によってもたらされる。関与するイオンチャネルとして重要なものは、Na^+、K^+および Ca^{2+}チャネルである。心室筋細胞の静止膜電位は、内向き整流性 K^+チャネル電流により-80 mV 付近に維持されている。心室筋に刺激が到達すると、膜電位依存性 Na^+チャネルが開口し、Na^+が細胞内に急速に流入して脱分極する（活動電位の立ち上がり：0 相）。その後、一過性に過分極する（1 相）が、すぐに、膜電位依存性 Ca^{2+}チャネルと遅延整流性 K^+チャネルが活性化されて膜電位は安定する（2 相）。その後、Na^+チャネルと Ca^{2+}チャネルが K^+チャネルより先に不活性化され、電流の総和が外向きとなるため、細胞膜は過分極し（3 相）、静止膜電位に固定される（4 相）。

心筋は、冠血管の血流により酸素が供給されているが、冠血管には拡張期に血液が流れ込む。何らかの理由により心筋の酸素消費が増加すると冠血流は最大で 5 倍程度増大する。冠動脈は、自己調節が顕著である。

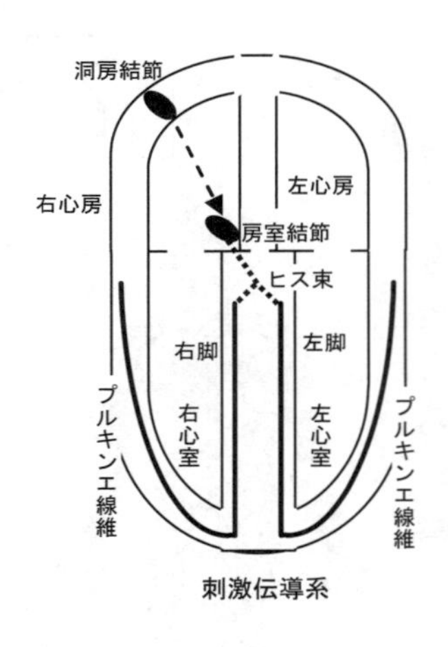

刺激伝導系

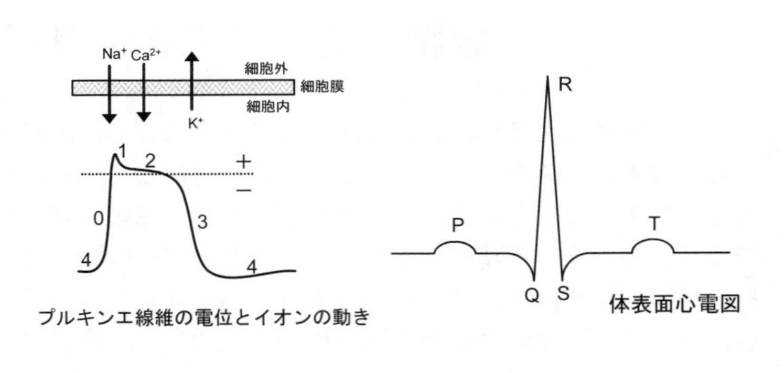

プルキンエ線維の電位とイオンの動き

体表面心電図

心臓は、大動脈と肺動脈に効率よく血液を駆出するために左右の心室が同期して収縮し、心臓として収縮と弛緩（拡張）をくり返している。収縮・弛緩の 1 回の周期を心周期という。正常な心臓の拍出量（収縮力）と心拍数は以下のとおりである。

拍出量：変力作用（inotropic action）　60 ～ 80 mL/1 回
心拍数：変時作用（chronotropic action）　50 ～ 100 回/分
変伝導作用　（dromotropic action）

また、心臓には、全身の循環を一定に保つため、末梢の受容器から延髄を介して心拍数や血圧を調節するシステムである反射機能（循環反射）を備えている。以下のような反射が知られている。

ベインブリッジ反射（右心房壁の伸張受容器、うっ血を感知）
頸動脈洞反射（圧受容体）
大動脈球反射（圧受容体）
頸動脈体反射（化学受容器、血中 CO_2）　など。

心臓および血管系と疾病

心臓において、薬物治療の対象となる代表的な病態は 3 つあり、リズムが病的に乱れた状況が不整脈、収縮が弱く血液が全身に供給できない状況が心不全、冠循環が心臓の酸素要求量に追いつかない状況が狭心症（狭心症は心筋梗塞とともに虚血性心疾患と総称される）である。治療には、それぞれ、抗不整脈薬、強心薬、抗狭心症薬が使用される。

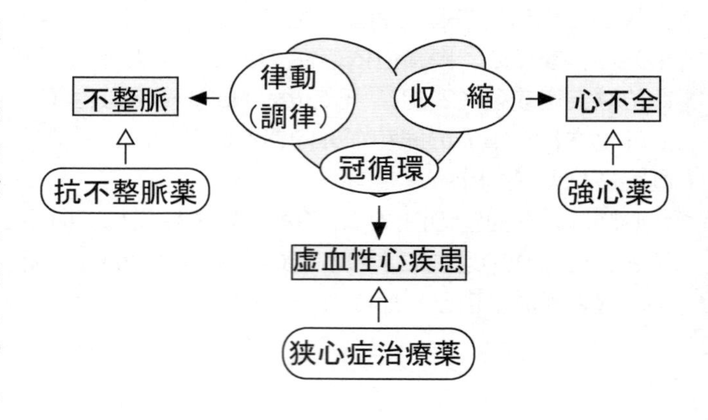

一方、血管系における代表的な病態は、高血圧および低血圧である。

1．不整脈とその治療薬　Antiarrhyttmic drugs

不整脈には以下の①～③の状態が含まれる。

① 脈拍が正常リズムよりも速いかまたは遅い。

② 心電図で心房性、結節性、心室性のリズムの異常が見られる。

③ 房室伝導障害が見られる。

また、不整脈は、心臓の興奮性から、

① 徐脈性不整脈：興奮性が減少する

② 頻脈性不整脈：興奮性が増大する

に分けられる。徐脈性不整脈は、主として電気的ペースメーカーで治療されていて薬物治療の対象とはなりにくい。したがって、薬物治療の対象となる不整脈は、ほとんどが頻脈性不整脈であり、抗不整脈薬のほとんどは、心臓の興奮性を抑制するように作用する薬物である。なお、抗不整脈薬は、症状を改善させる薬物であり、原因を根本から取り除くことはできない。

不整脈には、致死的な状況を招くものもある一方で、放置しておいてもよいものも多くある。したがって、死亡の危険性、自覚症状による QOL の障害、基礎疾患などにより、積極的に治療するか否かを見極めることが重要となる。

病因

頻脈性不整脈：自動能不整脈とリエントリー不整脈の２つに分けられる。

自動能不整脈：ペースメーカーである洞結節の異常や洞房結節の興奮が、房室結節や心室プルキンエ線維などの洞房結節以外の自動能（異所性自動能）により干渉されるもの

リエントリー（reentry）不整脈：正常では消失するはずの洞房結節の興奮が、一部の心筋の不応期や伝導障害のために消失せず、二度以上心筋を興奮させるもの

臨床症状

心悸亢進や速脈、めまい・失神などが一般的に認められる。聴診の際、第 I 音が変化する、または第 I 音と II 音の鑑別がつきにくい。

検査所見

脈波および心電図が診断上重要である。

薬物治療

不整脈の薬物療法においては、大規模臨床試験の Cardiac Arrhythmia Suppression Trial（CAST）の結果より、抗不整脈薬の副作用である催不整脈作用が重視されるようになり、抗不整脈薬の使用に当たってはその使用目的を明確にすることが必要になっている。抗不整脈薬は、表に示したように、従来、各薬物の主要な作用メカニズムをもとにクラス I から IV まで分類されてきた（Vaughan Williams による抗不整脈薬の分類）が、いくつかのメカニズムを併せもつ薬物も少なくない。CAST の結果が発表されて以降、各患者に治療

効果が高く、かつ、副作用をできるだけ抑えた抗不整脈薬を選択するために、各薬物の作用を詳細に示したScicilian Gambitの分類が薬物選択のために用いられるようになってきた。本書では、各薬物が主要な作用メカニズムによって分類されているVaughan Williamsの分類に従って薬物を示しているが、参考としてScicilian Gambitの分類表（一部改変）も添付した。

Vaughan Williamsの分類

<table>
<tr><th colspan="2" rowspan="2">分類</th><th colspan="3">主な作用機序</th><th rowspan="2">主な薬物</th></tr>
<tr><th colspan="2"></th><th>Na^+チャネルとの結合、解離</th></tr>
<tr><td rowspan="7">I</td><td rowspan="2">a</td><td rowspan="6">Na^+チャネル遮断</td><td rowspan="2">APD 延長</td><td>Intermadiate</td><td>キニジン
ジソピラミド
プロカインアミド</td></tr>
<tr><td>Slow</td><td>シベンゾリン
ピルメノール</td></tr>
<tr><td rowspan="2">b</td><td rowspan="2">APD 短縮</td><td>Intermadiate</td><td>アプリンジン</td></tr>
<tr><td>Fast</td><td>リドカイン
メキシレチン</td></tr>
<tr><td rowspan="2">c</td><td rowspan="2">APD 不変</td><td>Intermadiate</td><td>プロパフェノン</td></tr>
<tr><td>Slow</td><td>フレカイニド
ピルジカイニド</td></tr>
<tr><td colspan="2"></td><td></td></tr>
<tr><td colspan="2">Ⅱ</td><td colspan="3">アドレナリンβ受容体遮断</td><td>プロプラノロール
アテノロール</td></tr>
<tr><td colspan="2">Ⅲ</td><td colspan="3">K^+チャネル遮断</td><td>アミオダロン
ソタロール
ニフェカラント</td></tr>
<tr><td colspan="2">Ⅳ</td><td colspan="3">Ca^{2+}チャネル遮断</td><td>ベラパミル
ジルチアゼム
ベプリジル</td></tr>
</table>

APD：Action Potential Duration（活動電位持続時間）

クラスⅠ

クラスⅠは、Na^+チャネル遮断薬である。心筋においてNa^+チャネルを遮断し、活動電位の立ち上がり速度を抑制するのが主作用である。その結果、心筋の興奮性の低下、膜の安定化が起こり、リエントリー性不整脈や、異常自動能による不整脈を抑制する。クラスⅠは、活動電位の持続時間がどのように変化するか、すなわち、K^+チャネルにどのような影響を及ぼすかによって、さらに3群（Ⅰａ～Ⅰｃ）に分類される。その他にNa^+チャネルに対する結合・解離速度による分類もある。

クラスⅠa

クラスⅠ a の薬物は、活動電位持続時間を延長する。また、抗コリン作用をもつものが多いのでこれにより、心室頻脈が起こることがある。

【作用機序】 Na^+チャネルの遮断により活動電位の立ち上がり（第０相）を抑制し伝導速度を遅くする。また、Ⅰ a の薬物は、K^+チャネルを遮断する作用をもつため、活動電位持続時間を延長し、有効不応期を延長させる。クラス Ia の薬物は、主に心房性不整脈に効果を示すが、心室性不整脈にも有効である。

【適用】 ①期外収縮（上室性、心室性）、②発作性頻拍（上室性、心室性）、③新鮮心房細動、発作性心房細動の予防、陳旧性心房細動、④心房粗動

【副作用】 副作用は、各薬物により異なるので、個別に示す。

キニジン　Quinidine：①高度伝導障害、心停止、心室細動、②心不全、血圧低下、③ SLE 様症状、④無顆粒球症、白血球減少、再生不良性貧血、溶血性貧血、⑤血小板減少性紫斑病

ジソピラミド　Disopyramide：①心停止、心室細動、心室頻拍（Torsades de pointes を含む)、心室粗動、心房粗動、房室ブロック、洞停止、失神、心不全悪化、②低血糖、③無顆粒球症、④肝機能障害、黄疸、⑤麻痺性イレウス、⑥緑内障悪化、⑦痙れん、など

プロカインアミド　Procainamide：①心室頻拍、心室粗動、心室細動、心不全、血圧低下、② SLE 様症状、③無顆粒球症など

シベンゾリン　Cibenzoline：①心室頻拍（torsades de pointes を含む)、上室性不整脈、心室細動、②ショック、③心不全、④低血糖、⑤重篤な肝障害、⑥顆粒球減少、白血球減少、貧血、血小板減少など

ピルメノール　Pirmenol：①心不全、②心室細動、心室頻拍（Torsades de pointes を含む)、房室ブロック、洞停止、失神、③低血糖など

クラスⅠb

クラスⅠ b の薬物は、活動電位持続時間を短縮する。

【作用機序】 クラスⅠ a と同様に Na^+チャネルの遮断により活動電位の立ち上がり（第０相）を抑制する。クラスⅠ b の薬物は、心筋のペースメーカー活動を洞結節よりも心室筋で強く抑制す

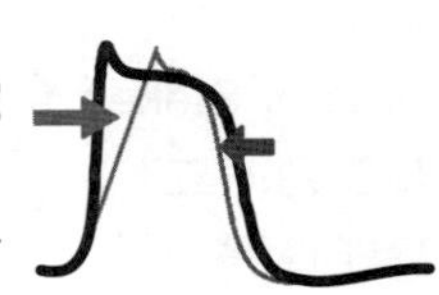

るので、心室性の異常興奮を抑制することができる。すなわち、心室性不整脈に有効で、心室性不整脈に対する第一選択薬といわれている。クラスⅠ a の薬物とは異なり、K^+チャネルに対しては、開口作用を示すため、活動電位持続時間は短縮されるが、有効不応期に対する影響は少ない。

リドカイン　Lidocaine

リドカインは、局所麻酔薬としても繁用されているが、心筋梗塞に伴う心室性不整脈の緊急治療にも多く使用されている薬物でジギタリス中毒時の心室性不整脈にも有効である。

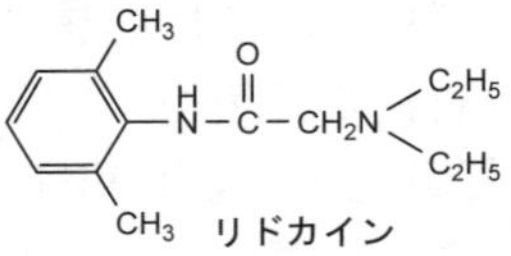

リドカイン

【適用】①心室性期外収縮、②心室頻拍

【副作用】①刺激伝導系抑制、ショック、血圧低下、②意識障害、振戦、痙れん、③ 悪性高熱など

メキシレチン　Mexiletine

メキシレチンは、経口可能なリドカイン様薬である。

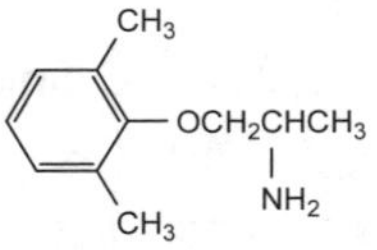

メキシレチン

【適用】①心室頻拍、②糖尿病性神経障害に伴う自覚症状（自発痛、しびれ感）の改善

【副作用】①中毒性表皮壊死症（Lyell 症候群）、皮膚粘膜眼症候群（Stevens-Johnson 症候群）、紅皮症、②遅発性の重篤な過敏症状、③心室頻拍、④腎不全、⑤幻覚、錯乱、⑥肝機能障害、黄疸、⑦間質性肺炎、好酸球性肺炎など

アプリンジン　Aprindine

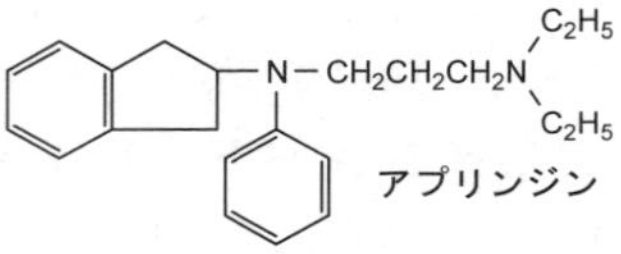

アプリンジン

【適用】①他の抗不整脈薬が使用できないか、又は無効の場合の頻脈性不整脈

【副作用】①催不整脈、②無顆粒球症、③間質性肺炎、④肝機能障害（頻度不明）、黄疸など。

クラスⅠ c

クラスⅠ c の薬物は、活動電位持続時間に影響を及ぼさない。

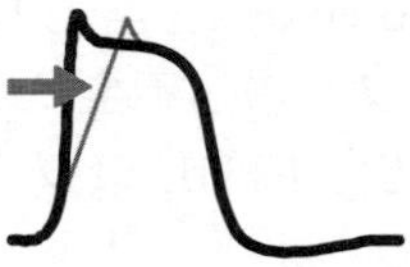

【作用機序】クラスⅠ a および b と同様に Na^+チャネルを遮断し、活動電位の立ち上がり（第０相）を抑制する。クラスⅠ c の薬物は、主に自動興奮性を抑制して抗不整脈作用を示すといわれている。Ⅰ a やⅠ b の薬物とは異なり、K^+チャネルには影響を及ぼさないので、活動電位持続時間は変化しない。

【適用】Ⅰ a と同様に作用する。

【副作用】

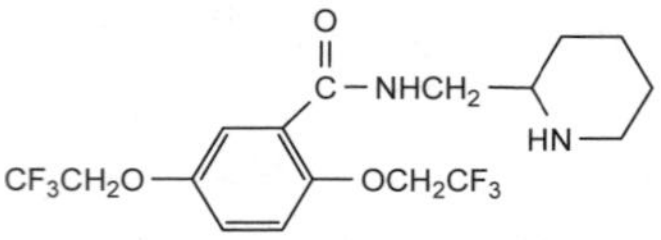

フレカイニド　Flecainide：①心室頻拍　（Torsades de pointes　を含む）、心室細動、高度房室ブロック、一過性心停止、洞停止（または洞房ブロック）、心不全の悪化、Adams - Stokes 発作、②肝機能障害、黄疸など

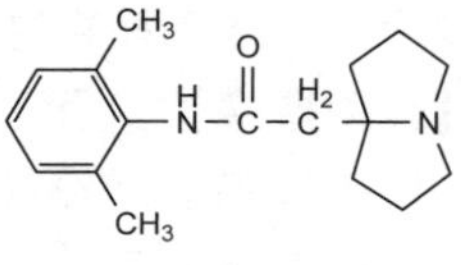

フレカイニド

ピルシカイニド　Pilsicainide：①心室細動、心室頻拍、失神、②肝機能障害

ピルジカイニド

プロパフェノン　**Propafenone**：①心室頻拍（torsades de pointes を含む）、心室細動、洞停止、洞房ブロック、房室ブロック、徐脈、失神など

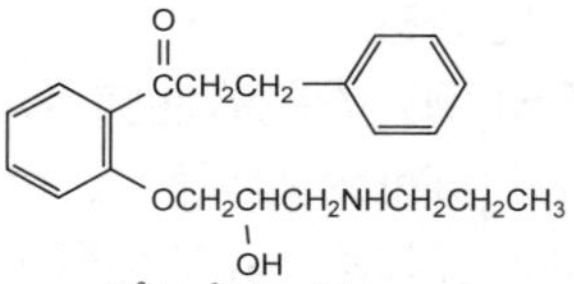
プロパフェノン

クラスⅡ

クラスⅡは、アドレナリンβ受容体遮断薬である。（交感神経系の項参照）

【作用機序】 心臓のアドレナリンβ_1受容体を遮断して、洞結節の自動能亢進の抑制、房室結節の興奮伝導の抑制、プルキンエ線維の自動能亢進の抑制により抗不整脈作用を示す。交感神経系の亢進が原因のすべての不整脈に有効である。心機能亢進に関与するのは、β_1受容体であるが、β_1受容体に対する選択性の有無は、不整脈に適応となるか否かの決定的な要因とはならない。すなわち、β_1受容体選択性な遮断薬であるメトプロロールやビソプロロールなどが抗不整脈薬として用いられている他、β_1受容体非選択的遮断薬のプロプラノロール（キニジン様作用もある）やピンドロールも抗不整脈薬として用いられている。また、内因性交感神経刺激作用（ISA）や膜安定化作用（MSA）の有無も不整脈に適応となるか否かの決定的な要因とはならない。

循環器系疾の治療に使用されている主なβ遮断薬については、β_1受容体に対する選択性、ISA と MSA の有無および適応症について、抗高血圧薬の項に表にまとめて示した。

【適用】 洞性頻脈、上室頻拍、心室期外収縮、心室頻拍、心房細（粗）動の心拍数調節

【副作用】 心不全症状の悪化、徐脈など

ランジオロール、エスモロール

両薬物は、β_1受容体に選択的な遮断薬で、短時間作用型である。これらの薬物は、手術時の頻脈性不整脈の緊急処置のために用いられている。

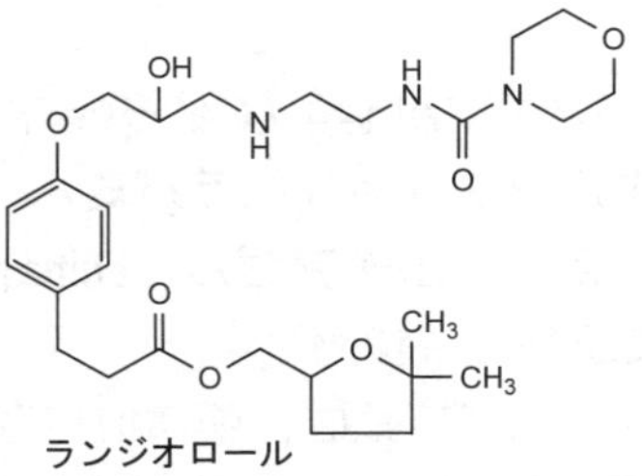
ランジオロール

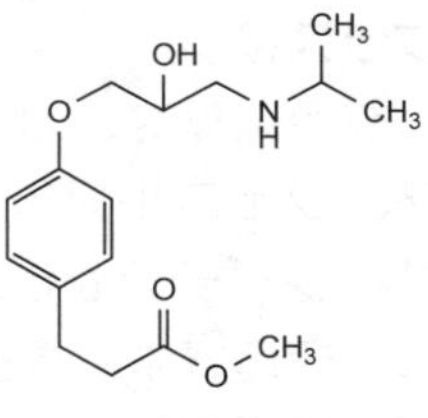
エスモロール

クラスⅢ

クラスⅢは、K^+チャネル遮断薬である。

【作用機序】 K^+チャネルを遮断することにより、活動電位持続時間を延長し、不応期を延長させる。クラスⅢの薬物は、いずれも致死的な不整脈や他の薬物が無効な不整脈に用いられる。

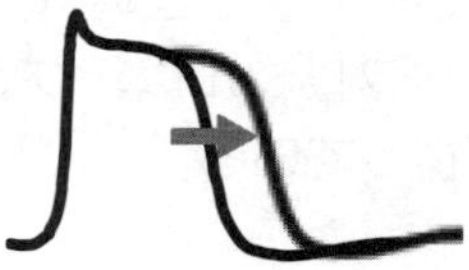

【適用】 心房細動（肥大型心筋症合併例）、心室頻拍、心室細動（致死的、再発例、他剤無効例）

アミオダロン　**Amiodarone**

心房性不整脈と心室性不整脈に有効で、心機能が低下している場合にも用いることができるが、タンパク結合率が高く、また、半減期も長く（約 25 日）、薬物相互作用を起こしやすいので、他薬との併用には特に注意が必要である。アミオダロンは、Na^+チャネル遮断作用も

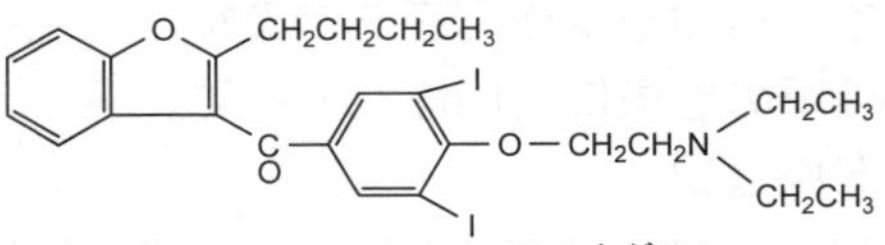
アミオダロン

持っている。

【副作用】①間質性肺炎、肺線維症、肺胞炎、②既存の不整脈の重度の悪化、Torsades de pointes、心不全、徐脈、心停止、完全房室ブロック、血圧低下、③劇症肝炎、肝硬変、肝障害、④抗利尿ホルモン不適合分泌症候群（SIADH）など

ソタロール　Sotalol

K^+チャネル遮断作用にアドレナリンβ遮断作用を併せもつ薬物である。ソタロールは、もともとアドレナリンβ遮断薬として開発されたが、β受容体遮断作用が弱い*d*-ソタロールにも *l*-ソタロールとほぼ同様の抗不整脈作用があることがわかり、それが、K^+チャネル遮断作用によったことから、クラスⅢに分類された。

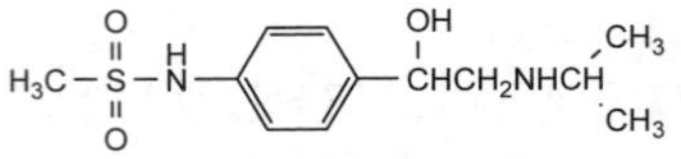

$H_3C-SO_2-NH-C_6H_4-CH(OH)CH_2NHCH(CH_3)_2$

ソタロール

【副作用】心室細動、心室頻拍、Torsades de pointes、心不全、心拡大など

ニフェカラント　Nifekalant

致死的な心室性不整脈で他の薬物が無効または使用できない場合に心電図連続監視下で静注する。ニフェカラントには、アミオダロンのような Na^+チャネル遮断作用やソタロールのようなβ受容体遮断作用はない。

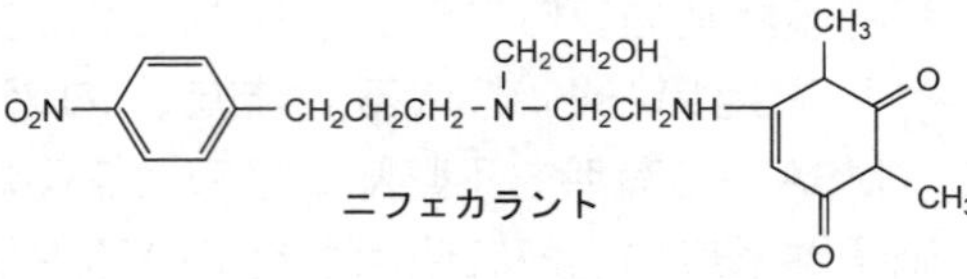

$O_2N-C_6H_4-CH_2CH_2CH_2-N(CH_2CH_2OH)-CH_2CH_2NH-$（ジメチルピリミジンジオン環）

ニフェカラント

【副作用】心室頻拍（Torsades de pointes を含む）、心室細動、心室性期外収縮、心房細動、心房粗動など

クラスⅣ

クラスⅣは、カルシウム拮抗薬（Ca^{2+}チャネル遮断薬）である。カルシウム拮抗薬のうち、フェニルアルキルアミン系（**ベラパミル　Verapamil** と**ベプリジル　Bepridil**）およびベンゾチアゼピン系（**ジルチアゼム　Diltiazem**）の薬物が抗不整脈薬として用いられる（構造式は抗高血圧薬の項参照）。

【作用機序】カルシウム拮抗薬は、膜電位依存性 L 型カルシウムチャネルを遮断し、細胞外からの Ca^{2+}流入を抑制して房室結節の不応期を延長し、房室伝導を抑制する。頻脈を伴う心房性不整脈（心房細動や心房粗動）に有効である。

【適用】①上室頻脈、②ある種の心室頻拍、③心房細（粗）動の心拍数の調節

ベプリジルは、クラスⅣに分類されているが、クラスⅠおよびクラスⅢの作用を併せ持っている。

その他の抗不整脈薬

自律神経系の異常興奮が不整脈の原因となっている場合は、抗アドレナリン作用のみならず、抗コリン作用をもつ薬物が有用となる。また、ジギタリス、アデノシン（ATP）も不整脈の治療に使用されている。

アトロピン

アトロピンは、非選択的なムスカリン性アセチルコリン受容体の遮断薬であるが、副交感神経の興奮に伴う不整脈患者に対しては、心臓のムスカリン性 M_2 受容体を遮断し、副

交感神経の興奮に伴う洞徐脈、房室ブロックを抑制する（アトロピンの詳細については自律神経系の項を参照のこと）。

アデノシン 5'-三リン酸（ATP）

ATP は、静注されると急速にアデノシンに分解され、Gi タンパク質共役型のアデノシン A_1 受容体を刺激し、G タンパク質共役型の K^+チャネルを活性化して、洞房結節、心房筋、房室結節の活動電位を短縮し過分極を誘発する。また、アデニル酸シクラーゼを抑制し、cAMP 濃度の上昇を抑制する。

薬物療法以外に・・・・

薬物療法で治療できない場合や、慢性薬物治療の危険を避けるために、不整脈発生部位の切除（アブレーション）療法なども行われる。

参考

Scicilian Gambit の分類

薬物	イオンチャネル						受容体				ポンプ	臨床効果			心電図所見		
	Na			Ca	K	If	α	β	M_2	A_1		左室機能	洞調律	心外性	PR	QRS	JT
	Fast	Med	Slow														
リドカイン	○											→	→	◎			↓
メキシレチン	○											→	→	◎			↓
プロカインアミド		▲			◎							↓	→	●	↑	↑	↑
ジソピラミド			▲		◎				○			↓	→	◎	↑↓	↑	↑
キニジン		▲			◎		○		○			→	↑	◎	↑↓	↑	↑
プロパフェノン		▲						◎				↓	↓	○	↑	↑	
アプリンジン		△		○	○	○						→	→	◎	↑	↑	→
シベンゾリン			▲	○	◎				○			↓	→	○	↑	↑	→
ピルメノール			▲		◎				○			↓	↑	○	↑	↑	↑→
フレカイニド			▲		○							↓	→	○	↑	↑	
ピルジカイニド			▲									↓→	→	○	↑	↑	
ベプリジル	○			●	◎							?	↓	○			↑
ベラパミル	○			●			◎					↓	↓	○	↑		
ジルチアゼム				◎								↓	↓	○	↑		
ソタロール					●			●				↓	↓	○	↑		↑
アミオダロン	○			○	●		◎	◎				→	↓	●	↑		↑
ニフェカラント					●							→	→	○			↑
ナドロール								●				↓	↓	○	↑		
プロプラノロール	○							●				↓	↓	○	↑		
アトロピン									●			→	↑	◎	↓		
ATP										×		?	↓	○	↑		
ジゴキシン									×		●	↑	↓	●	↑		↓

ポンプ：Na^+-K^+ ATPase

抗不整脈薬ガイドライン（抗不整脈薬ガイドライン委員会編集）より（一部改変）

2. 心不全とその治療薬

心臓の収縮機能の低下により身体の需要に十分な血液を心臓が拍出できない状態を心不全という。心筋の変性や心臓弁膜症により心筋の変性が起こり、血液を駆出できない状態で、虚血性心疾患による場合も多い。前負荷（容量負荷）や後負荷（圧負荷）の増大により心室が拡大し、心筋の変性が起こる。

左室不全では、肺部にうっ血し、呼吸困難が起こる。

右室不全では、体部にうっ血し、浮腫が起こる。

治療にあたっては、急性心不全と慢性心不全に分けて考えるのが一般的で、急性心不全には Forrester の分類が、慢性心不全にはニューヨーク心臓協会による心機能の分類がよく用いられる。

心拍出量↓	肺動脈楔入圧（mmHg）< 18	18 < 肺のうっ血 →
> 2.2	Ⅰ型 正常	Ⅱ型 肺うっ血 利尿薬 血管拡張薬
< 2.2	Ⅲ型 末梢循環不全 補液 強心薬	Ⅳ型 肺うっ血＋ 末梢循環不全 強心薬、血管拡張薬 補助循環

Forresterの急性心不全の分類と治療薬

慢性心不全患者の機能分類

Ⅰ　身体活動を制限する必要のないもの。日常生活における活動では疲れ、動悸、息切れ狭心症状は起こらない。

Ⅱ　身体活動が軽度から中等度に制限する必要のあるもの。日常生活における身体活動でも疲れ、動悸、息切れ、狭心症状の起こるもの。

Ⅲ　身体活動が中等度から高度に制限する必要のあるもの。軽い日常生活における身体活動でも疲れ、動悸、息切れ、狭心症状の起こるもの。

Ⅳ　身体的活動を制限して安静にしても心不全症状や狭心症状が起こり、少しでも安静をはずすと訴えが増強するもの。

ニューヨーク心臓協会（NYHA）、1960 年

心不全治療薬

心不全は心臓のポンプ機能の不全であるので、治療薬は、心収縮力を増強して心拍出量を増加させる薬物が主となり、このような薬物が強心薬と呼ばれる。しかし、慢性心不全では、ポンプ機能の不全が起こったために恒常性維持機能が働き、交感神経系の過剰興奮

（心機能亢進、末梢血管抵抗の上昇）およびレニン－アンギオテンシン系の活性化等が起きていると考えられるようになり、現在は、これらの過剰興奮を抑える薬物も治療薬となっている。

現在、心不全の治療薬には、強心配糖体、ホスホジエステラーゼ阻害薬、アドレナリンβ受容体刺激薬の強心薬や利尿薬に加え、angiotensin-converting enzyme（ACE）阻害薬、angiotensin receptor blocker（ARB）、β遮断薬（α、β遮断薬）、血管拡張薬等が用いられている。

強心配糖体　Cardiotonic glycosides

強心ステロイドまたはジギタリスとも呼ばれ、著しい心収縮力増強作用を示す。強心配糖体の歴史は古く、200 年以上前にジギタリスの葉にむくみをとる作用があることが報告されている。強心配糖体は、うっ血性心不全の強心性治療薬で最も優れている薬物と考えられるが、安全域が狭く、治療量の 1.5 ～ 3 倍を与えると中毒になるので、TDM が必要である。ヒトでは毒性がまず心臓に表れる。

化学構造の特徴

強心配糖体の基本的な化学構造はステロイド骨格である。また、以下のような特徴を有している。

① A 環－ B 環はシス、B 環－ C 環はトランス、C 環－ D 環はシス（一般のステロイドホルモンはトランス）。

② 3 位（A 環）に糖（digitoxose、D-glucose、L-rhamnose など）がエステル結合。

③ 17 位（D 環）に不飽和ラクトン環（5 員環または 6 員環）が結合

④ 14 位に OH 基が存在

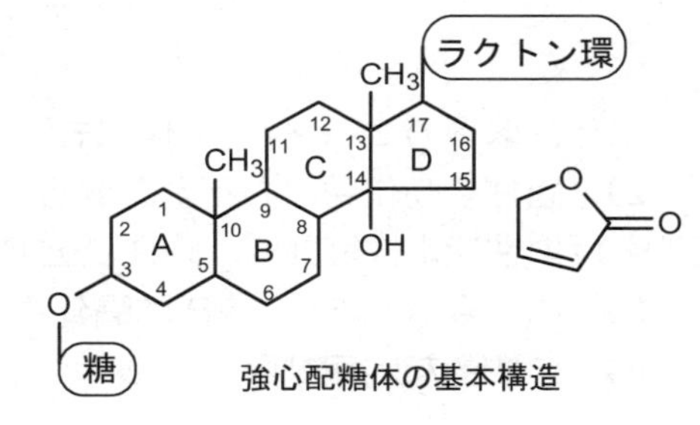

強心配糖体の基本構造

強心配糖体には以下のようなものが含まれる。

1）ジギタリス葉
　ジゴキシン、メチルジゴキシン 、ジギトキシン
　ラナトシド C （lanata)、デスラノシド（ラナトシド C の脱アセチル体）

2）ストロファンツス
　G-ストロファンチン、　K-ストロファンチン

3） 海葱（カイソウ）の鱗葉
　シラレンA （6）

4） ヒキガエルの皮脂腺分泌物
　ブファリン（6）
　ブフォゲニン（6）

＊ 3）と 4）は 17 位のラクトンが 6 員環

医薬品として使用されているのは、ジゴキシン、メチルジゴキシンデスラノシドの 3 種である。

【薬理作用】

1） 陽性変力作用　心収縮力増強を示す。

この作用はうっ血性心不全で収縮力が低下した心臓で著明である。作用機序は、心細胞膜の Na^+,K^+－ ATPase を阻害することによる。Na^+,K^+－ ATPase が阻害されると、細胞内の Na^+濃度が上昇し、これにより、Na^+－ Ca^{2+}交換系の逆交換が促進され、細胞内 Ca^{2+}濃度が上昇する。その結果、心収縮力は増強される。

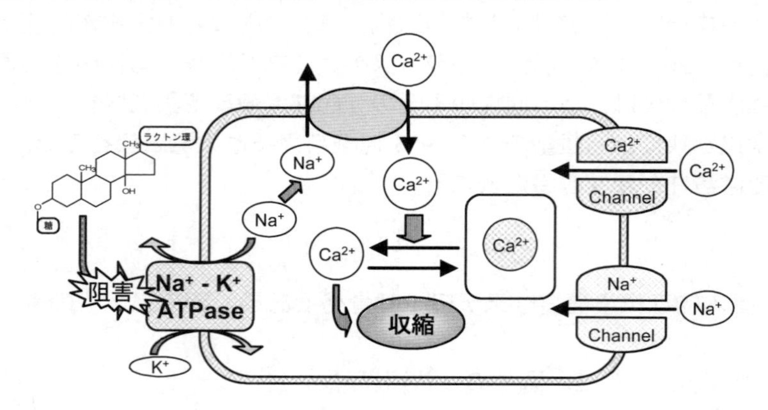

また、以下の 2）～ 4）の作用も示す。

2） 陰性変時作用　心不全の場合著明

反射性迷走神経興奮、陰性変伝導作用

3） 陰性変伝導作用　PR 間隔延長（房室間伝導抑制）

4） 二次的な利尿効果

メチルジゴキシンとジゴキシンの比較

薬物	投与法	作用発現	最大効果	作用持続	生物学的半減期	排泄
メチルジゴキシン（Metildigoxin）	経口	5 ～ 20 分	1 ～ 2 時間	5 ～ 8 日	20 ～ 24 時間	腎
ジゴキシン（Gigoxin）	経口	30 ～ 60 分	3 ～ 6 時間	2 ～ 6 日	36 時間	腎
	静注	15 ～ 30 分	1.5 ～ 5 時間			

【副作用】

1）心室筋の自動性亢進

心室性不整脈（期外収縮）の原因

2）あらゆる不整脈

心房筋の不応期延長　心房粗動

房室ブロック 心房細動 心室細動

3）吐き気･嘔吐

延髄の嘔吐中枢刺激（静注後 30 分以内）

胃粘膜刺激による反射性因子

【禁忌】　房室または房室ブロックのある患者

相互作用　カリウム排泄型利尿薬、

高齢者では、ジギタリスの代謝排泄がおそく蓄積しやすい。

cAMP 関連薬

心筋細胞内の cAMP 濃度の上昇は、心収縮力の増大につながるので、β受容体刺激薬や細胞内 cAMP 含量を増加させる薬物が強心薬として使用されている。

> cAMP と心筋収縮
>
> 心筋は cAMP が増加すると、cAMP 依存性プロテインキナーゼ（PKA）が活性化される。活性化された PKA は、L 型 Ca^{2+}チャネルをリン酸化して活性化し、Ca^{2+}を細胞内に流入させる。流入した Ca^{2+}により筋小胞体の Ca^{2+}遊離チャネルが開口し、多量の Ca^{2+}が遊離する。この細胞内 Ca^{2+}濃度の上昇が心筋収縮をもたらす。

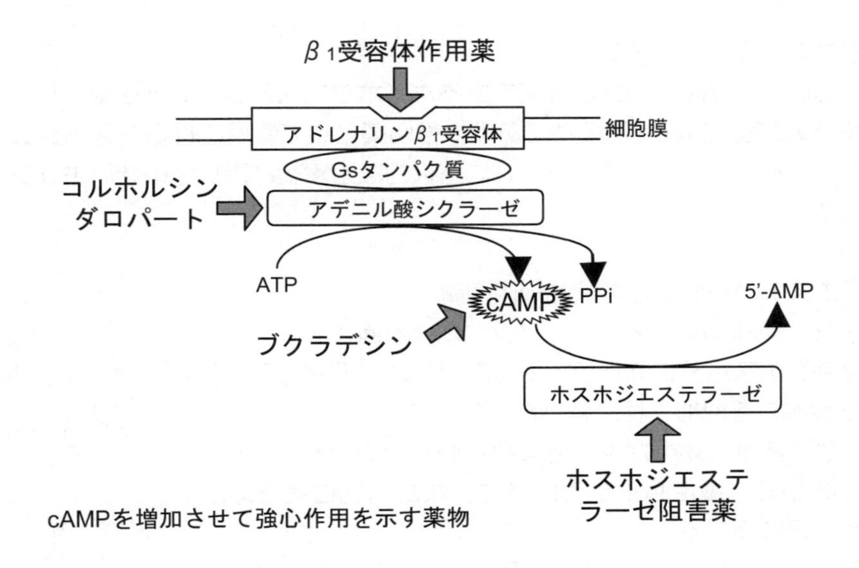

cAMPを増加させて強心作用を示す薬物

アドレナリンβ受容体刺激薬

代表的な薬物は、ドパミンである。ドパミンは中枢神経系においては、神経伝達物質として、主にドパミン受容体を介して作用を示すが、末梢投与（点滴静注）によっては、心臓のβ_1受容体を刺激し、強心作用を示す。

【作用機序】心臓（心筋細胞）のアドレナリンβ₁受容体を刺激して、Gs タンパク質ーアデニル酸シクラーゼ系を活性化し、cAMP の合成を高めて、cAMP 含量を増加させて心収縮力を増強させる。しかし、これらは、同時に心筋代謝を盛んにするので酸素需要を増加させ、慢性に経過することが多い心不全を悪化させることもあるので、使用に当たっては注意が必要である。

ドパミン　Dopamine、ドブタミン　Dobutamine

【適用】急性循環不全。

【副作用】麻痺性イレウス、末梢虚血（ドパミン）、不整脈（共通）など

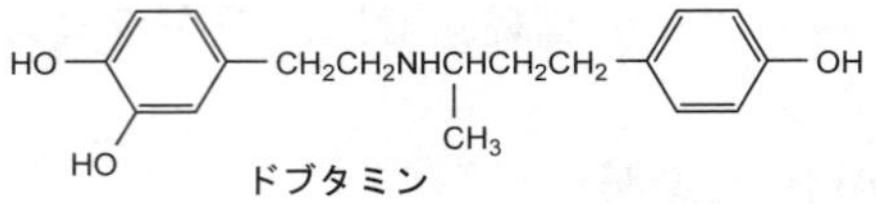

ドブタミン

ドカルパミン　Docarpamine

ドパミンのプロドラッグで、経口投与で効果的に血中ドパミン濃度を上昇させる。

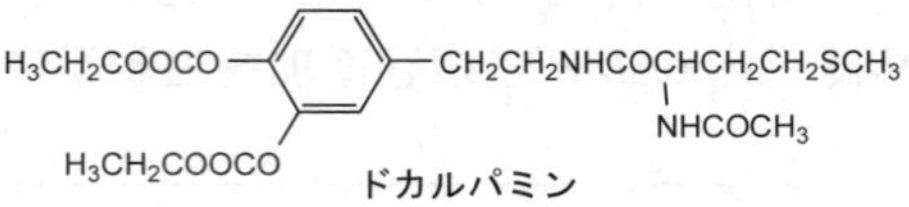

【適用】ドパミン、ドブタミンの注射（少量静脈内持続点滴静注）からの離脱が困難で、経口薬への早期離脱を必要とする場合。

【副作用】心室頻脈など

ドカルパミン

デノパミン　Denopamine

経口投与で慢性心不全に使用する。

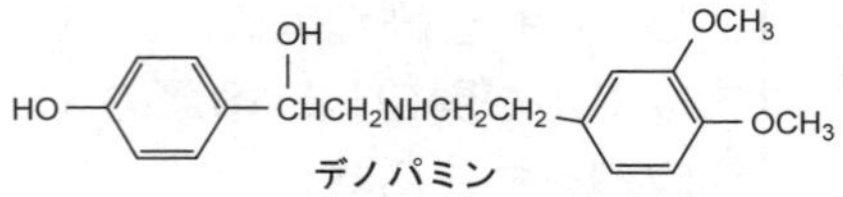

【適用】慢性心不全

【副作用】心室頻脈など

デノパミン

ホスホジエステラーゼ阻害薬

心臓において、cAMP の分解酵素であるホスホジエステラーゼⅢを阻害し、心筋細胞内の cAMP 濃度を増加させる薬物である。強心薬として使用されるホスホジエステラーゼ阻害薬には、ホスホジエステラーゼⅢに選択的な阻害薬と選択性の低いキサンチン誘導体が含まれる。

ホスホジエステラーゼⅢに選択的な阻害薬

ミルリノン　Milrinone、オルプリノン　Olprinone

【作用機序】ホスホジエステラーゼⅢを選択的に阻害して心筋細胞内の cAMP を増加させ、強心作用を示す。

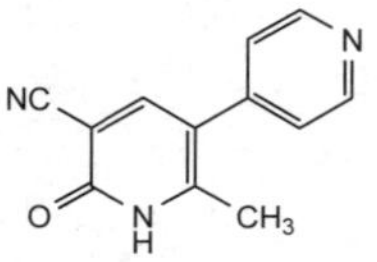

【適用】他の薬剤で効果が不十分な急性心不全の治療薬。ミルリノンに関して、慢性心不全では無効、または死亡例を増加させたとの報告がある。

【副作用】心室細動、心室頻拍、血圧低下、腎機能障害など

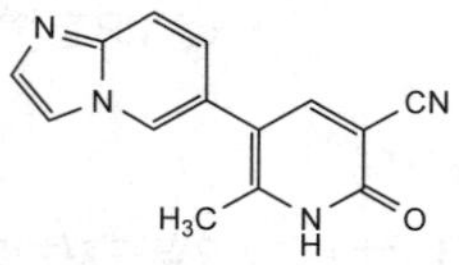

ミルリノン

オルプリノン

キサンチン誘導体

アミノフィリン　Aminophylline

【作用機序】テオフィリンとエチレンジアミンの結合体で、テオフィリンがホスホジエステラーゼを阻害し、心筋細胞内の cAMP 含量を上昇させる。

【適用】うっ血性心不全、気管支ぜん息、ぜん息性（様）気管支炎、閉塞性肺疾患（肺気腫、慢性気管支炎など）における呼吸困難、肺性心、心臓ぜん息（発作予防）。
ただし、アミノフィリンは、循環器系に対する作用である心収縮力増強等の作用が比較的弱く、平滑筋弛緩作用が強いので抗ぜん息薬として使われることが多い。
【副作用】 ショック、アナフィラキシーショック、痙れん、意識障害、急性脳症、横紋筋融解症、消化管出血、赤芽球癆、肝機能障害、黄疸、頻呼吸、高血糖症など

その他に、うっ血性心不全に適用があるキサンチン誘導体として、ジプロフィリン、プロキシフィリンがある。

その他の cAMP 関連薬
ブクラデシン　Bucladesine
Dibutyryl cAMP である。
【作用機序】細胞膜を通過し、細胞内で cAMP となって細胞内 cAMP 量を増加させ、強心作用を示す。
cAMP は細胞膜を通過しないが、dibutyryl　cAMP は通過することができる。

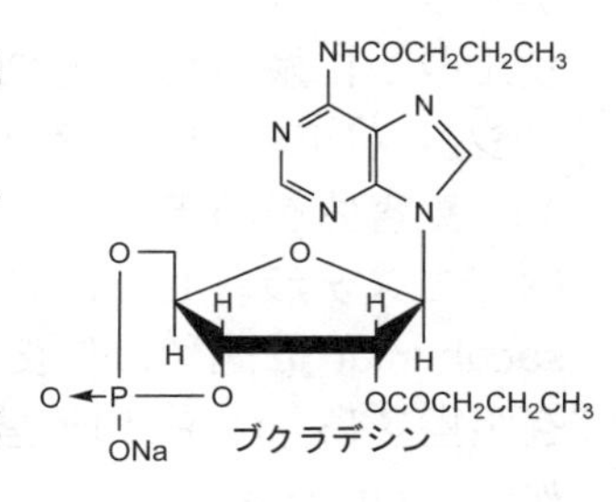

ブクラデシン

【適用】急性循環不全（心収縮力増強、末梢血管抵抗軽減、インスリン分泌促進、血漿遊離脂肪酸および無機リン低減ならびに利尿）
【副作用】血圧低下、不整脈、肺動脈楔入圧上昇、心拍出量低下など
コルホルシンダロパート　Colforsindaropate
ホルスコリンの誘導体である。
【作用機序】受容体や、Gs タンパク質を介さずに、アデニル酸シクラーゼを直接活性化させて、細胞内 cAMP 量を増加させる。
【適用】急性心不全（他の薬剤で効果が不十分な場合）
【副作用】心室性頻拍、心室細動 など

コルホルシンダロパート

カルシウム感受性増強薬
ピモベンダン　Pimobendan
【作用機序】Ca^{2+}のトロポニン C に対する感受性を増強させて心収縮力を高める。弱いホスホジエステラーゼⅢ阻害作用ももち、急性および慢性心不全に有効である。
【適用】急性心不全、慢性心不全（軽症～中等症）
【副作用】不整脈、肝機能障害、黄疸など

ピモベンダン

HCN（過分極活性化環状ヌクレオチド依存性）チャネル遮断薬
イバブラジン　Ivabradine

【作用機序】HCN（過分極活性化環状ヌクレオチド依存性）チャネル遮断する、洞結節のペースメーカー電流 If を構成する HCN4 チャネルを阻害して、活動電位の拡張期脱分極相における立ち上がり時間を遅延させて、心拍数を減少させる。

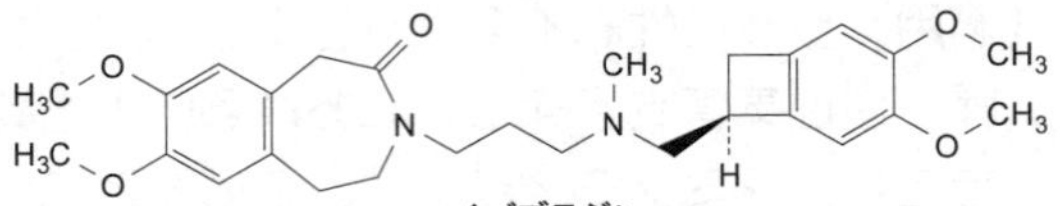

イバブラジン

【適用】β遮断薬を含む慢性心不全の標準的な治療を受けている患者で洞調律かつ投与開始時の安静時心拍数が 75 回／分以上の慢性心不全

【副作用】徐脈、光視症、霧視、房室ブロック、心房細動、QT 延長など

アンジオテンシン受容体ネプリライシン阻害薬（ARNI）

サクビトリルバルサルタンナトリウム

【作用機序】サクビトリルバルサルタンナトリウムは、サクビトリル及びバルサルタンに解離し、それぞれネプリライシン（NEP）及びアンジオテンシン AT_1 受容体を阻害する。サクビトリルは、エステラーゼにより活性体である sacubitrilat に速やかに変換され、NEP を阻害する。NEP の阻害は、血管拡張作用、利尿作用、レニン－アンジオテンシン－アルドステロン系の抑制作用、交感神経抑制作用、心肥大抑制作用、抗線維化作用、およびアルドステロン分泌抑制作用を有するナトリウム利尿ペプチドの作用亢進をもたらす。バルサルタンによる AT_1 受容体遮断作用は、血管収縮、腎ナトリウム・体液貯留、心筋肥大、及び心血管リモデリング異常を抑制する。

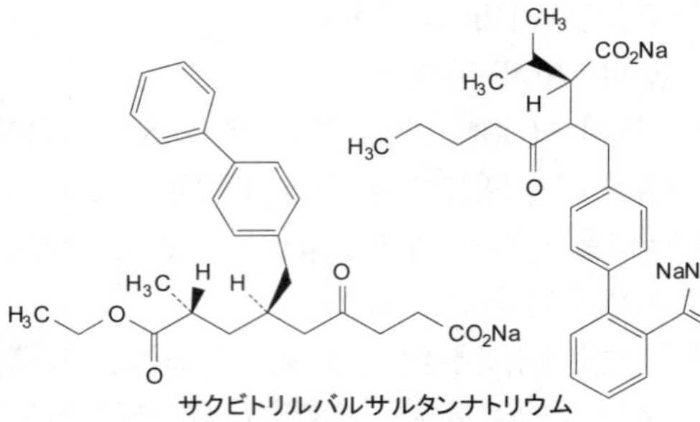

サクビトリルバルサルタンナトリウム

【適用】急性心不全（慢性心不全の急性増悪期を含む）

【副作用】血管浮腫、腎機能障害、腎不全、低血圧、高カリウム血症、ショック、無顆粒球症、白血球減少、血小板減少、間質性肺炎、低血糖、横紋筋融解症、中毒性表皮壊死融解症（Toxic Epidermal Necrolysis：TEN)、皮膚粘膜眼症候群（Stevens-Johnson 症候群)、多形紅斑、天疱瘡)、類天疱瘡、肝炎など

可溶性グアニル酸シクラーゼ刺激薬

ベルイシグアト　Vericiguat

【作用機序】可溶性グアニル酸シクラーゼを、一酸化窒素（NO）依存的に、また被依存的に活性化して、cGMP の生成を促進する。cGMP は、心筋収縮力、血管緊張、心臓リモデリング等の生理機能の調節に関わる。

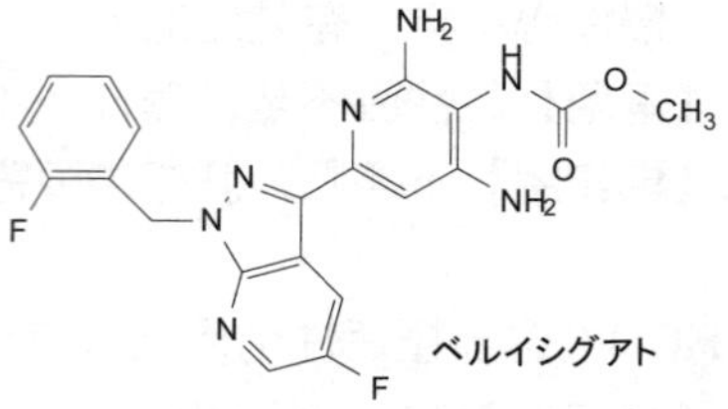

ベルイシグアト

【適用】慢性心不全（ただし、慢性心不全の標準的な治療を受けている患者に限る）

【副作用】低血圧など

心房性ナトリウム利尿ペプチド製剤

カルペリチド　Carperitide

28 個のアミノ酸残基よりなる心房性ナトリウム利尿ペプチド（ANP、atrial natriuretic peptide）の遺伝子組み換え体である。

【作用機序】 ANP の受容体に結合し、膜結合型グアニル酸シクラーゼ（受容体の細胞内側に酵素活性が存在する）を活性化させて、細胞内の cGMP を増加させる。カルペリチドは、腎臓に作用して、利尿作用を示し、体液量、電解質量を減少させる。また、血管拡張作用により、前負荷および後負荷が減少し、心拍出量を増加して急性心不全時の血行動態が改善される。

【適用】 急性心不全（慢性心不全の急性増悪期を含む）に対し、点滴静注により用いられる。

【副作用】 血圧低下、低血圧性ショック、徐脈、過剰利尿（脱水）による電解質異常や，心室性不整脈など、重篤な肝機能障害、重篤な血小板減少など

参考：ナトリウム利尿ペプチドとその受容体

ナトリウム利尿ペプチド

ナトリウム利尿ペプチドは、心房性ナトリウム利尿ペプチド（ANP）に続き、現在までに、脳性ナトリウム利尿ペプチド（BNP、brain natriuretic peptide）および C 型ナトリウム利尿ペプチド（CNP、C-type natriuretic peptide）が発見されている。これら 3 種のナトリウム利尿ペプチドは、それぞれ、受容体を介して作用する。

ANP と BNP は、同一の受容体に結合し、以下のような作用を示す。

① 腎臓に作用して、利尿により、体液量、電解質量を減少させる。

② 血管拡張作用により、血圧を下げる。

③ 副腎皮質や腎傍糸球体装置に作用してレニン－アンギオテンシン－アルドステロン系に拮抗する。

④ 中枢性の体液量、血圧調節に関与する。

ナトリウム利尿ペプチド受容体

ナトリウム利尿ペプチドの受容体として、GC-A 受容体、GC-B 受容体および C 受容体が知られている。図に示したように GC-A 受容体および GC-B 受容体は、1 回膜貫通型で細胞外のペプチド結合ドメインと細胞内のグアニル酸シクラーゼドメインが一体になった受容体で細胞内に情報を伝達するに対し、C 受容体は、ペプチド結合ドメインと膜貫通領域のみからなる。ANP と BNP は、GC-A 受容体に、CNP は、GC-B 受容体に結合すると考えられており、ナトリウム利尿ペプチドが結合すると、いずれもグアニル酸シクラーゼが活性化され、細胞内 cGMP が増加して生理作用を示す。一方、C 受容体には、3 種のナトリウム利尿ペプチドがすべて結合するが、情報伝達には関与しないクリアランス型受容体で、ナトリウム利尿ペプチドを除去する役割を担っている。

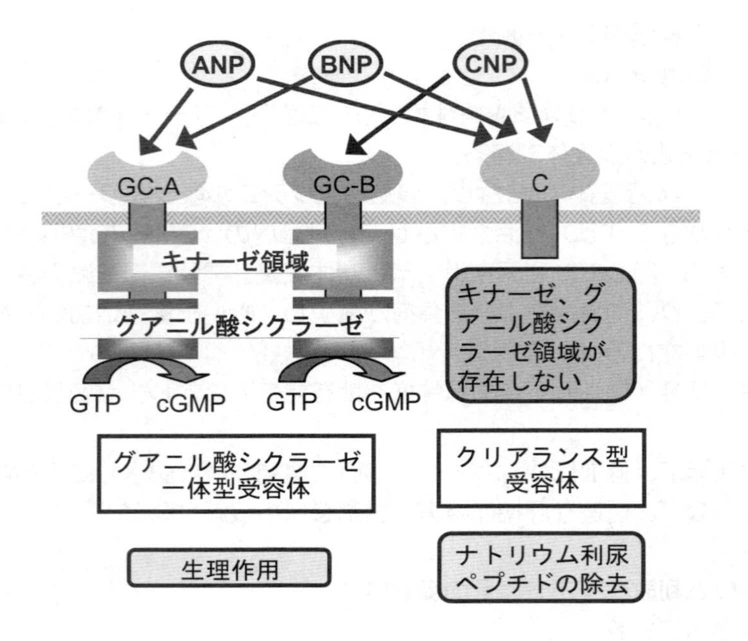

その他

Ubidecarenone

別名：Coenzyme Q_{10}、Ubiquinone

心筋代謝改善薬である。心筋細胞内のミトコンドリアに取り込まれ、心臓の収縮に必要なエネルギーを増し、低下した心臓の働きを改善する。

基礎治療施行中の軽度・中等度のうっ血性心不全症状の治療に用いる。

ユビデカレノン

ユビデカレノンは、経口投与でリンパ管を経て吸収され、細胞内ミトコンドリアに移行し、細胞内電子伝達系での ATP 産生を賦活することが確認されており、イソプレナリンによる心筋の酸素不足を軽度に留めることが認められている。また、臨床的には、虚血性心疾患・弁膜症・心筋症等の心疾患を基礎疾患にもつうっ血性心不全に対して、従来の治療薬に本剤を追加投与することにより、うっ血性心不全症状を改善することが二重盲検比較試験で確認されている。

アドレナリンβ_1受容体を遮断する薬物（β遮断薬、α・β遮断薬）

慢性心不全では、ポンプ機能の不全が起こったために恒常性維持機能が働き、交感神経系が過剰興奮している場合がある。このような場合には、アドレナリンβ受容体遮断作用をもつ薬物が有効な場合があり、、一部の心不全（拡張型心筋症に基づく慢性

カルベジロール

心不全）に使用されるようになっている。しかし、β遮断薬は、一般には心機能抑制薬であり、使用にあたっては心電図のモニターを行うなど十分な注意が必要である。β受容体遮断作用を持つ薬物のうち、カルベジロール（α、β遮断薬）、ビソプロロール（β_1選択的、ISA −）およびメトプロロール（β_1選択的、ISA −）の 3 薬物で有効性が報告され、使用されているが、現在、我が国で保険適応があるのは、カルベジロールとビソプロロールの 2 種のみである。

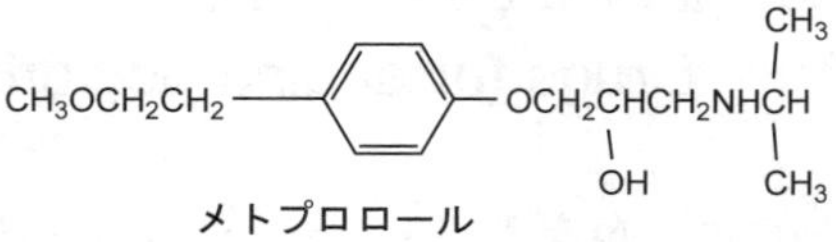

メトプロロール

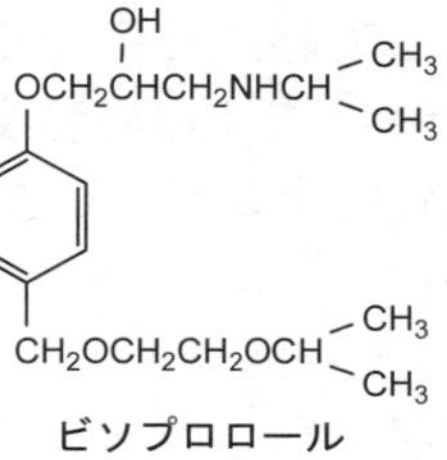

ビソプロロール

アンギオテンシン変換酵素（ACE）阻害薬およびアンギオテンシン受容体遮断薬（ARB）

レニン−アンギオテンシン系は、慢性心不全時の末梢循環抵抗増大などにおいても中心的な役割を演じていること、すなわち、アンギオテンシンⅡが末梢循環抵抗増大などを引き起こすことが示された。また、ACE 阻害薬には、血圧降下作用のみではなく、うっ血や末梢循環不全、心負荷の軽減による心機能の改善作用などが認められた。さらに、ACE 阻害薬は、心肥大の抑制、心筋線維化の抑制作用なども持っていることも示された。これらにより、レニン−アンギオテンシン系の活性を抑制する薬物が、慢性心不全の治療薬となることが期待された。

これまでに実施されたいくつかの臨床試験の結果が、ACE 阻害薬は、心不全に対して、急性期に対する効果は期待できないものの長期的な治療には有効であることを示したことから、現在、ACE 阻害薬は慢性心不全に対しても第一選択薬として使用されるようになっている。ARB は、ACE 阻害薬に比較して、より選択的にアンギオテンシンⅡの作用を抑制することおよび咳嗽などの副作用が少ないことが利点であるが、副作用などにより ACE 阻害薬が使用できないときや ACE 阻害薬で十分な効果が期待できないときに使用されているのが現状である。ACE 阻害薬および ARB の詳細については高血圧の項に記載した。

ACE 阻害薬：エナラプリル、リシノプリルなど
ARB：カンデサルタンシレキセチルなど

3. 虚血性心疾患（狭心症／心筋梗塞）とその治療薬
Drugs for angina pectoris

虚血性心疾患（ischemic heart diseases）は、冠動脈の血流不足によって起こる疾患である。虚血性心疾患には、狭心症（angina pectoris）および心筋梗塞（myocardial infarction）が含まれるが、特に狭心症においては、その発作予防に薬物療法が重要な位置を占める。

狭心症

狭心症とは、心筋の酸素需要に酸素の供給が追いつかなくなったために、心筋の一部が一過性に酸素欠乏（虚血）になったことにより生ずる臨床症候群である。自覚症状として、胸部の不快感、および痛みがある。不快感は非常に変化に富むが、胸の前が発作的に締めつけられるような感じ、すなわち、胸骨下に感じることが多い。不快感が上腹部で感じられることもある。また、痛みは、左肩、左腕内側で認められ、時には指まで放散する。狭心症は、発作誘因や発作経過により分類されている。

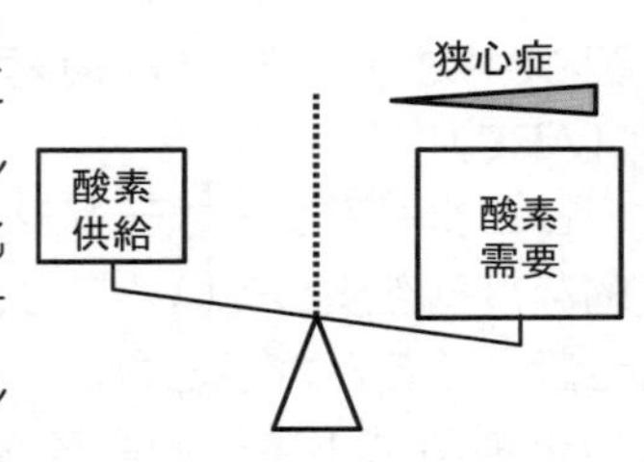

発作誘因による分類

狭心症は、発作誘因により、労作性狭心症と安静（異型）狭心症に分類されるが、臨床的には両方の要因が重なっていることが多い。

労作性狭心症：アテローム性動脈硬化症などで冠状動脈が器質的に狭窄するために、労作によって生ずる心筋の酸素消費の増加に対して酸素供給が追いつかずに生ずる。
労作性狭心症にはアドレナリンβ遮断薬が有効である。

安静（異型）狭心症：安静時に心臓の酸素消費が増加しないのに発作が起こる。狭窄、閉塞が高度な場合と、冠状動脈の攣縮（スパズム）が生じこれによって生ずる（器質的狭窄は軽度）のものがある。
安静狭心症にはカルシウム拮抗薬が用いられる。β遮断薬は安静狭心症には無効または発作を増悪させることがある。

発作経過と予後による分類

狭心症は、発作の経過と予後により分類される場合もある。

安定狭心症：狭心症発作の誘因や頻度が安定した状態にある狭心症で発作のコントロールが比較的容易である。

不安定狭心症：急性心筋梗塞への移行や突然死の可能性が高い（50 ～ 80 %といわれている）狭心症で、急性心筋梗塞への移行防止が治療の目標となる。

抗狭心症薬

狭心症は、上述のとおり、心筋の仕事に見合う酸素供給が不足することによって発生するので、虚血部への酸素供給、すなわち血流を増加させるか、その酸素需要を低下させる薬物が狭心症治療薬となる。硝酸エステル、β遮断薬、カルシウム拮抗薬などが用いられている。

硝酸薬

狭心症発作を寛解させる。硝酸エステルである**ニトログリセリン Nitroglycerin** の舌下錠は、すべての狭心症の発作寛解のための第一選択薬となっている。ニトログリセリンは、その神経支配などに関係なくすべての血管平滑筋を弛緩させ、心筋の虚血状態を改善する。また、同じく硝酸エステルである**硝酸イソソルビド**も発作寛解に有効である。

$H_2C-O-NO_2$
$HC-O-NO_2$
$H_2C-O-NO_2$

ニトログリセリン

O_2NO … ONO_2

硝酸イソソルビド

【作用機序】硝酸薬は、酵素（グルタチオン-S-トランスフェラーゼなど）の作用により、一酸化窒素（NO）を生成する。生成した NO は、可溶性グアニル酸シクラーゼを活性化し、細胞内 cGMP を増加させる。cGMP が細胞内 Ca^{2+}濃度を低下させることにより、すべての血管を拡張させる。静脈が拡張するため心臓への帰還血液量が減少して前負荷が、動脈が拡張するため後負荷が、それぞれ低下し、これらにより心臓の負荷は軽減する。また、ニトログリセリンは、冠動脈のれん縮抑制作用も示すので、れん縮性の狭心症にも有効である。

ニトログリセリンは、全ての血管を拡張させるが、低濃度では、動脈より静脈をより強く拡張させる。これは、静脈に NO を遊離させる酵素が多いためと考えられている。冠動脈に関しては、心外膜の太い冠動脈は拡張されやすく、心内膜下の細動脈は拡張されにくいので、スチール現象（健康な血管の拡張が患部の血管より優先しておこり患部の血流がむしろ減少するという現象）を起こさずに、虚血部へ優先的に血液が送り込まれ、酸素の供給を増加させることができる。

【副作用】血圧低下とそれに伴う反射性頻脈や頭痛など。特に他の血管拡張薬との併用による血圧低下には注意が必要である。ホスホジエステラーゼⅤを阻害することにより勃起不全治療薬として用いられるシルデナフィルなどは、併用禁忌である。

ニトログリセリンの作用

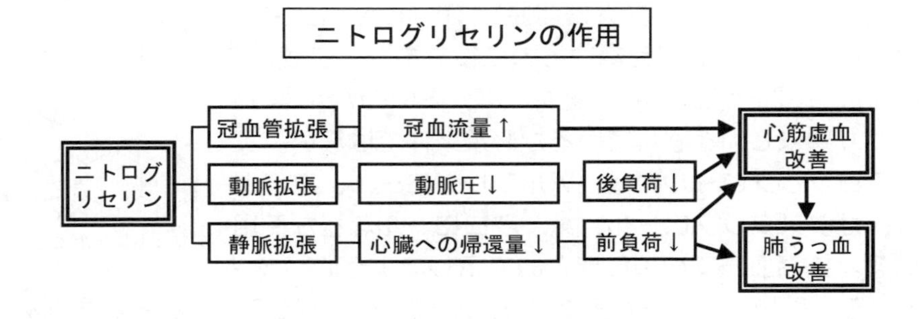

情報伝達物質としての一酸化窒素

一酸化窒素（NO）は、生体内では、NO 合成酵素（nitric oxide synthase、NOS）の触媒により L-アルギニンと分子状酸素から生成される気体で細胞膜を自由に透過することできる。NO は、種々の細胞で産生され、情報伝達物質として機能することが明らかにされているが、① NO の受容体が存在しない、② NO を特異的に消去する酵素系が存在しないなど他の情報伝達物質とは異なった特徴を持っている。

NOS は、nNOS（神経型）、eNOS（血管内皮型）、iNOS（誘導型）の 3 タイプが存在することが明らかにされている。nNOS および eNOS は、細胞に恒常的に発現している構成型の酵素であり、生理的条件下で NO を産生している。NO は、様々な酵素活性に影響を及ぼしているが、その一つがグアニル酸シクラーゼで、グアニル酸シクラーゼの活性化を介した cGMP 産生のメディエーターとして欠くことができないものとなっている。iNOS は、誘導型酵素であり、サイトカイン類などの刺激により誘導される。NOS の活性を阻害する化合物は、NO の生理機能を解明する上で大きな役割を果たしてきており、医薬品としての応用も期待されているが、現在まで実験的に用いられるのみで臨床応用はない。

アドレナリンβ受容体遮断薬

β遮断薬は、労作性狭心症に有効である。一方で、安静狭心症には無効または発作を増悪させるので、使用されない。

【作用機序】 β受容体を介した心拍出量の増加、心筋収縮力増加などによる酸素消費の増加を抑制する。また、β遮断薬は、冠血流を再分配させる。虚血部の冠動脈は酸素欠乏により拡張しきっていて、β受容体による調節をほとんど受けないが、健常部の冠動脈はβ遮断薬により収縮するので、結果的に患部の血流が増加する。

さらに、β遮断薬の長期投与により、血圧を下降させるので後負荷の減少につながり、このことも抗狭心症作用につながる。

β遮断薬のうち、内因性交感神経刺激作用（ISA）をもつ薬物は安静時の過度の心抑制を避けるのに役立つが、抗狭心症薬としては、理論上は、β_1 選択的で ISA のない薬物（ISA −）が望ましいとされているが必須条件ではない。実際には、プロプラノロールの他、アルプレノロール、ブフェトロール、オクスプレノロール、メトプロロールなどが使用されている。抗高血圧薬の項にまとめて示したように、β_1 選択的ではない薬物や、ISA+の薬物にも狭心症が適応症となっている薬物がある。

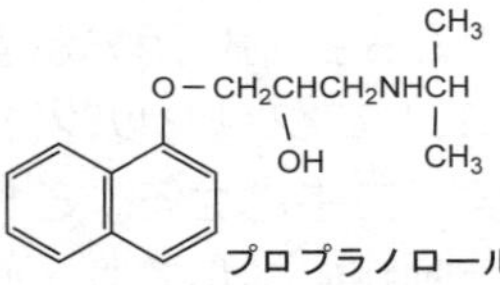

プロプラノロール

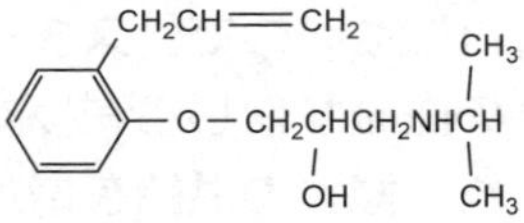

アルプレノロール

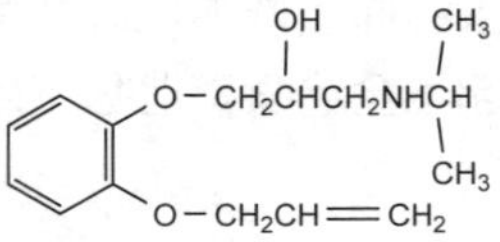

オクスプレノロール

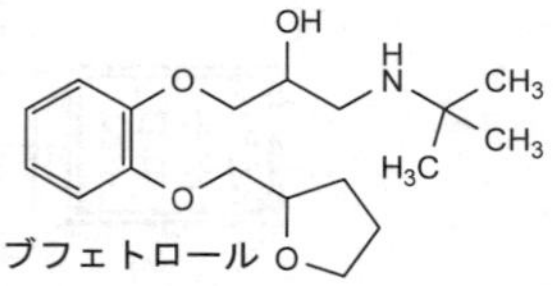

ブフェトロール

【副作用】 気管支ぜん息の誘発・悪化など

カルシウム拮抗薬

カルシウム拮抗薬は、安静狭心症に用いられる。また、労作性狭心症にも使用される。安静狭心症および労作性狭心症の両者に用いられることが、労作性狭心症しか用いられないβ遮断薬との相違点である。

カルシウム拮抗薬は、抗不整脈薬で記したように、電位依存性 L 型カルシウムチャネルを遮断し、細胞外からの Ca^{2+}流入を抑制する薬物であるが、その多くは、より低濃度で心筋より、むしろ血管平滑筋に作用すると考えられている。カルシウム拮抗薬は、冠動脈を含めてすべての血管を拡張させる。抗狭心症作用は、後負荷の減少（カルシウム拮抗薬は血圧下降作用も示す）によると考えられているが、安静狭心症に対して著明な効果を示したことから、抗スパズム作用により血管のれん縮を抑制することが重要であると考えられている。

狭心症に適応が認められているカルシウム拮抗薬は、ニフェジピン、ニカルジピン、アムロジピン、ジルチアゼム、ベラパミル、ベプリジルなどがあるが、1 日 1 回の投与で有効である長時間作用型の薬物（アムロジピンなど）が繁用されている。

抗血小板薬・抗凝固薬

血小板の凝集を抑制する抗血小板薬や、血液凝固を阻止する薬物が、血栓性の狭心症の予防・治療および心筋梗塞発症の予防のために用いられる。用いられる薬物は、アスピリン、チクロピジン、クロピドグレル、ヘパリン、ワルファリンなどである。これらの薬物に関して、詳細な作用メカニズムなどは、血液/造血器に作用する薬物の項に記した。中でもアスピリンは、心筋梗塞の発生率や心筋梗塞発症後の死亡率を減少させることが示されている。また、ヘパリンには、不安定狭心症を抑制して心筋梗塞を予防する効果が認められている。

その他

ジピリダモール　Dipyridamole

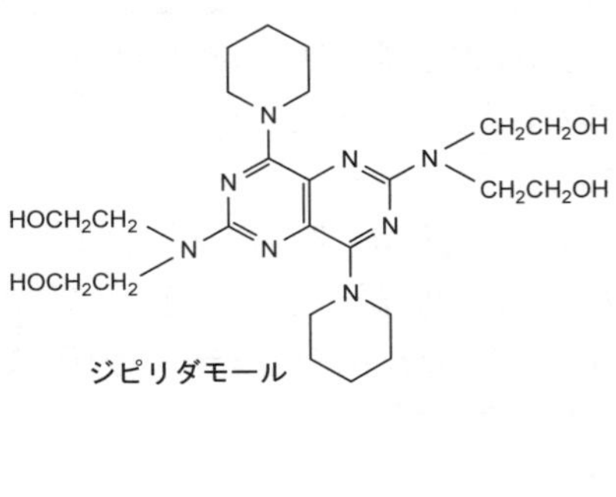

【作用機序】 血液中アデノシン濃度を上昇させ、抗血小板作用を示す（抗血小板薬の項参照）。また、心筋保護作用や冠動脈の副血行路発達促進作用、冠動脈の副血行路系の発達促進作用が認められている。

【副作用】 狭心症状の悪化、出血傾向、血小板減少、過敏症など

ジラゼプ　Dilazep

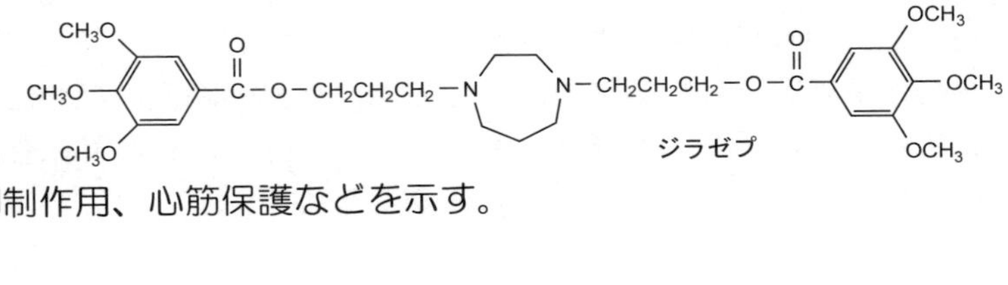

【作用機序】 ジピリダモールの作用に類似の薬物で、冠動脈の血流増加作用、血小板凝集抑制作用、心筋保護などを示す。

トラピジル　Trapidil

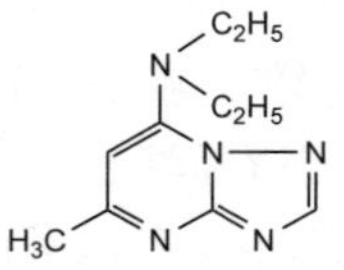

【作用機序】冠血流量増加作用により、虚血部の血流を改善する。前負荷減少作用、後負荷減少作用もある。また、血小板凝集抑制作用（トロンボキサンA ₂の合成および作用抑制とプロスタサイクリンの産生促進による）をもつ。

【副作用】皮膚粘膜眼症候群（Stevens-Johnson 症候群）、肝機能障害、黄疸など

トラピジル

ニコランジル　Nicorandil

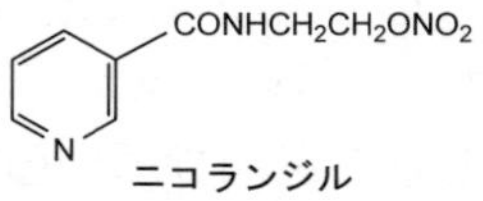

【薬理作用】硝酸エステルなので NO を遊離し、遊離された NO が、血管拡張作用（作用機序はニトログリセリンと同じ）をもたらす。また、K^+チャネル開口作用があり、K^+の透過性を亢進させて活動電位の再分極を早め、Ca^{2+}流入を減少させることによっても血管は拡張する。

【副作用】肝機能障害、黄疸、血小板減少、口内潰瘍、舌潰瘍、肛門潰瘍など

ニコランジル

トリメタジジン　Trimetazidine

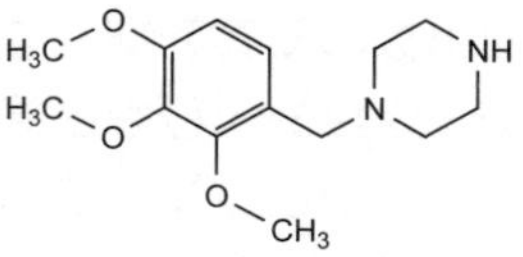

【薬理作用】心筋保護作用がある。また、冠動脈の副血行路形成を促進させる。

トリメタジジン

心筋梗塞

心筋のある領域に対し冠血管の血流不足により心筋が虚血性壊死を起こした状態で、アテローム動脈硬化による冠動脈の閉塞、血栓形成が原因となる。塞栓によっても生じることがある。

心筋梗塞の症状

激しい疼痛あるいは圧迫感として表現される胸骨下の内臓痛がある。しばしば、背部、下顎あるいは左腕に痛みが放散する。胃部の痛みとして訴える場合もある。痛みは狭心症に類似するが、ニトログリセリンの投与によっても緩和されないか、一時的な回復しか示さない。

検査所見：心筋のクレアチニンキナーゼの構成成分である CK-MB は心筋壊死より 6 時間以内に血中に認められ、上昇は 36 ～ 48 時間続く。血清乳酸脱水素酵素（LDH）の上昇は、CK-MB よりも遅く認められ、より長時間持続する。

心筋梗塞の治療

死亡原因としては、心室細動、心ブロック、重篤な徐脈などの不整脈やショックが主たる原因であるので、救急処置室や心疾患集中治療室（CCU）を備えた病院へ一刻も早く入院させ、的確な診断および治療を行うことが必要である。

心筋梗塞に関連した薬物療法としては、痛みの除去のためにモルヒネの投与が有効である。また、心仕事量の軽減が必要で、この目的のため血管拡張薬やアドレナリンβ遮断薬が用いられる。血栓溶解の投与も有効である。

4．高血圧薬治療薬　Antihypertensive drugs

血圧は、心拍出量 × 総末梢抵抗で示される。心拍出量、末梢血管抵抗の他、循環血液量、動脈の弾力性、血液の粘稠度などの様々な要因により規定される。また、多くの場合、血圧の調節には、交感神経系およびレニン－アンギオテンシン（アンジオテンシン）－アルドステロン系が特に重要であるとされている。

高血圧

血圧に対しては、我が国を始め米国、欧州等で、高血圧治療ガイドラインが独自に定められているが、我が国を含めた世界のいずれのガイドラインにおいても診察室血圧 90/140mmHg 以上が高血圧とされている（ガイドラインの血圧分類については章末に示す）。高齢者を含めて高血圧の者の脳卒中または心血管病のリスクは、血圧が 80/120mmHg 未満（我が国では至適血圧と分類している）者に比較して有意に高くなることが明らかにされている。

高血圧の診断にあたっては、正しい血圧測定が必要であることは言うまでもなく、ガイドラインには測定法についても詳細に記載されている。血圧測定は、診察室での測定に加え、診察室外での測定（家庭血圧と自由行動下血圧）があり、ガイドラインではそれぞれの測定法における高血圧基準が示されている。診察室血圧及び診察室外血圧から白衣高血圧及び仮面高血圧が診断される。

高血圧患者の 5 ～ 10%は、腎臓病（糸球体腎炎、腎盂腎炎など）や内分泌疾患（褐色細胞腫、原発性アルドステロン症など）などといった疾患による二次性高血圧であるが、残りの 90 ～ 95%は、明らかな原因疾患が特定できない本態性高血圧である。

高血圧治療薬（降圧薬、hypotensive drugs）

高血圧治療薬は、降圧薬とも呼ばれ、血圧調節に重要な役割を演じている交感神経系の活性を中枢あるいは末梢で抑制する薬物、昇圧物質であるアンギオテンシンⅡの産生あるいは作用を抑制する薬物、カルシウム拮抗薬などの血管を拡張させる薬物、循環血流量を減少させることにより血圧を降下させる利尿薬などが含まれる。

降圧の選択にあたっては、一般に、以下の点に考慮が必要となる。

（1）代謝経路　肝排泄型か腎排泄型か。肝障害や腎障害のある患者では排泄に影響がでる。

（2）年齢　高齢者では体内蓄積や起立性低血圧が多く出現する。このような場合、常用量以下の用量からの開始することが必要となる。

（3）性別　カルシウム拮抗薬は 30 ～ 50 代女性ではほてり感が出現し服用が困難になることが少なくない。

（4）合併症　腎機能障害では ACE 阻害薬は慎重投与、安静狭心症ではβ遮断薬は禁忌、気管支ぜん息では非選択性β遮断薬は禁忌（心臓選択性のものを使用）など。

現在は、日本高血圧学会によって、専門医からそれ以外の医療従事者（高血圧の治療を専門としない医師を含む）に向けて、高血圧治療ガイドラインが提示され、診断基準や治療方法等が示されている。治療方法の中には、降圧薬に関する記載もあり、降圧薬治療の対象となる状況、選択する降圧薬（第一選択薬や併用薬、禁忌等）が示されており（一部、この章の最後に記載）、ガイドラインに沿った薬物治療が中心となる。ガイドラインは、それまでのエビデンスを取り入れながら、2000 年以降、すでに数度の改訂が行われ、我が国の実情が反映された内容となったいる。

高血圧治療薬各論

交感神経系を抑制する薬物

交感神経系を抑制する薬物とは、交感神経系の機能をいずれかの段階で抑制する薬物（すべてがアドレナリン受容体の遮断薬というわけではない）のことを指す。降圧薬となるのは、アドレナリンα_1受容体遮断薬およびβ受容体遮断薬に加えて、α_2受容体刺激薬およびレセルピンが含まれる。

アドレナリンα_2受容体刺激薬

【作用機序】延髄の血管運動中枢においてα_2受容体を刺激して中枢からの交感神経インパルスの放出を抑制し、末梢における交感神経活性を低下させることにより降圧作用をもたらす。また、交感神経終末のシナプス前膜のα_2受容体を刺激し、ノルアドレナリンの遊離を抑制する。これによっても降圧作用がもたらされるが、α_2受容体刺激薬の降圧作用は主に中枢を介した作用であると考えられている。

【副作用】（共通）起立性低血圧などの他、中枢に作用するため、ねむけ、めまいなどの中枢性の副作用も認められる。

クロニジン　Clonidine

中枢性の副作用が他の薬物よりも強く、幻覚・錯乱の報告もある。また、急に服用を中止するとリバウンド現象のみられることがあるので注意が必要である。

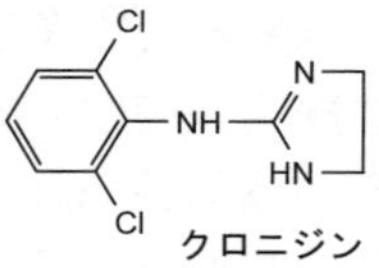

クロニジン

メチルドパ　Methyldopa

メチルドパは、α-メチルノルアドレナリンになり、α_2受容体に作用すると考えられている。

中枢性の副作用は、クロニジンよりも弱いが、溶血性貧血、白血球減少、無顆粒球症、血小板減少、肝炎などの副作用がみとめられる。

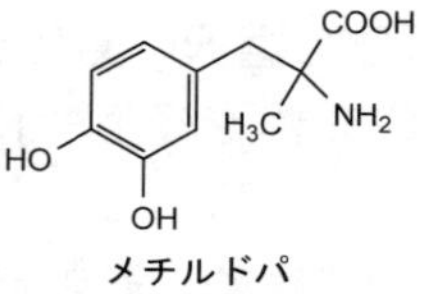

メチルドパ

グアナベンズ　Guanabenz

クロニジンに比べ副作用が少ない。

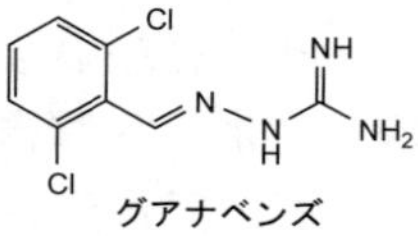

グアナベンズ

アドレナリンα₁受容体選択的遮断薬

【作用機序】アドレナリンα₁受容体を選択的に遮断し、末梢細動脈を拡張して降圧作用をもたらす。心拍出量は低下させず、糖質や脂質代謝への悪影響もない。α₁受容体に選択的（α₂遮断作用がない）なので、α₂受容体も遮断する非選択的なα遮断薬より頻脈が起こりにくい。

プラゾシン　**Prazosin**

【適用】本態性高血圧症、腎性高血圧症、前立腺肥大症に伴う排尿障害

【副作用】一過性の血圧低下に伴う失神・意識喪失、狭心症など

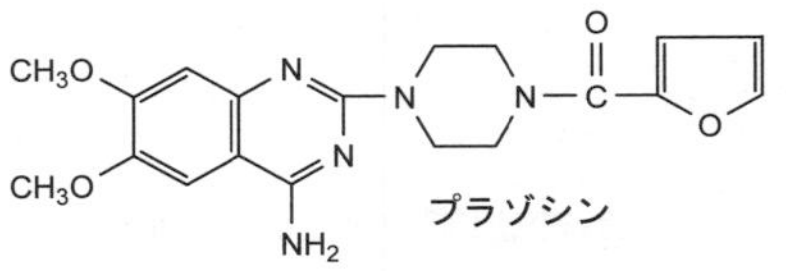

プラゾシン

他にテラゾシン、ウラピジル、ブナゾシン、ドキサゾシン。

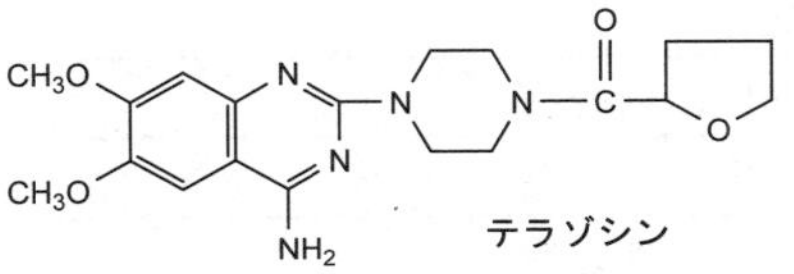

テラゾシン 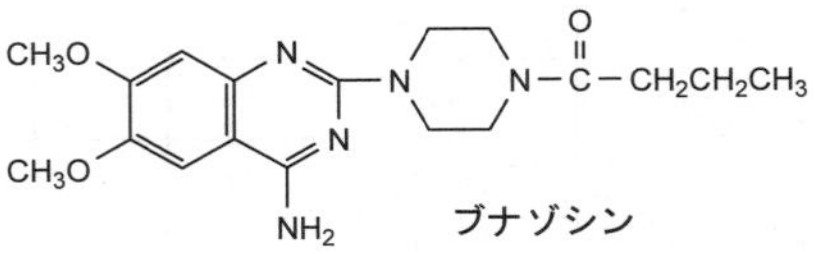　ブナゾシン 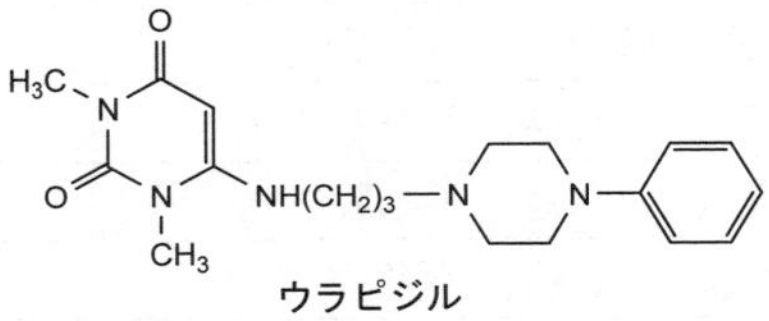　ウラピジル 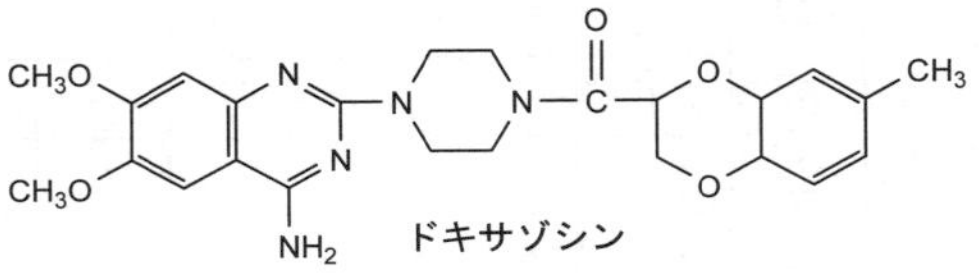　ドキサゾシン

アドレナリンβ受容体遮断薬

【作用機序】降圧機序として、心抑制（心拍数および心拍出量の減少）、レニン産生抑制、および中枢作用（昇圧性の血管運動中枢β受容体遮断）が考えられている。

β遮断薬は、β₁受容体選択性か非選択性か、内因性交感神経刺激作用があるかないか、膜安定化作用があるかないかなどの基準により分類されている。また、脂溶性の高い薬物は中枢に移行しやすいので、その降圧作用や副作用に中枢におけるβ受容体遮断作用も関与すると考えられる。心臓のβ₁受容体を遮断して、心仕事量を減少させるので虚血性心疾患を有する患者にも有用であり、広く使用されているが、心抑制のために徐脈や心不全をきたしやすいことが副作用にもなる。また、特にβ₁受容体への選択性が低い薬物では末梢血管抵抗が亢進しやすい、ぜん息を生じやすいなどの欠点がある。以下に循環器系の疾患に適用があるβ遮断薬をまとめ、一部の薬物については、構造式を示す。

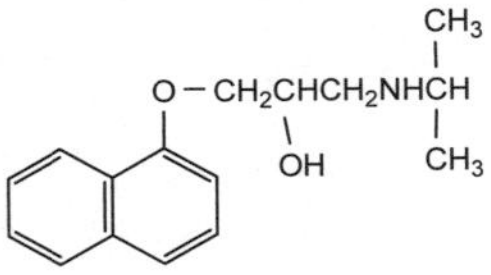

プロプラノロール 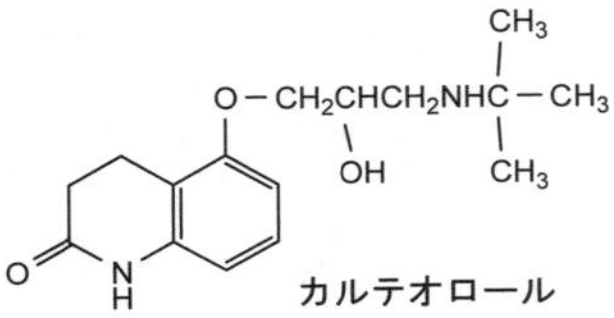　カルテオロール 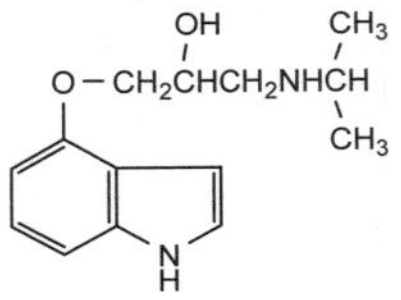　ピンドロール

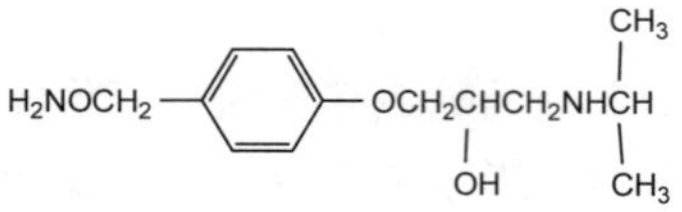

$H_2NOCH_2-C_6H_4-OCH_2CH(OH)CH_2NHCH(CH_3)_2$

アテノロール

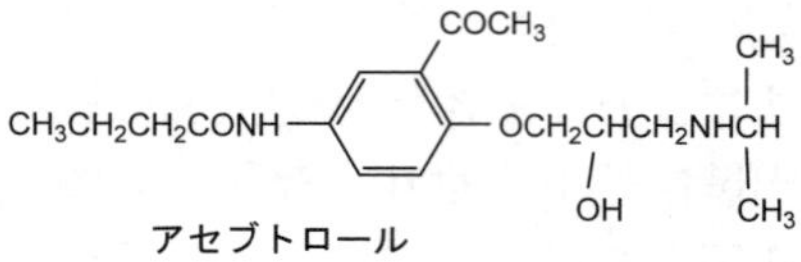

$CH_3CH_2CH_2CONH-C_6H_3(COCH_3)-OCH_2CH(OH)CH_2NHCH(CH_3)_2$

アセブトロール

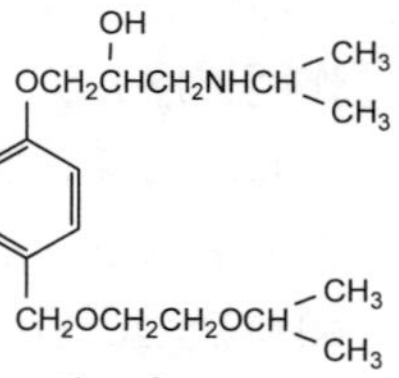

$(CH_3)_2CHOCH_2CH_2OCH_2-C_6H_4-OCH_2CH(OH)CH_2NHCH(CH_3)_2$

ビソプロロール

$CH_3OCH_2CH_2-C_6H_4-OCH_2CH(OH)CH_2NHCH(CH_3)_2$

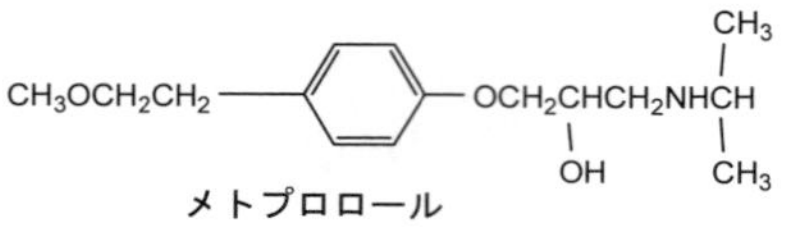

メトプロロール

循環器系の疾患が適応症（高血圧、狭心症、不整脈）となっているβ遮断薬

	薬　物	ISA	MSA	適　応
β_1 非選択性	ペンブトロール	＋	＋	高血圧
	ボピンドロール	＋	＋	高血圧
	チリソロール	－	－	高血圧、狭心症
	ニプラジロール	－	－	高血圧、狭心症
	ブニトロロール	＋	＋	高血圧、狭心症
	カルテオロール	＋	－	高血圧、狭心症、不整脈
	ナドロール	－	－	高血圧、狭心症、不整脈
	ピンドロール	＋	－	高血圧、狭心症、不整脈
	プロプラノロール	－	＋	高血圧、狭心症、不整脈
	アルプレノロール	＋	＋	狭心症、不整脈
	オクスプレノロール	＋	＋	狭心症、不整脈
	ブフェトロール	－	＋	狭心症、不整脈
β_1 選択性	セリプロロール	＋	－	高血圧、狭心症
	ベタキソロール	－	－	高血圧、狭心症
	アセブトロール	＋	＋	高血圧、狭心症、不整脈
	アテノロール	－	－	高血圧、狭心症、不整脈
	ビソプロロール	－	－	高血圧、狭心症、不整脈、慢性心不全
	メトプロロール	－	－	高血圧、狭心症、不整脈、（慢性心不全）
	エスモロール	＋	＋	不整脈
	ランジオロール	－	－	不整脈

ISA：Intrinsic Sympathomimetic Activity（内因性交感神経刺激作用）
MSA：Membrane Stabilizing Activity（膜安定化作用）
メトプロロールの心不全は、適応症として承認されてはいないが、有効であるとされている。

アドレナリンα、β受容体遮断薬

【作用機序】上記のα_1受容体遮断作用およびβ_1受容体遮断作用の両者により降圧をもたらす。β遮断薬で問題になる末梢血管抵抗上昇がα遮断作用によって抑制されるため、血行動態面ではβ遮断薬より優れた効果が期待できる。一方、β遮断作用のために反射性頻脈も起こらない。

アドレナリンα、β受容体遮断薬として、以下の薬物が使用されている。

アモスラロール（1.3：1）
アロチノロール（1：8）
カルベジロール（1：8）
ラベタロール（1：3）
ベバントロール（1：14）
（かっこ内はα/β比）

ベバントロールは、Ca^{2+}チャネル遮断作用ももつ。

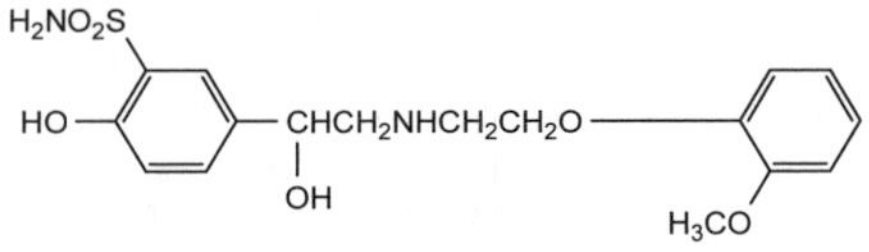

アモスラロール

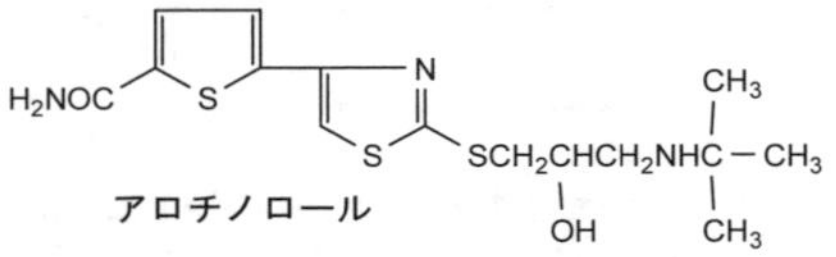

アロチノロール

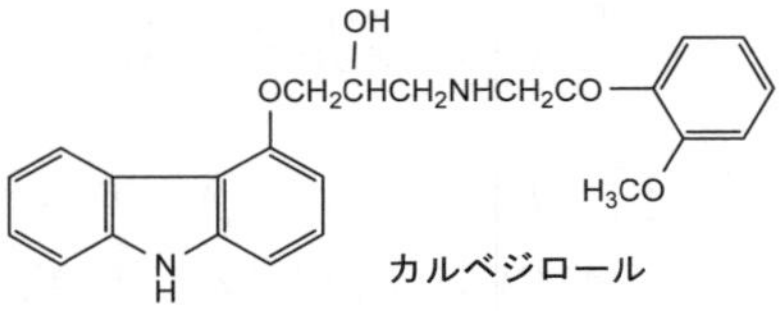

カルベジロール

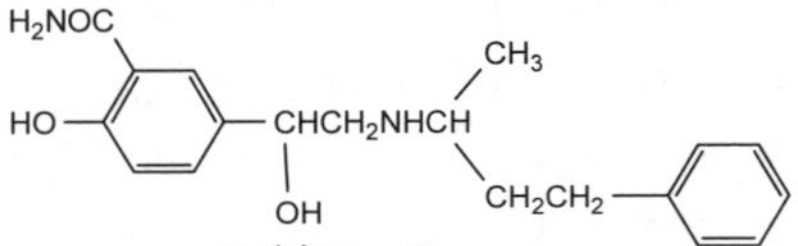

ラベタロール

アドレナリン作動性神経抑制薬

カテコラミンの枯渇などにより間接的に抗アドレナリン作用を示す薬物（直接、受容体に結合する薬物とは区別）で、現在、使用されている薬物はレセルピンである。

レセルピン　**Reserpine**

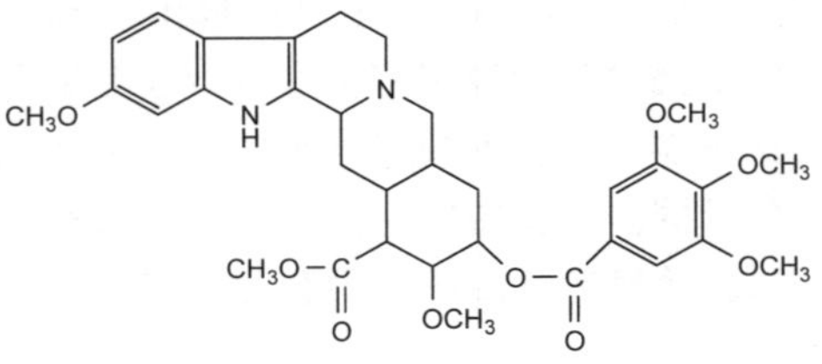

【作用機序】レセルピンは、中枢および末梢においてシナプス小胞へのカテコラミンの取り込みを阻害し、シナプス小胞のノルアドレナリンを枯渇させる。その結果、交感神経終末でカテコラミンが減少し、アドレナリン作動性シナプスでの興奮伝達が遅発的ならびに持続的に遮断され降圧作用を示す。レセルピンによるカテコラミンの枯渇は、レセルピンの用量だけでなく、生体のカテコラミンの代謝回転の影響を受ける。通常、血圧は、2～3週間で徐々に低下する。

【副作用】うつ状態など。また、副交感神経系が優位になるので、鼻閉、胃腸管運動亢進、下痢などがみられる。

レセルピン

自律神経系に作用する薬物

節遮断薬

節遮断薬は、交感神経節と副交感神経節の両方に作用するが、節遮断効果は、両者に等しく現れるのではなく、正常時に優位に支配している神経節の遮断効果が大きく現れる。血管は、交感神経が優位なので、節遮断薬により、血管は拡張し、血圧は低下する。

レニン-アンギオテンシン（RA）系に作用する薬物

キマーゼ　ACE　レニン

H_2N－Asp－Arg－Val－Tyr－Ile－His－Pro－Phe－His－Leu－Val－Ile－His・・・

（1〜13：アミノ酸の番号。キマーゼ・ACEは8 Pheと9 Hisの間、レニンは10 Leuと11 Valの間を切断）

アンギオテンシノーゲン（452）

アンギオテンシⅠ（10）

アンギオテンシⅡ（8）

ACE：アンギオテンシン変換酵素

循環血中のアンギオテンシンⅡは、レニンーアンギオテンシン系（レニンおよびACE）により生成される。レニンは基質特異性が高く、血中アンギオテンシンⅡ濃度は、血漿中のレニン活性により決まる（律速段階）。局所的（血管壁や脳など）にもアンギオテンシンⅡは生成されるが、この場合の生成量は、ACEやキマーゼの活性と相関する。

アンギオテンシノーゲンからアンギオテンシンⅠを経て生合成されるアンギオテンシンⅡが AT_1 受容体を刺激して、血圧上昇作用を示す。レニン-アンギオテンシン系に作用して、血圧を低下させる薬物は、生理活性を示すペプチドであるアンギオテンシンⅡの生成を抑制する薬物とアンギオテンシンⅡ AT_1 受容体拮抗薬（ARB） に大別される。アンギオテンシンⅡの生成を抑制する薬物としては、従来、アンギオテンシンⅠからアンギオテンシンⅡの生成を触媒するアンギオテンシン変換酵素（ACE）を阻害する薬物（ACE 阻害薬）が、用いられ、現在も繁用されているが、最近、レニンを直接阻害する薬物（DRI）が承認され、我が国でも用いられるようになっている。

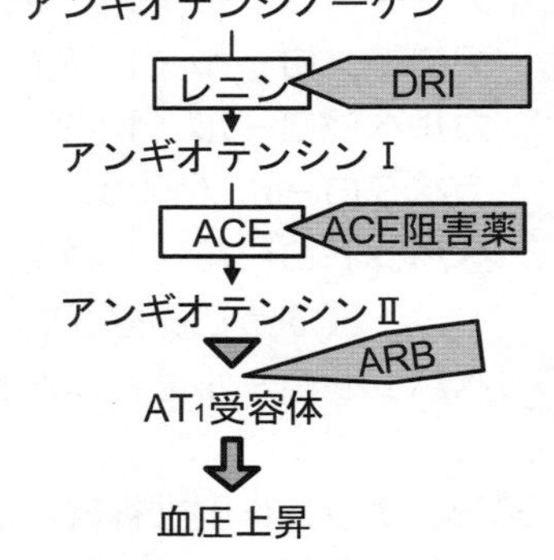

レニン・アンギオテンシン系に作用する降圧薬の作用部位

直接的レニン阻害薬（Direct Renin Inhibitor：DRI）

【作用機序】 アンギオテンシンⅡの生合成において、律速段階の酵素で、アンギオテンシノーゲンからアンギオテンシンⅠへの変換を触媒する酵素であるレニンを阻害する。その結果、アンギオテンシンⅠの濃度が減少するため、アンギオテンシンⅡの濃度も低下し、持続的な降圧効果を発揮する。

アリスキレン　Aliskiren

降圧薬として承認された初めての DRI である。DRI 開発の試みは以前より行われていたが、1 日 1 回の投与で降圧作用をもたらす非ペプチド性化合物のアリスキレンが、降圧薬として承認された初めての DRI となった。アリスキレンのレニンの阻害作用は、強力かつ選択的である。

アリスキレン

【適用】 高血圧症

【副作用】 血管浮腫、高カリウム血症など

アンギオテンシン変換酵素阻害薬

（Angiotensin Converting Enzyme Inhibitor：ACE 阻害薬）

【作用機序】 アンギオテンシンⅠをアンギオテンシンⅡに変換するアンギオテンシン変換酵素を阻害して、アンギオテンシンⅡの生成を阻害する。この時、ブラジキニンの分解も阻害する。（ACE は、ブラジキニンを分解するキニナーゼⅡと同一の酵素）。昇圧物質であるアンギオテンシンⅡの生成阻害により血圧を下降させる。ブラジキニンの増加も血圧下降に関与すると考えられる。

ACE 阻害薬は、糖質、脂質代謝に悪影響がないので合併症にも使いやすいく、臓器保護作用、動脈硬化進展阻止効果もあることから、単なる降圧薬ではなく、広い意味での循環器治療薬になりつつある。

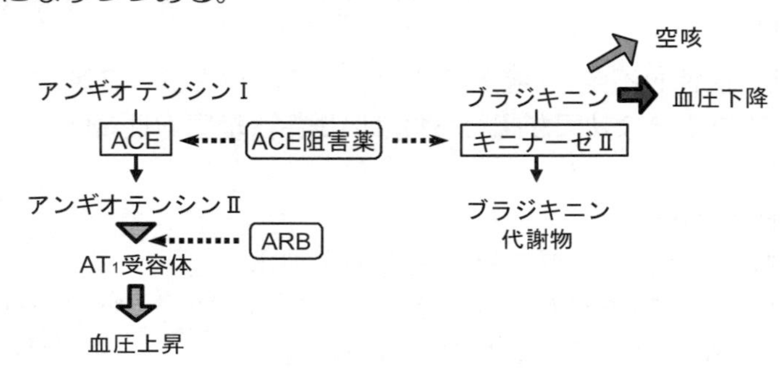

【適用】（共通）高血圧症、心不全（一部の薬物）

【副作用】 空咳（ブラジキニンの増加による）。空咳以外には、まれに血管神経性浮腫、腎障害の進行したものでは腎不全の悪化および高カリウム血症などがある。また、発疹、瘙痒、味覚異常（これらは SH 基のあるもののほうが起こりやすい）がある。

【禁忌】 AN69 を用いた血液透析中、デキストラン硫酸セルロースを用いた LDL アフェレーシス施行中、血管浮腫、妊婦。

カプトプリル　**Captopril**

アルドステロンの分泌抑制作用も持っている。

【適用】 本態性高血圧症、腎性高血圧症、腎血管性高血圧症、悪性高血圧。心不全、糖尿病性腎症にも使用されている。

CH_3 / $HSCH_2CHC$ — N — COOH / O

カプトプリル

エナラプリル　**Enalapril**

プロドラッグで持続性がある。

【適用】 本態性高血圧症、腎性高血圧症、腎血管性高血圧症、悪性高血圧。慢性心不全（軽症～中等症）で、ジギタリス製剤、利尿剤等の基礎治療剤を投与しても十分な効果が認められない場合。糖尿病性腎症にも使用されている。

CH_3 / $CH_2CH_2CHNHCHC$ — N — COOH / COC_2H_5 / O / O

エナラプリル

イミダプリル　**Imidapril**

塩酸イミダプリルはプロドラッグで、経口投与後、加水分解により活性代謝物であるジアシド体（イミダプリラート）に変換される。副作用の空咳が比較的少ない。

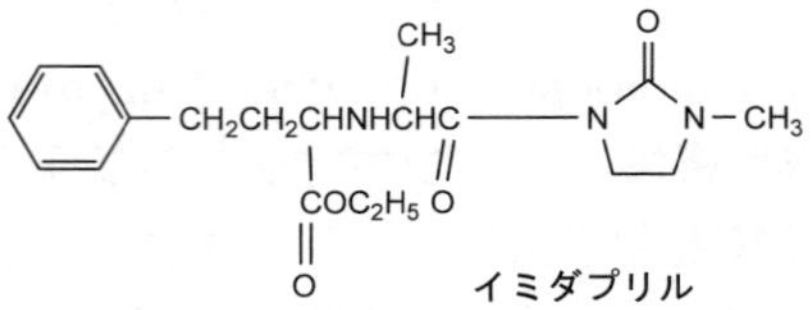

【適用】高血圧症、腎実質性高血圧症。1 型糖尿病に伴う糖尿病性腎症。心不全にも使用されている。

イミダプリル

リシノプリル　Lisinopril

リシノプリルは、あまり代謝されず、主に未変化体として尿中に排泄される。本態性高血圧症患者において，1 日 1 回の投与により比較的安定した降圧効果が認められている。

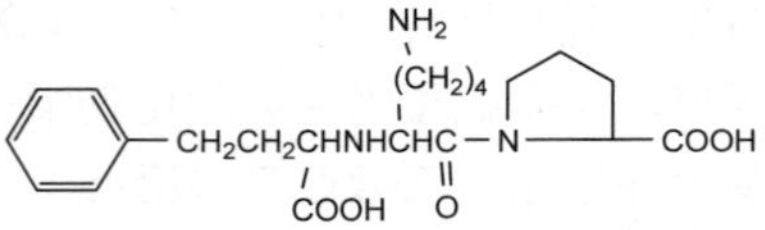

リシノプリル

【適用】高血圧症。慢性心不全　（軽症～中等症）で、ジギタリス製剤、利尿剤等の基礎治療剤を投与しても十分な効果が認められない場合。糖尿病性腎症にも使用されている。

テモカプリル　Temocapril

テモカプリルは、プロドラッグで経口投与後、加水分解により活性代謝物であるテモカプリラートに変換される。ほとんどの ACE 阻害薬は、腎が主な排泄経路であるが、テモカプリルは胆道系からも排泄される（腎以外の経路の方が多い）ので腎疾患の患者に比較的容易に投与できる。

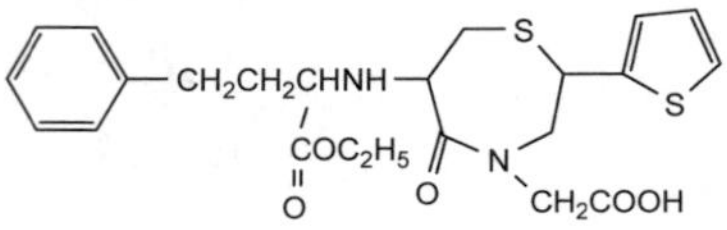

テモカプリル

【適用】高血圧症、腎実質性高血圧症、腎血管性高血圧症。心不全、糖尿病性腎症にも使用されている。

上記以外に、アラセプリル、デラプリル、シラザプリル、ベナゼプリル、キナプリル、トランドラプリル、ペリンドプリルが用いられている。

アンギオテンシンⅡ受容体遮断薬（Angiotensin Ⅱ Receptor Blocker：ARB）

【作用機序】アンギオテンシンⅡ AT_1 受容体を遮断して、アンギオテンシンⅡによる血圧上昇を抑制する。

アンギオテンシンⅡ受容体には、少なくとも AT_1、 AT_2 の 2 つのタイプが存在することが知られているが、アンギオテンシンⅡの作用の大部分は、AT_1 受容体を介したものだと考えられており、臨床で用いられているアンギオテンシンⅡ受容体遮断薬は、臨床量ではほとんどが、AT_1 受容体を介した作用であると考えられている（選択性は、薬物により異なる)。受容体遮断薬は、キマーゼによって生成されるアンギオテンシンⅡの作用も抑制する。ACE 阻害薬のようにブラジキニンの分解を直接抑制する作用はないので、添付文書の副作用の項目には「空咳」と記されているが、実際には空咳のなどの副作用は少ない（ほとんどない)。ただし、妊婦には禁忌である。現在、臨床で用いられているのは、ロサルタンなどの非ペプチド性の化合物である。

【適用】高血圧症、ACE 阻害薬の投与が適当でない慢性心不全（カンデサルタン シレキセチル）。実際には、ロサルタンカリウム、バルサルタンも慢性心不全に使用されることがある。

ロサルタンカリウム　Losartan potassium

ロサルタンカリウムは、初の非ペプチド性アンギオテンシンⅡ受容体拮抗薬である。CYP3A4 で代謝される。

【副作用】アナフィラキシー様症状、血管浮腫、急性肝炎または劇症肝炎、腎不全、ショック、失神、意識消失、横紋筋融解症、高カリウム血症、不整脈、血液障害（汎血球減少、白血球減少、血小板減少）、低血糖など

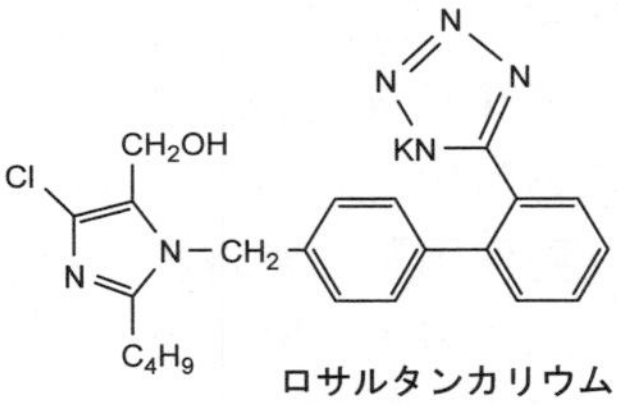

ロサルタンカリウム

カンデサルタンシレキセチル　Candesartan cilexetil

カンデサルタンのプロドラッグである。

【副作用】血管浮腫、ショック、失神、意識消失、急性腎不全、高カリウム血症、肝機能障害、黄疸、無顆粒球症、横紋筋融解症、間質性肺炎、低血糖など

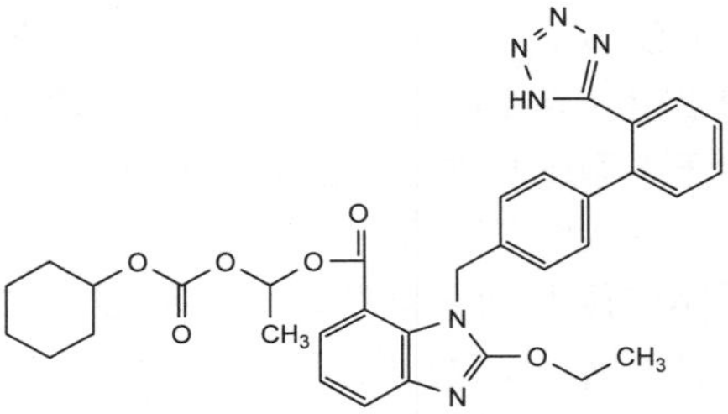

カンデサルタン　シレキセチル

バルサルタン　Valsartan

AT_1 受容体に対する選択性が高い。

【副作用】血管浮腫、肝炎、腎不全、高カリウム血症、ショック、失神、意識消失、無顆粒球症、白血球減少、血小板減少、間質性肺炎、低血糖など

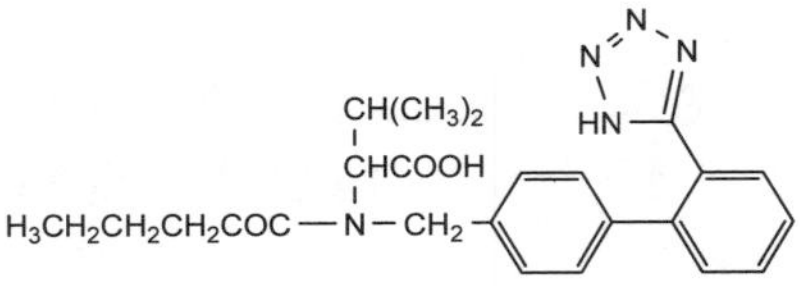

バルサルタン

テルミサルタン　Telmisartan

AT_1 受容体に対する選択性が高く、胆汁排泄型である。また、半減期が比較的長く 1 日 1 回の投与で血圧を 24 時間コントロールできるとされている。

【副作用】血管浮腫、高カリウム血症、腎機能障害、ショック、失神、意識消失、肝機能障害、黄疸、低血糖など

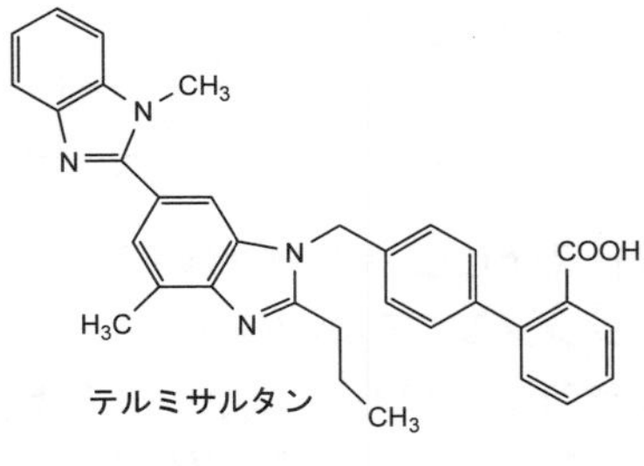

テルミサルタン

オルメサルタンメドキソミル
Olmesartan Medoxomil

オルメサルタンメドキソミルは、プロドラッグで経口投与後、エステラーゼにより加水分解を受け、活性代謝物であるオルメサルタンに変換され、作用する。AT_1 受容体に対する選択性が高い。

【副作用】血管浮腫、腎不全、高カリウム血症、

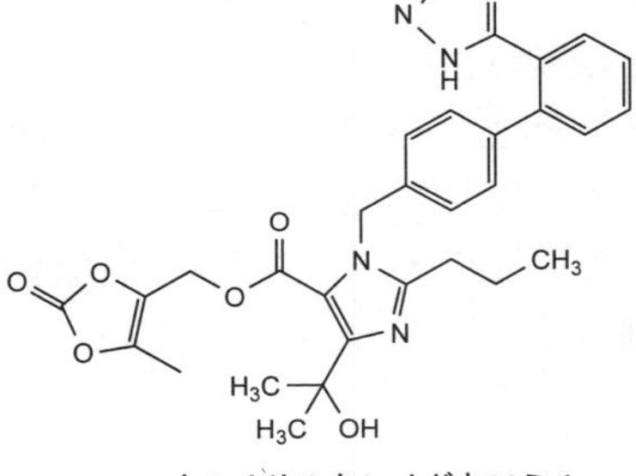

オルメサルタンメドキソミル

ショック、失神、意識消失、肝機能障害、黄疸など

イルベサルタン　Irbesartan

イルベサルタンは、長時間作用型で、AT_1 受容体に対する選択性が高い。軽症から重症の高血圧に対して 24 時間持続する安定した降圧効果に加え、腎保護作用のエビデンスも有している。

【副作用】血管浮腫、高カリウム血症、ショック、失神、意識消失、腎不全、肝機能障害、黄疸、低血糖、横紋筋融解症など

イルベサルタン

アジルサルタン　Azilsartan

アジルサルタンは、AT_1 受容体を選択的に阻害し、1 日 1 回の経口投与で 24 時間にわたって持続した降圧効果を示し、夜間高血圧や早朝高血圧を改善するなど、血圧日内変動を是正することが示されている。

【副作用】血管浮腫、ショック、失神、意識消失、急性腎不全、高カリウム血症など

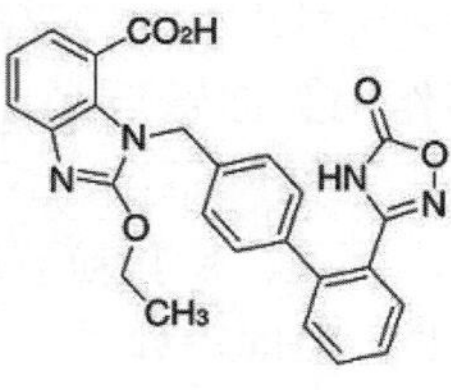

アジルサルタン

参考

DRI、ACE 阻害薬または ARB の投与により、血中のレニン活性（濃度ではない）およびアンギオテンシンの濃度は以下のように変化する。

	DRI	ACE 阻害薬	ARB
血漿レニン活性	低下	上昇	上昇
アンギオテンシンⅠ	低下	上昇	上昇
アンギオテンシンⅡ	低下	低下	上昇

アルドステロン受容体遮断薬

エプレレノン　Eplerenone

スピロノラクトン（カリウム保持性利尿薬：利尿薬の項）より鉱質コルチコイド受容体に選択性が高い遮断薬である。糖質コルチコイド受容体などの他のステロイドホルモン受容体に対する親和性は、鉱質コルチコイド受容体に対する親和性の 1/20 以下であるとされている。したがって、ラットを用いた試験において、臨床量のエプレレノンでは、鉱質コルチコイド受容体以外のステロイドホルモン受容体への作用に起因する副作用は認められていない。

【副作用】高カリウム血症など

エプレレノン

エサキセレノン　Esaxerenone

非ステロイド構造を有する鉱質コルチコイド受容体遮断薬で、鉱質コルチコイド受容体に選択的に結合し、受容体の活性化を阻害し、降圧作用を示す。エサキセレノンの鉱質コルチコイド受容体選択性は高く、糖質コルチコイド受容体等、他のステロイドホルモン受容体に対する親和性を示さなかった。

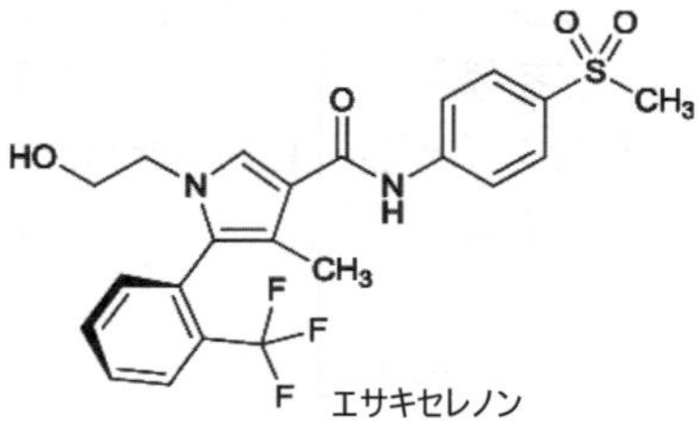

エサキセレノン

【副作用】高カリウム血症など

血管拡張薬

カルシウム拮抗薬

我が国で高血圧治療薬としての適応が許可されているカルシウム拮抗薬は、ジルチアゼム以外はすべてジヒドロピリジン系のものである。

カルシウム拮抗薬の高血圧治療薬としての特徴として以下の点があげられる。

① 交感神経系の活性やレニン活性に影響を受けない。
② 血圧が低下するのにも関わらず脳、冠、腎循環が良好に保たれる。
③ 糖や脂質代謝などに悪影響を及ぼさない。
④ 動脈硬化の進展阻止作用がある。

【作用機序】カルシウム拮抗薬は、血管平滑筋の電位依存性 L 型 Ca^{2+}チャネル阻害して、Ca^{2+}の流入を抑制し、血管収縮を抑制して血管を拡張させ血圧を低下させる。ジルチアゼムは、心臓に対する抑制作用（心収縮力抑制や刺激伝導系抑制作用）も降圧効果に関与するが、ジヒドロピリジン系の薬物は血管に対する選択性が高く、降圧効果は血管平滑筋に対する作用の結果である。ジヒドロピリジン系薬物により、急激に血圧低下が起こると、反射性頻脈を起こすことがある。

【副作用】顔面紅潮、動悸、頭痛、連用による歯肉肥厚など

ニフェジピンのように作用時間の短いものでは、血圧が動揺しやすく、脳・心血管系の合併症を発症しやすくする可能性も考えられるので、徐放剤として用いられるようになっている。一方、アムロジピンのように作用時間が長く、緩徐に血圧を低下させる薬物は、1 日 1 回の投与によって 1 日の血圧を比較的良好にコントロールできるようになっている。

以下に、現在、使用されている薬物の一部の特徴を示す。カルシウム拮抗薬の構造と適応症はまとめて後述する。

ニフェジピン　Nifedipine：降圧効果は良好で作用の発現も速いが持続時間が短い（1 日 3 回の投与、徐放剤は、1 日 1 回の投与）。

アムロジピン　Amlodipine：半減期が長く（36 時間）1 日の血圧を動揺少なくコントロールでき、現在、よく使われている。

シルニジピン　Cilnidipine：L 型 Ca^{2+}チャネルの他に N 型 Ca^{2+}チャネル遮断作用を有する。N 型 Ca^{2+}チャネルは、交感神経終末に存在し、神経終末からのノルアドレナリン遊離調節に関与しており、遮断によりノルアドレナリンの遊離が抑制される。したがって、N 型 Ca^{2+}チャネル遮断作用を持つ薬物は、交感神経活性も抑制することに

なるので、降圧に伴う交感神経活性亢進を抑制し、反射性頻脈を起こしにくくする。

ベニジピン　Benidipine：ニフェジピンに化学構造は類似しているが降圧作用は、緩徐で持続的。1日1回の投与で1日の血圧を良好にコントロールできる。

エホニジピン　Efonidipine：T型 Ca^{2+}チャネル遮断作用を有するので、降圧に伴う動悸が少ない。

その他の血管拡張薬

血管壁に直接作用して血管拡張作用を示す薬物。近年、ACE 阻害薬、ARB、カルシウム拮抗薬が使用されるようになり、使用頻度は低下しているが、これらの薬物のほとんどが妊婦には禁忌であるのに対し、妊婦にも使用できることが利点である。共通の副作用として血管拡張に伴う顔面紅潮や頭痛などが起こる。また、血圧下降による反射性頻脈が起こりやすいのでβ遮断薬との併用が好ましいとされている。

ヒドララジン　Hydralazine

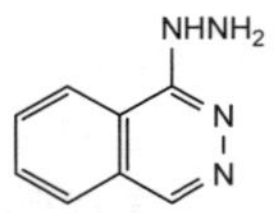

【作用機序】血管平滑筋に直接作用して血管を拡張させる。

【適用】本態性高血圧症、妊娠中毒症による高血圧

【副作用】SLE 様症状（発熱、紅斑、関節痛、胸部痛等）、うっ血性心不全、狭心症発作誘発、麻痺性イレウス、呼吸困難、急性腎不全、溶血性貧血、汎血球減少、多発性神経炎、血管炎など。

他に、ブドララジンがある。

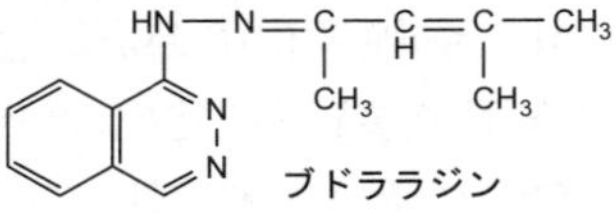

ヒドララジン

ブドララジン

利尿薬

利尿薬は、腎尿細管に作用して Na^+、水を排泄させる薬物の総称である。薬物によりその利尿効果および作用機序は異なっている（詳細は利尿薬の項）。利尿薬も降圧薬として使用されるが、降圧効果は、必ずしも利尿効果とは相関しない。降圧の目的にはループ利尿薬より利尿効果は弱いが、水分に対し Na^+および Cl^-の排泄が多いチアジド系利尿薬がよく用いられる。ループ利尿薬は、Na^+および Cl^-の排泄以上に水分の排泄が多いので、浮腫の著明な高血圧患者や腎不全を呈する高血圧患者に適している。利尿薬による降圧効果は、投与初期には利尿による循環血流量の減少によるが、長期の効果には Na^+排泄促進によって末梢血管抵抗が低下することも関与すると考えられている。

その他

ボセンタン水和物　Bonsentan hydrate

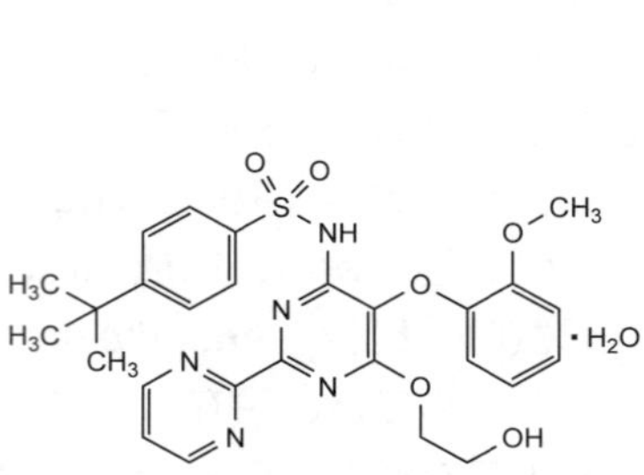

【薬理作用】エンドセリン受容体においてエンドセリンと拮抗し、エンドセリンによる血管収縮作用等の有害作用を抑制する。エンドセリンの ET_A と ET_B の両受容体に非選択的に結合する。

【適用】肺動脈性肺高血圧症

【副作用】肝機能障害、貧血など

ボセンタン水和物

アンブリセンタン　Ambrisentan

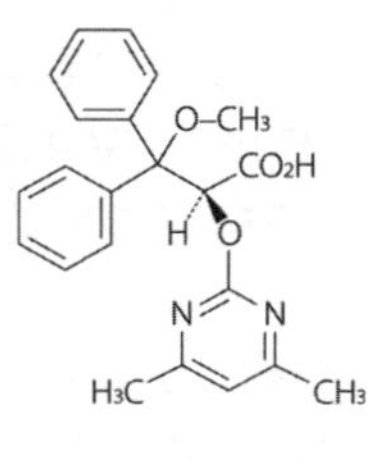

【薬理作用】エンドセリン ETA 受容体を選択的に遮断し、ET-1 による肺血管平滑筋の収縮及び増殖を抑制し、肺動脈性肺高血圧症（PAH）の症状を改善すると考えられる。ETB 受容体に対する親和性は、ETA 受容体の 1/4000 以下である。PAH 患者においては、血漿中 ET-1 濃度は高く、右心房圧や病態の程度と相関することなどから、ET-1 が PAH の発症及び進展に重要であると考えられている。

【適用】肺動脈性肺高血圧症

【副作用】貧血 、体液貯留、心不全、間質性肺炎など

マシテンタン　Macitentan

【薬理作用】エンドセリン ETA 受容体およびエンドセリン ETB 受容体を遮断し、肺動脈性肺高血圧症（PAH）の症状を改善する。長時間作用型で、1 日 1 回の投与で有効である。

【適用】肺動脈性肺高血圧症

【副作用】貧血など

シルデナフィル　Sildenafil

【作用機序】ホスホジエステラーゼ 5 型（PDE Ⅴ）を選択的に阻害し、cGMP 含量を高め、肺動脈圧の上昇を抑制する。シルデナフィルは、勃起不全改善薬として使用されているが、肺動脈高血圧症にも適用がある。ただし、標準的な用量は異なっている。

シルデナフィル

【適用】肺動脈性肺高血圧症

【副作用】循環器症状（心筋梗塞、低血圧、失神、頻脈、血管拡張など）、頭痛など

【禁忌】.本剤の成分に対し過敏症の既往歴のある患者、硝酸薬あるいは一酸化窒素（NO）供与薬を投与中の患者、重度の肝機能障害のある患者、リトナビル含有製剤、ダルナビル含有製剤、インジナビル、イトラコナゾール、テラプレビル及びコビシスタット含有製剤を投与中の患者、アミオダロン塩酸塩（経口剤）を投与中の患者、可溶性グアニル酸シクラーゼ（sGC）刺激剤（リオシグアト）を投与中の患者

タダラフィル　Tadalafil

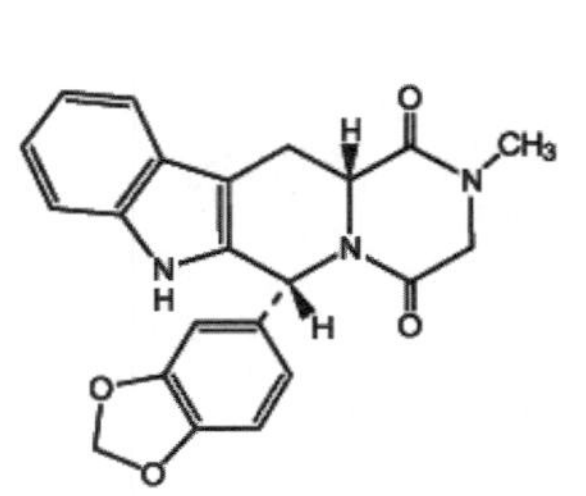

【作用機序】シルデナフィルと同様にホスホジエステラーゼ 5 型（PDE Ⅴ）を選択的に阻害し、cGMP 含量を高め、肺動脈圧の上昇を抑制する。タダラフィルは、1 日 1 回の投与で有効である。

【適用】肺動脈性肺高血圧症

【副作用】過敏症が重大な副作用とされている。

【禁忌】本剤の成分に対し過敏症の既往歴のある患者、硝酸剤又は一酸化窒素（NO）供

与剤を投与中の患者、可溶性グアニル酸シクラーゼ（sGC）刺激剤（リオシグアト）を投与中の患者、重度の腎障害のある患者、重度の肝障害のある患者、チトクローム P450　3A4（CYP3A4）を強く阻害する薬剤を投与中の患者、CYP3A4 を強く誘導する薬剤を長期に投与中の患者

リオシグアト　Riociguat

【作用機序】内因性一酸化窒素（NO）に対する可溶性グアニル酸シクラーゼ（sGC）の感受性を高める作用と NO 非依存的に直接 sGC を刺激する作用の 2 つの機序を介し，cGMP の産生を促進する

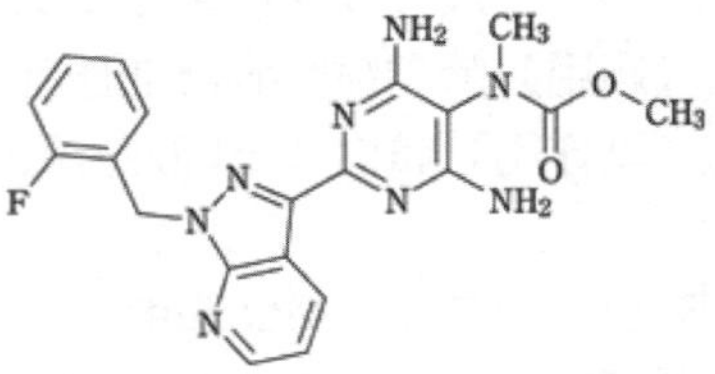

【適用】肺動脈性肺高血圧症

【副作用】喀血、肺出血など

【禁忌】本剤の成分に対し過敏症の既往歴のある患者、妊婦又は妊娠している可能性のある女性、重度の肝機能障害（Child-Pugh 分類 C）のある患者、重度の腎機能障害（クレアチニン・クリアランス 15mL/min 未満）のあるまたは透析中の患者、硝酸剤又は一酸化窒素（NO）供与剤を投与中の患者、ホスホジエステラーゼ（PDE）5 阻害剤を投与中の患者、アゾール系抗真菌剤、HIV プロテアーゼ阻害剤、オムビタスビル・パリタプレビル・リトナビルを投与中の患者

カリジノゲナーゼ　Kallidinogenase

【作用機序】酵素作用により血液中のキニノーゲンを分解し、キニンを生成させる。生成されたキニンは末梢血管の拡張並びに微小循環速度の亢進を介して血流増加作用を示す

【適用】高血圧症、メニエール症候群、閉塞性血栓血管炎（ビュルガー病）における末梢循環障害の改善

【副作用】胃部不快感、悪心・嘔吐などが報告されているが重大な副作用に指定されているものはない。

高血圧治療ガイドライン（日本高血圧学会）

現在、「実地医家が日常診療で最も高頻度に遭遇する高血圧患者に最適な治療を提供するための標準的な指針とその根拠を示すこと」を目的に、日本高血圧学会によって高血圧治療ガイドラインが提示されている。高血圧ガイドラインは、2000 年に JSH2000 としてはじめて発行され、その後 2004 年から 5 年ごとに改訂版が発行されている。

高血圧は、最も頻度の高い生活習慣病で高血圧専門医のみで診療することが難しく、多くの医師によって管理されている現状であるため、専門医以外の医師を含む医療関係者（薬剤師を含む）を利用対象として標準的な治療法を提示し、多くの患者の治療に役立てようとしたものである。したがって、高血圧治療ガイドラインには、高血圧が脳卒中、心臓病、腎臓病および大血管疾患の強力な原因疾患であることから、高血圧の完治によってこれら合併症の発症を予防し、進展を防止するための標準的な治療法が提示されている。すなわち、高血圧の分類や血圧に基づいた脳心血管リスクの層別化等に加え、治療計画（初診時の高血圧管理計画、生活習慣の修正項目、降圧薬の使い方、臓器障害合併者や高齢者の治療、降圧目標値）などが示されている。特に、JSH2019 においては、我が国で実施された大規模臨床試験の知見をはじめ、数多くのエビデンスの網羅的な解析とその客観的な評価をもとに多くの妥当性の高い情報が提供されている。一方で、個々人の状況を勘案した慎重な降圧治療が重要であることも記載され、ガイドラインの記載が、担当医の処方裁量権を拘束するものではない個のと示されている。

JSH2019 による血圧管理の対象は、140/90　mmHg 以上の高血圧患者だけではなく、120/80 mmHg 以上の全ての人である。以下の記載は JSH2019 に基づくものである。

成人における血圧値の分類

成人の診察室血圧は、以下のように分類される。

分類	収縮期血圧(mmHg)		拡張期血圧(mmHg)
正常血圧	120 未満	かつ	80 未満
正常高値血圧	120 ～ 129	かつ	80 未満
高値血圧	130 ～ 139	かつ/または	80 ～ 89
Ⅰ度高血圧	140 ～ 159	かつ/または	90 ～ 99
Ⅱ度高血圧	160 ～ 179	かつ/または	100 ～ 109
Ⅲ度高血圧	180 以上	かつ/または	110 以上
（孤立性）収縮期高血圧	140 以上	かつ	90 未満

異なる測定法における高血圧基準

測定法の違いによる高血圧の基準値は以下のとおりである。

分類	収縮期血圧(mmHg)		拡張期血圧(mmHg)
診察室血圧	140 以上	かつ/または	90 以上
家庭血圧	135 以上	かつ/または	85 以上
自由行動下血圧　24 時間	130 以上	かつ/または	80 以上
昼間	135 以上	かつ/または	85 以上
夜間	120 以上	かつ/または	70 以上

仮面高血圧と白衣高血圧

仮面高血圧と白衣高血圧は以下のように定められている。

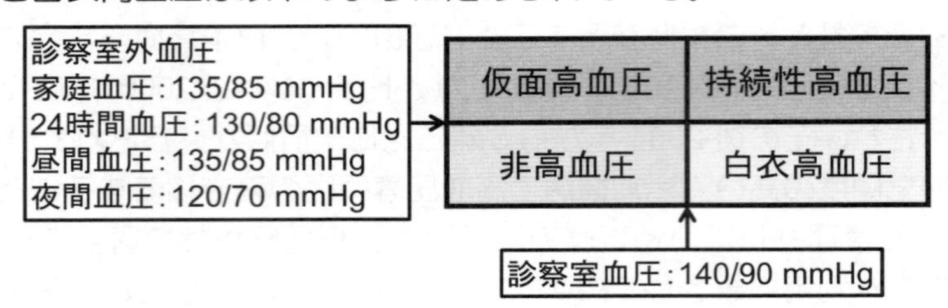

診察室血圧に基づいた脳心血管リスク層別化

脳心血管イベントのリスクは、診察室血圧と血圧以外の因子により層別化されている。初診時のリスクは、その後の標準的な治療法と関連している。

リスク層 ＼ 血圧分類	高値血圧（130-139/80-89 mmHg）	Ⅰ度高血圧（140-150/90-99 mmHg）	Ⅱ度高血圧（160-179/100-109 mmHg）	Ⅲ度高血圧（180以上/110以上 mmHg）
リスク第一層 予後影響因子がない	低リスク	低リスク	中等リスク	高リスク
リスク第二層 年齢(65歳以上)、男性、脂質異常症、喫煙のいずれかがある	中等リスク	中等リスク	高リスク	高リスク
リスク第三層 脳心血管病既往、弁膜症性心房細動、糖尿病、蛋白尿のあるCKDのいずれか、またはリスク第二層の危険因子が3つ以上ある	高リスク	高リスク	高リスク	高リスク

初診時の高血圧管理計画

初診時には、血圧高値が継続的であることの確認とそのレベルの評価、二次性高血圧の除外、危険因子や臓器合併症や心血管病の有無等の予後影響因子の評価、生活習慣の修正の指導、薬物療法の必要性の評価、降圧目標値の決定を順次あるいは並行して行う。概略は以下のように示される。

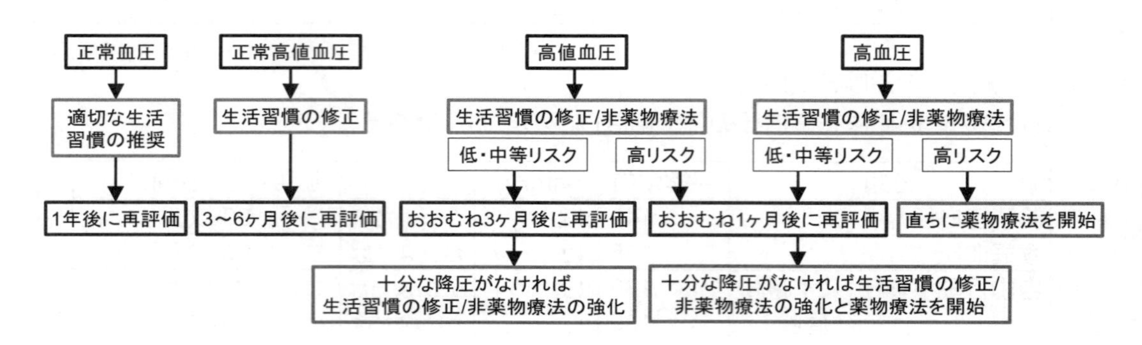

降圧目標

降圧目標は、 以下に示すように診察室血圧を 130/80mmHg 未満・家庭血圧を 125/75mmHg 未満とする対象者と、診察室血圧を 140/90mmHg 未満・家庭血圧を 135/85mmHg 未満とする対象者に区分される。

降圧に当たっては、降圧目標を達成する過程ならびに達成後の過降圧の危険性に注意が必要となる。過降圧は、到達血圧のレベルだけでなく、降圧幅や降圧速度、個人の病態によっても異なる。

診察室血圧を 130/80mmHg 未満・家庭血圧を 125/75mmHg 未満とする場合
- 75 歳未満の成人
- 脳血管障害患者（両側頸動脈狭窄や脳主管動脈閉塞なし）
- 冠動脈疾患患者
- CKD 患者（ﾀﾝﾊﾟｸ尿陽性）
- 糖尿病患者
- 抗血栓薬服用中

診察室血圧を 140/90mmHg 未満・家庭血圧を 135/85mmHg 未満とする場合
- 75 歳以上の高齢者
- 脳血管障害患者（両側頸動脈狭窄や脳主管動脈閉塞あり、または未評価）
- CKD 患者（ﾀﾝﾊﾟｸ尿陰性）

主要降圧薬の積極的な適用と禁忌・慎重使用例

薬物治療に関しては、主要降圧薬として、JSH2014 と同様に Ca 拮抗薬、アンギオテンシンⅡ AT_1 受容体拮抗薬（ARB）、ACE 阻害薬、利尿薬、β遮断薬の 5 種が挙げられている。また、主要降圧薬の積極的適応および禁忌もしくは慎重投与となる病態が示されている（表を参照）。また、第一選択薬は、JSH2019 においても、β遮断薬に積極的な適応がある場合を除き、β遮断薬以外の 4 種から選択することとしている。

併用療法

以前は、単剤での治療を原則とし、単剤での降圧が不十分な場合に併用療法を実施することとしてきたが、最近は、比較的早期から併用療法を考慮することが推奨され、降圧目標値を達成するために、実際に 2、3 種類の薬物を併用することも多くなっている（詳細は省略）。また、この状況を反映するように複数の合剤が上市され、汎用されるようになっている。

異なるクラスの降圧薬の併用は、同一薬の倍量投与より降圧効果の大きいことがメタアナリシスで示され、また、併用療法による厳格な血圧管理が、心血管イベントのさらなる抑制につながるとのエビデンスも集積されている。さらに、副作用を打ち消し合う薬物の併用（例：利尿薬と ACE 阻害薬または ARB は、血中 K^+濃度に対し、逆の作用を示す）は、薬理作用の上からも支持されるようになっている。

ガイドラインにおいても、積極適応がない場合の第一選択薬 4 種に関して、推奨される組合せについて示されており、Ca 拮抗薬と利尿薬は、他のいずれとも併用が推奨されている。また、ARB と ACE 阻害薬の併用は推奨されておらず、一般には用いられないが、腎保護のために併用することがあり、この場合は、腎機能、高 K^+血症に注意して慎重に使用することとされている。

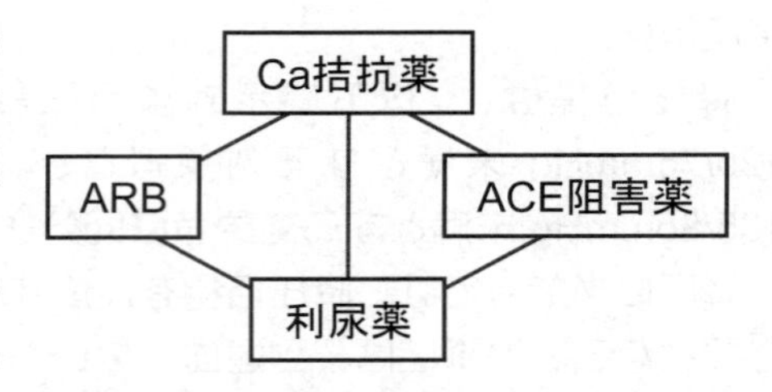

第一次選択薬（積極的適応なし）の推奨される併用

主要降圧薬の積極的適応と禁忌・慎重使用例

JSH2019（日本高血圧学会）より（一部改変）

	Ca 拮抗薬	ARB/ ACE 阻害薬	ｻｲｱｻﾞｲﾄﾞ系 利尿薬	β 遮断薬
症 左室肥大	●	●		
症 LVEF の低下した心不全		●(1)	●	●(1)
症 頻脈	●(2)			●
症 狭心症	●			●(3)
症 心筋梗塞後		●		●
症 蛋白尿/微量アルブミン尿を有する CKD		●		
禁忌	徐脈(2)	妊娠 血管神経性浮腫(4) 特定の膜を用いるｱﾌｪﾚｰｼｽ/血液透析(4)	体液中のﾅﾄﾘｳﾑ、ｶﾘｳﾑが明らかに減少している病態	ぜん息 高度徐脈 未治療の褐色細胞腫
慎重使用例	心不全	高カリウム血症 腎動脈狭窄症(5)	痛風 妊娠 耐糖能異常	耐糖能異常 閉塞性肺疾患 末梢動脈疾患

(1) 少量から開始し、注意深く漸増
(2) 非ジヒドロピリジン系
(3) 冠れん縮には注意
(4) ACE 阻害薬のみ
(5) 両側性腎動脈狭窄症の場合は禁忌

カルシウム拮抗薬と許可されている適応

カルシウム拮抗薬とは

カルシウム拮抗薬は、細胞膜の電位依存性 L 型 Ca^{2+}チャネルに直接結合して細胞外Ca^{2+}の細胞内への流入を阻止する薬物で主に高血圧、狭心症または不整脈の治療薬として使用されている（一部急性心不全、心筋梗塞に適応がある）。

カルシウム拮抗薬は、化学構造の違いからジヒドロピリジン系、ベンゾチアゼピン系、フェニルアルキルアミン系の３種に分類されるが、この違いにより、Ca^{2+}チャネルとの結合部位が異なることが示されている。カルシウム拮抗薬の心筋と血管平滑筋への作用を比較すると、より低濃度で血管平滑筋に作用し、すべての血管を弛緩させるが、各薬物によりその作用強度には違いがあり、また、心伝導系の影響（心拍数への影響）も異なって現れる。血管に対する作用の強さは、ジヒドロピリジン系＞ベンゾチアゼピン系＞フェニルアルキルアミン系であり、心臓に対する抑制作用はこの逆になる。特に、ジヒドロピリジン系の薬物は、血管に対する作用は強いが、心臓に対する抑制作用は弱く、治療用量では心臓に対する作用がほとんどないため、血圧低下に伴って、むしろ、心拍数の増大（頻脈）が見られることがある。頻脈の出現の程度は、薬物の作用の強さや持続時間により異なる。各薬物に許可されている適応症は表にまとめたが、高血圧の治療に用いられるのはほとんどがジヒドロピリジン系の薬物で、フェニルアルキルアミン系の薬物は抗高血圧薬としては許可されていない。

Ca拮抗薬概略（血管および心臓への影響の強さと適応）

薬物	適応	心拍数への影響	作用の強さ	
			血管	心臓
ジヒドロピリジン系	高血圧 狭心症	頻脈 （薬物により程度は異なる）	強	弱
ベンゾチアゼピン系	高血圧 狭心症 不整脈	徐脈 （刺激伝導系の抑制）	↓	↑
フェニルアルキルアミン系	狭心症 不整脈	徐脈 （刺激伝導系の抑制）	弱	強

共通する副作用としては、頭痛、ほてり感、浮腫、歯肉増殖、便秘などの消化器症状などがあげられる。ジヒドロピリジン誘導体は、主にチトクロム P450（CYP3A4）で代謝されるので、ジアゼパムなどとの間では相互作用に注意する必要がある。また、グレープフルーツジュースで代謝が阻害される。

現在、循環器系疾患に使用されている主なカルシウム拮抗薬と承認されている適応症と構造式を以下に示した。

	薬　　物	適　　応
ジヒドロピリジン系	アゼルニジピン	高血圧症
	マニジピン塩酸塩	高血圧症
	シルニジピン	高血圧症
	フェロジピン	高血圧症
	アラニジピン	高血圧症
	ニルバジピン	本態性高血圧症
	バルニジピン塩酸塩	高血圧症、腎実質性高血圧症、腎血管性高血圧症
	ニカルジピン塩酸塩	本態性高血圧症、（注射）急性心不全
	アムロジピンベシル酸塩	高血圧症、狭心症
	ベニジピン塩酸塩	高血圧症、腎実質性高血圧症、狭心症
	ニトレンジピン	高血圧症、腎実質性高血圧症、狭心症
	エホニジピン塩酸塩	高血圧症、腎実質性高血圧症、狭心症
	ニフェジピン	本態性高血圧症、腎性高血圧症、狭心症
	ニソルジピン	高血圧症、腎実質性高血圧症、狭心症、異型狭心症
ベンゾチアゼピン系	ジルチアゼム塩酸塩	本態性高血圧症（軽症～中等症）、狭心症、異型狭心症、（注射）頻脈性不整脈、手術時以上高血圧の救急処置、高血圧性緊急症、不安定狭心症
フェニルアルキルアミン系	ベラパミル塩酸塩	狭心症、心筋梗塞（急性期除く）、その他の虚血性心疾患、
	ベプリジル	狭心症、持続性心房細動、頻脈性不整脈（心室性）

構造式

ジヒドロピリジン系

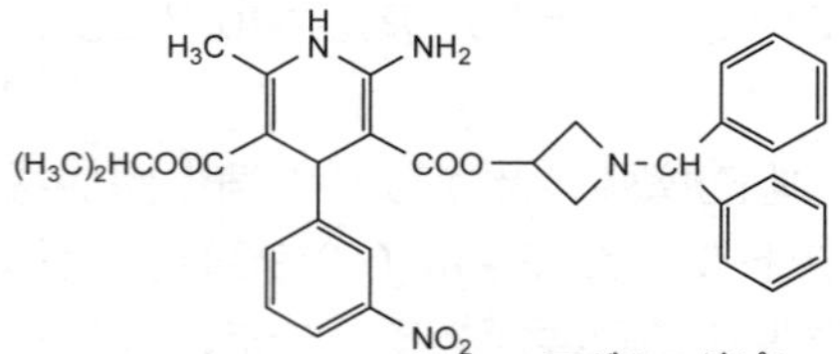

アゼルニジピン

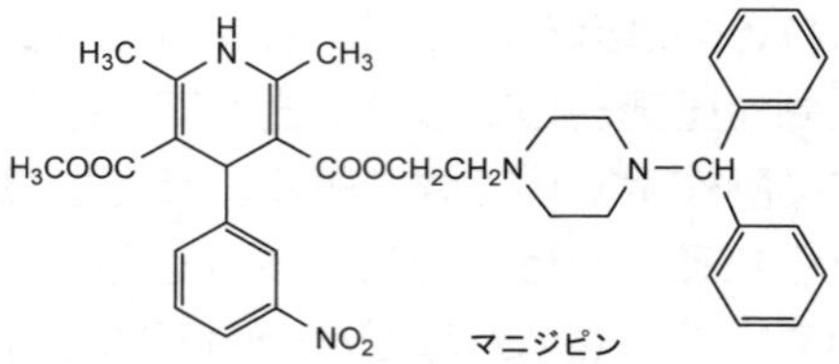

マニジピン

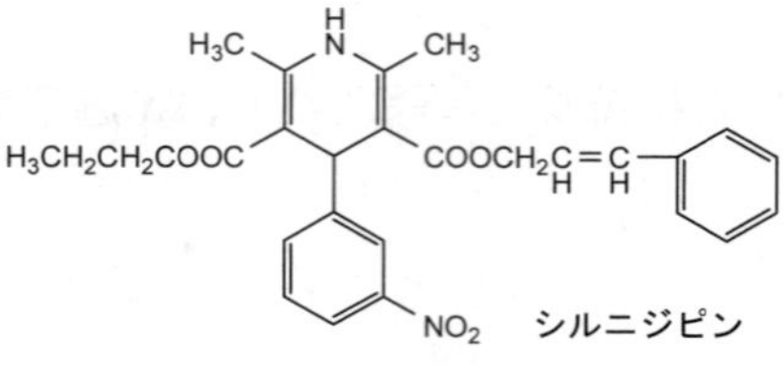

シルニジピン

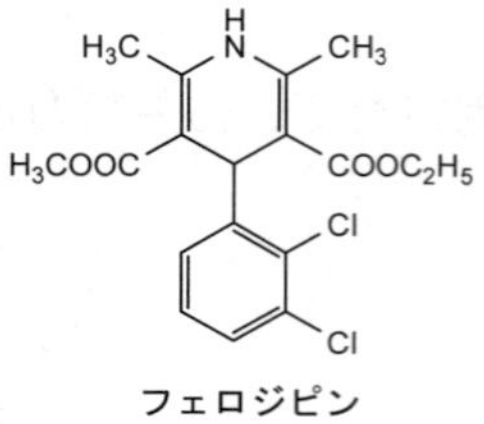

フェロジピン

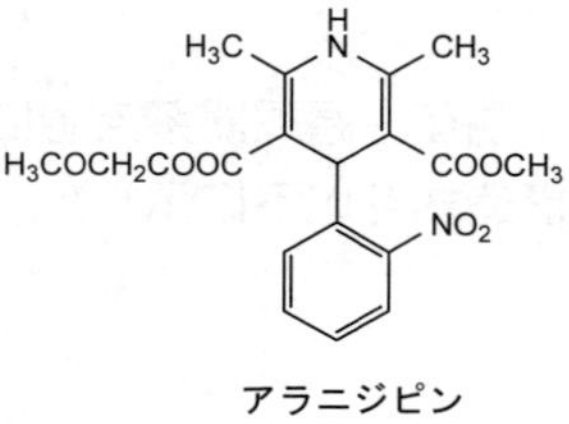

アラニジピン

ニルバジピン

バルニジピン

ニカルジピン

アムロジピン

ベニジピン

ニトレンジピン

エホニジピン

ニフェジピン

ニソルジピン

ベンゾチアゼピン系

ジルチアゼム

フェニルアルキルアミン系

ベラパミル

ベプリジル

5．昇圧薬、低血圧治療薬　Vassopressor

昇圧薬は、低血圧の治療のために血圧を上昇させる目的で用いる薬物。低血圧には、急性低血圧と慢性低血圧に分けられる。血圧の急激な低下により末梢循環不全や臓器不全を伴う病態をショックという。

心原性ショック（急性循環不全やうっ血性心不全）に対しては、ドパミンを用いる。ドブタミンやデノパミンも用いる（心不全の項に記載）。また、末梢血管拡張を原因とするショックにノルアドレナリンを用いる。α_1 受容体刺激薬のメトキサミンやフェニレフリンは急性低血圧の補助療法として用いる。

本態性低血圧

経口投与が可能で持続時間が比較的長いものを用いる。

ミドドリン　**Midodrine**

【薬理作用】プロドラッグで経口投与後、種々の臓器で脱グリシン化されて活性本体（Degly　midodrine）となり、交感神経 α_1 受容体を刺激し細動脈を収縮して全末梢血管抵抗を増大することにより血圧を上昇させる。

【適用】本態性低血圧、起立性低血圧

【副作用】悪心・嘔吐など

エチレフリン　**Etilefrine**

【薬理作用】アドレナリン類似作用を有し、α 受容体刺激作用と β 受容体刺激作用の両方をもつ。末梢血管抵抗を増加させ、血圧の上昇が起こる。心収縮力、心拍出量、分時拍出量を増加させ循環血液量が増加する。心拍数の変化は起こさず、タキフィラキシーも認められない。

【適用】本態性低血圧、症候性低血圧、起立性低血圧、網膜動脈の血行障害

【副作用】悪心・嘔吐など

アメジニウム　**Amezinium**

【薬理作用】ノルアドレナリンの再取り込み阻害作用とモノアミン酸化酵素（MAO）阻害作用によるノルアドレナリンの不活性化抑制作用により、交感神経機能を亢進させる。

【適用】本態性低血圧、起立性低血圧

【副作用】過敏症、悪心・嘔吐など

ドロキシドパ　Droxidopa

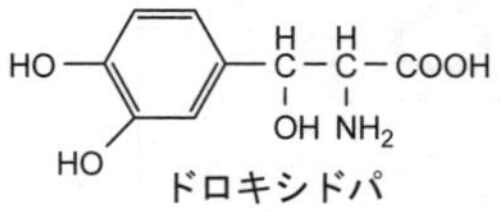

【薬理作用】ノルアドレナリンの前駆体で、生体内に広く存在する芳香族 L-アミノ酸脱炭酸酵素により直接ノルアドレナリンに変換されて作用を示す。

ドロキシドパ

【適用】パーキンソン病（Yahr 重症度ステージ III）におけるすくみ足、たちくらみの改善、シャイドレーガー症候群、家族性アミロイドポリニューロパチー における起立性低血圧、失神、たちくらみの改善、起立性低血圧を伴う血液透析患者におけるめまい等の症状の改善

【副作用】悪性症候群（Syndrome　malin）、 白血球減少、無顆粒球症、好中球減少、血小板減少など

ジヒドロエルゴタミン　Dihydroergotamine

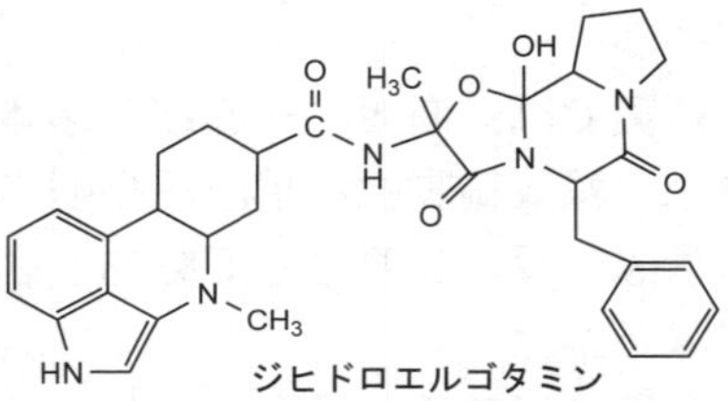

【薬理作用】α受容体のパーシャルアゴニストで、α受容体刺激作用により血管平滑筋を収縮させる。血管に対する緊張作用は、動脈系に比べ、静脈系で著明である。従って血液の静脈滞留を防止する。また、その作用はノルアドレナリンの作用に比べ長く持続する。血管緊張作用は血管緊張が低い場合にあらわれ、血管緊張を安定化する。

ジヒドロエルゴタミン

【適用】片頭痛（血管性頭痛）、起立性低血圧

【副作用】長期連用により、胸膜、後腹膜又は心臓弁の線維症があらわれたとの報告がある。その他に過敏症など

泌尿器・生殖器作用薬

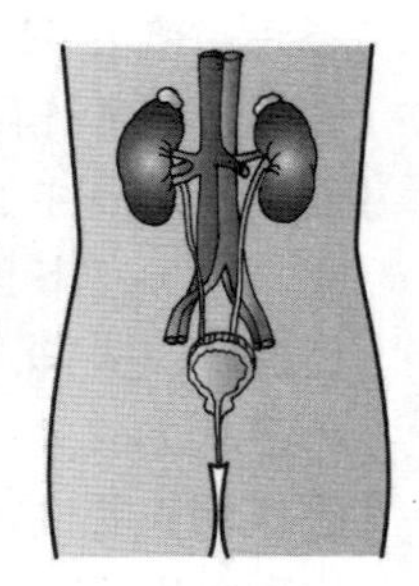

1．利尿薬　Diuretics

利尿薬は、「尿量を増加させる薬物」と定義されるが、単に尿量を増加させる薬物に加えて、水分とともに Na^+、Cl^-の排泄を増加させる薬物が含まれる。尿の生成には腎臓が重要な役割を担っている。

腎臓

腎臓は、体内の水分・電解質の恒常性の維持に最も重要な臓器である。成人の腎臓は約300g であるが、心拍出量の 20 ～ 25 %の血液の供給を受けており、腎血流量は、心拍出量の約 1/5 にあたる。腎臓の構成単位はネフロンと呼ばれ、一側の腎に約 100 万個存在する。

腎臓では、血漿の一部が糸球体ろ過→尿細管再吸収→尿細管分泌を経て尿となる。糸球体は、輸入細動脈と輸出細動脈に挟まれた特殊な毛細血管によってできている。この毛細血管は、毛細血管としてはもっとも高血圧な部分になるため、血液をろ過することが可能となる。

糸球体で血液がろ過されたものが原尿で、通常は、1 日あたり 150 L － 180 L になるが、その約 99%は尿細管（近位尿細管、遠位尿細管、集合管）で再吸収されて体内に戻される。すなわち、尿として排出されるのは、原尿の 1%以内（1 日あたり 1.5 L － 1.8 L）である。

糸球体を構成する主要な細胞として、血管内皮細胞・上皮細胞（タコ足細胞）・メサンギウム細胞の 3 種類があり、以下のような特徴をもつが、それぞれを光学顕微鏡で確実に同定することは難しい。

血管内皮細胞

輸入細動脈、輸出細動脈の内皮から続く血管内皮細胞。他の部分の血管内皮細胞と異なり、細胞自身はざるの目のように孔が空いている。血液はこの孔から外に漏れることができるが、実際は内皮のすぐ外にある基底膜のために、濾過する際に血液がそのまま外に漏れ出ることはない。

上皮細胞（タコ足細胞）

多数の偽足を伸ばして基底膜の周囲を取り囲んでいる。偽足と偽足の隙間は濾過スリットと呼ばれ、基底膜を通過した液体がボーマン嚢に出られるようになっている。なお、ネフローゼ症候群の腎を電子顕微鏡で観察すると、上皮細胞の偽足は平坦化している。この細胞は、ボーマン嚢上皮と繋がっている。

メサンギウム細胞

毛細血管と毛細血管の間のスペースをメサンギウムという。このスペースはメサンギウム細胞とⅣ型コラーゲンで構成されている。メサンギウム細胞の機能は血管を締め付け、糸球体濾過量を調節することである。この細胞は輸入細動脈と繋がっており、同一の起源を持っていると思われている。

腎臓の役割

腎臓は、尿生成だけでなくいくつかの重要な機能を持っている。主な機能として、以下の 4 点が挙げられる。

① 尿の生成
② 造血：エリスロポエチンの産生により赤血球合成を促進
③ 血圧調節：傍糸球体細胞からレニンを遊離し、レニンーアンギオテンシン系により血圧の調節をおこなう。
④ 骨代謝：活性型ビタミンD_3の生成

尿の生成に関係するホルモンとその作用

アルドステロン：副腎から分泌され、体内の Na+濃度調節に関与する。遠位尿細管～集合管（主に皮質部集合管）で、アルドステロン受容体に結合して、Na^+－ K^+交換を促進する。アルドステロン受容体遮断薬は、利尿作用を示す。

バソプレシン：脳下垂体後葉から分泌され、抗利尿ホルモン（antidiuretic hormone：ADH）とも呼ばれる。集合管でバソプレシン V_2 受容体に結合し、水分の再吸収を促進する。V_2 受容体が活性化されるとアデニル酸シクラーゼが活性化され、cAMP 濃度を上昇させる。cAMP は、水チャネルをリン酸化し、これにより、水の再吸収が促進される。ADH 依存性の水チャネル（acuaporin-2）は、6 回膜貫通型のタンパク質である。ADH の分泌が欠乏した状態になると中枢性（下垂体性）尿崩症となる。

利尿薬とは

利尿薬は、「尿量を増加させる薬物」と定義される。利尿薬は、単に尿量（水分量）を増加させる薬物だけではなく水分とともに Na^+、Cl^-の排泄を増加させる薬物がある。以下の 3 つの作用のいずれかにより、利尿効果がもたらされると考えられる。

① 尿細管におけるNa^+と水の再吸収を抑制する

尿細管での Na^+と水または水の再吸収を抑制する。尿細管における能動的あるいは受動的な Na^+と水の再吸収を抑制すると尿量は増加する。ただし、近位尿細管での再吸収抑制だけでは利尿作用はほとんど認められないか非常に弱いものとなる（通常、糸球体ろ液の 50%以上が近位尿細管で再吸収されているがそれ以降の部位に再吸収の余力があるので、近位尿細管で再吸収を抑制してもそれ以降で再吸収される）。

② 膠質浸透圧を高める

糸球体でろ過されるが尿細管から再吸収されない物質は尿細管腔の浸透圧を高めるので Na^+と水の再吸収を抑制する。

③ 腎血流量を増加して糸球体濾過率（GFR）を増加させる

正常に機能している腎臓では GFR が改善しても尿細管の再吸収に余力があるので尿量に大きな変化はない場合が多いが、腎循環不全のような GFR の低下した病態では尿量が増加する。

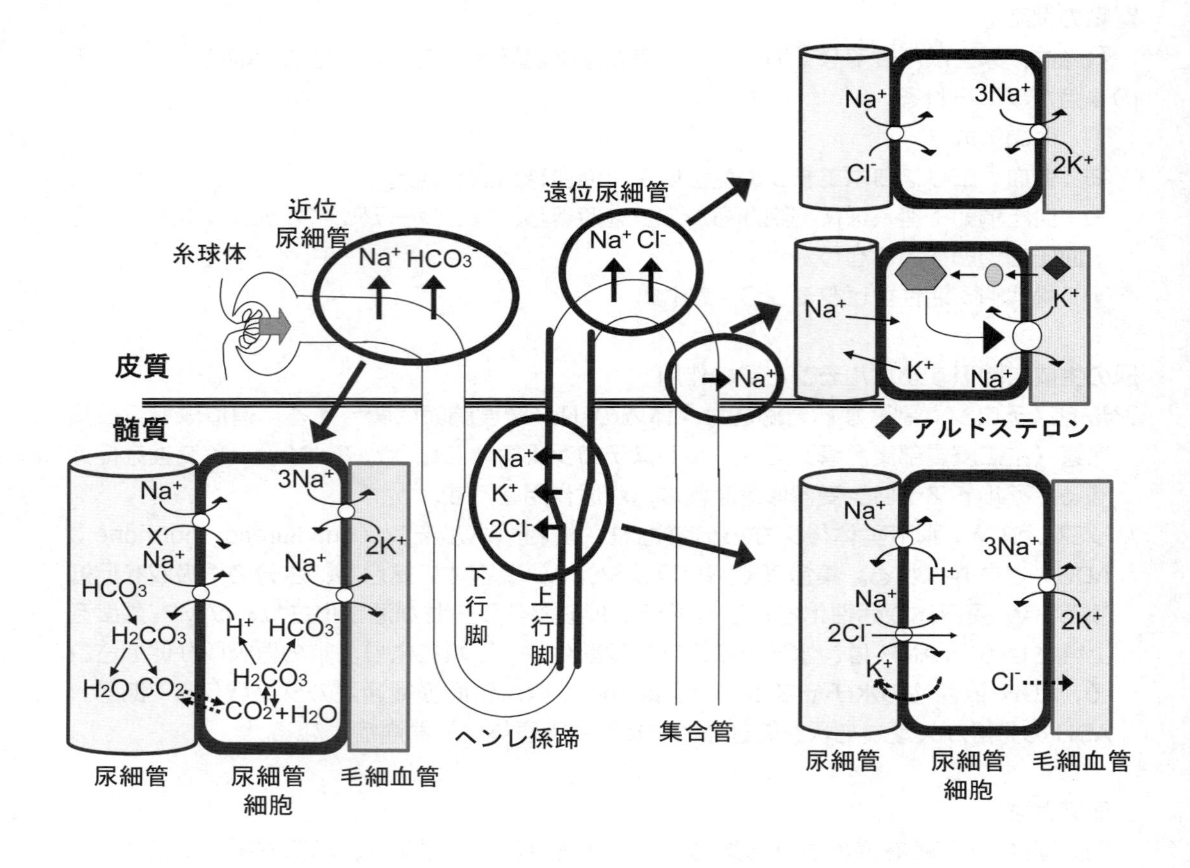

1　尿細管においてNa^+再吸収を抑制する薬物

以下の 1）～ 5）は、いずれも尿細管において Na^+再吸収を抑制する薬物である。これらの薬物は、主に、高血圧症、心性浮腫に用いられる。尿細管に作用する利尿薬投与では、血症カリウム値の変動が問題（副作用）となる。多くの場合、低カリウム血症が問題となる（以下の 1 ～ 4）が、カリウム保持性利尿薬では、高カリウム血症（以下の 5）を起こす可能性がある。また、長期投与により、高血糖、糖尿病悪化、高脂血症、高尿酸血症なども問題となる。

1）炭酸脱水酵素（carbonic anhydorase）阻害薬

化学療法薬スルファニルアミドの副作用（利尿、代謝性アシドーシス）を契機として、炭酸脱水酵素阻害薬が利尿薬として開発された。

【作用機序】 近位尿細管の炭酸脱水酵素を阻害することにより、上皮細胞内の H^+が減少するので H^+と Na^+の交換系が抑制され、Na^+の再吸収が抑制される。HCO_3^-の排泄が増加するため、尿の pH は、アルカリ性となる。

アセタゾラミド　Acetazolamide

アセタゾラミドは、炭酸脱水酵素阻害薬の代表ともいえる薬物で

N—N
CH_2COHN C S C SO_2NH_2
アセタゾラミド

ある。しかし、その後開発された薬物（ループ利尿薬など）より、利尿作用は弱く、持続時間も短いため、アセタゾラミドの臨床での使用は限られてきており、現在は、利尿薬としてはほとんど用いられていない。

【適用】肺気腫における呼吸性アシドーシス、心性浮腫、肝性浮腫、緑内障（眼房水生成を抑制）、抗てんかん薬の補助薬、メニエール病、メニエール症候群など

【副作用用】代謝性アシドーシス（尿はアルカリとなり血液はアシドーシスになる）、低カリウム血症

2）　ループ利尿薬

主要な作用点が、ヘンレ係蹄（ヘンレループ）上行脚にあることから、このように呼ばれている。利尿効果が非常に強いので、天井の高い（high　ceiling）利尿薬とも呼ばれている。フロセミドなどが使用されている。

【作用機序】ヘンレ係蹄上行脚において Na^{+}-K^{+}と $2Cl^{-}$の共輸送系を阻害することにより、Na^{+}と Cl^{-}の再吸収を抑制し尿濃縮機構を抑制する。同時に血管の血流量を増加して髄質の溶質を洗い出して尿濃縮機構を抑制する。また、プロスタグランジンの生成を促進して、腎血流量の増加とレニン分泌増加を起こす。この腎血流量の増加も利尿作用をもたらす要因となる。

フロセミド　Furosemide

スルホンアミド検索中に発見された薬物である。フロセミドは、近位尿細管で有機酸輸送系を介して尿細管腔内に分泌され、作用を示す。フロセミドは、経口投与後 20 分～ 30 分で最大の利尿効果を示し、効果は 3 ～ 4 時間持続する。また、作用強度は弱いが炭酸脱水酵素阻害作用ももつ。血漿タンパク質結合性が高いため、薬物相互作用に注意が必要となる。

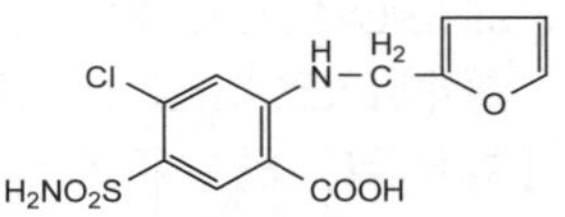

Cl　H　H_2　N－C　O　H_2NO_2S　COOH

フロセミド

【適用】高血圧症（本態性、腎性等）、悪性高血圧、心性浮腫（うっ血性心不全）、腎性浮腫、肝性浮腫、月経前緊張症、末梢血管障害による浮腫、尿路結石排出促進

【副作用】ショック、アナフィラキシー様症状、再生不良性貧血、汎血球減少症、無顆粒球症、赤芽球癆、水疱性類天疱瘡、難聴、中毒性表皮壊死融解症、皮膚粘膜眼症候群、多形紅斑、急性汎発性発疹性膿疱症、心室性不整脈（Torsades de pointes）、間質性腎炎、低カリウム血症、低 Cl^{-}性アルカローシスなど

ブメタニド　Bumetanide、アゾセミド　Azosemide

【適用】共通：心性浮腫、腎性浮腫、肝性浮腫、ブメタニド：癌性腹水

【副作用】脱水症状、代謝異常など

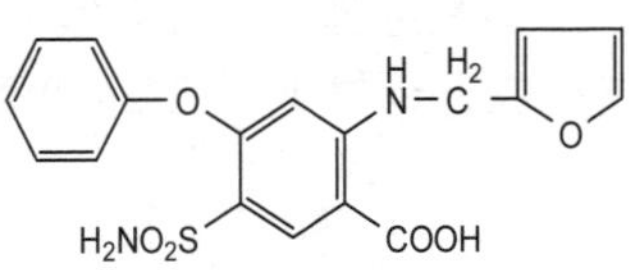

O　H　H_2　N－C　O　H_2NO_2S　COOH

ブメタニド

S　HN　Cl　H N　N　N－N　O S　H_2N　O

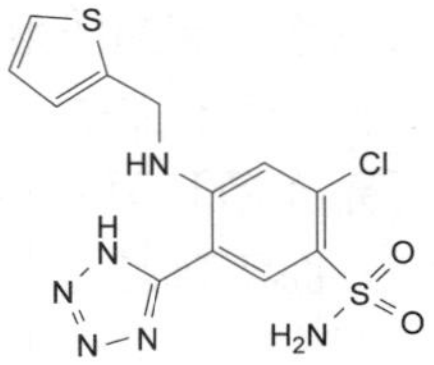

アゾセミド

トラセミド　Torasemide

トラセミドはフロセミドなどとは異なり、アニリノピリジンスルホニルウレア誘導体である。他のループ利尿薬と同様にヘンレ係蹄上行脚で Na^{+}-K^{+}と $2Cl^{-}$の共輸送を阻害して

強力な利尿作用を示すが、トラセミドにはアルドステロン受容体遮断作用があるため、他のループ利尿薬に比べて、低カリウム血症を起こしにくい。また、低用量ではレニン－アンギオテンシン系の賦活作用がフロセミドより弱い。

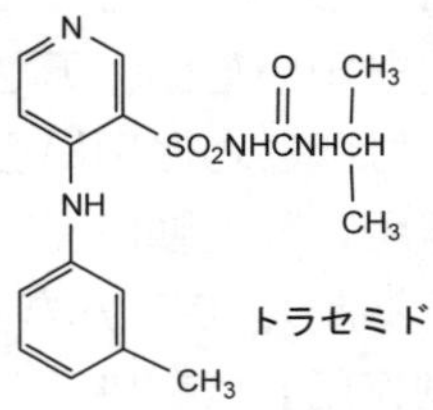

【適用】心性浮腫、腎性浮腫、肝性浮腫

【副作用】肝機能障害、黄疸（頻度不明）、血小板減少、低カリウム血症、高カリウム血症など

トラセミド

3）チアジド（サイアザイド）系利尿薬

炭酸脱水酵素阻害薬の開発研究から生まれてきた薬物で、ベンゾチアジアジン系化合物（チアジド系化合物）である。

【作用機序】遠位尿細管で Na^{+}と Cl^{-}の共輸送系を阻害し、水の再吸収を抑制し、中等度の利尿作用を示す。また、K^{+}の排泄を増加させる。炭酸脱水酵素阻害作用ももつ。さらに慢性投与により、Ca^{2+}の排泄を減少させる。チアジド系利尿薬は、高血圧症などの他、腎性尿崩症に使用されることもある。

ヒドロクロロチアジド　Hydrochlorothiazide

【適用】高血圧症（本態性、腎性等）、悪性高血圧、心性浮腫（うっ血性心不全）、腎性浮腫、肝性浮腫、月経前緊張症、薬剤（副腎皮質ホルモン、フェニルブタゾン等）による浮腫

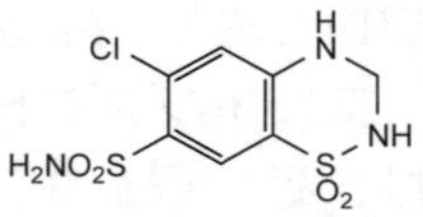

【副作用】再生不良性貧血、溶血性貧血、壊死性血管炎、間質性肺炎、肺水腫、全身性紅斑性狼瘡の悪化、アナフィラキシー、低ナトリウム血症、低カリウム血症、急性近視、閉塞隅角緑内障など

ヒドロクロロチアジド

トリクロルメチアジド　Trichlormethiazide

【適用】高血圧症（本態性，腎性等）、悪性高血圧、心性浮腫（うっ血性心不全）、腎性浮腫、肝性浮腫、月経前緊張症

【副作用】再生不良性貧血、低ナトリウム血症、低カリウム血症など

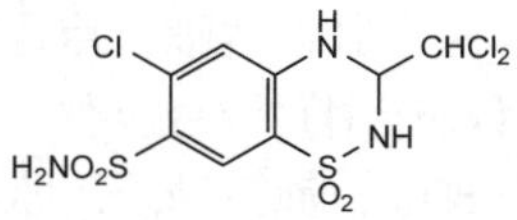

トリクロルメチアジド

ベンチルヒドロクロロチアジド　Benzylhydrochlorothiazide

【適用】高血圧症（本態性、腎性等）、悪性高血圧、心性浮腫（うっ血性心不全）、腎性浮腫、肝性浮腫

【副作用】再生不良性貧血、低ナトリウム血症、低カリウム血症など

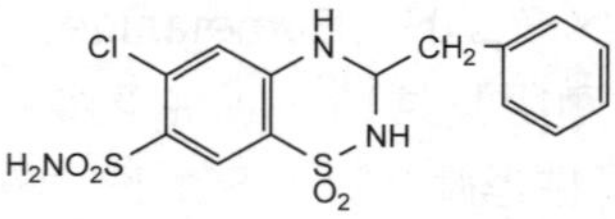

ベンチルヒドロクロルチアジド

尿崩症

尿崩症は、口渇、多飲、多尿（3L/day 以上、多くは 5 ～ 10L/day）などの症状がみられる疾患で中枢性（下垂体性）尿崩症と腎性尿崩症に分けられる。中枢性尿崩症は、ADH の合成・分泌不全によるもので、治療には ADH 誘導体のデスモプレシンが使用され

る（詳細はホルモンと内分泌・代謝疾患の項）。一方、腎性尿崩症は、ADH の合成・分泌は正常範囲であるが、腎臓の ADH に対する感受性が低下することで起こる。治療には、水分摂取量のコントロール下でチアジド系利尿薬が用いられている。尿崩症の治療に利尿薬を用いるのは奇異な感じが否めないが、チアジド系利尿薬の使用により、結果的に尿量の減少が認められる。そのメカニズムは、右図のように結果的に遠位尿細管に到達する原尿の量が減少減少するためと考えられている。

腎性尿崩症とチアジド系利尿薬

遠位尿細管におけるNa⁺、Cl⁻の再吸収抑制
↓
Na⁺、Cl⁻および水分の排泄亢進
↓
有効循環血液量の減少
↓
糸球体濾過量の低下→近位尿細管での再吸収亢進
↓
遠位尿細管に到達する尿量減少
↓
尿量減少

4）チアジド系類似利尿薬（非チアジド系利尿薬）

メフルシド　Mefruside、インダパミド　Indapamide、トリパミド　Tripamide、メチクラン　Meticrane

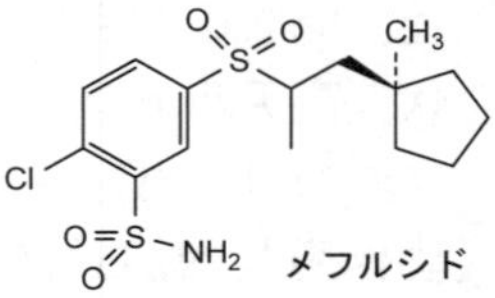

いずれもチアジド系化合物に類似の化合物で、作用機序もチアジド系化合物と同様で、遠位尿細管で Na^+と Cl^-の共輸送系を阻害し、水の再吸収を抑制する。メフルシドは、ヘンレ係蹄においても Na^+の再吸収を抑制し、利尿作用を示す。主な適用は、本態性高血圧である。チアジド系利尿薬と異なり、腎性尿崩症には使用されない。

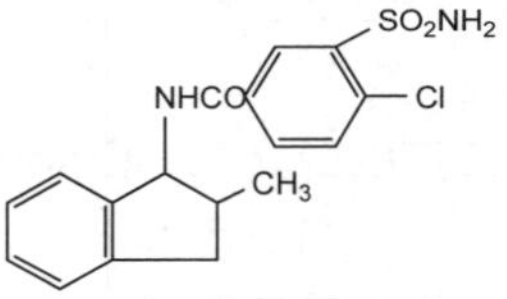

【適用】共通：本態性高血圧症、メフルシド：心性浮腫，腎性浮腫，肝性浮腫

【副作用】共通する重大な副作用は、低ナトリウム血症、低カリウム血症である。また、インダパミドには、皮膚粘膜眼症候群（Stevens-Johnson 症候群）、多形滲出性紅斑が、メチクランには血小板減少 、間質性肺炎、肺水腫が重大な副作用として挙げられている。

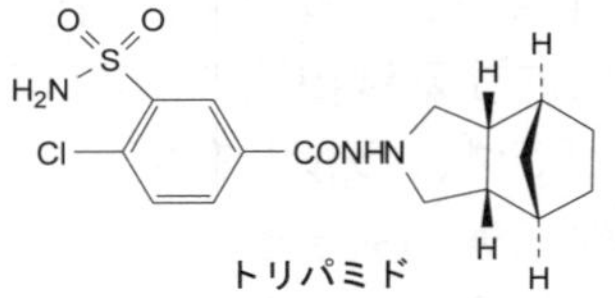

メフルシド

インダパミド

トリパミド

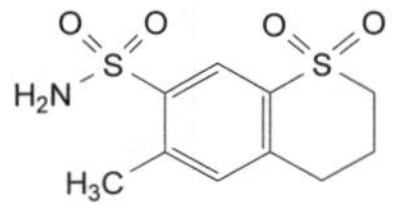

メチクラン

5）カリウム保持性利尿薬

カリウム保持性利尿薬とは、多くの利尿薬が、利尿作用に伴ってカリウムの排泄も促進するので、低カリウム血症をもたらすのに対し、カリウム排泄を伴わない利尿薬で、副作用として高カリウム血症を起こすことがある薬物である。カリウム保持性利尿薬の利尿作用は、いずれもさほど強くないため、他の利尿薬によるカリウムの損失を最小限にするために併用される。カリウム保持性利尿薬には、抗アルドステロン薬とアルドステロン受容体を介さずに作用する薬物がある。

細胞質に存在するアルドステロン受容体は、アルドステロンと結合して核内に移行し、転写因子として機能する。その結果、血管側の Na^+-K^+交換系（Na^+,K^+-ATPase）を活性化するとともに、上皮性 Na^+チャネルと尿細管腔側の K^+チャネルを発現させ、Na^+の再吸収と K^+分泌を促進する。

①抗アルドステロン薬

スピロノラクトン　Spironolactone、カンレノ酸カリウム　Potassium canrenoate

【作用機序】皮質部集合管アルドステロン受容体においてアルドステロンと拮抗する。したがって、アルドステロン濃度が体内で上昇している場合に最も有効である。スピロノラクトンは、体内でカンレノンに変化して作用する。

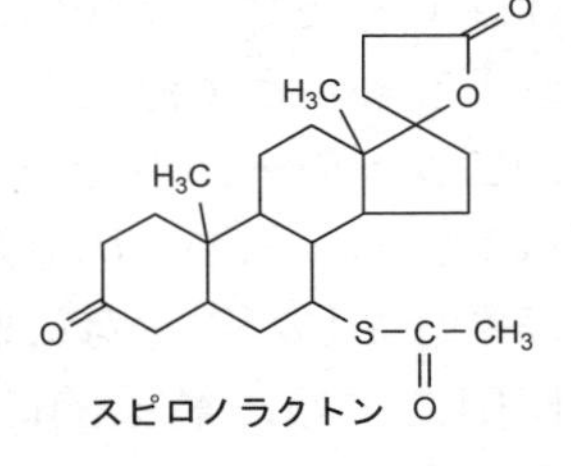

スピロノラクトン

【適応】スピロノラクトン：高血圧症（本態性、腎性等）、心性浮腫（うっ血性心不全）、腎性浮腫、肝性浮腫、特発性浮腫、悪性腫瘍に伴う浮腫および腹水、栄養失調性浮腫、原発性アルドステロン症の診断および症状の改善

カンレノ酸カリウム：経口抗アルドステロン薬の服用困難な原発性アルドステロン症、心性浮腫（うっ血性心不全）、肝性浮腫、開心術および開腹術時における水分・電解質代謝異常の症状（高アルドステロン症によると考えられる）の改善（カンレノ酸カリウムは注射剤のみ）

カンレノ酸カリウム

【副作用】、高カリウム血症、急性腎不全、女性化乳房（抗アンドロゲン作用による）、ショック（カンレノ酸カリウム）など

エプレレノン　Eplerenone

スピロノラクトンより鉱質コルチコイド受容体に選択性が高い遮断薬である。糖質コルチコイド受容体などの他のステロイドホルモン受容体に対する親和性は、鉱質コルチコイド受容体に対する親和性の 1/20 以下であるとされ、臨床量のエプレレノンでは、ラットを用いた試験において、鉱質コルチコイド受容体以外のステロイドホルモン受容体への作用に起因する副作用は認められていない。

エプレレノン

【適応】高血圧症、アンジオテンシン変換酵素阻害薬又はアンジオテンシンⅡ受容体拮抗薬、β遮断薬、利尿薬等の基礎治療を受けている慢性心不全

【副作用】高カリウム血症など

エサキセレノン　Esaxerenone

非ステロイド構造を有する鉱質コルチコイド受容体遮断薬で、鉱質コルチコイド受容体に選択的に結合し、受容体の活性化を阻害し、降圧作用を示す。エサキセレノンの鉱質コルチコイド受容体選択性は高く、糖質コルチコイド受容体等、他のステロイドホルモン受容体に対する親和性を示さず、それぞれの特異的リガンドによる受容体活性化を阻害しなかった。また鉱質コルチコイド受容体を含むすべてのステロイドホルモン受容体に対する活性化能は認められなかった。

エサキセレノン

【適応】高血圧症（エプレレノンと異なり慢性心不全への適応はない）
【副作用】高カリウム血症など

②アルドステロン受容体と無関係なカリウム保持性利尿薬

トリアムテレン　Triamterene

【作用機序】遠位曲尿細管、接合集合管において、Na^+チャネルを抑制する。その結果、管腔内の電位が陰性から0 mV に近づき、K^+の分泌が減少する。

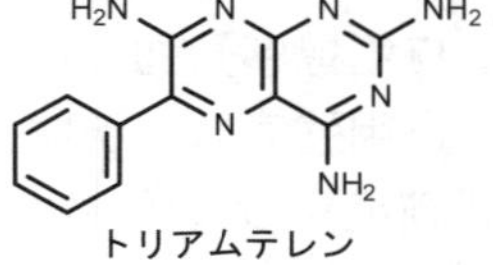

トリアムテレン

【適応】高血圧症（本態性、腎性等）、心性浮腫（うっ血性心不全）、腎性浮腫、肝性浮腫

【副作用】：急性腎不全、高カリウム血症、悪心、嘔吐、頭痛、めまいなど

2　その他の利尿薬

①　浸透圧利尿薬

D-マンニトール　D-mannitol、グリセリン　Glycerin、イソソルビド　Isosorbide

非電解質で、糸球体で自由に濾過されるが尿細管で再吸収されない（非常に受けにくい）物質である。

【作用機序】尿細管の浸透圧が高くなると、等張性を保つために Na^+と水の再吸収が抑制され、利尿作用を起こす。

【適用】心血管の手術、重症外傷により糸球体濾過が減少したような場合に、腎不全予防の目的で使用される。
脳浮腫による頭蓋内圧亢進の予防・緩解

【禁忌】心機能不全の患者ではうっ血性心不全や肺浮腫を起こすので禁忌（心臓に負担をかける）

② 心房性ナトリウム利尿ペプチド（α-human atrial natriuretic peptide）

心房性ナトリウム利尿ペプチドは、ネフロン内では糸球体と集合管に多く存在する。

カルペリチド（心不全の項参照）：心原性ショック、などの急性心不全に静注点滴で適用されるが、利尿作用もフロセミドの 100 倍と強い。その他平滑筋弛緩作用、降圧作用がある。

③　バソプレシン V_2 受容体遮断薬

トルバプタン　Tolvaptan

【作用機序】バソプレシン V_2 受容体を遮断し、腎集合管でのバソプレシンによる水再吸収を阻害することにより、選択的に水を排泄し、電解質排泄の増加を伴わない利尿作用（水利尿作用）を示す。

および鏡像異性体

トルバプタン

【適用】ループ利尿薬等の他の利尿薬で効果が不十分な心不全における体液貯留に他の利尿薬（ループ利尿

薬、チアジド系利尿薬、抗アルドステロン薬等）と併用して使用する。

【禁忌】 本剤の成分又は類似化合物（モザバプタン塩酸塩等）に対し過敏症の既往歴のある患者の他、無尿の患者、口渇を感じないか水分摂取が困難な患者、高ナトリウム血症の患者、妊婦又は妊娠している可能性のある婦人に禁忌

④ キサンチン誘導体

キサンチン誘導体も利尿作用を示す。

【作用機序】 強心作用と腎血管拡張作用により腎血流量が増加する。

作用強度は、テオフィリン＞テオブロミン＞カフェインの順である。

【適用】 うっ血性心不全、気管支ぜん息

【副作用】：心悸亢進

2. 泌尿器・生殖器作用薬

1）膀胱の機能の障害とその治療薬

膀胱は、内容積が約 400mL（成人）と考えられ、その機能は、蓄尿と排尿である。正常状態では、蓄尿時には膀胱が弛緩し尿道括約筋が収縮しており、排尿時には、逆に膀胱が収縮し尿道括約筋が弛緩する。何らかの原因によりこのような膀胱および尿道括約筋の収縮・弛緩の調節が乱れると、尿意切迫、尿失禁、頻尿、排尿障害（尿が出にくい）など

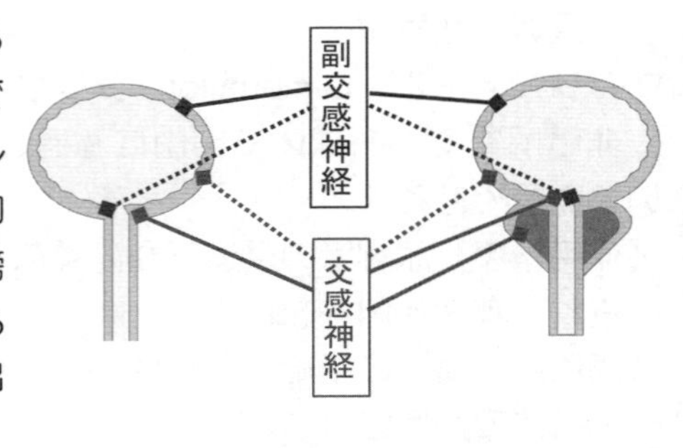

さまざまな症状が出現する。以下に治療薬の一部を示す。

抗コリン作用薬

膀胱平滑筋にはムスカリン M_2 受容体および M_3 受容体が存在するが、M_3 受容体が排尿筋収縮に直接関与することが明らかにされている。すなわち、アセチルコリンは、膀胱平滑筋においてムスカリン M_3 受容体を刺激して膀胱を収縮させる。したがって、ムスカリン M_3 受容体を遮断する薬物は、膀胱の収縮を抑制する薬物となり、過活動膀胱の診断・治療ガイドラインでも抗コリン薬は、第一選択薬に挙げられている。抗コリン薬は、蓄尿量が少ないにも関わらず起こる排尿を抑制するために使用される。また、最近は、ムスカリン M_3 受容体に選択性の高い薬物が開発されている。

オキシブチニン　Oxybutynin

【作用機序】 抗ムスカリン作用により、排尿を抑制する。また、カルシウム拮抗作用があり、これも排尿抑制に関与するとされている。

オキシブチニン

【適用】 神経因性膀胱や不安定膀胱（無抑制収縮を伴う過緊張性膀胱状態）における頻尿、尿意切迫感、尿失禁

【副作用】血小板減少、麻痺性イレウスなど。 2013 年に副作用を軽減する目的で経皮吸収型貼付剤（テープ：下腹部、腰部または大腿部に貼付）が発売された。

プロピベリン Propiverine

【作用機序】抗ムスカリン作用により、排尿を抑制する。また、膀胱平滑筋直接作用があり、これも排尿抑制に関与するとされている。

【適用】神経因性膀胱、神経性頻尿、不安定膀胱、膀胱刺激状態（慢性膀胱炎、慢性前立腺炎）における頻尿、尿失禁

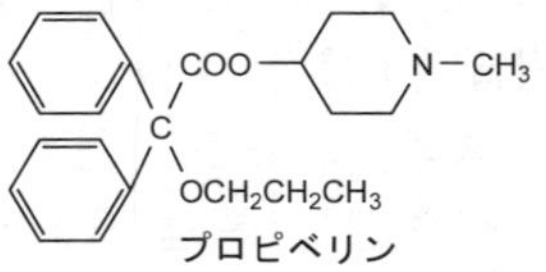

【副作用】急性緑内障発作、尿閉、麻痺性イレウス、幻覚・せん妄、腎機能障害、横紋筋融解症、血小板減少、皮膚粘膜眼症候群（Stevens-Johnson 症候群）、QT 延長、心室性頻拍、肝機能障害、黄疸など

プロピベリン

トルテロジン Tolterodine

【作用機序】トルテロジン及びその代謝産物 5-ヒドロキシメチルトルテロジン（5-HMT）の抗ムスカリン作用により、膀胱の収縮を抑制する。トルテロジンは、CYP2D6 により 5HMT になるため、各人の CYP2D6 活性の差（欠損または低いなど）が血中のトルテロジンと 5-HMT の濃度に影響を及ぼすが、両者のムスカリン受容体を介した作用がほぼ同等のため、薬効は、各人の CYP2D6 活性の差をほとんど受けないと考えられている。

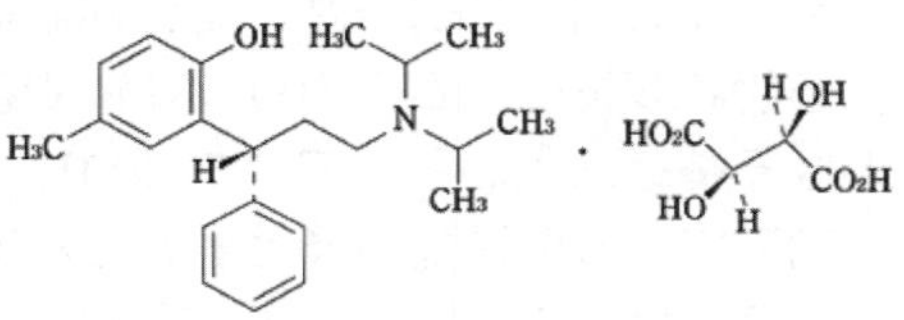

【適用】過活動膀胱における尿意切迫感、頻尿および切迫性尿失禁

【副作用】アナフィラキシー様症状、尿閉など

フェソテロジン Fesoterodine

【作用機序】フェソテロジンは経口投与後、非特異的エステラーゼにより、速やかに活性代謝物である 5-ヒドロキシメチルトルテロジン（5-HMT）に加水分解され、5-HMT がムスカリン受容体を遮断し、膀胱平滑筋を弛緩させる。フェソテロジン自体にもムスカリン受容体遮断作用があるが、フェソテロジンのムスカリン受容体に対する親和性は、5-HMT のと比べ 100 倍以上弱い。また、ヒトにおいてフェソテロジンは速やかに代謝されるため、経口投与後に血漿中で検出されない。したがってフェソテロジン投与による膀胱収縮抑制作用は、5-HMT によるものと考えられている。

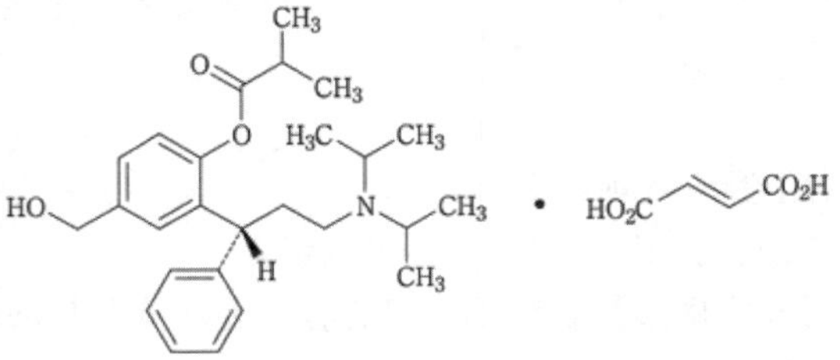

【適用】過活動膀胱における尿意切迫感、頻尿及び切迫性尿失禁

【副作用】尿閉、血管浮腫など

ソリフェナシン　**Solifenacin**

【作用機序】 ソリフェナシンは、ムスカリン性 M_3 受容体に対して選択性の高い遮断薬であり、M_3 受容体を遮断して膀胱の過緊張状態を抑制し、過活動膀胱における尿意切迫感、頻尿及び切迫性尿失禁を改善する。

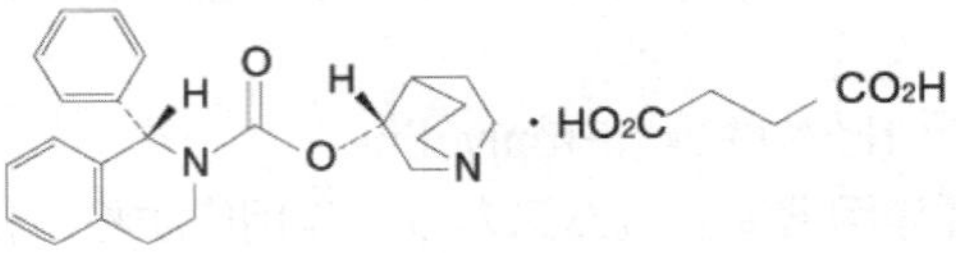

【適用】 過活動膀胱における尿意切迫感、頻尿及び切迫性尿失禁

【副作用】 ショック、アナフィラキシー 、肝機能障害、尿閉 尿閉、QT 延長、心室頻拍、房室ブロック、洞不全症候群、高度徐脈 QT 延長、心室頻拍（Torsades de Pointes を含む）、房室ブロック、洞不全症候群、高度徐脈、麻痺性イレウス 麻痺性イレウス、幻覚・せん妄など

イミダフェナシン　**Imidafenacin**

【作用機序】 イミダフェナシンは、ムスカリン M_1 受容体および M_3 受容体に対して選択性の高い遮断薬である。アセチルコリンによる膀胱収縮は、ムスカリン M_3 受容体を介しているが、膀胱における神経終末からのアセチルコリン遊離はムスカリン M_1 受容体刺激により促進されると考えられている。イミダフェナシンは、ムスカリン M_1 受容体および M_3 受容体を遮断し、アセチルコリン遊離と膀胱平滑筋収縮をともに抑制する。

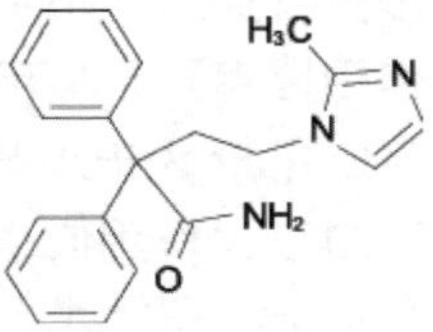

【適用】 過活動膀胱における尿意切迫感、頻尿及び切迫性尿失禁

【副作用】 急性緑内障、尿閉、肝機能障害など

アドレナリンβ受容体刺激薬

アドレナリンβ受容体を刺激して膀胱平滑筋を弛緩させる。以前から β_2 受容体刺激薬が使用されていたが、最近、膀胱平滑筋の収縮における β_3 受容体の役割が着目されるようになり、現在は、β_3 受容体刺激薬が開発されて、膀胱平滑筋弛緩薬として使用されるようになっている。

β_2 受容体刺激薬

クレンブテロール　**Clenbuterol**

【作用機序】 膀胱平滑筋の β_2 受容体を刺激し、膀胱平滑筋を弛緩させる。

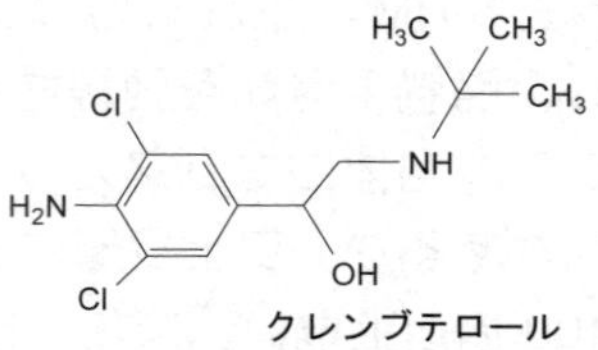

【適用】 腹圧性尿失禁

【副作用】 重篤な血清カリウム値の低下など

クレンブテロール

β_3 受容体刺激薬

ミラベグロン　**Mirabegron、ビベグロン Vibegron**

【作用機序】 膀胱平滑筋の β_3 受容体を刺激し、膀胱平滑筋を弛緩させる。ミラベグロンは、β_1 受容体や β_2 受容体に比べ、β_3 受容体に選択性が高い刺激薬である。

【適用】過活動膀胱における尿意切迫感、頻尿及び切迫性尿失禁
【副作用】尿閉など

ミラベグロン

ビベグロン

平滑筋に直接作用する薬物

フラボキサート　Flavoxate

【作用機序】膀胱平滑筋に直接作用し、収縮を抑制する。
【適用】神経性頻尿、慢性前立腺炎、慢性膀胱炎に伴う頻尿、残尿感
【副作用】ショック、アナフィラキシー様症状、肝機能障害、黄疸など

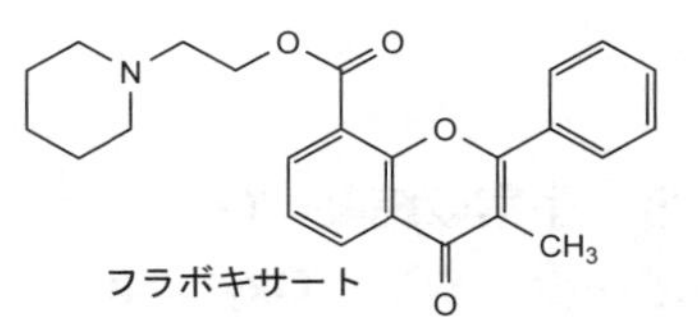

フラボキサート

アドレナリン α_1 受容体遮断薬

ヒトの前立腺にはアドレナリン α_{1A} 受容体が多く存在するが、この α_{1A} 受容体が遮断されると前立腺・前立腺部尿道の平滑筋を弛緩させ、尿道内圧を低下させて排尿困難を改善する。タムスロシンの他、ナフトピジル、シロドシン、プラゾシン、ウラピジルなどいくつかの α_1 受容体遮断薬に前立腺肥大症に伴う排尿障害の適用がある。タムスロシンは、我が国で開発された薬物で α_{1A} 受容体に選択性の高い遮断薬である。

タムスロシン　Tamsulosin

【適用】前立腺肥大症に伴う排尿障害
【副作用】失神・意識喪失、肝機能障害、黄疸など

タムスロシン

植物製剤

エビプロスタット　Eviprostat

オオウメガサソウエキス、ハコヤナギエキス、セイヨウオキナグサエキス、スギナエキスを含む植物製剤で排尿機能改善作用、抗炎症作用、尿路消毒殺菌作用等をもち、前立腺肥大に伴う排尿困難、残尿及び残尿感、頻尿に使用される。副作用は比較的少なく、重大な副作用に指定されているものはない。

2）勃起不全治療薬

シルデナフィル　Sildenafil、バルデナフィル　Valdenafil、タダラフィル　Tadalafil

【作用機序】サイクリック GMP を分解する酵素であるホスホジエステラーゼ 5 型（PDE-5）を選択的に阻害し、細胞内 cGMP 含量を高める。cGMP は、陰茎海綿体平滑筋および関連小動脈を弛緩させて陰茎を勃起させる。

シルデナフィル

【適用】勃起不全（満足な性行為を行うに十分な勃起とその維持が出来ない患者）

＊　シルデナフィルおよびタダラフィルの一部の製剤には肺動脈性肺高血圧症に適用がある。

【副作用】循環器症状（心筋梗塞、低血圧、失神、頻脈、血管拡張など）、頭痛など

【禁忌】硝酸薬投与中の患者

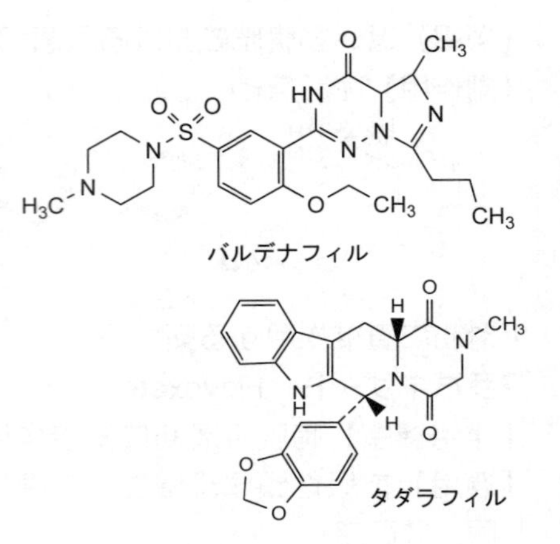

3）子宮収縮薬　Oxytocics

オキシトシン　Oxytocin

下垂体後葉ホルモンで子宮筋に作用して子宮の律動的な収縮を起こさせる。オキシトシンには妊娠末期と分娩直後に感受性が最大となる。

【適用】分娩誘発、微弱陣痛、弛緩出血、胎盤娩出前後、子宮復古不全、帝王切開術（胎児の娩出後）、流産、人工妊娠中絶の子宮収縮の誘発、促進ならびに子宮出血の治療に原則として点滴静注法により使用

【副作用】ショック、過強陣痛、子宮破裂、頸管裂傷、羊水塞栓症、微弱陣痛、弛緩出血、胎児仮死など

プロスタグランジン

プロスラグランジン（PG）は、$PGF_{2\alpha}$、 PGE_2 が妊娠のどの時期の子宮に対しても収縮作用を示し分娩を誘発するので、妊娠中期の人工流産、分娩誘導に使用される。ただし、両者の非妊娠子宮に対する作用は逆で、$PGF_{2\alpha}$ は、非妊娠子宮も収縮させるが、PGE_2 は非妊娠子宮に対しては弛緩作用を示す。

ジノプロストン　Dinoprostne（PGE_2）

【適用】妊娠末期における陣痛誘発ならびに陣痛促進

【副作用】過強陣痛、胎児仮死徴候など

ジノプロスト　Dinoprost（$PGF_{2\alpha}$）

【適用】妊娠末期における陣痛誘発ならびに陣痛促進、治療的流産

【副作用】心室細動、心停止、ショック、呼吸困難、過強陣痛、胎児仮死徴候など

ゲメプロスト　Gemeprost（PGE_1）

【適用】妊娠中期における治療的流産

【副作用】子宮破裂、子宮頸管裂傷、子宮出血、心筋梗塞など

麦角アルカロイド

エルゴメトリン　Ergometorine、メチルエルゴメトリン　Methylergometorine

α遮断作用が弱く、子宮平滑筋に選択的に作用して子宮を持続的に収縮させ、子宮血管

を圧迫して止血効果を示す。メチルエルゴメトリンの子宮収縮作用はエルゴメトリンよりやや強く、作用持続時間も長いが、血圧上昇作用はエルゴメトリン、エルゴタミンより弱い。

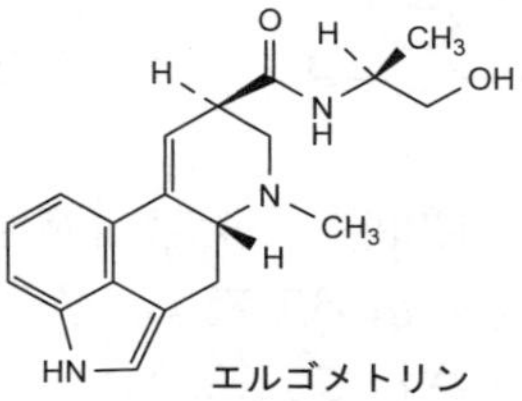

【適用】胎盤娩出後、子宮復古不全、流産、人工妊娠中絶の子宮収縮の促進ならびに子宮出血の予防および治療。持続的に収縮させるので陣痛促進には使わない。

【副作用】アナフィラキシー様症状、心筋梗塞、狭心症、冠動脈攣縮、房室ブロックなど

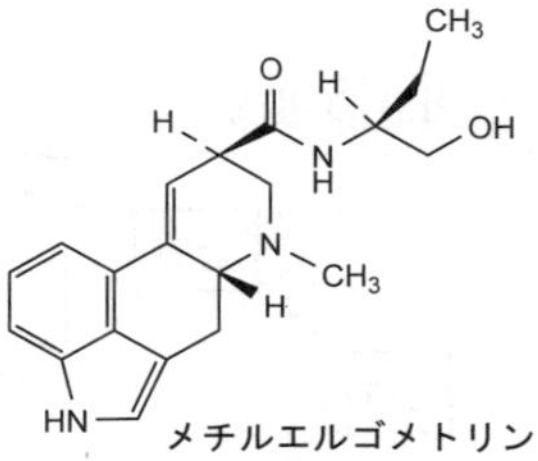

エルゴメトリン

メチルエルゴメトリン

4）子宮弛緩薬　Uterine-relaxing agents

リトドリン　Ritodrine（β_2 受容体刺激薬）

【適用】切迫流・早産

【作用機序】子宮筋のβ_2受容体を刺激して子宮運動を抑制する。

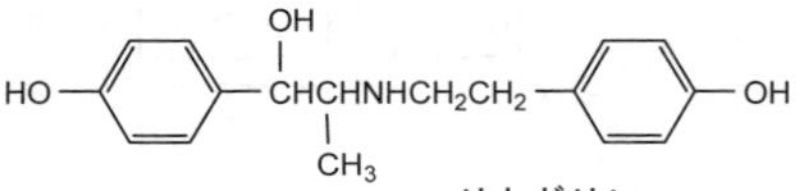

【副作用】横紋筋融解症、汎血球減少、血清カリウム値の低下、新生児腸閉塞、高血糖，糖尿病性ケトアシドーシスなど

リトドリン

ピペリドレート　Piperidolate（ムスカリン受容体遮断薬）

【適用】切迫流・早産における諸症状の改善

【作用機序】合成のムスカリン受容体遮断薬で子宮筋を弛緩させる。ピペリドレートには胃運動亢進の抑制作用もあり、胃・十二指腸潰瘍、胃炎、腸炎、胆石症、胆のう炎、胆道ジスキネジーの痙れん性疼痛にも使用される。

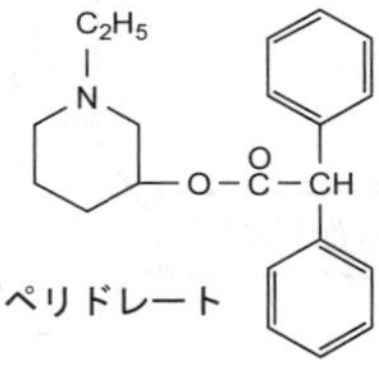

【副作用】肝機能障害，黄疸など

ピペリドレート

硫酸マグネシウム　magnesium sulfate（硫酸マグネシウム・ブドウ糖配合剤）

【適用】切迫早産における子宮収縮の抑制、子癇

【作用機序】血中のMg^{2+}濃度が上昇し、Ca^{2+}濃度との平衡がくずれて、中枢神経系の抑制と骨格筋弛緩が起こる。また、急速静注により、Mg^{2+}が神経筋接合部におけるアセチルコリンの放出を阻害し、神経インパルスの伝達を遮断して骨格筋弛緩を起こし、麻酔様状態になると考えられている。

【副作用】マグネシウム中毒（眼瞼下垂、膝蓋腱反射消失、筋緊張低下、心電図異常、呼吸数低下、呼吸困難など）、心（肺）停止、呼吸停止、呼吸不全、横紋筋融解症、肺水腫、イレウス（腸管麻痺）など

流産とは、妊娠22週未満の妊娠中絶をいい、早産とは妊娠22週から37週未満の妊娠中絶をいう。

血液・造血器系に作用する薬物

血液：正常な血液は、容積の約45%が血球成分で残りが血漿成分である。血球成分は、いずれも造血幹細胞より生成されている。

血液の組成

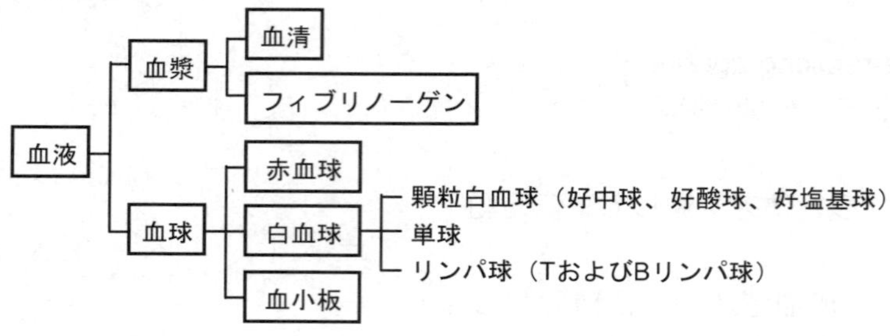

血球の生成

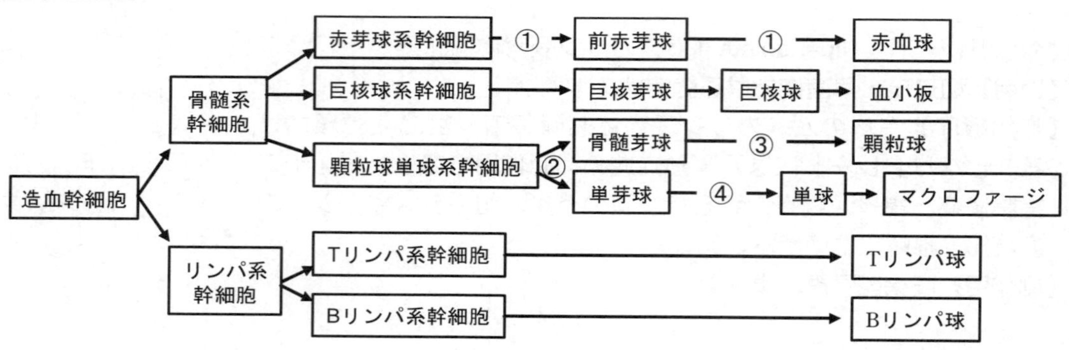

造血因子：①エリスロポエチン、②GM-CSF（顆粒球マクロファージ刺激因子）、③G-CSF（顆粒球刺激因子）、④M-CSF（マクロファージ刺激因子）

造血薬

血液・造血器系に作用する薬
SBO 3　代表的な造血薬を挙げ、作用機序と主な副作用について説明できる。

血液成分の産生を促進する薬物を造血薬という。以前は、造血薬とは、赤血球の産生を促進する薬物（貧血治療薬）をさしていたが、最近は、白血球や血小板の産生を促進する薬物も含む。

貧血治療薬

貧血は、単位容積血液に含まれる赤血球数、ヘモグロビン量、ヘマトクリット値のいずれかが正常値を下回った状態である。貧血の原因や病態によって治療法（治療薬）も異なる。赤血球の産生過程と貧血の関係を表にまとめた。

赤血球の産生と貧血

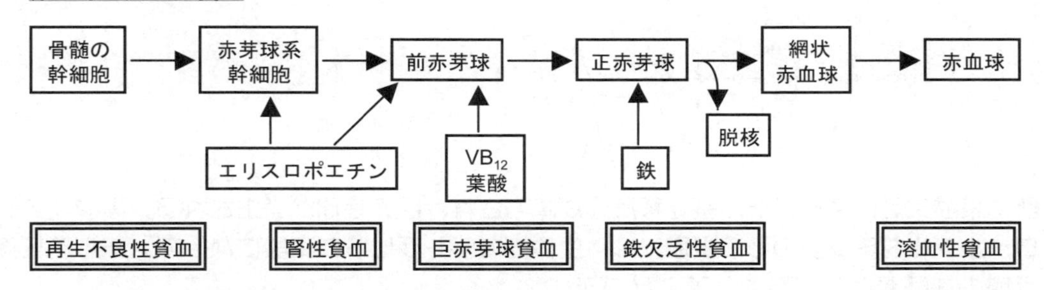

赤血球は、骨髄を離れて血流に入る直前に核を失う（脱核）。その後、ミトコンドリアとリボゾームも失い、成熟赤血球となる。

鉄欠乏性貧血

鉄は、ヘモグロビンの構成因子で、通常、必要量は食事から摂取されるが、何らかの原因で、需要に供給が追いつかないと鉄欠乏性貧血になる。まず、貯蔵鉄（血清フェリチン）が減少し、ついで血清鉄（トランスフェリン結合鉄）が減少して貧血になる。治療には鉄剤を経口投与するが、鉄剤で増悪する疾患があったり消化器症状の副作用が強いなど経口投与が困難な場合や、急速に貧血を改善しなければいけない場合には注射剤を使用する。注射剤はショックを起こすことがあるのでゆっくり静注する必要がある。

鉄剤：硫酸第一鉄、フマル酸第一鉄、クエン酸第一鉄（3価より2価の方がよい）など。内服では胃液の作用で$FeCl_2$となって小腸から吸収される。貯蔵鉄まで回復させるために貧血症状が消失してもしばらくは服用する。

【副作用】悪心・嘔吐、食欲不振など

巨赤芽球性貧血

ビタミンB_{12}（VB_{12}）や葉酸が欠乏すると、DNAの合成が障害を受け、核が未成熟で、細胞質だけが成熟した巨赤芽球が産生されるようになる。これを巨赤芽球性貧血という。VB_{12}の吸収には、胃粘膜の内因子が必要であるので、内因子が不足すると摂取量が多くても吸収されず、VB_{12}不足となって、巨赤芽球性貧血になる。このように内因子の不足によって起こる貧血（巨赤芽球性貧血）を悪性貧血という。

VB_{12}製剤：VB_{12}欠乏患者には、VB_{12}製剤（メコバラミン、シアノコバラミン、ヒドロキソコバラミンまたはコバマイド）を投与する。悪性貧血患者は、VB_{12}の吸収に必要な胃粘膜の内因子が欠乏しているので、筋肉注射で投与する。悪性貧血患者に対し、VB_{12}は著効を示し、投与数時間で骨髄巨赤芽球の正常化が始まる。

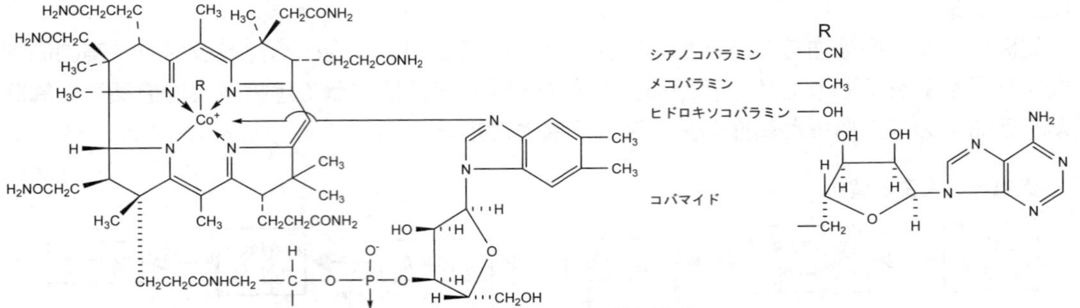

	R
シアノコバラミン	—CN
メコバラミン	—CH_3
ヒドロキソコバラミン	—OH
コバマイド	

ビタミンB_{12}

葉酸：葉酸欠乏によりメチル基転移反応が障害され、巨赤芽球が産生される。葉酸（プテロイルグルタミン酸の形で摂取）は、生体内でテトラヒドロ葉酸になってメチル基転移反応の補酵素として働く。アミノプテリンやメトトレキサートによる葉酸欠乏に対しては葉酸は無効で、この場合はテトラヒドロ葉酸またはホリン酸を投与する。

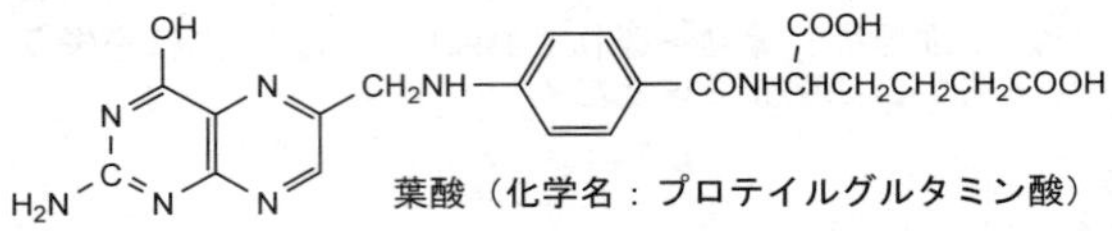

葉酸（化学名：プロテイルグルタミン酸）

腎性貧血

エリスロポエチン　赤芽球形成細胞からの分化・増殖の障害。酸素分圧低下時に腎の遠位尿細管周囲細胞から分泌されるサイトカインの1種で、シアル酸を含む糖タンパクで質であり、分子量は約34,000で、血中のlife spanは4〜5時間である。エリスロポエチンは、赤芽球コロニー形成細胞から前赤芽球への分化に必須の因子であるが、慢性腎不全になると腎から分泌されるエリスロポエチンの産生が低下して腎性貧血といわれる状態になり、エリスロポエチンの補充が必要となる。現在、エリスロポエチン製剤には、以下の4種があり、慢性腎疾患にともなう貧血に用いられている。

エポエチンアルファ　**Epoetin Alfa**、エポエチンベータ　**Epoetin Beta**

両者ともヒト肝細胞由来のエリスロポエチンの遺伝子組換え体で、アミノ酸残基は165と同一であるが、分子量は、エポエチンアルファが37,000〜42,000、エポエチンベータが約30,000である。

【副作用】ショック、アナフィラキシー様症状、高血圧性脳症、脳出血、心筋梗塞、肺梗塞、脳梗塞、赤芽球癆、肝機能障害、黄疸など

ダルベポエチンアルファ　**Darbepoetin Alfa**

肝細胞由来のエリスロポエチンの5箇所のアミノ酸残基を変えて糖鎖の割合を増加させ、半減期を長くした製剤である。

【副作用】　脳梗塞 、脳出血、肝機能障害、黄疸、高血圧性脳症、ショック、アナフィラキシー様症状、赤芽球癆心筋梗塞、肺梗塞など

エポエチンベータペゴル **Epoetin Beta Pegol**

エポエチンベータに1分子の直鎖メトキシポリエチレングリコール分子を化学的に結合させ、長時間持続型とした製剤である。

【副作用】 脳出血、心筋梗塞、高血圧性脳症、ショック、アナフィラキシー様症状、赤芽球癆など

再生不良性貧血（骨髄障害）

タンパク同化ステロイド（ホルモンと内分泌・代謝疾患の項参照）や、免疫抑制薬（免疫と炎症に関連する薬物の項参照）などが用いられている。タンパク同化ステロイドは、その投与により赤血球産生を促進させる。

溶血性貧血

赤血球膜上の抗原に対してなんらかの原因で自己抗体が作られる自己免疫疾患であるが、病型や原因はさまざまである。薬物治療には、主に副腎皮質ホルモン製剤が使用されている。

白血球減少症治療薬

抗ガン薬の投与やX線の照射および再生不良性貧血などにおいては、白血球の減少がしばしば認められる。白血球減少症治療には、Granulocyte-colony stimulating factor（G-CSF）製剤およびMacrophage-colony stimulating factor（M-CSF）製剤が用いられる。

G-CSF：G-CSFは、顆粒球系幹細胞に作用し好中球の産生を促進するとともに末梢好中球の機能を亢進させる。アミノ酸数174の**レノグラスチム Lenograstim**および175の**フィルグラスチム Filgrastim**と**ナルトグラスチム Naltograstim**、の3製剤が用いられており、いずれも遺伝子組換え体である。

【副作用】3薬に共通：ショック 、間質性肺炎、 急性呼吸窮迫症候群、レノグラスチムおよびフィルグラスチム：芽球の増加、脾破裂など

M-CSF：M-CSFは、単球、マクロファージ系の前駆細胞に作用し、分化・増殖を促進させる。また、成熟細胞に作用して、G-CSFやGM-CSFを産生させる。ヒト尿より精製される214個のアミノ酸残基からなる蛋白質のホモ2量体で構成される糖蛋白質（分子量：約84,000）の**ミリモスチム mirimostim**が使用されている。

【副作用】ショックなど

特発性血小板減少性紫斑病（idiopathic thrombocytopenic purpura：ITP）治療薬（トロンボポエチン受容体刺激薬）

ITPとは、明らかな基礎疾患や原因の認められない後天性の血小板減少症である。

ITP患者では血小板が減少するにも関わらず、血小板の前駆細胞の増殖および分化に関与するトロンボポエチンが十分に増加しないことがわかっていた。そこで、内因性のトロンボポエチンに代わって受容体を刺激し、巨核球系の造血作用を促進して血小板の産生を

亢進させる薬物の開発が進められた結果、現在、以下の2種の薬物が使用されるようになっている。なお、再生不良性貧血においても血小板減少はみられるが、再生不良性貧血の場合は、ITPの場合とは異なり、通常、血小板数が減少すると血中トロンボポエチン濃度は高くなる。

エルトロンボパグ　Eltrombopag

トロンボポエチン受容体の膜貫通ドメインとの特異的な相互作用を介して、トロンボポエチンの細胞内情報伝達経路の一部を活性化することにより骨髄前駆細胞から巨核球に至る過程における細胞の増殖及び分化を促進させ、その結果として血小板数を増加させる。経口投与で使用する。

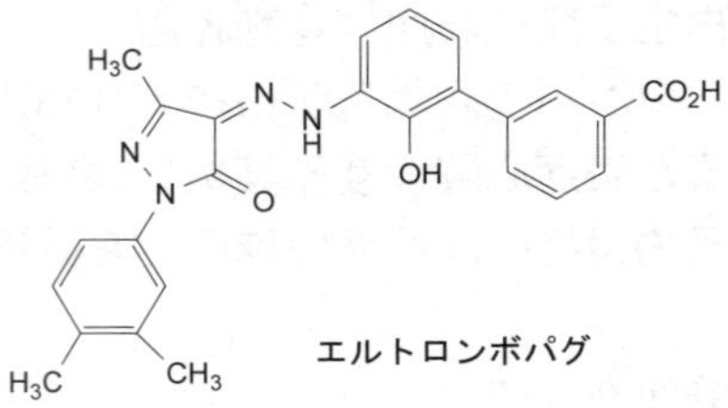

H_3C　N　N　H　CO_2H　N　N　O　OH　H_3C　CH_3

エルトロンボパグ

【副作用】肝機能障害、血栓塞栓症、出血、骨髄線維化など

ロミプロスチム　Romiplostim

ロミプロスチムは、遺伝子組換えFc-ペプチド融合タンパク質で、2～228番目はヒトIgG1のFc領域、229～269番目はヒトトロンボポエチン受容体結合配列を含むペプチドからなり、このペプチド2分子から構成されるタンパク質である。ロミプロスチムは、トロンボポエチン受容体の細胞膜外ドメインに結合して、受容体の立体構造を変化させ、細胞内の情報伝達系を活性化させる。

【副作用】血栓症・血栓塞栓症、骨髄レチクリン増生、出血など

発作性夜間ヘモグロビン尿症治療薬

発作性夜間ヘモグロビン尿症は、造血細胞の後天的遺伝子変異により、補体による血管内溶血が起こる希少血液疾患で、症状としてヘモグロビン尿、貧血による全身倦怠感、動悸、息切れなどが生じる。そこで、患者の終末補体複合体を阻害することで、補体活性化による赤血球の破壊、つまり溶血を阻害する薬物の開発が進められた結果、現在、エクリズマブが臨床応用にまで至っている。

エクリズマブ　Eculizumab

エクリズマブは、遺伝子組換えヒト化モノクローナル抗体で、補体カスケードにおけるヒトC5に特異的に結合して開裂を阻害し、溶血を抑制する。エクリズマブは、マウス抗ヒト補体C5 α 鎖抗体の相補性決定部およびヒトフレームワーク部からなる改変部、ならびにヒトIgG由来定常部からなる。

【副作用】髄膜炎菌感染症、Infusion　reaction（ショック、アナフィラキシー様症状等）など

血液凝固系に関連する薬物

血液は、凝固系と線溶系（溶解系）のバランスを保ってスムーズな流れを維持しているが、そのバランス崩れて血液が凝固しやすくなったり、逆に出血しやすくなったりした場合には治療が必要となる。

血液凝固と抗血栓薬

血栓形成：血栓形成は、血管損傷部位（内皮がはがれて内皮下組織がむき出しになっている）に血小板が粘着、凝集することで開始される（右図；一次血栓形成）。vWFは、血漿中の粘着タンパク質で、血管損傷部位に結合してGPⅠbに対する結合能を獲得する。GPⅠbは、血小板の糖タンパク質でvWFと結合すると血小板が活性化される活性化された血小板では、GPⅡb/Ⅲaに構造変化が生じフィブリノーゲン結合部位が露出する。活性化された血小板はADPやトロンボキサンA_2（TXA_2）などの血小板凝集物質を放出し、次々に周囲の血小板を活性化し、フィブリノーゲンをブリッジにGPⅡb/Ⅲaを介して結合し、凝集を拡大する（一次血栓）。ついで、外因系／内因系の血液凝固反応機構が活性化され、反応が進行して血栓形成が完了（下図；二次血栓）する。血管損傷部位においては、組織因子（TF）が細胞膜表面のリン脂質上でⅦ因子と複合体を形成し、外因系を活性化する。内因系は、血管損傷部位に露出したコラーゲンによるXⅡ因子の活性化により反応が始まる。

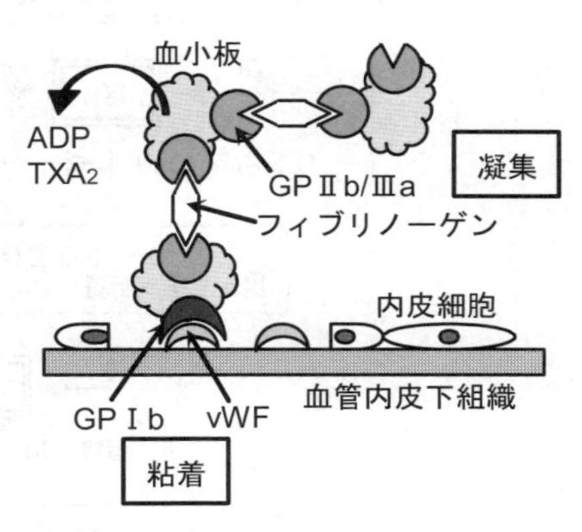

vWF：von Willebrand factor

トロンビンは、セリンプロテアーゼでフィブリノゲンからフィブリン単量体を作るとともにXⅢ因子を活性化して単量体のβ鎖間を架橋して安定化フィブリンを作り永久血栓となる。また、トロンビンは、XⅠ、Ⅷ、Ⅴ因子を活性化して凝固カスケードを活性を増幅する。

一方、フィブリン単量体および安定化フィブリンの形成に重要な役割を担っているトロンビンは、血管内皮細胞上のトロンボモジュリンと結合すると凝固促進作用を失う。ついでプロテインCを活性化し、凝固系を抑制する。

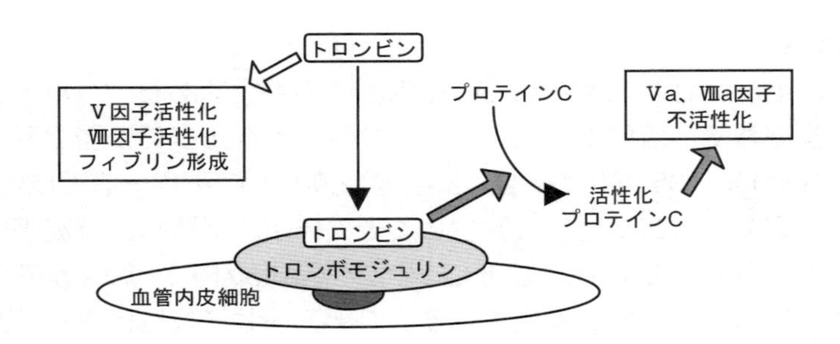

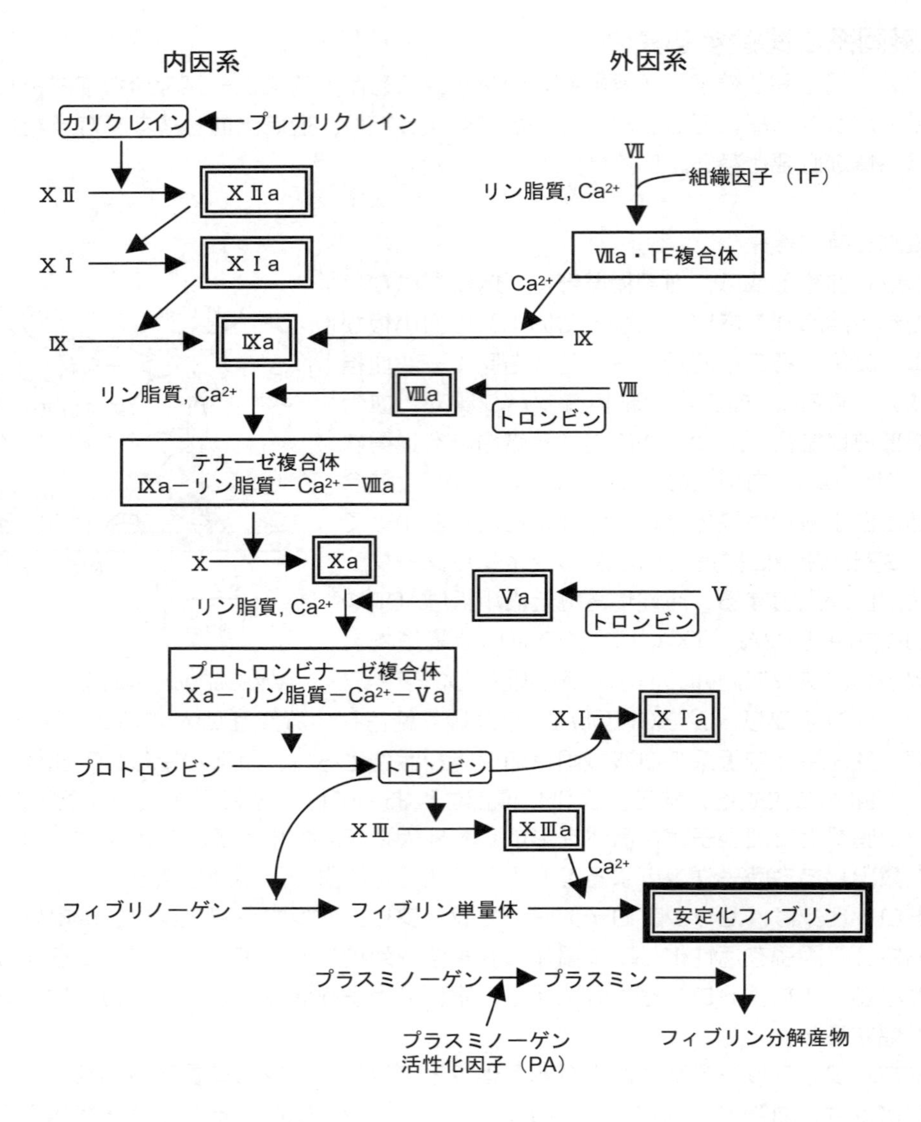

抗凝固薬

ヘパリン　Heparin

ヘパリンは、肥満細胞中に含まれている内因性の物質である。ヘパリンは、強い陰性荷電をもつムコ多糖類で、硫酸化されたグルコサミンとグルクロン酸が反復単位として構成され、分子量が3,000～35,000（平均分子量約12,000）の不均一な混成物質である。

ヘパリンは、アンチトロンビンに結合してその作用を増強し、抗凝固作用を示す。アンチトロンビンは、生体内に存在し、トロンビン（第IIa因子）やXa因子を含む各種セリンプロテアーゼと複合体を形成し失活させるプロテアーゼインヒビターである。アンチトロンビンのトロンビンやXa因子に対する阻害速度は、それほど速くないが、ヘパリンが結合したアンチトロンビンは、その速度が増大し、数百倍にも加速される。このように、ヘパリンの作用はアンチトロンビンを介するので、その作用はアンチトロンビンの濃度に依存する。また、ヘパリンは、生体内、試験管内どちらでも抗凝固作用を示すので、体外装置使用時の血液凝固阻止にも使用できるが、生体内で作用させる場合、経口投与では無効である。ヘパリンには、抗凝固作用の他、血漿清澄作用やリポタンパクリパーゼを安定・活性化する作用もある。

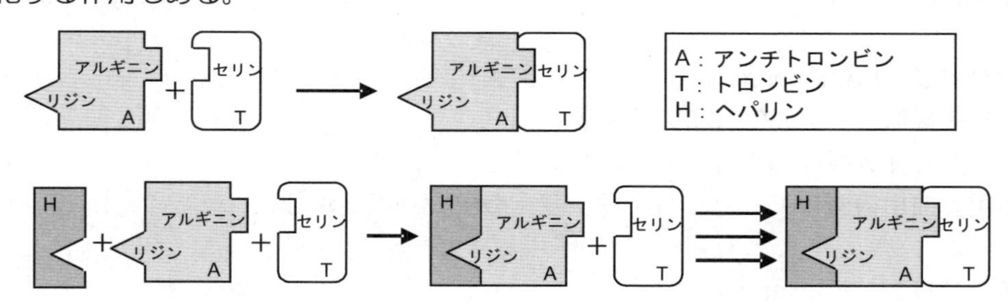

【適用】汎発性血管内血液凝固症候群の治療、血液透析・人工心肺その他の体外循環装置使用時の血液凝固の防止、血管カテーテル挿入時の血液凝固の防止、輸血および血液検査の際の血液凝固の防止、血栓塞栓症（静脈血栓症、心筋梗塞症、肺塞栓症、脳塞栓症、四肢動脈血栓塞栓症、手術中・術後の血栓塞栓症等）の治療および予防

【副作用】ショック、アナフィラキシー様症状、出血、血小板減少、ヘパリン起因性血小板減少症（HIT）等に伴う血小板減少・血栓症。過剰投与時はプロタミンを投与する。

低分子ヘパリン

低分子ヘパリンとは、ヘパリンを酵素あるいは化学処理後、ゲルろ過により得られる分子量 1,000 ～ 10,000 の分画で、平均分子量は、4,000 ～ 5,000 である。低分子ヘパリンもヘパリンと同様にアンチトロンビンの作用増強を主な作用機序として抗凝固作用を示すが、以下に記すように第 Xa 因子に対する選択性が高くなるため、ヘパリンよりも出血性のリスクが軽減され安全性が高くなる。

ヘパリンの各凝固因子に対する阻害作用は、分子量により異なり、その境界の分子量が約 5,000 と考えられている。第 Xa 因子を阻害するためには分子量が 5,000 程度で十分であるが、トロンビンを阻害するためにはそれ以上の分子量が必要となる。すなわち、低分子ヘパリンは、その分子量から、Xa 因子阻害作用の選択性が高いヘパリンということができる。一方で、抗凝固作用と出血リスクに関して、抗凝固作用との関連が強いのは抗第 Xa 因子活性で、出血と相関するのは、抗トロンビン作用であることが示されてきた。第 Xa 因子とトロンビンをともに阻害するヘパリンは過剰投与により出血をきたしやすいが、選択的に Xa 因子を阻害する低分子ヘパリンは、抗凝固作用はヘパリンと同等であるが、出血性のリスクは軽減されると考えられるのはこのためである。

ダルテパリン　**Dalteparin**

平均相対分子量は、約5,000である。

【適用】血液体外循環時の灌流血液の凝固防止（血液透析）および汎発性血管内血液凝固症（DIC）

【副作用】ショック・アナフィラキシー様症状、出血、血小板減少、血栓症など

レビパリン　Reviparin

平均分子量は、約4,000である。

【適用】血液体外循環時の灌流血液の凝固防止（血液透析）

【副作用】出血 、血栓症、血小板減少、ショック・アナフィラキシー様症状など

パルナパリン　Parnaparin

平均分子量は、約4,500～6,500である。

【適用】血液体外循環時の灌流血液の凝固防止（血液透析）

【副作用】血小板減少、ショック・アナフィラキシー様症状など

エノキサパリン　Enoxaparin

平均分子量は、約4,500である。

【適用】股関節全置換術、膝関節全置換術、股関節骨折手術の下肢整形外科手術施行患者における静脈血栓塞栓症の発症抑制、および静脈血栓塞栓症の発症リスクの高い腹部手術施行患者における静脈血栓塞栓症の発症抑制

【副作用】ショック、アナフィラキシー様症状、血腫・出血、血小板減少、肝機能障害、黄疸など

低分子ヘパリン類似物質（ヘパリノイド）

ダナパロイド　Danaparoid

平均分子量5,500で、ヘパラン硫酸を主成分とし、デルマタン硫酸やコンドロイチン硫酸を含んでいる。作用は、低分子ヘパリンに類似しているが、Ⅹa因子への選択性が高く、持続的である。ダナパロイドは、ヘパリンコファクターIIによるトロンビンの阻害作用を増強するが、この作用も抗凝固作用に一部関与していると考えられている。

【適用】汎発性血管内血液凝固症（DIC）

【副作用】アナフィラキシー様症状、血小板減少症、出血など

合成Ⅹa因子阻害薬

低分子ヘパリンは、ヘパリンに比較し Xa 因子への選択性が高くなり、出血リスクが軽減したが、上記のようにゲルろ過により得られる分子量 1,000 ～ 10,000 の分画で化合物として単一ではなく、また、動物由来の製剤であるという問題点が依然として残っていた。これらの問題点を解決したのが、合成Ⅹ a 因子阻害薬である。合成Ⅹ a 因子阻害薬は、完全な合成化合物で化学的に均一な薬物である。最初に登場したフォンダパリヌクスは、アンチトロンビンの作用を増強する薬物であるが、その後に登場したのは、第 Xa 因子を直接阻害する薬物である。

フォンダパリヌクス　Fondaparinux

ヘパリンの最小有効単位であるペンタサッカライドの合成化合物である。

【作用機序】アンチトロンビンに高親和性に結合し、アンチトロンビンの抗第 Xa 因子活性を顕著に増強させて、トロンビン産生を阻害する。フォンダパリヌクスの作用はヘパ

リンとは異なり、第 Xa 因子に対して選択的で、アンチトロンビンの抗トロンビン活性をほとんど増強しない。
【適用】 急性肺血栓塞栓症及び急性深部静脈血栓症の治療
【副作用】 出血、肝機能障害・黄疸など

エドキサバン　Edoxaban

【作用機序】 第 Xa 因子を競合的かつ選択的に阻害し、血栓形成を抑制する。トロンビンなど、他の凝固関連因子のセリンプロテアーゼに対する阻害活性は弱い。エドキサバンは、経口投与で効果を示す。

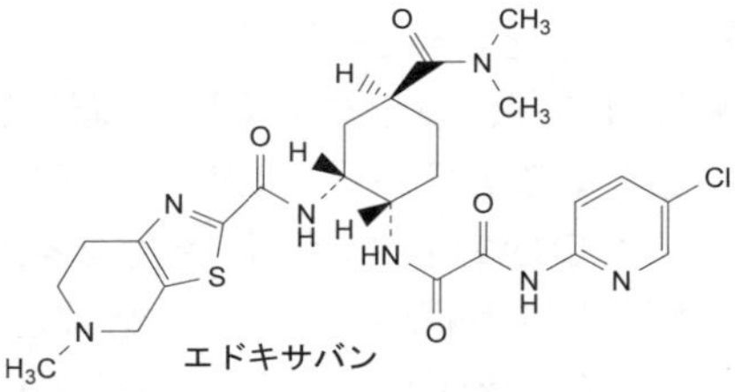

エドキサバン

【適用】 膝関節全置換術、股関節全置換術、股関節骨折手術施行患者における静脈血栓塞栓症の発症抑制
【副作用】 出血など

リバーロキサバン　Rivaroxaban

【作用機序】 第 Xa 因子の活性部位に競合的かつ可逆的に結合し、選択的かつ直接的に、第 Xa 因子を阻害し、トロンビン産生および血栓形成を抑制する。リバーロキサバンは、トロンビンは阻害せず、また血小板に対する直接作用もないとされる。リバーロキサバンは経口投与で効果を示す。

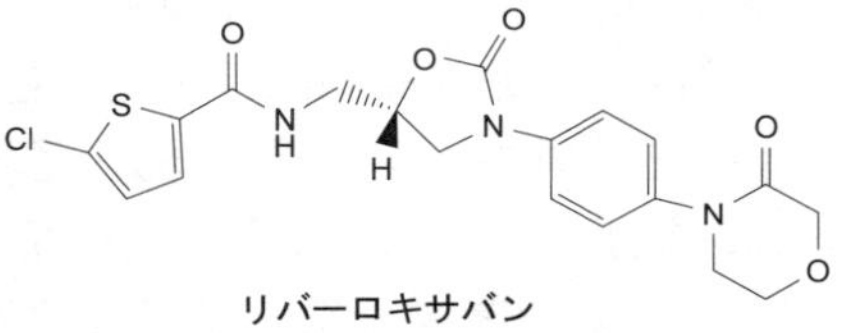

リバーロキサバン

【適用】 非弁膜症性心房細動患者における虚血性脳卒中および全身性塞栓症の発症抑制
【副作用】 出血、肝機能障害・黄疸など

アピキサバン　Apixaban

【作用機序】 第 Xa 因子を阻害することにより、その下流のプロトロンビンからトロンビンへの変換を抑制し、抗凝固作用を示す。アピキサバンは経口投与で効果を示す。

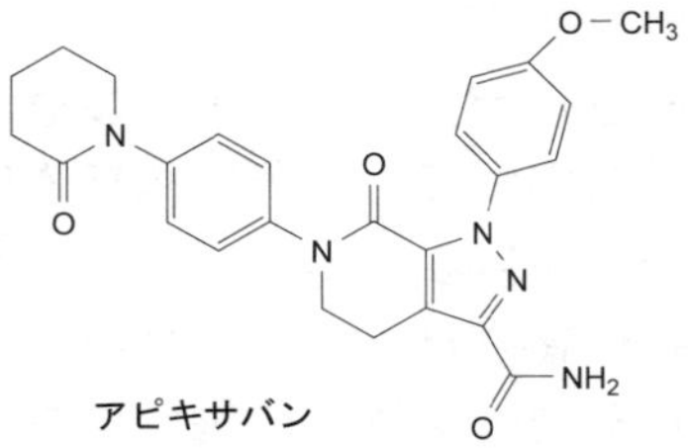

アピキサバン

【適用】 非弁膜症性心房細動患者における虚血性脳卒中および全身性塞栓症の発症抑制
【副作用】 出血など

アンチトロンビンⅢ濃縮製剤

アンチトロンビン欠乏時の補充およびヘパリンの補充療法に使用されている。

（参考）アンチトロンビンⅢとアンチトロンビン：アンチトロンビンⅢとアンチトロンビンは、同じものである。アンチトロンビンは、以前、アンチトロンビンⅢと呼ばれていたが、1994年に国際血栓止血学会でそれまでの経緯を勘案し、「アンチトロンビン」と

呼ぶように決定された。それ以降、アンチトロンビンⅢは、アンチトロンビンという表記に移行していったが、薬物名だけは変更されず、現在でも、アンチトロンビンⅢという名称がそのまま使われている。

ワルファリン　Warfarin

クマリン誘導体で、ビタミンK代謝拮抗物質である。プロトロンビン合成の抑制に経口投与で有効である。ワルファリンは、吸収が速く確実なのでよく使われるが、試験管内では抗凝固作用を示さない。

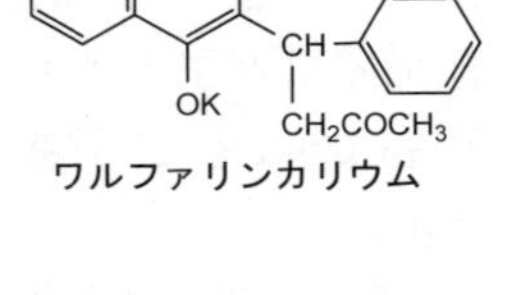

ワルファリンカリウム

ビタミンKは、肝においてトロンビンをはじめとする凝固因子のいくつかの形成過程に作用する。ワルファリンは、このビタミンKの生成を阻害し、その結果として、凝固因子の合成を抑制し、抗凝固作用を示す。そのため、ワルファリンは、作用発現までに24～48時間が必要となる。

ジクマロール

クマリン誘導体で、最初の合成品は、ジクマロール（Dicumarol）であるが、消化管からの吸収が遅く不定なので、現在臨床応用はない。

【適用】血栓塞栓症（静脈血栓症、心筋梗塞症、肺塞栓症、脳塞栓症、緩徐に進行する脳血栓症等）の治療および予防。栓塞による急性動脈閉塞には線溶療法に続き、ヘパリン使用（効果が急速に現れる）、その後持続性のあるワルファリンを使用することが多い。心房細動における血栓形成の抑制、心臓の人工弁置換術後、人工血管置換術後の血栓予防

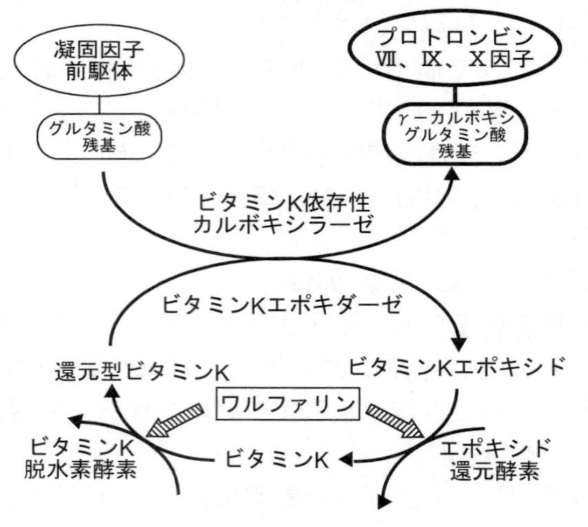

【副作用】出血、皮膚壊死、肝機能障害、黄疸など。過量投与に対しては、ビタミン K を投与する。ただし、緊急の場合は、新鮮凍結血漿、プロトロンビン複合体製剤を使用。

【相互作用】ワルファリンは、タンパク結合率が高いので、相互作用に注意が必要である。また、主に CYP2C9 により代謝されるので本酵素により代謝される他の薬物との併用にも注意する。

ダビガトラン　Dabigatran

ダビガトランは、我が国では、2011 年に発売が開始された直接トロンビン阻害剤で経口投与が可能である。直接トロンビンを阻害するので、ワルファリンと比較して作用発現までの時間が短い。

【作用機序】トロンビンに競合的かつ可逆的に結合し、フィブリノゲンからフィブリンに変換するトロンビンの触媒反応を阻害し、抗凝固作用を示す。ヒトの血漿を用いた活性

化部分トロンボプラスチン時間（aPTT）、エカリン凝固時間（ECT）及びプロトロンビン時間（PT）を濃度依存的に延長させている。

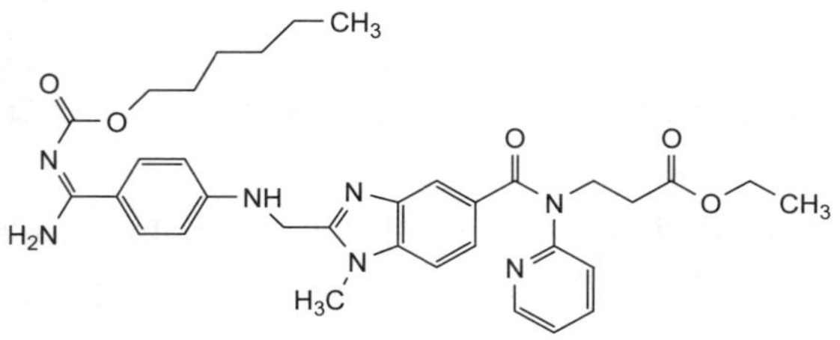

【適用】非弁膜症性心房細動患者における虚血性脳卒中及び全身性塞栓症の発症抑制。

ダビガトラン

【副作用】出血（消化管出血、頭蓋内出血等）、 間質性肺炎など

活性化プロテインC

血液凝固第Ⅴ因子および第 VIII 因子（FVIIIa）を選択的に不活化することにより、抗凝固作用を示す。先天性プロテインC 欠乏症に起因する疾患に用いるが、今後、市販後調査を実施する必要がある。また、特定生物由来製品に該当するので、使用した場合は、定められた項目を記録し、少なくとも 20 年間保存することが必要である。

【適用】先天性プロテインC 欠乏症に起因する深部静脈血栓症、急性肺血栓塞栓症、

【副作用】肝機能障害など。

抗トロンビン薬

蛋白分解酵素（セリンプロテアーゼ）阻害薬で、作用発現にアンチトロンビンを必要としない。

【適用】汎発性血管内血液凝固症

アルガトロバン　Argatroban

【作用機序】選択的抗トロンビン作用によりフィブリンの生成、血小板凝集および血管収縮を強く阻害する。トロンビン阻害作用はアンチトロンビンを介さずに発現する。

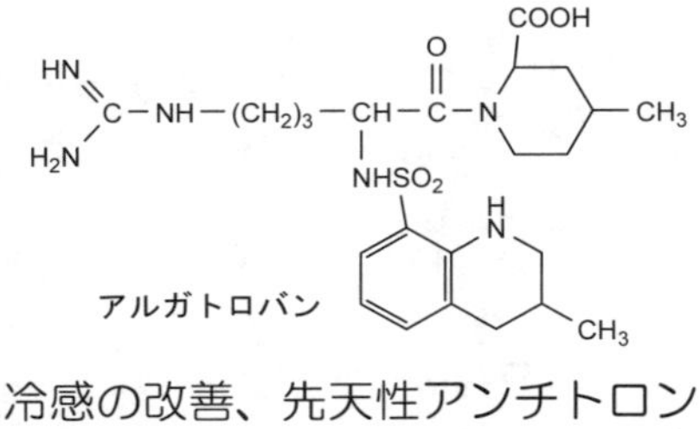

【適用】発症後 48 時間以内の脳血栓症急性期の神経症候（運動麻痺）、慢性動脈閉塞症（バージャー病閉塞性動脈硬化症）における四肢潰瘍、安静時疼痛並びに冷感の改善、先天性アンチトロンビン欠乏患者、またはアンチトロンビン低下を伴う患者の血液体外循環時の灌流血液の凝固防止（血液透析）

アルガトロバン

【副作用】出血性脳梗塞、脳出血、消化管出血、ショック・アナフィラキシーショック、劇症肝炎、肝機能障害、黄疸など

メシル酸ガベキサート　Gabexate mesilate

【作用機序】血小板凝集抑制作用ー血液凝固因子阻害作用（トロンビンに対し強い阻害作用、アンチトロンビンを必要としない）経口では吸収されないの

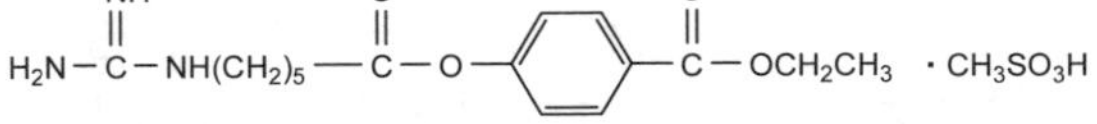

メシル酸ガベキサート

で点滴静注により使用する。

【副作用】ショック、アナフィラキシー様症状、注射部位の皮膚潰瘍・壊死、無顆粒球症、白血球減少、血小板減少、高カリウム血症など

メシル酸ナファモスタット　Nafamostat mesilate

【作用機序】酵素阻害作用－トロンビン、活性型凝固因子（XIIa、Xa）、カリクレイン、プラスミン、補体（Clr-、Cls-）、トリプシン等のタンパク分解酵素を強力に阻害する、またホスホリパーゼ A_2 にも阻害作用。トロンビン阻害作用はアンチトロンビンを介さずに発現。経口では吸収されないので点滴静注により使用する。

メシル酸ナファモスタット

血小板凝集阻止薬

以下に血小板凝集に関与する物質とその受容体に関して概略図を示す。

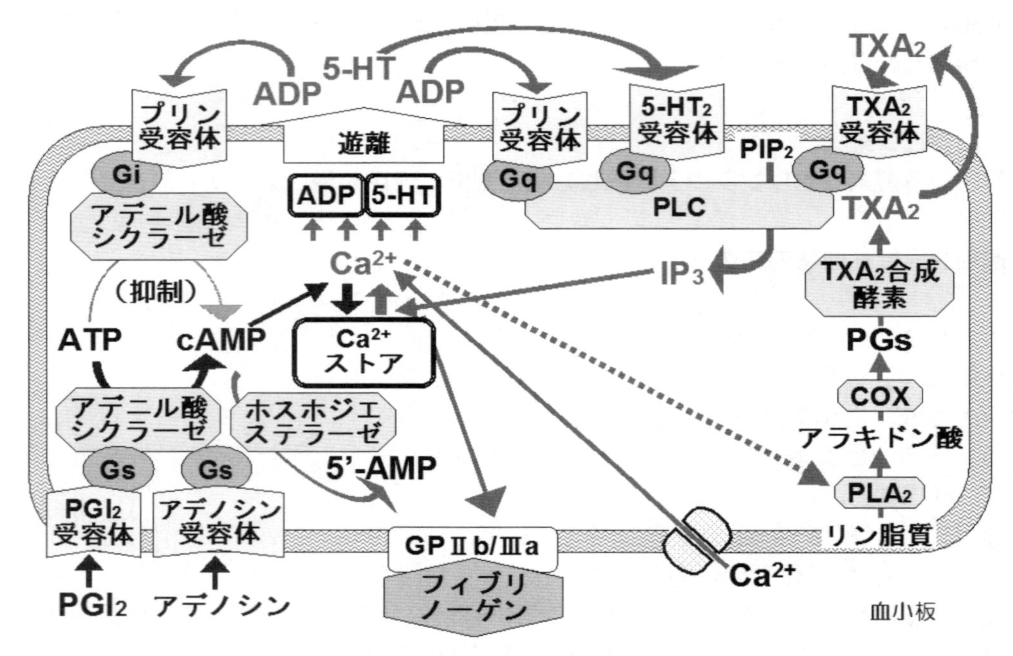

血小板凝集阻害薬の作用部位

血小板凝集に関与するのは、主にADP、セロトニン（5-HT）およびトロンボキサンA_2（TXA_2）である。ADPおよび5-HTは、細胞内Ca^{2+}濃度の上昇に伴って、それぞれ血小板から遊離された後、血小板に存在する受容体を刺激して血小板凝集を促進する。また、TXA_2は、膜脂質から生合成され、血小板から放出された後、血小板に存在する受容体を刺激して血小板凝集を促進する。血小板内のcAMP濃度が上昇すると、Ca^{2+}は、Ca^{2+}ストアに戻され、Ca^{2+}濃度が低下して血小板凝集は抑制される。血小板には、プロスタグランジン（PG）I_2受容体およびアデノシン受容体が存在するが、いずれもGsタンパク質共役

型の受容体であり、これらの受容体が刺激されると、cAMP濃度が上昇し血小板凝集が抑制されるようになっている。

血小板の凝集機構を阻害するか、凝集抑制機構を促進する薬物が血小板凝集阻害薬であり、現在、ADP受容体阻害薬、セロトニン$5\text{-}HT_2$受容体遮断薬、TXA_2合成阻害薬、プロスタノイド関連薬、ホスホジエステラーゼ阻害薬などが含まれる。、一般には、動脈硬化に基づく血栓症などに使用される。

チクロピジン　Ticlopidine

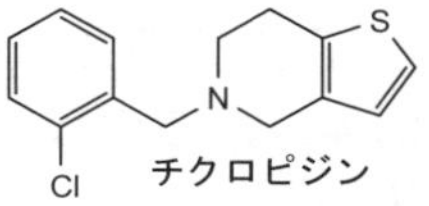

【作用機序】ADP受容体阻害薬で、血小板のADP受容体に結合してアデニル酸シクラーゼを活性化（抑制を解除）して、血小板内cAMP産生を高め、血小板凝集能、放出能を抑制する。

チクロピジン

作用は、血小板に特異的。血小板機能高進のある患者への経口投与によりADP、コラーゲンあるいはエピネフリン誘導などの血小板凝集および血小板粘着能を抑制する。血小板凝集能の低下は投与24時間後には発現（肝での代謝産物がを示すが本体は不明）、作用は継続投与で減弱せず維持される。中止後はリバウンド（凝集高進現象）を示さず、投与前の状態まで漸次回復する。

【適用】虚血性脳障害に伴う血栓・塞栓症の治療に用いる。血小板凝集抑制作用や虚血性脳障害に伴う血栓・塞栓症における抗血栓作用がある。どちらかといえば初期治療よりは維持療法に用いられる。

【副作用】血栓性血小板減少性紫斑病（TTP）、無顆粒球症、重篤な肝障害、再生不良性貧血を含む汎血球減少症、赤芽球癆、血小板減少症、出血（脳出血等の頭蓋内出血や消化管出血等の重篤な出血）、中毒性表皮壊死症（Lyell 症候群）、皮膚粘膜眼症候群（Stevens-Johnson 症候群）、紅皮症、多形滲出性紅斑、消化性潰瘍、急性腎不全、間質性肺炎、SLE 様症状など

【禁忌】抗血小板薬なので出血している患者には当然のことながら禁忌

クロピドグレル　Clopidogrel

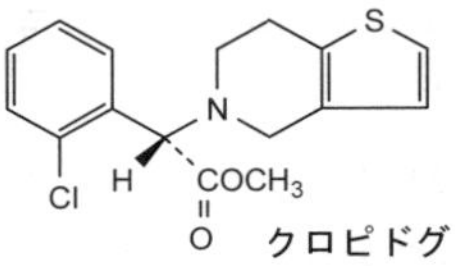

【作用機序】ADP受容体阻害薬で、クロピドグレルの活性代謝物が、血小板のADP受容体を不可逆的に阻害する。経口投与後、肝で代謝を受けて活性代謝物となり受容体阻害作用を示すので、in vitroでは作用がない。

クロピドグレル

【適用】虚血性脳血管障害（心原性脳塞栓症を除く）後の再発抑制

【副作用】出血（頭蓋内出血、胃腸出血等の出血）、肝機能障害、黄疸、血栓性血小板減少性紫斑病、無顆粒球症、再生不良性貧血を含む汎血球減少症、皮膚粘膜眼症候群（Stevens - Johnson 症候群）、多形滲出性紅斑、中毒性表皮壊死融解症など

プラスグレル　Prasugrel

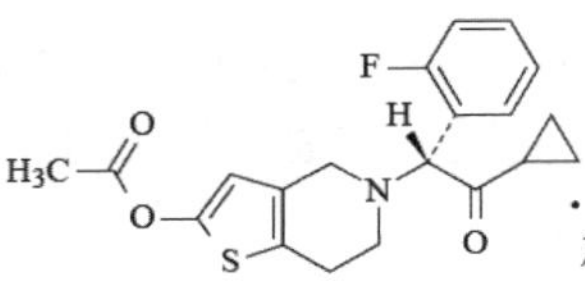

【作用機序】プロドラッグで、生体内で活性代謝物に変換された後、血小板膜上のADP $P2Y_{12}$受容体を選択的かつ非可逆的に阻害して血小板凝集を抑制

・HCl
及び鏡像異性体

する。

【適用】経皮的冠動脈形成術（PCI）が適用される急性冠症候群（不安定狭心症、非ST上昇心筋梗塞、ST上昇心筋梗塞)、安定狭心症、陳旧性心筋梗塞虚血性脳血管障害（心原性脳塞栓症を除く）後の再発抑制

【副作用】出血 頭蓋内出血、血栓性血小板減少性紫斑病（TTP)、過敏症など

プリン受容体：ATPが分解されてできるADP、アデノシン（ATP→ADP→AMP→アデノシン）は、ATPとともに受容体をもつ伝達物質と考えられるようになった（経緯は省略)。これらの受容体をプリン塩基の受容体ということからプリン受容体と呼ぶ。ADP受容体は、血小板に存在し、ADPによる血小板凝集に関与している。ADPは、血小板凝集時にセロトニンとともに放出される。放出されたADPは、ADP受容体に結合し、イノシトールリン脂質代謝回転の亢進（TXA_2の産生）とアデニル酸シクラーゼの抑制を介して血小板凝集を促進する。

アスピリン　Aspirin

アスピリンは、血小板および骨髄巨核球のシクロオキシゲナーゼをアセチル化（530 番目のセリン）して、酵素活性を不可逆的に阻害するので、血小板の寿命（7 ～ 10 日）の間、作用が持続する。その結果、トロンボキサン A_2 の合成が低下する。大量に使用すると血管内皮細胞においてプロスタサイクリン（PGI_2）の合成も抑制して、血栓形成抑制が不十分となる。これをアスピリンジレンマという。アスピリンは、1 日の用量が重要（1 日 80 ～ 200mg）となる。

トロンボキサン（TX）A_2とプロスタサイクリン（PGI_2）：TXA_2は、血小板のTX受容体に結合し、イノシトールリン脂質代謝回転を亢進させて細胞内貯蔵部位からCa^{2+}遊離を促進し、血小板凝集を促進する。TXA_2は、血管平滑筋のTX受容体を介して強力な血管収縮作用を示す。いっぽう、血管内皮細胞からはPGI_2が産生され、血小板凝集抑制、血管拡張作用を示す。したがって、TXA_2とPGI_2のバランスが大切になる。糖尿病では、TXA_2産生促進とPGI_2の生成低下が認められる。

オザグレルナトリウム　Sodium ozagrel

【作用機序】TXA_2 合成酵素（血小板凝集など）を選択的に阻害する。シクロオキシゲナーゼ、プロスタサイクリン（PGI_2）合成酵素、PGE_2 イソメラーゼおよび 12-リポキシゲナーゼには影響しない。

N　N　COONa
オザグレルナトリウム

【適用】クモ膜下出血術後の脳血管攣縮およびこれに伴う脳虚血症状の改善。脳血栓症（急性期）に伴う運動障害の改善

【副作用】出血、ショック，アナフィラキシー様症状、肝機能障害、黄疸、血小板減少、白血球減少、顆粒球減少、腎機能障害など

【禁忌】脳塞栓の患者（出血性脳梗塞が起きやすい）

ベラプロスト　Beraprost

血小板凝集抑制、血管拡張などがあるプロスタサイクリン（PGI_2）誘導体である。

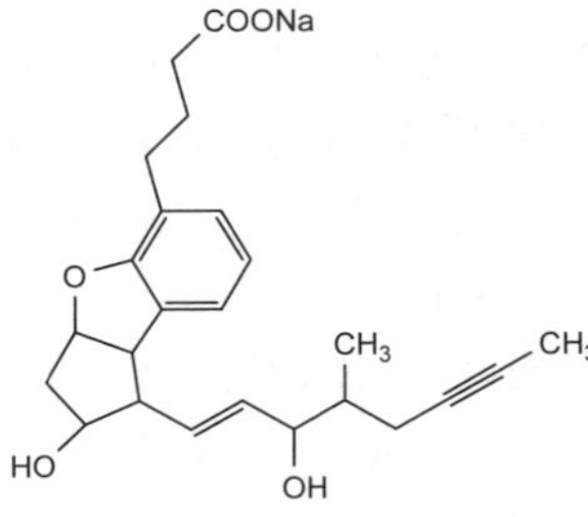

【作用機序】 プロスタサイクリンと同様に、血小板および血管平滑筋のPGI_2受容体に作用してを介して抗血小板作用、血管拡張作用等を示す。PGI_2受容体が活性化されると、アデニル酸シクラーゼ活性化による細胞内cAMP濃度の上昇、Ca^{2+}流入抑制およびトロンボキサンA_2生成抑制などが起こる。

ベラプロストナトリウム

【副作用】 出血傾向、ショック、間質性肺炎、肝機能障害、狭心症、心筋梗塞など。

【適用】 慢性動脈閉塞症に伴う潰瘍、疼痛および冷感の改善、原発性肺高血圧症

イコサペント酸エチル　Ethyl icosapentate（EPA）

血小板凝集抑制作用、血清脂質低下作用、動脈の伸展性保持作用をもつ。

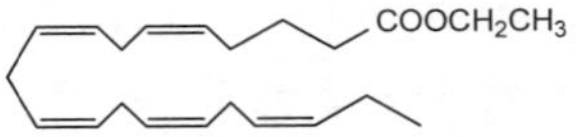

イコサペント酸エチル

【作用機序】 血小板凝集抑制作用は、主に血小板膜リン脂質中のEPA含量を増加させ、アラキドン酸代謝を競合的に阻害することによりトロンボキサンA_2の産生を抑制するためと考えられている。

【副作用】 過敏症、出血傾向などがあるが、重大な副作用にはされていない。

シロスタゾール　Cilostazol

【作用機序】 血小板および血管平滑筋のサイクリック AMP ホスホジエステラーゼ（cAMP-PDE；PDE Ⅲ）活性を阻害し、抗血小板作用および血管拡張作用を発揮する。また、血小板のアラキドン酸代謝に影響を与えず、トロンボキサン A_2（TXA_2）による血小板凝集を抑制する。

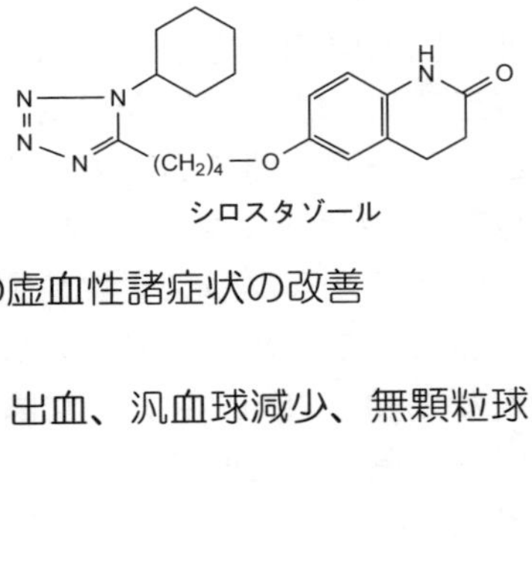

シロスタゾール

【適用】 慢性動脈閉塞症に基づく潰瘍、疼痛および冷感等の虚血性諸症状の改善

ジピリダモールも同様の作用をもっている。

【副作用】 うっ血性心不全、心筋梗塞、狭心症、心室頻拍、出血、汎血球減少、無顆粒球症、血小板減少、間質性肺炎、肝機能障害、黄疸など

サルポグレラート　Sarpogrelate

【作用機序】 セロトニン$5HT_2$受容体遮断薬で、血小板（血小板では、$5HT_2$受容体が血小板凝集に関与）および血管平滑筋（血管平滑筋では、$5HT_2$受容体が血管収縮に関与）で$5\text{-}HT_2$レセプターに対する特異的な遮断作用を示し、血小板凝集抑制作用、抗血栓作用および血管収縮抑制作用を発現する。

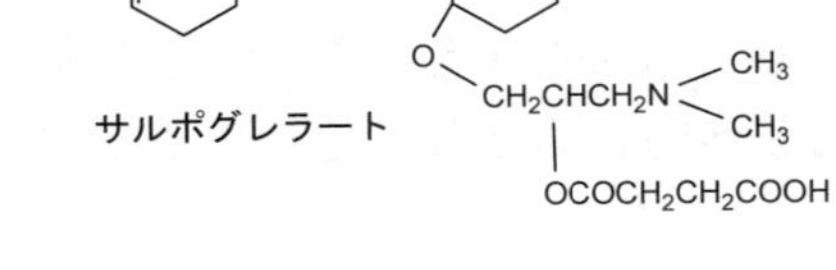

サルポグレラート

【副作用】 脳出血、消化管出血、血小板減少、肝機能障害、黄疸、無顆粒球症など

【適用】慢性動脈閉塞症に伴う潰瘍、疼痛および冷感等の虚血性諸症状の改善

ジピリダモール　**Dipyridamole**

【作用機序】健康成人においては、血管壁からのプロスタサイクリン（PGI_2）の放出促進、作用増強および血小板のトロンボキサン A_2（TXA_2）の合成抑制により、PGI_2 と TXA_2 のバランスを改善する。また、血液中アデノシンの赤血球、血管壁への再取り込みを抑制し、血液中アデノシン濃度を上昇させ、血小板のアデニル酸シクラーゼ活性を増強し、血小板内 cAMP の合成を促進する。なお、アデノシンは、冠循環調節の液性因子ともいわれており（アデノシン仮説）、アデノシン作用の増強による血小板凝集抑制効果は、慢性の治療に有効であるとされている。さらに、血小板内 cAMP ホスホジエステラーゼの活性を抑制し、血小板内の cAMP 濃度を高める作用もある。これらの作用以外に、cGMP ホスホジエステラーゼ活性抑制作用、心筋保護作用や冠動脈の副血行路発達促進作用、冠動脈の副血行路系の発達促進作用も認められている。

ジピリダモール

【副作用】脳出血、消化管出血、血小板減少、肝機能障害、黄疸、無顆粒球症など。

血栓溶解薬　（プラスミノーゲン活性化物質）

ウロキナーゼ　**Urokinase**（ヒト尿から得られるプラスミノーゲン活性化因子）

血栓中のプラスミノーゲンとは関係なく、主に血漿中のプラスミノーゲンからプラスミンを生成する。出血傾向が生じやすい（このプラスミンは、α-プラスミンインヒビターで一部失活する。大量投与でα-プラスミンインヒビターの作用をこえるプラスミンを生成させることが必要ー出血という副作用が問題）。ウロキナーゼは、出血を助長し、止血が困難になるおそれがある患者には使用できない。一例として、脳血栓症には使用するが、脳塞栓に使用すると出血性脳梗塞を起こすことがあるので禁忌である。

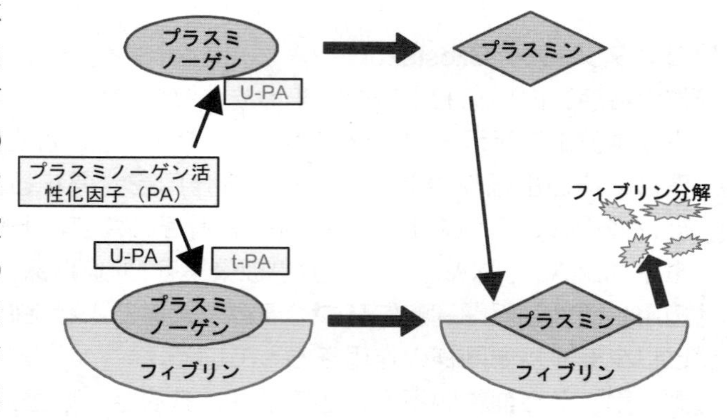

U-PA：ウロキナーゼ型、t-PA：組織型

【適用】脳血栓症（発症後5日以内で、コンピューター断層撮影において出血の認められないもの）、心筋梗塞における冠状動脈血栓の溶解（発症後６時間以内のもの）、末梢動・静脈閉塞症（発症後10日以内）

【副作用】脳出血、消化管出血、心破裂、ショック、不整脈など

組織プラスミノーゲン活性化因子（t-PA）

血栓中のプラスミノーゲンと親和性が高く、血漿中のプラスミノーゲンを活性化しない

ので、ウロキナーゼより出血が生じにくい。

アルテプラーゼ　Alteplase（変異型）

チソキナーゼ（ヒト肺に由来する二倍体線維芽細胞で産生される527個のアミノ酸残基からなる糖タンパク質）のN末端の5個のアミノ酸残基を置換した糖タンパク質で、天然型より活性が高く、生体内での安定性も高くなっている。

【適用】急性心筋梗塞における冠動脈血栓の溶解（発症後６時間以内）、虚血性脳血管障害急性期に伴う機能障害の改善（発症後3時間以内）。

【副作用】重篤な出血、出血性脳梗塞、脳梗塞、ショック、心破裂、心タンポナーデ、血管浮腫、重篤な不整脈など

モンテプラーゼ　Monteplase

ヒト組織プラスミノゲン活性化因子の84番目のシステインをセリンに改変したヒト組織プラスミノゲン活性化因子誘導体でアミノ酸527残基からなる糖蛋白質である。

【適用】急性心筋梗塞における冠動脈血栓の溶解（発症後６時間以内）、および、不安定な血行動態を伴う急性肺塞栓症における肺動脈血栓の溶解

【副作用】重篤な出血、心破裂、心室中隔穿孔、心タンポナーデ、心室細動、心室頻拍、ショックなど

止血薬

止血薬とは、文字通り、出血を止める薬物である。止血には、血管壁の強さや血小板、血液凝固系のバランス等が関与する。

凝固促進薬

ビタミンK（プロトロンビン生成にはビタミンKが必要）

フィトナジオン（VK_1）、メナテトレノン（VK_2）

肝機能障害、またはビタミンK欠乏による凝固機能障害

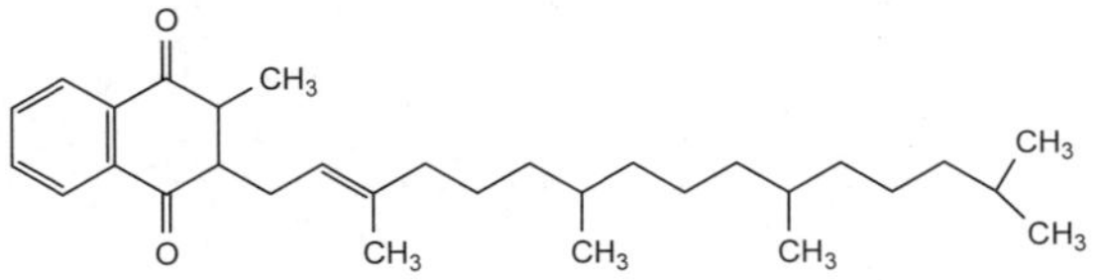

O
CH3
CH3
CH3 CH3 CH3 CH3
O

フィトナジオン

O
CH3
CH3
CH3 CH3 CH3 CH3
O

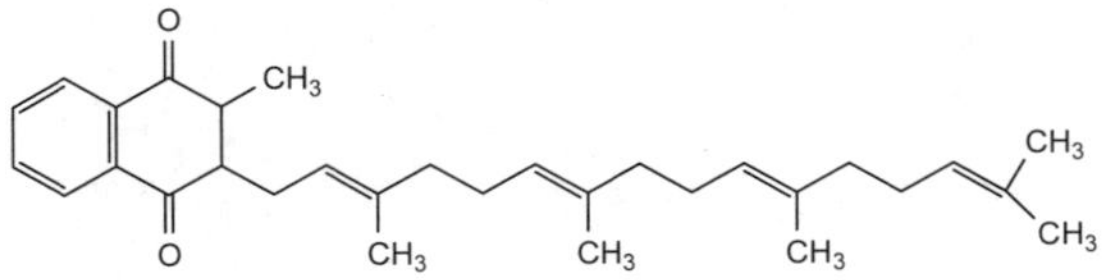

メナテロレノン

トロンボプラスチン、トロンビン、フィブリン製剤も用いられる。

血管強化薬

アドレノクロム　Adrenochrome、カルバゾクロム　Carbazochrome

アドレナリンの酸化生成体で各種の出血や紫斑病などに使用される。毛細血管の抵抗性を高め透過性を低下させる。

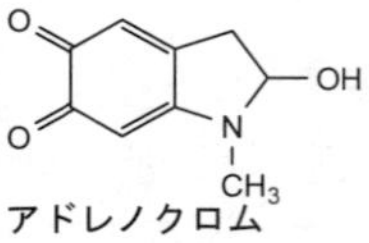

アドレノクロム

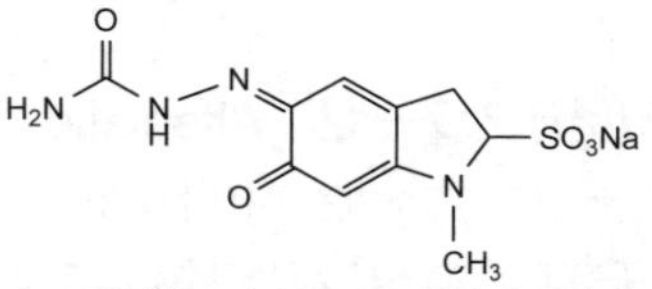

カルバゾクロムスルホン酸ナトリウム

抗プラスミン薬

線溶系は血液の凝固阻止機構であるが、亢進しすぎると出血傾向となる。

トラネキサム酸　Tranexamic acid

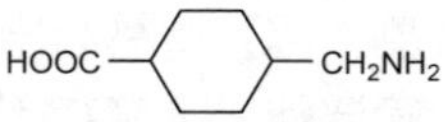

【作用機序】 プラスミノーゲン、プラスミンのリジン残基に結合してプラスミノーゲンやプラスミンとフィブリンが結合するのを妨げ線溶活性を抑制する。

トラネキサム酸

【副作用】 過敏症や消化器症状などがあるが、重大な副作用にはされていない。

イプシロンアミノカプロン酸　ε-Aminocaproic acid

【作用機序】 プラスミンの作用を抑制し，止血作用を示す。また、アレルギー症状や炎症性病変の原因になっているキニン等のプラスミンによる産生を抑制して、抗アレルギー・抗炎症作用を示す。

$H_2N-CH_2-CH_2-CH_2-CH_2-CH_2-COOH$

イプシロンアミノカプロン酸

【副作用】 過敏症や消化器症状などがあるが、重大な副作用にはされていない。

その他：アスコルビン酸など

消化器系に作用する薬物

10

消化器系は、口腔から肛門までの消化管とそれに付随する腺（唾液腺など）および臓器（膵臓や肝臓など）からなり、摂取した食物を消化・吸収し、老廃物を排泄させる。それらは、神経系および内分泌系によって調節されている。

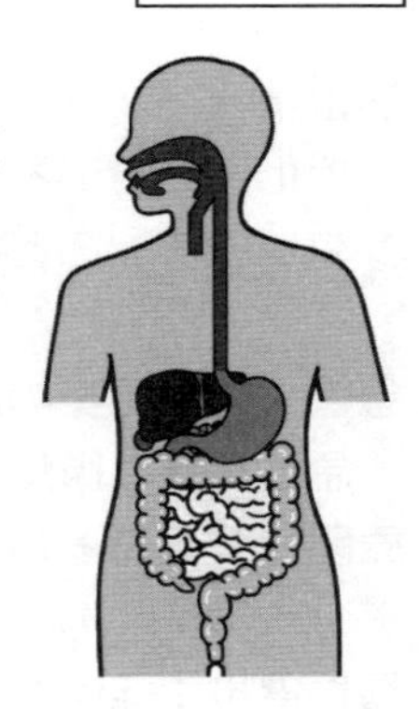

1．胃に作用する薬物

胃は、食物を食道から受け取り、酸、粘液、ペプシンと混ぜ、ある程度まで消化し、一定の割合で十二指腸に送る。胃に作用する薬物は、主に分泌機能と運動機能に影響を及ぼす。

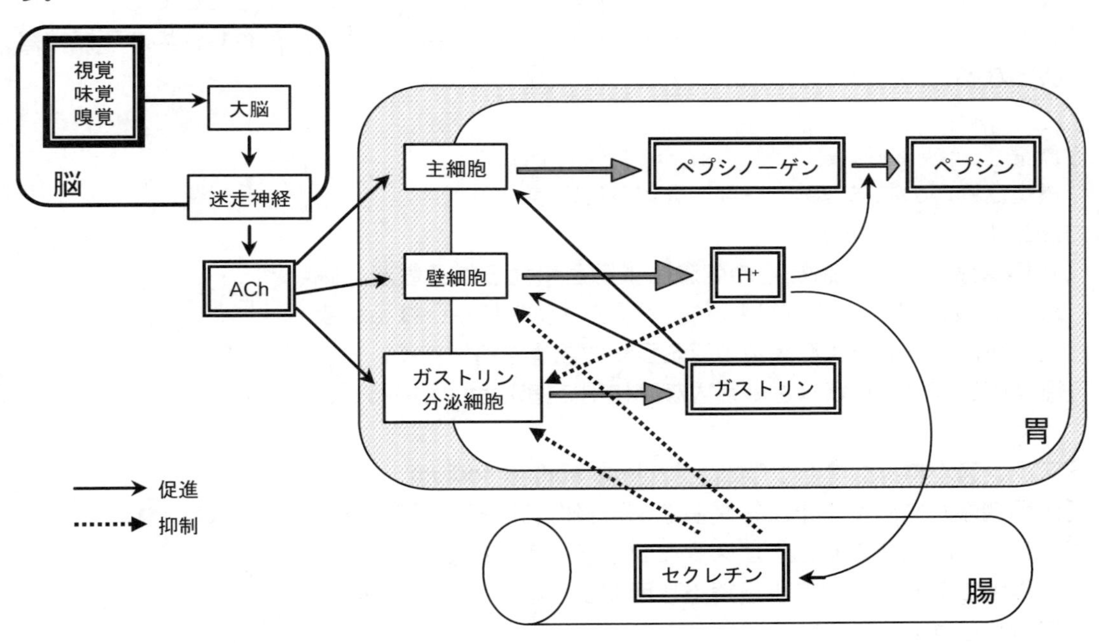

健胃消化薬

健胃薬

消化腺の分泌を亢進して消化機能を高め食欲を増進させる薬物で生薬の成分などが使用されている。

苦味健胃薬

ゲンチアナ、センブリなど

舌の味覚神経に作用して反射性に唾液や胃液の分泌を亢進させる。これらの薬物は、舌の味覚神経に作用するので経口で用いないと効果が現れない。

＊芳香性健胃薬、辛味性健胃薬の成分は特に医薬品としては用いられていない。

消化薬

消化液の分泌不足により消化不良、食欲不振のある場合にジアスターゼ、ペプシン、パンクレアチンなどの酵素製剤を用いる。

急性・慢性胃炎の治療薬

急性胃炎：腹痛、胸焼け、吐き気などの症状が、突発的に起こる。症状が現れた時期や原因（アルコール、消炎鎮痛剤、ストレスなど）がはっきりしている。

慢性胃炎：症状がはっきりせず、胃のもたれ、不快感、食欲不振などが何となく起こる不定愁訴が見られるが、症状の開始時期は、はっきりしないことが多い。また、無症状のこともある。日本人に見られる胃炎のほとんどは、慢性胃炎で、原因はピロリ菌（ヘリコバクター・ピロリ：*Helicobacter pylori*）の感染によることがほとんどであるといわれている。通常、ヘリコバクター・ピロリ感染後、胃炎が徐々に進行し、やがて慢性胃炎となる。

治療薬

胃炎に適応のある薬物（一部）を以下に示す。

カルニチン　**Carnitine**

【作用機序】　副交感神経の刺激によると考えられる胃液、腸液、唾液、胆汁の分泌および腸管運動の亢進がみられる。また、膵液分泌量および膵液中アミラーゼ含量も増加する。

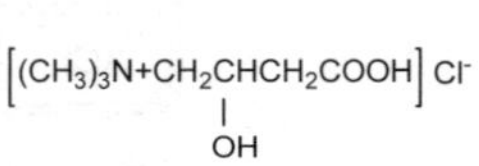

$[(CH_3)_3N^+CH_2CH(OH)CH_2COOH]Cl^-$

塩化カルニチン

【副作用】消化器症状など（重大な副作用に指定されているものはない）

アズレンスルホン酸ナトリウム　**Azulene sulfate sodium**

【作用機序】胃潰瘍，十二指腸潰瘍，胃炎における自覚症状および他覚所見改善する。ヒスタミン遊離抑制・白血球遊走阻止作用があり、これにより消炎作用および創傷治癒促進作用を示すと考えられている。

【副作用】消化器症状など（重大な副作用に指定されているものはない）

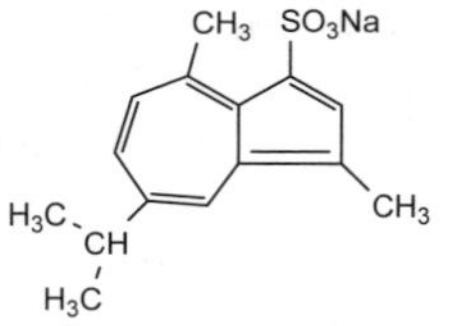

アズレンスルホン酸ナトリウム

パパベリン　**Papaverine**

【作用機序】平滑筋細胞において、ホスホジエステラーゼ活性を阻害し、Cyclic AMP を増加させ、平滑筋を弛緩させる。内臓平滑筋を弛緩させるため鎮けい作用を示し、胃炎、胆道（胆管・胆のう）系疾患に伴う内臓平滑筋の痙れん症状を改善する。また、血管平滑筋の異常緊張を抑制

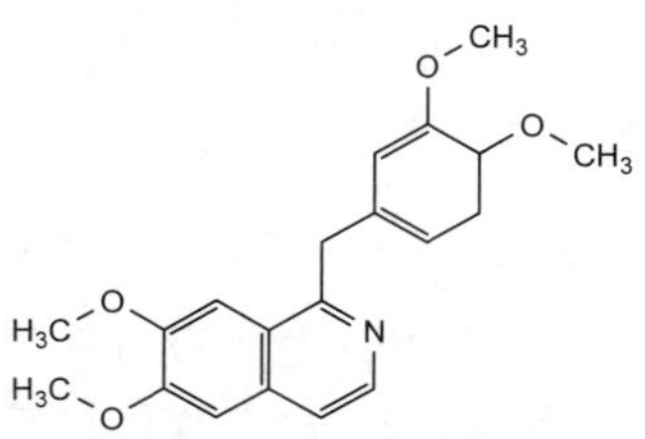

パパベリン

し、血流量を増加させるため、急性動脈塞栓、末梢循環障害、冠循環障害における血管拡張と症状の改善の目的でも使用される。
【副作用】注射剤で使用したとき：呼吸抑制

現在、胃炎の治療には、抗潰瘍薬の一部（粘膜保護薬や胃酸分泌抑制薬）も使用されている。

2．消化性潰瘍治療薬

消化性潰瘍は、胃や十二指腸において、酸やペプシンといった攻撃因子と粘液などの防御因子のバランスが崩れ、攻撃因子が優位になったために、粘膜が酸やペプシンによって消化（自己消化）されて生じる。バランスを崩す原因として、精神的・身体的ストレスや薬物などが挙げられる。また、潰瘍の発生要因としてヘリコバクター・ピロリ（*Helicobacter pylori*）の関与も明らかにされている。
潰瘍の治療には、攻撃因子と防御因子のバランスを正常な状態に戻すような薬物、すなわち、攻撃因子を抑制する薬物や防御因子を増強する薬物が用いられる。このような消化性潰瘍治療薬には、図に示したようにさまざまな作用機序をもつ薬物が使用されている。

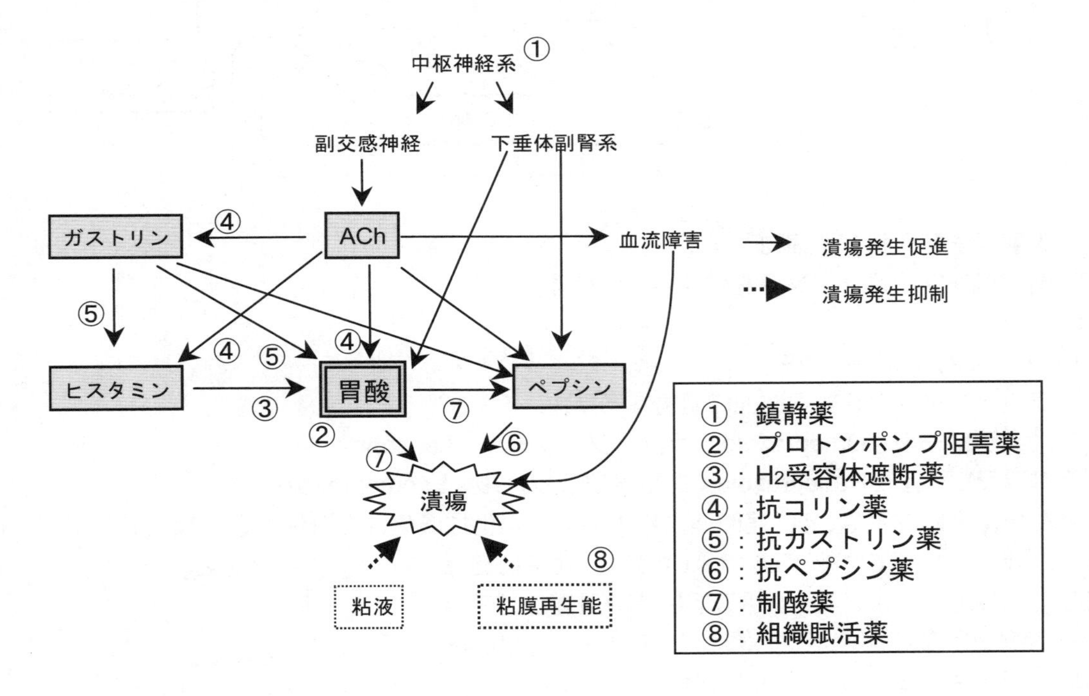

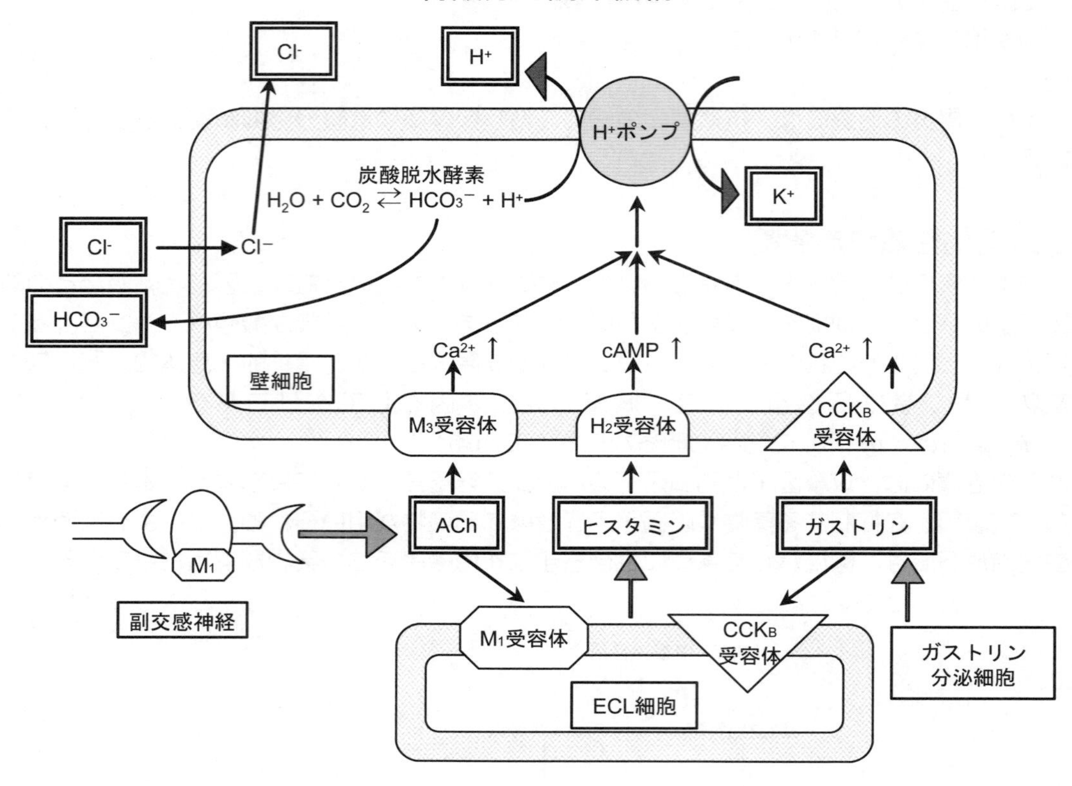

Ⅰ　攻撃因子を抑制する薬物

鎮静薬：ベンゾジアゼピン誘導体が用いられる。

プロトンポンプ阻害薬（PPI）

①　プロトンポンプを非可逆的に阻害する薬物

オメプラゾール　Omeprazole、ランソプラゾール　Lansoprazole、
ラベプラゾール　Rabeprazole、エソメプラゾール　Esomeprazole

胃酸分泌抑制効果は、H_2 遮断薬より強力で、消化性潰瘍、逆流性食道炎などに効果がある。特に、穿孔の危険の高い深い潰瘍、吐下血をきたした出血性の潰瘍、H_2 遮断薬抵抗性の潰瘍などでは第一選択薬となる。また、ヘリコバクターピロリの除菌に、アモキシシリン、クラリスロマシシンとともに用いられる。ランソプラゾールは、日本で開発されたものである。

【作用機序】 胃酸分泌の最終機構である壁細胞のプロトンポンプ（H^+, K^+− ATPase）活性を非可逆的に阻害して胃酸分泌を抑制する。阻害作用は持続的（薬物が血中から消失しても酸分泌抑制は維持される）

オメプラゾール

ランソプラゾール

ラベプラゾール

で、ヒスタミン H_2 受容体遮断薬に抵抗性の潰瘍にも有効である。これらプロトンポンプ阻害薬 4 種は、血中から壁細胞に移行後、酸性条件下で、活性化型に変換され（pH　5 以下で活性化型のスルホンアミド型になる）、H^+，K^+-ATPase の SH 基と反応（共有結合、酵素と S － S 結合）して酵素活性を阻害する。

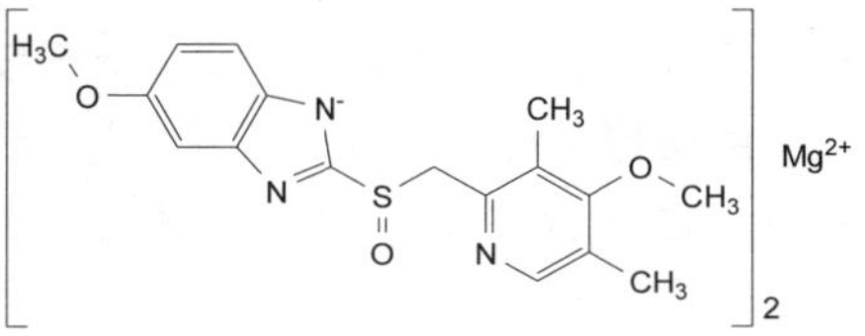

エソメプラゾールマグネシウム塩

代謝には、肝薬物代謝酵素（CYP2C19、CYP3A4）が関与するが、ラベプラゾールは、オメプラゾールより薬物代謝酵素の遺伝子多型の影響を受けにくいとされている。

【副作用】

オメプラゾール：ショック、アナフィラキシー様症状、汎血球減少症、無顆粒球症、溶血性貧血、血小板減少、劇症肝炎、肝機能障害、黄疸、肝不全、中毒性表皮壊死融解症、皮膚粘膜眼症候群、視力障害、間質性腎炎、急性腎不全、低ナトリウム血症、間質性肺炎、横紋筋融解症、錯乱状態など

ランソプラゾール：アナフィラキシー反応、汎血球減少、無顆粒球症、溶血性貧血、顆粒球減少、血小板減少、貧血、黄疸、AST（GOT）、ALT（GPT）の上昇等を伴う重篤な肝機能障害、中毒性表皮壊死症）、皮膚粘膜眼症候群、間質性肺炎、間質性腎炎など

ラベプラゾール：ショック、アナフィラキシー様症状、汎血球減少、無顆粒球症、血小板減少、溶血性貧血、劇症肝炎、肝機能障害、黄疸、間質性肺炎、中毒性表皮壊死融解症、皮膚粘膜眼症候群、多形紅斑、急性腎不全、間質性腎炎、低ナトリウム血症、横紋筋融解症など

エソメプラゾール：ショック、アナフィラキシー様症状、汎血球減少症、無顆粒球症、血小板減少、劇症肝炎、肝機能障害、黄疸、肝不全、中毒性表皮壊死融解症、皮膚粘膜眼症候群、間質性肺炎、間質性腎炎、低ナトリウム血症、錯乱状態など

② プロトンポンプを可逆的に阻害する薬物

ボノプラザン　Vonoprazan

【作用機序】酸による活性化を必要とせず、可逆的で、カリウムイオンに競合的な様式で H^+，K^+-ATPase を阻害する。ボノプラザンは塩基性が強く胃壁細胞の酸生成部位に長時間残存して胃酸生成を抑制する。ボノプラザンは抗ヘリコバクター・ピロリ活性及びヘリコバクター・ピロリウレアーゼ阻害活性は示さない。ヘリコバクター・ピロリ除菌治療におけるボノプラザンの役割は胃内 pH を上昇させることにより、アモキシシリン、クラリスロマイシン、メトロニダゾールの抗菌活性を高めることにあると考えられる。

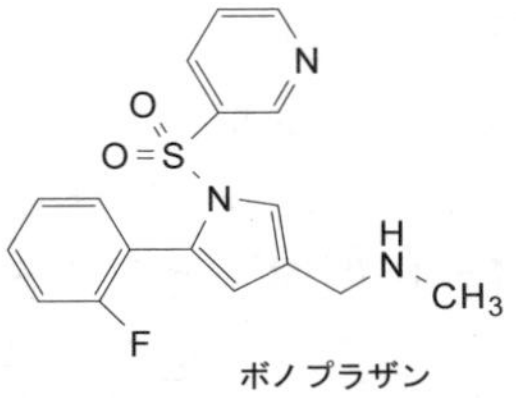

ボノプラザン

【副作用】 ショック、アナフィラキシー、汎血球減少、無顆粒球症、白血球減少、血小板減少、肝機能障害、中毒性表皮壊死融解症（Toxic Epidermal Necrolysis：TEN）、皮膚粘膜眼症候群（Stevens-Johnson 症候群）、多形紅斑など、また、ヘリコバクター・ピロリの除菌の補助にもちいる際には偽膜性大腸炎等の血便を伴う重篤な大腸炎

ヒスタミンH_2受容体遮断薬

シメチジン　Cimetidine、ファモチジン　Famotidine、ラニチジン　Ranitidine

【作用機序】 壁細胞にあるヒスタミン H_2 受容体遮断作用により、ヒスタミンによる胃液分泌作用を抑制する。H_2 受容体は、Gs タンパク質－アデニル酸シクラーゼと共役しているので、H_2 受容体遮断薬は、ヒスタミンによるアデニル酸シクラーゼの活性化を抑制する。

【副作用】 共通：ショック、アナフィラキシー様症状、再生不良性貧血、汎血球減少、無顆粒球症、血小板減少、間質性腎炎、急性腎不全、皮膚粘膜眼症候群（Stevens-Johnson 症候群）、中毒性表皮壊死症（Lyell 症候群）、肝障害、黄疸、意識障害、痙れん。シメチジン：房室ブロック等の心ブロック。ファモチジン：QT 延長、間質性肺炎。ファモチジンおよびラニチジン：横紋筋融解症。
シメチジンは P-450 を阻害する。

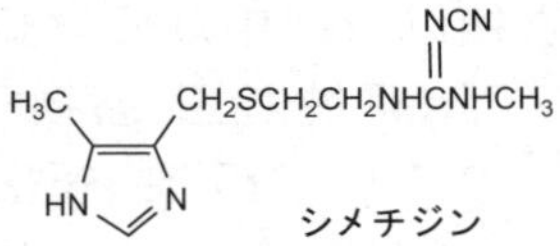

シメチジン

ファモチジン

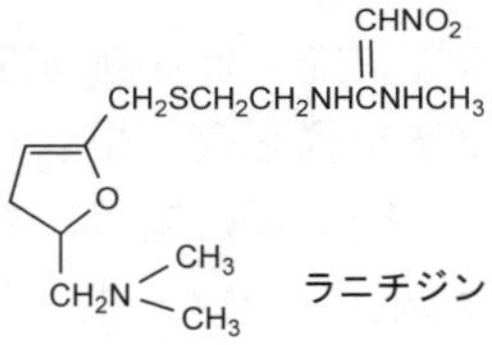

ラニチジン

他に、ロキサチジンアセタート（Roxatidine acetate）、ニザチジン（Nizatidine）、ラフチジン（Lafutidine）が使用されている。

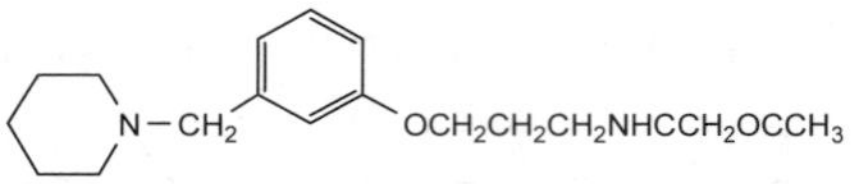

ロキサチジンアセタート

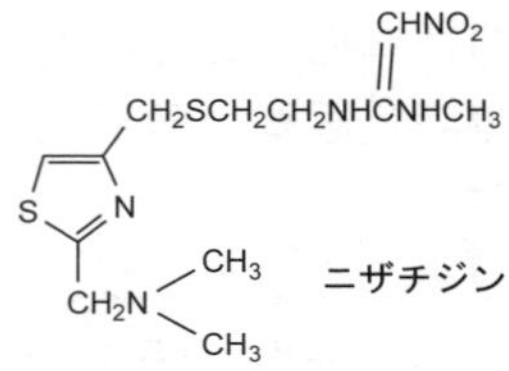

ニザチジン

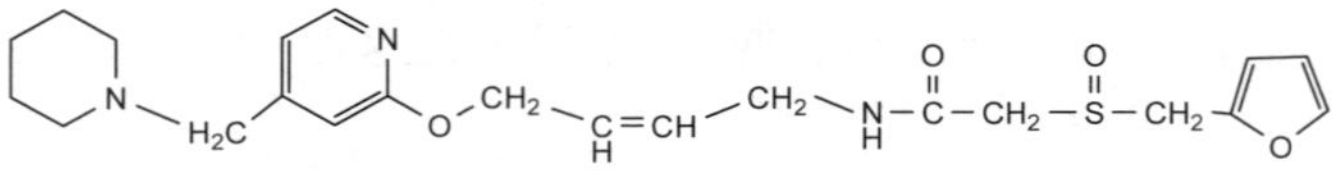

ラフチジン

抗コリン薬

ムスカリンM_1受容体遮断薬

ピレンゼピン　Pirenzepine

【作用機序】 ヒスタミン産生細胞と副交感神経節のムスカリン M_1 受容体を選択的に遮断し、胃酸分泌を抑制する。胃運動抑制作用はほとんどない。M_2、M_3 受容体遮断作用が少ないので、心臓、唾液腺、眼、膀胱などに対する作用も弱く、心疾患、緑内障、前立腺肥大症の患者にも使用できる。

【副作用】 無顆粒球症、アナフィラキシー様症状など

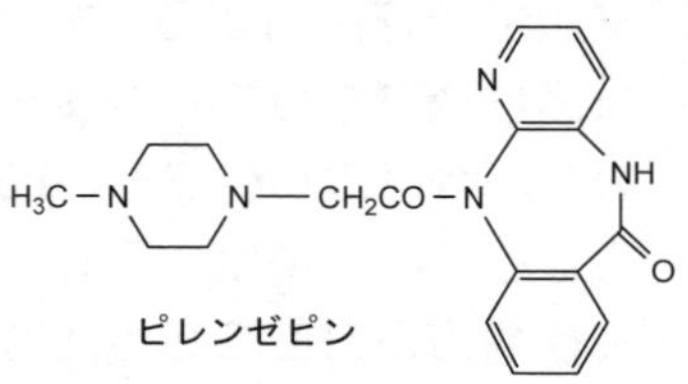

ピレンゼピン

非選択的ムスカリン受容体遮断薬

【作用機序】 ムスカリン受容体を非特異的に遮断して酸分泌抑制および胃運動と緊張の低

下を起こして刺激を弱める。

ピペリドレート Piperidolate（三級アミン）

チキジウム　Tiquizium、ブチルスコポラミン　Butylscopolamine、プロパンテリン　Propantheline（四級アンモニウム塩）

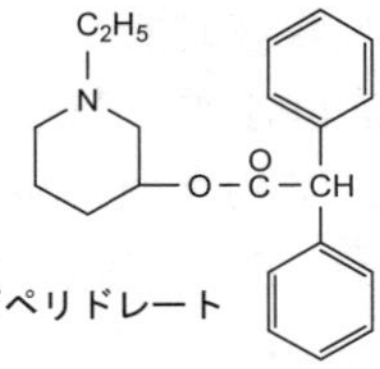

主に鎮痙薬として用いられている。四級アンモニウム塩は中枢神経系に対する作用が少なく神経節遮断作用が強いので、酸分泌抑制作用を増強するが胃酸分泌抑制には高用量が必要。胃運動が抑制された結果、胃内容物が停留して潰瘍が悪化することがある。

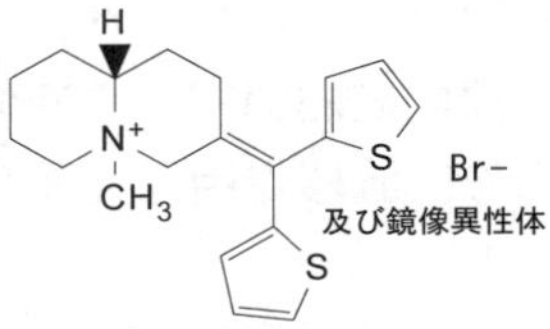

【副作用】ピペリドレート：肝機能障害，黄疸など。チキジウム：ショック、アナフィラキシー、肝機能障害、黄疸など。ブチルスコポラミン：ショック、アナフィラキシー様症状など

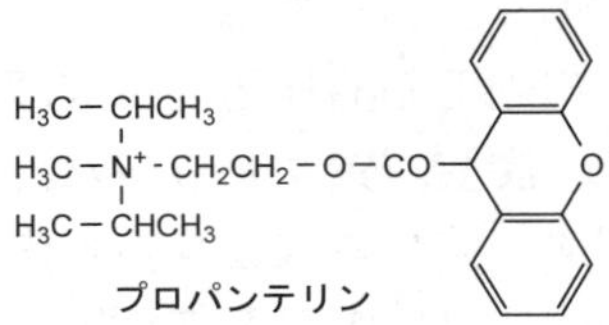

ピペリドレート

チキジウム臭化物（及び鏡像異性体）

プロパンテリン

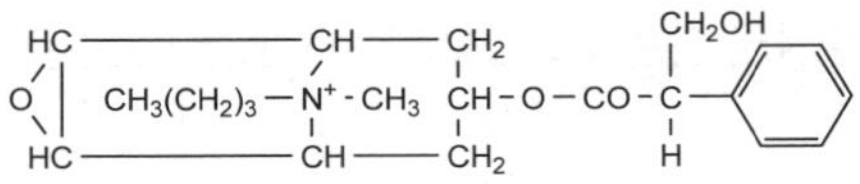

ブチルスコポラミン

抗ガストリン薬

プログルミド　Proglumide

【作用機序】ガストリン受容体遮断作用により、胃酸分泌を抑制する。また、胃粘膜糖蛋白、ムコ多糖合成促進作用があり、これにより、胃粘膜保護作用、組織修復促進作用を示す。

【副作用】消化器症状など（重大な副作用に指定されているものはない）

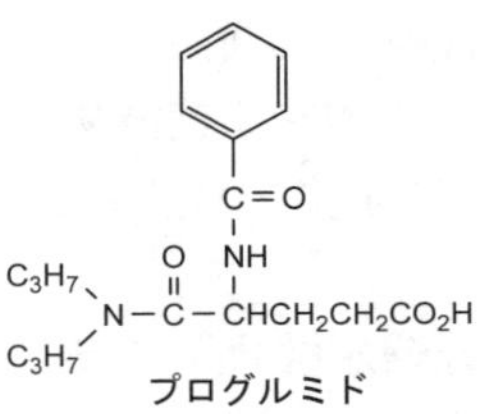

プログルミド

抗ペプシン薬

スクラルファート　Sucralfate

【作用機序】ショ糖硫酸エステルアルミニウム塩でペプシンと結合して不活性化する。スクラルファートは、潰瘍部に結合して胃粘膜保護作用も示す。胃内にタンパク質があると作用が現れないので空腹時に服用する。

【副作用】消化器症状など（重大な副作用に指定されているものはない）

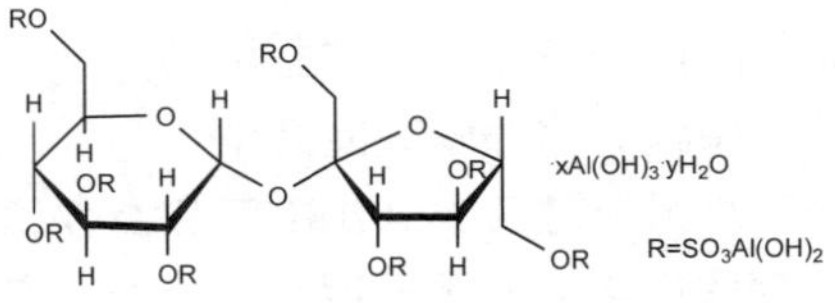

スクラルファート（$xAl(OH)_3 \cdot yH_2O$, $R=SO_3Al(OH)_2$）

制酸薬

過剰に分泌された胃酸を中和し、粘膜が消化されるのを防ぐ。また、中和によりペプシン活性を低下させる。制酸薬を連用後に薬物投与を中止すると pH が低下していても酸分泌が持続する現象（酸反跳）がみられる。

吸収性制酸薬

炭酸水素ナトリウム

中和作用（$NaHCO_3 + HCl \rightarrow NaCl + H_2O + CO_2$）は、速効性であるが一過性である。中和の際に発生する二酸化炭素により胃粘膜が刺激され、酸分泌が促進される。

沈降炭酸カルシウム

胃内において、胃液中に遊離している塩酸を中和し、胃内のｐＨを上昇させることにより、制酸作用を発揮する。

局所性制酸薬

酸化マグネシウム

胃内で制酸作用を示すが、二酸化炭素を発生しないため刺激が少ない。水に不溶性なので、炭酸水素ナトリウムに比較すると制酸作用は遅効性であるが、作用時間は長い。また、腸内で重炭酸塩となり腸内の浸透圧を高め、腸内腔へ水分を引き寄せて腸内容物を軟化、膨張させ排便を促す作用もある。

合成ケイ酸アルミニウム

胃酸を徐々に中和してケイ酸と塩化アルミニウムを生じる。生成したケイ酸は胃粘膜を被覆し、潰瘍部又は炎症部を保護する。一方、塩化アルミニウムは胃壁に対し収れん作用（組織を引き締め、出血、分泌などを減少）により、その働きを調整する。二次的胃液分泌作用は少ない。

乾燥水酸化アルミニウムゲル

水酸化アルミニウムは、酸とも塩基とも作用する両性化合物で、過剰の胃酸を中和するが、炭酸水素ナトリウムのように炭酸ガスを発生しないので、二次的な酸分泌は起こさない。また、経口投与によりゼリー状となり、酸に不溶性のゼラチン様被膜を形成して潰瘍面を保護する作用がある。

Ⅱ　防御因子を増強する薬物

粘膜保護・組織修復促進薬

メチルメチオニンスルホニウムクロライド　Methylmethioninesulfonium

【薬理作用・作用機序】 β－グルクロニダーゼ活性およびＮ－アセチル－β－グルコサミニダーゼ活性を抑制して、胃粘膜組織ムコ多糖成分の分解を抑制する。肝障害改善作用も示す。

【副作用】 消化器症状など（重大な副作用に指定されているものはない）

$$\left[\begin{array}{l} CH_3\overset{+}{S}CH_2CH_2CHCH_2OHOH \\ \quad | \qquad\qquad\quad | \\ \;CH_3 \qquad\quad NH_2 \end{array} \right] Cl^-$$

メチルメチオニンスルホニウム
クロライド

ゲファルナート　**Gefarnate**

【薬理作用・作用機序】 胃粘液分泌亢進作用、胃粘膜微小循環改善作用などにより胃粘膜病変の治癒促進および発生抑制作用を示す。
【副作用】消化器症状など（重大な副作用に指定されているものはない）

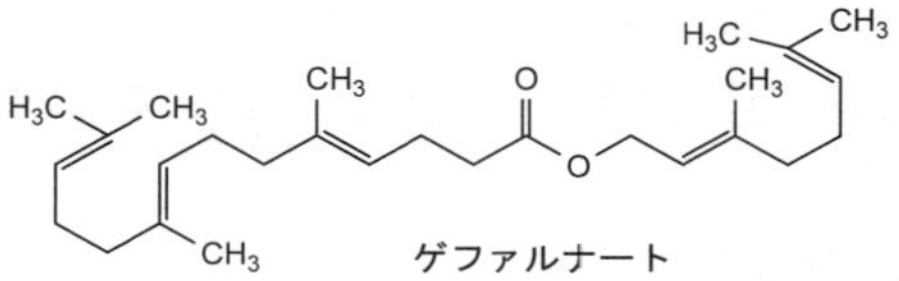
ゲファルナート

エカベト　Ecabet

【薬理作用・作用機序】胃粘膜被覆保護（バリアー）作用。胃粘膜障害部位に選択的に結合し、胃液の侵襲から胃粘膜を被覆保護する。また、胃粘液量を増加する、ペプシンおよびペプシノーゲンと結合し、ペプシン活性を抑制するなどの作用がある。

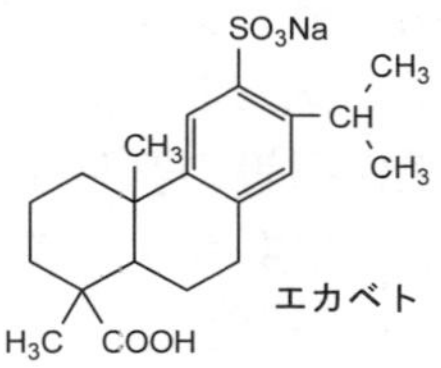
エカベト

【副作用】消化器症状など（重大な副作用に指定されているものはない）

ポラプレジンク　Polaprezinc

【薬理作用・作用機序】亜鉛錯体で潰瘍底および潰瘍辺縁部粘膜に付着し、潰瘍部位を被覆し、直接保護して治癒促進効果を示す。
【副作用】肝機能障害，黄疸など

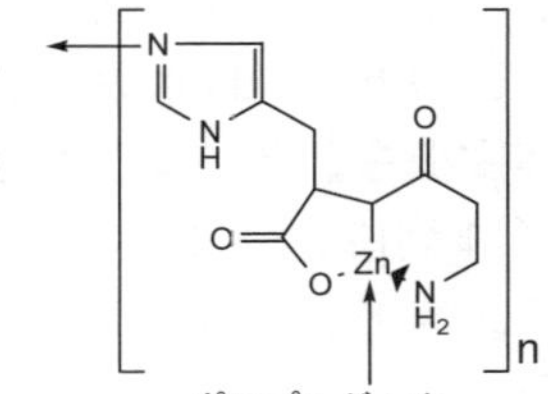
ポラプレジンク

レバミピド　Rebamipide

【薬理作用・作用機序】プロスタグランジン増加作用、抗酸化作用、粘液増加作用などにより、粘膜保護、組織修復薬となる。
【副作用】ショック、アナフィラキシー様症状、白血球減少、血小板減少、肝機能障害、黄疸など

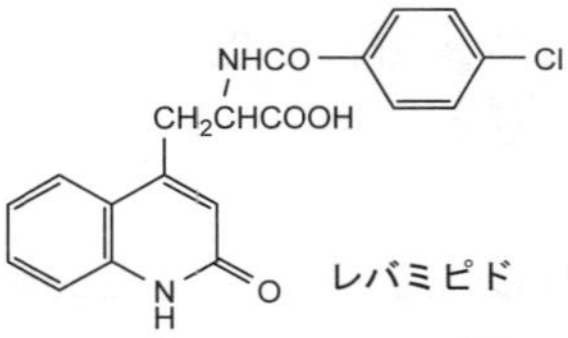
レバミピド

テプレノン　Teprenone

【薬理作用・作用機序】胃粘膜において、血流増加作用、プロスタグランジン E_2 および I_2 含量増加作用（ラットでは、プロスタグランジン生合成酵素活性を高めることが確認されている)、脂質過酸化抑制作用、粘膜新生能賦活作用などの防御因子増強作用により、抗潰瘍作用をを示す。

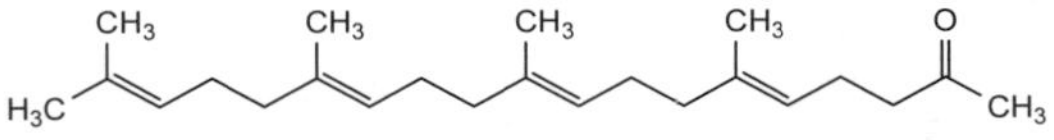
テプレノン

【副作用】肝機能障害、黄疸など

セトラキサート　Cetraxate

【薬理作用・作用機序】胃粘膜微小循環の改善を示す。また、胃粘膜内プロスタグランジン E_2、I_2 生合成増加作用、胃粘膜粘液の保持および合成促進作用等の細胞保護作用を示すとともに、ペプシノーゲンの活性化抑制、生成抑制、抗カリクレイン作用による胃液分泌の抑制等の攻撃

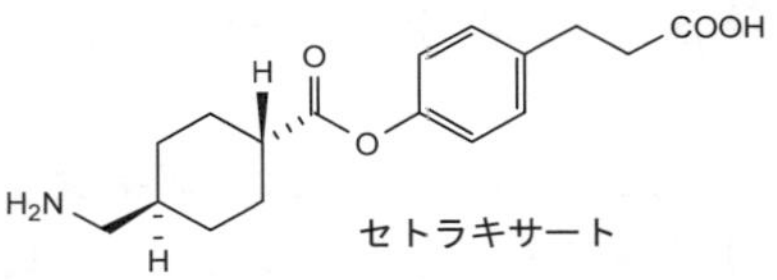
セトラキサート

系因子抑制作用を併せもつ。

【副作用】消化器症状など（重大な副作用に指定されているものはない）

アルジオキサ　**Aldioxa**

【薬理作用・作用機序】組織修復作用、粘膜被覆作用、制酸作用、抗ペプシン作用を示す。また、胃粘膜内プロスタグランジン E_2、I_2 生合成増加作用、胃粘膜粘液の保持および合成促進作用等の細胞保護作用を示すとともに、ペプシノーゲンの活性化抑制、生成抑制、抗カリクレイン作用による胃液分泌の抑制等の攻撃系因子抑制作用を併せもつ。

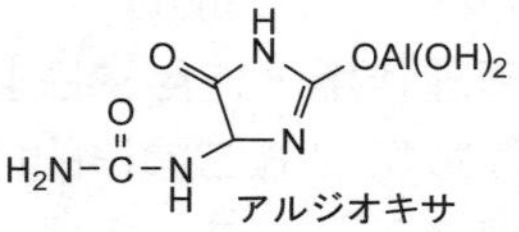

アルジオキサ

【副作用】消化器症状など（重大な副作用に指定されているものはない）

抗ドパミン薬（防御因子型）

スルピリド　**Sulpiride**

【作用機序】ドパミン受容体遮断作用により、胃運動を亢進して、内容の排泄を促進する（詳細は、ドンペリドンの項）。また、粘膜血流量を増加させる。なお、中等量では、抗うつ作用、大量では抗精神病作用がある。

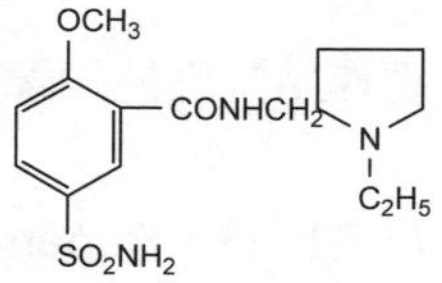

【副作用】悪性症候群（Syndrome　malin）、痙れん、 QT 延長や心室頻拍、肝機能障害、黄疸、遅発性ジスキネジア、錐体外路症状など

スルピリド

クレボプリド　**Clebopride**

【作用機序】ドパミン D2 受容体遮断作用により胃腸運動亢進作用を示す。また、粘膜血流量を増加などの防御因子増強作用が認められている。

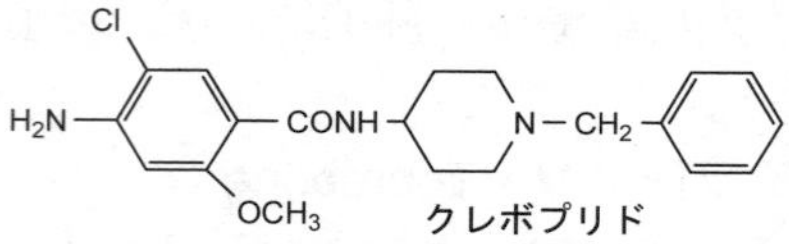

【副作用】錐体外路症状など

クレボプリド

プロスタグランジン製剤

ミソプロストール　**Misoprostol**（PGE_1 誘導体）

【薬理作用・作用機序】胃粘液分泌促進作用、胃粘膜細胞保護作用、胃酸分泌抑制作用

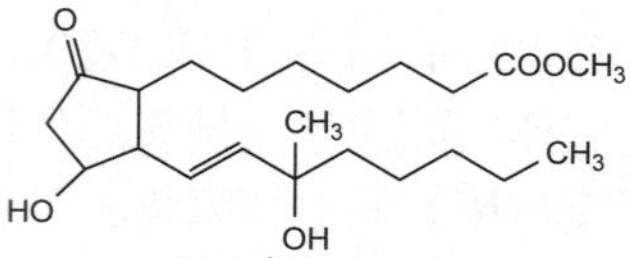

【適用】胃潰瘍。特に、NSAIDs による薬物誘発性潰瘍に有効。

【副作用】ショック、アナフィラキシー様症状など。

【禁忌】子宮収縮作用を有するため妊婦には禁忌

ミソプロストール

Ⅲ ヘリコバクターピロリ除菌薬

ヘリコバクターピロリの除菌には、通常、まず、アモキシシリン、クラリスロマイシンとプロトンポンプ阻害薬の 3 種の薬物の併用療法を行う。これらの薬物によって、除菌できなかった場合には、アモキシシリン、クラリスロマイシンをメトロニダゾールに変え、アモキシシリンとプロトンポンプ阻害薬の3種の薬物で除菌を行う。

アモキシシリン　Amoxicillin

ペニシリン系の抗菌薬で細菌の細胞壁の合成を阻害する。ヘリコバクターピロリに対して、殺菌的な抗菌作用を示す。

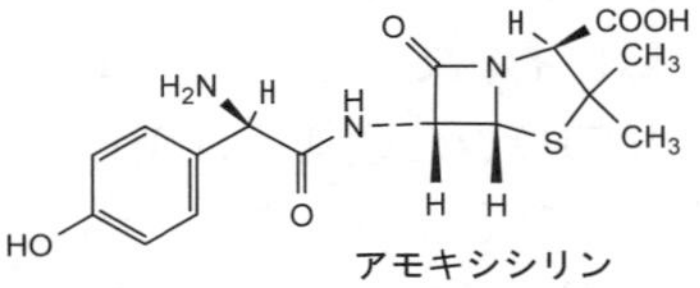

アモキシシリン

【副作用】ショック、アナフィラキシー、中毒性表皮壊死融解症（Toxic Epidermal Necrolysis：TEN）、皮膚粘膜眼症候群（Stevens-Johnson 症候群）、多形紅斑、急性汎発性発疹性膿疱症、急性腎不全等の重篤な腎障害、顆粒球減少、偽膜性大腸炎等の血便を伴う重篤な大腸炎、AST（GOT）、ALT（GPT）の上昇等を伴う肝機能障害、黄疸、間質性肺炎、好酸球性肺炎など。

クラリスロマイシン　Clarithromycin

マクロライド系の抗菌薬で、細菌の 70S リボソームの 50S サブユニットと結合し、蛋白合成を阻害する。

アモキシシリンとクラリスロマイシンとの併用における抗菌力には、相乗または相加作用が認められ、いずれの菌株においても拮抗作用は認められていない。また、アモキシシリンおよびクラリスロマイシンは、ともにプロトンポンプ阻害薬との併用により、経口投与後の胃組織中濃度の上昇が認められ、胃内 pH の上昇により両薬物の抗菌活性が高まると考えられている。

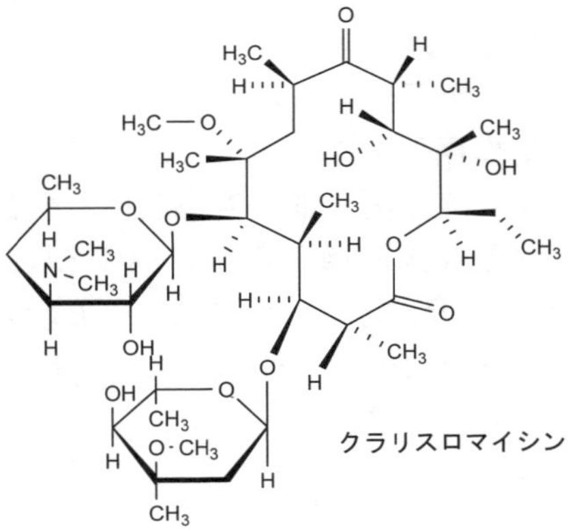

クラリスロマイシン

【副作用】ショック、アナフィラキシー、QT 延長、心室頻拍（Torsades de pointes を含む）、心室細動、劇症肝炎、肝機能障害、黄疸、肝不全、血小板減少、汎血球減少、溶血性貧血、白血球減少、無顆粒球症、中毒性表皮壊死融解症（Toxic Epidermal Necrolysis：TEN）、皮膚粘膜眼症候群（Stevens-Johnson 症候群）、多形紅斑、PIE 症候群・間質性肺炎、偽膜性大腸炎、出血性大腸炎、横紋筋融解症、痙攣、急性腎不全、尿細管間質性腎炎、アレルギー性紫斑病、薬剤性過敏症症候群など。

メトロニダゾール

メトロニダゾールは、原虫又は菌体内の酸化還元系によって還元され、ニトロソ化合物（R-NO）に変化し、抗原虫作用および抗菌作用を示す。また、反応の途中で生成したヒドロキシラジカルが DNA を切断し，DNA らせん構造の不安定化を招く。

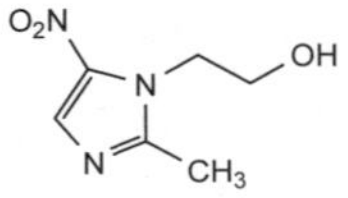

メトロニダゾール

【副作用】末梢神経障害、中枢神経障害、無菌性髄膜炎、中毒性表皮壊死融解症（Toxic Epidermal Necrolysis：TEN）、皮膚粘膜眼症候群（Stevens-Johnson 症候群）、急性膵

炎、白血球減少，好中球減少（頻度不明）：など

胃運動促進薬（消化器機能異常調整薬）

ドパミン D2 受容体遮断薬

消化管のドパミン（DA）受容体

胃において、ドパミン D2 受容体は、副交感神経節後線維シナプス前膜に存在し、アセチルコリンの遊離を抑制している。したがって、ドパミン D2 受容体遮断薬が胃腸運動促進薬となる。

ドンペリドン　Domperidone、メトクロプラミド　Metoclopramide

【作用機序】胃において、副交感神経節後線維シナプス前膜のドパミン D2 受容体を遮断してアセチルコリンの遊離を促進する。アセチルコリンの遊離が促進されると、胃運動が高進され、胃内容物の排泄が促進される。このように、胃内容物の停留が除かれ、潰瘍面と酸・ペプシンとの接触時間が短縮される。また、これらの薬物は、第 4 脳室底の CTZ の D2 受容体も遮断し、制吐作用も示す。ドンペリドンは、中枢には非常に移行しにくい。

メトクロプラミドは、ドパミン D2 受容体遮断作用に加えて、5-HT_3 受容体遮断作用と 5-HT_4 受容体刺激作用を有している。

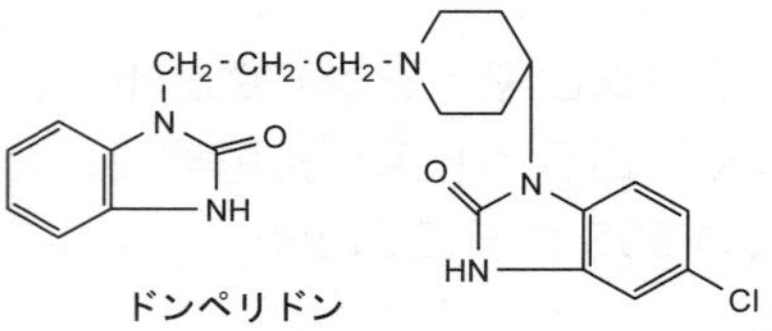

ドンペリドン

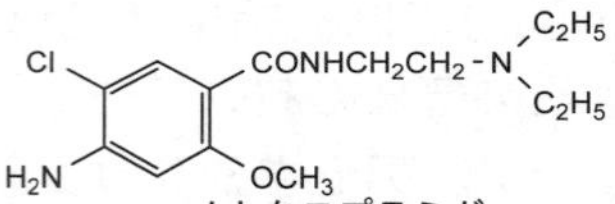

メトクロプラミド

【副作用】ドンペリドン：ショック、アナフィラキシー様症状、錐体外路症状、意識障害、痙れん、肝機能障害、黄疸など。メトクロプラミド：ショック、アナフィラキシー様症状、悪性症候群（Syndrome malin）、意識障害、痙れん、遅発性ジスキネジアなど。

セトロニン受容体刺激薬

消化管のセロトニン（5-HT）受容体

胃腸管において 5-HT_1、5-HT_3、5-HT_4 受容体はコリン作動性神経シナプス前膜に存在し、5-HT_1 受容体はアセチルコリン遊離を抑制、5-HT_3 および 5-HT_4 受容体は遊離を促進させる。したがって、セロトニン 5-HT_3、5-HT_4 受容体刺激薬は、胃腸運動促進薬となる。

モサプリド　Mosapride

【作用機序】胃腸管の副交感神経節後線維シナプス前膜にある 5-HT_4 受容体刺激により ACh 遊離促進して胃腸管運動を促進させる。ドパミン D2 受容体遮断作用がないことが特徴である。

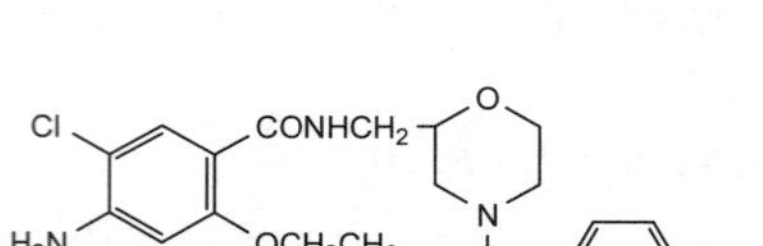

モサプリド

【適用】適応慢性胃炎に伴う消化器症状

【副作用】劇症肝炎、肝機能障害、黄疸など

3．制吐薬、催吐薬

食道・胃などの粘膜をはじめとする消化器系臓器の刺激が、内臓の知覚神経を経て嘔吐中枢に伝えられた場合に嘔吐反射が起こる。また、第 4 脳室底の化学受容器引き金帯（CTZ）の刺激、あるいは内耳の迷路の刺激によっても嘔吐中枢が刺激され、嘔吐反射が起こる。CTZ には、ドパミン D2 受容体、セロトニン 5-HT_3 受容体およびニューロキニン NK1 受容体（サブスタンス P の受容体）が存在し、これらが刺激されると嘔吐を起こす。

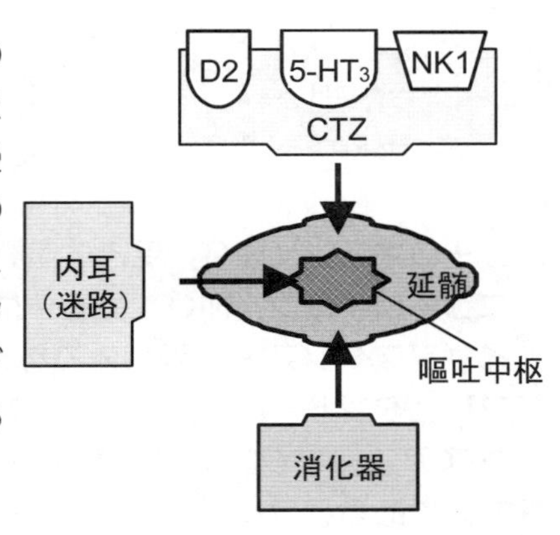

制吐薬

抗腫瘍薬やレボドパなどの薬物投与時の副作用を含め、何らかの原因で悪心、嘔吐が持続している場合に用いる。

中枢性制吐薬

ドパミン D2 受容体遮断薬

メトクロプラミド　Metoclopramide、ドンペリドン　Domperidone、
スルピリド　Sulpiride

【作用機序】 CTZ のドパミン D2 受容体を遮断し、制吐作用を示すが、動揺病よる嘔吐には無効で、抗悪性腫瘍薬による嘔吐にもほとんど効果はない。

セロトニン 5-HT_3 受容体遮断薬

グラニセトロン　Granisetron、
オンダンセトロン　Ondansetron

【作用機序】 胃の求心性迷走神経と CTZ にあるセロトニン 5-HT_3 受容体を遮断し、シスプラチンをはじめとする抗悪性腫瘍薬により誘発される悪心、嘔吐を抑制する。抗悪性腫瘍薬は、腸クロム親和性細胞を刺激して、セロトニンを遊離させ、これがセロトニン 5-HT_3 受容体を刺激して嘔吐を誘発させている。

【副作用】 アナフィラキシー様症状が共通の重大な副作用である。また、オンダンセトロンでは、てんかん様発作も重大な副作用にされている。

オンダンセトロン

グラニセトロン

グラニセトロン、オンダンセトロンの他に、アザセトロン Azasetron、インジセトロン　Indisetron、ラモセトロン Ramosetron、トロピセトロン　Tropisetron が使用されている。

アザセトロン

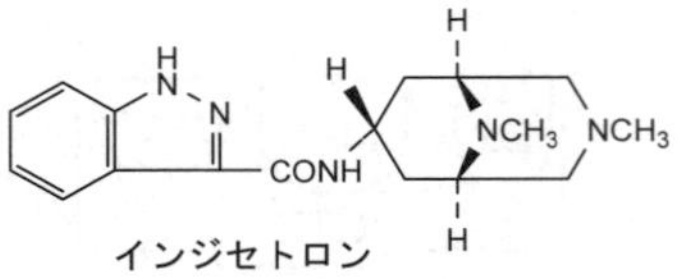

インジセトロン 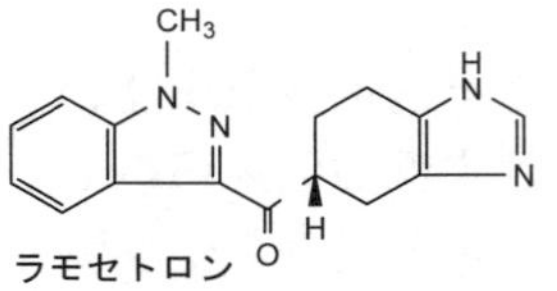　ラモセトロン 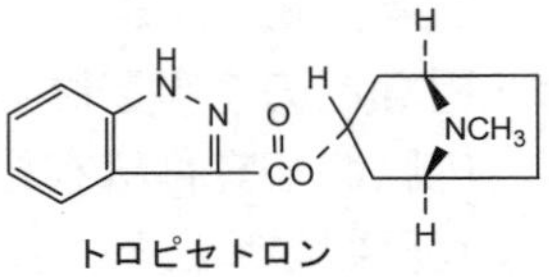　トロピセトロン

ニューロキニン（NK）$_1$ 受容体遮断薬

ニューロキニン（NK）$_1$ 受容体は、嘔吐や痛みなどの発現に深く関与するといわれているサブスタンスPの受容体である。

アプレピタント　Aprepitant、ホスアプレピタント　Fosaprepitant

ホスアプレピタントは、静脈内投与後速やかに活性本体であるアプレピタントに代謝される。

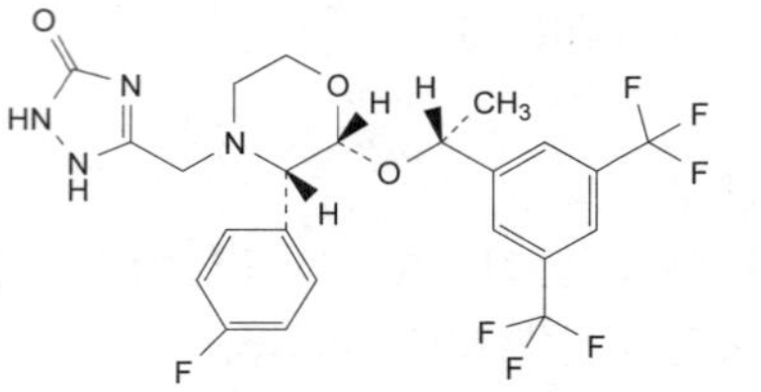

【作用機序】 嘔吐中枢および CTZ においてニューロキニン（NK）$_1$ 受容体を選択的に遮断して、悪心・嘔吐を抑制する。

【副作用】 皮膚粘膜眼症候群（Stevens-Johnson 症候群）、穿孔性十二指腸潰瘍、アナフィラキシー反応など

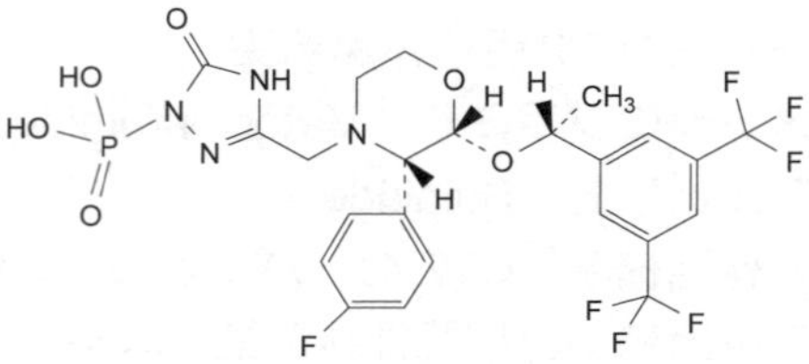

アプレピタント

アプレピタントおよびホスアプレピタントは、強い悪心、嘔吐が生じる抗悪性腫瘍薬（シスプラチン等）の投与の場合に限り、原則としてコルチコステロイドおよび 5-HT$_3$ 受容体遮断型制吐薬と併用して使用することとなっている。

ホスアプレピタント

抗悪性腫瘍薬による嘔吐

抗悪性腫瘍薬の副作用で誘発される嘔吐には、5-HT$_3$ 遮断薬が用いられてきたが、5-HT$_3$ 遮断薬は、急性期（抗悪性腫瘍薬投与 24 時間以内）の嘔吐に比較して遅発性（24 時間以降）の嘔吐の抑制が十分ではなかった。現在までに、急性期の嘔吐にはセロトニンが、遅発性の嘔吐にはサブスタンスPが重要な役割を演ずることが明らかにされている。アプレピタントは、NK$_1$ 受容体遮断薬としては、初の制吐薬として承認された薬物である。抗悪性腫瘍薬による嘔吐には、5-HT$_3$ 遮断薬、NK$_1$ 受容体遮断薬（アプレピタント）およびデキサメタゾンの併用療法が試みられている。

抗ヒスタミン薬（動揺病薬）

ジメンヒドリナート　Dimenhydrinate、ジフェンヒドラミン　Diphenhydramine など

【作用機序】 ヒスタミン H$_1$ 受容体を遮断し、迷路から嘔吐中枢に入る経路を遮断する。動揺病は、内耳迷路に対する加速度の影響が嘔吐中枢に達して嘔吐が誘発されるのでこれらの薬物は、動揺病に有効である。また、これらの薬物は、メニエル病などにも用いられる。

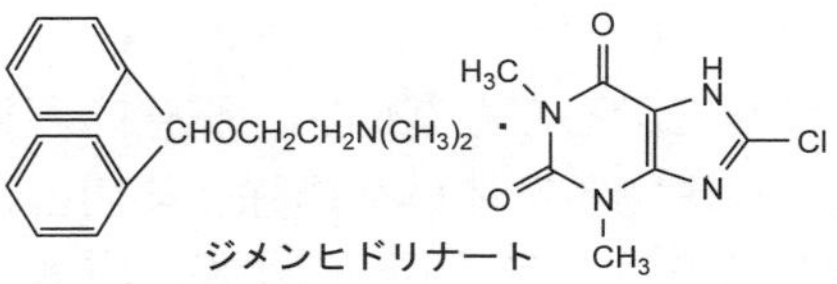

ジメンヒドリナート 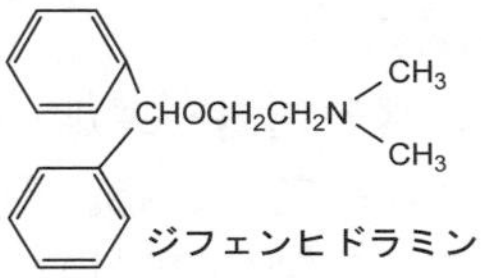　ジフェンヒドラミン

末梢性制吐薬

アミノ安息香酸エチル、

オキセサゼイン　Oxethazaine

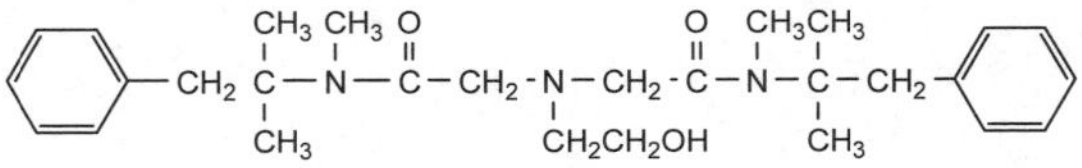

オキセサゼイン

【作用機序】局所麻酔作用により胃粘膜の知覚神経を麻痺させて、嘔吐反射を抑制する。

催吐薬

化学薬品などを誤飲した際に適用し、消化管から吐き出させるために使用される。誤飲した化合物の腐食性に注意が必要で、強酸、強アルカリなどを誤飲したときに使用すると胃穿孔をきすことがあるので、注意が必要である。現在、臨床で用いられる催吐薬は、末梢性の薬物だけであるが、中枢性の薬物は、制吐薬評価のための動物実験で使用されることがある。

末梢性催吐薬

トコン　Ipecac Fluidextract

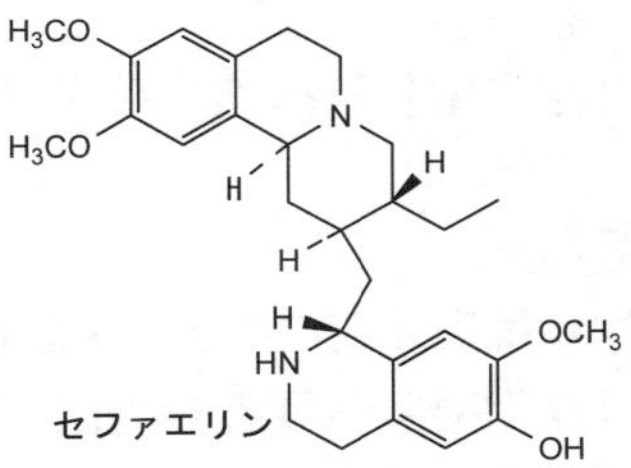

アカネ科の多年草であるトコンの根の抽出液のシロップ剤を用いる。有効成分としてエメチン　Emetine とセファエリン　Cephaeline が含まれる。セファエリンの催吐作用は、エメチンの約 2 倍強力である。タバコなどの誤飲時に催吐のために使用されるが、強酸・強アルカリや、農薬などのように使用が禁じられている薬物も多い。

セファエリン

【作用機序】胃粘膜を刺激して嘔吐を起こす。また、CTZ へ作用するものと推測されている。動物実験においては、セファエリンまたはエメチンによる嘔吐がセロトニン 5-HT_3 受容体遮断薬のオンダンセトロンで抑制されることが示されている。

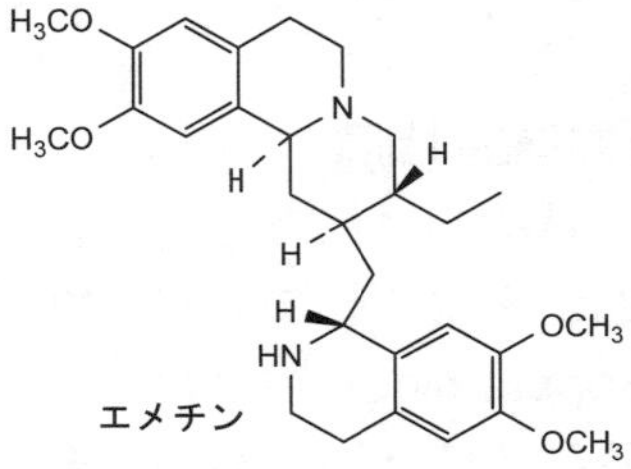

エメチン

硫酸銅

胃粘膜を直接刺激して反射性の嘔吐を起こす。リンと結合して、不溶性のリン化銅を生成するのでリン中毒の解毒薬となる。

中枢性催吐薬

アポモルヒネ　Apomorphine

アポモルヒネ

【作用機序】ドパミン受容体アゴニストで、CTZ のドパミン D2 受容体を刺激して嘔吐を起こす。ただし、現在、催吐薬としての適用はない。

4．止瀉薬（制瀉薬）

下痢は、糞便中の水分含量が増加し、軟便～水様便になることをいい、腸管内感染症をはじめとして様々な疾患で起こる。急性下痢症は、有害物質を体外へ排除する自己防衛的な現象でもあるので、抑制しないほうがよいこともある。一方、下痢により、電解質異常を誘発することもあるため、必要に応じて止瀉薬（制瀉薬）を使用する。止瀉薬は、下痢を抑制するために用いる薬物で、現在は、腸粘膜への作用様式から以下のように分類されている。

収斂薬

消化管粘膜から吸収されず、粘膜表面でたん白と結合して不溶性の被膜を形成し、腸粘膜の保護と消炎作用を示す薬物である。

タンニン酸アルブミン　Albumin tannate

【作用機序】 腸管まで分解されずに到達後、膵液により徐々に分解されてタンニン酸を遊離し、全腸管に緩和な収れん作用を示すことにより、止瀉作用を示す。

【副作用】 ショック、アナフィラキシー様症状など

ビスマス製剤（次硝酸ビスマス、次没食子酸ビスマス）

【作用機序】 消化管粘膜に被膜を形成し粘膜の感受性を低下させ、二次的にぜん動運動を抑制する。また、腸内硫化水素と結合し、ガス刺激を緩和する。これらにより止瀉作用を示す。

【副作用】 精神神経系症状（間代性痙れん、昏迷、錯乱、運動障害等）、など

吸着薬

ケイ酸アルミニウム　Aluminum Silicate

【作用機序】 胃腸管内において有害物質や過剰の水分又は粘液などを吸着し、除去する。この吸着作用は腸管内では結果的に収斂作用をもたらし、止瀉作用を示す。

腸運動抑制薬

腸管のオピオイド受容体（MOP（μ））が活性化されると、腸管運動が抑制され、止瀉作用を示す。**ロペラミド Loperamide** や**トリメブチン　Trimebutine** は、オピオイド受容体に作用するが、末梢投与では中枢へはほとんど移行しないので止瀉薬として用いられる。

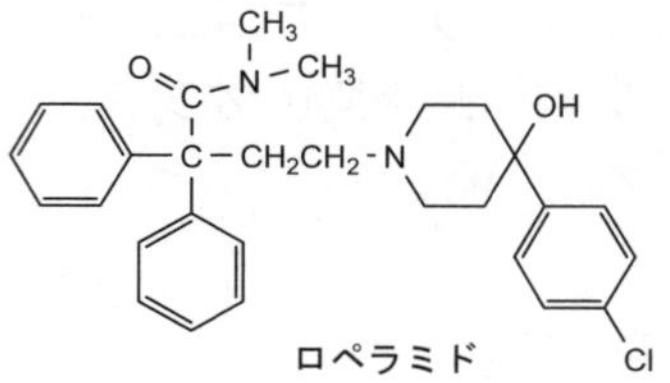

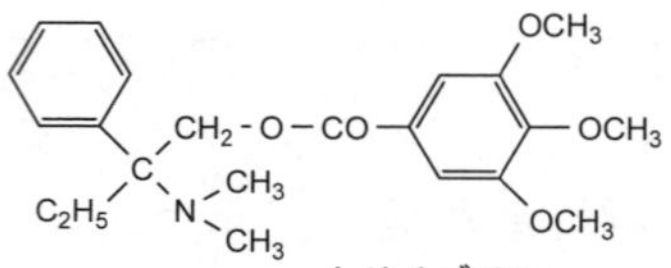

【副作用】 ロペラミド：イレウス、巨大結腸 、ショック、アナフィラキシー様症状、 皮膚粘膜眼症候群（Stevens-Johnson 症候群）、中毒性表皮壊死症（Lyell 症候群）など
トリメブチン：肝機能障害、黄疸など

5．下剤

下剤は、種々の原因による便秘、各種検査や手術の前処置などに用いられる。下剤には、緩下剤（軟便を排泄させる）と峻下剤（液状の便を排泄させる）という分類があるが両者を厳密には区別できない。大半の下剤は、低用量で緩下作用、高用量で峻下作用を示す。下剤は、腸内容物の容量を増加させて排泄を容易にする他、腸運動の異常を是正して排泄を促進させる。

塩類下剤

腸管粘膜から吸収されにくく、水分を腸管腔に吸引し、腸管内容量を軟化、増加させる薬物である。

硫酸マグネシウム

【作用機序】 難吸収性塩で、腸内水分および分泌液の吸収を妨げ、腸管内に水分を貯留させ、腸内容物を軟化、増大させ、腸壁を刺激して蠕動運動を亢進し瀉下作用を示す。

【副作用】 マグネシウム中毒（熱感、血圧降下、中枢神経抑制、呼吸麻痺など）など

酸化マグネシウム

【作用機序】 腸内で炭酸マグネシウムとなり腸内での水分の再吸収に抑制的に働き、腸管内容物を膨張させ、腸管に機械的な刺激を与えて排便を容易にする。

【副作用】 高マグネシウム血症など

膨張性下剤

腸管内で水分を吸収し、内容物の容積を増大して蠕動運動を促進する薬物。

カルメロースナトリウム　Carmelose sodium

【作用機序】 消化管からはほとんど消化吸収されず、同時に服用した水とともに腸内で粘性のコロイド液となり、便塊に浸透して容積を増大させ、腸壁を刺激して無理なく排便させる。軟便として排泄されるため、排便時に下腹部疼痛がなく、また怒責する必要がないため、痔疾患者にも使用できる。

【副作用】 悪心・嘔吐、腹部膨満感など

浸潤性下剤

ジオクチルソジウムスルホサクシネート　Dioctyl Sodium Sulfosuccinate

【作用機序】 ジオクチルソジウムスルホサクシネートは腸で吸収されずに、その界面活性作用により、腸内容物の表面張力を低下させて水分の混入を容易にし、内容物を膨潤させて排便を促す。ジオクチルソジウムスルホサクシネート製剤中には、カサンスラノールが配合されているが、これは、カスカラサグラダ皮中の有効配糖体で腸の蠕動運動を促進する作用がある。

【副作用】 過敏症など

刺激性下剤

腸粘膜直接または知覚神経終末刺激作用により、壁内神経叢の反射を亢進させて蠕動運動を亢進し、排便を促す。

ヒマシ油　Castor oil

【作用機序】小腸内でリパーゼにより、グリセリンとリシノール酸に加水分解され、このリシノール酸が小腸を刺激し瀉下作用を示す。ヒマシ油は、かつては汎用されていたが、現在は、ほとんど使用されていない。

【副作用】悪心・嘔吐、過敏症など

センナ　Senna

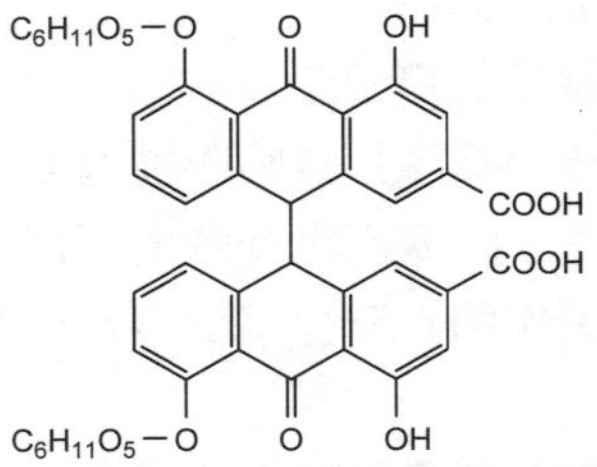

【作用機序】主成分であるセンノシド A・B が、大腸で腸内細菌の作用によりレインアンスロンとなり、瀉下作用を発現する。その他の成分であるレイン、アロエエモジン、センノシド C などにより瀉下作用が増強されるとされている。

【副作用】過敏症など

センノシドA・B（互いに立体異性体）

センノシド　Sennoside A・B

センナの主成分であるセンノシド A・B の製剤。

ピコスルファートナトリウム　Sodium Picosulfate

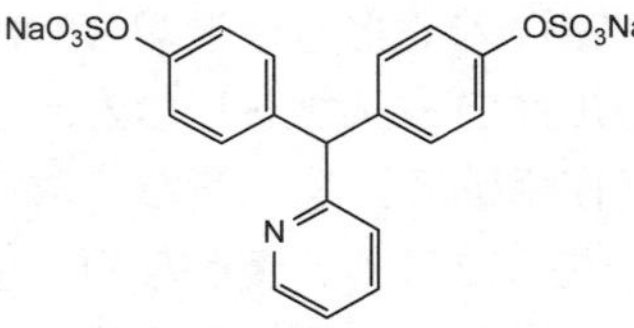

【作用機序】胃、小腸ではほとんど作用せず、大腸細菌叢由来の酵素であるアリルスルファターゼにより加水分解されて活性型のジフェノール体となり、腸管蠕動運動の亢進作用および水分吸収阻害作用により瀉下作用を示す。

【副作用】腹部不快感などの消化器症状など

ピコスルファートナトリウム

ビサコジル　Bisacodyl

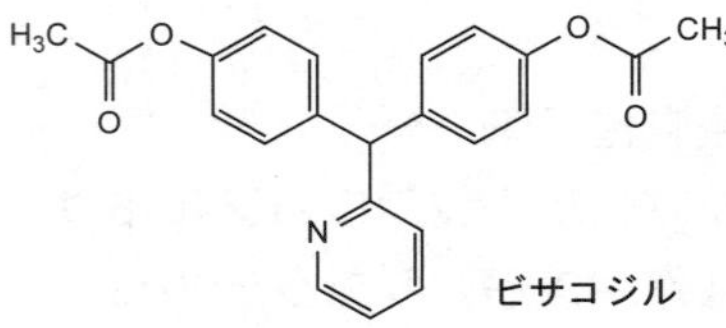

【作用機序】結腸・直腸の粘膜に選択的に作用して蠕動運動を促進させる。また、腸粘膜直接作用のよる排便反射刺激作用、および、結腸腔内での水分吸収抑制による内容積増大作用もある。

【副作用】過敏症など

ビサコジル

その他

ルビプロストン　Lubiprostone

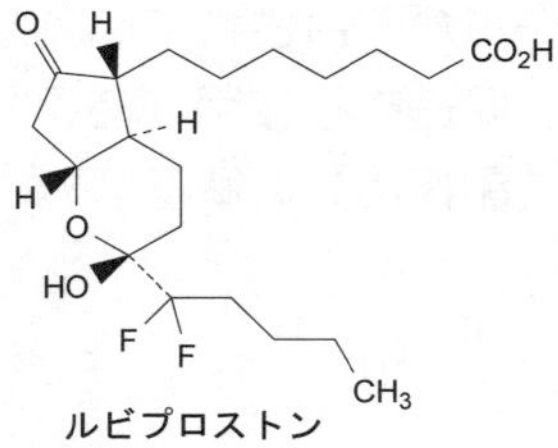

【作用機序】腸管内で代謝されず、小腸粘膜上皮に存在するクロライドイオンチャネル（ClC-2）に結合して同チャネルを開く。チャネルが開くと、クロライドイオンが腸管内腔に移動

ルビプロストン

し、それに伴い腸液も分泌される。これにより、便を軟らかくして排便を促す。
【副作用】重大な副作用は報告されていない

エロビキシバット　Elobixibat

【作用機序】回腸末端部の上皮細胞に発現している胆汁酸トランスポーターを阻害し、胆汁酸の再吸収を抑制して、大腸管腔内に流入する胆汁酸の量を増加させる。胆汁酸は、大腸管腔内に水分および電解質を分泌させ、さらに消化管運動を亢進させるため、便秘治療効果が発現する。

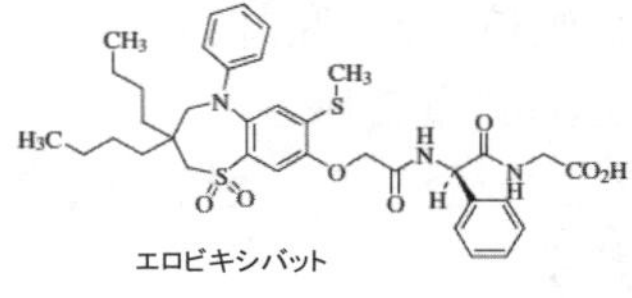
エロビキシバット

【副作用】重大な副作用は報告されていない

ナルデメジン　Naldemedine

【作用機序】末梢性オピオイドμ受容体遮断薬で、消化管に存在するμオピオイド受容体に結合し、オピオイドの末梢性の作用に拮抗することによりオピオイド誘発性便秘を改善する。オピオイドの投与を中止する場合は本剤の投与も中止することとされている。

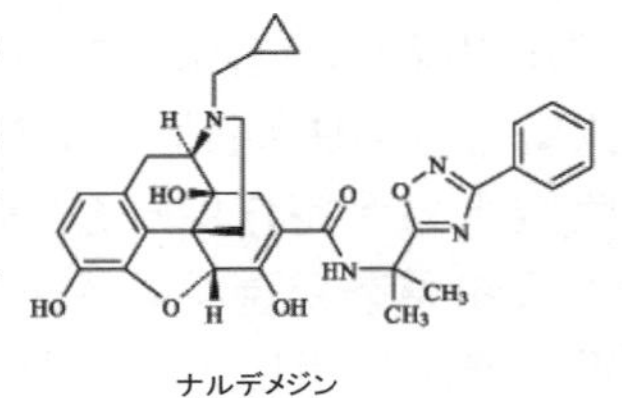
ナルデメジン

【副作用】重度の下痢など

潰瘍性大腸炎治療薬

潰瘍性大腸炎は、大腸の粘膜にびらんや潰瘍が発生する大腸の炎症性疾患で、特徴的な症状として、下痢（下血を伴う場合と伴わない場合がある）と腹痛が頻発する。病変は直腸から連続的に上行性（口側）に広がる性質があり、最大で直腸から結腸全体に拡がる。現在、潰瘍性大腸炎を完治に導く内科的治療はなく、大腸粘膜の異常な炎症を抑制し、症状をコントロールすることが目的となる。

治療薬としては、サラゾスルファピリジンやメサラジン、副腎皮質ステロイド薬、免疫抑制薬のシクロスポリンやタクロリムス、ヒト腫瘍壊死因子（TNF）αモノクローナル抗体インフリキシマブやアダリムマブなどが使用される。

メサラジン　Mesalazine

【作用機序】炎症性細胞から放出される活性酸素を消去し、炎症の進展と組織の障害を抑制すること、およびロイコトリエン B4（LTB4）の生合成を抑制し、炎症性細胞の組織への浸潤を抑制して、炎症を抑制する。また、肥満細胞からのヒスタミン遊離抑制作用、血小板活性化因子（PAF）の生合成抑制作用、インターロイキン 1-β（IL-1 β）の産生抑制作用が一部関与している可能性も考えられている。

OH
COOH
NH_2
メサラジン

【副作用】間質性肺疾患、心筋炎、間質性腎炎、ネフローゼ症候群、腎機能低下、急性腎不全、再生不良性貧血、汎血球減少、無顆粒球症、血小板減少症、肝炎、肝機能障害、黄疸、膵炎など

過敏性腸症候群治療薬

過敏性腸症候群は、検査を行っても腸に炎症や潰瘍など目に見える異常が認められないにもかかわらず、下痢や便秘、ガス過多による下腹部の張りなどの消化器症状を示す病気である。以前は大腸の機能の異常によって引き起こされる病気ということで「過敏性大腸症候群」と呼ばれていたが、最近では、大腸だけではなく小腸にも関係することなどからこのように呼ばれている。治療には、ポリカルボフィルカルシウムの他、抗コリン薬のメペンゾラート、セロトニン 5-HT_3 受容体遮断薬のラモセトロン（男性のみ）などが使用される。

ポリカルボフィルカルシウム　Polycarbophil Calcium

ポリカルボフィルカルシウムは、3,4-ジヒドロキシ-1,5-ヘキサジエンにより架橋したポリアクリル酸のカルシウム塩である。

【作用機序】 胃内の酸性条件下でカルシウムを脱離してポリカルボフィルとなり、小腸や大腸等の中性条件下で高い吸水性を示し、膨潤・ゲル化する。下痢および便秘には消化管内水分保持作用及び消化管内容物輸送調節作用により効果を発現する。下痢モデルにおいては、下痢抑制作用を示したが、便秘を誘発しないこと、 便秘モデルにおいては便秘改善作用を示すが、下痢は誘発しないことが示されている。

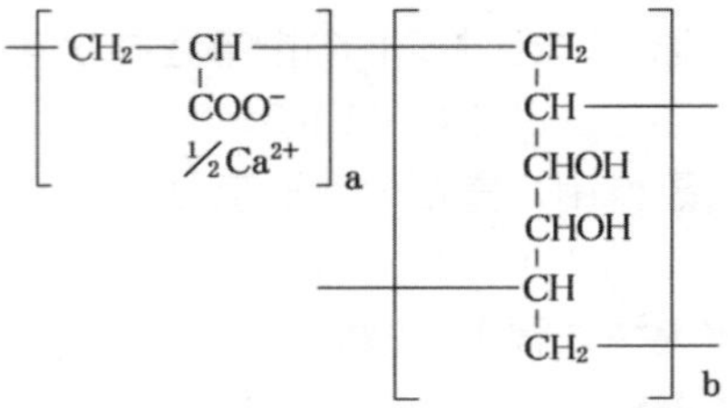

【副作用】 過敏症など

6．胆・肝系疾患治療薬

胆道系疾患治療薬

胆道系疾患治療薬として、利胆薬と胆石溶解薬がある。利胆薬には、ウルソデオキシコール酸などの催胆薬（肝臓からの胆汁分泌を促進する）とフロプロピオンなどの排胆薬（胆嚢からの胆汁排出を促進）がある。胆石溶解薬としては、ケノデオキシコール酸を用いる。

ウルソデオキシコール酸　Ursodeoxycholic Acid

【作用機序】 胆汁中の水分量は増加させないが、胆汁酸の多い胆汁の分泌を促進させ（胆汁酸利胆薬）て、胆汁うっ帯を改善する。また、ウルソデオキシコール酸は、慢性肝疾患患者の肝機能改善作用や胆石溶解作用をもつことも示されている。

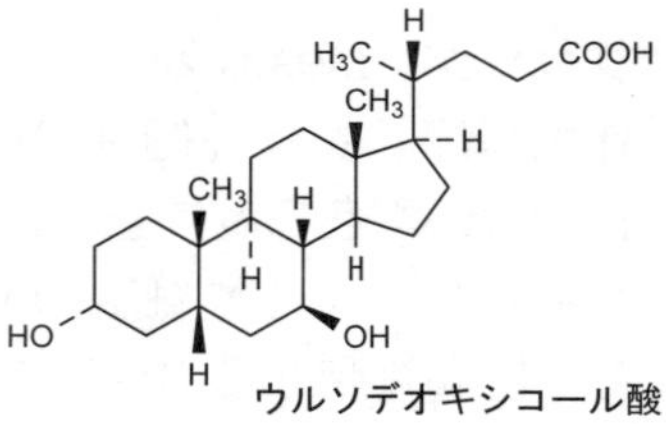

【副作用】 間質性肺炎など

ウルソデオキシコール酸

フロプロピオン　Flopropione

【作用機序】 Catechol-*o*-methyl-transferase（COMT）を阻害して膵胆道系平滑筋を弛緩させる。また、Oddi 括約筋も弛緩させ、これ

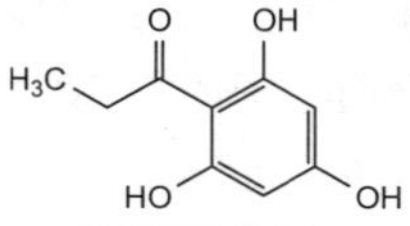

フロプロピオン

により、胆汁・膵液の十二指腸への排出を促進して膵胆道内圧を低下させる。
【副作用】悪心・嘔気、胸やけ、腹部膨満感など

ヒメクロモン　Hymecromone

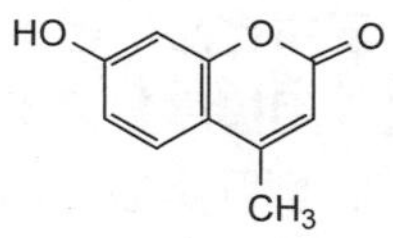

【作用機序】胆汁排泄量の増加と胆汁中ビリルビン・コレステロール濃度の軽度上昇が認められている。*in vitro* で Oddi 括約筋の収縮を抑制する。
【副作用】悪心・嘔気、腹部膨満感など

ヒメクロモン

ケノデオキシコール酸　Chenodeoxycholic acid

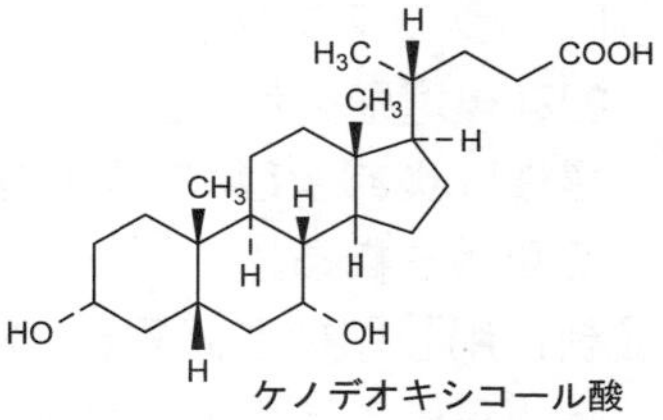

【作用機序】他の胆汁酸（コール酸、ウルソデスオキシコール酸）よりも強い胆石溶解作用が認められる。また、胆汁組成に対し、総胆汁酸の増加作用、および、リン脂質の軽度の増加作用を示し、コレステロールの溶解性を高める。
【副作用】過敏症など

ケノデオキシコール酸

肝疾患治療薬

肝疾患としては、急性・慢性肝炎、アルコール性肝障害などがあるが、我が国ではウイルス性肝炎（C 型、B 型）が多い。治療薬としては、インターフェロン、核酸類似薬や肝庇護薬が用いられる。

インターフェロン　Interferon（IFN）

天然型（IFN-αおよび IFN-β）および遺伝子組換え型（IFN-α-2a および IFN-α-2b）が抗ウイルス薬として肝炎の治療に用いられる。
【副作用】　間質性肺炎、発熱、全身倦怠感など

核酸類似薬

ラミブジン　Lamivudine

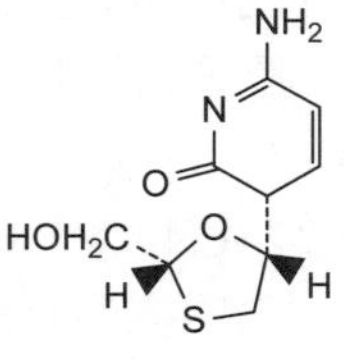

【作用機序】ラミブジンは、細胞内でリン酸化されて活性体のラミブジン 5'-三リン酸に変換され、DNA ポリメラーゼによる DNA 鎖へのデオキシシチジン 5'-三リン酸（dCTP）の取り込みを競合的に阻害して、B 型肝炎ウイルスの DNA 複製を阻害する。また、ラミブジン 5'-三リン酸は、DNA ポリメラーゼの基質としてウイルス DNA 鎖に取り込まれるが、ラミブジン 5'-三リン酸には次のヌクレオチドとの結合に必要な 3' 位の OH 基がないため、DNA 鎖の伸長を停止させてしまう（チェーンターミネーション）。これら二つの作用により、B 型肝炎ウイルスに対して抗ウイルス作用を示す。ラミブジンは、単独で、B 型慢性肝炎および B 型肝硬変に使用されるが、投与中に抵抗株が出現することがある。抵抗株が出現した際は、アデホビル ピボキシルと併用する。なお、ラミブジンは、HIV 感染症に対しても他の抗 HIV 薬との併用で

ラミブジン

使用される。
【副作用】血小板減少、横紋筋融解症など

アデホビル　ピボキシル　Adefovir pivoxil

【作用機序】アデホビル　ピボキシルは、細胞内でアデホビルニリン酸にリン酸化され、B 型肝炎ウイルス DNA ポリメラーゼを選択的に阻害することにより DNA の複製を阻害する。また、基質として DNA に取り込まれ、DNA 鎖の複製を阻害する。アデホビル ピボキシルは、ラミブジン投与中に B 型肝炎ウイルスの持続的な再増殖を伴う肝機能の異常が確認された、B 型慢性肝炎および B 型肝硬変にラミブジンとの併用で使用される。

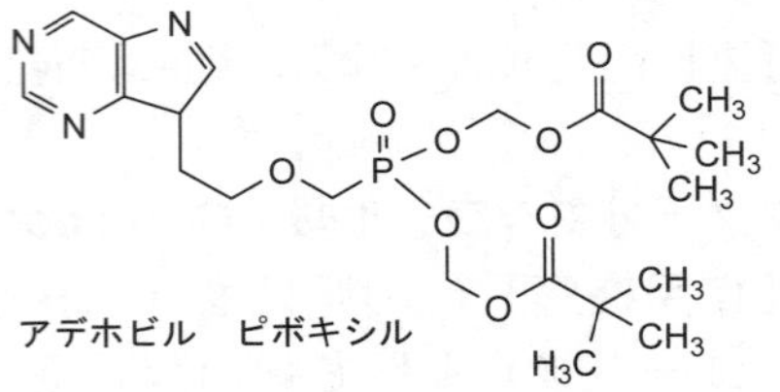

アデホビル　ピボキシル

【副作用】腎機能障害、 乳酸アシドーシスおよび脂肪沈着による重度の肝腫大（脂肪肝）など

エンテカビル　Entecavir

【作用機序】グアノシンヌクレオシド類縁体で、B 型肝炎ウイルス DNA ポリメラーゼを強力かつ選択的に阻害し、抗ウイルス作用を示す。エンテカビルは細胞内でリン酸化され、活性を有するエンテカビル三リン酸に変化する。 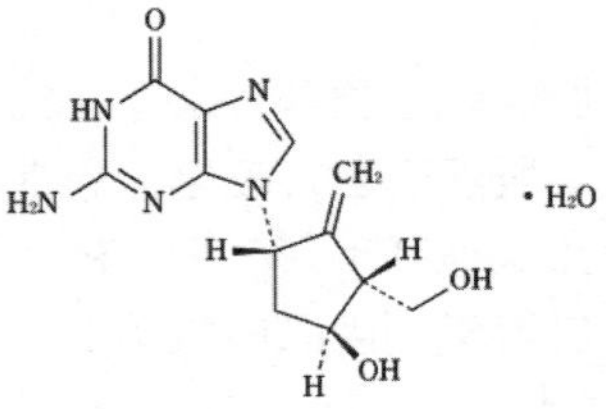
【副作用】肝機能障害、投与終了後の肝炎の悪化、アナフィラキシー様症状、乳酸アシドーシスなど

テノホビル ジソプロキシル　Tenofovir Disoproxil

【作用機序】体内でジエステルの加水分解によりテノホビルに代謝され、さらに細胞内でテノホビルニリン酸に代謝される。テノホビルニリン酸は天然基質であるデオキシアデノシン 5'-三リン酸と競合的に働き B 型肝炎ウイルス DNA ポリメラーゼを阻害する。 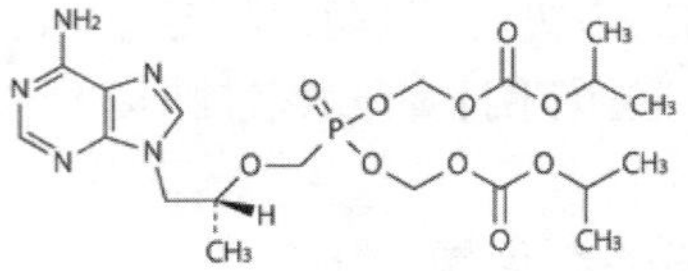
【副作用】腎不全等の重度の腎機能障害、乳酸アシドーシス及び脂肪沈着による重度の肝腫大、膵炎など

リバビリン　Ribavirin

【作用機序】細胞内でリン酸化され、C 型肝炎ウイルス由来 RNA 依存性 RNA ポリメラーゼによるグアノシン三リン酸の RNA への取込みを抑制する。また、C 型肝炎ウイルス由来 RNA 依存性 RNA ポリメラーゼによる RNA 生成過程でリン酸化体（リバビリン三リン酸）が RNA に取り込まれ、このことがウイルスのゲノムを不安定にすると考えられている。リバビリンは、C 型慢性肝炎にインターフェロンアルファ-2b やペグインターフェロンアルファ-2a または 2b との併用で使用す

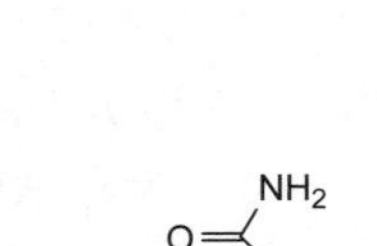

リバビリン

る。単独投与では無効である。

【副作用】血液系の症状（貧血、無顆粒球症、血小板減少、再生不良性貧血、汎血球減少）、中枢神経系症状（抑うつ、自殺企図、昏迷、難聴、意識障害、痙れん、見当識障害、せん妄、幻覚、失神、躁状態、妄想、錯乱、攻撃的行動、統合失調症様症状、痴呆様症状、興奮）、重篤な肝機能障害、ショック、消化器症状（消化管出血、消化性潰瘍、小腸潰瘍、虚血性大腸炎）、呼吸困難、喀痰増加、脳出血、脳梗塞、間質性肺炎、肺線維症、肺水腫、糖尿病、急性腎不全等の重篤な腎障害、心臓機能異常（心筋症、心不全、心筋梗塞、狭心症、不整脈）、敗血症、網膜症、、自己免疫現象、溶血性尿毒症症候群、血栓性血小板減少性紫斑病、皮膚粘膜眼症候群（Stevens-Johnson 症候群）、中毒性表皮壊死症（Lyell 症候群）、横紋筋融解症など

アスナプレビル　Asunaprevir

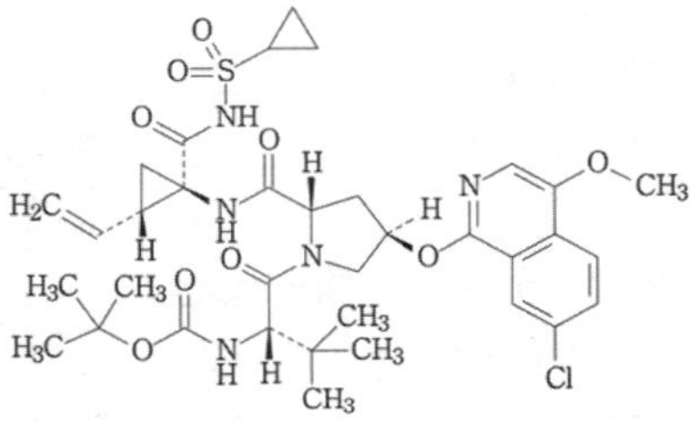

【作用機序】C 型肝炎ウイルス NS3/4A プロテアーゼを阻害して、抗ウイルス作用を示す。NS3/4A プロテアーゼは，ウイルス複製に必要な成熟したウイルスタンパク産生のための C 型肝炎ウイルスポリタンパクプロセシングに関与する。

【副作用】 肝機能障害、多形紅斑、血小板減少、間質性肺炎、腎機能障害など

グラゾプレビル　Grazoprevir

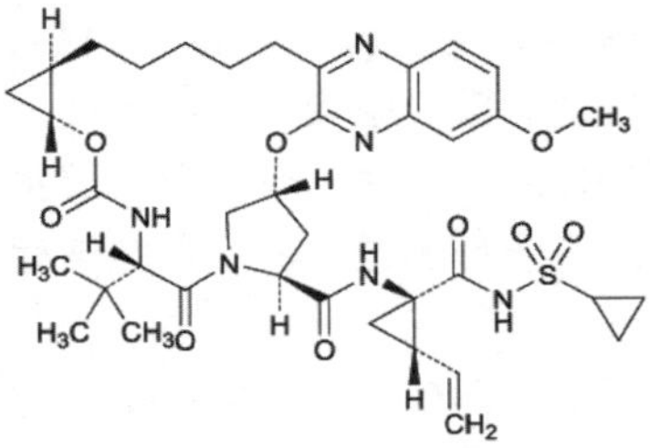

【作用機序】C 型肝炎ウイルス NS3/4A プロテアーゼを阻害して、抗ウイルス作用を示す。

【副作用】 肝機能障害など

ダクラタスビル　Daclatasvir

C 型肝炎ウイルスの複製及び細胞内シグナル伝達経路を調節する多機能蛋白である NS5A 複製複合体の強力かつ選択的な阻害剤である。

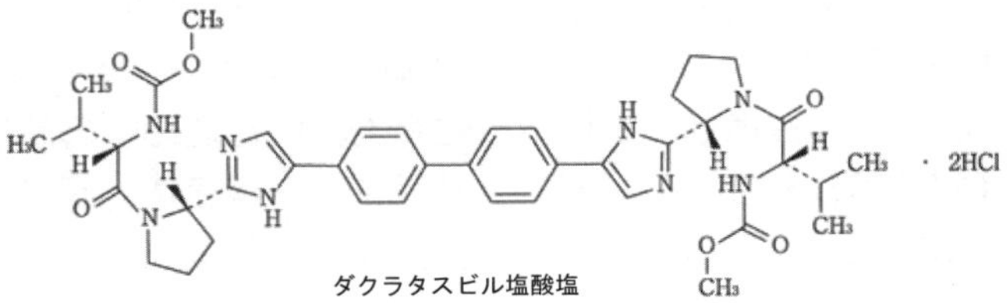

ダクラタスビル塩酸塩

【副作用】肝機能障害，肝不全、多形紅斑、血小板減少、間質性肺炎など

エルバスビル　Elbasvir も NS5A を阻害する抗 C 型肝炎ウイルス薬である。

ソホスブビル　Sofosbuvir

肝細胞内で活性代謝物であるウリジン三リン酸型に変換されるヌクレオチドプロドラッグで、活性代謝物は、C 型肝炎ウイルスの複製に必須である HCV 非構造タンパク質 5B（NS5B）RNA 依存性 RNA ポリメ

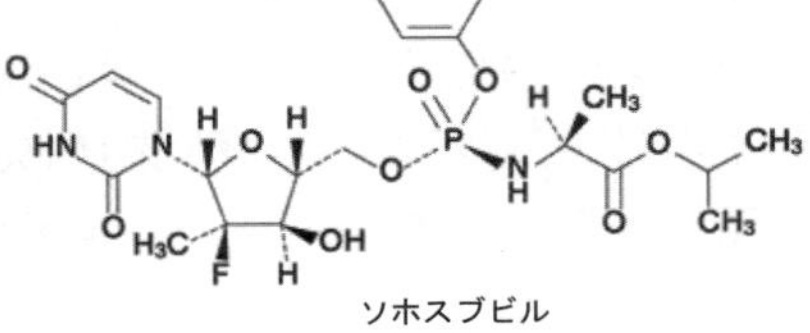

ソホスブビル

ラーゼを阻害する。
【副作用】貧血、高血圧、脳血管障害など

肝庇護薬

肝庇護薬とは、肝細胞を保護したり、また、肝細胞の再生を促進して肝機能を改善させる薬物である。ブドウ糖液やビタミンの他、糖質コルチコイド様作用をもつグリチルリチン製剤や解毒作用をもつグルタチオン、リン脂質で膜安定化作用をもつポリエンホスファチジルコリンなどが用いられる。

7. 膵臓疾患治療薬

膵炎治療薬

膵炎治療薬としてヒスタミン H_2 遮断薬（膵外分泌を抑制）、タンパク分解酵素阻害薬（膵消化酵素の活性抑制）、鎮痛薬などが用いられる。

ガベキサート Gabexate

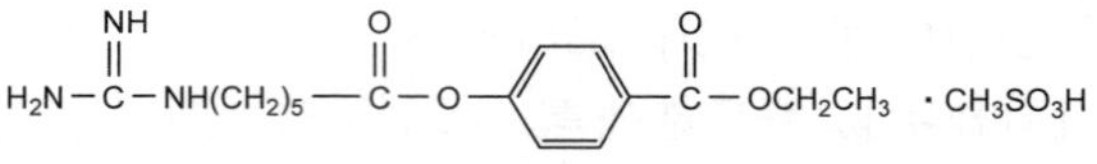

【作用機序】トリプシン、カリクレインなどの蛋白分解酵素を阻害する。また、Oddi 括約筋弛緩作用がある。

$H_2N-C(=NH)-NH(CH_2)_5-C(=O)-O-C_6H_4-C(=O)-OCH_2CH_3 \cdot CH_3SO_3H$

メシル酸ガベキサート

【適用】急性膵炎、慢性再発性膵炎の急性増悪期、術後の急性膵炎
【副作用】ショック、アナフィラキシーショック、アナフィラキシー様症状、注射部位の皮膚潰瘍・壊死、無顆粒球症、白血球減少、血小板減少、高カリウム血症など

ナファモスタット Nafamostat

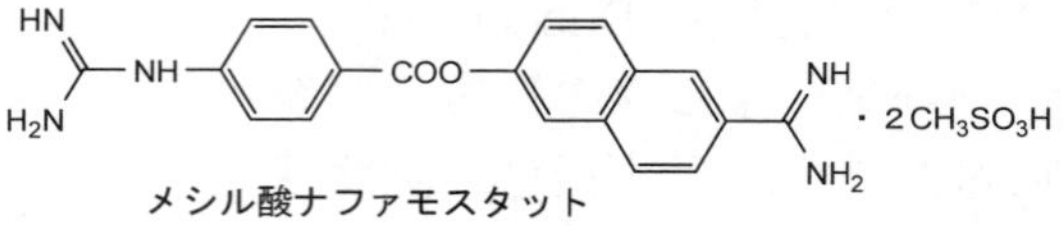

【作用機序】1) トリプシン、カリクレインなどの蛋白分解酵素を阻害する。

$\cdot 2CH_3SO_3H$

メシル酸ナファモスタット

【適用】膵炎の急性症状（急性膵炎、慢性膵炎の急性増悪、術後の急性膵炎、膵管造影後の急性膵炎、外傷性膵炎）の改善
【副作用】ショック、アナフィラキシー様症状、高カリウム血症、低ナトリウム血症、血小板減少、白血球減少、肝機能障害、黄疸など

カモスタット Camostat

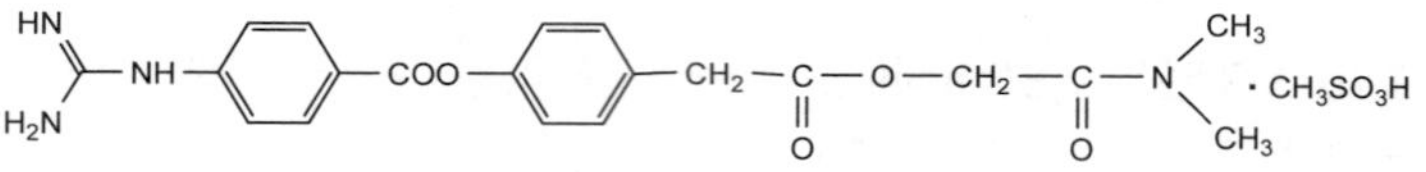

【作用機序】トリプシン、血漿カリクレインなどに対して強い阻害作用を示す（膵臓カリクレインに対する阻害作用は弱い）。経口投与時の血中活性代謝物（4 －（4 －グアニジノベンゾイルオキシ）フェニル酢酸）も、メシル酸カモスタットにほぼ匹敵する阻害活性を有する。メシル酸ガベキサートやメシル酸ナファモスタットが注射剤で使用されるのに対し、

$\cdot CH_3SO_3H$

メシル酸カモスタット

メシル酸カモスタットは経口投与される。

【適用】 慢性膵炎における急性症状の緩解、術後逆流性食道炎

【副作用】 ショック、アナフィラキシー様症状、 血小板減少、肝機能障害、黄疸、 高カリウム血症など

ウリナスタチン　Ulinastatin

ウリナスタチンは、ヒト尿中から抽出、精製された分子量約67,000の糖蛋白質であり、種々の酵素に対する阻害活性を有している。

【作用機序】 トリプシン、α－キモトリプシン、エラスターゼ等の蛋白分解酵素、ヒアルロニダーゼ、リパーゼ等の糖・脂質分解酵素を阻害する。

【適用】 急性膵炎（外傷性、術後およびＥＲＣＰ後の急性膵炎を含む）、慢性再発性膵炎の急性増悪期

【副作用】 ショック、アナフィラキシーショック、白血球減少など

11　免疫と炎症に関連する薬物

1．オータコイド

オータコイド（autacoid）とは、ギリシア語の autos（自己）と akos（薬）に由来する語で「自分自身を調節する物質」を意味する。オータコイドには、ヒスタミン、セロトニン、プロスタグランジンなどのエイコサノイド、アンギオテンシン（アンジオテンシン）、ブラジキニンが含まれる。

ヒスタミン

ヒスタミンは、組織（hist-）のアミンという名が示すように生体内に広く分布する。ヒスチジンの脱炭酸によって生成する。ヒスチジンの脱炭酸は、ヒスチジンデカルボキシラーゼが触媒する。

$CH_2CH_2NH_2$
HN　N
ヒスタミン

分布

肥満細胞（マスト細胞、mast cell）と血液中の好塩基性白血球に存在に多く存在している。肥満細胞中では、結合組織型と粘膜型の２種の様式で存在している（顆粒内ではグルコサミノグリカンにタンパク質を介して結合している）。

肥満細胞からの遊離

ヒスタミンは、抗原の IgE 受容体刺激（抗原抗体反応）により、以下のような経路で肥満細胞から遊離される。抗原抗体反応→チロシンキナーゼによるホスホリパーゼ C の活性化→ PIP_2 から IP_3 が生成→ IP_3 から IP_4 が生成→カルシウム貯蔵部位からの Ca^{2+}遊離→細胞外からの Ca^{2+}の流入→ヒスタミンの遊離

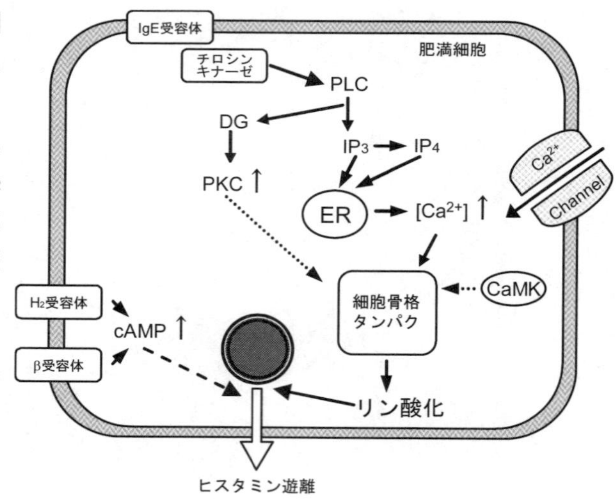

また、IgE 受容体を介さずに、温度変化などの物理的刺激、モルヒネやツボクラリンなどの薬物刺激などによっても遊離される。

一方、ヒスタミンの遊離抑制を起こすものには、ヒスタミン H_2 受容体刺激やアドレナリンβ受容体刺激がある。両受容体はともに、Gs タンパク質共役型受容体であり、これらの受容体の刺激は、アデニル酸シクラーゼを活性化し、細胞内 cAMP 濃度を上昇させる。肥満細胞においては、cAMP 濃度の上昇が、ヒスタミンの遊離を抑制すると考えられている。

ヒスタミン受容体

ヒスタミン受容体は、現在、ヒトにおいては、H_1 ～ H_4 の 4 タイプの存在が明らかにされている。いずれも、7 回膜貫通型の G タンパク質共役型の受容体であるが、共役する G タンパク質は受容体のタイプにより異なっており、その局在や生理作用も受容体タイプによりかなり異なっている。

H_1 受容体（487 個のアミノ酸からなる）：Gq タンパク質を介し、ホスホリパーゼ C と共役しており、IP_3 を介した Ca^{2+}動員とジアシルグリセロールを介した C キナーゼの活性化により細胞内に情報を伝達する。血管透過性の亢進、気管支平滑筋の収縮、消化管の収縮などの作用を示す。

H_2 受容体（359 個のアミノ酸からなる）：Gs タンパク質を介し、アデニル酸シクラーゼを活性化し、cAMP 産生を促進させる。胃壁細胞から胃酸分泌を亢進させる作用をもつ。また、心臓においては、陽性の変時作用および変力作用を示す。

H_3 受容体（373、445 または 365 個のアミノ酸からなる）：G タンパク質（Gi/o）を介してアデニル酸シクラーゼを抑制し cAMP の合成を低下させる。中枢神経系のシナプス前部に存在し、ヒスタミンの遊離・合成を調節する自己受容体として見出された受容体でありる。

H_4 受容体（390 個のアミノ酸からなる）：H_3 受容体と同様に、G タンパク質（Gi/o）と共役している。骨髄由来細胞に局在し、ロイコトリエン B4 産生などへの関与が示されている。

ヒスタミンの作用

心血管系

①血管拡張（H_1、H_2）：血圧下降

②血管透過性亢進（H_1）：小静脈の内皮細胞の H_1 受容体を介してアクチンを収縮させ、内皮細胞間の基底膜を露出させる。そのため、水、高分子物質が血管周辺に露出し、浮腫・膨疹が起こる。

③ルイスの三重反応：ヒスタミンをヒトの皮膚内に注射すると、局所的紅点（血管拡張）、その周りに輪郭が不規則な斑状の隆起（血管拡張物質が遊離して起こる間接的な血管拡張）、最初の紅点が膨れて膨疹となる（血管透過性の亢進）。

④陽性変時・変力作用（H_2）

血管以外の平滑筋　（種差が大きい）

気管支：気管支収縮（H_1）モルモットは鋭敏。また、気管支ぜん息、肺疾患の患者は正常人より敏感。

子宮：ラットは弛緩（H_2）だが、他は収縮（ヒトでは妊娠時以外は反応しない）。

腸管：モルモット回腸（縦走筋）を著明に収縮（ヒトでの反応は弱い）。

外分泌腺：胃の壁細胞から胃酸分泌を促進（H_2）

中枢神経系：神経伝達物質として働く（全般的な脳機能の調節）

セロトニン

トリプトファンの水酸化ー脱炭酸により生成する。

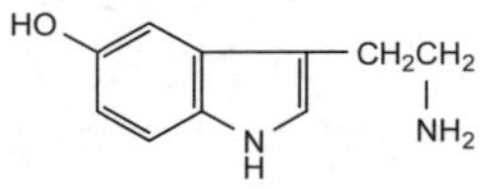

生体内の全セロトニン量の約 90%は胃腸管に存在する。腸クロム親和性細胞（enterochromaffin cell）で生合成され貯蔵されている。

HO　CH_2CH_2　NH_2　N H

セロトニン

脳では神経伝達物質として働いており、延髄、橋、中脳に多く存在する。

セロトニン受容体

セロトニン受容体は、現在、ヒトにおいては、13 のサブタイプの存在が示されており、5-HT$_1$ ～ 5HT$_7$ の 7 つのクラスに分類されている。セロトニン受容体には、G タンパク質共役型の受容体およびイオンチャネル共役型の受容体の両者が存在する。しかし、そのうちの一部は、生理学的役割などについて明らかでない部分も多く、今後の研究が必要である。主な受容体は、以下の通りである。

5-HT$_1$ 受容体：Gi タンパク質を介してアデニル酸シクラーゼを抑制する。3 種のサブタイプ（5-HT$_{1A}$、5-HT$_{1B}$、5-HT$_{1D}$）が存在し、いずれも自己受容体である。
5-HT$_2$ 受容体：G q タンパク質を介してホスホリパーゼCを活性化する。3 種のサブタイプ（5-HT$_{2A}$、5-HT$_{2B}$、5-HT$_{2C}$）が存在する。
5-HT$_3$ 受容体：4 回膜貫通型のイオンチャネル（Na^+、K^+）内蔵型受容体である。
5-HT$_4$ 受容体：Gs タンパク質を介してアデニル酸シクラーゼを活性化する。

セロトニンの作用
消化器系
胃腸管運動の亢進（平滑筋直接作用と腸神経節の刺激）
呼吸系
一過性の呼吸促進（ぜん息患者では気管支筋の直接刺激と反射による気管支収縮）
心血管系
交感神経終末からのノルアドレナリン遊離を抑制し、骨格筋や皮膚の血管を拡張させる。血管透過性は亢進しない。
知覚神経終末
求心性のインパルスを発生させ強い疼痛を発生させる。

エイコサノイド（プロスタグランジン、ロイコトリエン、トロンボキサン）

炭素数 20 の不飽和脂肪酸から生成されるプロスタグランジン（PG）やトロンボキサン（TX）などを総称してエイコサノイドという。エイコサノイドは、それぞれの受容体を介して作用を現し、以下の表にまとめたようにその作用は多岐にわたっているが、炎症とも深く関連している。

エイコサノイドの主な作用

エイコサノイド	作　用
PGE_2	血管拡張、気管支拡張、疼痛、胃酸分泌低下、血管透過性亢進
$PGF_{2\alpha}$	血管収縮、気管支収縮、子宮収縮
PGI_2	血管拡張、血小板凝集抑制、 疼痛血管透過性増大、
TXA_2	血管収縮、気管支収縮、血小板凝集
LTB_4	白血球遊走
LTC_4、 LTD_4	血管弛緩、気管支収縮、、血管透過性亢進、 SRS-A（slow reacting substance of anaphylaxis ；アナフィラキシーの遅反応性物質）の本体

エイコサノイド受容体

プロスタノイド（プロスタグランジン（PG）およびトロンボキサン（TX））受容体 PGD、PGE、PGF、PGI、TXA がそれぞれの受容体をもつ。PGE 受容体は 4 種のサブタイプがあるので、プロスタノイド受容体は 8 種存在し、いずれも G タンパク質共役型である。生体内分布は不均一である。

ロイコトリエン（LT）受容体

LTB の結合部位である BLT 受容体、LTD の結合部位である Cys － LT_1 受容体および LTC および LTD が結合する Cys － LT_2 受容体の少なくとも 3 種が存在する。

エイコサノイドの産生経路

エイコサノイドは、常に細胞内に貯蔵されているのではなく、刺激に応じて産生され、遊離される。アラキドン酸から PGH_2 の産生を触媒するシクロオキシゲナーゼは、酸性の非ステロイド性抗炎症薬のターゲットである。

シクロオキシゲナーゼ

シクロオキシゲナーゼ（cyclooxygenase）は、COX と略され、COX-1（構成型）と COX-2（誘導型）の少なくとも 2 種の存在が確認されている。COX-1 は、胃粘膜や血小板など多くの細胞で刺激の有無に関係なく発現しており、止血や胃の機能調節など正常な生理機能の維持に役割を担っている。一方、COX-2 は、種々の刺激により、炎症関連細胞などで誘導され、病的な状態で働く PG 産生に深く関与すると考えられている。酸性の非ステロイド性抗炎症薬は、COX を阻害し、PG の合成を抑制する。

エイコサノイドの産生経路の概略を以下に示す

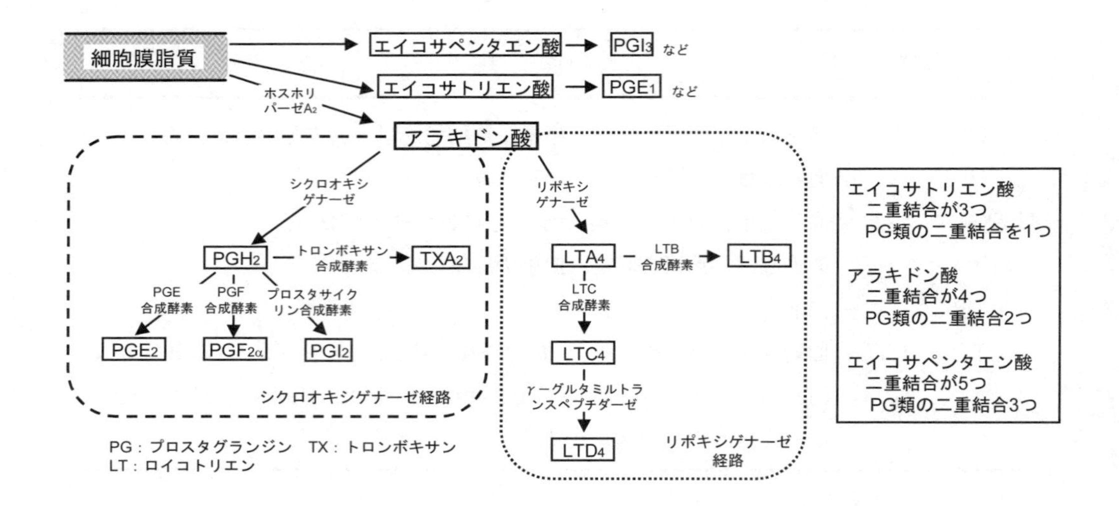

ブラジキニン

ブラジキニンは、カリクレインーキニン系が産生するキニン系の代表的なペプチドでアミノ酸 8 つからなる。他にカリクレインーキニン系の活性ペプチドとしてカリジンやメチオニルリジルブラジキニンがある。

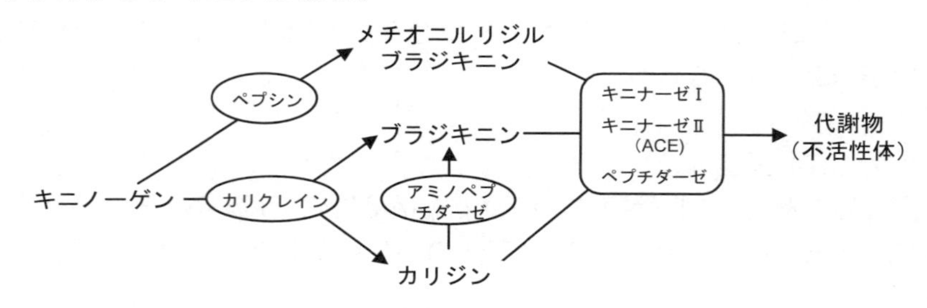

H2N－Arg－Pro－Gly－Phe－Ser－Pro－Phe－Arg－COOH　ブラジキニン
H2N－Lys－Arg－Arg－Pro－Gly－Phe－Ser－Pro－Phe－Arg－COOH　カリジン（リジルブラジキニン）
H2N－Met－Lys－Arg－Arg－Pro－Gly－Phe－Ser－Pro－Phe－Arg－COOH　メチオニルリジルブラジキニン

（破線枠内の残基番号：1 Arg, 2 Pro, 3 Gly, 4 Phe, 5 Ser, 6 Pro, 7 Phe, 8 Arg）

キニン受容体

キニン受容体は G タンパク質共役型である。

B_1 受容体　ブラジキニンよりもカリジンやメチオニルリジルブラジキニンに 10 倍以上親和性が高い。通常の受容体数は少なく組織障害時などに増加する。

B_2 受容体　ブラジキニンに親和性が高く、キニンによる既知の作用の多くが B_2 受容体を介する。

キニンの作用

発痛作用　きわめて強い発痛物質である。サブスタンス P の放出や PG の増加が関与している。

炎症　局所で血管透過性を亢進させ炎症を起こす。

平滑筋収縮作用　$PGF_{2\alpha}$の生成を介して気管支、腸管、子宮平滑筋を収縮させる。

心血管系　血管拡張作用があり、血圧が下降する。血管拡張作用には、血管内皮細胞から遊離された PG 類や一酸化窒素（NO）が関与する。

腎　腎血流量を増加させ尿中への水や Na^+などの排泄を促進する。

アンギオテンシン（アンジオテンシン）

アンギオテンシンⅡが生理活性を示すペプチドである。アンギオテンシンⅡは、循環血漿中で生成される他、心臓、血管壁、脳などで局所的にも生成される。

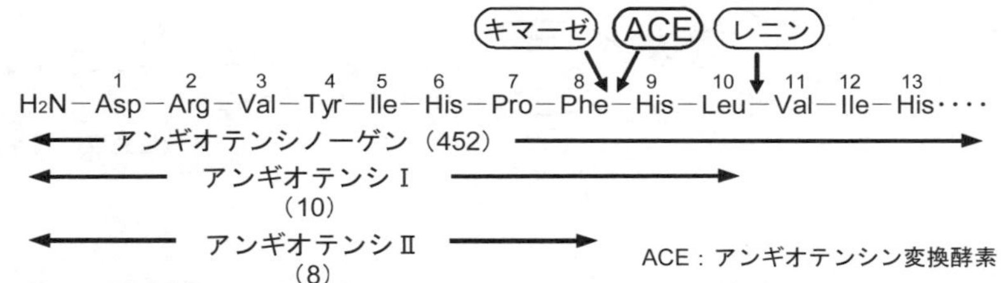

循環血中のアンギオテンシンⅡは、レニン－アンギオテンシン系（レニンおよびACE）により生成される。レニンは基質特異性が高く、血中アンギオテンシンⅡ濃度は、血漿中のレニン活性により決まる（律速段階）。局所的（血管壁や脳など）にもアンギオテンシンⅡは生成されるが、この場合の生成量は、ACEやキマーゼの活性と相関する。

アンギオテンシンⅡ受容体

アンギオテンシンⅡ受容体には、少なくとも AT_1、 AT_2 の２つのタイプが存在することが知られており、AT_3、 AT_4 の存在も指摘されているがアンギオテンシンⅡの作用の大部分は、AT_1 受容体を介したものだと考えられている。AT_1、 AT_2 受容体はいずれも G タンパク質共役型である。

AT_1 受容体　共役する G タンパク質および細胞内情報伝達系は多様である。AT_2 受容体に比べ、発現量が多く機能的にも優勢である。

AT_2 受容体　生理的な機能は不明な部分も多いが胎児期や細胞が異常増殖したときなどに発現し、AT_1 受容体を機能的に抑制すると考えられている。

アンギオテンシンⅡの作用

血圧上昇作用：AT_1 受容体を介し、血管収縮作用（直接血管を収縮させる、交感神経機能増強など）および腎に対する作用（Na^+再吸収の増加、アルドステロンの分泌促進など）により血圧を上昇させる。

心血管組織再構築作用：AT_1 受容体を介し、細胞の発育や分裂促進作用などにより心血管組織の再構築作用がみられる。これは、局所的なアンギオテンシンⅡの作用と考えられている。

２．免疫関連薬

免疫

免疫とは、自己と非自己の識別、すなわち、非自己を排除して自己を守るための生体防御機構であり、細胞性免疫（T 細胞の関与する免疫機構）と体液性免疫（B 細胞の関与する免疫機構、抗原に対し特異的な抗体を産生、IgM、IgG）がある。

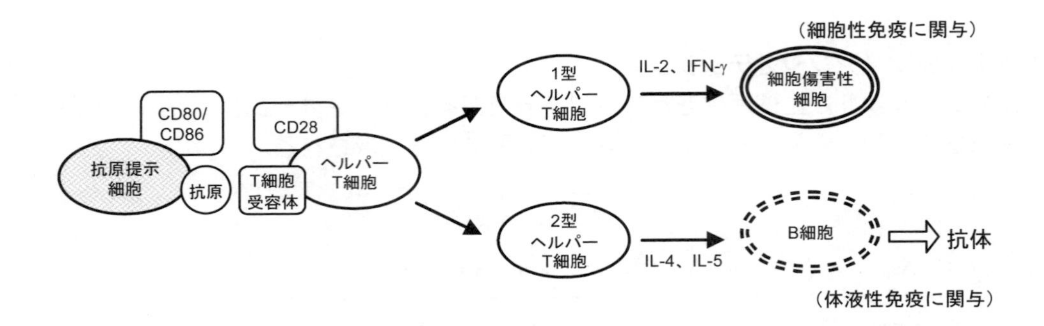

補体

血清たんぱく成分で、特異的抗原抗体複合体により活性化され、種々の免疫現象を引き起こす酵素系成分である。

サイトカイン

免疫担当細胞をはじめ種々の細胞で産生される生理活性因子で、インターロイキン、インターフェロン、腫瘍壊死因子、コロニー刺激因子、増殖因子などが含まれる。

サイトカインは、免疫、造血系、炎症反応などに関与する。糖タンパク質で、分子量は 20,000 ぐらいのものが多く、それぞれに特異的な受容体が見いだされ、内因性の阻害物質の存在も知られている。サイトカインの特徴を以下に示す。

① 何らかの刺激によってはじめて産生され、微量で特異的な効果を示す。
② 産生する細胞自身以外に多種の細胞を活性化する。
③ サイトカインが相互に影響し合い、複雑な細胞間ネットワークを形成する。
④ １つのサイトカインが、複数の作用を表す。また、複数のサイトカインが同一の作用を表す。
⑤ 膜一回貫通型受容体を介して作用を発現する。

インターロイキン

IL-1：マクロファージ、単球	ヘルパー T 細胞の活性化　IL-2 の産生促進
IL-2：ヘルパーT 細胞	T 細胞、B 細胞の増殖因子
IL-4：ヘルパーT 細胞	B 細胞活性化（IgE、IgG 1 産生を誘導）
IL-5：ヘルパーT 細胞	B 細胞の増殖分化因子
IL-6：ヘルパーT 細胞	B 細胞の分化因子
IL-8：好中球	白血球の遊走、浸潤、活性化

インターフェロン

IFN $-\alpha$：マクロファージ、好中球で産生　　抗ウイルス作用、抗腫瘍作用
IFN $-\beta$：主として線維芽細胞　　抗ウイルス作用、抗腫瘍作用
IFN $-\gamma$：ヘルパー T 細胞、NK 細胞　　キラー T 細胞の分化促進

腫瘍壊死因子

TNF $-\alpha$：マクロファージ　　抗腫瘍作用、炎症のケミカルメディエーター産生
TNF $-\beta$：キラー T 細胞　　細胞障害作用、抗腫瘍作用

コロニー刺激因子

G － CSF：（顆粒球刺激因子）線維芽細胞、血管内皮細胞、マクロファージ、好中球の分化促進
M － CSF：（マクロファージ刺激因子）　　GM － CSF
EPO：エリスロポエチン

増殖因子（GF）

EGF（上皮増殖因子）
リンホカイン：T 細胞で産生されるサイトカイン（IL-2、IFN $-\gamma$、TNF $-\beta$）
モノカイン：単球、マクロファージから産生されるサイトカイン（IL-1、IFN $-\alpha$）

免疫抑制薬

免疫抑制薬は、臓器移植の拒絶反応の抑制や一部の自己免疫疾患（副腎皮質ステロイド薬の効果が不十分な場合や、重篤な副作用で副腎皮質ステロイド薬の継続が困難な場合）に使用する。

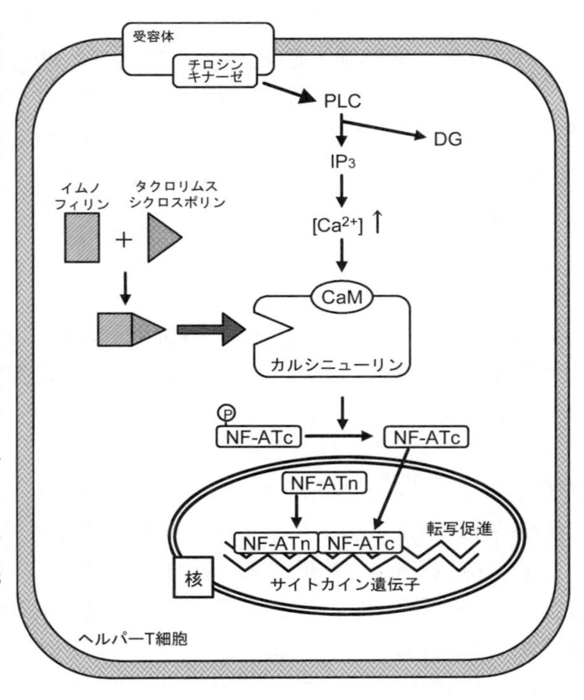

① 特異的免疫抑制薬

【作用機序】 T 細胞に選択的に作用し、イムノフィリンと結合して複合体を形成し、カルシニューリン活性を阻害して、IL-2 をはじめとしたサイトカイン遺伝子のプロモーター領域に働く転写調節因子 nuclear factor of activated T-cells（NF-AT）の核内移行を阻害し、IL-2 の産生を抑制する。

シクロスポリン　Ciclosporin

土壌真菌の代謝産物より分離された、中性できわめて疎水性の環状ポリペプチド。細胞内にあるシクロフィリン（イムノフィリンの一種）と結合する。

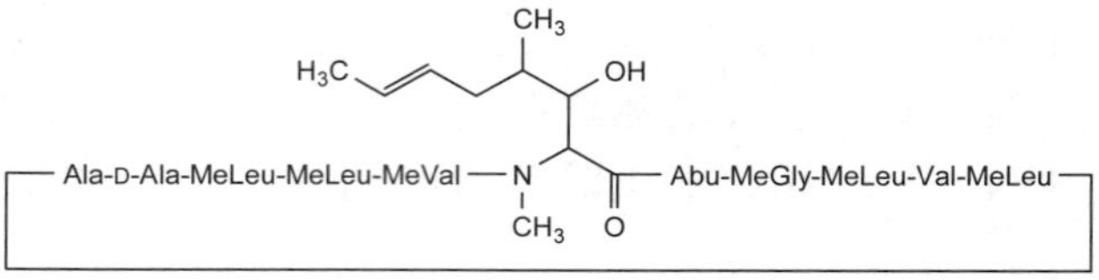

シクロスポリン

Abu : (2S)-2-アミノ酢酸
MeGly: *N*-メチルグリシン
MeLeu : *N*-メチルロイシン
MeVal : *N*-メチルバリン

【適用】臓器移植（腎移植、肝移植、心移植、肺移植、膵移植）時の拒絶反応を抑制、骨髄移植における拒絶反応および移植片対宿主病の抑制。他に、自己免疫疾患やサイトカイン産生異常が病態に関与する疾患（ベーチェット病など）

【副作用】腎障害（腎移植後にクレアチニン、BUN の上昇がみられた場合は、本剤による腎障害か拒絶反応かを鑑別する必要がある）、肝障害、中枢神経系障害、感染症など

タクロリムス水和物　Tacrolimus Hydrate

マクロライド系抗生物質であり、FK　binding タンパク（イムノフィリンの一種）と結合する。腎移植時の拒絶反応を抑制する。

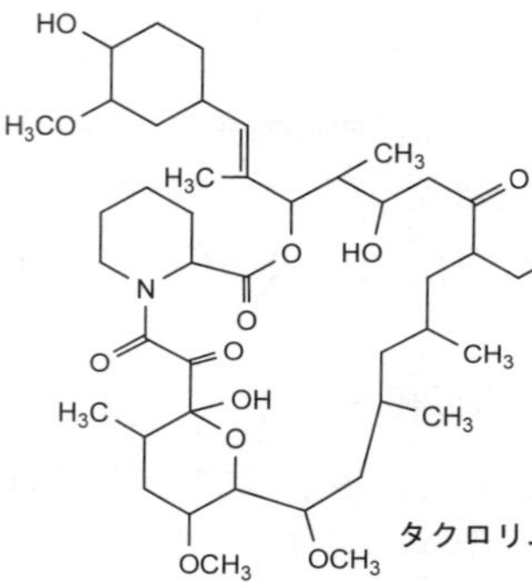

タクロリムス

【適用】臓器移植（腎移植、肝移植、心移植、肺移植、膵移植）時の拒絶反応を抑制、骨髄移植における拒絶反応および移植片対宿主病の抑制。他に、一部の全身型重症筋無力症、関節リウマチ

【副作用】ショック、急性腎不全、ネフローゼ症候群、　心不全、不整脈、心筋梗塞、狭心症、心膜液貯留、心筋障害、中枢神経系障害、脳血管障害、血栓性微小血管障害、汎血球減少症、血小板減少性紫斑病、イレウス、皮膚粘膜眼症候群（Stevens-Johnson 症候群）、呼吸困難、感染症、リンパ腫等の悪性腫瘍、膵炎、糖尿病、高血糖など

② 細胞毒性薬

細胞毒性薬は、抗腫瘍薬またはその誘導体で、リンパ系の細胞の増殖を抑制し、免疫抑制作用を示すが、細胞毒性に選択性はない。したがって、骨髄抑制、生殖器への副作用は高頻度に起こる。

アザチオプリン　Azathioprine

【作用機序】生体内でメルカプトプリン～チオイノシン酸となり、イノシン酸と拮抗する。G_0 期に働く抗生物質で、プリン代謝に拮抗する。リンパ球の増殖分化を抑制する。腎移植時の拒絶反応を抑制、自己免疫疾患（膠原病）に用いる。

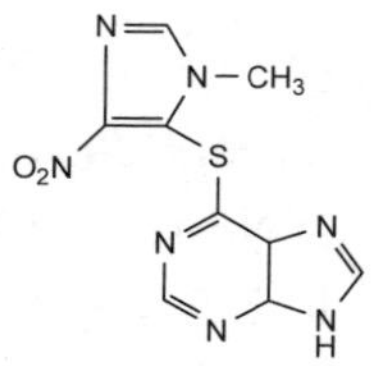

アザチオプリン

【副作用】血液障害、ショック様症状（悪寒、戦慄、血圧降下等）、感染症、肝機能障害、黄疸、悪性新生物、間質性肺炎、重度の下痢など

ミゾリビン　Mizoribine

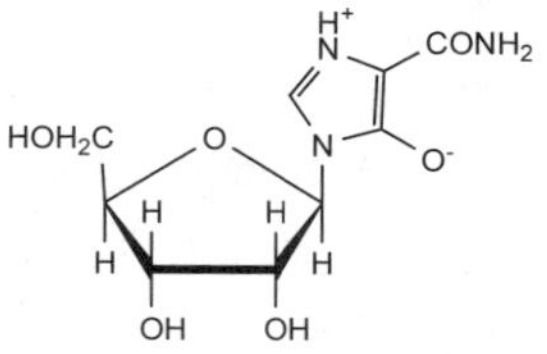

【作用機序】プリン合成系においてイノシン酸からグアニル酸に至る経路を拮抗阻害することにより核酸合成を抑制する。

ミゾリビン

【適用】腎移植における拒否反応の抑制、 原発性糸球体疾患を原因とするネフローゼ症候群（副腎皮質ホルモン剤のみでは治療困難な場合)、ループス腎炎（副腎皮質ホルモン剤のみでは治療困難な場合)、慢性関節リウマチ（非ステロイド性抗炎症剤さらに他の抗リウマチ薬の少なくとも１剤により十分な効果の得られない場合）

【副作用】骨髄機能抑制、感染症、間質性肺炎、急性腎不全、肝機能障害、黄疸、消化管潰瘍、消化管出血、消化管穿孔、重篤な皮膚障害、膵炎、高血糖、糖尿病など

ミコフェノール酸モフェチル　Mycophenolate Mofetil

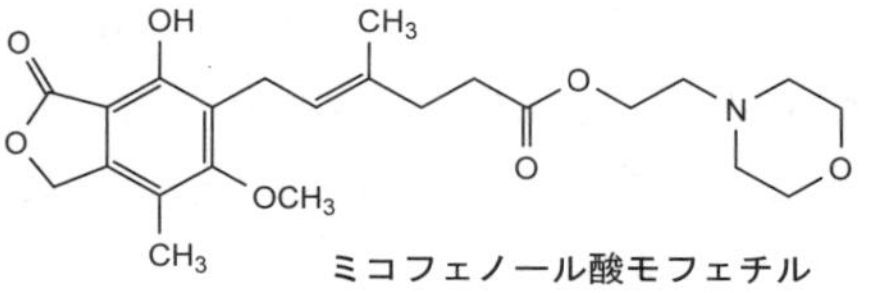

【作用機序】生体内で速かに活性代謝物ミコフェノール酸に加水分解され、de novo 経路の律速酵素であるイノシンモノホスフェイト脱水素酵素を不競合的、可逆的かつ特異的に阻害することにより、DNA 合成を抑制し、リンパ球細胞の増殖を抑制する。免疫系以外の細胞においては、DNA 合成を de novo、salvage 両系に依存しているが、リンパ球細胞は主として de novo 系に依存するので、ミコフェノール酸は、結果的にリンパ球細胞の増殖を選択的に抑制することになる。

ミコフェノール酸モフェチル

【適用】腎移植後の難治性拒絶反応（既存の治療薬が無効又は副作用等のため投与できず、難治性拒絶反応と診断された場合)、腎移植、心移植、肝移植、肺移植、膵移植における拒絶反応の抑制

【副作用】感染症、汎血球減少、好中球減少、無顆粒球症、白血球減少、血小板減少、貧血、悪性リンパ腫、リンパ増殖性疾患、悪性腫瘍、消化管潰瘍、消化管出血、消化管穿孔、イレウス、アシドーシス、低酸素症、糖尿病、脱水症、血栓症、重度の腎障害、心不全、狭心症、心停止、不整脈、肺高血圧症、心嚢液貯留、肝機能障害、黄疸、肺水腫、無呼吸、気胸、痙れん、錯乱、幻覚、精神病、アレルギー反応、難聴など

シクロホスファミド　Cyclophosphamide

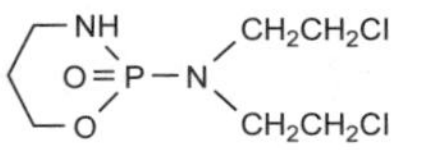

【作用機序】グアニンの NH_2 基と結合することによって DNA 複製を阻害する抗生物質。細胞周期の S 期に働く。リンパ球の増殖分化を抑制する。B 細胞と T 細胞の両方に働く。

シクロホスファミド

【適用】再生不良性貧血、膠原病

【副作用】ショック、アナフィラキシー様症状、骨髄抑制、出血性膀胱炎、排尿障害、イレウス、胃腸出血、間質性肺炎，肺線維症、心筋障害，心不全、皮膚粘膜眼症候群（Stevens-Johnson 症候群)、中毒性表皮壊死症（Lyell 症候群）など

メトトレキサート　Methotrexate

【作用機序】ジヒドロ葉酸レダクターゼを阻害して、活性のある還元型の葉酸（テトラヒ

ドロ葉酸）を枯渇させ、チミジンやプリン核合成を抑制し、DNA 合成を阻害する。

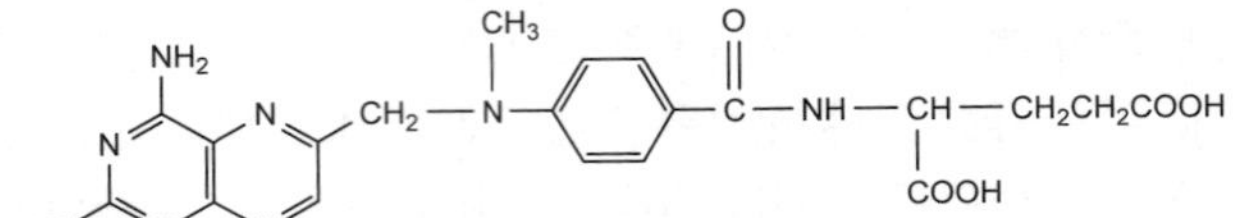

【適用】慢性関節リウマチ（過去の治療において、非ステロイド性抗炎症剤および他の抗リウマチ剤により十分な効果の得られない場合）

メトトレキサート

【副作用】ショック、アナフィラキシー様症状、骨髄抑制、感染症、劇症肝炎、肝不全、急性腎不全、尿細管壊死、重症ネフロパチー、間質性肺炎、肺線維症、皮膚粘膜眼症候群（Stevens-Johnson 症候群）、中毒性表皮壊死症（Lyell 症候群）、出血性腸炎、壊死性腸炎、膵炎、骨粗鬆症 など

③ 抗体製剤

モノクローナル抗体を用いることにより、特定の分子を治療標的にすることができる。ヒト化モノクローナル抗体を用いると異種免疫グロブリン抗体の出現は避けられる（個々のヒト特有のタイプに対する抗体の出現は避けられない）。

ムロモナブ－ＣＤ３ Muromonab-CD3

ヒト T 細胞膜表面抗原 CD3 に対するモノクローナル抗体

【適用】腎移植後の急性拒絶反応の治療

【副作用】アナフィラキシー反応、感染症、肺水腫、無菌性髄膜炎、錯乱、脳浮腫など

リツキシマブ Rituximab

ヒト B リンパ球表面に存在する分化抗原 CD20（リンタンパク質）に結合するモノクローナル抗体

【適用】CD20 陽性の B 細胞性非ホジキンリンパ腫、免疫抑制状態下の CD20 陽性の B 細胞性リンパ増殖性疾患、ヴェゲナ肉芽腫症、顕微鏡的多発血管炎、難治性のネフローゼ症候群腎移植後の急性拒絶反応の治療

【副作用】アナフィラキシー様症状、肺障害、心障害、腫瘍崩壊症候群 、B 型肝炎ウイルスによる劇症肝炎、肝炎の増悪、肝機能障害、黄疸、皮膚粘膜症状、皮膚粘膜眼症候群 （Stevens-Johnson 症候群）、中毒性表皮壊死融解症、血球減少、感染症、進行性多巣性白質脳症 （PML）、間質性肺炎 、心障害 、腎障害、消化管穿孔・閉塞、血圧下降、可逆性後白質脳症症候群等の脳神経症状など

バシリキシマブ Basiliximab

ヒト IL-2 受容体 α 鎖に対するマウスモノクローナル抗体を基に、ヒトにおける異種抗原に対する免疫原性を減弱させ、本剤の効力である IL-2 の受容体結合阻害作用時間の延長を目的として開発されたヒト/マウス キメラ型モノクローナル抗体である。

【適用】腎移植後の急性拒絶反応の治療

【副作用】アナフィラキシー反応、感染症、頭痛、咽喉痛、咳嗽、血液障害（リンパ球数減少、白血球増加、血小板血症、白血球減少）など

トシリズマブ　Tocilizumab

可溶性および膜結合性 IL-6 レセプターに対する抗体。IL-6 レセプターに結合してそれらを介した IL-6 の生物活性の発現を抑制する。

【適用】既存治療で効果不十分な関節リウマチ（関節の構造的損傷の防止を含む）、多関節に活動性を有する若年性特発性関節炎、全身型若年性特発性関節炎、キャッスルマン病に伴う諸症状及び検査所見（C 反応性タンパク高値、フィブリノーゲン高値、赤血球沈降速度亢進、ヘモグロビン低値、アルブミン低値、全身けん怠感）の改善（ただし、リンパ節の摘除が適応とならない患者に限る）

【副作用】アナフィラキシーショック、感染症、間質性肺炎、腸管穿孔、無顆粒球症、白血球減少、好中球減少、血小板減少、無顆粒球症、白血球減少、好中球減少、血小板減少、心不全など

カナキヌマブ　Canakinumab

ヒト IL-1 βに対する遺伝子組換えヒト IgG1 モノクローナル抗体。ヒト IL-1 βに結合し、IL-1 βが受容体に結合することを阻害することにより、その活性を中和する。

【適用】家族性寒冷自己炎症症候群、マックル・ウェルズ症候群、新生児期発症多臓器系炎症性疾患のクリオピリン関連周期性症候群、既存治療で効果不十分な家族性地中海熱、TNF 受容体関連周期性症候群、高 IgD 症候群（メバロン酸キナーゼ欠損症）

【副作用】重篤な感染症、好中球減少など

インフリキシマブ　Infliximab

可溶型及び膜結合型 TNF αに対する抗体。 TNF 受容体に結合した TNF αとも結合し、TNF αを受容体から解離させる。

【適用】既存治療で効果不十分な関節リウマチ（関節の構造的損傷の防止を含む）、ベーチェット病による難治性網膜ぶどう膜炎、尋常性乾癬、関節症性乾癬、膿疱性乾癬、乾癬性紅皮症、強直性脊椎炎（腸管型ベーチェット病、神経型ベーチェット病、血管型ベーチェット病）、クローン病の治療及び維持療法（中等度から重度の活動期にある患者、または外瘻を有する患者で既存治療で効果不十分な場合に限る）、中等症から重症の潰瘍性大腸炎の治療

【副作用】感染症、結核、重篤な infusion　reaction、脱髄疾患、間質性肺炎、肝機能障害、遅発性過敏症、抗 dsDNA 抗体の陽性化を伴うループス様症候群、重篤な血液障害、横紋筋融解症など

アダリムマブ　Adalimumab

ヒト抗ヒト TNF αモノクローナル抗体である。重鎖 2 分子と軽鎖 2 分子からなる糖たん白質で分子量は、約 148,000 である。

【適用】関節リウマチ（関節の構造的損傷の防止を含む）、既存治療で効果不十分な尋常性乾癬、関節症性乾癬、強直性脊椎炎、多関節に活動性を有する若年性特発性関節炎、腸管型ベーチェット病、中等症又は重症の活動期にあるクローン病の寛解導入及び維持

療法（既存治療で効果不十分な場合に限る）、中等症又は重症の潰瘍性大腸炎の治療（既存治療で効果不十分な場合に限る）

【副作用】敗血症、肺炎等の重篤な感染症、結核、ループス様症候群、脱髄疾患、重篤なアレルギー反応、重篤な血液障害、間質性肺炎、劇症肝炎、肝機能障害、黄疸、肝不全など

ゴリムマブ Golimumab

ヒト腫瘍壊死因子α（TNF α）に対する遺伝子組換えヒト IgG1 モノクローナル抗体で、456 個のアミノ酸残基からなる H 鎖（γ 1 鎖）2 分子及び 215 個のアミノ酸残基からなる L 鎖（κ鎖）2 分子で構成される糖タンパク質で、分子量は、149,802 ～ 151,064 である。

【適用】既存治療で効果不十分な関節リウマチ（関節の構造的損傷の防止を含む）、中等症から重症の潰瘍性大腸炎の改善及び維持療法（既存治療で効果不十分な場合に限る）

【副作用】敗血症性ショック、敗血症、肺炎等の重篤な感染症、間質性肺炎、結核、脱髄疾患、重篤な血液障害、うっ血性心不全、重篤なアレルギー反応、ループス様症候群など

エタネルセプト Etanercept

ヒト TNF 可溶性レセプターに対する抗体である。 ヒト IgG1 の Fc 領域と分子量 75kDa（p75）のヒト腫瘍壊死因子 II 型受容体（TNFR-II）の細胞外ドメインのサブユニット二量体からなる糖蛋白質で、934 個のアミノ酸残基からなる。ヒト TNF 可溶性レセプター部分が、過剰に産生された TNF αおよび LT αを、おとりレセプターとして捕捉し、細胞表面のレセプターとの結合を阻害することで、抗リウマチ作用、抗炎症作用を示すと考えられている。なお、本剤と TNF αおよび LT αとの結合は可逆的であり、いったん捕捉した TNF αおよび LT αは再び遊離される。

【適用】既存治療で効果不十分な関節リウマチ（関節の構造的損傷の防止を含む）、多関節に活動性を有する若年性特発性関節炎、腎移植後の急性拒絶反応の治療

【副作用】1. 敗血症、肺炎、真菌感染症等の日和見感染症、結核、重篤なアレルギー反応、重篤な血液障害、脱髄疾患、間質性肺炎、抗 dsDNA 抗体の陽性化を伴うループス様症候群、肝機能障害、中毒性表皮壊死融解症（Toxic Epidermal Necrolysis：TEN）、皮膚粘膜眼症候群（Stevens-Johnson 症候群）、抗好中球細胞質抗体（ANCA）陽性血管炎、急性腎不全、ネフローゼ症候群、心不全など

アバタセプト Abatacept

ヒト細胞障害性 T リンパ球抗原-4（CTLA-4）の細胞外ドメインとヒト IgG1 の Fc ドメインより構成された遺伝子組換え可溶性融合タンパク質である。アバタセプトは抗原提示細胞表面の CD80/CD86 に結合し、CD28 共刺激シグナルを阻害することで T 細胞の活性化を抑制する。

【適用】既存治療で効果不十分な関節リウマチ（関節の構造的損傷の防止を含む）、多関節に活動性を有する若年性特発性関節炎の治療

【副作用】重篤な感染症、重篤な過敏症、間質性肺炎など

④　副腎皮質ホルモン

ヘルパーＴ細胞の増殖抑制により IL-2 の産生を抑制し、細胞障害性Ｔ細胞の増殖を抑制する。自己免疫疾患（全身性エリテマトーデス、慢性関節リウマチ、溶血性貧血）などに用いる。

⑤　その他

グスペリムス　Gusperimus

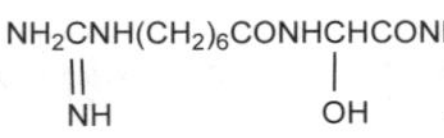

【作用機序】細胞傷害性Ｔリンパ球の前駆細胞の成熟および細胞傷害性Ｔリンパ球の増殖を抑制することによって拒絶反応の進行を妨げるとともに、活性化Ｂリンパ球の増殖又は分化を抑制することによって抗体産生を抑制する。ただし、核酸合成の阻害作用や殺細胞作用を持たないことから、細胞毒性薬とは異なる。シクロスポリンやステロイドの作用機序とも異なる。

$NH_2CNH(CH_2)_6CONHCHCONH(CH_2)_4NH(CH_2)_3NH_2$（C=NH、CH–OH）　グスペリムス

【適用】腎移植後の拒絶反応（促進型および急性）の治療

【副作用】血液障害（白血球減少、血小板減少、赤血球減少）など

エベロリムス　Everolimus

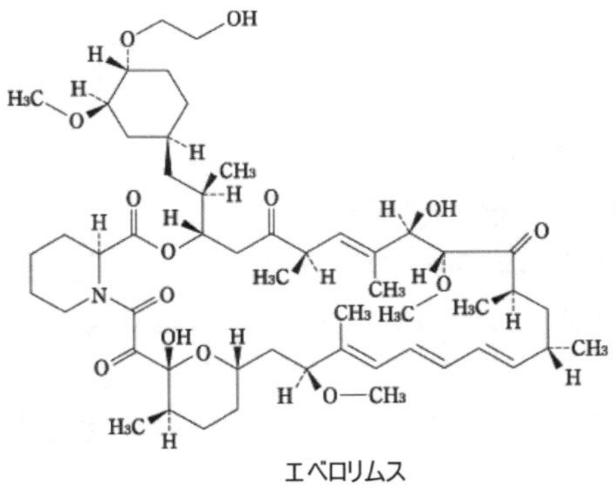

【作用機序】主としてＴ細胞に作用する。細胞内結合蛋白である FK-506 binding protein-12（FKBP12）と複合体（everolimus/FKBP12）を形成する。この複合体は細胞周期の G1 期から S 期への誘導に関与する主要な調節蛋白であるmammalian target of rapamycin（mTOR）に結合してその機能を阻害することにより、細胞増殖を抑制する。エベロリムスは、IL-2 及び IL-15 などによる主にＴ細胞の増殖を抑制し免疫抑制作用を示す。

エベロリムス

【適用】心移植、腎移植、肝移植における拒絶反応の抑制

【副作用】腎障害、感染症、移植腎血栓症、肝動脈血栓症、悪性腫瘍、創傷治癒不良 、汎血球減少、白血球減少、貧血、血小板減少、好中球減少、進行性多巣性白質脳症（PML)、BK ウイルス腎症、血栓性微小血管障害、間質性肺疾患（間質性肺炎、肺臓炎)、肺胞蛋白症、心嚢液貯留、高血糖、糖尿病の発症または増悪、肺塞栓症、深部静脈血栓症、急性呼吸窮迫症候群など

ヒドロキシクロロキン　Hydroxychloroquine

【作用機序】正確な作用機序は不明であるが、主にリソソーム内へのヒドロキシクロロキンの蓄積によるpH の変化とリソソーム内の種々の機能の抑制、それに伴う抗原提示の阻害、サイトカイン産生と放出の抑制、トール様受容体を介する免疫反応抑制、アポ

トーシス誘導、アラキドン酸放出抑制等が寄与しているものと推察されている。
【適用】皮膚エリテマトーデス、全身性エリテマトーデス
【副作用】眼障害（網膜症、黄斑症、黄斑変性）、中毒性表皮壊死融解症（Toxic Epidermal Necrolysis：TEN）、骨髄抑制（血小板減少症、無顆粒球症、白血球減少症、再生不良性貧血）、心筋症、ミオパチー、ニューロミオパチー、低血糖など

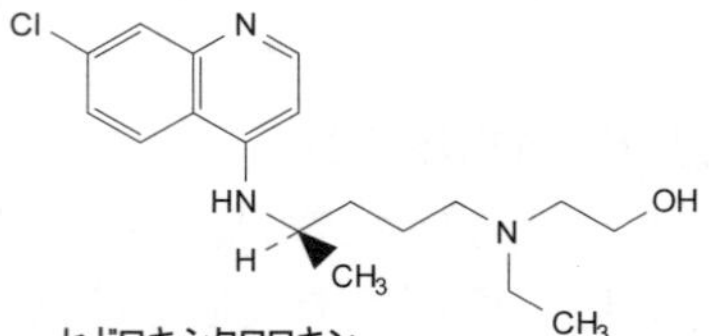

ヒドロキシクロロキン 及び鏡像異性体

免疫刺激薬

免疫不全（免疫担当細胞の機能不全により免疫機能が低下ないし消失した状態）を改善する薬物

インターフェロン、免疫グロブリン8、ピシバニール、クレスチン、レンチナン、シゾフィランなどが含まれる。

テセロイキン　Teceleukin

【作用機序】遺伝子組換え型インターロイキン 2。主として T 細胞や NK 細胞に結合し、活性化することにより、細胞障害能の高いキラー細胞を誘導して腫瘍を障害する。更に B 細胞やマクロファージにも結合し、免疫を賦活する。
【適用】血管肉腫、胃ガン
【副作用】体液貯留、うっ血性心不全、抑うつなど

免疫関連疾患

慢性関節リウマチ

慢性関節リウマチは、免疫機構の異常により関節が炎症を起こし緩解と増悪を繰り返す疾患で、全身の諸臓器を侵襲する。

多因子性遺伝素因や HLA（ヒト白血球抗原）-D4、ウイルス感染が原因として挙げられている。原因不明の多発性関節炎が主症状で、関節の腫脹、炎症、変形、脱臼、骨性硬直（朝のこわばりが起きる）を生じる慢性炎症性疾患である。自己免疫疾患で女性に多い。リウマトイド因子の産生が認められる。

従来の治療は、非ステロイド系抗炎症薬を基本とし、重症度に応じて、遅効性抗リウマチ薬、副腎皮質ステロイド薬、免疫抑制薬などを順次追加していくものであったが、現在では、生物学的製剤（bDMARD）が汎用されるようになり、『関節リウマチ診療ガイドライン 2014』に基づいた治療が行われるようになっている。『関節リウマチ診療ガイドライン 2014』は、2004 年に日本リウマチ財団より関節リウマチ（RA）の診療マニュアルとして出版された『関節リウマチの診療マニュアル（改訂版）診断のマニュアルと EBM に基づく治療ガイドライン』を、その後の臨場現場の実態（bDMARD の承認、臨床現場でのメトトレキサートの有用性の確立など）に即して策定したガイドラインである。上記の免疫抑制薬の一部（適用に関節リウマチと記載の薬物）に加え、以下の薬物が関節リウマチに用いられている。

遅効性抗リウマチ薬（疾患修飾性抗リウマチ薬）

これらの薬物は、免疫反応を是正して抗リウマチ作用を示すと考えられており、効果発現までに 1 ヶ月以上かかる（6 ～ 8 週間）ことが多い。

金製剤

分子中に Au を含む薬物で、作用機序は明確でない部分もあるが、SH 酵素を阻害して作用を示すと考えられている。

金チオリンゴ酸ナトリウム　Sodium Aurothiomalate

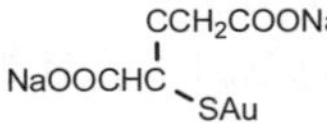

【副作用】ショック、アナフィラキシー様症状、剥脱性皮膚炎、血液障害、ネフローゼ症候群、間質性肺炎、肺線維症、好酸球性肺炎、気管支炎、気管支ぜん息発作の増悪、大腸炎、角膜潰瘍、網膜出血、脳症、末梢性神経障害など

金チオリンゴ酸ナトリウム

オーラノフィン　Auranofin

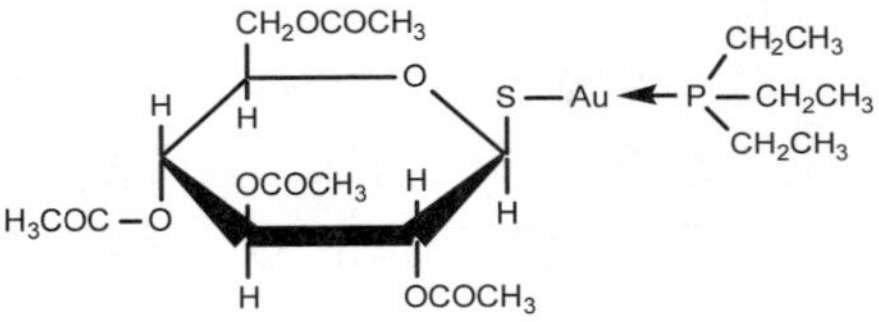

【副作用】間質性肺炎、再生不良性貧血、赤芽球癆、無顆粒球症、急性腎不全、ネフローゼ症候群など

オーラノフィン

ペニシラミン　Penicillamine

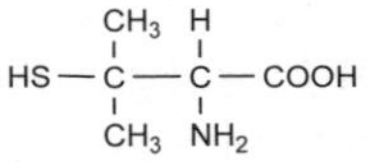

【作用機序】ペニシラミンの SH 基が、リウマトイド因子をはじめとした免疫複合体の分子内 S-S 結合を解離させる。また、タンパク質変性抑制作用を有しており、これが、生体成分の抗原性獲得に抑制的に働くと考えられている。T-リンパ球を介して免疫系に作用し、免疫機能を抑制あるいは増強する免疫調節作用を有すると考えられる。

【副作用】血液障害、ネフローゼ症候群、肺胞炎、間質性肺炎・PIE（好酸球性肺浸潤）症候群、閉塞性細気管支炎、グッドパスチュア症候群、味覚脱失、視神経炎、SLE 様症状、天疱瘡様症状、重症筋無力症、神経炎、ギランバレー症候群を含む多発性神経炎、多発性筋炎、筋不全麻痺、血栓性静脈炎、アレルギー性血管炎、多発性血管炎、胆汁うっ滞性肝炎など

ペニシラミン

ロベンザリット　Lobenzarit

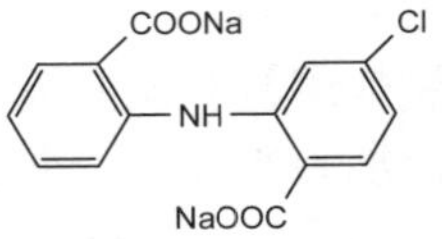

【作用機序】低下したサプレッサー T 細胞の活性を回復させる。

【副作用】重篤な腎障害（急性腎不全、間質性腎炎、腎性尿崩症など）など

ロベンザリット

ブシラミン　Bucillamine

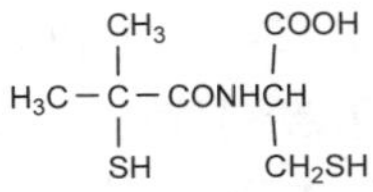

【作用機序】ヘルパー T 細胞を抑制し、低下したサプレッサー T 細胞比率を上昇させる。また、免疫グロブリン（IgG、IgA、

ブシラミン

IgM）の低下作用を有している。

【副作用】再生不良性貧血、赤芽球癆、汎血球減少）、無顆粒球症、血小板減少、過敏性血管炎、間質性肺炎、好酸球性肺炎、肺線維症、胸膜炎、急性腎不全、ネフローゼ症候群、肝機能障害、黄疸、皮膚粘膜眼症候群（Stevens-Johnson 症候群）、中毒性表皮壊死症（Lyell 症候群）、重症筋無力症、筋力低下、多発性筋炎など。

アクタリット　Actarit

【作用機序】サイトカイン（IL-1 β、IL-6、TNF-α）などの産生を抑制し、III 型および IV 型アレルギー反応を抑制する。

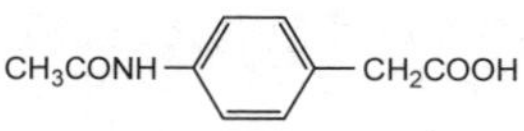

【副作用】ネフローゼ症候群、間質性肺炎、再生不良性貧血、汎血球減少、無顆粒球症、血小板減少、肝機能障害、消化性潰瘍、出血性大腸炎など

アクタリット

サラゾスルファピリジン　Salazosulfapyridine

【作用機序】T 細胞、マクロファージにおいて、サイトカイン（IL-1、2 および 6）産生を抑制して、慢性関節リウマチにおける異常な抗体産生を抑制する。また、滑膜細胞の活性化、炎症性細胞の浸潤抑制、および多形核白血球の活性酸素産生抑制作用も示す。これらの作用により、関節における炎症を抑制し、抗リウマチ作用を示すものと考えられる。

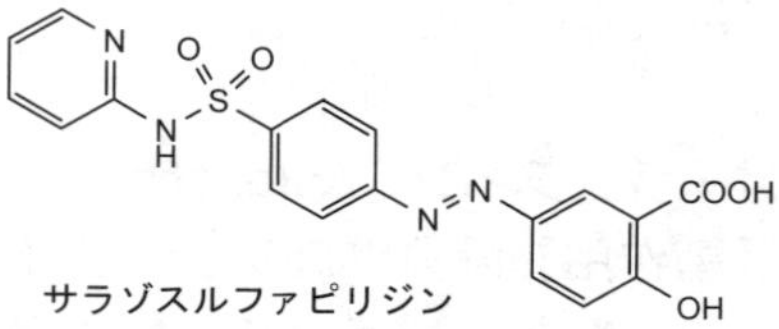

サラゾスルファピリジン

【副作用】血液障害、皮膚粘膜眼症候群（Stevens-Johnson 症候群）、中毒性表皮壊死症（Lyell 症候群）、紅皮症型薬疹、過敏症症候群、伝染性単核球症様症状、間質性肺炎、薬剤性肺炎、PIE 症候群、線維性肺胞炎、急性腎不全、ネフローゼ症候群、間質性腎炎、消化性潰瘍、S 状結腸穿孔、脳症、無菌性髄膜（脳）炎、心膜炎、胸膜炎、SLE 様症状、肝炎、肝機能障害、黄疸など

イグラチモド　Iguratimod

【作用機序】主として、B 細胞による免疫グロブリン（IgG、IgM）の産生および単球／マクロファージや滑膜細胞による炎症性サイトカイン（TNF α、IL・1 β、IL・6、IL・8、MCP・1）の産生を抑制することにより、抗リウマチ作用を示す。これらの作用は、転写因子 Nuclear Factor κ B（NF κ B）の活性化抑制を介した作用であることが示唆されている。

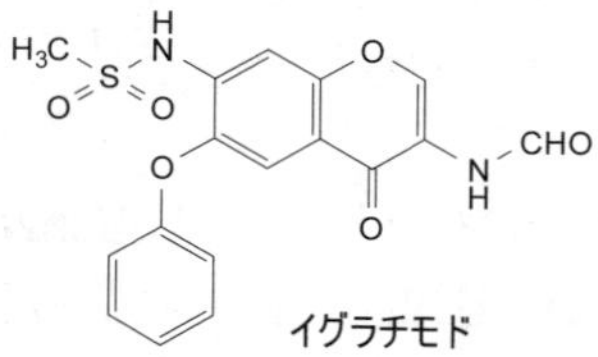

【副作用】肝機能障害、黄疸、AST（GOT）、ALT（GPT）の増加等を伴う肝機能障害、、汎血球減少症、無顆粒球症、白血球減少、消化性潰瘍、間質性肺炎、感染症など

イグラチモド

レフルノミド　Leflunomide

【作用機序】活性代謝物（A771726）が、de novo ピリミジン生合成に関与する酵素ジヒドロオロテートデヒドロゲナーゼ（DHODH）を標的分子とし、同酵素活性を阻害する。

このため、de novo ピリミジン生合成が抑制され、de novo 経路からのピリミジンヌクレオチドの供給に依存している活性化リンパ球の増殖が抑制されると考えられている。T 細胞、マクロファージにおいて、サイトカイン（IL-1、2 および 6）産生を抑制して、慢性関節リウマチにおける異常な抗体産生を抑制する。また、滑膜細胞の活性化、炎症性細胞の浸潤抑制、および多形核白血球の活性酸素産生抑制作用も示す。これらの作用により、関節における炎症を抑制し、抗リウマチ作用を示すものと考えられる。

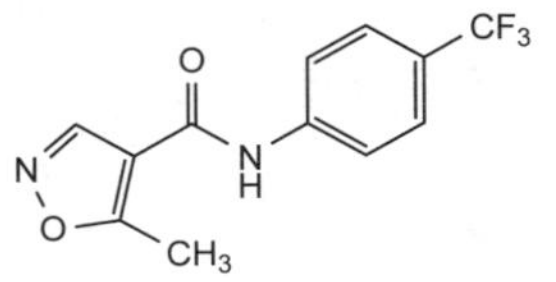

レフルノミド

【副作用】アナフィラキシー様症状、皮膚粘膜眼症候群（Stevens - Johnson 症候群）、中毒性表皮壊死融解症、汎血球減少症、肝不全、急性肝壊死、肝炎、肝機能障害、黄疸、重篤な感染症、間質性肺炎、膵炎など

インフリキシマブ　Infliximab

抗ヒト腫瘍壊死因子（TNF）αモノクローナル抗体で 1,328 個のアミノ酸残基からなる糖蛋白質であり、可溶型および膜結合型 TNF αに対して選択的に結合する。使用は、既存治療で効果不十分な場合に限られる。

【副作用】日和見感染症、結核、重篤な infusion reaction、間質性肺炎、肝機能障害、遅発性過敏症、抗 dsDNA 抗体の陽性化を伴うループス様症候群、白血球減少、好中球減少など

セルトリズマブペゴル　Certolizumab Pegol

ヒト TNF α に特異性を有する遺伝子組換えヒト化抗ヒト TNF α モノクローナル抗体の抗原結合フラグメントにポリエチレングリコール（PEG）を結合させた化合物で、ヒト TNF α に対して強力な結合親和性を示し、その生物活性を選択的かつ強力に中和するとともに、単球からの炎症性サイトカインの産生を抑制する。使用は、原則として既存治療で効果不十分な関節リウマチ患者に限定すること。関節の構造的損傷の進展リスクが高いと推測される患者に対しては、抗リウマチ薬による治療歴がない場合でも使用できるが、最新のガイドライン等を参照した上で、患者の状態を評価し、本剤の使用の必要性を慎重に判断すること。

【副作用】敗血症（頻度不明）、肺炎等の重篤な感染症、結核、重篤なアレルギー反応、脱髄疾患、重篤な血液障害（汎血球減少、血小板減少、白血球減少、顆粒球減少等）、間質性肺炎など

トファシチニブ　Etanercept

トファシチニブは、JAK ファミリーの強力な阻害薬であり、ヒトのキナーゼ群の中で高い選択性を示す。トファシチニブは、キナーゼアッセイで JAK1、JAK2、JAK3 を阻害し、TyK2 も軽度に阻害する。

【適用】既存治療で効果不十分な関節リウマチ

【副作用】感染症 帯状疱疹、肺炎（ニューモシスティス肺炎等を含む）、敗血症、結核等の重篤な感染症（日和見感染症を含む）、消化管穿孔、好中球減少、リンパ球減少、ヘ

モグロビン減少、好中球減少、リンパ球減少、ヘモグロビン減少、肝機能障害、間質性肺炎など

エイズ

HIV が免疫担当細胞である T リンパ球にとりついて増殖し、破壊するために起こる感染症である。治療薬として、シトブシンやジダノシンといった逆転写酵素阻害薬（HIV の逆転写酵素を阻害してウイルス増殖を抑える薬物）や、リトナビルのような HIV プロテアーゼ阻害薬（HIV のプロテアーゼを阻害し、増殖に必要なタンパク前駆体の産生を抑制する薬物が用いられる。詳細は、抗ウイルス薬を参照のこと。

3．抗アレルギー薬

アレルギー反応は、免疫反応の一つであるが、特に、生体に不利に働くものをいい、Coombs と Gell により、以下の表のようにⅠ型からⅣ型の４種に分類されている。狭義のアレルギーとはⅠ型のアナフィラキシー反応を指しており、抗アレルギー薬とは、通常、Ⅰ型アレルギーの抑制薬または拮抗薬のことである。

アレルギー反応の分類

型	反応	作用因子	反応時間	関連疾患
Ⅰ型	アナフィラキシー反応	IgE 抗体	30 分以内	ぜん息、花粉症、じんま疹
Ⅱ型	抗体依存性細胞媒介性細胞傷害反応	IgM、IgG 抗体＋補体		溶血性貧血、再生不良性貧血
Ⅲ型	免疫複合体反応	IgM、IgG 抗体＋補体	3 ～ 8 時間	糸球体腎炎、全身性エリテマトーデス
Ⅳ型	遅延型過敏反応（細胞性免疫反応）	T 細胞	24 ～ 48 時間	結核、過敏性肺炎

抗アレルギー薬

Ⅰ型アレルギー反応は、図のようにアレルゲンに感作後、IgE 抗体の産生→ケミカルメディエーター（ヒスタミンなど）の遊離→ケミカルメディエーターにより平滑筋の収縮、血管透過性の亢進などの誘発（アレルギー反応）と進む。疾患としては、ぜん息、花粉症、じんま疹などがあり、アレルゲンに感作してから 30 分以内に起こる

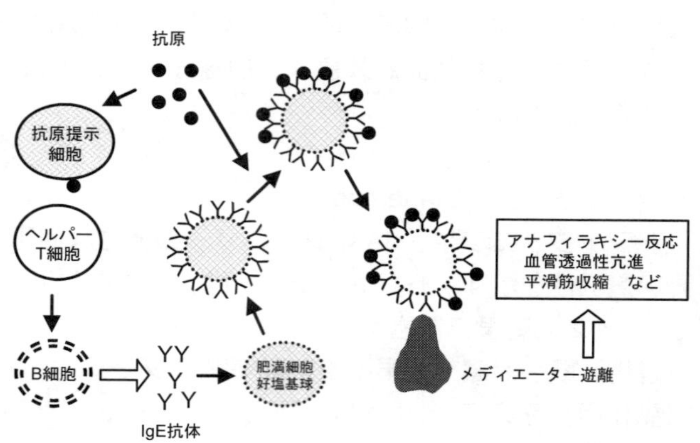

とされている。Ⅰ型アレルギー反応のいずれかの過程（IgE 抗体産生抑制、ケミカルメディエーターの遊離抑制、ケミカルメディエーターの作用抑制）を抑制する薬物が抗アレルギー薬となるが、実際に用いられている多くの抗アレルギー薬は、ケミカルメディエーターの遊離抑制薬、合成阻害薬に属している。

ケミカルメディエーター遊離抑制薬

肥満細胞からのケミカルメディエーターの遊離を抑制する薬物である。ケミカルメディエーター遊離抑制薬は、通常は、抗ヒスタミン作用のある薬物とそうでない薬物とに分けることが多い。

抗ヒスタミン作用のない薬物

クロモグリク酸ナトリウム　Sodium Cromoglicate

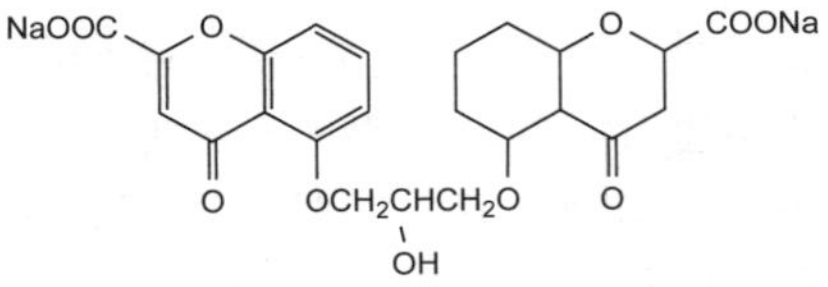

【作用機序】 抗原抗体反応に伴って肥満細胞から遊離されるヒスタミン等のケミカルメディエーターの遊離を抑制する。また、ヒト末梢静脈血由来の炎症性細胞（好酸球、好中球、単球）の活性化を抑制する作用ももつ。

クロモグリク酸ナトリウム

【適用】 気管支ぜん息、アレルギー性鼻炎、食物アレルギーに基づくアトピー性皮膚炎

【副作用】 PIE 症候群（好酸球性肺炎）アナフィラキシー様症状など

トラニラスト　Tranilast

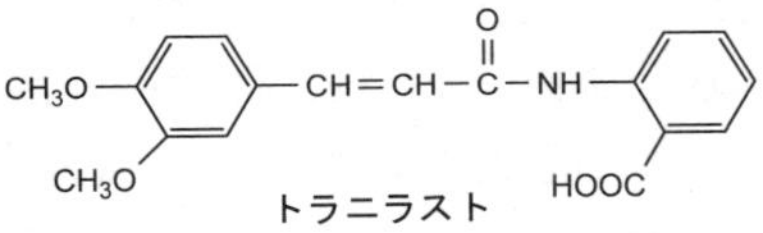

【作用機序】 肥満細胞から遊離されるヒスタミン等のケミカルメディエーターの遊離を抑制する。また、ケロイドおよび肥厚性瘢痕由来線維芽細胞のコラーゲン合成を抑制することにより、ケロイド瘢痕形成を抑制する。

トラニラスト

【適用】 気管支ぜん息、アレルギー性鼻炎、アトピー性皮膚炎、ケロイド・肥厚性瘢痕。

【副作用】 膀胱炎様症状、肝機能障害、腎機能障害、白血球減少、血小板減少など。

アンレキサノクス（Amlexanox）

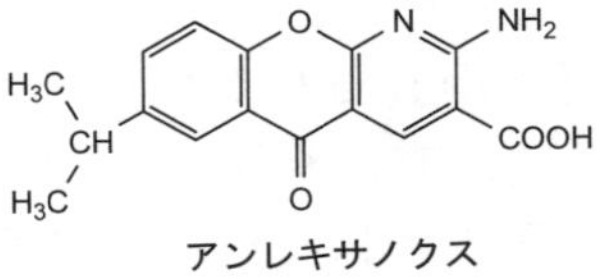

【作用機序】 ヒスタミン遊離抑制作用、ロイコトリエン生成抑制作用および抗ロイコトリエン作用をもつ。

【適用】 内服：気管支ぜん息、アレルギー性鼻炎、点眼：アレルギー性結膜炎（花粉症を含む）

アンレキサノクス

【副作用】 発疹等の過敏症、消化器障害など

イブジラスト　（Ibudilast）

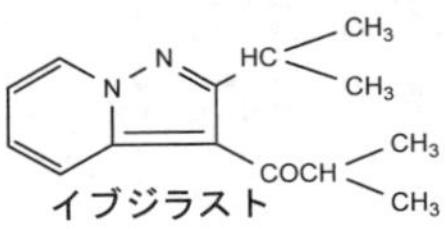

【作用機序】 ロイコトリエン遊離抑制作用をもつ。また、ホスホジエステラーゼ阻害作用を示す。

【適用】 内服：気管支ぜん息、脳梗塞後遺症に伴う慢性脳循環障害

イブジラスト

によるめまいの改善、点眼：アレルギー性結膜炎（花粉症を含む）

【副作用】 血小板減少、肝機能障害、黄疸、発疹等の過敏症など

ペミロラストカリウム（Pemirolast Potassium）

【作用機序】 ケミカルメディエーターの遊離を抑制する。マスト細胞のイノシトールリン脂質代謝を阻害することにより、ケミカルメディエーターの遊離に重要細胞外 Ca^{2+} の流入と細胞内 Ca^{2+} の遊離を強く抑制する。

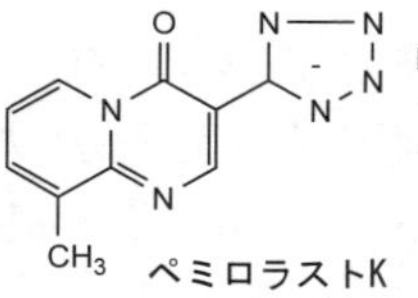

【適用】 内服：気管支ぜん息、アレルギー性鼻炎、点眼：アレルギー性結膜炎

【副作用】 発疹等の過敏症、消化器障害など

ペミロラストK

アシタザノラスト （Acitazanolast）

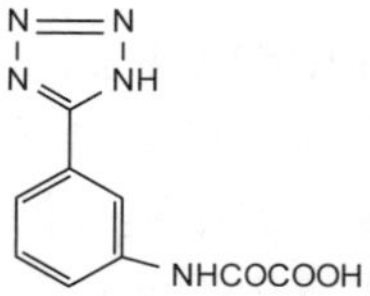

【作用機序】 ケミカルメディエーターの遊離を抑制する。

【適用】 点眼：アレルギー性結膜炎

【副作用】 発疹等の過敏症など

アシタザノラスト

抗ヒスタミン薬（ヒスタミン H_1 受容体遮断薬）

ヒスタミン H_1 受容体遮断薬は、現在、古典的 H_1 受容体遮断薬（第一世代）、抗アレルギー性 H_1 受容体遮断薬（第二世代）に分類されている。古典的 H_1 受容体遮断薬は、H_1 受容体遮断作用のほかに抗コリン作用などがあり、気道の線毛運動や気道分泌を抑制するため気管支ぜん息の治療薬としては不むきとされてきた。一方、抗アレルギー性 H_1 受容体遮断薬は、H_1 受容体遮断作用のほかにメディエーター遊離抑制作用を併せもち、抗コリン作用なども軽減されて気管支ぜん息にも使用でき（気管支ぜん息には適応のない薬物もある）、抗アレルギー薬として用いられている。古典的 H_1 受容体遮断薬は、通常、抗アレルギー薬には含まれない。メキタジン、エピナスチン、エバスチンなどは、抗ヒスタミン薬の副作用である鎮静、催眠作用を改善したもので、いずれも半減期が長い。

ケトチフェン（Ketotifen）

【作用機序】 ケミカルメディエーター遊離抑制作用および抗ヒスタミン作用（ヒスタミン H_1 受容体遮断作用）を示す。

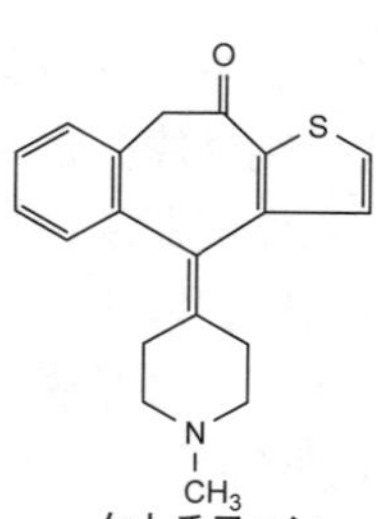

【適用】 気管支ぜん息、アレルギー性鼻炎、じん麻疹、湿疹・皮膚炎、皮膚そう痒症、点眼：アレルギー性結膜炎

【副作用】 痙れん、興奮（乳児、幼児では特に注意する）、肝機能障害、黄疸眠気、けん怠感、口渇、悪心・嘔吐など

ケトチフェン

アゼラスチン（Azelastine）

【作用機序】 ヒスタミン H_1 受容体遮断作用を示す。また、ロイコトリエン産生・遊離抑制作用およびヒスタミン遊離抑制作用を示す。

【適用】気管支ぜん息、アレルギー性鼻炎、じん麻疹、湿疹・皮膚炎、アトピー性皮膚炎、皮膚そう痒症、痒疹
【副作用】眠気、けん怠感、口渇、悪心・嘔吐など

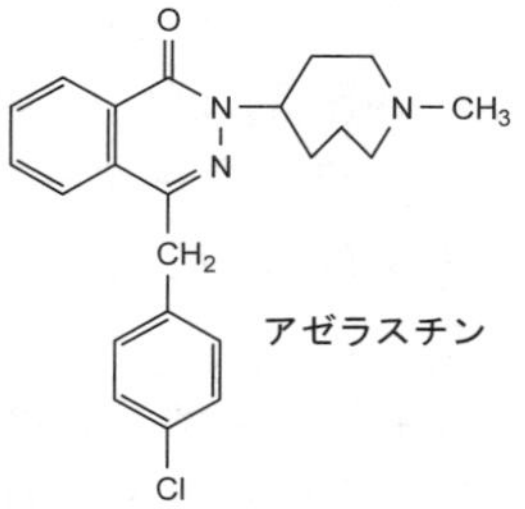

アゼラスチン

オキサトミド（Oxatomide）
【作用機序】ヒスタミン H_1 受容体遮断作用を示す。また、ロイコトリエン産生・遊離抑制作用およびヒスタミン遊離抑制作用を示す。抗 PAF 作用も示す。
【適用】気管支ぜん息、アトピー性皮膚炎、蕁麻疹、痒疹
【副作用】肝炎、肝機能障害、黄疸、ショック、アナフィラキシー様症状、皮膚粘膜眼症候群（Stevens-Johnson 症候群）、中毒性表皮壊死症（Lyell 症候群）、血小板減少眠気、けん怠感、口渇、悪心・嘔吐など

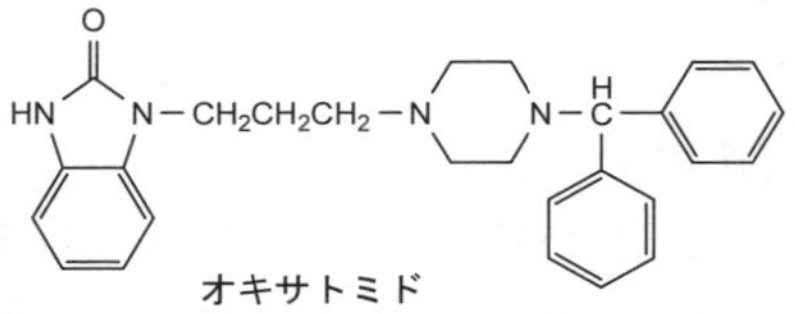

オキサトミド

メキタジン（Mequitazine）
【作用機序】ケミカルメディエーター遊離抑制作用および抗ヒスタミン作用（ヒスタミン H_1 受容体遮断作用）を示す。
【適用】気管支ぜん息、アレルギー性鼻炎、じん麻疹、皮膚疾患に伴うそう痒（湿疹・皮膚炎、皮膚そう痒症）
【副作用】ショック、アナフィラキシー様症状、肝機能障害、血小板減少、眠気、けん怠感、口渇など。催眠作用は比較的少ない。

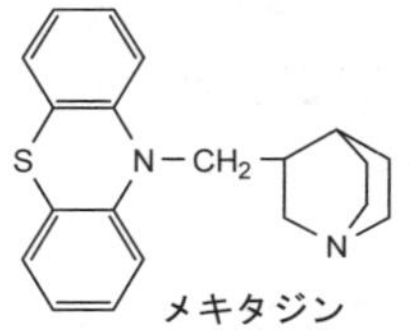

メキタジン

エピナスチン（Epinastine）
【作用機序】ケミカルメディエーター遊離抑制作用および抗ヒスタミン作用（ヒスタミン H_1 受容体遮断作用）を示す。ロイコトリエン C4（LTC4）拮抗作用および抗 PAF 作用も示す。
【適用】気管支ぜん息、アレルギー性鼻炎、蕁麻疹、湿疹・皮膚炎、皮膚そう痒症、痒疹、そう痒を伴う尋常性乾癬
【副作用】肝機能障害、黄疸、血小板減少など。催眠作用は比較的少ない。

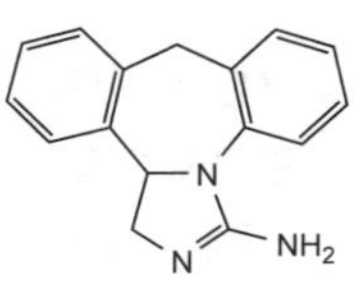

エピナスチン

フェキソフェナジン（Fexofenadine）
【作用機序】抗ヒスタミン作用の他、炎症性サイトカイン産生抑制作用、好酸球遊走抑制作用およびケミカルメディエーター遊離抑制作用を示す。
【適用】アレルギー性鼻炎、蕁麻疹、皮膚疾患（湿疹・皮膚炎、皮膚そう痒症、アトピー性皮膚炎）に伴うそう痒
【副作用】ショック、肝機能障害、黄疸など。催眠作用は比較的少ない。

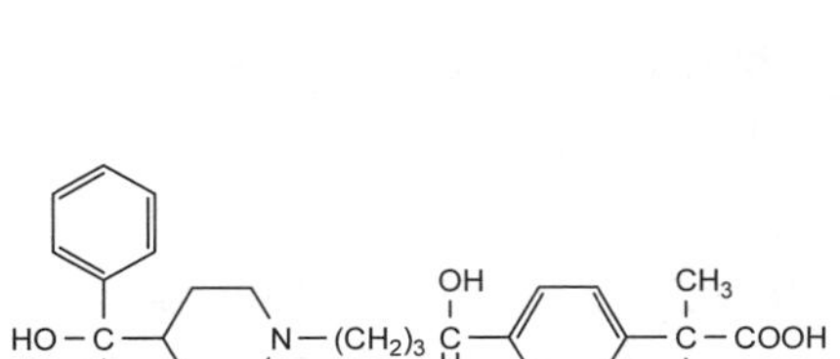

フェキソフェナジン

エバスチン（Ebastine）

【作用機序】活性代謝物（カレバスチン）がケミカルメディエーター遊離抑制作用および抗ヒスタミン作用（ヒスタミン H_1 受容体遮断作用）を示す。

【適用】蕁麻疹、湿疹・皮膚炎，痒疹，皮膚そう痒症、アレルギー性鼻炎

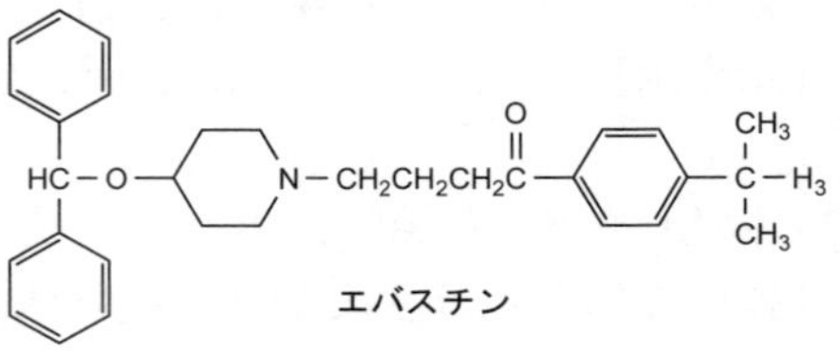

エバスチン

【副作用】ショック，アナフィラキシー様症状、肝機能障害など。催眠作用は比較的少ない。

その他

上記以外に、抗アレルギー性 H_1 遮断薬として現在、使用されている薬物には、セチリジン（Cetirizine）、レボセチリジン（Levocetirizine）ベポタスチン（Bepotastine）、エメダスチン（Emedastine）、オロパタジン（Olopatadine）、ロラタジン（Loratadine）、デスロラタジン（Desloratadine）、ビラスチン（bilastine）などがある。

参考：第一世代 H_1 受容体遮断薬

古典的 H_1 受容体遮断薬（第一世代）に分類される薬物のいくつかとその特徴を以下に示す。

ジフェンヒドラミン（Diphenhydramine）：エタノールアミン系の薬物で、H_1 受容体遮断作用の他に抗コリン作用が強い。また、局所麻酔作用、嘔吐抑制作用、筋固縮減少作用も示す。中枢抑制作用も強いため、昼間の投与には不向きである。

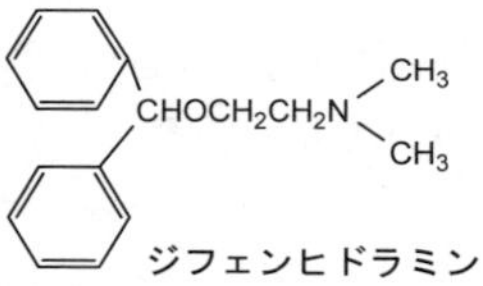

ジフェンヒドラミン

ジメンヒドリナート（Dimenhydrinate）：エタノールアミン系の薬物で、H_1 受容体遮断作用の他に抗コリン作用が強い。また、嘔吐・めまい抑制作用があり、動揺病・メニエール症候群、放射線宿酔の悪心・嘔吐・眩暈に用いる。

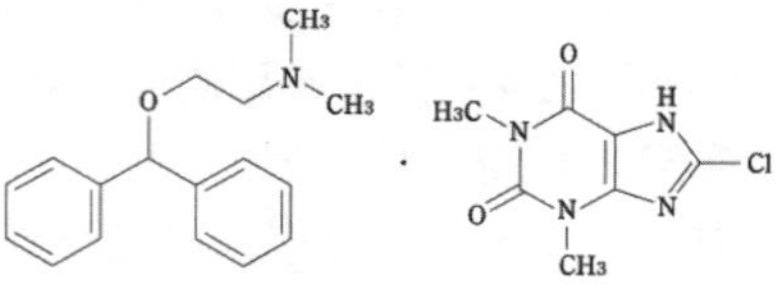

ジメンヒドリナート

他のエタノールアミン系の薬物としてジフェニルピラリン（Diphenylpyraline）、クレマスチン（Clemastine）がある。

クロルフェニラミン（Chlorpheniramine）：プロピルアミン系の薬物で、中枢抑制作用が比較的弱いため、第一世代の中では、昼間の投与にも向いている。

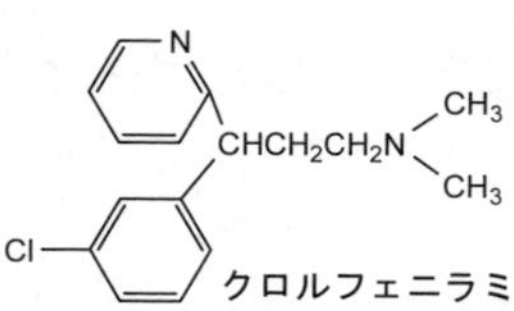

クロルフェニラミン

プロメタジン（Promethazine）：フェノチアジン系の薬物で、H_1 受容体遮断作用の他に抗コリン作用が強い。また、α 受容体遮断作用、局所麻酔作

用、嘔吐抑制作用を示す。

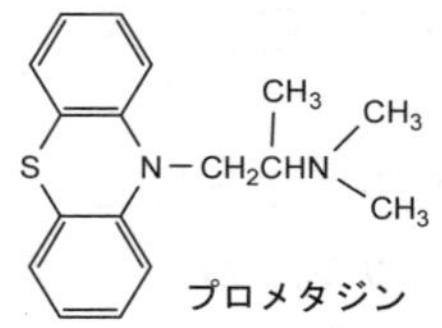

他のフェノチアジン系の薬物としてアリメマジン（Alimemazine）がある。

プロメタジン

ヒドロキシジン（Hydroxyzine）： ピペラジン系の薬物で、蕁麻疹、皮膚疾患に伴うそう痒（湿疹・皮膚炎、皮膚そう痒症）に用いられる他、視床、視床下部、大脳辺縁系などに作用し、中枢抑制作用を示し、神経症における不安・緊張・抑うつに用いられる。

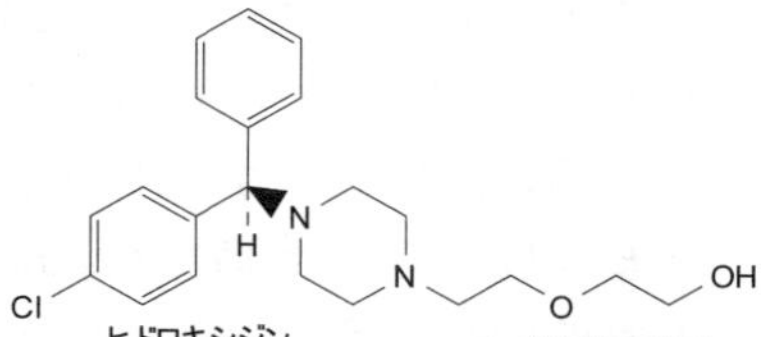

ヒドロキシジン　及び鏡像異性体

他のピペラジン系の薬物としてホモクロルシクリジン（Homochlorcyclizine）がある。
また、ピペリジン系の薬物としてシプロヘプタジン（Cyproheptadine）が第一世代抗ヒスタミン薬に分類されている。

抗トロンボキサン（TX）A_2 薬

抗 TXA_2 薬には、TXA_2 の合成阻害薬と TXA_2 受容体遮断薬が含まれる。

TXA_2 合成阻害薬

オザグレル塩酸塩（Ozagrel hydrochloride）

【作用機序】 TX 合成酵素を選択的に阻害して TXA_2 の産生を抑制する。

【適用】 気管支ぜん息

【副作用】 発疹等の過敏症、消化器症状など

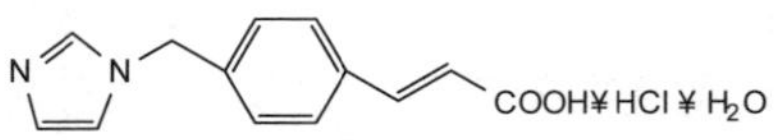

オザグレル 塩酸塩

TXA_2 受容体遮断薬

セラトロダスト（seratrodast）

【作用機序】 TX A_2受容体遮断作用により、即時型および遅発型ぜん息反応並びに気道過敏性の亢進を抑制する。

【適用】 気管支ぜん息

【副作用】 肝障害など

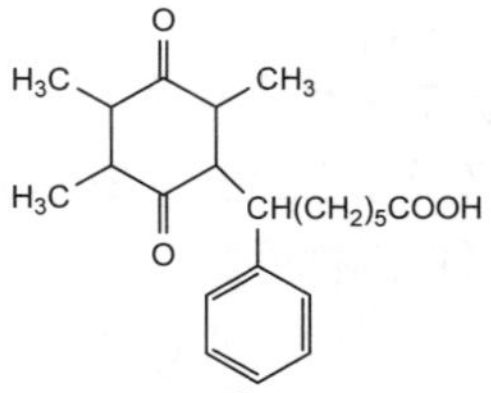

セラトロダスト

ラマトロバン（Ramatroban）

【作用機序】 鼻粘膜血管や血小板の TXA_2 受容体遮断作用により、血管透過性亢進作用および炎症性細胞浸潤に対して抑制作用を示す。また、好酸球などの炎症細胞上のプロスタグランジン D_2（PGD_2）受容体に結合し、炎症細胞の遊走や脱顆粒の抑制作用を示す。これらにより抗アレルギー性鼻炎作用を示す。

【適用】 アレルギー性鼻炎

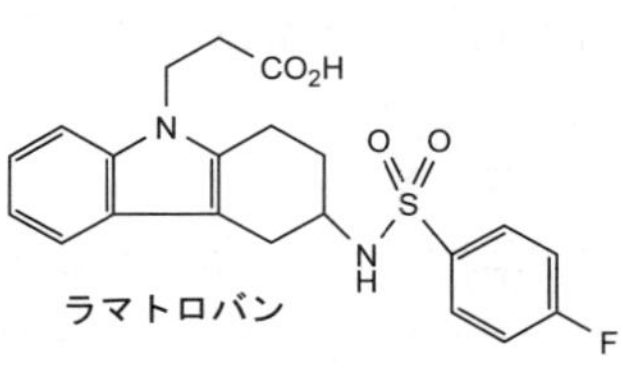

ラマトロバン

【副作用】肝障害など

抗ロイコトリエン（LT）薬

プランルカスト（Pranlukast）

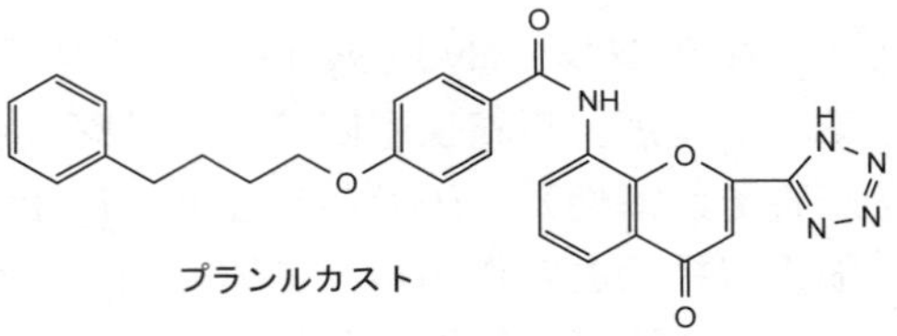

【作用機序】LT 受容体（LTC_4 受容体、LTD_4 受容体および、LTE_4 受容体）遮断薬として作用し、LT の受容体に選択的に結合してその作用を遮断し、気道収縮反応、気道の血管透過性亢進、気道粘膜の浮腫および気道過敏性の亢進を抑制し、気管支ぜん息患者の臨床症状および肺機能を改善させる。また、鼻閉、鼻汁、くしゃみを三大主徴とするアレルギー鼻炎において、鼻腔通気抵抗上昇、好酸球浸潤を伴う鼻粘膜浮腫、鼻粘膜過敏性を抑制する。

プランルカスト

【適用】気管支ぜん息、アレルギー性鼻炎

【副作用】ショック、アナフィラキシー様症状、白血球減少、血小板減少、肝機能障害、間質性肺炎、好酸球性肺炎、横紋筋融解症など

モンテルカストナトリウム （Montelukast sodium）

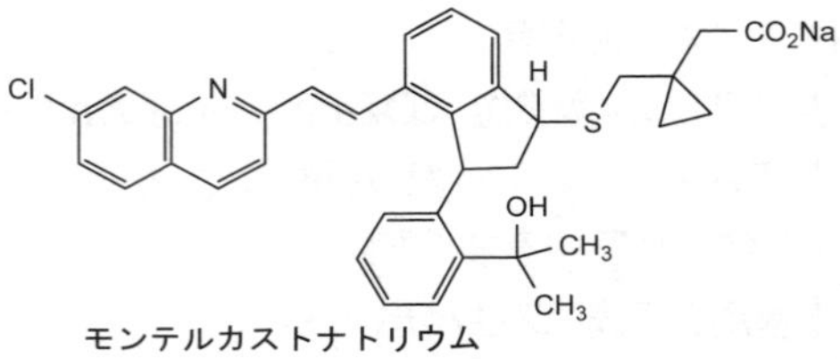

【作用機序】システイニルロイコトリエンタイプ 1 受容体 （CysLT1 受容体） に選択的に結合し、LTD_4 や LTE_4 による気管支収縮などの作用を抑制する。LTC_4 および LTB_4 に対する受容体遮断作用は弱い。

モンテルカストナトリウム

【適用】気管支ぜん息

【副作用】アナフィラキシー様症状、血管浮腫、肝機能障害など

抗 Th_2 サイトカイン阻害薬

スプラタスト（Suplatast）

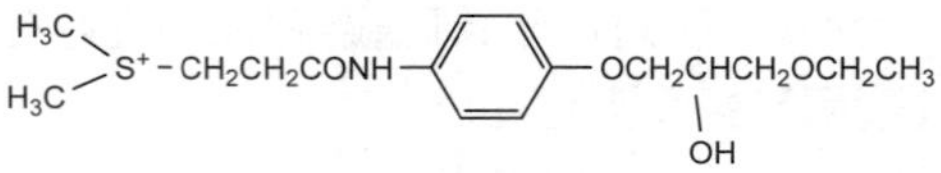

【作用機序】ヘルパー T 細胞のインターロイキン（IL）-4 および IL-5 産生を抑制することにより、好酸球浸潤抑制作用、IgE 抗体産生抑制作用を示す。

スプラタスト

【適用】気管支ぜん息、アトピー性皮膚炎、アレルギー性鼻炎

【副作用】肝機能障害、ネフローゼ症候群、消化器症状など

免疫療法薬

スギ花粉への減感作療法に標準スギ花粉エキスが、ダニ抗原に対する減感作療法にダニコナヒョウヒダニ及びヤケヒョウヒダニから抽出したエキスが用いられている。

4．炎症・抗炎症薬

炎症

炎症を起こすと患部は赤く腫れて痛くなる。炎症時に認められる、浮腫、紅斑（発赤）、疼痛、発熱の 4 つの症状を炎症の四大主兆候という。

炎症反応は、本来、生体防衛反応であり異物排除の仕組みであるが、過剰になると組織障害を増幅し生体機能を阻害する。炎症は、その原因は様々であるが、さまざまな生理活性物質（ケミカルメディエーター）が共通のメカニズムにより一連の反応を引き起こし、局所および全身に症状が現れる。炎症に関与するケミカルメディエーターと炎症の進行の概略を以下に示す。

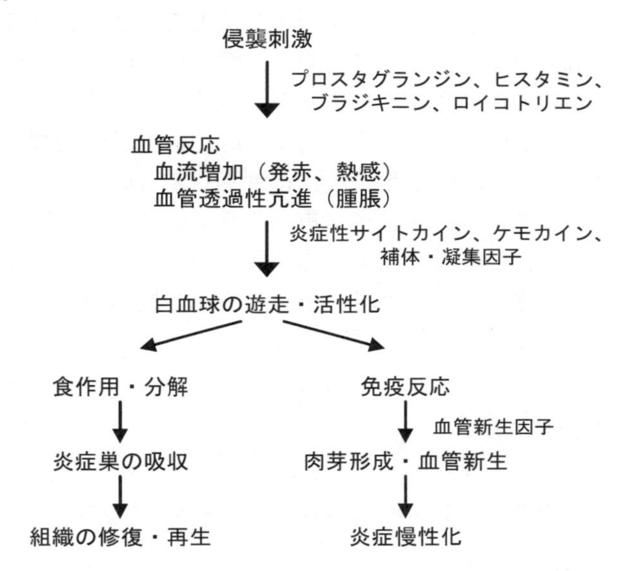

炎症に関与するケミカルメディエーター

①ヒスタミン

血管透過性亢進、疼痛

② セロトニン

知覚神経終末で求心性のインパルスを発生させ強い疼痛を発生させる。

他の因子による血管透過性亢進を増強

③ロイコトリエン

LTB_4：白血球の遊走、浸潤、活性化

LTC_4、LTD_4：血管透過性亢進、血管収縮、気管支収縮

④プロスタグランジン

PGE_1、PGE_2

血管拡張、痛覚過敏、他の因子による血管透過性亢進を増強、発熱

⑤インターロイキン-8（IL-8）

白血球の遊走、浸潤、活性化

⑥補体

血管透過性亢進白血球の遊走浸潤、活性化、粘着

抗炎症薬、解熱・鎮痛薬

抗炎症薬は、主にその誘発過程で作用するメディエーターやその他の関連分子の産生抑制や活性阻害により炎症を抑制する薬物である。前述のように炎症は、防御反応であるが、過剰な場合、すなわち、個体に不快感を与え 、組織損傷や機能障害が引き起こされたような場合には、抗炎症薬を用いる。ただし、抗炎症薬による炎症の抑制は、あくまでも対症療法で疾病の原因に対する治療ではないので、炎症の原因となっている疾病の治療が必須である。

抗炎症薬は、以下の図に示すように、ステロイド抗炎症薬と非ステロイド抗炎症薬に大別され、非ステロイド抗炎症薬は、さらに細かく分類されている。炎症のメディエーターは、上記のように種々のものがあるが、サイトカインやプロスタグランジンのように刺激によりその場で合成されるものもある。この合成には、遺伝子発現が関与しているが、遺伝子発現メカニズムにおいては、転写因子による制御が重要になり、これもステロイド抗炎症薬の作用点となる。なお、非ステロイド抗炎症薬は、抗炎症作用のみではなく、解熱作用および鎮痛作用も示し、これらの目的でも使用されているが、分類上は解熱性鎮痛薬とはいわない。一般に、解熱性鎮痛薬とは、抗炎症作用が見られない解熱・鎮痛薬のことをいい、非ステロイド抗炎症薬と区別している。

抗炎症薬、解熱・鎮痛薬の分類

- 抗炎症薬
  - ステロイド系抗炎症薬（トリアムシノロン、デキサメタゾン）
  - 非ステロイド系抗炎症薬
    - 酸性
      - サリチル酸系（アスピリン）
      - アリール酢酸系
        - フェニル酢酸系（ジクロフェナック）
        - インドール酢酸系（インドメタシン、スリンダク）
        - イソキサゾール酢酸系（モフェゾラク）
        - ピラノ酢酸系（エトドラク）
        - ナフタレン系（ナブメトン）
      - プロピオン酸系（イブプロフェン、ケトプロフェン、ロキソプロフェン）
      - オキシカム系（ピロキシカム、メロキシカム）
    - 塩基性（チアラミド、エモルファゾン）
- 解熱性鎮痛薬
  - ピラゾロン系（スルピリン）
  - アニリン系（アセトアミノフェン）

（　）には代表的な薬物を示した

1）非ステロイド抗炎症薬（nonsteroidal anti-inflammatory drugs: NSAIDs）

酸性抗炎症薬

酸性抗炎症薬は、シクロオキシゲナーゼ（cyclooxygenase、COX）の作用を阻害し、プロスタグランジン類の合成を抑制する薬物で、抗炎症、鎮痛、解熱作用を示す。非ステロイド性抗炎症薬の多くがここに含まれ、通常、上図のように構造上の特徴によって分類されることが多い。また、酸性抗炎症薬は、血漿蛋白質との結合親和性が強いことが特徴である。

シクロオキシゲナーゼ（COX）とは

COX は、分子量約 70,000 でヘムをもつ膜タンパク質で、一部を脂質二重層に挿入するように結合し、膜に面した部分に疎水性のチャネルがあり、これが活性中心につながっている。基質のアラキドン酸はこのチャネルを通過して活性中心に結合する。COX には、構成型の COX-1 と誘導型の COX-2 の２つのアイソザイムが存在することが明らかにされている。COX-1 は、胃粘膜や血小板など多くの細胞で刺激の有無に関係なく発現し、止血や胃の機能調節など生理的な役割を担っている。一方、COX-2 は、炎症局所で種々の刺激（細菌の内毒素、炎症性サイトカインの刺激など）により誘導され、病的な状態で働くプロスタグランジン（PG）産生に深く関与すると考えられている。すなわち、炎症に関与しているのは炎症部位で誘導される COX-2 で、炎症反応により転写が促進されて誘導されると考えられている。したがって、抗炎症薬としては、本酵素を選択的に阻害する薬物が望ましいとされる。多くの COX 阻害薬は、COX のチャネル部位に作用すると考えられている。COX-2 は COX-1 よりチャネルの大きさが微妙に大きく広がっているので、この空間（広がり）を占有する薬物は、COX-2 選択的な阻害薬となることが期待される。

【作用機序】COX-1 および COX-2 を非選択的に、または COX-2 を比較的選択的に阻害し、PG 類合成を抑制する。

鎮痛作用は、PG 類の痛覚過敏作用の抑制による。

解熱作用は、内因性発熱物質による視床下部での PGE_2 生成の抑制による。

血小板 COX-1 を抑制し TXA_2 生成を抑制するので血小板凝集抑制作用がある。

抗リウマチ作用がある。

【適用】①炎症性疾患　②リウマチ性疾患　③疼痛　④発熱疾患　⑤血栓症（各薬物により異なる）

【副作用】胃腸障害：胃粘膜において PGE_2 や PGI_2 は、粘液の分泌を増加させたり、胃酸分泌を抑制しているが、酸性抗炎症薬はこれらの PG 類の合成も抑制するため、胃腸障害が発生する。酸性抗炎症薬は、酸性である胃内腔ではほとんどが非イオン型として存在するため比較的容易に細胞膜を通過し、粘膜細胞に入るが細胞内の pH は中性であるため、イオン型となり細胞膜を通過できなくなり、粘膜細胞に蓄積することになり、胃腸障害も発生しやすくなる。これに対して、プロドラッグは、胃腸管内では不活性で吸収されて活性型になるので、胃腸障害が比較的少ない。また、このような胃腸の生理機能に関連した PG 類の合成に関与しているのは、COX-1 なので、COX-2 に選択性が高い薬物では、胃腸障害は少なくなる。

腎障害：特に心不全や循環血流量の低下した患者では腎血流量が低下し糸球体ろ過量が低下して急性腎不全を起こしやすい。（うっ血性心不全の患者には禁忌）

肝障害：肝血流量の低下による肝障害の悪化

血液・造血障害：シクロオキシゲナーゼ阻害により、TXA_2 の合成を阻害するので出血傾向が現れる。出血傾向のある患者や手術前の患者には投与をさける。また、再生不良性貧血、血小板減少症を起こすこともある。

その他：中枢神経症状、皮膚毒性、光線過敏症

相互作用

ニューキノロン系抗菌薬とフェンブフェンの併用は痙れんを誘発することがあるので原則禁忌である（フェンブフェンは、現在は使用されなくなっている）。

ワルファリン、トルブタミドなどの蛋白結合が強い薬物の血中濃度が上昇する。

酸性抗炎症薬は体内のほとんどの組織に分布する。血中ではほとんどが血漿タンパク質と結合して存在する。

炭酸リチウムの腎排泄を抑制し作用を増強する。

塩基性抗炎症薬

詳細な作用機序は不明であり、シクロオキシゲナーゼ阻害作用や血漿蛋白質との結合親和性は弱いのが特徴である。また、解熱・鎮痛・抗炎症作用を示すが、抗リウマチ作用はない。

2）ステロイド抗炎症薬

ステロイド骨格をもち、細胞内に入った後、核内受容体に結合し、炎症に関連する各種遺伝子を調節して、抗炎症作用を示す。

3）抗炎症薬、解熱性鎮痛薬各論

酸性抗炎症薬

サリチル酸系

アスピリン　Aspirin

アスピリンは、COX チャネル部位にある 530 番目のセリン残基（COX-1 および COX-2 に共通）をアセチル化し、不可逆的に阻害する（抗血栓作用に利用）。解熱薬（風邪等の感染症）、鎮痛薬（頭痛、歯痛、生理痛など、鎮痛作用は軽度から中程度）として使用する。

COOH
O
O
CH_3
アスピリン

共通の**【副作用】**薬物アレルギー、ぜん息発作誘発（アスピリンぜん息）

Reye 症候群：水痘症やインフルエンザに罹患している小児に投与すると肝障害を伴う致命的な脳障害を引き起こすことがある。水痘症やインフルエンザに罹患している小児には禁忌である。また、アスピリン以外でもサリチル酸系の薬物では起こる。

アラントニル酸系

メフェナム酸　Mefenamic acid、

フルフェナム酸　Flufenamic acid

　鎮痛作用が比較的強いので、主に鎮痛を目的に用いる。アラキドン酸の膜脂質への移行を促進するので LT の産生も抑制する。

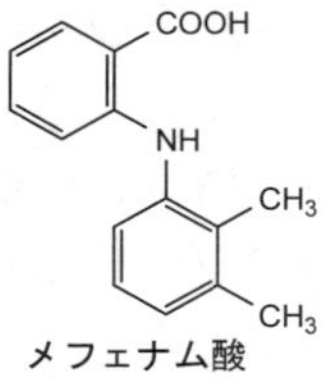

メフェナム酸 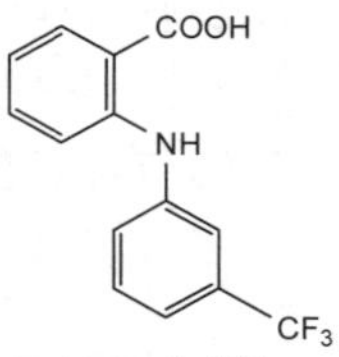　　フルフェナム酸

プロピオン酸誘導体

イブプロフェン　Ibuprofen、フルルビプロフェン　Flurbiprofen、ケトプロフェン　Ketoprofen、ナプロキセン　Naproxen、プラノプロフェン　Pranoprofen、オキサプロジン　Oxaprozin、チアプロフェン酸　Tiaprofenic Acid、ロキソプロフェン　Loxoprofen、ザルトプロフェン　Zaltoprofen

プロピオン酸誘導体の抗炎症効果は、アスピリンとインドメタシンの中間程度と考えられるが、副作用の点で両者より優れている点がある。

ナプロキセンは、プロピオン酸誘導体の中ではシクロオキシゲナーゼ阻害活性が強く、アスピリンの 20 倍程度とされている。痛風発作にも使用される。

ロキソプロフェンは、プロドラッグでケト基が還元されて trans-OH 体に変換される。胃腸障害は比較的少なく、現在、我が国では繁用されている。

オキサプロジンは、半減期が長く高齢者に用いる場合は副作用の発現に注意が必要である。

ザルトプロフェンは、COX-2 に比較的選択性があり、鎮痛作用も強く、消化管障害が比較的弱い。

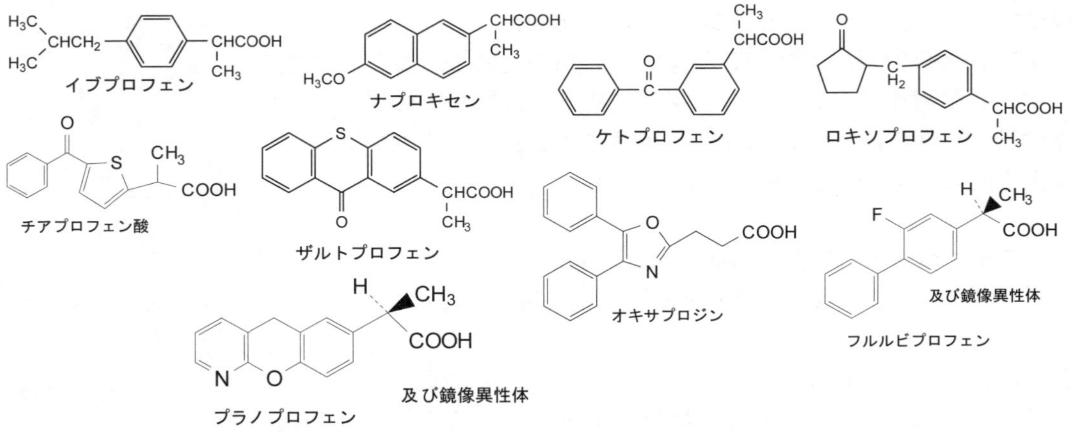

イブプロフェン　ナプロキセン　ケトプロフェン　ロキソプロフェン

チアプロフェン酸　ザルトプロフェン　オキサプロジン　フルルビプロフェン（及び鏡像異性体）

プラノプロフェン（及び鏡像異性体）

アリル酢酸系

　アリル酢酸系物は、さらにインドール酢酸系とフェニル酢酸系に分けることができる。

インドール酢酸系

インドメタシン　Indometacin

　作用はアスピリンの 20 ～ 30 倍強力だが、血漿蛋白質との結合親和性が比較的高く、内服後は速やかに吸収され、血中では大部分が血漿タンパク質と結合して存在する。副作用の発生率も比較的高いので注意が必要である。経口以外に坐剤、軟膏、ハップ剤などでも用いられる。慢性関節リウマチ、痛風発作などに使用する。

　アセメタシン　Acemetacin、

インドメタシンファルネシル　Indometacin Farnesil

インドメタシンのプロドラッグで比較的胃腸障害が少ない。

プログルメタシン　Proglumetacin

インドメタシンのプロドラッグである。

CH₃O　CH₂COOR　N　CH₃　CO　Cl

	R
インドメタシン	H
アセメタシン	CH_2COOH
インドメタシンファルネシル	$CH_2CH=C(CH_3)-CH_2CH_2CH=C(CH_3)-CH_2CH_2CH=C(CH_3)-CH_3$

スリンダク　Sulindac

インドメタシン類似構造をもつプロドラッグである（インドメタシンのプロドラッグではない）。活性代謝産物であるスルフィド体が、シクロオキシゲナーゼ阻害活性を示す。抗炎症作用はインドメタシンの 1/2 以下であるがアスピリンよりは強力である。また、鎮痛作用は、インドメタシンと同程度で、イブプロフェンより約 10 倍強い。プロドラッグなのでインドメタシンより胃腸障害の発生率は低い。腎から排泄されるのは不活性化体が多いので腎障害も比較的少ない。

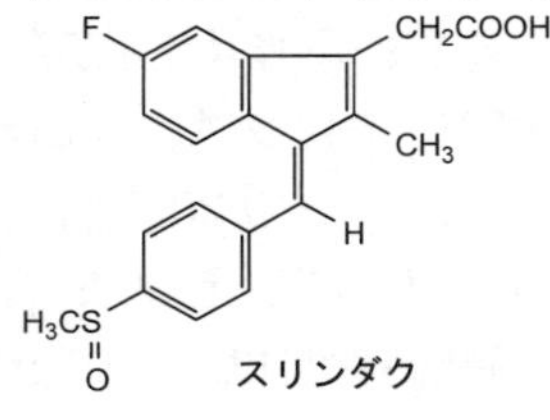

スリンダク

フェニル酢酸系

ジクロフェナクナトリウム　Diclofenac sodium

インドメタシンとほぼ同等かやや強い効力をもつ。シクロオキシゲナーゼ阻害作用のほか、リポキシゲナーゼ代謝産物の生成も減少させる。共通の副作用を示すが、頻度はインドメタシンやアスピリンより低く、特に中枢神経症状は少ない。

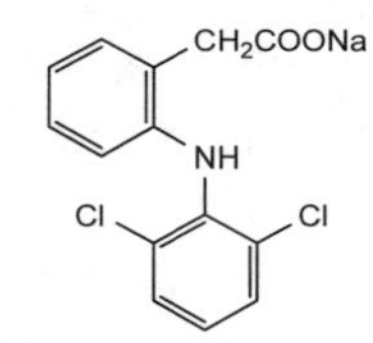

ジクロフェナクナトリウム

アンフェナクナトリウム　Amfenac Sodium

インドメタシンとほぼ同等かやや強い効力をもつ。

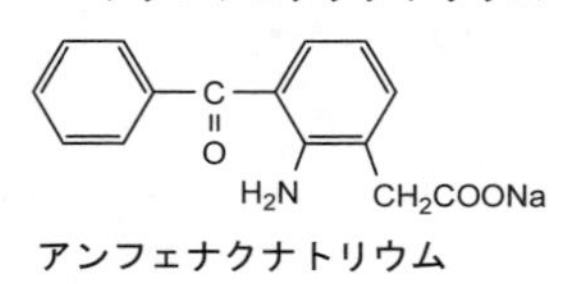

アンフェナクナトリウム

フェルビナク　Felbinac

フェンブフェンの活性代謝産物である。フェンブフェンは、ニューキノロン系抗菌薬との併用で痙れんを起こしやすい薬物で注意が必要であり、現在は、使用されなくなっている薬物であるが、その活性代謝産物のフェルビナクは、外用剤として用いられている。

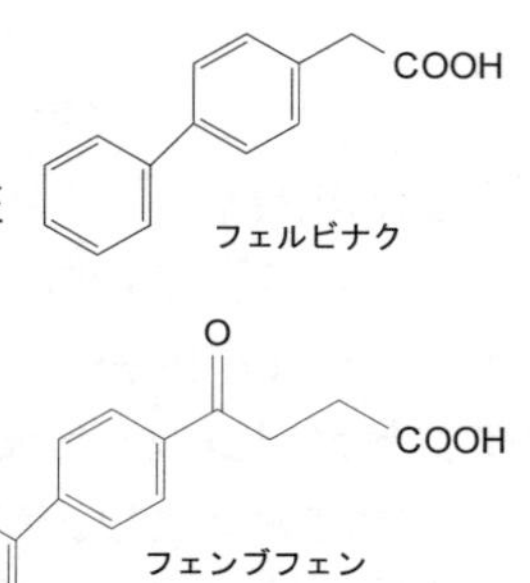

フェルビナク
フェンブフェン

その他のアリル酢酸系

モフェゾラク　Mofezolac

イソキサゾール酢酸系の薬物で、鎮痛作用はアスピリンやメフェナム酸より強い。

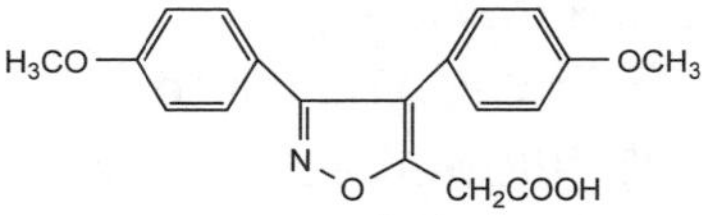

モフェゾラク

エトドラク　Etodolac

ピラノ酢酸系の薬物で、COX-2 を選択的に阻害するので、消化管障害が弱い。また、多形核白血球機能抑制作用（ライソゾーム酵素遊離抑制作用、活性酸素産生抑制作用、遊走抑制作用）やブラジキニン産生抑制作用を有することが明らかにされている。

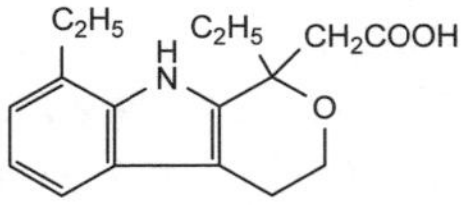

エトドラク

ナブメトン　Nabumetone

ナフタレン系の薬物で、COX-2 に高い選択性を示すプロドラッグである。体内で速やかに活性代謝物である 6-メトキシ-2-ナフチル酢酸に代謝され、COX を阻害する。ヒトの血中半減期は約 1 日と長い。

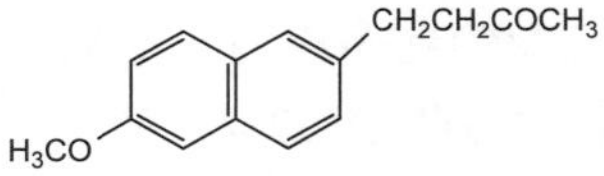

ナブメトン

オキシカム系

ピロキシカム　Piroxicam

抗炎症作用はインドメタシンとほぼ同等か、それより強く、鎮痛作用は、インドメタシンとほぼ同等である。ピロキシカムには、白血球機能抑制作用も認められている。また、半減期は約 41 時間と長い。

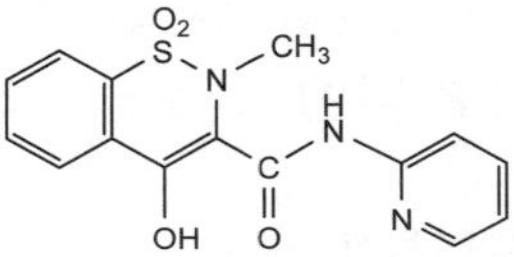

ピロキシカム

アンピロキシカム　Ampiroxicam

ピロキシカムのプロドラッグで、胃腸障害を軽減する。

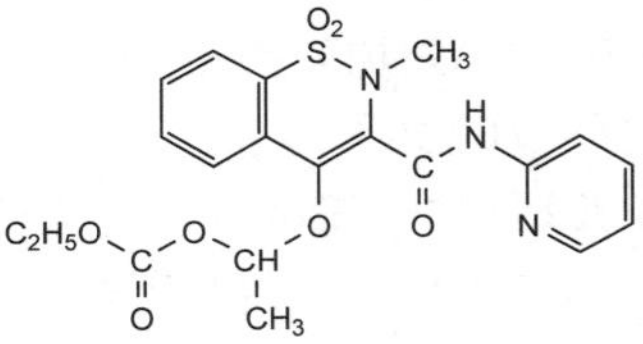

アンピロキシカム

ロルノキシカム　Lornoxicam

抗炎症作用、および、鎮痛作用は、テノキシカムよりも強い。半減期は約 2.5 時間とされており、オキシカム系薬物の中では短い。

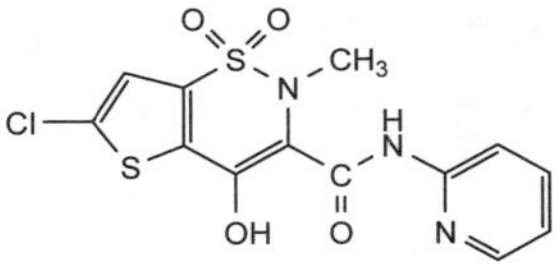

ロルノキシカム

メロキシカム　Meloxicam

抗炎症作用および鎮痛作用は、インドメタシンとほぼ同程度であるが、COX-2 に選択性が高く、胃粘膜障害作用が弱い。半減期は、約 28 時間である。

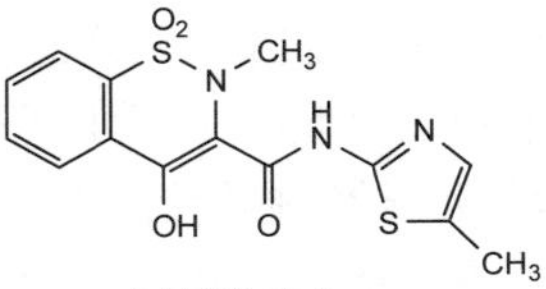

メロキシカム

COX-2 選択的阻害薬

セレコキシブ　Celecoxib

COX-2 に選択性が高いので、 消化性潰瘍など COX-1 阻害作用に伴う副作用が軽減されている。半減期（100mg 内服）は、約 7 時間である。

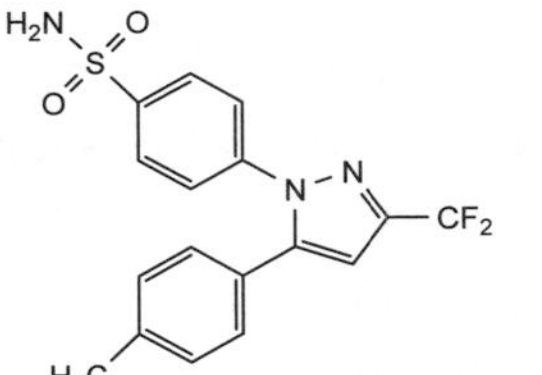

セレコキシブ

塩基性抗炎症薬

チアラミド　Tiaramide

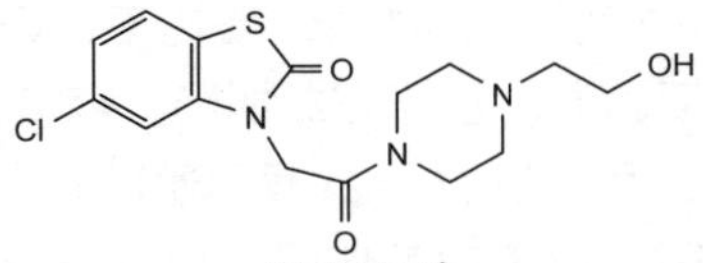

作用機序は明らかにされていない。抗炎症作用は弱い。

【副作用】ショック、アナフィラキシー様症状など

チアラミド

エモルファゾン　Emorfazone

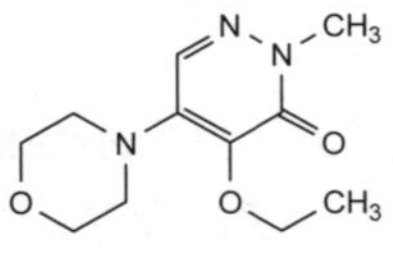

血管壁安定化作用により血管透過性亢進を抑制し、白血球の遊走を抑制するほか、特にキニンの遊離を抑制し、また発痛物質ブラジキニンの発痛作用に拮抗する。なお、プロスタグランジン生合成阻害作用は認められない。

【副作用】消化器症状など

エモルファゾン

エピリゾール　Epirizole（別名：メピリゾール）

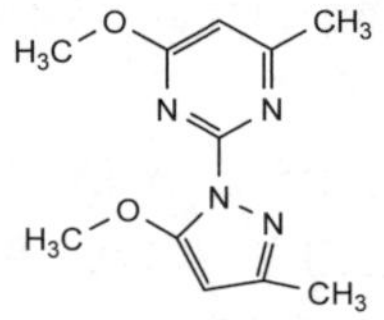

アスピリンよりも強い抗炎症作用を示し、炎症性疼痛に対して、末梢性鎮痛作用と中枢性鎮痛作用が協力的に作用する。

【副作用】ショックなど

エピリゾール

解熱性鎮痛薬

解熱性鎮痛薬は、解熱・鎮痛作用が酸性抗炎症薬と同程度であるが、抗炎症作用がきわめて弱い薬物である。

ピラゾロン系

スルピリン　Sulpyrine、アンチピリン　Antipyrine

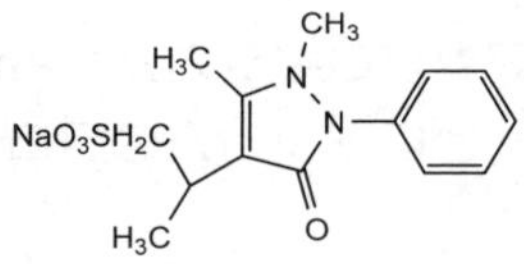

視床下部に作用して解熱作用、鎮痛作用を示す。解熱作用は比較的強いが、鎮痛作用は弱く、主に感冒の解熱に用いられてきた。現在、アンチピリンは使用されなくなっている。

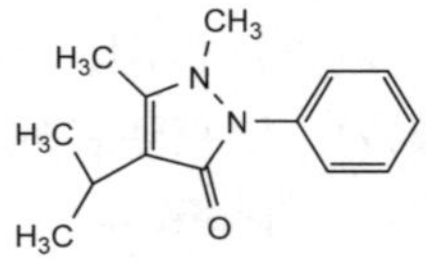

【副作用】ショックなど

スルピリン

アンチピリン

アニリン系

アセトアミノフェン　Acetaminophen

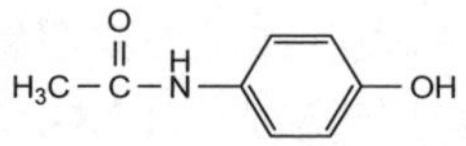

解熱鎮痛作用は、アスピリンと同程度であり、解熱鎮痛の目的でアスピリンと同様に用いられる。COX 阻害作用はあるものの弱く、解熱・鎮痛作用は COX 阻害以外のメカニズムによると考えられている。特にアスピリン禁忌の患者に有用である。

アセトアミノフェン

フェナセチン　Phenacetin

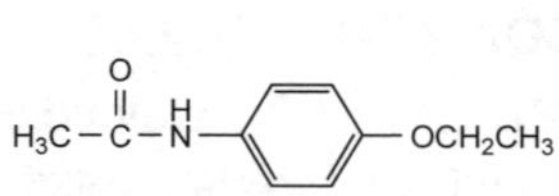

大部分は、体内で、アセトアミノフェンになって作用する。現在は、副作用（腎障害など）のため、用いられていない。

フェナセチン

ステロイド抗炎症薬

ステロイド抗炎症薬は、細胞内で核内受容体に結合し、サイトカイン遺伝子、プロスタ

グランジン生合成関連遺伝子分子をはじめとする炎症関連物質やキニン分解酵素の遺伝子発現を制御して抗炎症作用を示す。
発現が抑制される遺伝子
　炎症関連遺伝子
　サイトカイン（IL-1、IL-2、IL-3、IL-4、IL-5、IL-6、IL-8、TNF-αなど）
　ケモカイン
　プロスタグランジン関連（ホスホリパーゼA2、COX-2、PGE合成酵素など）
　細胞接着分子（ICAMなど）
　AP-1やNF-κBなどの転写調節因子を阻害してこれらの因子の誘導を阻害する。
発現が促進される遺伝子
　キニン分解酵素

抗炎症薬としては、糖質コルチコイド作用を強めた合成副腎皮質ホルモンが用いられる（副腎皮質ホルモンについてはホルモンと内分泌・代謝性疾患の項参照）が、合成副腎皮質ホルモンでも抗炎症作用だけを強くすることはできず、代謝作用および免疫抑制作用も強化される。したがって、抗炎症作用を期待するときは、代謝および免疫抑制作用は副作用となる。

合成副腎皮質ホルモンには、プレドニゾロン Prednisolone、デキサメタゾン Dexamethasone、トリアムシノロン Triamcinolone、フルオシノロンアセトニド Fluocinolone Acetonide などがあり、内用と外用で用いられる（各薬物により用いられ方は異なる）。経口でよく使われるものはプレドニゾロン、メチルプレドニゾロンであり、それより強力で半減期の長いものにはデキサメタゾン、トリアムシノロンなどがある。外用としてはフルオシノロンアセトニドなどがある。また、吸入用としてベクロメタゾン、フルチカゾンが気管支ぜん息に使用されている。天然の糖質コルチコイドであるコルチゾールは、副腎機能不全や各種ショックに用い、抗炎症薬としては用いられない。分子内にフッ素を導入したものは作用が強力になる。

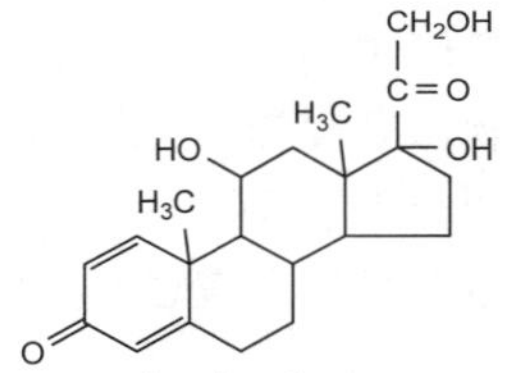

プレドニゾロン

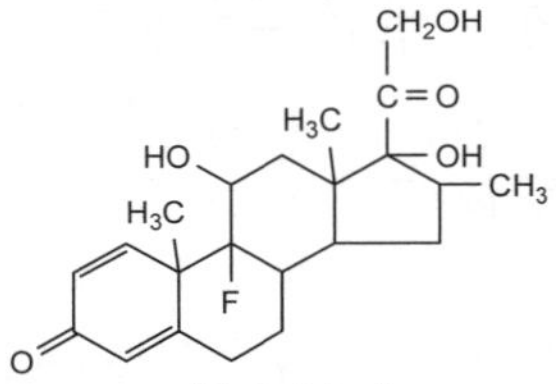

デキサメタゾン

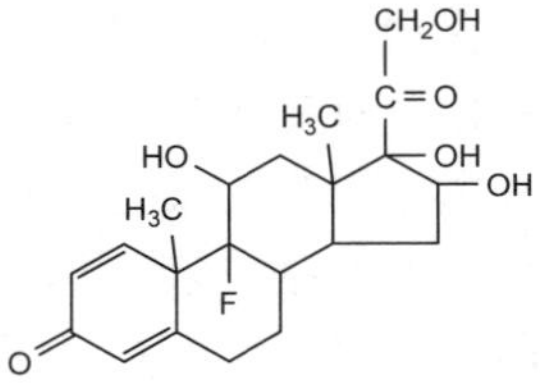

トリアムシノロン

【適用】慢性関節リウマチ、気管支ぜん息、膠原病、種々の炎症性・アレルギー性皮膚疾患、潰瘍性大腸炎、亜急性甲状腺炎、関節炎など

【副作用】糖質コルチコイドが過剰になる→糖尿病、（Cushing）クッシング症候群、骨粗しょう症など、免疫抑制作用→真菌症（カンジダなど）、内因性ステロイド合成を抑制→離脱時の下垂体副腎機能不全など

12 ホルモンと内分泌・代謝疾患治療薬

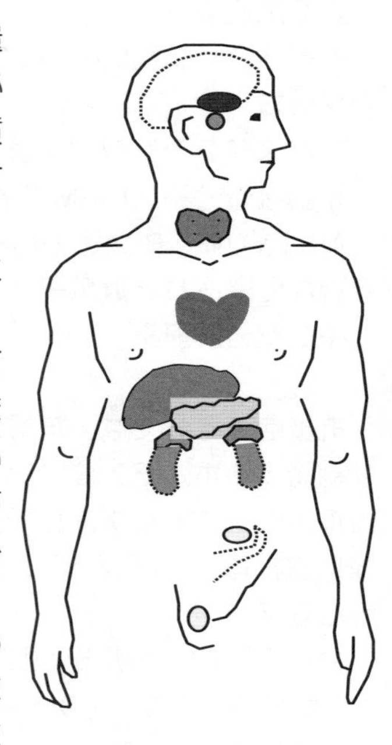

ホルモンとは、生体内のホメオスタシスを保つための微量化学伝達物質である。従来、ホルモンは、内分泌腺より分泌され、血流を介して運搬されて標的器官を刺激する化学物質とされていた（内分泌）が、最近では、分泌された細胞のすぐ隣にある細胞（傍分泌）や分泌細胞そのもの（自己分泌）に作用することで機能を発揮するといったように、血液中に流れ出てこないで局所で作用する物質があることがわかり、現在は、これらもホルモンに含める。また、以前考えられていたような限られた部位（内分泌腺）ではなく、全身のさまざまなところで作られ、分泌されていることもわかっている。いずれのホルモンも分泌されると受容体に結合して、作用を現す。すなわち、ホルモンは、受容体をもつ細胞でのみ作用を現す。ホルモンの血中濃度はネガティブフィードバックにより一定に保たれる。また、標的臓器がホルモンによる刺激を受けると受容体数が減少し、ホルモンに対する反応性が低下する（脱感作）場合があり、一部のホルモンは拍動性分泌をし、脱感作を防いでいる。

1．ホルモンの受容体

ホルモンは、すべて、それぞれの受容体に結合して生体反応を引き起こす。受容体は、右図に示したように、細胞内の局在部位から 3 種に区分され、タンパク質やペプチドホルモンの場合は、細胞膜に存在する（膜受容体）。一方、甲状腺ホルモンやステロイドホルモンの受容体は、細胞膜ではなく、細細胞質または核内に存在している。膜受容体がホルモンにより活性化されると細胞内情報伝達系を駆動し、転写調節－タンパク質合成を介して最終的な生体反応を引き起こすが、細胞内に存在する受容体は、ホルモン結合体（活性化体）が直接転写を調節し、生体反応を引き起こす。

2．ホルモンの分泌と疾患

ホルモンの合成や分泌が減少した場合には、ホルモンまたは、その誘導体を用いて、補充療法を行う。ホルモンは、このような補充療法に用いられる他、診断薬として用いられたり、生理的な量を超えた薬用量が、内分泌疾患以外の疾病の治療薬として用いられることもある。一方、ホルモンの分泌が過剰になった場合は、合成を阻害するような薬物などが使用される。また、一部のホルモンに対しては、その作用を抑制するため、受容体遮断薬が用いられる。さらに、糖尿病治療薬のスルホニル尿素薬のように、直接、ホルモンの合成を調節したり、ホルモン受容体には結合することなくホルモンの分泌に影響を及ぼす薬物もある。

3．視床下部ホルモンと脳下垂体ホルモン

1　視床下部ホルモン

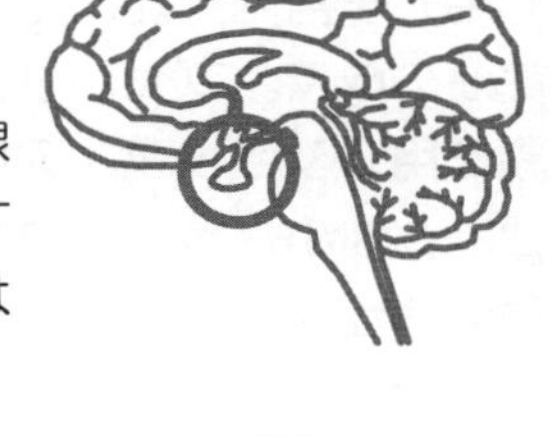

甲状腺刺激ホルモン放出ホルモン（TRH）（プロチレリン）

3 個のアミノ酸からなるホルモンで、下垂体前葉からの甲状腺刺激ホルモン（TSH）とプロラクチン（PRL）の分泌を促進する。他の下垂体前葉ホルモンである LH、FSH、GH に分泌にはほとんど影響を及ぼさない。

医薬品としてのプロチレリンは、TSH および PRL の分泌機能検査薬として用いられる。

【副作用】重大な副作用として下垂体腺腫患者に投与した場合、視力・視野障害、頭痛、嘔吐等を伴う下垂体卒中が挙げられている。

プロチレリン

関連薬物（TRH 誘導体）

タルチレリン　Taltirelin

TRH 誘導体で、TRH 受容体を刺激する。脊髄小脳変性症における運動失調の改善に使用されている。

ゴナドトロピン放出ホルモン（Gn-RH）

下垂体から、黄体化ホルモン（LH）と卵胞刺激ホルモン（FSH））の分泌を促進する。卵胞刺激ホルモン（FSH）と黄体化ホルモン（LH）は、前葉の同じ細胞（ゴナドトロフ）で作られ、ゴナドトロピンと総称される。Gn-RH は、黄体化ホルモン放出ホルモン（LH-RH）とも呼ばれる。

関連薬物（Gn-RH 誘導体）

リュープロレリン　Leuprorelin

【作用機序】Gn-RH 受容体にアゴニストとして作用する。単回投与ではゴナドトロピンの分泌を促進するが、反復投与によって下垂体の Gn-RH 受容体が脱感作（ダウンレ

ギュレーション）を起こし、ゴナドトロピン遊離が抑制される。また、精巣の性腺刺激ホルモンに対する反応性も低下させ、テストステロン産生能も低下する。

【適用】子宮内膜症、過多月経、下腹痛、腰痛および貧血等を伴う子宮筋腫における筋腫核の縮小および症状の改善、閉経前乳癌、前立腺癌、中枢性思春期早発症。リュープロレリンは、徐放性製剤（デポ剤：デポ剤とは、１回の注射で数週間程度効果が持続するように溶剤が工夫された注射製剤）として、4 週間もしくは 12 週間に 1 度（各製剤により決められている）投与される。

【副作用】間質性肺炎、アナフィラキシー様症状、肝機能障害、黄疸、糖尿病の発症又は増悪、下垂体卒中など

ブセレリン　Buserelin

【作用機序】Gn-RH 受容体ににアゴニストとして作用する。反復投与すると下垂体においてはゴナドトロピン放出ホルモン受容体をダウンレギュレーションして性腺刺激ホルモンの産生・放出を低下させる。

【適用】子宮内膜症、子宮筋腫の縮小および子宮筋腫に基づく過多月経、下腹痛、腰痛、貧血の改善。ブセレリンは、点鼻液または皮下注射で用いられる。

【副作用】ショック、アナフィラキシー様症状、うつ症状、脱毛、狭心症、心筋梗塞、脳梗塞、血小板減少、白血球減少、不正出血、卵巣のう胞破裂、肝機能障害、黄疸、糖尿病の発症又は増悪など

副腎皮質刺激ホルモン放出ホルモン（CRH）（コルチコレリン）

41 個のアミノ酸からなるペプチドホルモンで、下垂体からの副腎皮質刺激ホルモン（ACTH）の分泌を促進する。

コルチコレリンは、ACTH 分泌機能検査薬として用いられる。

【副作用】下垂体腺腫患者に投与した場合の下垂体卒中など

成長ホルモン放出ホルモン（GHRH）（ソマトレリン）

44 個のアミノ酸からなるペプチドホルモンで、成長ホルモン（GH）の分泌を促進させる。

ソマトレリンは、GH の分泌機能検査薬として用いられる。

【副作用】下垂体腺腫患者に投与した場合の下垂体卒中など

ソマトスタチン

28 個のアミノ酸からなり末梢神経系、消化管、膵臓にも分布する。GH、TSH、インスリン、グルカゴン、レニン、胃液および膵液の分泌抑制作用が認められている。また、消化管の栄養吸収阻害作用も示す。

関連薬物

オクトレオチド

ソマトスタチンの合成アナログで、強力で作用時間が長い。消化管ホルモン産生腫瘍の症状改善や、GH 産生腫瘍による末端巨人症や下垂体性巨人症に使用されている。

【副作用】アナフィラキシー様症状、徐脈など

ランレオチド

ソマトスタチンの合成アナログで、作用時間が長い。先端巨大症・下垂体性巨人症（外科的処置で効果が不十分な場合又は施行が困難な場合）の成長ホルモン、IGF-I（ソマトメジン-C）分泌過剰状態及び諸症状の改善に使用される。

【副作用】徐脈など

ドパミン

ドパミンはプロラクチン遊離を持続的に抑制している。ドパミン D2 受容体遮断薬を投与すると、プロラクチン遊離が促進する。

関連薬物

テルグリド　Terguride

ドパミン D2 受容体部分作動薬で、プロラクチン分泌細胞に作用し、プロラクチン分泌を抑制する。部分作動薬であるため、中枢性の作用は弱く、動物実験においては、血中プロラクチン低下作用を示す用量では常同行動や自発運動亢進作用および催吐作用を引き起こさない。

テルグリド

【副作用】悪心・嘔気、嘔吐、便秘、ふらつき、眠気、頭痛、けん怠感など

2　脳下垂体ホルモン

脳下垂体は、前葉、中葉および後葉からなる。ヒトでは、前葉および後葉からホルモンが分泌されている。

2-1　脳下垂体前葉ホルモン

主な脳下垂体前葉ホルモンは、副腎皮質刺激ホルモン、甲状腺刺激ホルモン、成長ホルモン、ゴナドトロピン（卵胞刺激ホルモンおよび黄体化ホルモン）、プロラクチンの 6 種である。

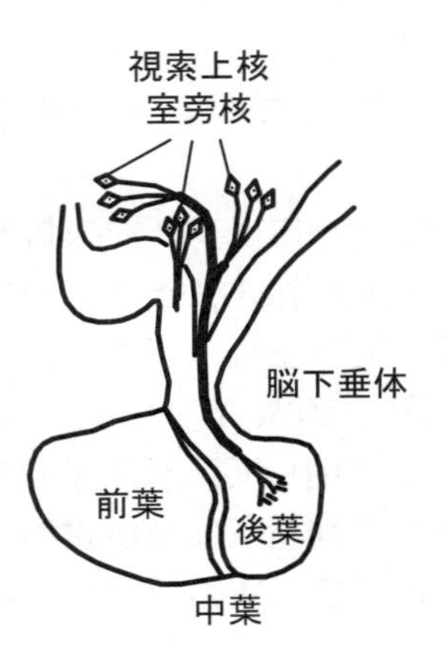

副腎皮質刺激ホルモン（ACTH）

分子量が約 31,000 の糖タンパク質であるプロピオメラノコルチンから生成される。ACTH 自体は 39 個のペプチドホルモンで、副腎皮質細胞膜のメラノコルチン-4 受容体に結合し、アデニル酸シクラーゼを活性化させて糖質コルチコイドの産生を促進する。

甲状腺刺激ホルモン（TSH）

TSH は、糖タンパク質ホルモンで、生命維持に必須である。甲状腺細胞膜の TSH 受容体に結合して、甲状腺機能を多方面化から刺激し、甲状腺ホルモンの生合成・分泌までの

一連の反応を亢進させる。

成長ホルモン（GH）

GH は、191 個のアミノ酸からなるペプチドホルモンで、GH 受容体に結合して刺激作用を示す直接作用の他、ソマトメジン C を介する作用を示す。ソマトメジン C は、インスリン様成長因子（insulin-like growth factor Ⅰ：IGF-Ⅰ）ともいわれ、GH の作用により肝、腎、骨などで産生されるインスリン類似の成長因子である。GH は、抗インスリン作用、身長増加作用、タンパク同化作用、電解質作用など様々な作用を示す。

関連薬物

ソマトロピン

ヒト成長ホルモンの遺伝子組換え体で、191 個のアミノ酸からなる。骨端線閉鎖を伴わない下垂体性小人症やターナー症候群における低身長に身長増加を目的に使用する。
【副作用】O 脚の悪化、痙れん、甲状腺機能亢進症、ネフローゼ症候群、糖尿病など

メカセルミン　Mecasermin

ソマトメジン C の遺伝子組み換え体で成長ホルモン抵抗性の成長ホルモン単独欠損症 Type1A、ラロン型小人症の治療などに使用する。ソマトメジン C は、インスリン様成長因子（insulin-like growth factor Ⅰ：IGF-Ⅰ）ともいわれ、GH の作用により肝、腎、骨などで産生されるインスリン類似の成長因子である。
【副作用】低血糖などを起こす可能性があるが、重大な副作用は挙げられていない。

プロラクチン （PRL）

催乳ホルモンで、乳汁分泌開始とその維持に重要な働きを示すが、乳腺の発育にはほとんど関与せず、射乳作用もない。黄体刺激ホルモン（LTH）ともよばれる。男性における生理的意義は明らかではないが、男女とも PRL の慢性的上昇により、視床下部の GnRH 分泌が低下し視床下部性性腺機能低下症を起こす。

PRL と GH は、系統発生学的には 1 つのホルモンに由来すると考えられている。

ゴナドトロピン（性腺刺激ホルモン）

卵胞刺激ホルモン（FSH）と黄体化ホルモン（LH）で、前葉の同じ細胞（ゴナドトロフ）で作られ、ゴナドトロピンと総称される。

男性では、FSH は、睾丸の精細管成長を促進し、精子形成を維持する。LH は、間質細胞に作用してステロイドの合成を促進させる。一方、女性では、FSH は、卵巣における卵胞の発育を促進させる。また、LH とともにエストロゲンの合成・分泌を促進し、排卵を起こす。次いで LH により、黄体を形成させプロゲステロンの分泌を促進する。

脳下垂体前葉機能低下症治療薬

脳下垂体前葉機能低下症により、ACTH や TSH の分泌が不足すると、標的器官からのホルモンの産生・分泌が不足し、生命に危険を及ぼすようになる。したがって、ACTH や TSH の分泌が不足している場合のホルモン補充療法は、原則として標的器官で産生・分

泌されるホルモンを補充する（不足している ACTH や TSH そのものを補充するのではない）。すなわち、ACTH 分泌低下には、ヒドロコルチゾンを、TSH 分泌低下には、レボチロキシンナトリウムを補充することになる。

（3）　下垂体後葉ホルモン

抗利尿ホルモン（バソプレシン、ADH）とオキシトシは、ともに視床下部の視索上核および室旁核の神経細胞で前駆体として合成され、それぞれの前駆体から切り出されて ADH とオキシトシンができる。これらは、軸索輸送により下垂体後葉に運ばれた後、血中に分泌される。

抗利尿ホルモン（バソプレシン、ADH）

バソプレシンは、血漿浸透圧の上昇や循環血液量の減少で分泌が刺激され、腎の集合管における H_2O の再吸収を促進して抗利尿作用を示すペプチドホルモンである。バソプレシンは、腎集合管で、Gs タンパク質共役型の V_2 受容体に結合し、アデニル酸シクラーゼを活性化して水チャネルであるアクアポリン 2 による水透過性を高め、水再吸収を促進する。一方、血管平滑筋や大腸平滑筋、中枢神経系などには、$Gq/_{11}$ タンパク質共役型の V_{1a} 受容体が存在し、血圧上昇作用や腸管蠕動運動亢進作用を示す。また、下垂体前葉には V_{1b} 受容体（$Gq/_{11}$ タンパク質共役型）が存在し、CRH による ACTH 分泌を増強する。バソプレシンは注射製剤で、中枢性尿崩症に用いられるが、作用時間が短いため、急性期の治療が主となり、むしろ、中枢性尿崩症と腎性尿崩症の鑑別診断薬として有用になっている。また、食道静脈瘤出血の緊急処置や腸内ガスの排除のために用いる。

【副作用】ショック 、横紋筋融解症、心不全、心拍動停止、精神錯乱、昏睡、水中毒、中枢性神経障害、無尿、心室頻拍など

関連薬物

デスモプレシン　Desmopressin

バソプレシンのアナログ（1-deamino-[D-Arg8]-vasopressin）で、中枢性尿崩症や夜尿症（尿浸透圧あるいは尿比重の低下に伴う夜尿症）に用いられる。デスモプレシンは、バソプレシン V_2 受容体に選択性が高いため、昇圧作用（V_1 受容体を介して発現：副作用）が弱く、また、バソプレシンに比べ血中半減期が長いので、抗利尿作用が持続するという特徴をもつ。これまで点鼻薬のみが用いられてきたが、2012 年 5 月より我が国でも口腔内崩壊錠（夜尿症のみ）が使用されるようになっている。

【副作用】脳浮腫、昏睡、痙れん等を伴う重篤な水中毒など

モザバプタン　Mozavaptan

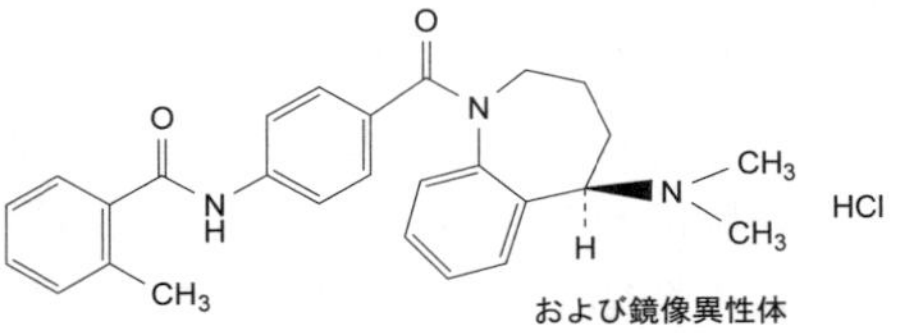

モザバプタンは、バソプレシン V_2 受容体遮断作用をもち、腎臓集合管でのバソプレシンによる水再吸収を阻害することにより、選択的に水を排泄し、電解質排泄の増加を伴わない利尿作用（水利尿作用）を示す。これにより、異所性抗利尿ホル

O　N　H　CH3　O　N　N　CH3　CH3　H　HCl

および鏡像異性体

モザバプタン塩酸塩

モン産生腫瘍による抗利尿ホルモン不適合分泌症候群（SIADH）における低ナトリウム血症の改善（既存治療で効果不十分な場合に限る）に使用される。
【副作用】口渇、肝臓障害などであるが、重大な副作用はない。

トルバプタン　Tolvaptan

トルバプタンは、モザバプタンと同様にバソプレシン V_2 受容体を遮断し、水利尿作用を示すが、モザバプタンとは適用が異なっている。トルバプタンは、ループ利尿薬等の他の利尿薬で効果が不十分な心不全における体液貯留に他の利尿薬（ループ利尿薬、チアジド系利尿薬、抗アルドステロン薬等）と併用して使用する（利尿薬の項参照）

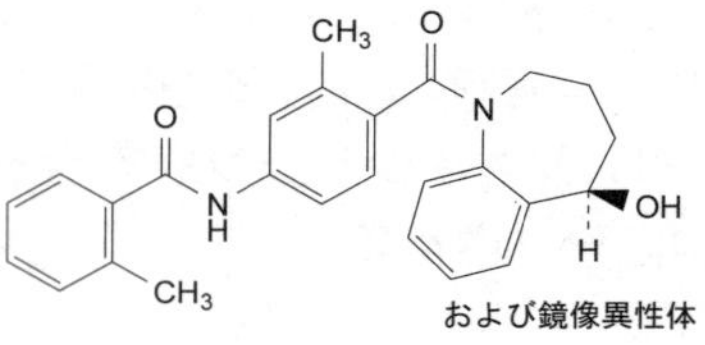

および鏡像異性体
トルバプタン

オキシトシン

子宮筋に作用し、律動的収縮作用を示すペプチドホルモンである。乳腺平滑筋を収縮させて、射乳を起こす。大量では、血管平滑筋に作用し、弛緩させて血圧を下降させる。医薬品として、分娩誘発や微弱陣痛などに用いる。
【副作用】ショック、過強陣痛、子宮破裂、頸管裂傷、羊水塞栓症、微弱陣痛、弛緩出血、胎児仮死など。

4. 甲状腺ホルモンおよびその拮抗薬

甲状腺では、ろ胞細胞で甲状腺ホルモンが、傍ろ胞細胞でカルシトニンが合成される。甲状腺ホルモンは、ヨウ素を含むチロシン誘導体でチロキシン（T_4）とトリヨードチロニン（T_3）がある。甲状腺ホルモンは、以下のように合成される。

甲状腺ホルモンの合成と分泌

① ろ胞細胞中で合成された糖タンパク質のチログロブリンのチロシン残基がペルオキシダーゼによりヨウ素化される。ヨウ素は、ろ胞細胞の基底膜に存在する能動輸送機構（Na^+－I^-共輸送体）により取り込まれる。
② 生成したモノヨードチロシンとジヨードチロシンがカップリングして T_3、T_4 が生成する。カップリングの過程もペルオキシダーゼによって触媒される。生成した T_3、T_4 は、チログロブリンに結合したまま、ろ胞に貯蔵される。
③ チログロブリンに結合した T_3、T_4 は、甲状腺細胞内に取り込まれ、遊離型となり、血中に放出される。放出量は T_4 が多く、血中濃度も T_4 が高い。血中では、大部分がタンパク質（チロキシン結合グロブリン）と結合して存在する。
① T_3、T_4 ともに甲状腺ホルモン作用をもつが、T_3 は、T_4 より活性が高い。T_4 は、一部はそのまま甲状腺ホルモン受容体に結合してホルモン作用を発揮するが、一部は、末梢組織で徐々に脱ヨウ素化され、T_3 になり、ホルモン作用を発揮する。

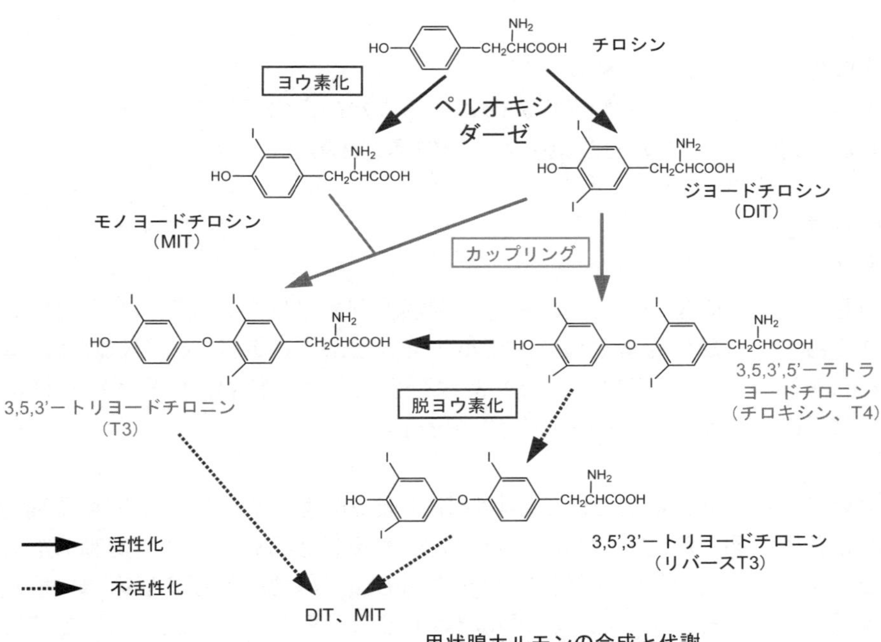

甲状腺ホルモンの合成と代謝

甲状腺ホルモンの作用

甲状腺ホルモンはあらゆる臓器に作用して、胎生期では細胞分化、生後は器官発育に必要である。組織の酸素消費を高めて、基礎代謝率を増加させる。糖、脂質、タンパク質代謝に影響を及ぼす。心筋のβアドレナリン受容体を増加させる。甲状腺機能亢進症の患者ではカテコラミン感受性が高い。甲状腺ホルモン受容体は、核内に存在し、ホルモンが結合すると活性化型となって標的遺伝子の転写を活性化させる。

甲状腺機能低下症

クレチン症、粘液水腫、橋本病

甲状腺ホルモンの補充療法を行う。

治療薬

レボチロキシンナトリウム（合成 T_4 製剤）、**リオチロニンナトリウム**（合成 T_3 製剤）

T_3 製剤は T_4 製剤より作用発現時間は早いが作用持続時間が短い。甲状腺機能低下症の長期にわたる維持療法には原則として T_4 製剤を投与し、T_3 製剤は、粘液水腫による昏睡に用いる。

【副作用】 狭心症 、肝機能障害、黄疸（T_4、T_3 製剤共通の重大な副作用）、ショック、うっ血性心不全（T_3 製剤）

乾燥甲状腺末

ブタの甲状腺を乾燥し、粉末にしたもの。T_4、T_3 を含有している。上記の合成 T_4、T_3

製剤を使用することが多くなっている。

【副作用】 狭心症 、肝機能障害、黄疸

ヨウ素（ヨウ化カリウム、ヨウ素レシチン）

ヨウ素不足による甲状腺機能低下症の患者にヨウ素補充の目的で用いる。

【副作用】（ヨウ化カリウム）ヨウ素中毒、ヨウ素悪液質など

甲状腺機能亢進症

バセドウ病（グレーブス病）

バセドウ病は、女性に多い自己免疫疾患で甲状腺刺激ホルモン（TSH）受容体に対する自己抗体ができ、それが作用薬として働きホルモン分泌が亢進する。甲状腺腫、頻脈、眼球突出（これをMerseburg三徴という）および手指振戦、発熱、体重減少、血糖上昇、血中総コレステロール低下などの症状が認められる。

治療薬

甲状腺機能亢進症の薬物療法には、甲状腺ホルモンの産生や分泌を抑制する薬物（抗甲状腺薬など）を用いる。バセドウ病は、自己免疫疾患であるため、免疫抑制のために副腎皮質ホルモン等も用いられる。また、バセドウ病の頻脈等の症状がβ受容体機能亢進によるためβ遮断薬も使用される。なお、ぜん息等でβ遮断薬を使用できない場合には、頻脈に対しカルシウム拮抗薬で症状改善を図る。

抗甲状腺薬

プロピルチオウラシル　Propylthiouracil、チアマゾール　Thiamazole

【作用機序】 両化合物とも構造中にチオアミド（－CS-NH －）構造をもち、甲状腺ホルモンの生合成に重要なペルオキシダーゼを阻害してホルモンの産生を抑制する甲状腺ホルモン合成阻害薬である。

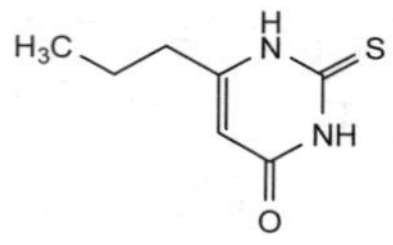

プロピルチオウラシル 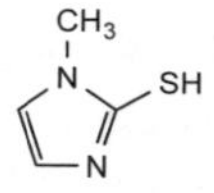　チアマゾール

【副作用】 汎血球減少、再生不良性貧血、無顆粒球症、白血球減少、低プロトロンビン血症、第 VII 因子欠乏症、血小板減少、血小板減少性紫斑病、肝機能障害、黄疸、SLE 様症状、インスリン自己免疫症候群、間質性肺炎、抗好中球細胞質抗体関連血管炎症候群、横紋筋融解症など

放射性ヨウ素（^{131}I）

^{131}I：放射線で甲状腺を破壊する。

【副作用】 治療後に機能低下症を生じることがある。

【禁忌】 妊婦

ヨウ素（ヨウ化カリウム）

ヨウ素は、甲状腺ホルモンの生合成に不可欠で、ヨウ化カリウムは、前述のように甲状腺機能低下症に使用されるが、大量のヨウ素はかえって甲状腺から甲状腺ホルモンの分泌を阻害し、また、ペルオキシダーゼも阻害するため、機能亢進症の治療薬としても用いら

れる（機能低下症に用いる場合とは用量が異なるので、治療対象を取り違えることのないようにすることが重要）。実際にヨウ化カリウムが使用される場合は、機能低下症よりも機能亢進症が多い。なお、ヨウ素による甲状腺機能の抑制作用は一過性で、作用は、次第に減弱する。

【副作用】 ヨウ素中毒、ヨウ素悪液質など

5. ステロイドホルモン

ステロイドホルモンは、ステロイド骨格をもつホルモンの総称で、副腎皮質ホルモン（炭素数 21）、黄体ホルモン（炭素数 21）、男性ホルモン（炭素数 19）、卵胞ホルモン（炭素数 18）が含まれる。ステロイドホルモンは、それぞれの受容体を介して作用するが、それらの受容体はすべて核内受容体スーパーファミリーに属しており、転写調節因子として働く。核内受容体は、細胞質または核内に存在する一本鎖タンパク質で N 末端側に制御領域、中央に DNA 結合領域、C 末端側にホルモン結合領域がある。

ステロイドホルモンの他、甲状腺ホルモン、ビタミン A およびビタミン D の受容体も核内受容体スーパーファミリーに属している。

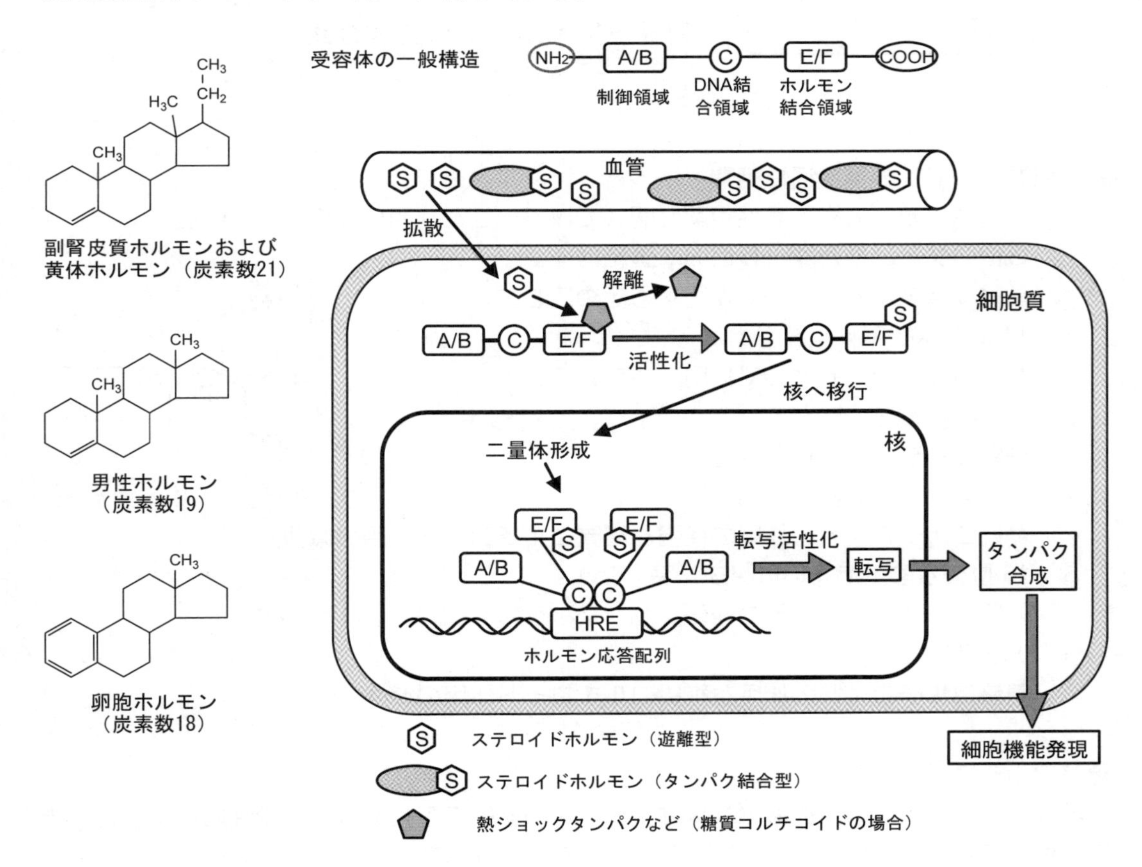

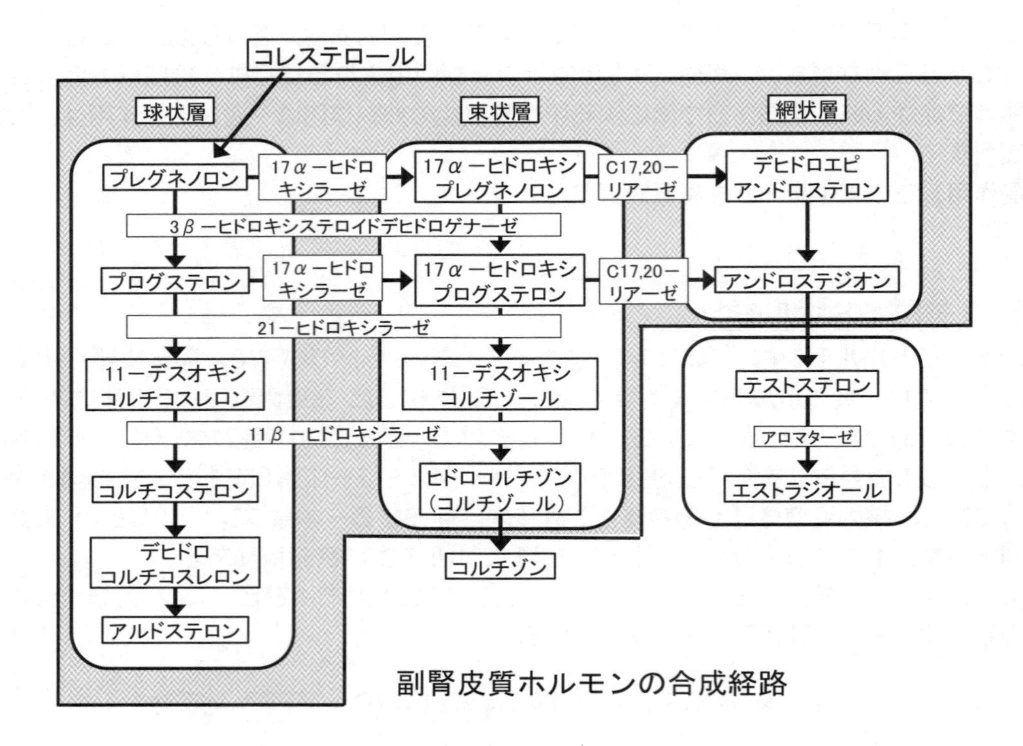

副腎皮質ホルモンの合成経路

副腎皮質ホルモンの構造活性相関

副腎皮質ホルモンの構造活性相関に関して以下のことが明らかにされている。

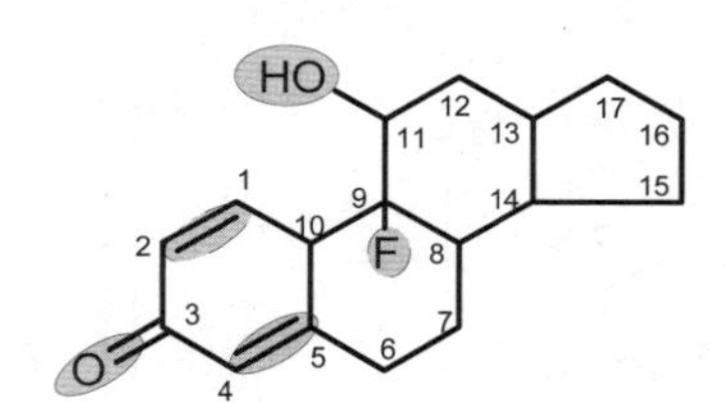

① ３位のケトン基と４－５位の二重結合
副腎皮質ホルモンとして作用するために必要

② 11 位の水酸基
糖質コルチコイドとして作用するために必要。

③ 17 位の水酸基
糖質コルチコイド作用を増強。

④ １－２位の二重結合
糖質コルチコイドの作用の増強と鉱質コルチコイド作用の減弱。

⑤ 16 位の水酸基あるいはメチル基
鉱質コルチコイド作用の減弱。

⑥ 9 位のハロゲン
糖質コルチコイドの作用と鉱質コルチコイド作用の増強。

糖質コルチコイドの作用

糖質コルチコイドは、代謝のホメオスタシスの維持に必要で多くの細胞に作用する。また、代謝作用の他、抗炎症作用および免疫抑制作用を示す。

代謝作用

糖：糖新生の促進と糖利用の抑制により血糖値を上昇させる。

脂肪：脂肪分解と脂肪産生により顔等に脂肪を蓄積させる。短期的には脂肪分解が促進するが、長期的には脂肪産生が増大、再分配により、満月様顔貌や Cushing 徴候を生じさせる。

タンパク質：タンパク質異化作用により筋萎縮や骨粗しょう症などをきたす。

組織における脂肪分解促進、筋力低下、骨粗しょう症などを起こす。

抗炎症作用

ホスホリパーゼ A_2、シクロオキシゲナーゼの発現阻害、アラキドン酸代謝物の産生阻害、サイトカイン産生抑制など多くの炎症メディエーターの産生を抑制し、炎症に関与するすべての過程（浮腫、毛細血管拡張、フィブリン遊走など）を抑制する。

免疫抑制作用

多面的な作用により、細胞性免疫、体液性免疫ともに抑制するが、特に、リンパ球に依存する細胞性免疫を強く抑制する。

内因性糖質コルチコイド

ヒドロコルチゾン（別名：コルチゾール）：ヒトにおける主要な糖質コルチコイドである。

コルチゾン：体内でヒドロコルチゾンに変化して作用する。

コルチコステロン：アルドステロンの前駆体であるが種によっては主要な糖質コルチコイドとなる。

コルチゾール

薬物としてのヒドロコルチゾン

ヒドロコルチゾンは、薬物として種々の剤形のものが存在し、適応も異なっている。副腎皮質機能不全には、錠剤や注射剤が用いられている。ヒドロコルチゾンは、鉱質コルチコイド作用に比べ、糖質コルチコイド作用が強く生理的には糖質コルチコイドとして作用するが、抗炎症作用を目的とした薬物として使用するときには無視できない程度の鉱質コルチコイド作用（アルドステロンの約 1/3000）をもつ。

コルチゾン

【副作用】（内服、注射に共通の重大な副作用）感染症、続発性副腎皮質機能不全、糖尿病、消化性潰瘍、骨粗鬆症、骨頭無菌性壊死、ミオパチー、緑内障、後嚢白内障、血栓症、（注射の重大な副作用）ショック、胃腸穿孔、消化管出血、膵炎、頭蓋内圧亢進、痙れん、精神変調、うつ状態、気管支ぜん息、心破裂、うっ血性心不全、食道炎、カポジ肉腫、腱断裂。

コルチコステロン

合成糖質コルチコイド

合成糖質コルチコイドは、表に示したように、ヒドロコルチゾンの糖質コルチコイド作用を強め、鉱質コルチコイド作用を弱めた化合物で、現在では、鉱質コルチコイド作用がほとんどない合成糖質コルチコイドも合成され、主に、抗炎症または免疫抑制の目的で臨床応用されるようになっている。しかし、糖質コルチコイドの３つの作用、すなわち、代謝作用、抗炎症作用および免疫抑制作用の三者を分離することはできないので、このうちのどれかの目的で使用するとき、他の2つの作用は副作用となる。

合成糖質コルチコイドは、内服、注射、外用剤のいずれかで用いられ、適応となる疾患は多いが、症状を抑制する薬物で原病を治癒させるわけではないことに注意を要する。また、長期間の使用により、多くの副作用が起こることにも注意が必要である。副作用は、基本的には、ヒドロコルチゾンと同様であり、全身投与の場合の主な副作用として、感染症の増悪、消化性潰瘍、骨粗しょう症、下垂体・副腎皮質機能の抑制、水電解質代謝異常などがあげられる。

主な合成副腎皮質ホルモンの作用の比較（全身投与）

薬　　物	糖質コルチコイド作用	鉱質コルチコイド作用	作用時間
ヒドロコルチゾン	1	1	短
コルチゾン	0.8	0.8	短
プレドニゾロン	4	0.8	中
6α-メチルプレドニゾロン	5	0.5	中
トリアムシノロン	5	0	中
ベタメタゾン	25	0	長
デキサメタゾン	25	0	長
フルドロコルチゾン	10	125	中

糖質コルチコイド作用：抗炎症作用
鉱質コルチコイド作用：Na^+貯留作用
作用時間：短（半減期12時間以下）、中（半減期12～36時間）、
長（半減期36時間以上）

主な合成糖質コルチコイドの構造式

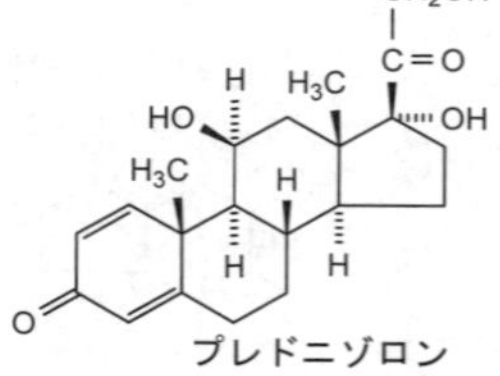

プレドニゾロン

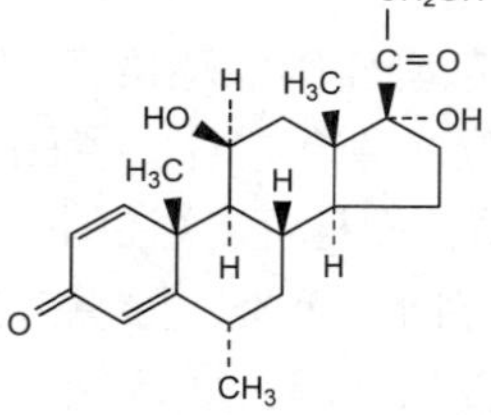

メチルプレドニゾロン

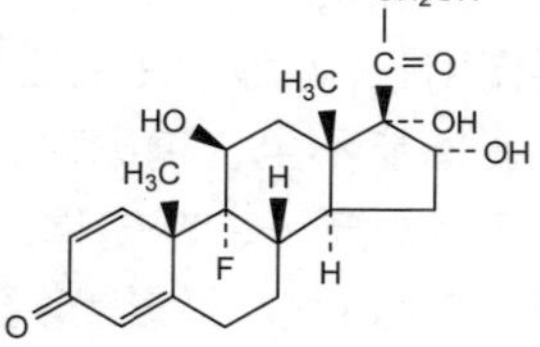

トリアムシノロン

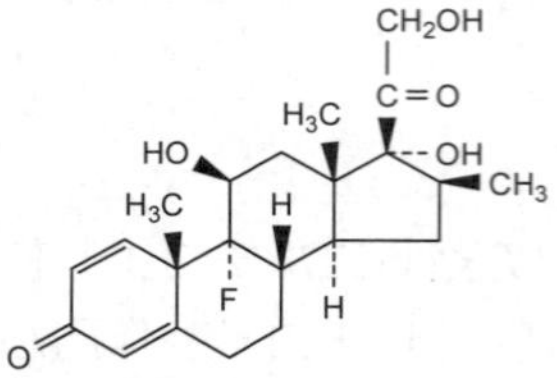

ベタメタゾン

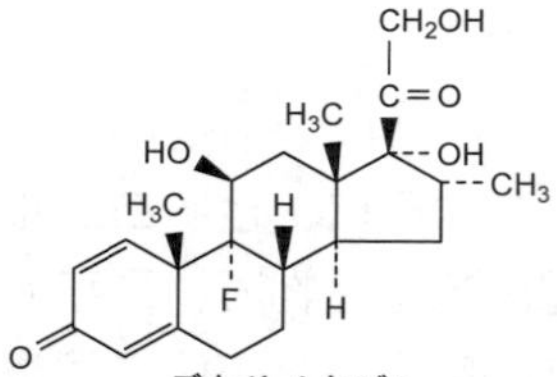

デキサメタゾン

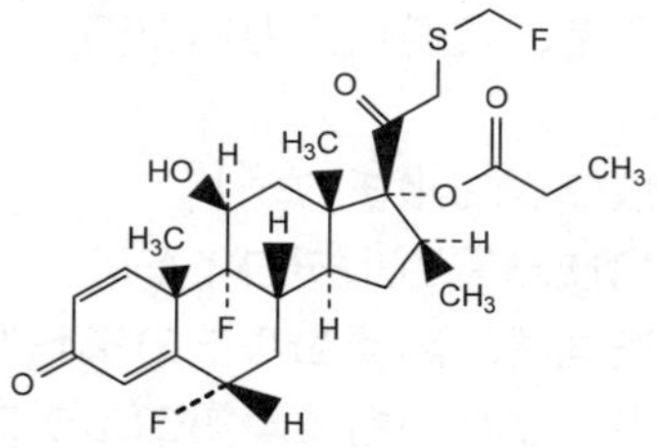

フルチカゾンプロピオン酸エステル

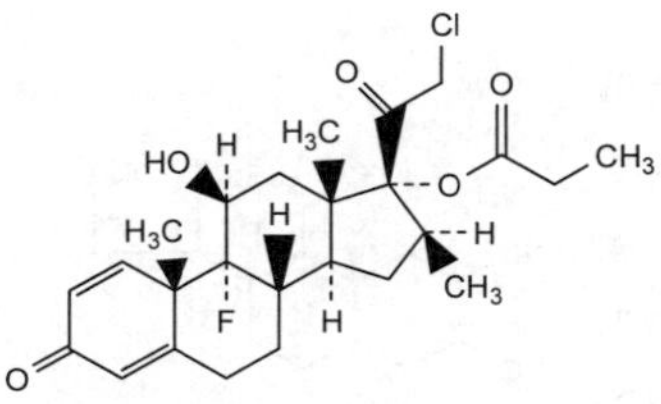

クロベタゾールプロピオン酸エステル

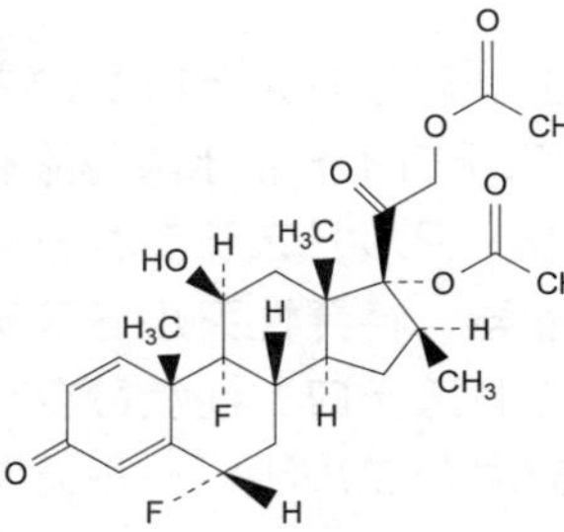

ジフロラゾン酢酸エステル

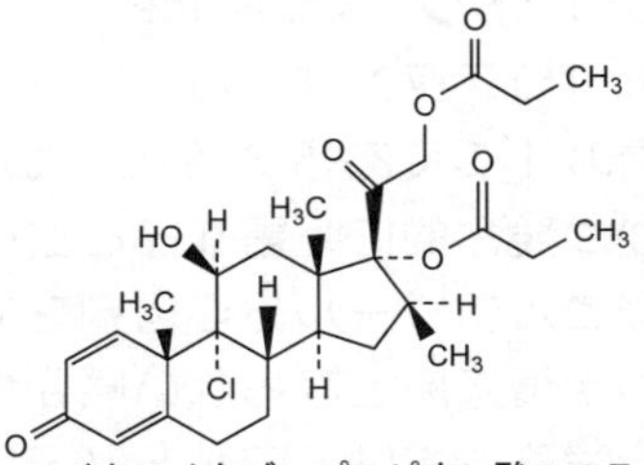

ベクロメタゾンプロピオン酸エステル

鉱質コルチコイドの作用

鉱質コルチコイドは、腎の遠位尿細管や皮質集合管に作用し、Na^+の再吸収を促進し、水の再吸収を促進する。このとき、K^+および H^+は尿中に分泌される。また、汗腺、唾液腺などにおいてもNa^+の再吸収を促進する。

内因性鉱質コルチコイド

内因性鉱質コルチコイドの主なものはアルドステロンである。アルドステロンの分泌は、ACTH のみならず、レニン―アンギオテンシン系によって調節されている。アルドステロンの分泌が過剰になると、高 Na^+血症、低 K^+血症、代謝性アルカローシス、高血圧、心不全などを起こす。

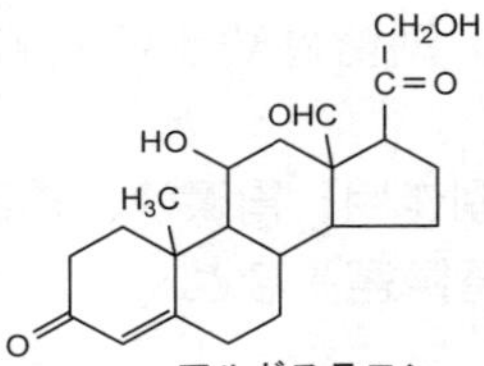

アルドステロン

合成鉱質コルチコイド

フルドロコルチゾン　Fludrocortisone

フルドロコルチゾンは、ヒドロコルチゾンに比べ、糖質コルチコイド作用および鉱質コルチコイド作用がともに増強されているが、鉱質コルチコイド作用の増強が特に強く、アルドステロンの代わりにアジソン病などに使用される。

【副作用】誘発感染症、感染症の増悪、続発性副腎皮質機能不全、糖尿病、消化性潰瘍、膵炎、精神変調、うつ状態，痙れん、骨粗鬆症、大腿骨及び上腕骨等の骨頭無菌性壊死、ミオパシー、緑内障、後のう白内障、血栓症 ショックなど

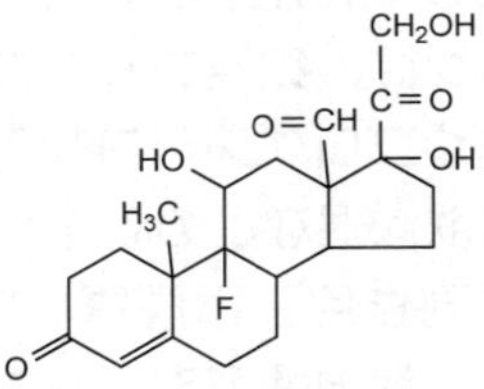

フルドロコルチゾン

抗副腎皮質ホルモン薬

副腎皮質ホルモン合成阻害薬

メチラポン　Methyrapone

11 βヒドロキシラーゼ（CYP11B1）を阻害し、コルチゾールの産生を抑制するので、ACTH およびコルチゾール前駆物質（11 ―デスオキシルチコステロンなど）の分泌が増大し、尿中にその代謝物の排泄が増す。Cushing 症候群の鑑別診断に用いる（試験法の詳細は省略）。

【副作用】ショックなど

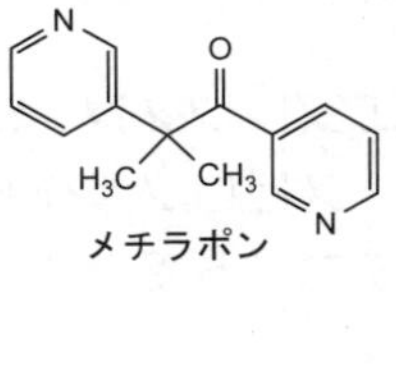

メチラポン

トリロスタン　Trilostane

トリロスタンはコルチゾールおよびアルドステロンの生合成酵素の 1 つである 3 β-ヒドロキシステロイド脱水素酵素を特異的かつ競合的に阻害することにより、アルドステロン分泌過剰及びコルチゾール分泌過剰を抑制する。特発性アルドステロン症や手術適応とならない原発性アルドステロン症及びクッシング症候群におけるアルドステロンおよびコルチゾール分泌過剰状態の改善に用いられる。

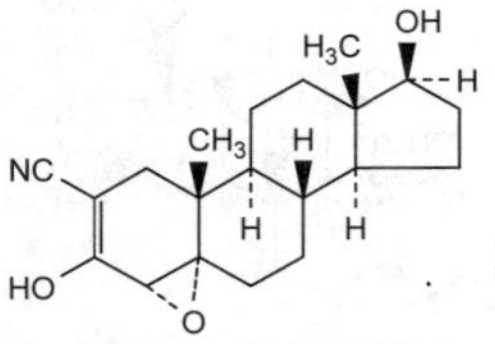

トリロスタン

【副作用】悪心・嘔吐、食欲不振などが挙げられているが、重大な副作用に指定されているものはない。

ミトタン　Mitotane

ミトタンは、17-ヒドロキシラーゼ（CYP17）を阻害して、コルチゾールの合成を抑制する。また、副腎皮質、特に束状層および網状層を萎縮および壊死させることがイヌにおいて認められている。副腎癌や手術適応とならないクッシング症候群に使用される。

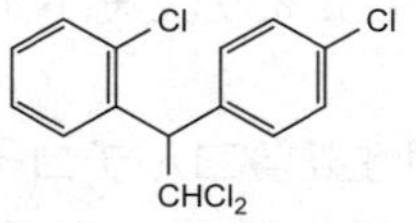

ミトタン

【副作用】胃潰瘍、胃腸出血、紅皮症、痴呆、妄想、副腎不全 、低血糖、腎障害（尿細管障害）など

鉱質コルチコイド受容体遮断薬

スピロノラクトン　Spironolactone

鉱質コルチコイド受容体遮断薬で、カリウム保持性利尿薬として作用する（利尿薬の項参照）。しかし、スピロノラクトンは、鉱質コルチコイド受容体に加え、アンドロゲン受容体やプロゲステロン受容体にも結合するため、女性型乳房、性欲減退などの副作用を起こしやすい。

【副作用】電解質異常（高カリウム血症、低ナトリウム血症、代謝性アシドーシス等）、急性腎不全、 内分泌障害（女性型乳房、性欲減退など）など

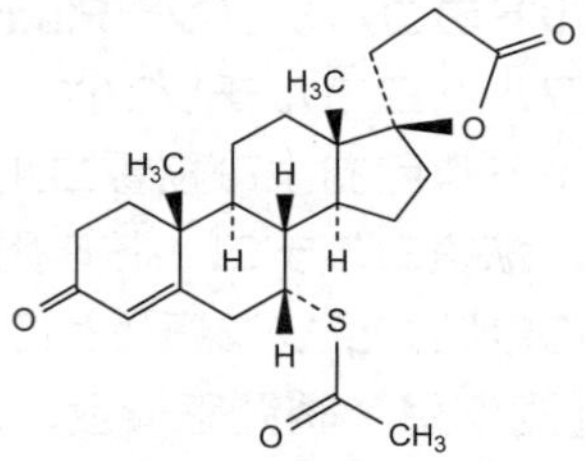

スピロノラクトン

カンレノ酸カリウム　Potassium Canrenoate

生体内でラクトン環を形成し、カンレノンに変換された後、アルドステロン受容体を遮断する。カンレノ酸カリウムの利尿作用は、スピロノラクトンと同程度である（利尿薬の項参照）。

【副作用】ショック、電解質異常（高カリウム血症など）など

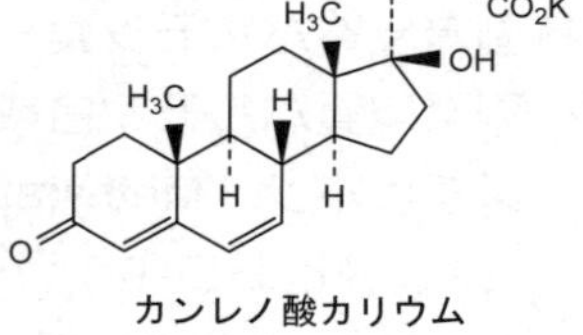

カンレノ酸カリウム

エプレレノン　Eplerenone

スピロノラクトンより鉱質コルチコイド受容体に選択性が高い遮断薬である。糖質コルチコイド受容体などの他のステロイドホルモン受容体に対する親和性は、鉱質コルチコイ

ド受容体に対する親和性の1/20以下であるとされ、臨床量のエプレレノンでは、ラットを用いた試験において、鉱質コルチコイド受容体以外のステロイドホルモン受容体への作用に起因する副作用は認められていない。
【副作用】高カリウム血症など

エプレレノン

エサキセレノン　Esaxerenone

非ステロイド構造を有する鉱質コルチコイド受容体遮断薬で、鉱質コルチコイド受容体に対する選択性は高く、糖質コルチコイド受容体等、他のステロイドホルモン受容体には親和性を示さず、それぞれの特異的リガンドによる受容体活性化を阻害しなかった。また鉱質コルチコイド受容体を含むすべてのステロイドホルモン受容体に対する活性化能は認められなかった。
【副作用】高カリウム血症など

エサキセレノン

性ホルモン

性ホルモンは、男性ホルモンと女性ホルモンがあり、それらの分泌は、視床下部のゴナドトロピン放出ホルモンおよび脳下垂体前葉のゴナドトロピン（黄体形成ホルモンと卵胞刺激ホルモンをあわせてゴナドトロピンという）によって調節されている。

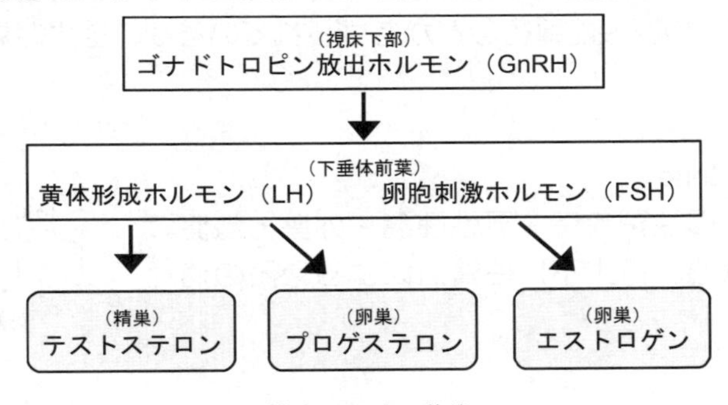

性ホルモンの分泌

男性ホルモン

男性ホルモン（アンドロゲン）は、男性化作用（男性の二次性徴発現の誘発、男性生殖器の発育・維持）とタンパク同化作用（筋の発達促進やタンパク質合成促進）を併せもつ。天然の主な男性ホルモンは、テストステロンで、標的細胞内でジヒドロテストステロンに変換されて核内受容体に結合する。

テストステロン

テストステロン製剤は、男子性腺機能不全におけるホルモンの補充療法での使用に加え、再生不良性貧血や女性性器癌などに用いられる。なお、通常は注射剤で使用する。各製剤に共通の副作用として、過敏症、肝機能異常、男性化現象などがあげられているが、重大な副作用に指定されているものはない。

メチルテストステロン

メチルテストステロンは、経口投与が可能である。

【**適用**】男子性腺機能不全（類宦官症）、造精機能障害による男子不妊症、末期女性性器癌の疼痛緩和、手術不能の乳癌

プロピオン酸テストステロン

筋注で用いるが体内で徐々にテストステロンとなるので作用持続時間が長く、投与後1～2日持続する。

【**適用**】男子性腺機能不全（類宦官症）、造精機能障害による男子不妊症

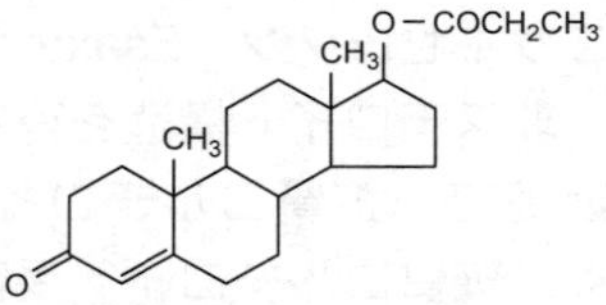

プロピオン酸テストステロン

エナント酸テストステロン

作用持続時間が非常に長いのが特徴である。

【**適用**】男子性腺機能不全（類宦官症）、造精機能障害による男子不妊症、再生不良性貧血、骨髄線維症、腎性貧血。

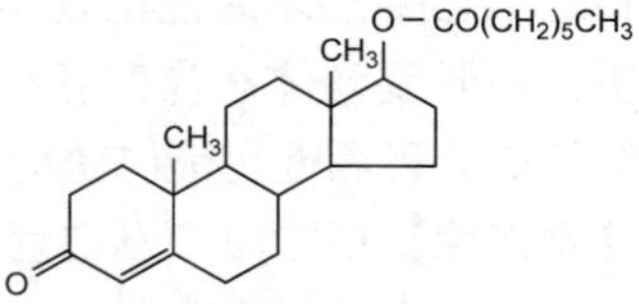

エナント酸テストステロン

タンパク同化ステロイド

男性ホルモンの性ホルモン作用を弱め、タンパク同化作用を強力にした合成薬である。再生不良性貧血や骨粗しょう症などの患者に用いる。一方、運動選手が、筋肉強化のために不正に使用することもあり、問題となる（ドーピング）。副作用として、内分泌異常（女性の男性化など）や肝機能障害などがあげられているが、重大な副作用に指定されているものはない。

メテノロン　Metenolone

【**適用**】骨粗鬆症、慢性腎疾患・悪性腫瘍・外傷・熱傷による著しい消耗状態、再生不良性貧血による骨髄の消耗状態。

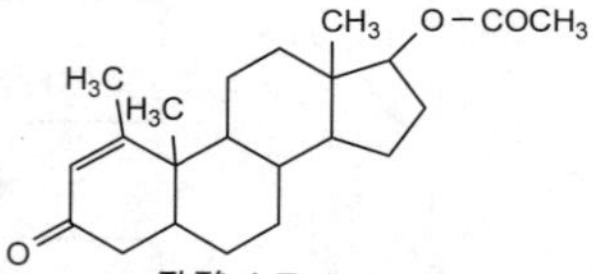

酢酸メテノロン

ナンドロロン　Nandrolone

【**適用**】骨粗鬆症、乳腺症、下垂体性小人症、慢性腎疾患・悪性腫瘍・手術後・外傷・熱傷による著しい消耗状態、再生不良性貧血による骨髄の消耗状態

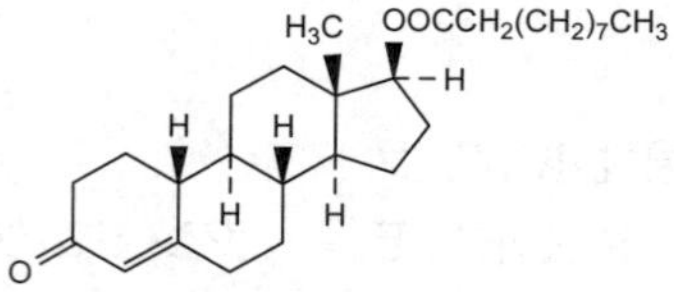

ナンドロロンデカン酸エステル

抗アンドロゲン作用をもつ薬物

クロルマジノン　Chlormadinone

【**作用機序**】前立腺におけるテストステロンの選択的取込み阻害、5 α-ジヒドロテストステロンとレセプターとの結合阻害作用により直接的抗前立腺作用を示す。また、黄体ホルモン作用を有する（卵胞ホルモン作用は認められない）。

【**適用**】無月経、月経周期異常（稀発月経，多発月経）、月経

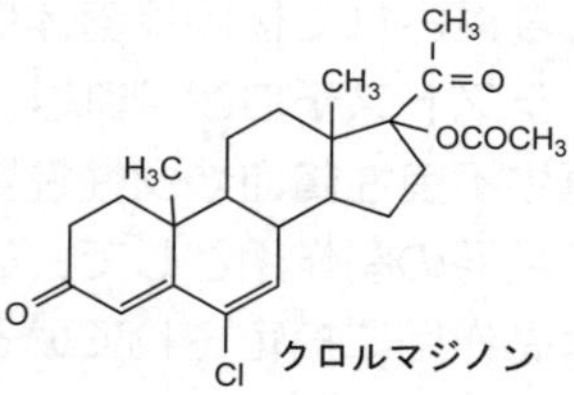

クロルマジノン

量異常（過少月経、過多月経）、月経困難症、機能性子宮出血、卵巣機能不全症、黄体機能不全による不妊症、 前立腺肥大症、前立腺癌

【副作用】血栓症、うっ血性心不全、劇症肝炎、肝機能障害、黄疸、糖尿病、糖尿病の悪化、高血糖など

オキセンドロン　Oxendolone

【作用機序】前立腺へのテストステロン取り込み阻害、前立腺腹葉におけるテストステロン－ 5 α－リダクターゼの競合拮抗的阻害、前立腺細胞質レセプターと 5 α－ジヒドロテストステロンの複合体形成に対する競合拮抗的阻害などにより抗アンドロゲン作用を示す。

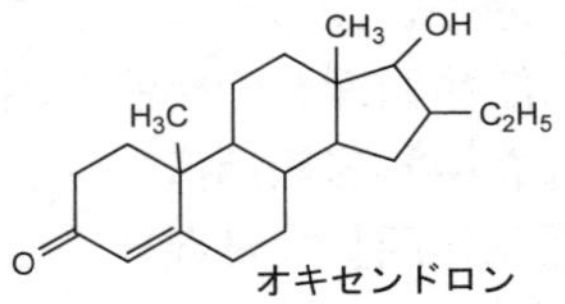

【適用】 前立腺肥大症

【副作用】過敏症など

オキセンドロン

フィナステリド　Finasteride

【作用機序】5 α-還元酵素 II 型を選択的に抑制することによりテストステロンからジヒドロテストステロンへの変換を阻害し、発毛作用を示すものと考えられる。

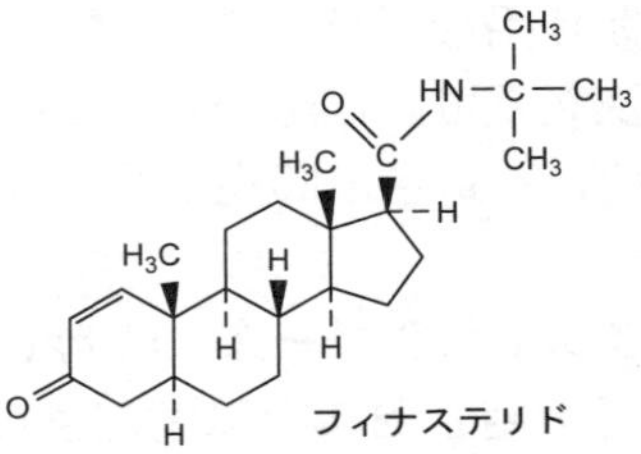

【適用】 男性における男性型脱毛症の進行遅延

【副作用】肝機能障害など

フィナステリド

フルタミド　Flutamide

【作用機序】主活性代謝物である OH-フルタミドがアンドロゲンレセプターに対するアンドロゲンの結合を阻害することにより、抗腫瘍効果を示す。

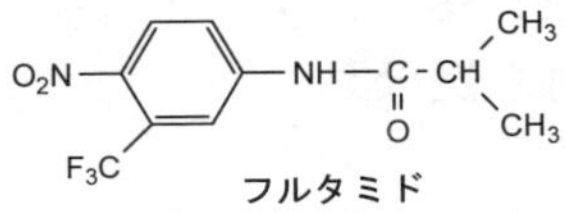

【適用】前立腺癌

【副作用】重篤な肝障害、間質性肺炎、血栓症など

フルタミド

ビカルタミド　Bicalutamide

【作用機序】前立腺腫瘍組織でアンドロゲン受容体に対するアンドロゲンの結合を阻害し、抗腫瘍効果を示す。

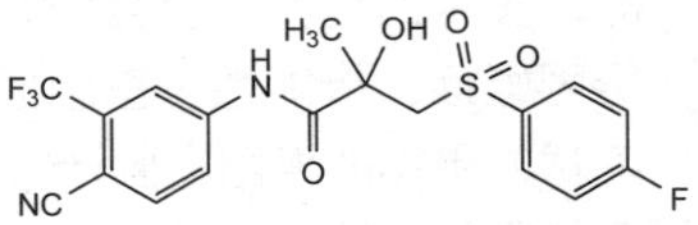

【適用】前立腺癌

【副作用】肝障害、白血球減少・血小板減少、間質性肺炎など

ビカルタミド

アビラテロン　Abiraterone

【作用機序】生体内で速やかにアビラテロンへ加水分解され、アンドロゲン合成酵素である 17 α-hydroxylase/C17,20-lyase（CYP17）活性を阻害し、抗腫瘍効果を示す。

【適用】前立腺癌

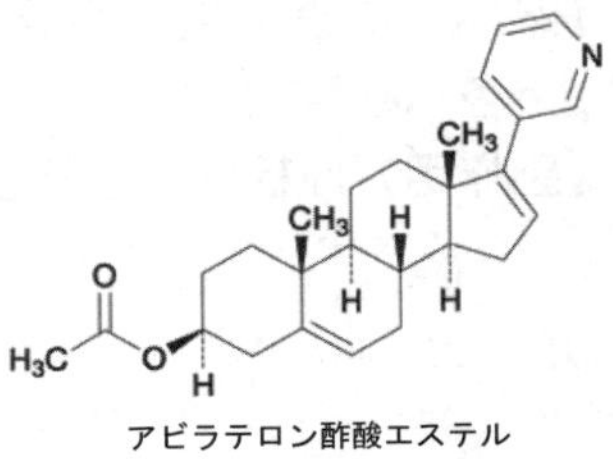

アビラテロン酢酸エステル

【副作用】心障害 心不全、劇症肝炎、肝不全、肝機能障害 劇症肝炎、低カリウム血症 、血小板減少、横紋筋融解症 など

エンザルタミド Enzalutamide

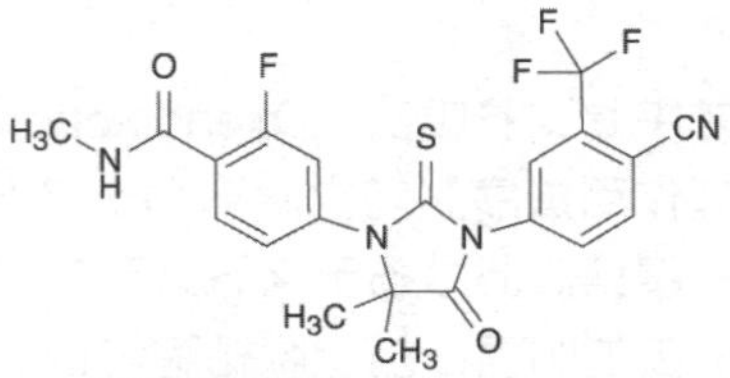

【作用機序】アンドロゲン受容体へのアンドロゲンの結合を競合的に阻害し、また、アンドロゲン受容体の核内移行及びアンドロゲン受容体と DNA 上の転写因子結合領域との結合を阻害し、抗腫瘍効果を示す。

【適用】去勢抵抗性前立腺癌

【副作用】痙攣発作、血小板減少など

エンザルタミド

卵胞ホルモンと関連薬物

卵胞ホルモン（エストロゲン）は、女性の二次性徴発現、子宮内膜増殖作用、骨吸収抑制作用などをもつ。天然の卵胞ホルモンであるエストラジオールは、経口投与では肝で代謝を受け、作用が非常に弱くなるので、経皮吸収剤として使用される。また、肝で代謝されにくい合成卵胞ホルモンが更年期障害、骨粗しょう症、前立腺ガンなどに使用される。

エストラジオール Estradiol

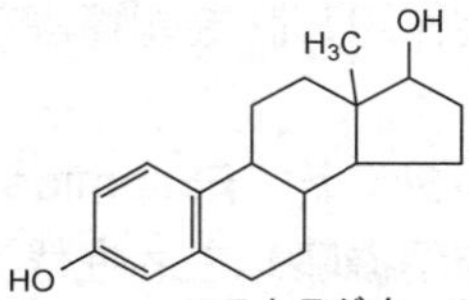

【適用】更年期障害および卵巣欠落症状に伴う血管運動神経症状（Hot flush および発汗）や泌尿生殖器の萎縮症状、閉経後骨粗鬆症

【副作用】アナフィラキシー様症状、静脈血栓塞栓症、血栓性静脈炎など

エストラジオール

安息香酸エストラジオール Estradiol benzoate

エストラジオールより作用が強く持続的である。

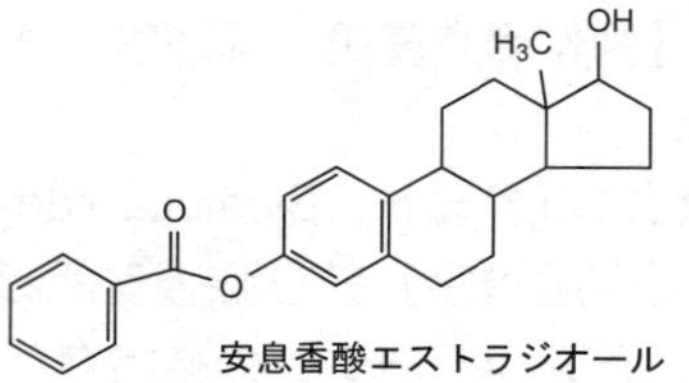

【適用】無月経、無排卵周期症、月経周期異常（稀発月経、多発月経）、月経量異常（過少月経、過多月経）、月経困難症、機能性子宮出血、子宮発育不全症、卵巣欠落症状、更年期障害、乳汁分泌抑制

【副作用】血栓症など

安息香酸エストラジオール

エチニルエストラジオール Ethinylestradiol

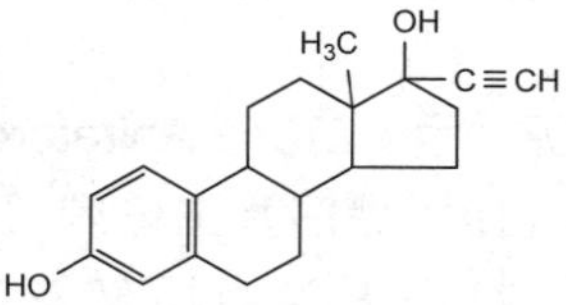

【適用】前立腺癌、閉経後の末期乳癌（男性ホルモン療法に抵抗を示す場合）

【副作用】血栓症、心不全、狭心症など

エチニルエストラジオール

エストリオール　Estriol

【適用】更年期障害、腟炎、子宮頸管炎並びに子宮腟部びらん、老人性骨粗鬆症

【副作用】血栓症、心不全、狭心症など

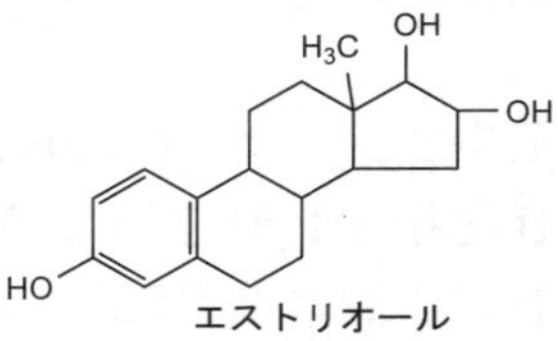

エストリオール

組織特異的エストロゲン受容体調整薬

組織特異的エストロゲン受容体調整薬（SERM：selective estrogen receptor modulator）は、一部の組織においてのみ、すなわち、組織特異的にアゴニストとして作用する薬物である。

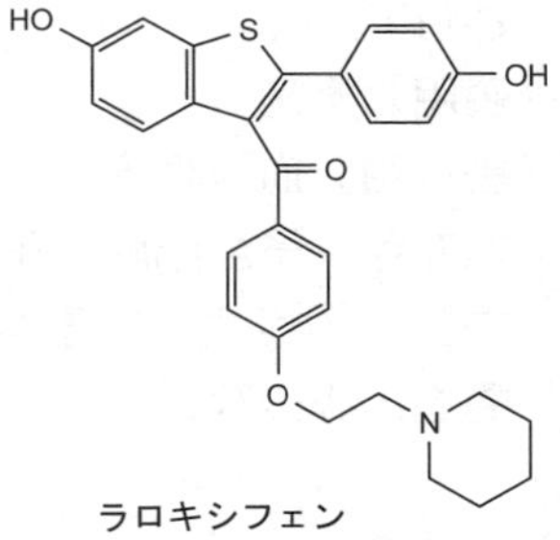

ラロキシフェン　Raloxifene
バゼドキシフェン　Bazedoxifene

両薬物は、ともに骨や脂肪の代謝においては、エストロゲン受容体のアゴニストとして作用するが、乳腺や子宮においては、アンタゴニストとして作用するため、閉経後骨粗しょう症に使用する（骨粗しょう症の項参照）。

【適用】閉経後骨粗しょう症

【副作用】静脈血栓塞栓症、肝機能障害など

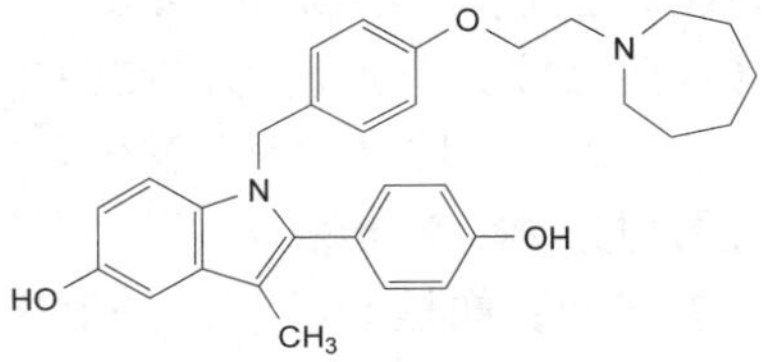

ラロキシフェン

バゼドキシフェン

抗エストロゲン作用をもつ薬物

クロミフェン　Clomifene

【作用機序】クロミフェンは、ごく弱いエストロゲン作用を有するが、内因性のエストロゲンレベルが保たれている無排卵症の婦人に投与すると、間脳に作用して内因性エストロゲンと競合的に受容体と結合し、Gn-RH を分泌させる。その結果、下垂体から FSH と LH が分泌され、卵巣を刺激して排卵が誘発される。

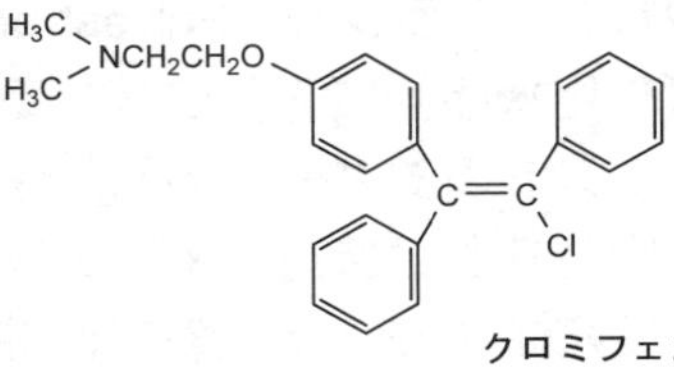

【適用】排卵障害に基づく不妊症の排卵誘発

【副作用】卵巣過剰刺激など

クロミフェン

シクロフェニル　Cyclofenil

【作用機序】間脳視床下部もしくは脳下垂体前葉に作用し、ゴナドトロピン放出因子およびゴナドトロピンの産生と放出、特に LH の放出を促進する。また、卵巣のゴナドトロピンに対する反応性を増強し、排卵能、ステロイド産生能を高める。かつて女性ホルモン剤として使用されたスチルベストロールの約 1/1,000 の弱いエストロゲン作用を有するが、スチルベストロールとの同時投与では抗エストロゲン作用が認められる。

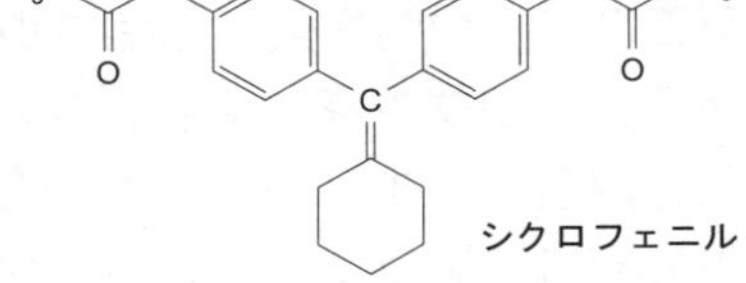

【適用】第 1 度無月経，無排卵性月経，希発月経の排卵誘発

シクロフェニル

【副作用】肝機能障害，黄疸など

タモキシフェン　Tamoxifen

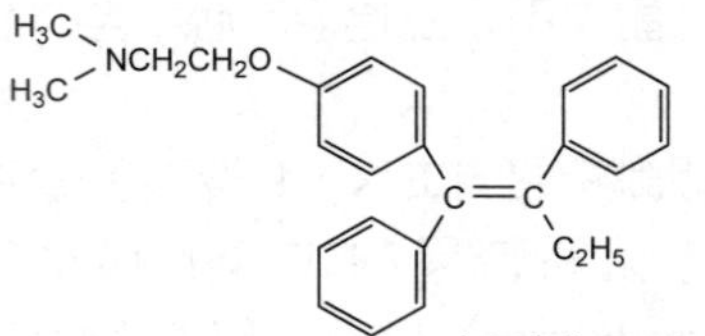

【作用機序】乳癌組織のエストロゲン受容体に対しエストロゲンと競合的に結合し、抗エストロゲン作用を示し、抗乳癌作用を示す。タモキシフェンには男性ホルモン作用はない。また、子宮のエストロゲン受容体に対しては、アゴニストとして作用することが明らかにされている。

タモキシフェン

【適用】乳癌

【副作用】血液障害、視力・視覚障害、血栓塞栓症、静脈炎、重篤な肝障害、高カルシウム血症、子宮筋腫、子宮内膜、子宮内膜増殖症、子宮内膜症、間質性肺炎、アナフィラキシー様症状、血管浮腫、皮膚粘膜眼症候群（Stevens-Johnson 症候群）、水疱性類天疱瘡、膵炎など

トレミフェン　Toremifene

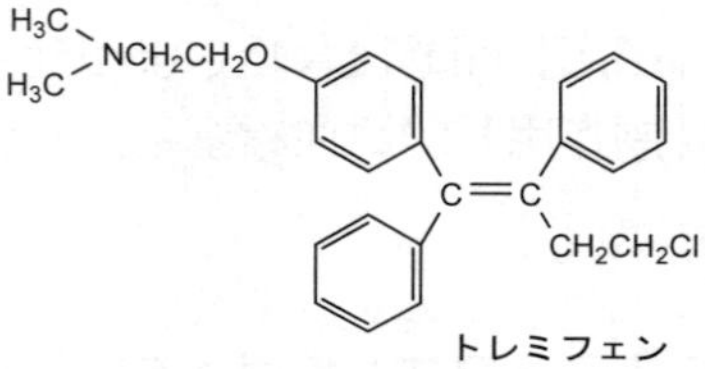

【作用機序】乳癌組織において抗エストロゲン作用をもち、エストロゲン感受性の乳癌の増殖を抑制する。

トレミフェン

【適用】閉経後乳癌

【副作用】血栓塞栓症、静脈炎、肝機能障害、黄疸、子宮筋腫など

フルベストラント　Fulvestrant

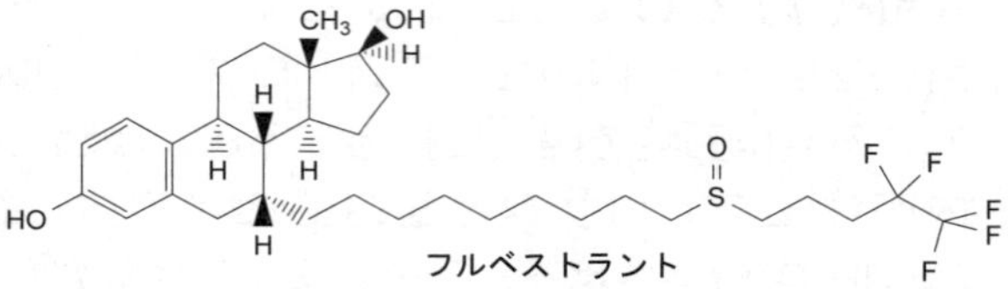

【作用機序】エストロゲン受容体へのエストラジオールの結合を競合的に阻害する。また、主にエストロゲン受容体（ER）の分解を促進することにより、エストロゲンの ER への結合を阻害する。 フルベストラントは、ラットで子宮重量増加作用及び骨密度に対する影響を示さなかったことから、アゴニスト様作用を示さずに乳癌細胞の増殖を抑制すると考えられる。

フルベストラント

【適用】閉経後乳癌

【副作用】肝機能障害、血栓塞栓症など

アロマターゼ阻害薬（卵胞ホルモン合成阻害薬）

アンドロゲンをエストラジオールに変換する酵素であるアロマターゼを阻害し、エストロゲンの生成を阻害する。エストロゲンの主な産生過程は、閉経前と閉経後では異なり、閉経前は FSH の刺激により卵巣で産生されているが、閉経後は脂肪組織などのアロマターゼにより生成されるよになる。したがって、アロマターゼ阻害薬は、閉経後の乳癌の増殖を抑制することができる。現在、使用されているアロマ

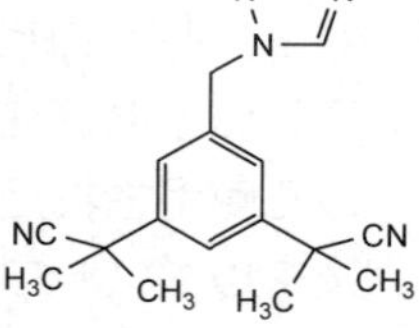

アナストロゾール

ターゼ阻害薬と副作用を以下に示す。

【副作用】

アナストロゾール　**Anastrozole**：皮膚粘膜眼症候群（Stevens-Johnson 症候群）、アナフィラキシー様症状、肝機能障害、黄疸など

エキセメスタン　**Exemestane**：肝炎、黄疸など

レトロゾール　**Letrozole**：血栓症、塞栓症など

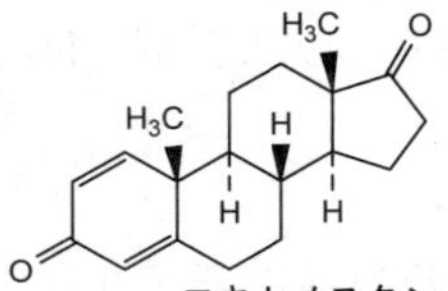

エキセメスタン

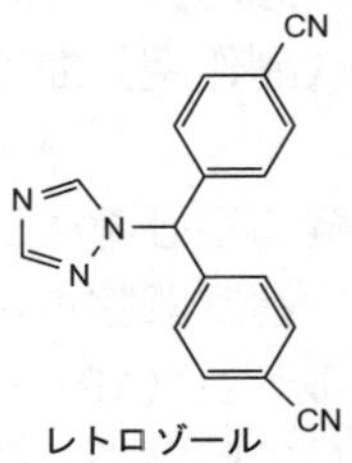

レトロゾール

黄体ホルモン

黄体ホルモン（ゲスタゲン、プロゲスチン）は、子宮内膜を分泌期像にする、乳腺の腺房を発育させるなどの作用のほか、基礎体温の上昇作用などをもつ。天然の黄体ホルモンであるプロゲステロンは、肝臓で完全に代謝されるので経口投与では無効で、筋注または、舌下投与される。また、経口投与可能な合成黄体ホルモンが作られ、更年期障害に卵胞ホルモンと併用して使われる。また、エチニルエストラジオールと併用して経口避妊薬として用いる。

プロゲステロン　Progesterone

【適用】無月経、月経困難症、機能性子宮出血、黄体機能不全による不妊症、切迫流早産、習慣性流早産

【副作用】過敏症など

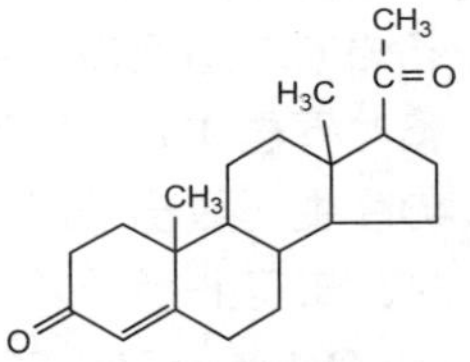

プロゲステロン

メドロキシプロゲステロン　Medroxyprogesterone

プロゲステロンより強力な黄体ホルモン作用および妊娠維持作用がある。また、乳癌、子宮体癌に対し、DNA 合成抑制作用、下垂体・副腎・性腺系への抑制作用および抗エストロゲン作用などにより抗腫瘍効果を発現する（大量投与）。

【適用】無月経、月経周期異常（稀発月経、多発月経）、月経量異常（過少月経、過多月経）、機能性子宮出血、黄体機能不全による不妊症、切迫流早産、習慣性流早産、大量投与で、乳癌、子宮体癌（内膜癌）

【副作用】血栓症、うっ血性心不全、ショック、乳頭水腫など

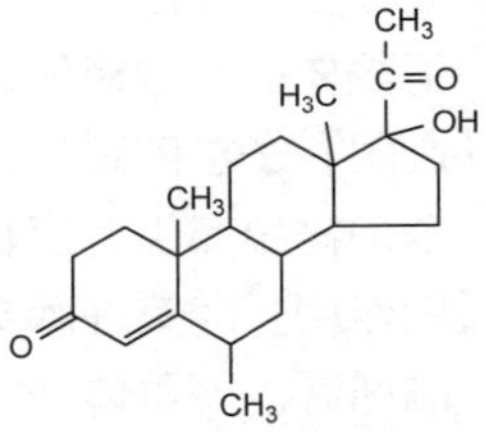

メドロキシプロゲステロン

ダナゾール　Danazol

構造がテストステロンに類似しており、プロゲステロン受容体アゴニストであり、かつ、アンドロゲン受容体アゴニストである。臨床では、子宮内膜症に使用する。

【作用機序】抗ゴナドトロピン作用および病巣への直接作用（子宮内膜細胞で DNA の合成抑制が確認されている）を示す。

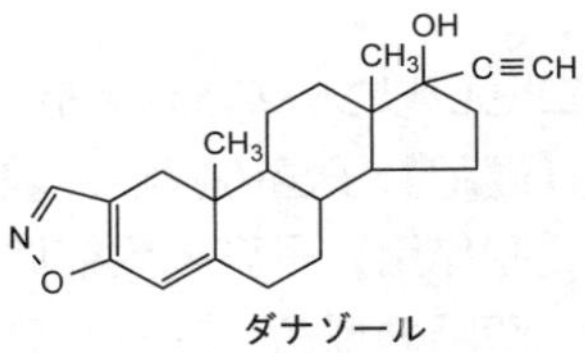

ダナゾール

【適用】子宮内膜症、乳腺症
【副作用】血栓症、心筋梗塞、劇症肝炎、肝腫瘍，肝臓紫斑病、間質性肺炎など

経口避妊薬（ピル）

合成卵胞ホルモン（エチニルエストラジオール）と合成黄体ホルモン（19 －ノルエチステロン誘導体）の合剤を経口避妊薬として用いる。卵胞ホルモンと黄体ホルモンを併用することで、視床下部ー下垂体系において Gn-RH、ゴナドトロピンの分泌を抑制し、排卵を抑制するのが主な機序である。また、子宮内膜の性状や子宮頸管粘液の粘稠化などの変化も起こり、これらによっても受精・着床は抑制される。経口避妊薬は、月経周期（28 日）にあわせ 21 日服用、7 日休薬を繰り返す。経口避妊薬の副効用として月経困難症の軽減があげられる。

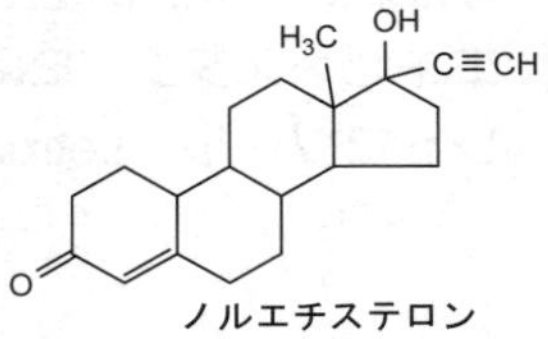

【副作用】静脈血栓、塞栓症、脳梗塞、脳出血、心筋梗塞、発ガンの危険性増加など

Gn-RH 受容体刺激薬

リュープロレリン　Leuprorelin

【作用機序】Gn-RH 受容体にアゴニストとして作用する。Gn-RH 受容体アゴニストであるので、初回投与直後は一過性に下垂体ー性腺系の刺激作用がみられるが、反復投与すると下垂体においては Gn-RH 受容体をダウンレギュレーションして性腺刺激ホルモンの産生・放出を低下させる。さらに、精巣の性腺刺激ホルモンに対する反応性を低下させ、エストラジオールおよびテストステロン産生能も低下させる。リュープロレリンは、Gn-RH と比較して蛋白分解酵素に対する抵抗性が高く、Gn-RH レセプターに対する親和性が高いアゴニストである。また、適用にあたっては、徐放性製剤として、常時血中にリュープロレリン酢酸塩を放出して効果的に卵巣及び精巣の反応性低下をもたらし、下垂体ー性腺機能抑制作用を示すようにする。
【適用】子宮内膜症、過多月経、下腹痛、腰痛および貧血等を伴う子宮筋腫における筋腫核の縮小および症状の改善、閉経前乳癌、前立腺癌、中枢性思春期早発症
【副作用】間質性肺炎、アナフィラキシー様症状、肝機能障害、黄疸、糖尿病の発症または増悪、下垂体卒中など

リュープロレリンと同様に Gn-RH アゴニストとして下垂体 Gn-RH 受容体に作用し、継続的刺激により受容体のダウン・レギュレーションを引き起こし、ゴナドトロピン分泌能を低下させる薬物に、ゴセレリン（Goserelin）、ブセレリン（Buserelin）、ナファレリン（Nafarelin）がある。適用と副作用は、以下の通りである。

ゴセレリン　Goserelin

【適用】子宮内膜症、前立腺癌、閉経前乳癌
【副作用】子宮内膜症に使用の場合：アナフィラキシー、肝機能障害、黄疸。前立腺癌に使用の場合：前立腺癌随伴症状の増悪、アナフィラキシー、間質性肺炎、肝機能障害、黄疸、糖尿病の発症又は増悪。閉経前乳癌に使用の場合：高カルシウム血症、アナフィ

ラキシー、間質性肺炎、肝機能障害、黄疸など（子宮内膜症と前立腺癌なたは閉経前乳癌では、用量が異なる）

ブセレリン　Buserelin

【適用】子宮内膜症、子宮筋腫の縮小および子宮筋腫に基づく過多月経、下腹痛、腰痛、貧血の改善、中枢性思春期早発症

【副作用】ショック、アナフィラキシー様症状、うつ症状、脱毛、狭心症、心筋梗塞、脳梗塞、血小板減少、白血球減少、不正出血、卵巣のう胞破裂、肝機能障害、黄疸、糖尿病の発症又は増悪など

ナファレリン　Nafarelin

【適用】子宮内膜症、子宮筋腫の縮小および子宮筋腫に基づく過多月経、下腹痛、腰痛、貧血の改善

【副作用】うつ状態、血小板減少、肝機能障害、黄疸、不正出血、卵巣のう胞破裂など

Gn-RH 受容体遮断薬

セトロレリクス　Cetrorelix

【作用機序】内因性 Gn-RH と競合してヒト下垂体 Gn-RH 受容体に結合し、内因性 Gn-RH の作用を阻害することにより下垂体からのゴナドトロピン分泌を抑制する。ダウンレギュレーションを目的とした Gn-RH アゴニスト反復投与では、投与初期にゴナドトロピンの一過性の分泌亢進が見られるが、受容体遮断薬の場合は、このような分泌亢進は起こらず、分泌は、投与直後から速やかに抑制される。

【適用】調節卵巣刺激下における早発排卵の防止

【副作用】アナフィラキシー症状など

ガニレリクス　Ganirelix

【作用機序】Gn-RH 受容体を遮断して、ゴナドトロピン分泌を抑制する。

【適用】調節卵巣刺激下における早発排卵の防止

【副作用】重大な副作用はない

デガレリクス　Degarelix

【作用機序】Gn-RH 受容体を遮断し、下垂体からの黄体形成ホルモン（LH）の放出を抑制する結果、精巣からのテストステロン分泌を抑制する。この下垂体性腺系機能抑制により、前立腺癌の増殖を抑制する。

【適用】前立腺癌

【副作用】間質性肺疾患、肝機能障害、糖尿病増悪、心不全、血栓塞栓症など

6. 膵臓ホルモンと糖尿病治療薬

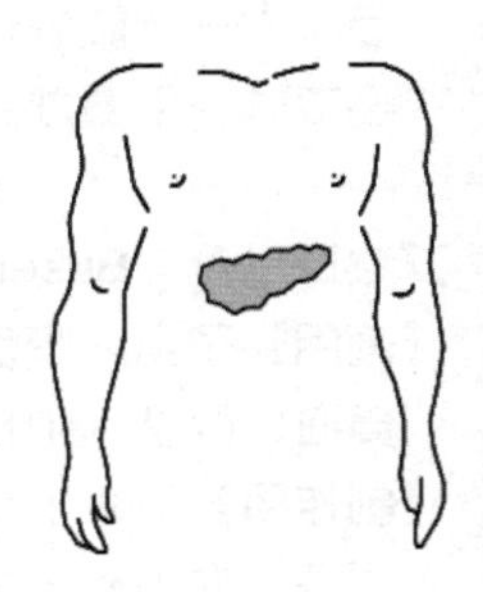

膵臓ランゲルハンス島から分泌されるホルモン

α（A）細胞　グルカゴン

β（B）細胞　インスリン

δ（D）細胞　ソマトスタチン

その他　PP（pancreatic polypeptide）細胞　膵ポリペプチド

インスリン　Insulin

ヒトインスリンは、21 個のアミノ酸残基からなる A 鎖と 30 個のアミノ酸残基からなる B 鎖が 2 個の S − S 結合で結ばれているペプチドホルモンである。

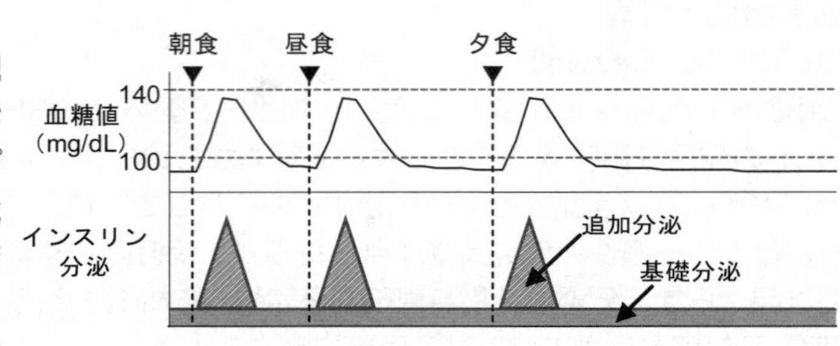

インスリン遺伝子は、膵 β（B）細胞にのみ発現している。膵 β 細胞においては、粗面小胞体でプレプロインスリンが合成され、粗面小胞体内腔でプロインスリンになり、ゴルジ装置から分泌顆粒へと移行する過程でインスリンと C ペプチドになる。

インスリンは、グルコースが、膵 β 細胞膜のブドウ糖輸送担体（GLUT）2 を介して、細胞内に取り込まれることが引き金となり、C ペプチドとともに分泌される。健常人のインスリン分泌は、基礎インスリン分泌と追加インスリン分泌からなる。食事などの刺激によらず常に分泌されているのが基礎インスリン分泌で、食事等の血糖値の上昇に伴う分泌が追加インスリン分泌である。分泌されたインスリンは、各組織のインスリン受容体に結合し、血糖値を一定の範囲に保っている。

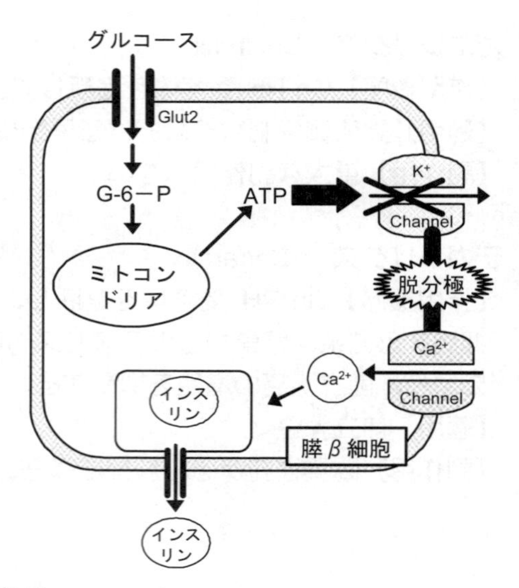

インスリン受容体は、ほとんどすべての細胞に存在するが、その数は、赤血球のように 1 個あたり 40 程度存在するものから脂肪細胞や肝細胞のように 20 万以上存在するものまで様々である。

インスリンの作用

インスリン受容体は、ヘテロ四量体（β－α－α－β）で、酵素（チロシンキナーゼ）内蔵型受容体である。インスリンは、αサブユニットに結合する。

αサブユニットにインスリンが結合するとβサブユニットの高次構造が変化し、βサブユニット中にあるチロシンキナーゼが活性化され、自身のチロシン残基をリン酸化する（自己リン酸化）。この自己リン酸化により、チロシンキナーゼ活性がさらに高まり、他のタンパク質（insulin receotor substrate：IRS など）のチロシン残基をリン酸化し、それをきっかけとして下流へ情報が伝達されるようになる。上述のようにインスリン受容体は、ほとんどすべての組織に存在するが、肝臓、骨格筋、脂肪組織が血糖値低下に関与する主な組織であり、インスリンにより、以下のようなことが起こる。

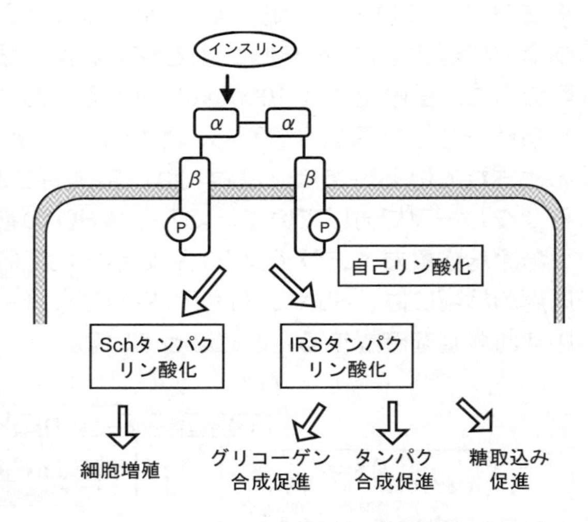

インスリン受容体を介した作用

肝臓：グリコーゲン合成促進、グリコーゲン分解抑制、糖新生抑制、解糖系促進、タンパク質合成促進、脂肪合成促進

骨格筋：GLUT4 を介したグルコースの取込み促進、アミノ酸取込み促進、グリコーゲン合成促進、タンパク質合成促進

脂肪組織：GLUT4 を介したグルコースの取込み促進、脂肪分解抑制、脂肪合成促進、グリコーゲン合成促進

ブドウ糖輸送担体（GLUT）は、GLUT2 が膵ランゲルハンス島で、インスリン非依存的な糖の取り込みを行うのに対し、GLUT4 は、骨格筋や脂肪組織においてインスリン依存的な糖の取込みを行う。

糖尿病と診断基準

インスリンの分泌不全あるいは作用不全によって起こる慢性の高血糖を主徴とし、種々の特徴的な代謝異常を伴う疾患群で、発症には、遺伝因子と環境因子が関与する。長期の高血糖は、特有の合併症をきたしやすく、動脈硬化症も促進する。高血糖は、通常、空腹時血糖値と 75g 経口ブドウ糖糖負荷試験（OGTT）2 時間値の組み合わせにより判定する。図（日本糖尿病学会による糖尿病診療ガイドライン 2019 より）に示したように、空腹時血糖 110mg/dL

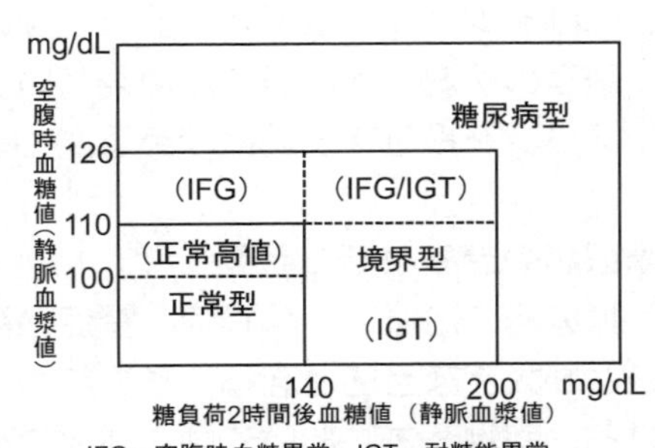

IFG：空腹時血糖異常、IGT：耐糖能異常

未満かつ OGTT2 時間値 140mg/dL 未満を正常型、空腹時血糖 126mg/dL 以上または OGTT2 時間値 200mg/dL 以上を糖尿病型、両者に含まれないものを境界型とする。正常型のうち、空腹時血糖 100mg/dL 以上を正常高値として区別しているが、この集団に含まれるヒトは、糖尿病への移行、耐糖能異常などの点から多様であり、OGTT が勧められるとされている。また、境界型は、空腹時血糖異常（IFG）と耐糖能異常（IGT）の点から 3 グループに分けている。IGT は WHO の糖尿病診断基準に取り入れられた分類である。

糖尿病診療ガイドライン 2019 に示されている診断のフローチャートを以下に示す。糖尿病の診断には、HbA1c も利用されるが、HbA1c のみによる診断は不可とされており、必ず血糖値を確認することとなっている。

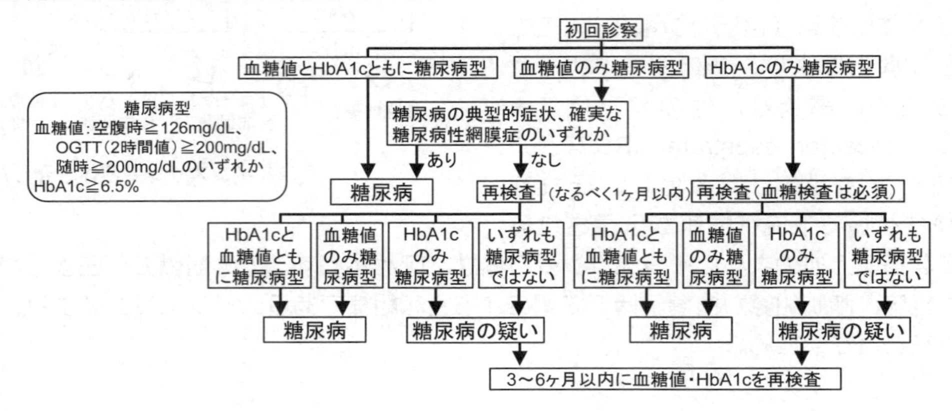

１型糖尿病と２型糖尿病

糖尿病は、インスリンの依存状態から、インスリン依存型の１型糖尿病とインスリン非依存型の２型糖尿病に分類されている。

１型糖尿病：主に自己免疫疾患を基礎にした膵 β 細胞の破壊により、インスリンの欠乏が生じ発症する。通常は、絶対的インスリン欠乏に至る。典型的には、若年に急激に発症し、速やかにインスリン依存状態に陥り、生存のために、インスリン投与が不可欠となる。

２型糖尿病：インスリン抵抗性の増大（インスリンの分泌量に対して血糖値の低下が低い。すなわち、インスリンの血糖値低下作用が現れにくい状態）やインスリンの分泌低下などにより、インスリンの相対的欠乏を起こして血糖値が上昇している状態であり、病期がインスリン依存状態にまで進む割合は限られている。すなわち、通常は、生存のためにはインスリン投与を必要としない状態である。ただし、2 型糖尿病の患者に対しても、患者の状況（他の薬物が使えない、効きにくい等）により、高血糖の是正のためにインスリンを投与する場合がある。

糖尿病の治療とその目標

糖尿病の治療は、網膜症、腎症、神経障害といった合併症などの発症・進展を阻止することが大きな目的となる。そのためには血圧や血清脂質の適切なコントロールも必要とされる。薬物療法においては、種々の糖尿病治療薬が患者の状況に応じて用いられるが、糖尿病治療においては、薬物療法のみならず、生活習慣の改善に向けた糖尿病教育、食事療法、運動療法も重要である。治療目標は、年齢、罹患期間、臓器障害の程度などにより個別に設定されるが、糖尿病診療ガイドライン 2019 においては、妊婦を除く成人に対する目標値として以下のように示されている。

目標	HbA1c(%)	備考
血糖正常化を目指す際の目標	6.0未満	適切な食事療法や運動療法だけで達成可能な場合、または薬物療法中でも低血糖などの副作用なく達成可能な目標とする。
合併症予防のための目標	7.0未満	合併症予防の観点からHbA1cの目標値を7%未満とする。対応する血糖値としては、空腹時血糖値130mg/dL未満、食後2時間血糖値180mg/dL未満をおおよその目安とする。
治療強化が困難な際の目標	8.0未満	低血糖などの副作用、その他の理由で治療の強化が難しい場合の目標とする。

糖尿病治療薬

糖尿病の治療薬としては、高血糖状態を是正するために、インスリン製剤、インスリンアナログの他、インスリン分泌促進薬、α-グルコシダーゼ阻害薬、インスリン抵抗性改善薬などが用いられる。インスリン分泌促進薬としては、インクレチン関連薬が使用されるようになり、毎週 1 回の投与でよい薬物も開発されている。また、SGLT（Sodium-glucose cotransporter）2 阻害薬が尿糖の排泄促進薬として使用されるようになっている。以前は、インスリンおよびインスリンアナログは注射剤、それ以外は経口剤であったため、インスリン製剤以外の薬物を経口糖尿病薬と総称してきたが、現在は、インクレチンアナログも注射剤となっている。糖尿病治療においては、1 人の患者に複数の薬物が処方されることも多く、数種の配合剤も上市され、アドヒアランスの向上に役立っている。また、エパルレスタット（アルドース還元酵素阻害薬）のように血糖値には影響を及ぼさないが、合併症軽減のために使用される薬物も糖尿病治療薬に含まれる。

インスリン製剤

インスリン製剤には、以前から使用されているヒトインスリン製剤とヒトインスリンの一部を修飾（アミノ酸残基の置換など）したインスリンアナログ製剤とがある。現在は、インスリンアナログ製剤の使用率が次第に増加している。ヒトインスリン製剤とインスリンアナログ製剤は、いずれも内因性のインスリンと同様にインスリン受容体を刺激し、血糖値を低下させる。使用に当たっては、作用時間の異なるインスリン製剤を組合せ、基礎インスリン分泌と追加インスリン分泌の両方が模倣できるようにする。なお、インスリン量は、重量ではなく生物学的力価（単位）で表現する。詳細は省略するが、1 単位は、約 2kg のウサギ（24 時間絶食）の血糖を 3 時間以内に痙れんレベル（約 45mg/dL）にまで下げうる量とされ、ヒトインスリンの国際標準品は、1mg あたり、26 単位とされている。

ヒトインスリン製剤

遺伝子組換え法により製造される。ヒトインスリン製剤は、製剤学的な工夫により、作用発現までの時間や作用持続時間が様々に異なっており、超速効型から持続型までの 4 種に分類されているが、いずれも注射剤である。持続時間等の概要は右図に示した。

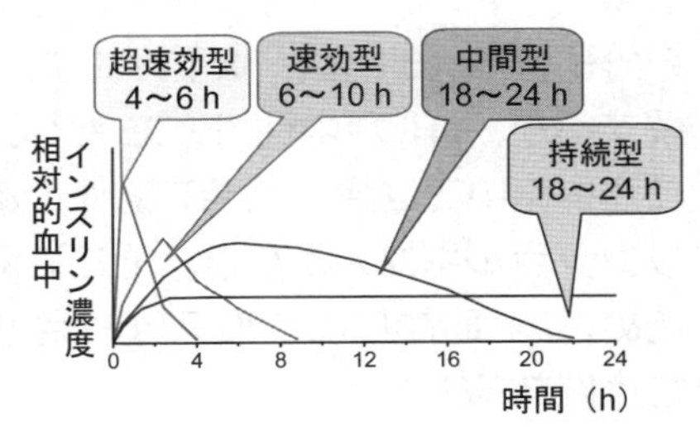

【副作用】インスリン投与による副作用は、低血糖、アナフィラキシーショック、局所反応（注射部位の腫脹）など

インスリンアナログ製剤

インスリンアスパルト　Insulin aspart

超速効型のインスリンアナログである。B 鎖 28 位のプロリン（Pro）がアスパラギン酸（Asp）に置換されている。製剤中では亜鉛イオンあるいはフェノール等の作用により弱く結合した六量体を形成しているが、皮下注射後は、体液で希釈され、六量体から急速に二量体、単量体へと解離して速やかに血中に移行する。

【副作用】低血糖、アナフィラキシーショック、血管神経性浮腫など

インスリンリスプロ　Insulin lispro

超速効型のインスリンアナログである。ヒトインスリンの B 鎖 28 位のプロリン（Pro）と 29 位のリジン（Lys）が入れ替わっている。製剤中では六量体として存在するが、皮下注射後速やかに単量体へと解離するため、皮下から血中への移行が速い。

【副作用】低血糖、アナフィラキシーショック、血管神経性浮腫など

インスリングルリジン　Insulin Glulisine

超速効型のインスリンアナログである。ヒトインスリンの B 鎖 3 番目のアスパラギン（Asp）残基がリジン（Lys）に、また、B 鎖 29 番目のリジン（Lys）残基がグルタミン酸（Glu）に置換されている。これらの置換により、インスリングルリジンは、単量体でより安定的に存在する。また、単量体から二量体、さらに、二量体から六量体への会合形成が抑制される。このようにインスリングルリジンは製剤中で単量体として存在する割合が大きいため、皮下投与後、速やかに血流に到達し、超速効型のプロファイルを示す。

【副作用】低血糖、アナフィラキシーショックなど

中間型インスリンリスプロ

インスリンリスプロに持続化剤としてプロタミンを添加した製剤で中間型である。インスリンリスプロは、超速効型であるが、プロタミンを添加により、中間型として使用できるようになる。

インスリングラルギン　Insulin glargine

持続型のインスリンアナログである。ヒトインスリンの A 鎖 21 位のアスパラギン（Asn）がグリシン（Gly）に置換され、さらに、B 鎖 30 位の後にアルギニン（Arg）を 2 分子付加（31 位、32 位）したものである。インスリングラルギンは酸性溶液中では溶解するが、pH が中性付近になると溶解性が低下する。したがって、pH 約 4 に調整された注射剤中では無色澄明な溶液であるが、皮下に投与すると直ちに微細な沈殿物（インスリングラルギン）となり、そこに滞留し、その後、緩徐に溶解して血中に移行する。このため、24 時間にわたりほぼ一定の濃度で明らかなピークを示さない血中濃度推移を示すことになる。

【副作用】低血糖、アナフィラキシーショックなど

インスリンデテミル　Insulin detemir

持続型のインスリンアナログである。ヒトインスリンの B 鎖 30 位のスレオニン（Thr）を取り除き、B 鎖 29 位のリシン（Lys）にミリスチン酸が付加されている。インスリングラルギンとほぼ同等の有効性をもつと考えられ、低血糖の発現率も同等であったと報告されている。一方、インスリンデテミルは、中性なので、酸性であるインスリングラルギンと比べると注射時の痛みが少なく、また、生理学的 pH で微小な沈殿物を形成するインスリングラルギンに比べると吸収の変動が少ない点が利点であるとされている。

【副作用】低血糖、アナフィラキシーショック、血管神経性浮腫など

インスリンデグルデク　Insulin Degludec

持続型のインスリンアナログである。インスリンデグルデクは、ヒトインスリンの B 鎖 30 位のスレオニン（Thr）を取り除き、L- γ - グルタミン酸をスペーサーとしてヘキサデカン二酸を付加している。インスリンデグルデクは、製剤中では可溶性のジヘキサマーとして存在するが、投与後、皮下組織において会合して、可溶性で安定なマルチヘキサマーを形成し、一時的に注射部皮下組織にとどまる。インスリンデグルデクモノマーはマルチヘキサマーから徐々に解離するため、投与部位から緩徐にかつ持続的に血中に吸収され、長い作用持続時間をもたらす。さらに、皮下注射部位及び血中で脂肪酸側鎖を介してアルブミンと結合し、作用の持続化に寄与する。

【副作用】低血糖、アナフィラキシーショックなど

インスリン分泌促進薬

インスリン分泌促進薬として、以前から分子中にスルホニル尿素（SU）の構造をもつスルホニル尿素薬およびその類似体が用いられている。また、近年、血糖値依存的にインスリン分泌促進作用を示す消化管ホルモンのインクレチンの作用が解明され、これに関連した薬物も用いられるようになっている。これらの薬物は、いずれも、内因性のインスリン分泌を促進することで、血糖値を低下させるので、1 型糖尿病患者には無効である。

スルホニル尿素薬

【作用機序】スルホニル尿素（SU）の構造をもつ薬物群で、膵臓 β 細胞の特異的結合部位であるスルホニル尿素受容体に結合して、ATP 感受性 K^+チャネルを遮断し、細胞を脱分極させて、内因性インスリン分泌を促進する。

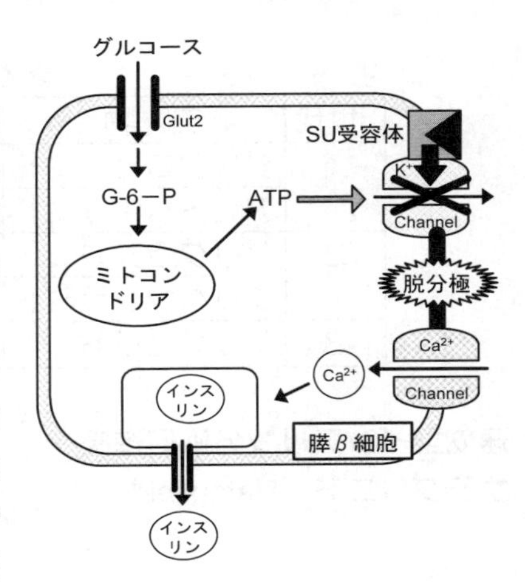

スルホニル尿素薬は、いくつかの薬物が使用されているが、作用強度や作用持続時間などが異なっており、これらをもとに、第一世代から第三世代に分類されている。いずれの薬物も経口投与により、消化管から吸収される。また、血清タンパク質と結合して存在

するものが多いので、薬物相互作用には注意が必要である。肝臓で代謝され、代謝物が尿中に排泄されるので肝機能障害、腎機能障害患者にも注意が必要である。

【副作用】（共通）低血糖、血液障害など

グリクロピラミド　Glyclopyramide

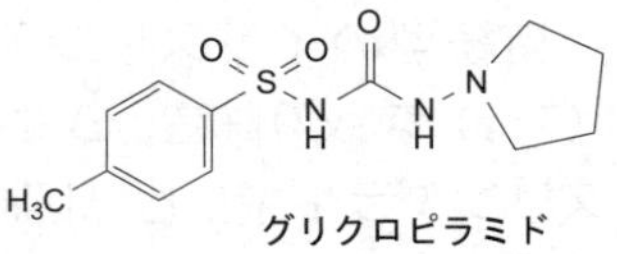

　第一世代の薬物で、作用時間が、比較的短い。

グリクロピラミド

アセトヘキサミド　Acetohexamide

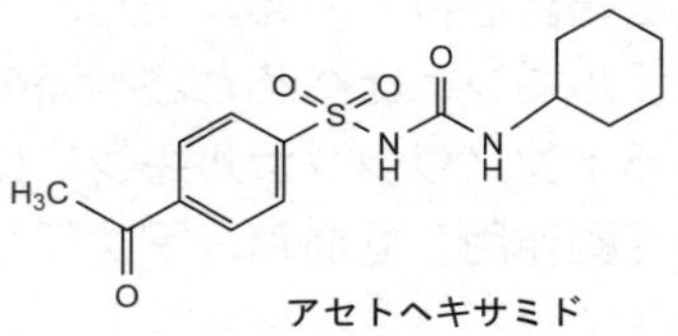

　第一世代で、作用時間は、グリクロピラミドとクロルプロパミドの中間である。

アセトヘキサミド

グリクラジド　Gliclazide

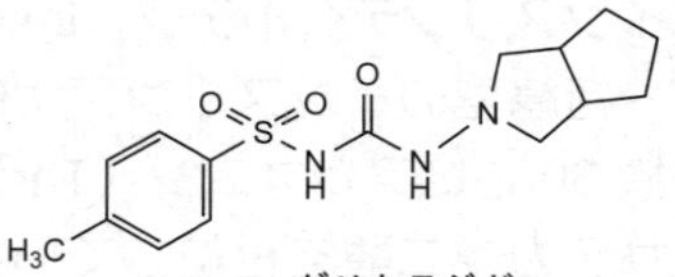

　第二世代で、血糖値低下作用以外に抗酸化作用や血小板機能亢進の抑制作用があり、糖尿病の血管病変への効果が期待されている。

グリクラジド

グリベンクラミド　Glibenclamide

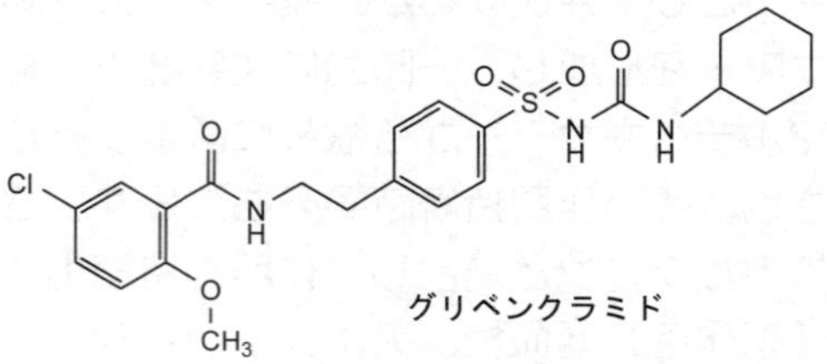

　第二世代で、現在、認可されている SU 薬の中では、血糖値下降作用が最も強い。

グリベンクラミド

グリメピリド　glimepiride

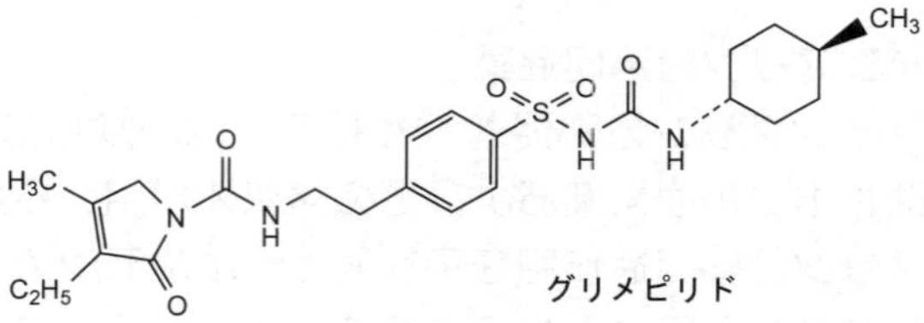

　第三世代である。インスリン分泌促進作用はあまり強くないが、血糖降下作用は、強力（グリベンクラミドと同等）で血糖値降下作用には、インスリン分泌促進以外の機序も関与すると考えられ、その機序として、インスリン感受性の増強作用が関与すると考えられている。

グリメピリド

参考：SU 剤の 1 日の投与量

世代	薬　物	持続時間（h）	1 日投与量（mg）
1	グリクロピラミド	6	125 ～ 250
	アセトヘキサミド	10 ～ 16	250 ～ 1000
2	グリクラジド	6 ～ 12	40 ～ 160
	グリベンクラミド	12 ～ 18	1.25 ～ 10
3	グリメピリド	6 ～ 24	1 ～ 6

速効型インスリン分泌促進薬

ナテグリニド　Nateglinide

【作用機序】フェニルアラニン誘導体でスルフォニル尿素の構造を持たないが、スルフォニル尿素薬と同様に、膵β細胞の SU 受容体に結合して、ATP 依存性 K^+チャネルを遮断し、細胞を脱分極させて、内因性のインスリン分泌を促進させ、血糖値を低下させる。スルフォニル尿素薬と同様に、1 型糖尿病には無効である。ナテグリニドは、吸収が速く、そのため作用が迅速に現れるので、食前に投与することで食後高血糖を抑制できるため、食後高血糖の改善の目的で食直前に投与される。ナテグリニドは、従来の SU 剤より、消失も速やかなので低血糖の発生が少ないと考えられる。

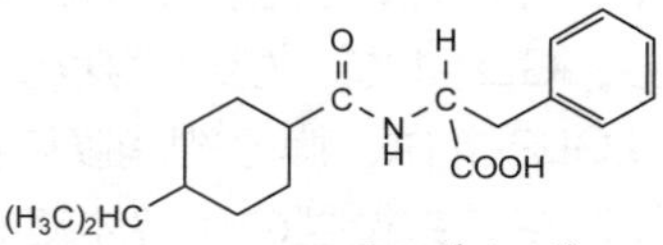

ナテグリニド

【副作用】低血糖、心筋梗塞、突然死、肝機能障害など

ミチグリニド　Mitiglinide

レパグリニド　Repaglinide

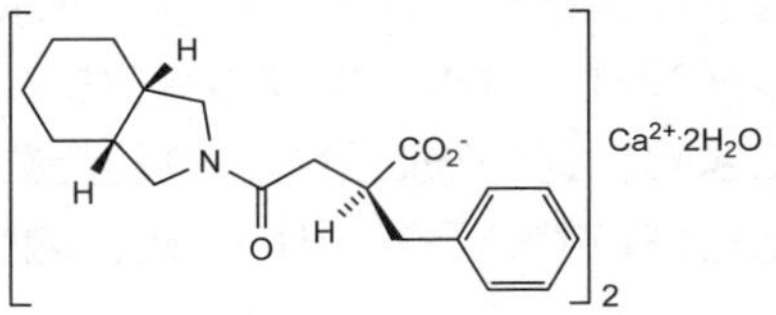

【作用機序】両薬物ともに、ナテグリニドと同様にスルフォニル尿素の構造を持たないが、SU 受容体に結合して ATP 依存性 K^+チャネルを遮断し、内因性インスリン分泌を促進させる。両薬物ともに、ナテグリニドと同様２型糖尿病患者の食後高血糖を抑制する目的で食直前に投与されている。

ミチグリニドカルシウム水和物

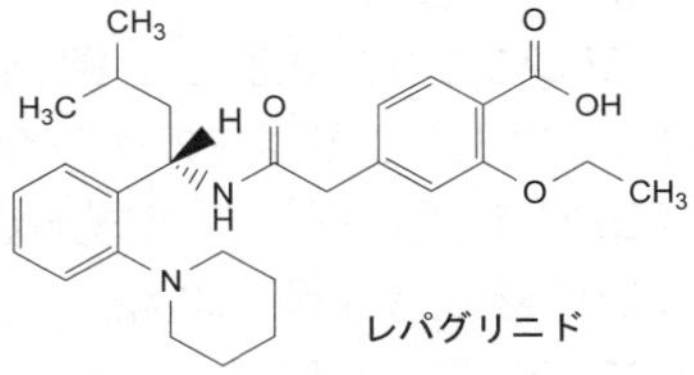

レパグリニド

【副作用】低血糖、心筋梗塞、肝機能障害など

ミトコンドリア機能改善薬

イメグリミン　Imeglimin

【作用機序】膵β細胞における血糖値依存的なインスリン分泌促進と、肝臓・骨格筋における糖新生抑制・糖取り込み能改善によって血糖値降下作用を示す。これらの作用にはミトコンドリアを介した各種作用が関係していると推定されている。

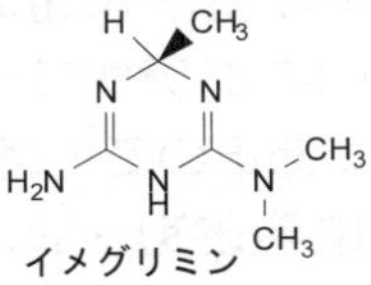

イメグリミン

【副作用】低血糖など

インクレチン関連薬

インクレチンとは

インクレチンとは、食事の摂取により消化管から分泌されるペプチドホルモンの総称で、現在までに、glucose-dependent insulinotropic polypeptide（GIP）と glucagon-like peptide-1（GLP-1）が発見されている。GIP は、主に小腸上部から、GLP-1 は、主に小腸下部から分泌され、ともに、血糖値の上昇とともに、膵β細胞からの内因性インスリン分泌を増加させ、血糖値の上昇を抑制する。すなわち、インクレチンは、血糖値依存的な内因性のインスリン分泌促進因子である。2 型糖尿病においては、GLP-1 の分泌が低下し

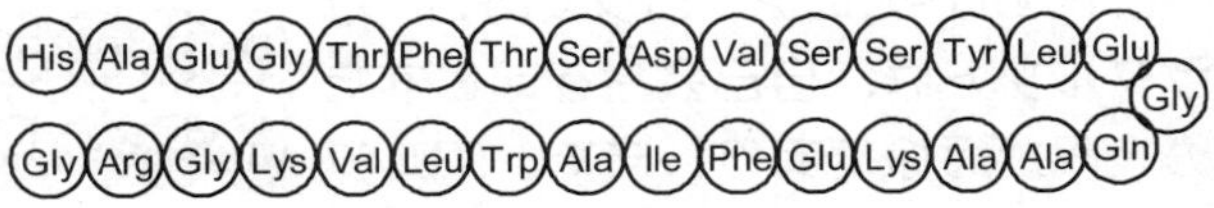

His Ala Glu Gly Thr Phe Thr Ser Asp Val Ser Ser Tyr Leu Glu Gly Gln Ala Ala Lys Glu Phe Ile Ala Trp Leu Val Lys Gly Arg Gly

GLP-1

ていること、および、GLP-1 を投与すると血糖値が低下することが示され、これらにより、GLP-1 が 2 型糖尿病の治療薬のターゲットとして注目されるようになった。

GLP-1 は、膵β細胞膜に存在する GLP-1 受容体を刺激する。GLP-1 受容体は、Gs タンパク質共役型の受容体であり、受容体が刺激されると、cAMP が増加する。cAMP は、A キナーゼを介して膜電位依存性 Ca^{2+}チャネルを開口し、インスリン分泌を促進する。また、GLP-1 は、膵α細胞からのグルカゴン分泌も血糖値依存的に抑制するので、これによっても血糖値の上昇が抑制される。このような血糖値調節ホルモンの分泌調節作用に加え、GLP-1 には、胃から腸への食物排出抑制作用があり、これによっても、食後高血糖が抑制されると考えられている。さらに、中枢においては、食欲抑制作用を示し体重増加を抑制すると考えられている。このように GLP-1 は、インスリン分泌促進作用だけではなく、種々の作用により、糖尿病に効果を示すと考えられる。一方、分泌されたインクレチンは、ジペプチジルペプチダーゼ-4（Dipeptidyl peptidase-Ⅳ；DPP-4）などの酵素により、速やかに分解されるため、血中半減期が非常に短く（GLP-1 が 2 分、GIP が 5 分とされている）、そのため、内因性の GLP-1 の作用は持続しない。

インクレチン関連薬

インクレチンに関連した薬物として、現在までに、GLP-1 受容体を直接刺激する GLP-1 アナログと内因性のインクレチンの分解を触媒する酵素である DPP-4 を阻害する薬物（DPP-4 阻害薬）が糖尿病治療薬として用いられるようになっている。GLP-1 のインスリン分泌促進作用（血糖降下作用）は、血糖値の上昇に依存しているので、副作用である低血糖の発症頻度は、スルホニル尿素薬のような以前から用いられているインスリン分泌促進薬よりも低いことが期待されている。

GLP-1 受容体刺激薬

GLP-1 アナログが製剤化され、治療に用いられているが、いずれも、ポリペプチド製剤であるので、経口投与はできず、注射（皮下注射）剤として用いなければならない。

【作用機序】内因性の GLP-1 と同様に膵β細胞の GLP-1 受容体を刺激して血糖値依存的なインスリン分泌促進作用を示す。また、膵α細胞からのグルカゴン分泌を血糖値依存的に抑制する。

リラグルチド（遺伝子組換え）Liraglutide（Genetical Recombination）

ヒト GLP-1 のアナログである。リラグルチドは、自己会合を起こすため吸収が緩徐であり、また、アルブミンと結合するため、代謝酵素（DPP-4 および中性エンドペプチダーゼ）に対し、安定性を示すので、作用が持続する。

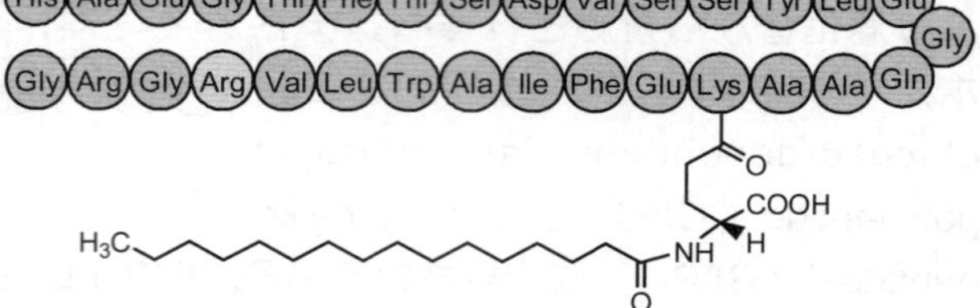

【副作用】低血糖、膵炎、腸閉塞など

His Ala Glu Gly Thr Phe Thr Ser Asp Val Ser Ser Tyr Leu Glu Gly Gln Ala Ala Lys Glu Phe Ile Ala Trp Leu Val Arg Gly Arg Gly

O
COOH
H_3C
NH
H
O

リラグルチド

エキセナチド　Exenatide

エキセナチド

化学合成されたアミノペプチドで、トカゲ（Heloderma Suspectum）由来のエキセンディン-4 と同じ 39 個のアミノ酸からなる。配列はヒト GLP-1 と異なるが、ヒトにおいても GLP-1 受容体を刺激する。また、N 末端配列が異なることから、DPP-4 による分解に抵抗性を示し、作用が持続する。週 1 回投与する薬剤となっている。

【副作用】低血糖、腎不全、急性膵炎、アナフィラキシー反応、血管浮腫、腸閉塞など

リキシセナチド　Lixisenatide

リキシセナチド

44 個のアミノ酸からなるるペプチドで、トカゲ（Heloderma Suspectum）由来のエキセンディン-4（Exendin-4）と類似した合成 GLP-1 受容体アゴニストである。N 末端を変換することにより、DPP-4 による分解に抵抗性を示すことに加え、C-末端を伸張することにより GLP-1 よりも安定性が増していると考えられる。GLP-1 受容体を刺激し、細胞内 cAMP を上昇させ、グルコース濃度依存的にインスリン分泌を刺激する。

【副作用】低血糖、急性膵炎、アナフィラキシー反応、血管浮腫など

デュラグルチド　Dulaglutide

275 個のアミノ酸残基からなるサブユニット 2 個から構成される糖タンパク質（分子量：約 63,000）である。遺伝子組換え融合糖タンパク質であり、1 ～ 31 番目は改変型ヒトグルカゴン様ペプチド 1、48 ～ 275 番目は改変型ヒト IgG4 の Fc ドメインからなり、2、16、30、57、63 及び 64 番目のアミノ酸残基がそれぞれ Gly、Glu、Gly、Pro、Ala および Ala に置換されている。アミノ酸残基の置換により DPP-4 による分解に抵抗性を示し、分子量の増加により吸収速度および腎クリアランスが低下することで作用が持続する。週 1 回投与する薬剤となっている。

【副作用】低血糖など

セマグルチド　Semaglutide

31 個のアミノ酸残基からなる修飾ペプチドで、ヒト GLP-1 の 7 ～ 37 番目のアミノ酸に相当し、2 番目の Ala は 2-アミノ-2-メチルプロパン酸に、28 番目の Lys は Arg に置換され、1,18-オクタデカン二酸が 1 個の Glu 及び 2 個の 8-アミノ-3,6-ジオキサオクタン酸で構成されるリンカーを介して 20 番目の Lys に結合している。デュラグルチドと同様に週 1 回投与する薬剤となっている。

【副作用】低血糖、急性膵炎など

GIP/GLP-1 受容体刺激薬

GLP-1 受容体と GIP 受容体をともに刺激して血糖値依存的なインスリン分泌促進作用を示す。

チルゼパチド　Tirzepatide

2022 年に上市された 39 個のアミノ酸残基からなる合成ペプチドで、2 および 13 番目のアミノ酸残基は 2-methyl アラニン、C 末端はアミド化されたセリンとなっている。GLP-1 受容体と GIP 受容体をともに刺激して血糖値依存的なインスリン分泌促進作用を示す。チルゼパチドも週に 1 回投与する薬剤である。

【副作用】低血糖、急性膵炎、胆嚢炎、胆管炎、胆汁うっ滞性黄疸など

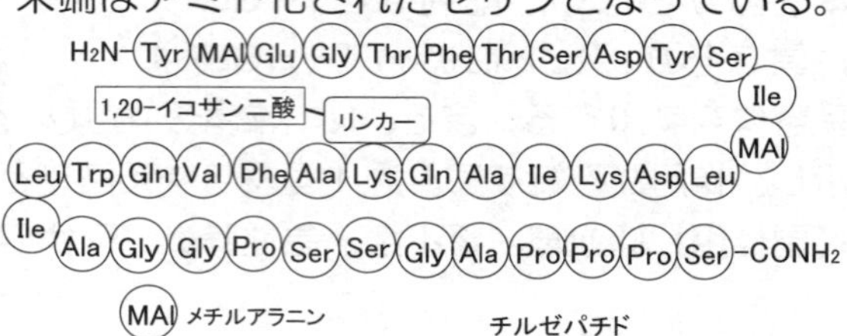

Dipeptidyl peptidase-Ⅳ（DPP-4）阻害薬

ジペプチジルペプチダーゼ－4（DPP-4）は、アミノ基側末端から 2 番目にプロリンあるいはアラニン残基を有するペプチドからジペプチドを切り出す酵素である。インクレチンは、アミノ基側末端から 2 番目がアラニン残基である。DPP-4 を阻害すると、インクレチンの分解が抑制され、血中濃度が維持されることになる。したがって、DPP-4 阻害薬により、内因性のインクレチンの作用が持続するようになる。DPP-4 阻害薬は、GLP-1 アナログと異なり、経口で使用できる。我が国では、2009 年にまず、シタグリプチンが発売され、その後、次々と上市されてきた。2015 年には週に 1 回投与すれば効果が得られるトレラグリプチンおよびオマリグリプチンが上市された。

シタグリプチン　Sitagliptin、　ビルダグリプチン　Vildagliptin、
アログリプチン　Alogliptin、リナグリプチン　Linagliptin、
テネリグリプチン　Teneligliptin、　アナグリプチン　Anagliptin、
サキサグリプチン　Saxagliptin、　トレラグリプチン　Trelagliptin、
オマリグリプチン　Omarigliptin

【【作用機序】インクレチンの分解酵素である DPP-4 を阻害して、血中のインクレチンの分解を抑制し、インクレチン濃度の低下を抑制する。これにより、インクレチンによる血糖値依存的なインスリン分泌促進作用およびグルカゴン分泌抑制作用が増強され、血糖値が低下する。

【副作用】低血糖（全てに共通）。アナフィラキシー反応、皮膚粘膜眼症候群（Stevens-Johnson 症候群）、剥脱性皮膚炎（シタグリプチン）。肝炎、肝機能障害、血管浮腫

（ビルダグリプチン）、腸閉塞（リナグリプチン、テネリグリプチン、サキサグリプチン）、急性膵炎（サキサグリプチン）など

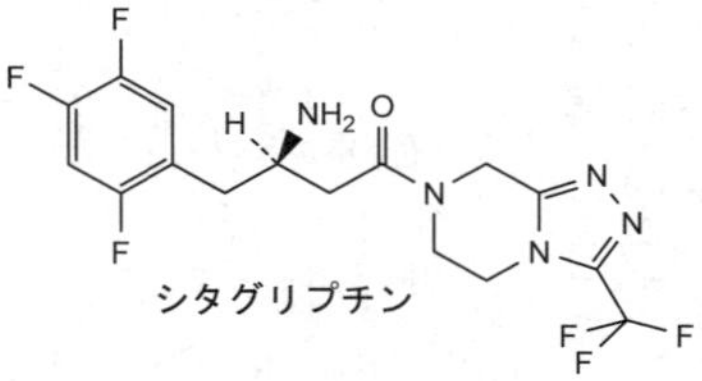

シタグリプチン 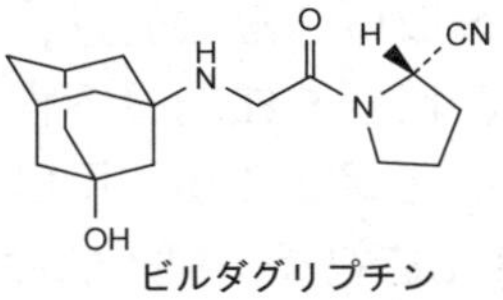　ビルダグリプチン 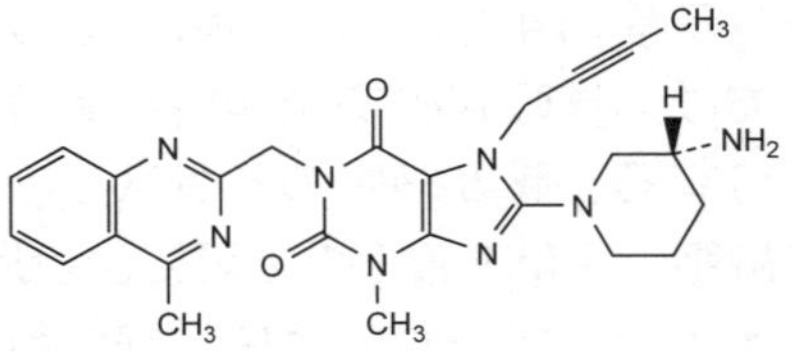　リナグリプチン

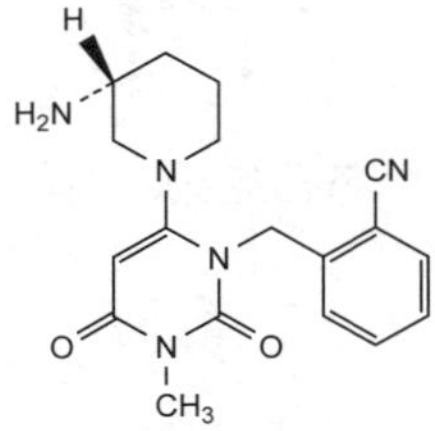

アログリプチン 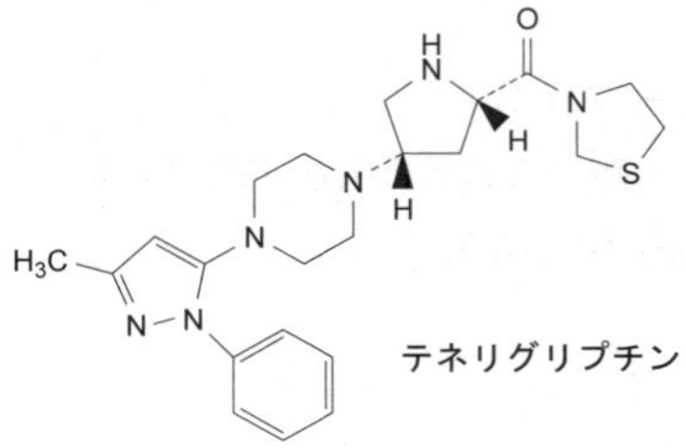　テネリグリプチン 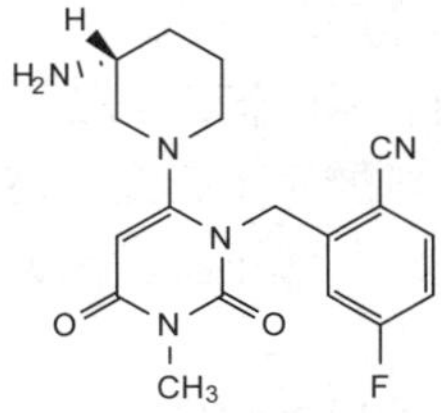　トレラグリプチン

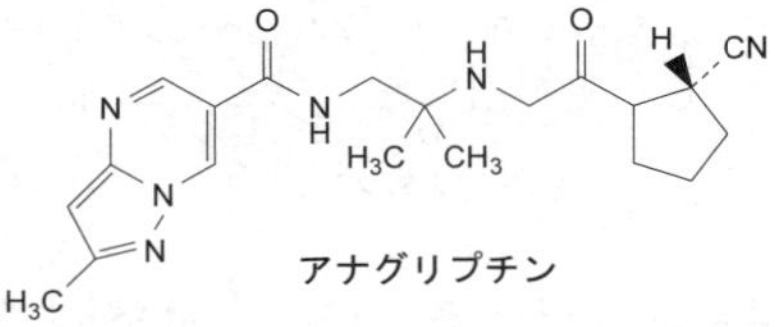

アナグリプチン 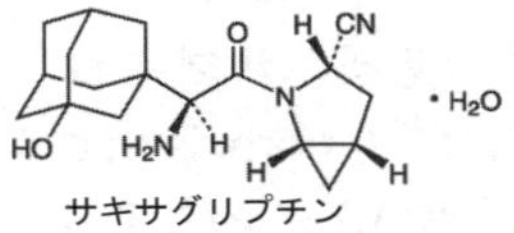　サキサグリプチン 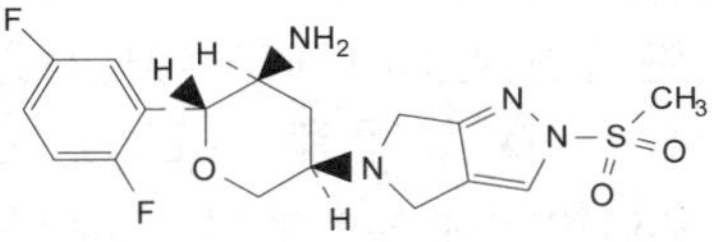　オマリグリプチン

α-グルコシダーゼ阻害薬

アカルボース　**Acarbose**、ボグリボース　**Voglibose**、ミグリトール　**Miglitol**

【作用機序】糖質の消化吸収を抑制する薬物である。α-グルコシダーゼを競合的に阻害して、二糖類が単糖になるのを阻害する。食直前の投与で、食後高血糖を抑制できる。

アカルボースのα-グルコシダーゼ阻害作用は、ボグリボースおよびミグリトールより弱いが、アカルボースにはα-アミラーゼ阻害作用もある。

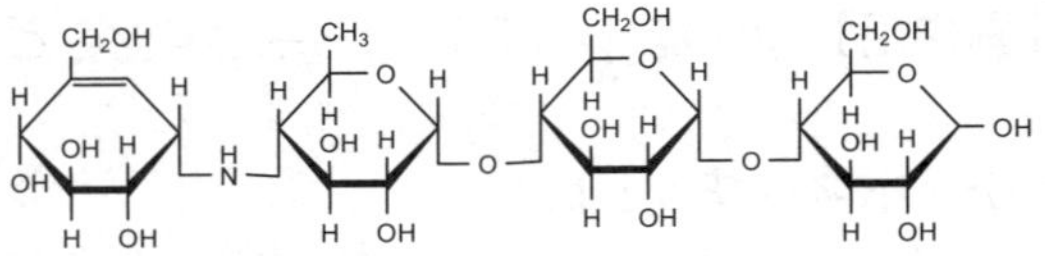

アカルボース

【副作用】低血糖、肝機能障害、腸閉様症状、腹部膨満、放屁増加、下痢など。

通常、糖質は、上部消化管で 100%消化され、吸収されるが、α-グルコシダーゼを阻害すると、未消化の状態で下部消化管へ到達することになるので、腸内細菌により異常発酵し、腹部膨満、放屁、下痢などが起こる。また、低血糖症状に対しては、α-グルコシダーゼが阻害されているのでショ糖ではなく、ブドウ糖を投与する。

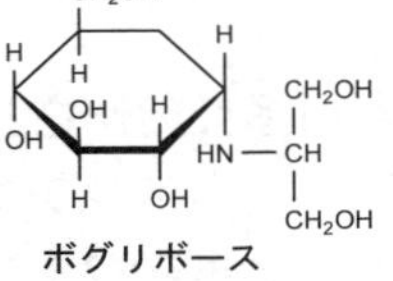

ボグリボース 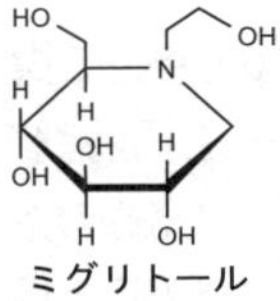　ミグリトール

ビグアニド薬

メトホルミン　Metformin、ブホルミン　Buformine

【作用機序】主に肝臓における糖新生を抑制し、血糖降下作用を示す。また、末梢組織における糖取り込みの促進、小腸における糖吸収の抑制作用があり、これらも血糖降下作用に関与する。膵β細胞のインスリン分泌を促進する作用はない。細胞内 AMP 濃度の上昇により活性化される AMP 依存性プロテインキナーゼの活性化が関与すると考えられているが、作用機序には不明な点もある。長期的には体重増加や食欲も抑制する作用がある。

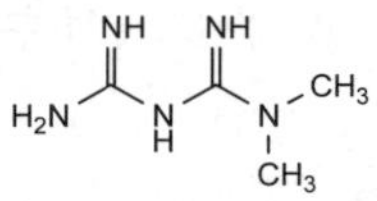

メトホルミン

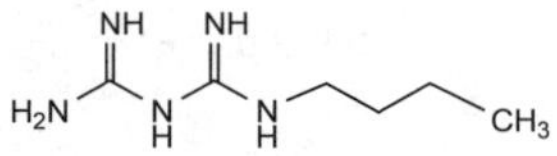

ブホルミン

【副作用】低血糖、乳酸アシドーシスなど

【禁忌】乳酸産生を増加させる（嫌気的解糖系の亢進による）傾向があるため、乳酸アシドーシス、心不全、腎透析患者等には禁忌。

チアゾリジン誘導体

ピオグリタゾン　Pioglitazone

【作用機序】インスリン抵抗性改善薬ともいわれ、脂肪細胞分化に必須の転写因子であるペルオキシソーム増殖剤応答性受容体（peroxisome proliferator-activated receptor：PPAR）γのアゴニストとして作用し、末梢組織においてインスリンの感受性を高める。特に、骨格筋での糖の取り込みを亢進させる。ピオグリタゾンは、脂肪細胞において、インスリン感受性増強因子であるアディポネクチンの産生を高める。一方、インスリン抵抗性を誘発する腫瘍壊死因子（TNF）-αの産生を抑制する。これらにより、インスリン抵抗性が改善される。血糖値だけではなく、中性脂肪を低下させ、高比重リポタンパク質（HDL）を上昇させる。PPARγは、現在、組織のインスリン感受性を亢進させる糖尿病治療のターゲットの一つとなっている。

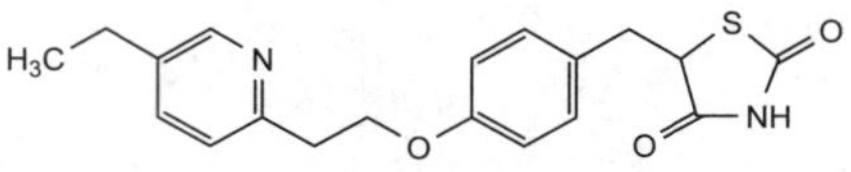

ピオグリタゾン

【副作用】低血糖、心不全、肝機能障害など

アディポネクチンとは

アディポネクチンとは、脂肪細胞から特異的に分泌される生理活性物質（アディポサイトカイン）の１つで、以下のような作用が指摘されている。

①　インスリンのシグナル伝達に重要で、その分泌低下や不全がインスリン抵抗性や糖尿病の発症に関連する。

②　小型脂肪細胞から多く分泌されるが、大型脂肪細胞からは分泌が減少する。

③　肥満の進行でアディポネクチン血中濃度低下し、インスリン抵抗性が増大する。

④　肥満の解消でアディポネクチン血中濃度回復する（糖尿病によって体重が低下した場合は、血中濃度が低値を示す）。

⑤　血中アディポネクチン値は肥満、内臓脂肪の蓄積量と負の相関を示す。

⑥　血中濃度の低下はインスリン抵抗性発症と関連している。アディポネクチンの投与により血糖値は低下する。

⑦　肥満マウスにおいて、骨格筋、肝の TG 量を低下させ、インスリン抵抗性を改善する。
⑧　骨格筋の脂肪酸酸化およびエネルギー消費を増加させる。

SGLT（Sodium-glucose cotransporter）2 阻害薬

腎におけるグルコースの再吸収に重要な役割を演ずる SGLT（Sodium-glucose cotransporter：ナトリウム・グルコース共輸送体）２を阻害して、糖の再吸収を阻害して排泄を促進し、血糖値を低下させる薬物で、2020 年 3 月の時点で、6 種の薬物が用いられている。

SGLT は、Na^+の細胞内外の濃度差として蓄えられたエネルギーを用いてグルコースの細胞内への取り込みを行なう糖輸送体で、現在までに 6 種のアイソフォーム（SGLT1 ～ SGLT6）が同定されている。近位尿細管におけるグルコースの再吸収には SGLT1 と SGLT2 が管腔側でその役割を担っているが、近位尿細管における発現量は、SGLT1 よりも SGLT2 が多く、原尿中から血液に再吸収されるグルコースの約 90%が SGLT2 によるものであるとされる。また、2 型糖尿病患者は、健常人に比較し、SGLT2 の発現量が増加しているという研究データが出されている。SGLT2 の発現量の増加は、結果的にグルコースの再吸収量を亢進させ、このことも血糖値上昇に関与すると考えられている。

腎におけるグルコース再吸収と尿糖：血中のグルコースは腎糸球体で原尿中に分泌されるが、近位尿細管を通過する過程でほとんどが再吸収される。健康人では通常、1 日に約 180 g のグルコースがろ過されるが、近位尿細管において、ほとんど（ほぼ 100%）が再吸収されるため、尿中に糖（ブドウ糖）は検出されない。しかし、この再吸収量には限界があり、限界量を超えて排出された場合には、尿糖として排泄される。限界量を超えて排出されるのは、血糖値にして 180 ～ 200 mg/dL 程度で、個人差もあるといわれている。健康人は、食後でも血糖値が 140 mg/dL 未満であるため、通常、尿糖は認められないことになる。尿糖の出現は、糖尿病症状の 1 つであるとともに、高血糖を回避するために必要な防御機構ともいえる。

SGLT2 阻害薬の適用：SGLT2 阻害薬は、承認されてしばらくは、2 型糖尿病患者にのみ使用可能であったが、2018 年 12 月にイプラグリフロジンが、また、2019 年 3 月にダパグリフロジンが、1 型糖尿病患者に対してもインスリンと併用する場合に限られるが、使用できるようになった。両薬物ともに、1 型糖尿病患者に対する適用に当たっては、あらかじめ適切なインスリン治療を十分に行った上で、血糖コントロールが不十分な場合に限ることやインスリン代替薬ではないことが明記されている。

イプラグリフロジン　**Ipragliflozin**、ダパグリフロジン　**Dapagliflozin**、
ルセオグリフロジン　**Luseogliflozin**、トホグリフロジン　**Tofogliflozin**、
カナグリフロジン　**Canagliflozin**、エンパグリフロジン　**Empagliflozin**

【作用機序】近位尿細管において、ブドウ糖再吸収に主要な役割を演ずる SGLT2 を選択的に阻害して腎からのブドウ糖の再吸収を阻害し、尿中への排泄を促進して血糖値を低下させる。腎臓に作用する治療薬であるという点で既存の血糖降下薬とは異なっている。また、血糖値の低下は、インスリン分泌に依存していない。

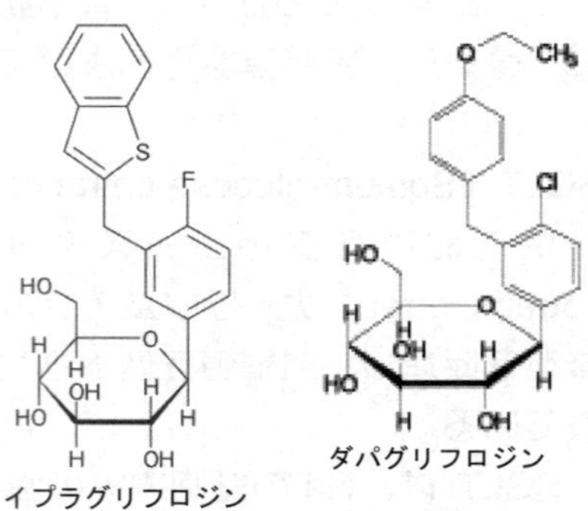

【副作用】低血糖、腎盂腎炎など。また、多尿による脱水（特に腎機能が低下している患者、高齢者）、尿糖が頻発することによる尿路感染症、性器感染症（特に女性）が予想されている。

ルセオグリフロジン　トホグリフロジン　カナグリフロジン　エンパグリフロジン

糖尿病合併症治療薬

エパルレスタット　Epalrestat

【作用機序】アルドース還元酵素を阻害して、グルコースからソルビトールへの変換を抑制し、細胞内へのソルビトールの蓄積を減少させる。

ソルビトールの蓄積は、末梢神経症や血管障害などの糖尿病の合併症の原因となるため、エパルレスタットにより、アルドース還元酵素を阻害することで、ソルビトールの蓄積による糖尿病の合併症を軽減する。エパルレスタットは、軽症例に特に有効である。

エパルレスタット

【副作用】血小板減少、肝機能障害など

メキシレチン　Mexiletine（抗不整脈薬の項参照）

【作用機序】電位依存性 Na^+チャネルを遮断する。糖尿病モデル動物では、正常な神経伝導に影響を与えることなく、知覚神経の自発性活動電位の発生を抑制した。また、中枢神経系（脊髄レベル）において、サブスタンス P の遊離抑制や血漿中エンドルフィン濃度の増加が確認されている。機械的侵害刺激（Tail-pinch）、熱的侵害刺激（Tail-flick）および化学的侵害刺激（ホルマリン誘発、ソマトスタチン誘発、サブスタンス P 誘発）に対する鎮痛効果が確認されている。

メキシレチン

【副作用】中毒性表皮壊死症（Lyell 症候群）、皮膚粘膜眼症候群（Stevens-Johnson 症候群）、紅皮症、過敏症症候群、心室頻拍、房室ブロック、腎不全、幻覚、錯乱、肝機能障害、間質性肺炎、好酸球性肺炎 など

デュロキセチン　Duloxetine（抗うつ薬の項参照）

【作用機序】セロトニンおよびノルアドレナリンの取り込みをともに阻害し、鎮痛作用を示す。

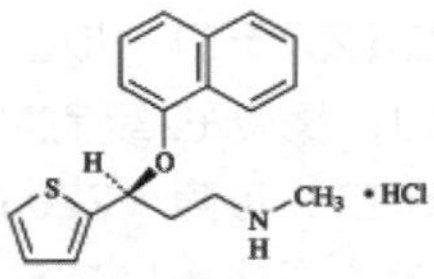

【副作用】セロトニン症候群、悪性症候群、抗利尿ホルモン不適合分泌症候群（SIADH）、痙攣、幻覚、肝機能障害、肝炎、黄疸、皮膚粘膜眼症候群（Stevens-Johnson 症候群）、7.　アナフィラキシー反応、高血圧クリーゼ、尿閉など

デュロキセチン

プレガバリン　Pregabalin（鎮痛薬の項参照）

糖尿病性腎症治療薬

糖尿病性腎症の治療として、アンギオテンシン変換酵素阻害薬のイミダプリルやアンギオテンシン AT_1 受容体遮断薬のロサルタンが使用される。

高インスリン血性低血糖症治療薬

ジアゾキシド　Diazoxide

【作用機序】主に膵島 β 細胞の ATP 感受性 K^+チャネルを活性化させることにより、インスリン分泌を抑制すると考えられている。

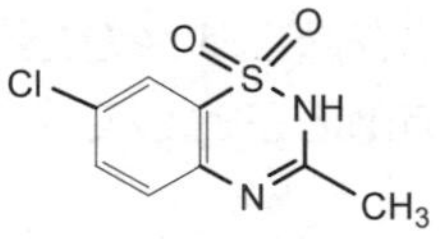

【副作用】重篤な体液貯留、うっ血性心不全、ケトアシドーシス、高浸透圧性昏睡、急性膵炎、膵壊死、血小板減少など

ジアゾキシド

7．脂質異常症治療薬（高脂血症治療薬）

脂質異常症

脂質異常症とは、疫学調査などにより、将来、動脈硬化疾患の発症の危険が高い脂質レベルであり、以下の①～③のいずれかが認められたときをいう。従来、血清脂質のうち、コレステロールとトリグリセリドのいずれかまたは、両方が増加した状態を高脂血症と呼び、薬物も高脂血症治療薬と呼ばれてきた。診断基準には、①～③に加え、血中総コレステロール値（220mg/dL 以上が異常）が設けられていたが、現在は、除外されている。また、高比重リポタンパク質（HDL）（診断基準③）は、高値ではなく低値であることが問題で、高脂血症という名称とは解離していることなども考慮され、現在では、高脂血症から脂質異常症と改称されている。ただし、治療薬はいずれも、低比重リポタンパク質またはトリグリセリドを低下させることに主眼をおいた薬物となっている。

① トリグリセリド（TG）が150mg/dL以上
② 低比重リポタンパク質（LDL）が140mg/dL以上
③ 高比重リポタンパク質（HDL）が40mg/dL未満

脂質異常症と動脈硬化

脂質異常症は、粥状動脈硬化の危険因子である。動脈硬化の誘発に直接関与する主な因子はLDLで、脂質の代謝経路のうち、スカベンジャー経路が深く関係する。LDLが動脈硬化を起こすメカニズムは、以下のように考えられている。なお、HDLは、これらに対して防御因子として働く。

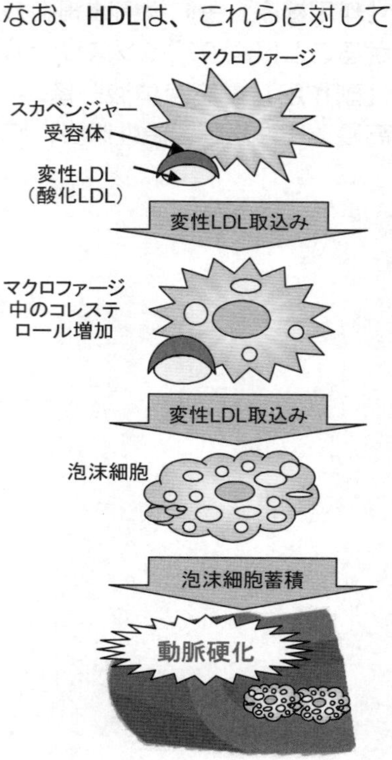

① 高LDL血症のために血中LDLの滞留
② 滞留したLDLの血管内皮細胞下へ潜り込みとその酸化（変性LDL（酸化LDLのの形成）
③ マクロファージ表面に発現したスカベンジャー受容体による変性LDLの取り込み（スカベンジャー経路による異化作用）
③ マクロファージ中の変性LDL増加（泡沫細胞形成）
④ 泡沫細胞の動脈壁への蓄積
⑤ 動脈硬化誘発

一方、高トリグリセリド血症と動脈硬化の直接の因果関係は疑問視されることもあったが最近になって、以下のようなことが明らかになり、トリグリセリドも独立した危険因子と捉えられるようになっている。
① トリグリセリドが高いと、HDLの低下とLDLの増

加が起こりやすくなる。

② トリグリセリドの含有率が高いリポタンパク質であるカイロミクロンやVLDLから生じるレムナントは、マクロファージに取り込まれ、変性LDLと同様に泡沫化させる（血清トリグリセリドが高いほどレムナントが大量に産生される）。

③ トリグリセリドの分解により産生される遊離脂肪酸は、インスリン抵抗性を高める。

脂質異常症の分類

原発性高脂血症：原因不明のもの、家族性高脂血症

続発性（二次性）高脂血症：基礎疾患が存在して、その結果、二次的に高脂血症が誘発された場合。以下の疾患がその例である。

①ネフローゼ症候群（低アルブミン血症になるとリポタンパク質合成が促進）、

②クッシング症候群（高インスリン血症によるTG合成促進）、

③甲状腺機能低下症（コレステロール異化低下）

血中の脂質

リポタンパク		キロミクロン	超低比重（VLDL）	中間比重（IDL）	低比重（LDL）	高比重（HDL）
比重（g/mL）		約 0.95	0.95～1.006	1.006～1.019	1.019～1.063	1.063～1.210
サイズ（Å）		2000～5000	500～800	300	250	80
構成比	タンパク	1～2	10	18	25	40～55
	脂質	98～99	90	82	75	45～60
	TG	88	56	32	7	6～7
	コレステロール	3	17	41	59	38～43
アポタンパク	A-Ⅰ	▲				●
	A-Ⅱ	●				●
	B	●	●	●	●	
	C-Ⅱ	▲	▲			▲
	C-Ⅲ	▲	▲			▲
	E	●	●	●		●

構成比：% ●：主要なタンパク ▲：存在するタンパク

血中には、脂質（脂肪酸、トリグリセリド（TG：中性脂肪）、リン脂質、コレステロール）が存在している。トリグリセリドやコレステロールは、血中ではアポタンパク質と結合したリポタンパク質として存在している。表に示したように、リポタンパク質は、その比重により、カイロミクロン（キロミクロン）から高比重リポタンパク質にまでの 5 段階に分類されている。リポタンパク質により、結合するアポタンパク質も異なっている。

脂質代謝経路

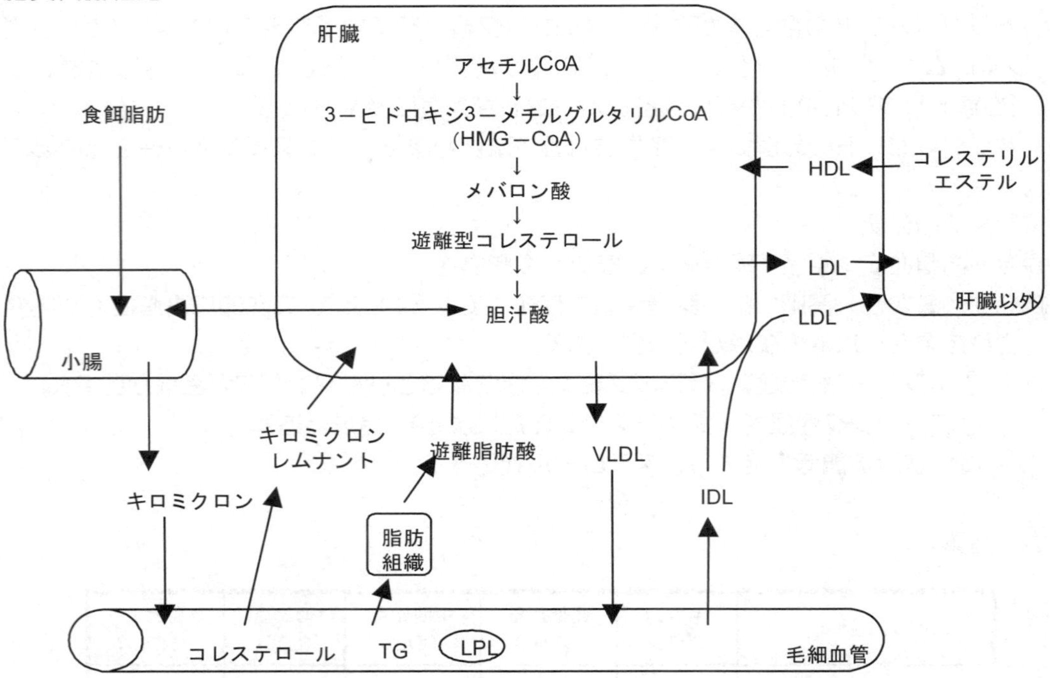

肝臓
アセチルCoA
↓
3－ヒドロキシ3－メチルグルタリルCoA
(HMG－CoA)
↓
メバロン酸
↓
遊離型コレステロール
↓
胆汁酸
食餌脂肪
小腸
HDL
コレステリル
エステル
LDL
LDL
肝臓以外
キロミクロン
レムナント
遊離脂肪酸
VLDL
キロミクロン
IDL
脂肪
組織
コレステロール
TG
LPL
毛細血管

LPL：リポタンパクリパーゼ

食餌由来の脂質および肝で合成された脂質の代謝を簡単に示すと以下のようになる。食餌由来の脂質（主にトリグリセリド、コレステロールも含まれる）は、小腸から吸収された後、カイロミクロンを構成する。カイロミクロンは、血中でリポタンパクリパーゼにより加水分解されるか脂肪細胞に蓄えられる。一方、コレステロール含量が増加したカイロミクロンは、カイロミクロンレムナントとなり、肝に取り込まれ、代謝される。

肝にリポタンパク質として取り込まれたコレステロールの一部と肝で生合成されたコレステロールとトリグリセリドは、超低比重リポタンパク質（VLDL）として血中に分泌されるが血中でリポタンパクリパーゼの作用によりトリグリセリドを失い、中間比重リポタンパク質（IDL）となる。IDLは、肝に取り込まれるか、肝性トリグリセリドリパーゼの作用により、低比重リポタンパク質（LDL）となる。コレステロールの構成比が最も高いのは、LDLである。LDLは、LDL受容体を介して細胞内に取り込まれ、細胞にコレステロールを供給する。LDL受容体は、全身の細胞に存在するが、肝に最も多く存在しており、肝におけるLDLの取り込みが血中のLDL濃度を決定する大きな要因となる。

肝以外の組織の過剰なコレステロールは、コレステリルエステルとして細胞中に蓄えられる。高比重リポタンパク質（HDL）存在下では、コレステリルエステルは、肝に運搬され代謝される。　これらを簡単に示したものが上記の図である。

脂質代謝経路は、通常、食餌により摂取した脂質、すなわち、外因性の脂質の吸収、代謝過程である外因性経路と、肝臓で合成された脂質、すなわち、生体に由来する脂質の代謝経路である内因性経路にわけて考えられることも多い。また、生体には末梢組織で過剰になったコレステロールを再分配する経路をコレステロール逆転送系という。このように、脂質代謝経路は3つに大別されるがそれぞれの経路で関与する主要なリポタンパク質が異なる。肝臓は、脂質代謝にとって重要な臓器である。それぞれの経路の概略を示したのが以下の図である。

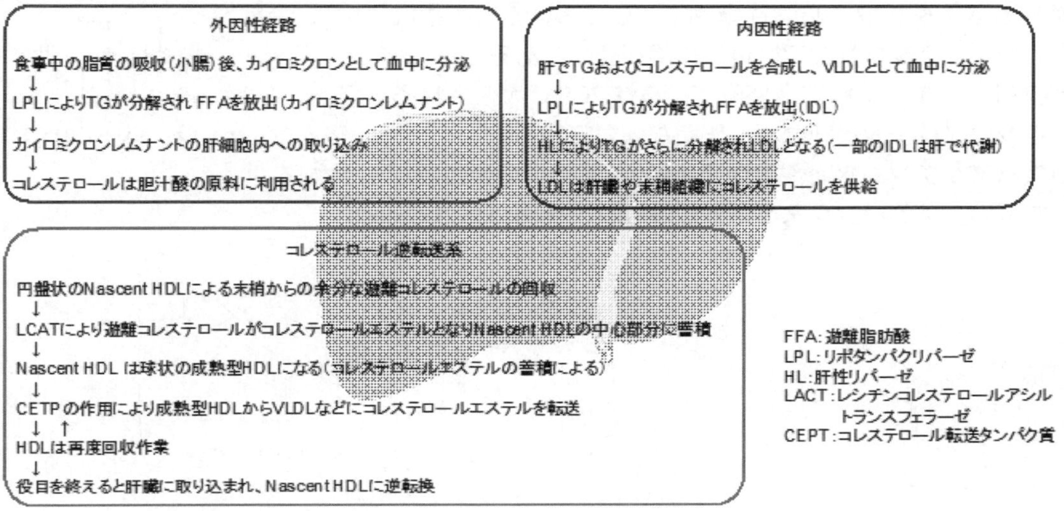

外因性経路

食事中の脂質の吸収（小腸）後、カイロミクロンとして血中に分泌
↓
LPLによりTGが分解され FFAを放出（カイロミクロンレムナント）
↓
カイロミクロンレムナントの肝細胞内への取り込み
↓
コレステロールは胆汁酸の原料に利用される

内因性経路

肝でTGおよびコレステロールを合成し、VLDLとして血中に分泌
↓
LPLによりTGが分解されFFAを放出（IDL）
↓
HLによりTGがさらに分解されLDLとなる（一部のIDLは肝で代謝）
↓
LDLは肝臓や末梢組織にコレステロールを供給

コレステロール逆転送系

円盤状のNascent HDLによる末梢からの余分な遊離コレステロールの回収
↓
LCATにより遊離コレステロールがコレステロールエステルとなりNascent HDLの中心部分に蓄積
↓
Nascent HDL は球状の成熟型HDLになる（コレステロールエステルの蓄積による）
↓
CETP の作用により成熟型HDLからVLDLなどにコレステロールエステルを転送
↓　↑
HDLは再度回収作業
↓
役目を終えると肝臓に取り込まれ、Nascent HDLに逆転換

FFA：遊離脂肪酸
LPL：リポタンパクリパーゼ
HL：肝性リパーゼ
LACT：レシチンコレステロールアシル
トランスフェラーゼ
CEPT：コレステロール転送タンパク質

脂質異常症治療薬

脂質異常症治療薬は、主に血中脂質レベルを低下させる薬物、すなわち、高脂血症治療薬であるが、それらのうちのいくつかの薬物は、HDL 増加作用を併せ持っている。また、高脂血症治療薬は、ヒドロキシメチルグルタリル CoA（HMG-CoA）還元酵素阻害薬や陰イオン交換樹脂のように主にコレステロールを下げる薬物とフィブラート系薬物のように主にトリグリセリドを低下させる薬物に分けられる。

主にコレステロールを下げる薬物

1）ヒドロキシメチルグルタリルCoA（HMG-CoA）還元酵素阻害薬

HMG-CoA還元酵素阻害薬は、スタチンとも呼ばれ、我が国では、脂質異常症治療薬の中でもっともよく使用されている薬物群である。

【作用機序】肝において、コレステロール生合成の過程でヒドロキシメチルグルタリルCoA（HMG-CoA）をメバロン酸へ変換する酵素で、肝のコレステロール生合成過程において律速段階の酵素であるHMG-CoA還元酵素を阻害して、肝コレステロールを低下させる。肝におけるコレステロール生合成が阻害されると、肝細胞表面のLDL受容体が増加し、血中から肝へのLDLの取り込みが増加する。すなわち、血中から肝へのコレステロール取り込みが増加することになり、血中コレステロール値は低下する。また、HMG-CoA還元酵素阻害薬は、コレステロールだけではなく、血中のトリグリセリドも低下させる。一方、HDLは、増加させる。

【適用】高脂血症、家族性高コレステロール血症

【副作用】横紋筋融解症、肝障害、血小板減少、ミオパシー、末梢神経障害、過敏症など

現在、我が国使用されている6種の薬物の特徴を以下に示す。

プラバスタチン：我が国初のスタチンで、水溶性である。主な代謝酵素は、カルボキシエステラーゼ薬物相互作用は少ない。

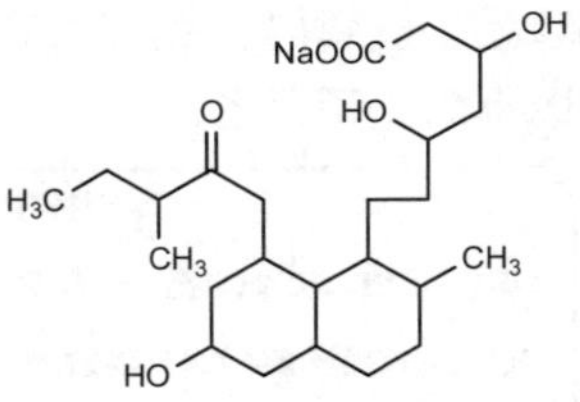

シンバスタチン：脂溶性薬物で、CYP3A4で代謝される。

フルバスタチン：脂溶性薬物で、CYP2C9で代謝される。

アトルバスタチン：脂溶性薬物で、CYP3A4で代謝される。ストロングスタチンと呼ばれ、作用が強力である。

ピタバスタチン：脂溶性薬物で、CYP2C9で代謝される。ストロングスタチンと呼ばれ、作用が強力である

ロスバスタチン：水溶性薬物である。6種の中で半減期がもっとも長い。ストロングスタチンと呼ばれ、作用が強力である。

プラバスタチンナトリウム

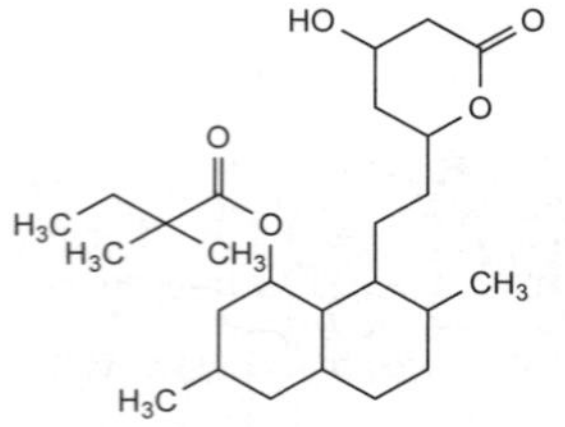

シンバスタチン

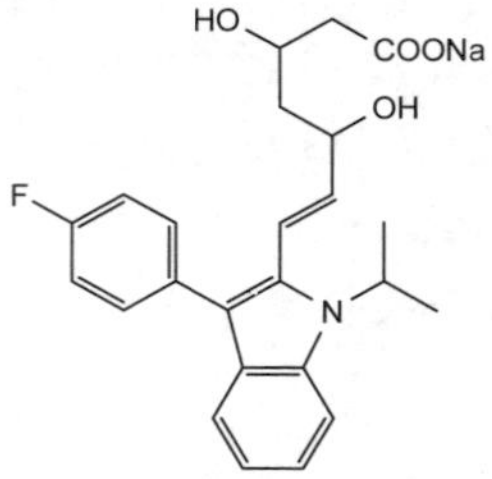

フルバスタチン

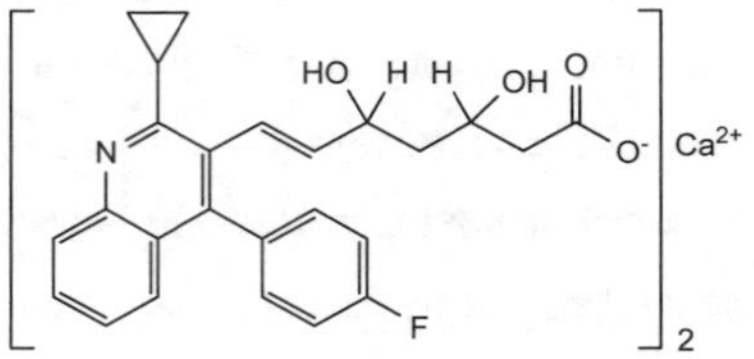

ピタバスタチンカルシウム

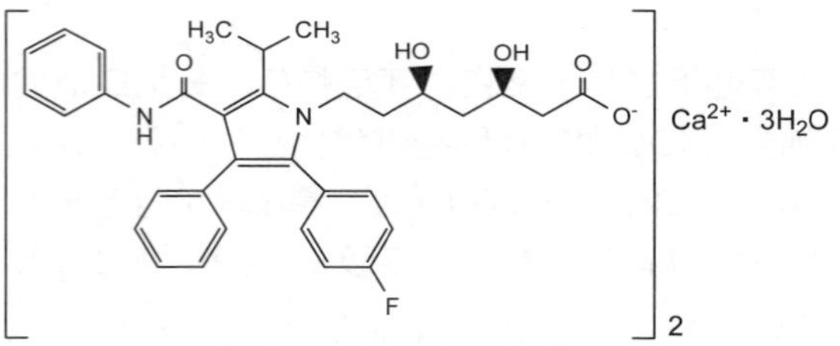

アトルバスタチンカルシウム水和物

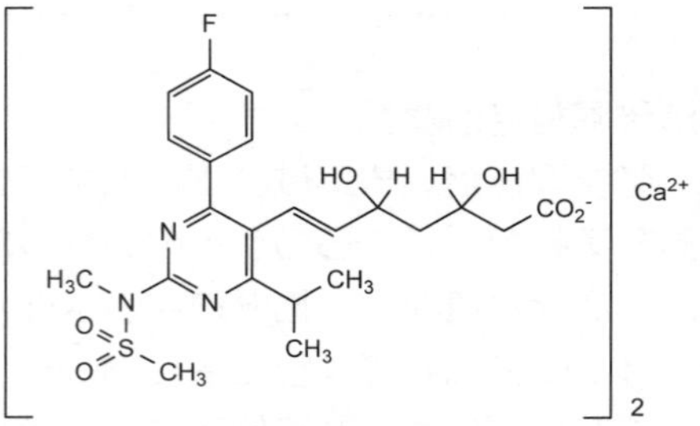

ロスバスタチンカルシウム

2）プロタンパク質転換酵素サブチリシン/ケキシン9型（PCSK9）阻害薬

LDL受容体分解促進タンパク質であるPCSK9を阻害する薬物で、家族性高コレステロール血症、高コレステロール血症に用いられる。エボロクマブとアリロクマブが使用されている。

エボロクマブ：ヒトPCSK9に対する遺伝子組換えヒトIgG2モノク ローナル抗体で441個のア ミノ酸残基からなるH鎖（γ2鎖）2本及び215個のアミノ酸残基からなるL鎖（λ鎖）2本で構成される糖タンパク質である。

アリロクマブ：ヒトPCSK9に対する遺伝子組換えヒトIgG1モノクローナル抗体で、448個のアミノ酸残基からなるH鎖（γ１鎖）２本及び220個のアミノ酸残基からなるL鎖（κ鎖）２本で構成される糖蛋白質（分子量：約149,000）である。

【作用機序】PCSK9は、主に肝臓で合成され、LDL受容体と結合する。PCSK9が結合したLDL受容体は、肝細胞内に取り込まれた後、分解され、LDL受容体のリサイクリング

を抑制する。エボロクマブは、PCSK9に結合し、PCSK9とLDL受容体の結合を阻害する。その結果、LDL受容体のリサイクリングが増加し、血中LDLの肝細胞内への取り込みが促進され、血中LDL濃度は低下する。

【副作用】重篤なアレルギー反応（アリロクマブ）など

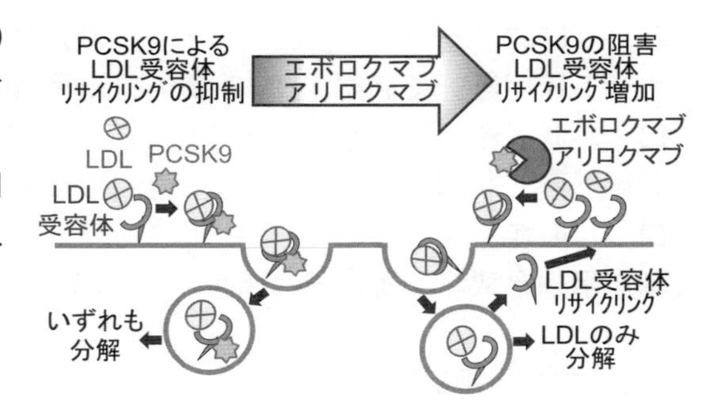

3）ミクロソームトリグリセリド転送タンパク質（MTP）阻害薬

MTPは、肝細胞および小腸上皮細胞に多く発現し、トリグリセリドをアポタンパク質B（アポB）へ転送する。これにより、肝臓ではVLDL、小腸ではキロミクロンの形成に関与する。肝臓で形成されたVLDLは、血中に放出され、リポ蛋白リパーゼによってトリグリセリドが分解されIDLとなる。IDLは再び肝に取り込まれ、LDLとなって、放出される。

MTP阻害薬は、小胞体内腔に存在するMTPに直接結合して脂質転送を阻害することにより、肝臓及び小腸においてトリグリセリドとアポBを含むリポタンパク質の会合を阻害し、肝臓でのVLDLや小腸でのキロミクロンの形成を阻害する。VLDLの形成が阻害されるとVLDLの肝臓からの分泌が低下し、血漿中LDL濃度は低下する。

ロミタピド　Lomitapide

【作用機序】MTPに結合し、肝臓及び小腸においてトリグリセリドとアポBを含むリポタンパク質の会合を阻害し、肝臓でのVLDLや小腸でのカイロミクロンの形成を阻害し、肝臓からのVLDL分泌を低下させて、血漿中LDL濃度を低下させる。

ロミタピド

【適用】ホモ接合体家族性高コレステロール血症（他の経口脂質低下薬で効果不十分又は忍容性が不良な場合に本剤投与の要否を検討する）

【副作用】肝炎、肝機能障害、胃腸障害など

4）コレステロールトランスポーター阻害薬

小腸のコレステロール吸収に関与するトランスポーターを阻害してコレステロールの吸収を抑制する薬物でエゼチミブ（Ezetimibe）が使用されている。

【作用機序】食餌性および胆汁性コレステロールの吸収を選択的に阻害する。エゼチミブは小腸壁細胞に存在するコレステロールトランスポーターを阻害して、コレステロールの吸収を阻害するので、作用は、選択的である。小腸でのコレステロール吸収が阻害された結果、肝臓のコレステロール含量が低下し、血中コレステロールが低下する。このように、エゼチミブは小腸でのコレステロール吸収阻害し、肝コレステロール含量を低下させる

エゼチミブ

が、肝におけるコレステロールの生合成が代償的に亢進するので単独でのコレステロール低下作用は強くなく、HMG-CoA還元酵素阻害薬との併用により、効果的なコレステロール低下作用を得ることができる。

【適用】高コレステロール血症、家族性高コレステロール血症、ホモ接合体性シトステロール血症

【副作用】過敏症、横紋筋融解症、肝機能障害など

5）陰イオン交換樹脂

陰イオン交換樹脂であるコレスチミド　Colestimide、コレスチラミン　Colestyramine が使用される。

HMG-CoA還元酵素阻害薬は、強力なコレステロール低下薬であるが、その使用により、LDLが低下してくると、腸管からのコレステロール吸収は亢進してしまう。しかし、その際に、陰イオン交換樹脂を併用していると吸収も阻害されるので、効果的にコレステロール値の低下が起こるとされている。

【作用機序】消化管中の胆汁酸を吸着し排泄を促進させる。この結果、胆汁酸の腸肝循環を阻害し、肝におけるコレステロールから胆汁酸への異化を亢進するため、肝のコレステロールが減少し、この代償作用として、血中LDLの取込みが亢進するので、血中コレステロールは低下する。また、外因性コレステロールの直接の吸着あるいは胆汁酸ミセル形成阻害によるコレステロール吸収阻害も血清総コレステロールの減少に寄与するものと考えられている。

【副作用】便秘や腹部膨満の発生頻度が高い。また、腸閉塞（両薬物）、横紋筋融解症（コレスチミド）が重大な副作用に挙げられているが、これらの薬物は、体内には吸収されないので、重篤な副作用の心配は少ない。

6）プロブコール　Probucol

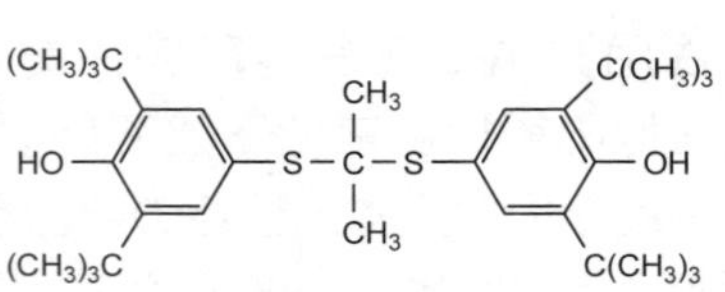

【作用機序】主に、コレステロールの胆汁中への異化排泄促進作用により、血清総コレステロールを低下させる。コレステロール合成の初期段階の抑制作用も有する。また、抗酸化作用（活性酸素種のスカベンジ作用）があり、LDLの酸化を抑制して、粥状動脈硬化の発生段階で起こるマクロファージの泡沫化を抑制する。HMG-CoA還元酵素阻害薬とは異なり、HDLも低下させるが、この低下の程度が、プロブコールの抗動脈硬化作用と相関することから問題はないと考えられている。

プロブコール

【適用】高脂血症（家族性高コレステロール血症，黄色腫を含む。）

【副作用】心室性不整脈（Torsades de pointes）や失神、消化管出血、末梢神経炎、横紋筋融解症など

主にトリグリセリドを下げる薬物

7）フィブラート系薬

ペルオキシソーム増殖剤応答性受容体（PPAR）αを活性化させて種々のタンパク質の

発現を調節し、脂質代謝を改善する薬物である。PPARαは、遊離脂肪酸 などを生理的なリガンド として活性化され、主に脂肪酸の異化を進める酵素の遺伝子の転写を活性化する核内受容体の1つで、脂質異常症改善薬の主要な標的の１つと考えられている。主な発現臓器は、肝臓、腎臓、骨格筋、心臓などである。

クロフィブラート　Clofibrate、ベザフィブラート　Bezafibrate、フェノフィブラート　Fenofibrate、クリノフィブラート　Clinofibrate、ペマフィブラート　Pemafibrate

が使用されている。

【作用機序】ペルオキシソーム増殖剤応答性受容体（peroxisome proliferator-activated receptor：PPAR）αに結合し、活性化させて種々のタンパク質の発現を調節するため、①リポタンパクリパーゼによるトリグリセリドに富むリポタンパクの代謝促進、②肝におけるトリグリセリド合成の抑制、③リポタンパクリパーゼ活性を低下させるタンパク質の発現抑制などが生じ、血中トリグリセリドは、低下する。また、コレステロールの合成阻害作用と胆汁中への排泄促進作用があり、LDLも低下する。一方、HDLを構成するアポタンパク質の合成が促進されるので、HDLは上昇する。

【適用】高脂血症

【副作用】横紋筋融解症が共通の重大な副作用である。他に、無顆粒球症（クロフィブラート）、アナフィラキシー様症状、肝機能障害、黄疸、皮膚粘膜眼症候群（Stevens-Johnson症候群）、多形紅斑（ベザフィブラート）、：肝障害、膵炎（フェノフィブラート）など（ここに項目を記載した副作用は、各薬物の重大な副作用に指定されているものである）

クロフィブラート

ベザフィブラート

フェノフィブラート

クリノフィブラート

ペマフィブラート

8）ニコチン酸誘導体

ニコモール　Nicomol

【作用機序】消化管からの中性脂肪吸収抑制作用、血中リポ蛋白リパーゼ活性を上昇による中性脂肪の分解、および組織への転送促進作用により、トリグリセリドを低下させる。また、消化管からのコレステロール吸収抑制作用、およびコレステロールの胆汁中への異化排泄促進作用とにより、コレステロール

ニコモール

を低下させる。脂質低下作用の他に、血小板の凝集抑制作用があり、これにより、血栓形成が抑制される。ニコモールは、末梢血行改善作用も持っている。

【適用】高脂血症。他に、凍瘡、四肢動脈閉塞症（血栓閉塞性動脈炎・動脈硬化性閉塞症）、レイノー症候群に伴う末梢血行障害の改善

【副作用】重大な副作用は報告されていないが、過敏症などがある。顔面紅潮、かゆみ、ほてり感などが日本人に多い副作用といわれているが、これらには慣れの現象があり、少量から開始し、増量していくことで解決できることが多い。

類似薬として、ニセリトロール（Niceritrol）がある。ニセリトロールの作用は、ニコモールとほぼ同様であるが、重大な副作用に血小板減少が挙げられている。

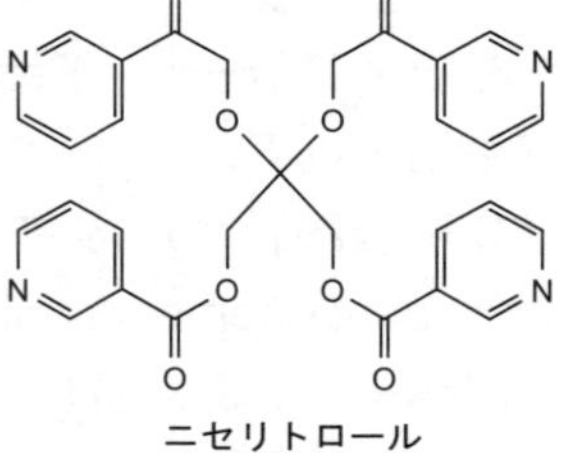
ニセリトロール

9）その他

デキストラン硫酸ナトリウム　Dextran Sulfate Sodium

【作用機序】毛細血管壁のリポタンパクリパーゼを活性化し、血中トリグリセリド（VLDL）の分解を促進する。高トリグリセリド血症に用いる。

【適用】高トリグリセリド血症

【副作用】ショックなど

イコサペント酸エチル　Ethyl icosapentate

【作用機序】コレステロールの腸管からの吸収抑制、肝での生合成活性抑制、胆汁中への異化排泄促進などによりコレステロール低下作用を示す。また、トリグリセリドの腸管からの吸収抑制や肝での生合成活性抑制および肝からの分泌抑制、および血中リポタンパクリパーゼ活性亢進などによりトリグリセリドを低下させる。脂質低下作用の他に抗血小板凝集作用をもつ。

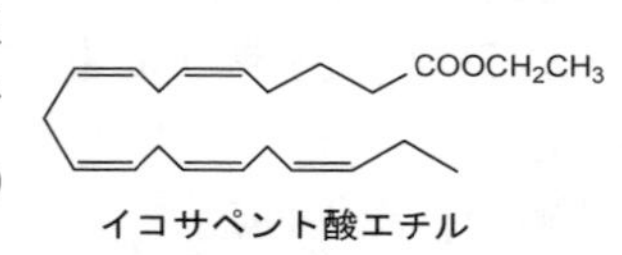

イコサペント酸エチル

【適用】高脂血症。他に、閉塞性動脈硬化症に伴う潰瘍、疼痛および冷感の改善

【副作用】重大な副作用は報告されていないが、過敏症などがある。

オメガ-3脂肪酸エチル

【作用機序】オメガ-3脂肪酸エチルは、イコサペント酸エチルとドコサヘキサエン酸エチルを主成分とし、肝臓からのトリグリセリド分泌を抑制し、さらに血中からのトリグリセリド消失を促進することによりトリグリセリドを低下させる。また、イコサペント酸エチル及びドコサヘキサエン酸エチルは肝臓のトリグリセライド含量を低下させ、脂肪酸・トリグリセライド合成経路の酵素活性を低下させる。

【適用】高脂血症。

【副作用】AST（GOT）、ALT（GPT）、AL-P、γ-GTP、LDH、ビリルビン等の上昇を伴う肝機能障害、黄疸

ガンマオリザノール　Gamma Oryzanol

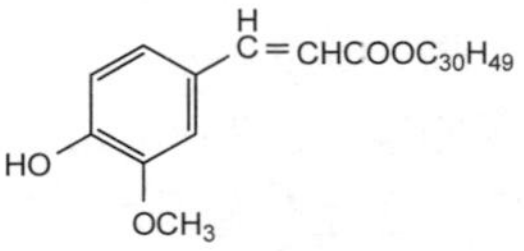

【作用機序】主にコレステロールの消化管吸収抑制作用により、血清総コレステロールを低下させる。総コレステロール低下作用には、コレステロール合成の阻害作用およびコレステロールの異化排泄促進作用の関与も考えられている。

H
C＝CHCOOC$_{30}$H$_{49}$
HO
OCH$_3$
ガンマオリザノール

【適用】高脂血症。他に、心身症（更年期障害、過敏性腸症候群）における身体症候並びに不安・緊張・抑うつ 。

【副作用】精神神経系症状、消化器症状、過敏症、循環器症状等が報告されているが、重大な副作用は報告されていない。

エラスターゼ　Elastase

エラスターゼは、血管の弾性線維・エラスチンの代謝酵素としてヒト膵臓中に発見された。その後、動脈硬化症や老年者では、健康人や若年者に比べ膵エラスターゼ活性が著しく低下していることが報告され、また、動物実験においては、エラスターゼがリポ蛋白の代謝や脂質成分の移行を生理的に調節することにより、血清脂質異常を改善することや粥状動脈硬化病変において、動脈壁への脂肪沈着を抑制する作用、動脈壁エラスチンの変性やコラーゲンの異常増生を抑制する作用が報告されている。

現在、使用されているエラスターゼ製剤は、ブタの膵臓から製され、エラスターゼが酸性では不安定であるため、腸溶錠となっている。

【作用機序】コレステロールの肝における異化排泄の促進、LPLの亢進など、脂質成分の移行を生理的に調節することにより、血清脂質異常を改善する。また、粥状動脈硬化病変において、動脈壁への脂肪の沈着抑制、並びにコラーゲンの異常増生を抑制する。

【適用】高脂血症

【副作用】重大な副作用は報告されていなが、過敏症などがある。

ソイステロール

大豆油不けん化物（Unsaponifiable Matter of Soybean Oil）

高コレステロール血症に用いる。コレステロールの吸収を阻害する。

8．高尿酸血症・痛風治療薬

高尿酸血症とは、プリン体の代謝産物である尿酸の過剰生成または排泄低下により血清尿酸値が、7.0mg/dL より高くなった状態をいう。一方、痛風発作（痛風関節炎）は、高尿酸血症を背景として、尿酸が尿酸ナトリウムとなって関節に沈着し、炎症を起こす疾患である。高尿酸血症・痛風治療薬は、痛風発作時に発作を抑制する薬物と痛風の根底にある高尿酸血症を是正する薬物とに大別される。

高尿酸血症治療薬

高尿酸血症の治療薬には尿酸生合成阻害薬と尿酸排泄促進薬が含まれる。高尿酸血症・痛風の治療ガイドライン（第 2 版：2010 年）によると、痛風関節炎の有無や合併症の有無により、薬物治療の対象となる血清尿酸値は異なり、7.0mg/dL より高い場合のすべてが薬物治療の対象となるわけではなく、生活指導（生活習慣の改善）で様子を見る場合もある。以下にガイドラインの概略を示す。また、痛風発作が起きてしまった場合、血清尿酸値の変動は、発作を悪化すると考えられているので、発作中は、尿酸降下薬の開始あるいは追加をせずに、発作寛解後に投与開始または増量する。

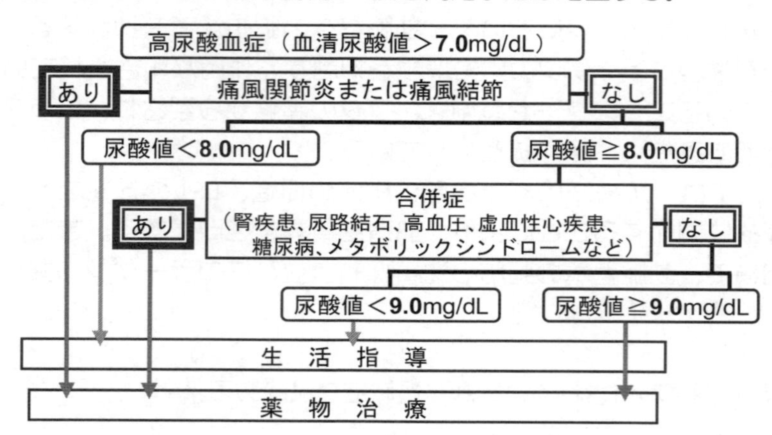

（痛風治療のガイドラインダイジェスト版(2010)より改変）

尿酸合成阻害薬

アロプリノール　Allopurinol

【作用機序】 キサンチンオキシダーゼを阻害し、尿酸合成を抑制する。アロプリノールは、尿酸生成過程で生じる内因性物質のヒポキサンチンに構造が類似した化合物である。アロプリノールの生体内代謝産物であるアロキサンにもキサンチンオキシダーゼ阻害作用がある。

ヒポキサンチン　→(XO)　キサンチン　→(XO)　尿酸

アロプリノール　→(XO)　アロキサンチン

XO：キサンチンオキシダーゼ

尿酸の生成とアロプリノールの作用：アロプリノールによって尿酸生成が抑制される。ヒポキサンチンやキサンチンが増加することになるがこれらは。クリアランスが迅速で、関節に病変を誘発しない。

【副作用】皮膚粘膜眼症候群（Stevens-Johnson 症候群）、中毒性表皮壊死症（Lyell 症候群）、剥脱性皮膚炎等の重篤な発疹または過敏性血管炎、ショック、アナフィラキシー様症状、再生不良性貧血、汎血球減少、無顆粒球症、血小板減少、重篤な肝機能障害、黄疸、腎障害、間質性肺炎、横紋筋融解症など

アロプリノール

フェブキソスタット　Febuxostat

【作用機序】キサンチンオキシダーゼを選択的に阻害し、尿酸合成を抑制する。特に、*in vitro* 試験においては、フェブキソスタットは、キサンチンオキシダーゼを阻害するが、他の主要なプリン・ピリミジン代謝酵素の活性に影響を及ぼさないことが示されている。

【副作用】肝機能障害、過敏症など

フェブキソスタット

トピロキソスタット　Topiroxostat

【作用機序】キサンチンオキシダーゼを競合的に阻害し、尿酸生成を抑制する。治療量では、他のプリン・ピリミジン代謝酵素に阻害作用を示さず、キサンチンオキシダーゼに対して選択的に阻害する

【副作用】肝機能障害、多形紅斑など

尿酸排泄促進薬

ベンズブロマロン　Benzbromarone

【作用機序】尿細管において尿酸の再吸収を特異的に阻害することにより尿酸の尿中排泄を促進する。分泌には影響を及ぼさない。

【副作用】重篤な肝障害、黄疸、過敏症など

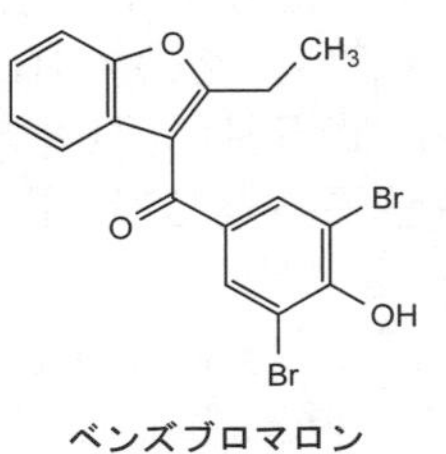

ベンズブロマロン

プロベネシド　Probenecid

【作用機序】腎尿細管における尿酸の再吸収を抑制し、尿酸の尿中排泄を促進し、血清尿酸値を低下させる。プロベネシドは、尿酸の分泌も抑制するが、再吸収抑制作用のほうが強いので排泄は促進される。また、ペニシリンや NSAIDs など他の薬物の腎からの排泄も抑制するので他の薬物の併用には注意が必要である。

プロベネシド

【副作用】溶血性貧血、再生不良性貧血、 アナフィラキシー様反応、肝壊死、ネフローゼ症候群、過敏症など

ブコローム　Bucolome

【作用機序】尿酸の尿中排泄を促進する。また、各種実験的急・慢性炎症に対して抗炎

症・抗腫脹作用が認められている。

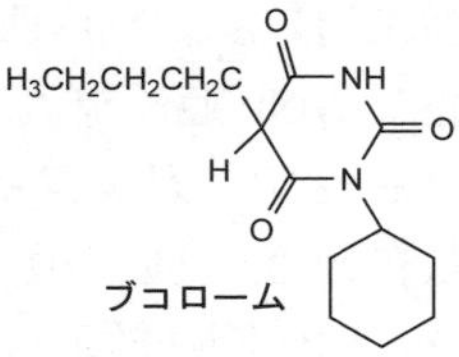

【適用】痛風の高尿酸血症の是正。手術後および外傷後の炎症および腫脹の緩解、慢性関節リウマチや膀胱炎等のの消炎、鎮痛、解熱

【副作用】血液障害、過敏症、消化器症状など

ブコローム

ドチヌラド　Dotinurad

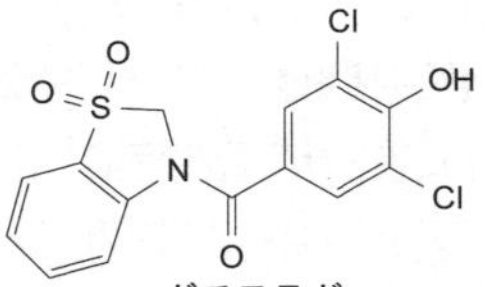

【作用機序】腎臓において、尿酸再吸収に関与するトランスポーターの URAT1 を選択的に阻害して、糸球体でろ過された尿酸の排泄を促進する。

【適用】痛風、高尿酸血症

【副作用】消化器症状など

ドチヌラド

痛風発作に対する薬物治療

痛風発作には、コルヒチン、NSAIDs、またはステロイド抗炎症薬を用いる。それまで尿酸降下薬が投与されていない場合で発作が出たときは、まず、NSAIDs パルス療法にて発作の緩解を待ち、寛解約 2 週後から尿酸降下薬を投与する。また、尿酸降下薬がすでに投与されている場合は、尿酸値が十分にコントロールされていない場合であっても投与量等を変更せずにそのままの服用を続け、痛風発作に対する治療を行い、尿酸降下薬の追加・変更が必要な場合は、寛解後に実施する。以下の①～⑤は治療ガイドライン（第 2 版：2010 年）の「痛風発作（痛風関節炎）時と痛風間欠期の治療」からの抜粋である。

① 未治療例の痛風関節炎時には尿酸降下薬を投与せず、非ステロイド抗炎症薬パルス療法で発作を緩解させる。

② 高尿酸血症の薬物療法は血清尿酸値を 3～6 ヶ月かけて徐々に低下させ、6.0 mg/dL 以下にし、その後は、6.0 mg/dL 以下に安定する用量を続ける。

③ 尿酸降下薬は痛風関節炎の寛解約 2 週後から少量で開始する。

④ 尿酸降下薬の投与開始当初は、痛風関節炎を防止するために少量のコルヒチンを併用するとよい。

⑤ 適量の尿酸降下薬投与時に痛風関節炎が起こった場合は、尿酸降下薬を中止することなく、痛風関節炎の治療に準じて NSAID パルス療法を併用する。

痛風発作治療薬

コルヒチン　Colchicine

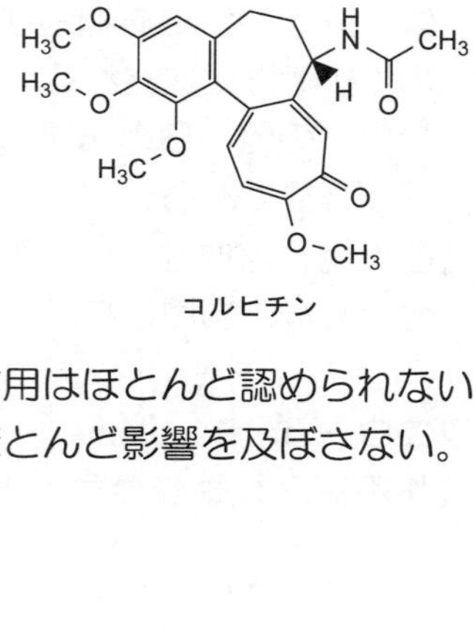

【作用機序】コルヒチンは、イヌサフランのアルカロイドで、チュブリンと結合し、微小管重合を阻害する。痛風発作時には局所に浸潤した白血球の尿酸貪食作用および貪食好中球の脱顆粒が上昇しているが、コルヒチンはこの白血球、好中球の作用を阻止する。特に好中球の走化性因子（LTB4、IL-8）に対する反応性を著明に低下させることにより痛風の発作を抑制すると考えられている。鎮痛、消炎作用はほとんど認められないので痛風以外の炎症には有効でない。また、尿酸代謝にもほとんど影響を及ぼさない。

コルヒチン

【適用】痛風発作の緩解および予防
【副作用】再生不良性貧血、顆粒球減少、白血球減少、血小板減少、横紋筋融解症、ミオパチー、末梢神経障害、過敏症など

NSIDs

高尿酸血症・痛風の治療ガイドライン（2002 年、日本痛風・核酸代謝学会）では、NSAIDs を発作治療の中心的薬剤に位置づけているが、痛風発作に適応のある NSAIDs は意外に少なく、アスピリン、インドメタシン、オキサプロジン、ナプロキセン、プラノプロフェン、ケトプロフェンである。ケトプロフェンは、注射剤のみ痛風に適応がある。ただし、高尿酸血症・痛風の治療ガイドラインでは、アスピリンは、血清尿酸値を変動させる（少量投与で血清尿酸値上昇させ、大量では逆に低下させる（鎮痛量では低下））ので、発作に対する投与は避けるべきであるとしている。

ナプロキセン　Naproxen

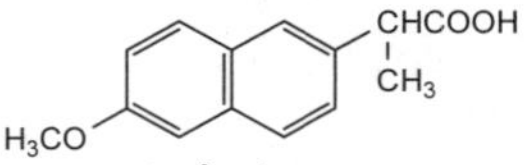

パルス療法（300mg を 3 時間毎に 3 回まで（1 日だけ）投与）に用いる。多くの場合、この処置で発作は軽減する。軽減後は中止する。

ナプロキセン

初回 400 ～ 600mg を投与し、その後、1 日量 300 ～ 600　mg を 2 ～ 3 回で投与する方法もある。

プラノプロフェン　Pranoprofen

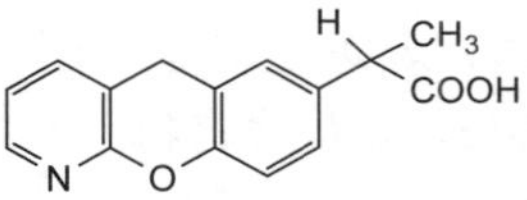

初日は、1 回 150mg ～ 225mg を 1 日 3 回投与し、翌日から、1 回 75mg を 1 日 3 回投与する。

プラノプロフェン

オキサプロジン　Oxaprozin

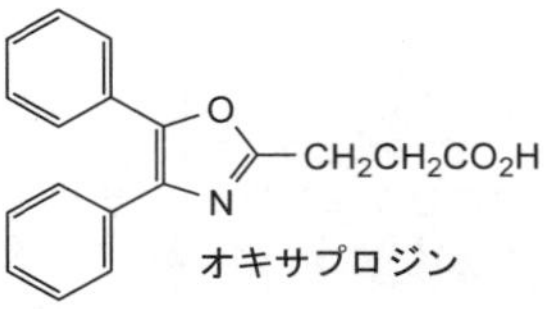

１日量 400mg を１～２回に分けて経口投与する。１日最高量は 600mg とする

オキサプロジン

ステロイド抗炎症薬

NSAIDs が使えない場合、無効だった場合または多発性に関節炎を生じている場合等に用いる。

関連薬物

酸性尿改善薬

クエン酸カリウム・クエン酸ナトリウム配合

尿中重炭酸濃度および尿ｐＨを上昇さ、酸性尿に対し、予防及び治療効果を示す。また、高尿酸血症ラットにおいて、酸性側で溶解度が低下する尿酸の腎組織への沈着を抑制した。痛風および高尿酸血症における酸性尿の改善に用いられる。

尿酸分解酵素薬

ラスブリカーゼ　Rasburicase

尿酸を酸化し、アラントインと過酸化水素に分解することで、血中尿酸値を低下させる。がん化学療法に伴う高尿酸血症に用いられる。

9．骨代謝に作用する薬物　Drugs acting on bone metabolism

カルシウム代謝

成人の体内には、約 1kg のカルシウムが含まれるが、その 99%は、骨組織にある。カルシウムは、腸管から吸収され、多くの細胞で細胞内調節因子となったり、骨形成に用いられる。細胞外液のカルシウム（Ca^{2+}）濃度は、3 種のホルモン（活性化ビタミン D_3、副甲状腺（上皮小体）ホルモンおよびカルシトニン）により、調節されている。

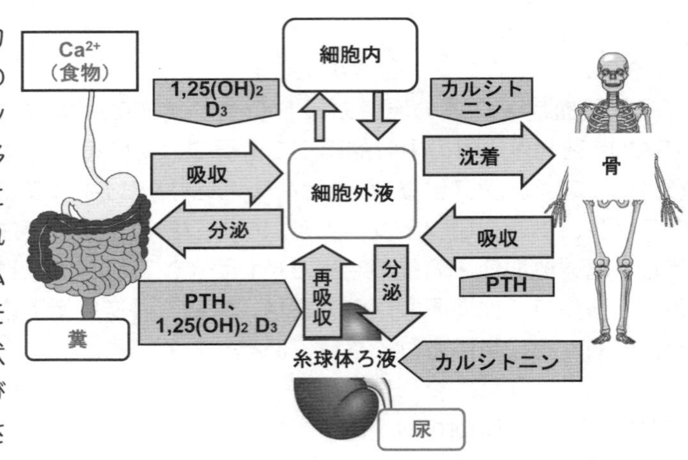

ビタミン D_3 の生成と活性化

ビタミン D_3 は、食物から摂取される他、皮膚では、７－デヒドロコレステロール（プロビタミン D_3）に日光中の有効紫外線（290-330nm）が当たるとプレビタミン D_3 を経てビタミン D_3 となる。ビタミン D_3 は、肝臓で水酸化され、25-OH-D_3 となり、次いで腎臓でさらに水酸化されて、1 α、25-（OH）$_2$-D_3 となる。この 1 α、25-（OH）$_2$-D_3 が活性型ビタミン D_3 である。1 α、25-（OH）$_2$-D_3 の生成は、上皮小体ホルモンで促進される。また、1 α、25-（OH）$_2$-D_3 は、胎盤、皮膚の角化細胞でも生成される。

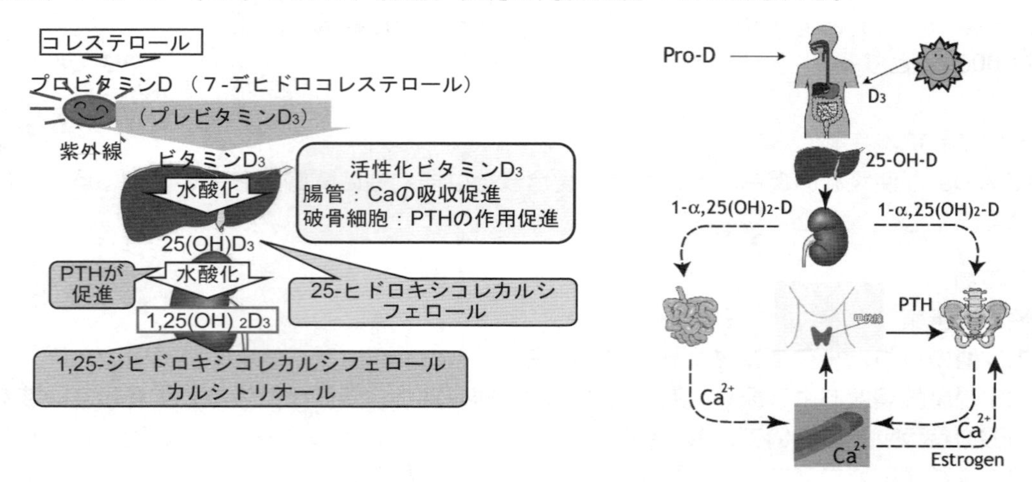

副甲状腺（上皮小体）ホルモン

副甲状腺ホルモンであるパラトルモン（parathormone：PTH）は、ヒトでは、甲状腺の背部に４つ存在する副甲状腺（上皮小体）の主細胞から刺激の応じて分泌される。PTH は、84 個のアミノ酸残基からなる１本鎖ポリペプチドで、標的細胞膜の PTH 受容体に結合する。PTH受容体は、GsまたはGq共役型で、PTHが結合すると、細胞内のcAMPまたはCa^{2+}濃度が上昇する。PTHは、腸管からのCa^{2+}吸収促進、骨吸収促進、腎におけるCa^{2+}再吸収の促進とリン酸イオンの再吸収抑制および活性化ビタミンD_3の生成促進により、血漿中のCa^{2+}濃度を増加させる。一方、形質膜上には、Ca^{2+}濃度検知機構があり、そこにCa^{2+}が結合すると、PTHの分泌が抑制される。

カルシトニン

カルシトニン（calcitonin）は、甲状腺の傍濾胞細胞（C細胞）から分泌される。C細胞は、甲状腺以外に副甲状腺、胸腺等にも散在しており、カルシトニンを分泌する。カルシトニンは、32個のアミノ酸残基からなるポリペプチドで、その産生・分泌は、血漿Ca^{2+}濃度の上昇で促進され、逆に血漿Ca^{2+}濃度の低下で抑制される。

骨

骨は、骨基質（コラーゲン：95%、オステオカルシン：1%、細胞：2%、水：2%）と骨塩（ヒドロキシアパタイトなど）からなる。体を支えるとともに、Ca^{2+}などの無機質の貯蔵部位でもある。骨は、生きた組織で、リモデリングにより常に再構築されている。また、骨のカルシウムは、1年で、幼児ではほぼ100%が、成人でも18%が交換されると考えられている。

骨のリモデリング

骨は、破骨細胞による古い骨の破壊（骨吸収）と骨芽細胞による新しい骨の形成（骨形成）とがバランスよく繰りかえされ、常に再構築されている。この過程を骨のリモデリングと呼ぶ。骨吸収と骨形成は互いに共役しており、骨芽細胞は、骨形成を行う一方で、破骨細胞の分化誘導を導くなど、破骨細胞の支持細胞としても働く。リモデリングは、破骨細胞が骨吸収を始めることで開始され、一連の過程は、約3ヶ月を要する。常に全骨格の3～6%がリモデリングされている。

破骨細胞：多核細胞で、造血幹細胞から単球を経て分化したもの。骨基質との吸着面に酸を分泌して無機質を溶解する。また、タンパク分解酵素であるカテプシンKを分泌して骨基質タンパク質を分解吸収し、吸収窩を形成する。Receptor activator for nuclear factor-κB（RANK）とreceptor activator for nuclear factor-κB ligand（RANKL）により、破骨細胞の形成（破骨細胞への分化誘導）、機能および生存が調節されており、RANKLの発現が増加すると破骨細胞の機能は亢進する。RANKLは、骨芽細胞から分泌される。一方、破骨細胞の機能は、エストロゲンやカルシトニンによって抑制される。

骨芽細胞：間葉系由来で、骨吸収が完了すると、骨表面に付着し、コラーゲンⅠやオステオカルシンなどの骨基質タンパク質を産生・分泌して類骨形成を行う。数日遅れてカルシウムやリンなどのミネラル成分が沈着し、石灰化が生じ、吸収窩は、新生骨で埋められる。この際、骨芽細胞の一部は、骨基質に取り囲まれて（成熟）骨細胞となり骨細管中に突起をのばし網目状構造を形成する。また、残りの骨芽細胞は、骨表面上でライニング細胞となる。骨芽細胞の機能は、骨細胞から分泌されるスクロレスチンにより、抑制される。また、骨芽細胞は、PTH受容体を持つが、この受容体が、PTHにより刺激されると RANKL を分泌し、結果として、破骨細胞の機能を亢進させ、骨吸収を促進して、血中カルシウム濃度を上昇させる。

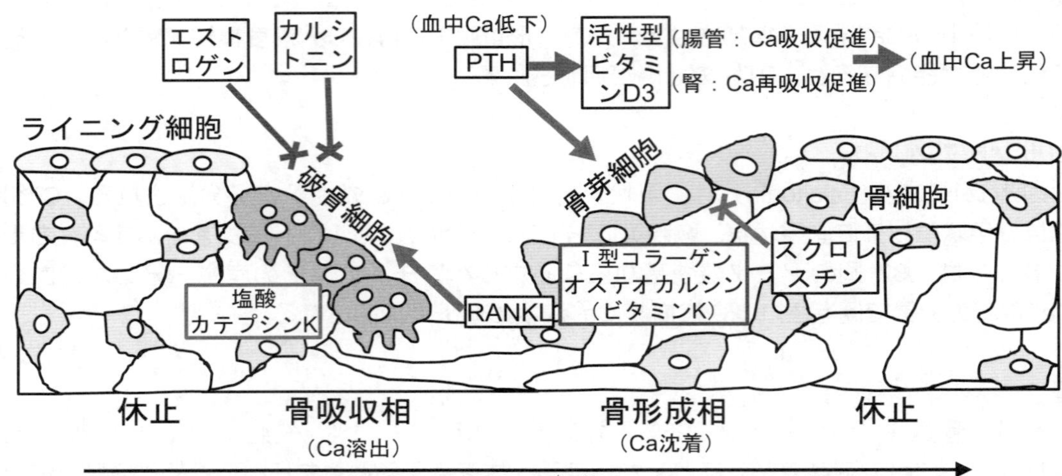

骨粗しょう症治療薬

骨粗しょう症（Osteoporosis）は、低骨量でかつ骨の微細構造が変化し、そのため骨がもろくなり骨折しやすくなった状態（骨塩量と骨基質の比が一定のまま骨量が低下した状態）である。骨粗しょう症治療薬は、いずれも骨折を予防する目的で投与される薬物で、骨折そのものの治療薬ではない。

骨粗しょう症の好発部位：脊椎、大腿骨頸部、橈骨

骨粗しょう症の症状：腰痛、背部痛、骨折（ちょっとしたことで骨折する。橈骨、脊椎圧迫骨折、大腿頸部骨折）、身長が縮む。

骨粗しょう症の分類

1．原発性骨粗しょう症

原因となる明らかな疾患などがなく、主に閉経によるエストロゲン欠乏や加齢によって引き起こされるもので、骨粗しょう症全体の約 90%を占める。

（1）　閉経後骨粗しょう症（高回転型）

エストロゲンには、骨形成促進作用および骨吸収抑制作用があるため、閉経によってエストロゲン分泌が低下すると、骨量が減少する。閉経後骨粗しょう症では、骨代謝回転は亢進しているが、骨吸収が骨形成を上回るために骨量が減少する。

（2）　老人性骨粗しょう症（低回転型）

加齢に伴って、様々な機能低下を生じるが、副甲状腺ホルモン（PTH）の反応性の低下や腎および肝機能の低下に伴う活性型ビタミン D_3 産生低下による腸管からの Ca^{2+}吸収低下などが生じると、骨形成が低下し、骨量が減少する。

2. 続発性骨粗しょう症

原因となる特定の疾患や薬物の影響によって二次的に起こるものをいう。以下に続発性骨粗しょう症の原因の一部を示す。

内分泌異常（甲状腺機能亢進、副甲状腺機能亢進、性腺機能不全、クッシング症候群）
薬物誘発（コルチコイド、メトトレキサート、ヘパリン）
栄養性（壊血病、タンパク質欠乏）
慢性腎不全（腎でのビタミン D 活性化障害）

骨粗しょう症治療薬各論

エストロゲン製剤

エストラジオール　Estradiol、エストリオール　Estriol

エストロゲンの低下を補い、**骨吸収を抑制**する。エストロゲンは、代表的な女性性ステロイドホルモンであり、標的臓器の細胞質内レセプターと結合して作用する。エストラジオールは、主として卵巣から産生され、卵胞発育に伴い特徴的な分泌パターンを示し、妊娠中は、胎盤性エストロゲンの一部として大量分泌される。

【作用機序】骨吸収促進因子である IL-1、IL-6 の産生・分泌を骨で抑制する。

【副作用】不正（性器）出血と乳房症状、血栓形成を促進、エストロゲン依存性腫瘍など
エストロゲン製剤を使用するときは、子宮がんの発生を抑えるために、プロゲステロン（黄体ホルモン）が併用される。エストロゲン依存性腫瘍（例えば乳癌、子宮体癌、子宮筋腫）の患者には禁忌である。

Serective Estrogen Receptor Modulator （SERM）

ラロキシフェン　Raloxifene、バゼドキシフェン　Bazedoxifene

SERM は、骨のエストロゲン受容体には、アゴニストとして作用するが、生殖器官（子宮と乳房）のエストロゲン受容体にはアンタゴニストとして結合する。このため、エストロゲン製剤で見られる性ホルモン作用に由来すると考えられる乳癌などの副作用がほとんど発現しないことが特徴である。したがって、骨粗しょう症の治療に用いるエストロゲン受容体刺激薬としては、エストロゲン製剤ではなく、SERM が使用されるようになっている。

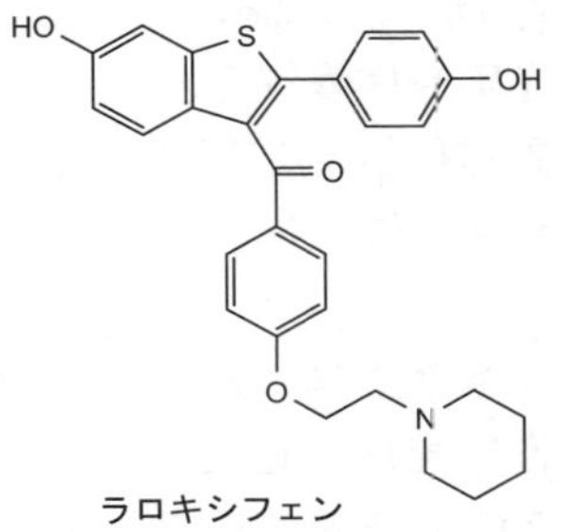

ラロキシフェン

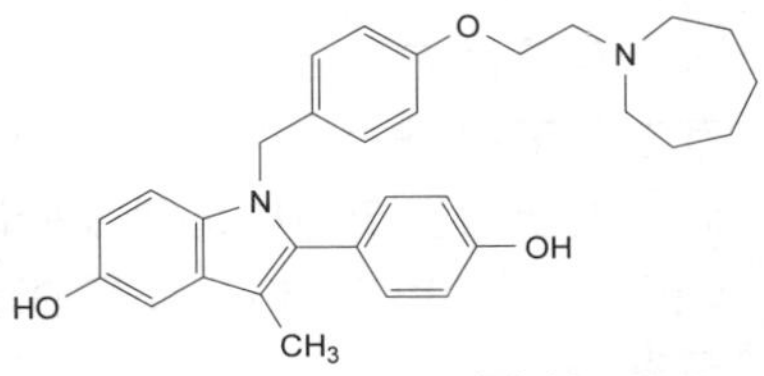

バゼドキシフェン

【作用機序】骨のエストロゲン受容体を刺激し、エストロゲンと同様に骨代謝回転に関与するサイトカイン発現の調節を介して、骨吸収を抑制する。SERM は、脂質代謝に対してもエストロゲンと同様の作用を示す。

【副作用】静脈血栓塞栓症、肝機能障害など

カルシトニン製剤

背椎圧迫骨折患者によく使用される。

【作用機序】破骨細胞にあるカルシトニン受容体に作用し、**骨吸収を抑制**する。鎮痛作用が有り、実験的にはラットアジュバント関節炎における骨の病変に伴う慢性疼痛に対して、用量依存的並びに投与期間に依存した鎮痛作用を示す。

エルカトニン　Elcatonin

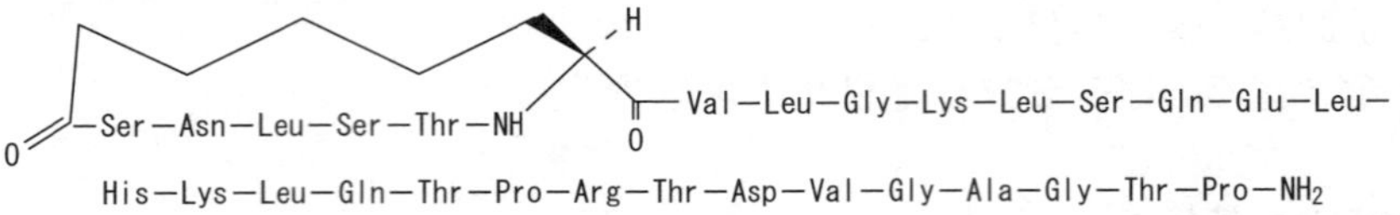
H
O
Ser－Asn－Leu－Ser－Thr－NH
O
Val－Leu－Gly－Lys－Leu－Ser－Gln－Glu－Leu－
His－Lys－Leu－Gln－Thr－Pro－Arg－Thr－Asp－Val－Gly－Ala－Gly－Thr－Pro－NH2
エルカトニン

【副作用】ショック、アナフィラキシー様症状、テタニー、ぜん息発作、肝機能障害、黄疸ショック、ぜんそく発作など

カルシトニン　Calcitonin

サケカルシトニン（Calcitonin Salmon （Synthesis））を用いる。

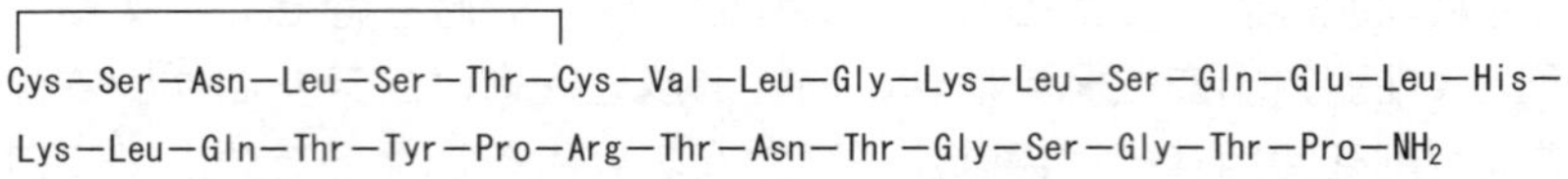
Cys－Ser－Asn－Leu－Ser－Thr－Cys－Val－Leu－Gly－Lys－Leu－Ser－Gln－Glu－Leu－His－
Lys－Leu－Gln－Thr－Tyr－Pro－Arg－Thr－Asn－Thr－Gly－Ser－Gly－Thr－Pro－NH2
サケカルシトニン

【副作用】ショックなど

イプリフラボン　Iprifravone

【作用機序】植物由来のフラボノイドで、骨に直接作用して**骨吸収を抑制する**。エストロゲンのカルシトニン分泌促進作用を増強する。

【副作用】副作用：消化器症状（**消化性潰瘍、胃腸出血**等を発現又は悪化させる）、黄疸など

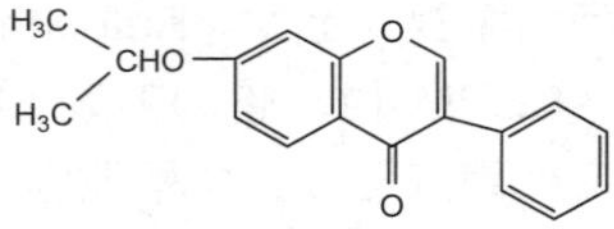
H3C
CHO
H3C
O
O
イプリフラボン

ビスホスホネート　Bisphosphonate

【作用機序】ピロリン酸の P-O-P 結合に類似した P-C-P 構造を有する化合物であり、構造上 Ca^{2+}のような２価カチオンをキレートできる三次元構造をもっている。骨に強い親和性を有しており、特にリモデリング途中の骨表面に結合しやすい。**骨吸収抑制**作用により、骨量の減少を抑制する。また、骨吸収抑制作用に基づき、海綿骨骨梁の連続性を維持し、骨の質を保つことにより、骨強度を維持する。抗骨吸収作用は、破骨細胞のアポトーシスの誘導（第１世代以降）とコレステロール生合成経路の阻害（第２世代以降）による。コレステロール生合成経路のうち、メバロン酸からコレルテロールに至る経路や破骨細胞機能に重要なゲラニルゲラニルニリン酸のようなイソプレノイド脂質に至る経路を直接阻害する。カルシウムやマグネシウムなどの金属を含む食

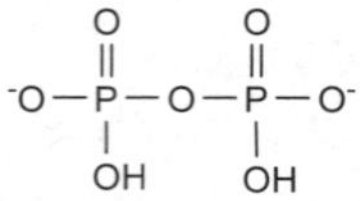
O
O
-O－P－O－P－O-
OH
OH
ピロリン酸

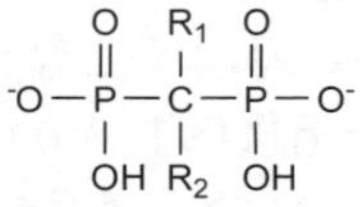
O
R1
O
-O－P－C－P－O-
OH
R2
OH
ビスホスホネート
基本骨格

品や製剤との同時投与ではほとんど吸収されない。したがって、ミネラルを多く含む機能性食品や牛乳との併用は避けて、空腹時に服用する。

P-C-P 構造を有するため、高用量ではヒドロキシアパタイトに強い親和性をもち、骨表面に取り込まれて強い石灰化抑制作用を示し、ハイドロキシアパタイト結晶が形成される過程を抑制するため骨粗しょう症治療には低用量で用いる。

ビスホスホネートには、高カルシウム血症改善作用があり、悪性腫瘍による高カルシウム血症にも用いられる。さらに、多発性骨髄腫による骨病変および固形癌骨転移による骨病変にも適応があるものがある。

エチドロン酸二ナトリウム　Etidronate Disodium

第１世代のビスホスホネートで、骨吸収抑制活性が弱いため、石灰化抑制をおこなさいよう間歇的に投与する。

用法（周期的間歇投与：2 週間投与・10 ～ 12 週間休薬）および用量を遵守する。

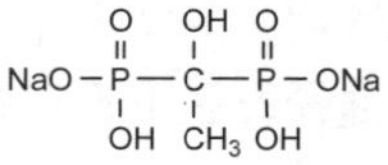

エチドロン酸二ナトリウム

【副作用】消化性潰瘍、肝機能障害、黄疸、汎血球減少、無顆粒球症、顎骨壊死・顎骨骨髄炎など

アレンドロン酸ナトリウム　Alendronate Sodium

第２世代のビスホスホネートで、骨吸収抑制作用が強いため、連続投与が可能である。食道および局所への副作用の出現を低下させるため、速やかに胃内へと到達させることが重要である。このため、起床してすぐにコップ１杯の水（約 180 mL）とともに服用し、服用後 30 分は横にならず、水以外の飲食並びに他の薬剤の経口摂取も避ける。

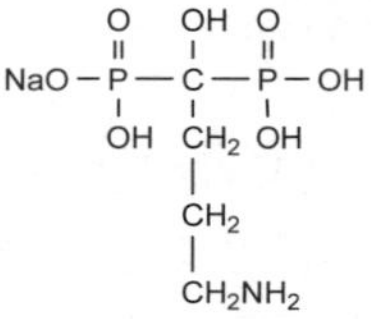

アレンドロン酸ナトリウム

【副作用】食道・口腔内障害、胃・十二指腸障害、肝機能障害、黄疸、低カルシウム血症、皮膚粘膜眼症候群（Stevens-Johnson 症候群）、中毒性表皮壊死症（Lyell 症候群）、顎骨壊死・顎骨骨髄炎など

リセドロン酸ナトリウム（Risedronate Sodium）

第３世代のビスホスホネートで、骨吸収抑制作用が強い薬物であるが、アレンドロン酸と同様に、食道および局所への副作用の出現を低下させることが必要である（服用方法もアレンドロン酸と同様）。

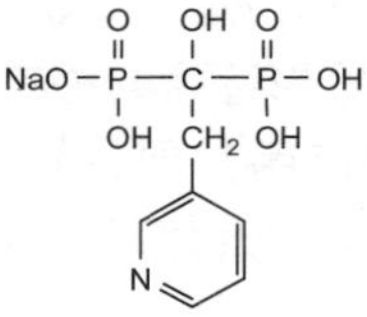

リセドロン酸ナトリウム

【副作用】上部消化管障害、肝機能障害、黄疸、顎骨壊死・顎骨骨髄炎など

ミノドロン酸　Minodronic Acid

わが国で開発され、現在、使用されているビスホスホネートのなかで最も強力な骨吸収抑制効果を示すものの一つである。第Ⅲ相臨床試験（二重盲検比較試験）において、日本人骨粗しょう症患者におけるプラセボに対する骨折抑制効果の優越性を検証できた初めて

の薬物として、2009 年より販売された薬物である。ミノドロン酸も食道および局所への副作用の出現を低下させるために、服用はアレンドロン酸と同様の方法で行う。
【副作用】上部消化管障害など

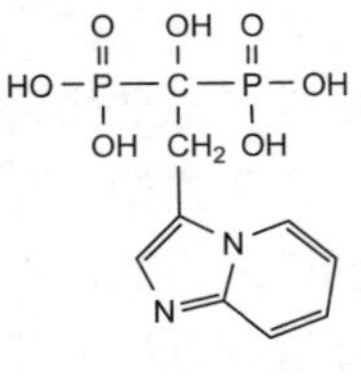

ミノドロン酸

イバンドロン酸 Ibandronate

我が国では、2013 年より使用されるようになったビスホスホネートで、現在は、注射剤のみが使用されている。月に 1 度ワンショットの静脈注射で効果があるため、経口のビスホスホネート剤が使用できなかった患者にも使用可能となった。 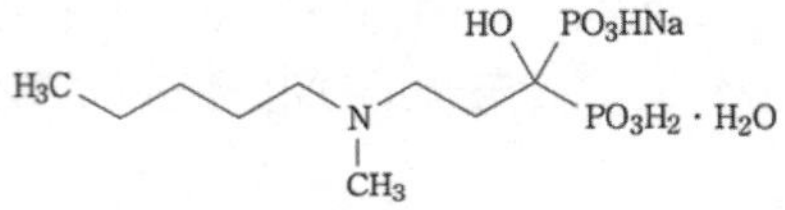
【副作用】アナフィラキシーショック、アナフィラキシー反応 、顎骨壊死・顎骨骨髄炎 、大腿骨転子下及び近位大腿骨骨幹部の非定型骨折など

参考：他のビスホスホネート

以下のビスホスホネート系薬物は、骨粗しょう症には適用されないが、悪性腫瘍による高カルシウム血症などに注射剤として用いられる。悪性腫瘍による高カルシウム血症では、のどの渇き、食欲不振、吐き気、頭痛、骨の痛み、脱力感（体がだるいと感じる）、意識障害などが生じる。ビスホスホネート系薬物は、破骨細胞の働きを抑制して Ca^{2+}濃度を低下させる。

パミドロン酸二ナトリウム Pamidronate Disodium

悪性腫瘍による高カルシウム血症および乳癌の溶骨性骨転移（化学療法、内分泌療法、あるいは放射線療法と併用）に用いられる。
【副作用】ショック、アナフィラキシー様症状、急性腎不全、ネフローゼ症候群、臨床症状を伴う低カルシウム血症、顎骨壊死・顎骨骨髄炎など

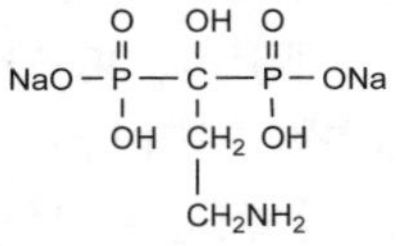

パミドロン酸二ナトリウム

ゾレドロン酸 Zoledronic Acid

悪性腫瘍による高カルシウム血症および多発性骨髄腫による骨病変及び固形癌骨転移による骨病変に用いられる。
【副作用】急性腎不全、うっ血性心不全（浮腫、呼吸困難、肺水腫）、顎骨壊死・顎骨骨髄炎など

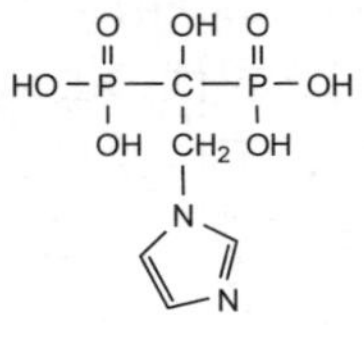

ゾレドロン酸

副甲状腺ホルモン製剤

テリパラチド Teriparatide

テリパラチドは、内因性のヒト副甲状腺ホルモンの N 末端フラグメントで、34 個のアミノ酸で構成されている。テリパラチドは、低骨密度、既存骨折、加齢、大腿骨頸部骨折の家族歴等の骨折の危険因子を有する骨折の危険性の高い骨粗しょう症患者を対象した治療薬である。1 日 1 回の頻度で間欠的に皮下投与すると骨新生を誘発するが、持続的に投

与すると骨吸収が骨形成を上回るようになり骨量減少が生じる。最長の投与期間は 24 ヶ月とされている。

【作用機序】主に前駆細胞から骨芽細胞への分化促進作用、および骨芽細胞のアポトーシス抑制作用により、骨梁ならびに皮質骨の内膜および外膜面における骨芽細胞機能を活性化する。これが破骨細胞機能を上回るため、骨新生が誘発される。

【副作用】消化器症状や高カルシウム血症など

活性型ビタミン D_3 製剤

カルシトリオール　Calcitriol

【作用機序】カルシトリオールは、ビタミン D_3 の生体内活性代謝体（活性型ビタミン D_3、Active vitamin D_3）である。したがって、肝臓及び腎臓における水酸化を受けることなく、本剤自体が腸管においてカルシウムの吸収を促進し、腎臓においてカルシウムの再吸収を促進することにより血清カルシウム値を上昇させる。また、破骨細砲、骨芽細胞を活性化させて骨代謝回転を改善し、骨形成を促進する。このため、老人性骨粗しょう症に有効である。

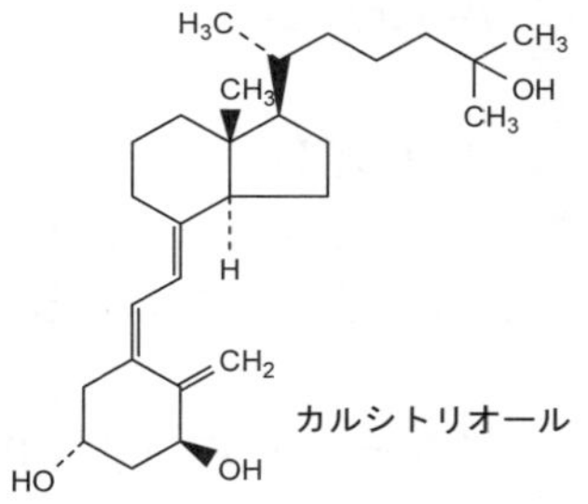

【副作用】高カルシウム血症など

エルデカルシトール　Eldecalcitol

エルデカルシトールは活性型ビタミン D_3（カルシトリオール）の誘導体である。

【作用機序】カルシトリオールと同様の機序で主に骨代謝回転を抑制して、骨密度および骨強度を改善する。

【副作用】高カルシウム血症、急性腎不全、尿路結石など

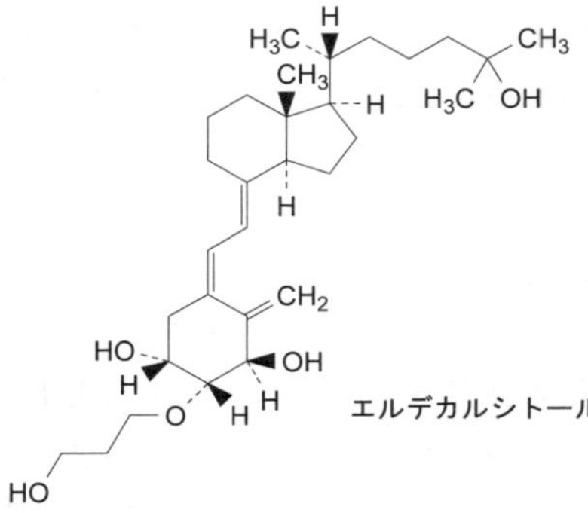

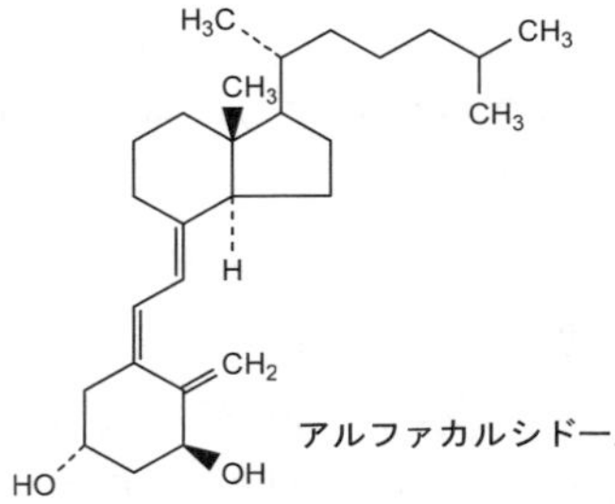

アルファカルシドール　Alfacalcidol

【作用機序】カルシトリオールのプロドラッグで、25 位の炭素が水酸化され、活性型活性型ビタミン D_3 となり、血清カルシウム値を上昇させる。また、骨代謝回転を改善し、骨形成を促進する（カルシトリオールと同じ）。

【副作用】急性腎不全、肝機能障害、黄疸など

ビタミン K_2（Vitamin K_2）製剤

メナテトレノン　Menatetrenone

【作用機序】メナテトレノンは、骨基質タンパク質であるオステオカルシンの構成アミノ

酸であるγ-カルボキシグルタミン酸の生成を促進して、オステオカルシンを産生させる。また、カルシウムの沈着を促進させる。

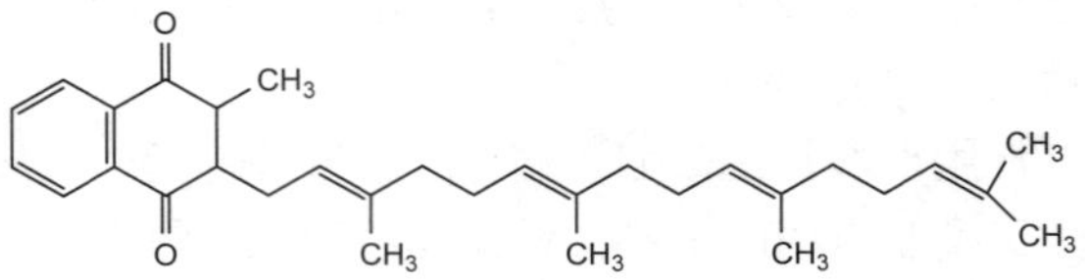

メナテトレノン

【副作用】消化器症状などがあげられているが、重大な副作用に指定されているものはない。

【禁忌】ワルファリンを投与中の患者（期待薬効が減弱）。ワルファリンは肝細胞内のビタミン K 代謝サイクルを阻害し、凝固能のない血液凝固因子を産生することにより抗凝固作用、血栓形成の予防作用を示す（詳細はワルファリンの項）ので、ワルファリン投与中の患者には禁忌である。

カルシウム製剤

カルシウム製剤は、骨形成に必要なカルシウム自体を補給する。このような医薬品として L-アスパラギン酸カルシウム、リン酸水素カルシウムが用いられている。

抗 RANKL モノクローナル抗体

RANK/RANKL 経路

RANK とは receptor activator for nuclear factor-κ B、RANKL とは receptor activator for nuclear factor-κ B ligand のことである。RANKL は、膜結合型あるいは可溶型として存在し、破骨細胞およびその前駆細胞の表面に発現する受容体である RANK を介して破骨細胞の形成、機能および生存を調節する必須の蛋白質である。RANKL の発現が増加すると、破骨細胞の形成、機能および生存が亢進し、骨吸収が促進され、骨密度および骨強度は低下する。

デノスマブ　Denosumab

【作用機序】デノスマブは特異的かつ高い親和性でヒト RANKL に結合するヒト型 IgG2 モノクローナル抗体で、RANKL に結合し、RANKL の RANK への結合を阻害することで、RANK/RANKL 経路を阻害し、破骨細胞の形成を抑制して骨吸収を抑制する。

【副作用】低カルシウム血症、顎骨壊死・顎骨骨髄炎、アナフィラキシー、大腿骨転子下及び近位大腿骨骨幹部の非定型骨折、重篤な皮膚感染症など

抗スクレロスチンモノクローナル抗体

スクレロスチン

スクレロスチンは、骨細胞によって骨の内部で産生される糖タンパク質で、骨組織に特異的に発現している細胞外可溶性因子であり、細胞の増殖や分化を制御するシグナル伝達機構の１つである Wnt シグナル伝達の負の調節因子である。スクレロスチンは、骨芽細胞系細胞での Wnt シグナル伝達の抑制により骨形成を抑制するとともに、破骨細胞による骨吸収を刺激するとされている。スクレロスチンは、加齢、閉経、糖尿病によって増加し、骨の脆弱化に関与することが示されている。

ロモソズマブ　Romosozumab

ロモソズマブは、スクレロスチンに結合してその機能を阻害するヒト化抗スクレロスチンモノクローナル抗体で、449個のアミノ酸残基からなるH鎖（γ2鎖）2本および214個のアミノ酸残基からなるL鎖（κ鎖）2本で構成される糖タンパク質（分子量：約149,000）である。

ロモソズマブは、骨折の危険性の高い骨粗鬆症に、通常、成人にはロモソズマブ（遺伝子組換え）として210mgを1ヵ月に1回、12ヵ月皮下投与する。

【作用機序】スクレロスチンに結合し、骨芽細胞系細胞でのスクレロスチンによるWntシグナル伝達の抑制を阻害することで、骨形成を促進し、骨吸収を抑制する。

【副作用】低カルシウム血症、顎骨壊死・顎骨骨髄炎、大腿骨転子下及び近位大腿骨骨幹部の非定型骨折など

骨軟化症治療薬

骨軟化症はカルシウムやリンの代謝異常やビタミンD欠乏、作用不全を基礎に生じ、骨基質は正常に形成されるが、石灰化障害のため、骨塩の沈着しない類骨組織が過剰に形成される骨の病態である。骨端閉鎖後の骨に生じる石灰化障害を骨軟化症といい、骨端閉鎖前の発育中の骨に生じる石灰化障害をくる病という。治療には、日光浴とビタミンDの投与が行なわれる。リン製剤の併用も有効とされる。

活性型ビタミンD_3製剤

ファレカルシトリオール　Falecalcitriol

【作用機序】活性型ビタミンD_3の誘導体であり、小腸、副甲状腺及び骨等の標的組織に分布する受容体への結合により、抗くる病作用を示す。

【副作用】高カルシウム血症、腎結石、尿管結石、肝機能障害、黄疸など

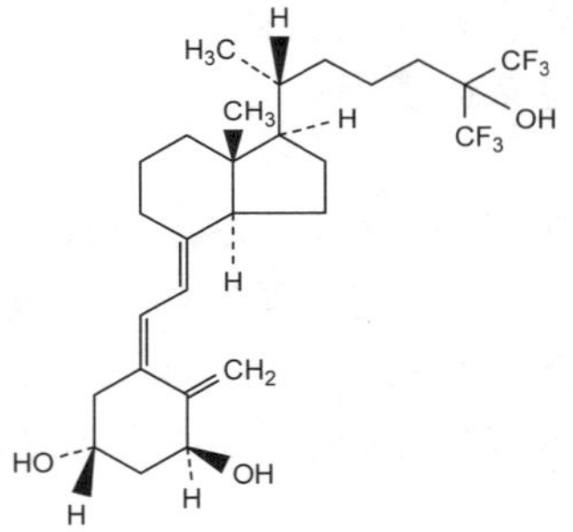

H_3C　H　CF_3　CH_3　H　OH　CF_3　H　CH_2　HO　OH　H　H

ファレカルシトリオール

抗線維芽細胞増殖因子23抗体

線維芽細胞増殖因子23（FGF23）は、体内のリンの恒常性維持において重要な働きを担うホルモンであり、その主な働きは、血清リン濃度を低下させることである。FGF23関連低リン血症性くる病・骨軟化症は、遺伝子変異やFGF23　産生腫瘍等によるFGF23の過剰産生を根本原因とする希少な疾患群である。この疾患に対する治療薬として、抗線維芽細胞増殖因子23抗体であるブロスマブが2019年12月に販売が開始された。

ブロスマブ　Burosumab

【作用機序】FGF23と結合しその過剰な作用を中和することで、血清リン濃度を上昇させる。

【副作用】注射部位反応（発疹・そう痒・疼痛等）や筋骨格痛が挙げられているが重大な副作用にされているものはない

変形性関節症治療薬

症状：関節の変形疾患、退行性関節症、関節軟骨化症
軟骨コラーゲンの破壊、軟骨部の浮腫
関節軟骨の欠損、骨の露出　（炎症所見はない）

病因：加齢・老化に伴うもの（一次性）
形態異常、代謝異常、外傷による関節炎　（二次性）

薬物治療：非ステロイド系抗炎症薬やステロイド、ヒアルロン酸

その他の関連薬物

カルシウム受容体作動薬

副甲状腺細胞表面のカルシウム受容体は、副甲状腺ホルモン（PTH）分泌、PTH 生合成および副甲状腺細胞増殖を制御している。

シナカルセト　Cinacalcet

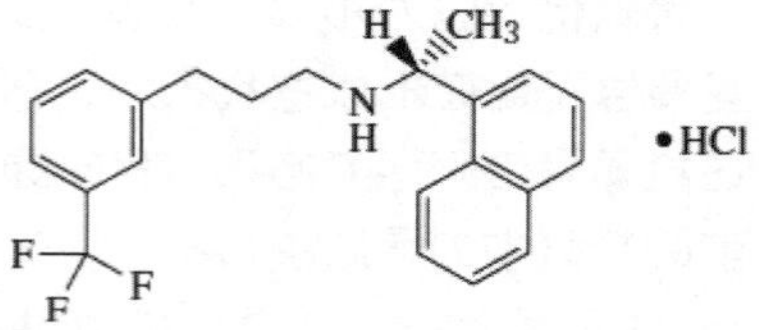

シナカルセトは、カルシウム受容体に作用し、主として PTH 分泌を抑制することで、血清 PTH 濃度を低下させる。また、反復投与では副甲状腺細胞増殖抑制作用も血清 PTH 濃度低下に寄与すると考えられる。

維持透析下の二次性副甲状腺機能亢進症や副甲状腺癌、副甲状腺摘出術不能又は術後再発の原発性副甲状腺機能亢進症における高カルシウム血症に使用する。

エボカルセト　Evocalcet

カルシウム受容体に作動し、主として PTH 分泌を抑制することで、血中 PTH 濃度を低下させる。維持透析下の二次性副甲状腺機能亢進症および副甲状腺癌や副甲状腺摘出術不能または術後再発の原発性副甲状腺機能亢進症における高カルシウム血症に用いる。

エテルカルセチド　Cinacalcet

カルシウム受容体作動薬で、血液透析下の二次性副甲状腺機能亢進症に使用する。

マキサカルシトール　Maxacalcitol

活性化型ビタミン D_3 製剤であるが、適応は、維持透析下の二次性副甲状腺機能亢進症である。

13

抗悪性腫瘍薬

Anticancer drugs

抗悪性腫瘍薬（Anticancer drugs）は、マスタードガス（毒ガス）に端を発している。従来用いられてきた抗悪性腫瘍薬には、DNA 合成阻害作用を持つ物が多い。最近は、分子標的治療薬のようなピンポイントで作用するような薬物の開発も行われ、使用されている。癌細胞の種類によって抗悪性腫瘍薬に対する感受性は異なるため、有効性を高めるためには適切な薬物を選択する必要がある。

1 抗悪性腫瘍薬総論

1-1 悪性腫瘍の薬物感受性

（1）高率で緩解または治癒するもの

絨毛上皮腫、小児急性リンパ性白血病、悪性リンパ腫（ホジキン病）

（2）薬物感受性が高いもの

慢性白血病、悪性リンパ腫（非ホジキン病）、睾丸腫瘍

（3）薬物感受性が低いもの

肺癌、消化器癌（胃癌を除く）、悪性黒色腫、膀胱癌、子宮頸癌

1-2 抗悪性腫瘍薬の細胞周期依存性

細胞の特定の周期にのみ抗腫瘍効果を現すもの－周期依存性がある。

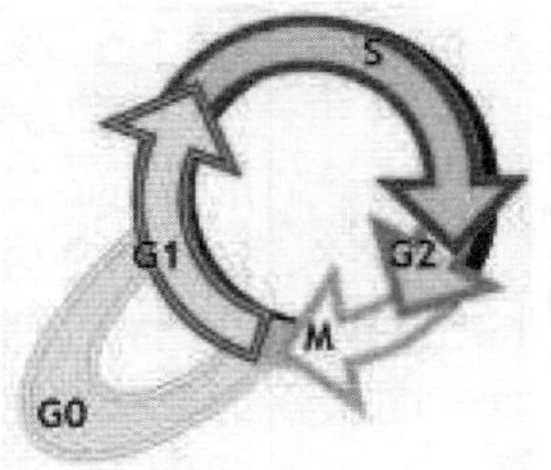

細胞周期（有糸分裂で倍加する過程）

G_1 期：DNA 合成前期（準備期で分裂に必要なタンパク質合成を行う）

S 期：DNA 複製期

代謝拮抗薬、イリノテカン

G_2 期：DNA 合成後期　有糸分裂準備期で RNA およびタンパク質の合成期

エトポシド（S 期後半～ G_2 期に最も強い作用を示す）

M 期：分裂期　ビンカアルカロイド、タキサン

G_0 期：休止期　周期から逸脱した非増殖状態

細胞周期に関係なく、濃度に依存して抗腫瘍効果を現すもの

アルキル化薬（周期特性はないが、G_2 期に作用を発揮しやすい。）、白金製剤

抗腫瘍性抗生物質

1-3　抗悪性腫瘍薬の分類

分 類 名	作 用 機 序	細胞周期特異性	薬　物
アルキル化薬	腫瘍細胞の DNA 鎖グアニン基 7 位のアルキル化	周期特異性なし	シクロホスファミド、ブスルファン、イホスファミド
代謝拮抗薬	核酸合成に必要なプリン塩基、ピリミジン塩基、葉酸などに類似した構造を有するもので DNA 合成に必要な核酸合成を抑制する。	周期特異性あり S 期に特性が高い	**葉酸拮抗**：メトトレキサート **プリン代謝拮抗**：6-メルカプトプリン **ピリミジン代謝拮抗**：5-フルオロウラシル、テガフール、シタラビン
抗腫瘍性抗生物質	主として核酸（DNA、RNA）合成を阻害	周期特異性がないものが多い	アンソラサイクリン系、ブレオマイシン、アクチノマイシン D、マイトマイシン C
白金製剤（錯体）	二本鎖 DNA の間に架橋を形成	周期特異性なし	シスプラチン、カルボプラチン、オキサリプラチン、ネダプラチン
植物（由来）製剤 微小管阻害薬	紡錘糸を構成している微小管の形成阻害、その構成成分のチュブリンに結合して紡錘糸の形成を阻害	周期特異性あり M 期	ビンクリスチン、ビンブラスチン
トポイソメラーゼ阻害薬	β-チュブリンに結合して、本タンパクの分解を阻止し微小管の形成を促進する。ビンカアルカロイドとは異なる部位に結合するため、微小管の安定化・過剰形成を引き起こし、紡錘体の機能を障害する。	周期特異性あり M 期 G2 + M 期	パクリタキセル、ドセタキセル
	トポイソメラーゼを抑制して、DNA 合成を阻害する（腫瘍細胞は正常細胞に比べトポイソメラーゼ活性が高い）。	周期特異性あり S 期 S 期後半～ G2 期	イリノテカン（トポイソメラーゼⅠ） エトポシド（トポイソメラーゼⅡ）、
分子標的治療薬	癌細胞に特異的な細胞特性に関与する分子を同定し、その分子の機能を特定の薬物で修飾することにより、脱癌化、分化、浸潤・転移の抑制、腫瘍血管新生抑制、アポトーシス誘導などにより癌を治療する。		①低分子性分子標的薬（nib、mib） ②抗体性分子標的薬（mab）
ホルモン関連薬	ホルモンの支配を受けている臓器で効奏する薬物でホルモン環境を変えて癌を抑制		タモキシフェン、ファドロゾール、リュープロレリン、ゴセレリン

1-4　副作用とその対策

生体組織で絶えず増殖を繰り返している組織（骨髄）や絶えず再生されている細胞である骨髄、胃腸管上皮、毛根、膀胱上皮細胞などが障害を受ける。その他心毒性など様々な副作用が発現する可能性がある。

分　類	副作用と発症原因	薬　　物
骨髄抑制	顆粒球減少、血小板減少・赤血球減少 白血球数が減少すると感染しやすく、血小板が減少すると出血しやすく、赤血球が減少すると貧血となる。	多くの抗悪性腫瘍薬で見られる（植物アルカロイド、抗生物質の一部、ホルモン薬、分子標的薬以外）
消化管障害	**吐気・嘔吐**：投与後 24 時間以内におこる急性期の吐気・嘔吐は、セロトニンが強く関与している。24 時間以降におこる遅発性の吐気・嘔吐は抗がん剤により小腸の細胞が壊れたり、動きが悪くなることにより、サブスタンス P が神経終末から放出され、CTZ のニューロキニン（NK-1）受容体に作用して起こす。 **下痢**、便秘、口内炎、味覚異常なども起こる。	嘔気・嘔吐：シスプラチン、マイトマイシン C 下痢：イリノテカン、アクチノマイシン D、代謝拮抗薬（シトシンアラビノシド以外）、ゲフィチニブ
脱毛	**脱毛**：細胞分裂が盛んな毛根細胞に作用してダメージを引き起こすために脱毛が生じる。抗悪性腫瘍薬投与による脱毛のほとんどは一時的なものである。	シクロホスファミド、抗生物質、イリノテカン （インフォームドコンセント時に説明必要）
呼吸器疾患	**間質性肺炎、肺線維症**：かぜの様な症状（息切れ、呼吸がしにくい、咳および発熱等の症状）が現れたときは、急性肺障害、間質性肺炎の可能性がある。	ブレオマイシン、エトポシド、イリノテカン、ゲフィチニブ
心毒性	左室機能障害、うっ血性心不全	アントラサイクリン系 アントラサイクリン系薬剤の引き起こす心毒性は、投与中または投与後短期間に出現する急性心毒性、投与後 2-3 週で出現する亜急性心毒性、投与後 1 年以上経過して（10-20 年を経て）現れる慢性心毒性がある。

嘔吐分類	定義	対策
急性期嘔吐	化学療法後、0～24 時間以内に発現する悪心・嘔吐	5-HT_3 受容体拮抗薬とステロイド剤（デキサメタゾン） NK_1 受容体拮抗薬（アプレピタント）
遅延性嘔吐	化学療法後、24 時間以降に発現する悪心・嘔吐	NK_1 受容体拮抗薬（アプレピタント）あるいは 5-HT_3 受容体拮抗薬 ステロイド薬（デキサメタゾン）とメトクロプラミド（プリンペラン）
予測性嘔吐	化学療法を開始する前から発現する悪心・嘔吐	ベンゾジアゼピン系薬（ロラゼパムなど）

副作用軽減のために用いられる薬物

薬　　物	作　用　機　序	用いられる薬物
5-HT_3 受容体遮断薬（急性制吐） NK1 受容体遮断薬（遅発性制吐）	胃の求心性迷走神経にあるセロトニン 5-HT_3 受容体の遮断、抗悪性腫瘍薬により誘発される悪心、嘔吐に有効である。 サブスタンス P（SP）は、嘔吐の発現に深く関与している。NK1 受容体は、SP の受容体であり、選択的ニューロキニン 1（NK1）受容体拮抗薬は、遅発性悪心・嘔吐に有効。	グラニセトロン、 オンダンセトロン、 アザセトロン アプレピタント ステロイド剤と併用
末梢性制吐薬	局所麻酔作用により胃粘膜の知覚神経を麻痺させて、嘔吐反射を抑制。	アミノ安息香酸エチル、 オキセサゼイン
葉（ロイコボリン）大量投与	大量投与によりメトトレキサートの毒性が軽減される（ロイコボリンレスキュー）。	ホリナートカルシウム（ロイコボリン）
出血性膀胱炎防止薬（出血性膀胱炎は、代謝産物が 膀胱粘膜と接触して発現する局所障害であり、血行を介する全身性の毒性ではない ）	シクロホスファミドやイホスファミドの出血性膀胱炎に対して用いる。、メスナは、イホスファミド及びシクロホスファミドの障害性代謝産物アクロレインと縮合して、無障害性のメスナ縮合体を形成することにより出血性膀胱炎を防止する。	メスナ（Sodium 2-mercapto-ethanesulfonate）
顆粒球コロニー形成因子	化学療法により減少した好中球を増加させる。	フィルグラスチム、 レノグラスチム、 ナルトグラスチム
マクロファージコロニー形成因子	卵巣癌や急性骨髄性白血病において、抗悪性腫瘍薬による治療で減少した顆粒球を増加	ミリモスチム

2 抗腫瘍薬各論

2-1 アルキル化薬 Alkylating agents

二本鎖 DNA に作用してアルキル化することにより DNA 合成を阻害する薬物

2-1-1　マスタード類（クロロエチルアミン誘導体）

シクロホスファミド Cyclophospamide、
イホスファミド Ifospamide

【作用機序】

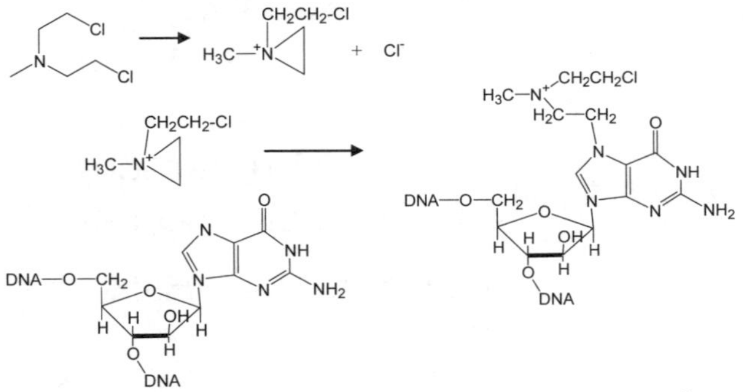

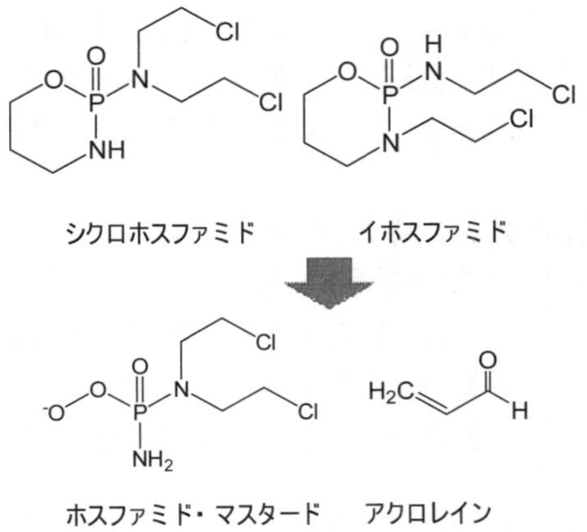

シクロホスファミド　　イホスファミド

ホスファミド・マスタード　　アクロレイン

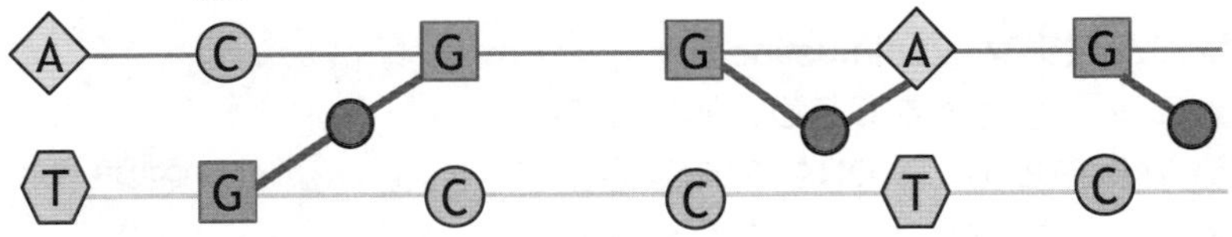

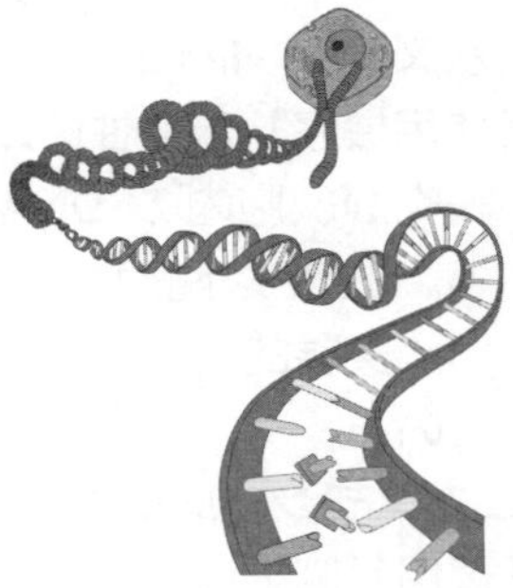

肝臓の酵素で活性体（4 －ヒドロキシシクロホスファミド）に変換され、組織・細胞内でホスファミド・マスタードとなり DNA アルキル化作用を示す。もう一つの代謝産物であるアクロレインは、出血性膀胱炎*の原因となる。DNA 塩基のうちグアニン残基７位の窒素原子のアルキル化は、最も優先して起こる反応である。通常グアニン塩基は、シトシン塩基と水素結合により相補的な塩基対を形成するが、アルキル化が起こると、グアニン塩基はチミンと誤った塩基対を形成してしまう。また、アルキル化によりイミダゾ-ル環が不安定になってグアニン残基が脱落し、脱プリン化を引き起こす。また、クロロエチル側鎖が環化反応を起こし、別のグアニン基やその他の求核物質のアルキル化を誘発し 2 本の核酸に架橋（cross-link）を形成する。このような変化が、細胞毒性や変異原性に関与しているものと考えられている。

【適用】　シクロホスファミド：多発性骨髄腫、悪性リンパ腫（ホジキン病、リンパ肉腫、細網肉腫）、乳癌、急性白血病、真性多血症、肺癌、神経腫瘍（神経芽腫、網膜芽腫、骨腫瘍）

イホスファミド：肺小細胞癌、前立腺癌、子宮頸癌

【副作用】　骨髄抑制（汎血球減少、白血球減少、血小板減少、貧血、出血）、出血性膀胱炎（イホスファミドの出血性膀胱炎の頻度は、シクロホスファミドよりも高い。）、肝障害、腎障害

【**副作用**】 骨髄抑制（血球、血小板減少)、出血性膀胱炎（**副作用対策**：メスナ）
間質性肺炎

出血性膀胱炎予防薬

メスナ（Sodium2-mercapto-ethanesulfonate）

アクロレインの二重結合に付加し、無障害性の付加体を形成するとともに、イホスファミド及びシクロホスファミドの抗腫瘍活性物質 4-ヒドロキシ体がメスナと縮合して、無障害性のメスナ縮合体を形成することにより出血性膀胱炎を防止する。

2-1-2 アルキルスルホン酸

ブスルファン **Buslfan**

$$\begin{array}{l} CH_2CH_2OSO_2CH_3 \\ | \\ CH_2CH_2OSO_2CH_3 \end{array}$$

対照的な構造を有する bis-置換メタンスルホン酸

【**適用**】慢性骨髄性白血病

【**副作用**】 骨髄抑制（汎血球減少、白血球減少、血小板減少、貧血)、高用量

2-1-3 ニトロソウレア類

ニムスチン **Nimustine**、ラニムスチン **Ranimustine**

【**作用機序**】水溶性のニトロソ尿素誘導体であり、脂溶性の代謝物が細胞内の DNA をアルキル化し、DNA 合成を阻害する。血液-脳関門を通過しやすいため、脳腫瘍に有効性が高い。実験的腫瘍においては幅広い抗腫瘍スペクトラムを有している。

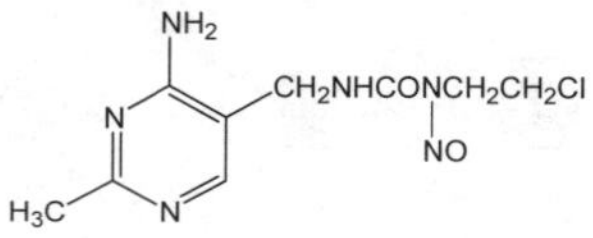

ニムスチン **Nimustine**

【**適用**】脳腫瘍、消化器癌（胃癌、肝臓癌、結腸・直腸癌)、肺癌、悪性リンパ腫、慢性白血病

【**副作用**】 骨髄抑制（汎血球減少、白血球減少、血小板減少、貧血、出血)、間質性肺炎、肺線維症

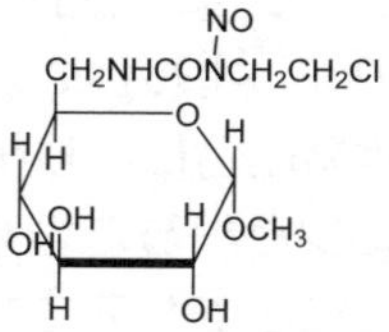

ラニムスチン **Ranimustine**

【**適用**】膠芽腫、骨髄腫、悪性リンパ腫、慢性骨髄性白血病

2-2 代謝拮抗薬 Antimetabolites

生体内の代謝物と類似構造をもつ薬物で核酸合成に関わる酵素を阻害したり、核酸に取り込まれて本来の役割をはたせなくなり、DNA 合成を阻害する。S 期に作用するものが多い。

2-2-1 葉酸拮抗薬

メトトレキサート **Methotrexate**

メトトレキサートは 1948 年に、小児の急性リンパ性白血病に対して有効であることが明らかになり、その後 1963 年に絨毛癌にも有効であることが確認された。

【作用機序】 葉酸は、還元されてテトラヒドロ葉酸（FH_4）となり、その後 formyl 化を受けて、5-methylene tetrahydrofolate（ロイコボリン）や 5,10-methylene tetrahydrofolate となる。この formyl 基は、チミジル酸、メチオニン、グリシン、セリンなどの合成過程で炭素１個の受け渡しの役目を担当する。葉酸と同じ機序で膜を通過して細胞内に入り、**ジヒドロ葉酸レダクターゼ**と強固に結合して阻害し、生化学的に活性のある還元型の葉酸（テトラヒドロ葉酸、 FH_4）を枯渇させる。還元型葉酸は、チミジンやプリン核合成（IMP の生合成）に必須であるため、この経路が抑制されて、結果的に DNA 合成が抑制される。

葉酸（上）とメトトレキサート

【適用】 急性白血病、慢性リンパ性白血病、慢性骨髄性白血病、絨毛癌

【副作用】 骨髄機能抑制（汎血球減少、無顆粒球症、白血球減少、血小板減少、貧血、再生不溶性貧血）、重篤な肝障害、腎障害

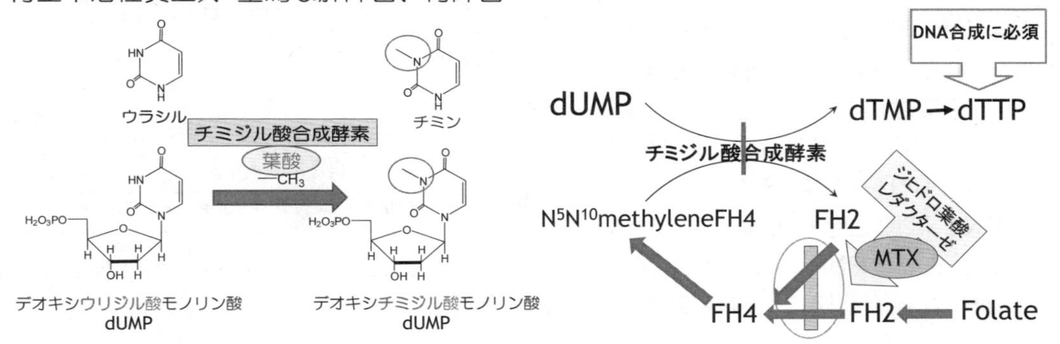

ロイコボリンレスキュー

ホリナートカルシウム（Monocalcium N-{4- [(2-amino-5-formyl-1,4,5,6,7,8-hexa-hydro-4-oxopteridin-6-yl) methylamino] benzoyl} -L-glutamate, ロイコボリン）は、特に正常な細胞においてメトトレキサートが作用するジヒドロ葉酸レダクターゼに関与せずに細胞の葉酸プールに取り込まれ、活性型葉酸（5,10-methylene tetrahydrofolate 等）となり、細胞の核酸合成を再開させる。メトトレキサート投与後にホリナートカルシウムを適用すると、生体の細胞毒性が軽減されることが明らかにされている。ロイコボリンレスキュー法により、肉腫、急性白血病中枢神経、・睾丸浸潤などでの高用量での治療が可能となった。

2-2-2 ピリミジン類似薬 Pyrimidine analogs

A フルオロピリミジン類

フルオロウラシル Fluorouracil：5-FU

【作用機序】

① 細胞内でウラシルから 5-dUMP が生成される経路により、フル

フルオロウラシル

オロデオキシウリジン酸一リン酸（5-FdUMP）となり、**チミジル酸合成酵素を阻害**し TMP 合成を抑制する。結果的にチミジル酸三リン酸（TTP）の合成ができず、**DNA 合成が阻害**される。

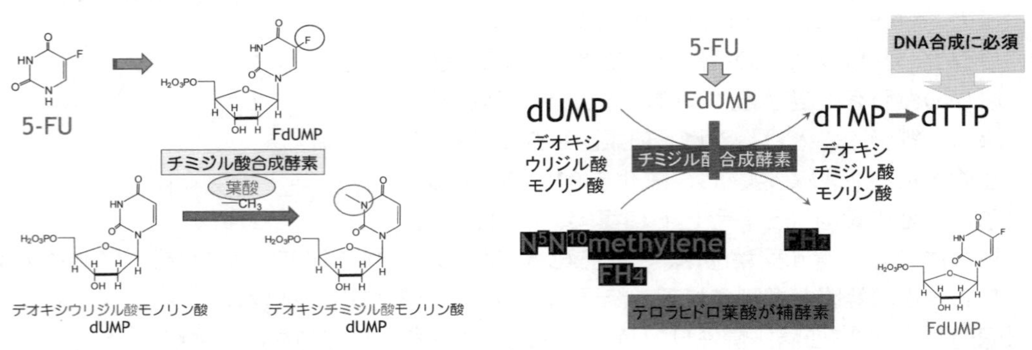

② フルオロデオキシウリジン酸二リン酸（FdUDP）、三リン酸（FdUTP）となって DNA に転入して、**DNA 合成を阻害する。**

③ フルオロウリジン酸一リン酸（FUMP）から三リン酸（FUTP）が合成され、これが RNA に取込まれて異常な RNA を産生し、RNA プロセシングや mRNA 翻訳を妨げ、**RNA の機能障害**も引き起こす。

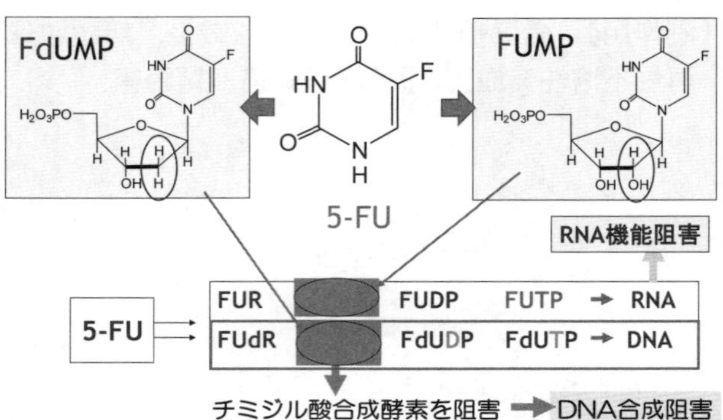

半減期は短く 10 分から 20 分である。

【適用】 消化器癌（胃癌、結腸・直腸癌等）、乳癌、子宮頸癌

【副作用】 抗ウイルス薬のソリブジンとの併用により代謝が阻害され、血中濃度が上昇して重篤な血液障害がおこる。激しい下痢による脱水症状、骨髄抑制（汎血球減少、白血球減少、血小板減少、好中球減少）貧血、出血性腸炎、虚血性腸炎、壊死 性腸炎等の重篤な腸炎

フルオロウラシルのプロドラック

作用の持続性を向上させたり選択的移行性を向上させることを目的として、いくつものプロドラッグが開発されている。作用持続化を目的としたものに、テガフール、カルモフールがあり、選択的組織移行性向上を目的としたものに、ドキシフルリジン、カペシタビンがある。

テガフール Tegafur

【作用機序】 作用持続化を目的としたもので、生体内で P450 により 5-FU となるプロドラッグである。体内で徐々に 5-FU に代謝される。テガフールは TS-1 として使用されている。

【適用】 消化器癌（胃癌、結腸・直腸癌）、乳癌

TS-1

テガフール

テガフール、ギメラシル及びオテラシルカリウムの三成分を含有する製剤（モル比 1：0.4：1）で経口投与で用いる。テガフールは、肝の薬物代謝酵素（C2A6 など）により、徐々に 5-FU に変換される。 ギメラシルは、主として肝に多く分布する 5-FU の代謝酵素であるジヒドロピリミジンデヒドロゲナーゼ（DPD）を選択的に阻害し、5-FU の血中濃度を上昇させる。このため、生体内 5-FU 濃度が上昇し、腫瘍内では 5-FU の活性代謝物である 5-フルオロヌクレオチド（FdUMP 等）が高濃度に維持され、抗腫瘍効果が増強される。また、オテラシルは、経口投与により主として消化管組織に分布してオロテートホスホリボシルトランスフェラーゼを選択的に阻害し、5-FU から FUMP への活性化を選択的に抑制する。その結果、5-FU由来の強い抗腫瘍効果を損なうことなく、消化管障害が軽減される。

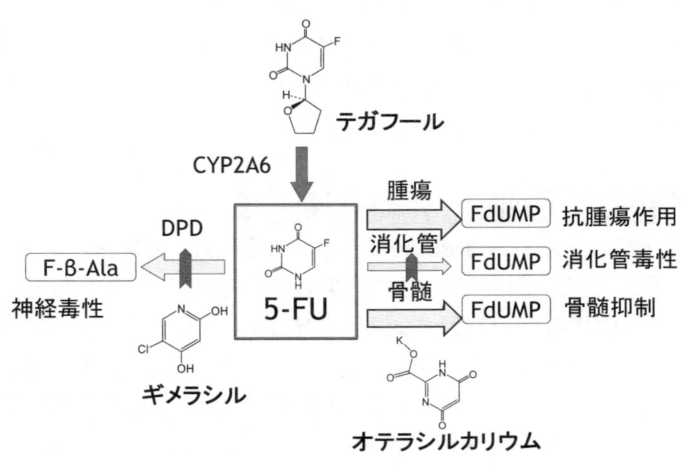

カルモフール　Carmofur

テガフールと異なり肝での代謝を受けず、加水分解により５－ FU に変換される。内服により腸管から吸収されるので経口投与可能である。

【適用】消化器癌（胃癌、結腸・直腸癌）、乳癌

カルモフール

ドキシフルリジン　Doxifluridine、5' -デオキシ- 5 -フルオロウリジン　5' -DFUR

【作用機序】ピリミジンヌクレオシドホスホリラーゼ（PyNPase）は、ピリミジン系ヌクレオシドを過リン酸分解する酵素の総称で、核酸合成に関与している。癌細胞は増殖のため核酸の合成能が高まっているため PyNPase 活性も高くなっている。ドキシフルリジンは、 PyNPase で 5-FU に変換されるため、この変換が癌組織では効率よく行われる。経口投与で用いる。

ドキシフルリジン

【適用】胃癌、結腸・直腸癌、乳癌、子宮頸癌、膀胱癌

カペシタビン　Capecitabine

【作用機序】ドキシフルリジン（5'-DFUR）のプロドラッグで、小腸から吸収されたのち、肝臓に存在するカルボキシルエステラーゼにより、5'-デオキシ-5-フルオロシチジン 5'-DFCR に変換される。その後、主に肝と腫瘍内で活性が高いシチジンデアミナーゼによりドキシフルリジン（5'-デ

カペシタビン

オキシ-5-フルオロウリジン：5’-DFUR）に変換され、それが癌細胞に存在するピリミジンヌクレオシドホスホリラーゼ（PyNPase）の 1 つであるチミジンホスホリラーゼにより 5-FU に変換され抗腫瘍効果を発揮する。

【適用】治癒切除不能な進行・再発の結腸・直腸癌、 治癒切除不能な進行・再発の胃癌 手術不能又は再発乳癌 結腸癌における術後補助化学療法

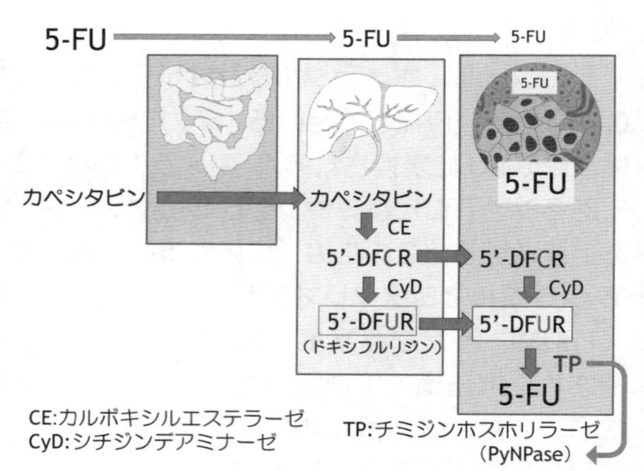

B シチジン類似薬 Cytidine analogus

シタラビン Cytarabine（シトシンアラビノシド）

急性骨髄性白血病における重要な治療薬の１つである。

【作用機序】シタラビンは、２'位の水酸基が、糖の３'位の水酸基に対して *trans* に位置する。このため、ピリミジン塩基の回転に立体障害をもたらし、塩基の配列の作成を妨げる。腫瘍細胞内で Ara-CTP となって DNA 合成時にデオキシシチジン三リン酸(d-CTP）とデオキシチミジン三リン酸（d-TTP)と競合して DNA ポリメラーゼを阻害して DNA 合成を阻害する。シチジンデアミナーゼにより速やかにアミノ基を失ってアラビノシルウラシルに変化する。

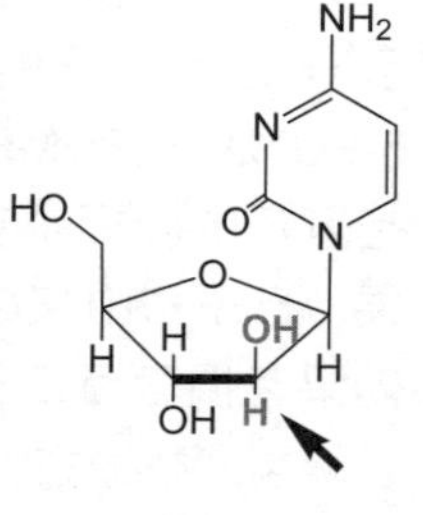
シタラビン

【適用】 白血病（急性骨髄性白血病の方が急性白血病に比べて強い阻害を受ける。）消化器癌、肺癌、乳癌

【副作用】骨髄機能抑制（汎血球減少、白血球減少、血小板減少、貧血、網赤血球減少、巨赤芽球様細胞）、間質性肺炎

シタラビンオクホスファート Cytarabine Ocfosphate（プロドラッグ）

【作用機序】 シタラビンのプロドラッグで、体内で活性代謝物の Ara-C に代謝された後、腫瘍細胞内で Ara-CTP となり、DNA ポリメラーゼを阻害することにより抗腫瘍作用を示す。経口投与で有効。

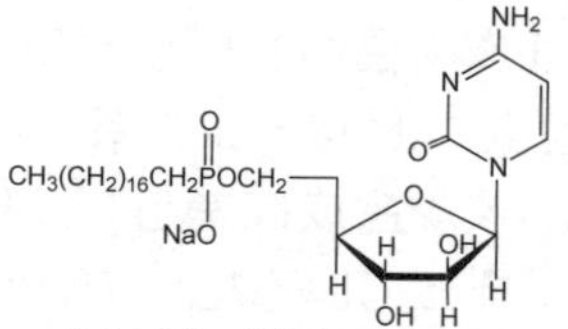

シタラビンオクホスファート

【適用】 急性白血病および骨髄異形成症候群

エノシタビン Enocitabine（プロドラッグ）

【作用機序】 シタラビンのプロドラッグ。日本で開発された抗がん剤である。

【適用】急性白血病（慢性白血病の急性転化を含む）

エノシタビン

ゲムシタビン Ggemcitabine

【作用機序】シチジンのリボース環の 2'位がフッ素 2 個で置換された構造を持つ。細胞内で代謝されて活性型のヌクレオチドであるニリン酸化物（dFdCDP）及び三リン酸化物（dFdCTP）となり、これらが DNA

合成を直接的及び間接的に阻害することにより殺細胞作用を示す。

【適用】非小細胞肺癌、膵癌

【副作用】骨髄抑制（汎血球減少、白血球減少、血小板減少、貧血、網赤血球減少、巨赤芽球様細胞）、間質性肺炎

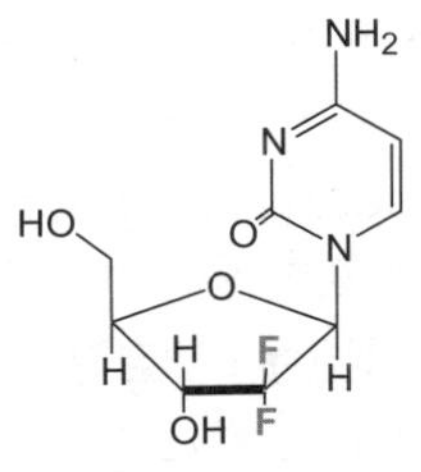

ゲムシタビン

2-2-3 プリン誘導体　Purine antagonists

6-メルカプトプリン　6-Mercaptpurine

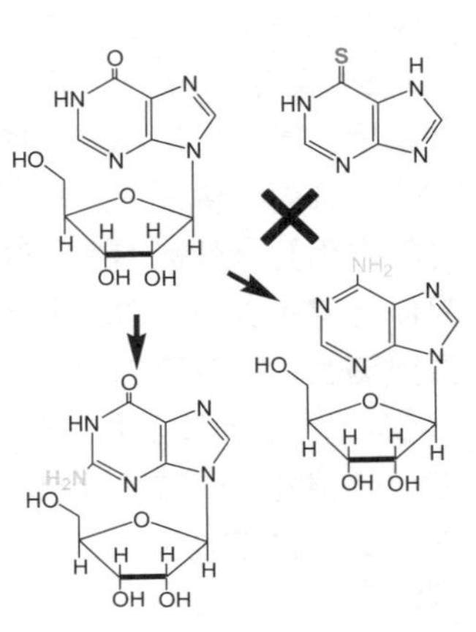

【作用機序】細胞増殖に重要な核酸のうち、プリン塩基の生合成を阻害する。細胞内で、速やかにヌクレオチドとなり、チオイノシン酸（TIMP）に変換され、この TIMP により主としてイノシン酸からのアデニル酸、グアニル酸の生合成が阻害され、結果的に DNA 合成が阻害される。

【適用】　急性白血病、慢性骨髄性白血病

【副作用】　骨髄抑制（汎血球減少、無顆粒血症、白血球減少、血小板減少、貧血）、肝障害、腎障害　アロプリノールは、本薬の代謝酵素であるキサンチンオキシダーゼを阻害するため、併用すると作用が増強される。

リン酸フルダラビン　Fludarabine phosphate

【作用機序】2-フルオロアデニンアラビノシドで、血漿中で脱リン酸化された後細胞に取り込まれ、再びリン酸化されて 2F-araATP となり、DNA ポリメラーゼ、DNA プライマーゼ、リボヌクレオチドレダクターゼなどを阻害するとともに、DNA、RNA に取り込まれる。DNA 及び RNA 合成を阻害することにより抗腫瘍効果を示す。

【適用】慢性リンパ性白血病

【副作用】骨髄抑制、間質性肺炎、大量で精神神経障害　（錯乱、昏睡、興奮、痙れん発作、末梢神経障害等）

リン酸フルダラビン

2-3 抗腫瘍性抗生物質　Antitumor antibiotics

アクチノマイシン D　Dactinomycin

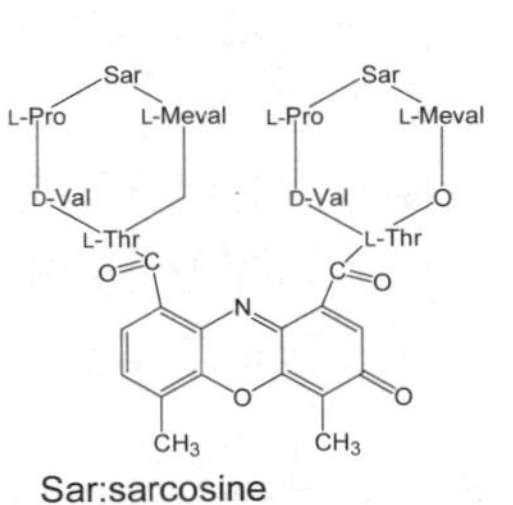

Sar:sarcosine

Maval:N-methylvaline

1940 年に Streptomyces の培養液から発見された抗腫瘍性抗生物質。

【作用機序】DNA と結合して、二重鎖 DNA のグアニンとシトシン塩基対の間に転入（インターカレート）し安定化することで、DNA の複製と DNA 依存性 RNA　ポリメラーゼによる DNA の転写反応（RNA 合成）を抑制する。

【適用】　ウイルムス腫瘍、絨毛上皮腫、破壊性帯状疱疹

【副作用】　骨髄抑制（再生不良性貧血、無顆粒球症、汎血球減少症等）、脱毛、アナフィラキシー

マイトマイシンC　Mitomycin

マイトマイシンは、1958 年に Wakai らによって、Streptococcus　caespitosus の培養液から分離された抗腫瘍性抗生物質である。静注で用いる。

【作用機序】 自動的または生体内の酵素により、キノンの還元が起こると同時に脱メチル化を起こし、アルキル化薬となる。このため、腫瘍細胞の DNA と結合し、二重鎖 DNA への架橋形成により DNA の複製を阻害する。細胞周期特異性はないが、DNA 合成前期（G_1）後半から DNA 合成期（S）前半の細胞は本薬に高い感受性を示す。

【適用】慢性リンパ性白血病、慢性骨髄性白血病、消化器癌（胃癌、直腸癌・結腸癌）膵癌、肝癌、乳癌、子宮頸癌

【副作用】 骨髄抑制（汎血球減少、白血球減少、血小板減少、貧血、出血）、倦怠感、嘔吐

ブレオマイシン　Bleomycins
類似薬としてペプロマイシンがある

ブレオマイシンは、1962 年に Umezawa らによって、放線菌の一種 Streptococcus verticillus の培養ろ液から分離された混合物からなる抗腫瘍性抗生物質。静注で用いる。

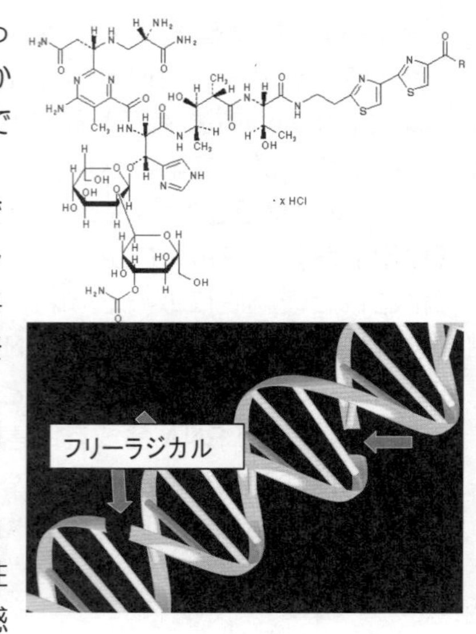

【作用機序】 Fe^{2+}とキレートを形成し、DNA に近くでフリーラジカルを発生させ、チミジル酸や他のヌクレオチドのデオキシリボースに酸化的なダメージを与え、非酵素的に DNA 鎖を切断するため DNA 合成を阻害する。RNA に対する作用は弱い。
G_2 期および M 期の細胞に対する効果が最も強く、G_1 期の細胞に対する効果は少ない。

【適用】 皮膚癌、食道癌、頭頸部癌(上顎癌、舌癌、口唇癌、咽頭癌、喉頭癌、口腔癌等)、肺癌(特に原発性及び転移性扁平上皮癌)、子宮頸癌（扁平上皮癌に感受性が高い）

【副作用】肺線維症、間質性肺炎（重篤な肺症状を起こすことがある。肺に解毒酵素がないため肺毒性を生じやすい）、ショック、倦怠感、胃腸障害
骨髄抑制は比較的軽度であり、他の抗腫瘍薬との多剤併用が容易である。

アントラサイクリン系抗生物質　Anthracycline antibiotics

1967 年にイタリアの Farmitalia 研究所の F.　Arcamone らにより、Streptomyces peucetius　var.　caesius の培養濾液中から発見されたアントラサイクリン系の抗腫瘍性抗生物質である。 ダウノルビシンとドキソルビシンは構造上よく似ているが、ドキソルビシンのほうが抗腫瘍スペクトルが広いし、適応も異なっている。静注で用いる。

【作用機序】 二重鎖 DNA のプリン及びピリミジン環に結合してはまりこみ（インターカレート）、DNA の解離を抑制するため、腫瘍細胞 DNA の鋳型としての機能を障害す

る。DNA ポリメラーゼや DNA 依存性 RNA ポリメラーゼを抑制し、DNA や mRNA の合成を阻害する（DNA・RNA 合成阻害)。トポイソメラーゼⅡを阻害し、DNA を切断する段階で、DNA-酵素複合体に薬物が結合し、DNA 鎖の通り抜けと再結合を抑制する。また、鉄をキレート化して、鉄-アントラサイクリン複合体が産生され、これがフリーラジカルを形成する。細胞周期非特異性。

【適用】ドキソルビシン　Doxorubicin：悪性リンパ腫（細網肉腫、リンパ肉腫、ホジキン病)、肺癌、消化器癌（胃癌、胆のう・胆管癌、膵臓癌、肝癌、結腸癌、直腸癌癌)、乳癌、骨肉腫

エピルビシン　Epirubicin：ドキソルビシンの誘導体でドキソルビシンのアミノ糖の4'位の OH がエピ位に反転したもの。急性白血病、悪性リンパ腫、乳癌、卵巣癌

ダウノルビシン　Daunorbicin、イダルビシン　Idarubicin（ダウノルビシンの誘導体)：急性白血病

【副作用】 心筋障害、骨髄抑制、血球減少、（その他不整脈、胃腸障害）

アントラサイクリン系抗腫瘍薬は強い心臓毒性を有しており、中でもドキソルビシンは投与量に依存した心筋の障害を引き起こし、重篤なうっ血性心不全を発症させる。

アントラサイクリン系薬剤による心毒性は、投与中または投与後短期間に出現する急性心毒性、投与後 2-3 週で出現する亜急性心毒性、投与後 1 年以上経過して現れる慢性心毒性がある。慢性心毒性は時に投与後 10-20 年を経て出現することもある。

	Doxorubicin	Daunorubicin	Idarubicin
R1	OCH_3	OCH_3	H
R2	OH	H	H

2-4　白金製剤（錯体）　Platinum coordination complexes

シスプラチン　Cisplatin、カルボプラチン　Carboplatin、
ネダプラチン Nedaplatin、オキサリプラチン　Oxaliplatin

1965 年 Rosenberg らは白金錯体に細胞毒性があることを発見した。そのなかで、シスプラチン cis-diaminedichloroplatimum Ⅱ（CDDP Ⅱ）は、実験的腫瘍系において最も高い抗腫瘍効果を示した。その後 1000 種類を超すプラチナ化合物が合成され、カルボプラチンが見いだされた。シスプラチンとカルボプラチンは、２価の水溶性の無機白金含有複合体であるが、ネダプラチンとオキサリプラチンは４価である。

シスプラチン

【作用機序】 シスプラチンは、拡散または能動輸送で細胞内に流入して、Cl⁻がはずれた活性体が、グアニン塩基の７位に優先的にクロスリンクし、DNA 鎖内または DNA 鎖間、隣接する 2 つのプリン塩基を架橋する。

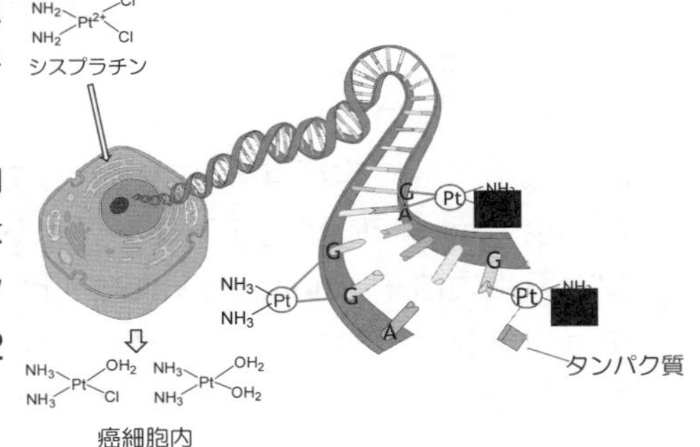

この DNA 共有結合性付加物付加体が DNA の複製と転写を阻害して、DNA 合成とそれに引き続く癌細胞の分裂を阻害するため、アポトーシスを誘導する。細胞周期と薬理作用の関係は、各腫瘍細胞によって異なるが、一般的に周期特異性はないと考えられている。シス体に比べ、トランス体は架橋が形成されにくい。クロスリンクは S 期において最も顕著に見られる。

細胞質中の Cl$^-$濃度（4mM）は、血液中の Cl$^-$濃度（100mM）と比較して低いため、シスプラチンが細胞内に取り込まれる。

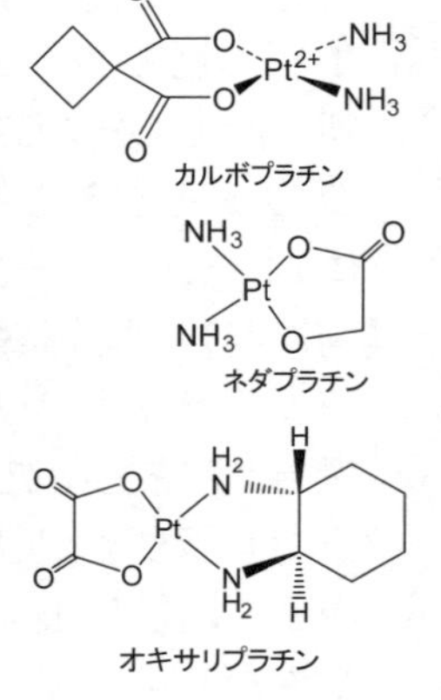

カルボプラチン Carboplatin（CBDCA）：腎毒性が低く、投与時に水分負荷が必要ない。作用はシスプラチンに類似している。

ネダプラチン Nedaplatin（254-S）：グリコレート配位子と白金に水が付加したイオンに分解され、このイオンが DNA に結合する。臓器にかかわらず扁平状上皮癌に有効性が高い。

オキサリプラチン oxaliplatin （L-OHP）：生体内変換体（ジクロロ 1,2-ジアミノシクロヘキサン(DACH)白金、モノアクオモノクロロ DACH 白金、ジアクオ DACH 白金）を形成し、癌細胞内の DNA 鎖と共有結合することで DNA 鎖内及び鎖間の両者に白金-DNA 架橋を形成する。他の白金化合物と異なり、広範な抗腫瘍活性を示し、治癒切除不能な進行・再発の結腸・直腸癌にも用いられる。

【適用】消化器癌、泌尿器・生殖器癌、頭頸部癌、食道癌、子宮頸

【副作用】 腎毒性（急性腎不全：シスプラチンでは顕著であるが、カルボプラチン、オギサリプラチンでは重篤ではない。注意深く水分を補給することと、利尿で回避することが可能である。）、骨髄抑制（汎血球減少、白血球減少、好中球減少、貧血）、嘔吐（投与後１時間くらいから発現し、連用の場合５日程度続く）

ミリプラチン Miriplatin

生体内でジクロロ 1,2-ジアミノシクロヘキサン白金等に変換され、癌細胞内の DNA 鎖と共有結合した白金-DNA 架橋を形成する。シスプラチンの脱離配位子の脂溶性を高めることによって、肝細胞がんターゲティング療法における担体である油性造影剤リピオドールへの高い親和性を獲得した結果、リピオドールとともに腫瘍に長時間滞留することが可能となり、徐放されることによって薬効を発揮する。

【適用】肝細胞がんに対するリピオドリゼーションにおいて適応が認められている。

2-5　植物製剤およびその関連物質

2-5-1　微小管阻害薬

植物性（アルカロイド）抗腫瘍薬で、作用機序がユニークなものが多く、周期特異性が高い。細胞分裂に作用する薬物（ビンカアルカロイド、タキサン、エリブリン）と DNA トポイソメラーゼに作用する薬物（エトポシド、イリノテカン）に大別される。

ビンカアルカロイド Vinca alkaloid（ビンクリスチン、ビンブラスチン）

キョウチクトウ科のニチニチ草に含まれる、抗腫瘍作用を示すアルカロイドで、紡錘体に対して毒性を示す（**Mitotic spindle poison**）。

【作用機序】細胞内タンパク、特にβ-チュブリンに特異的に結合する。分裂時にはチュブリンが重合して紡錘糸を形成する（図 A）が、ビンカアルカロイドの存在下では、β-チュブリンとα-チュブリンが重合できず、分裂期の紡錘糸の形成が阻止されるため、結果的にメタ（M）期で分裂が停止し、アポトーシスを起こして死滅する（図 B）。

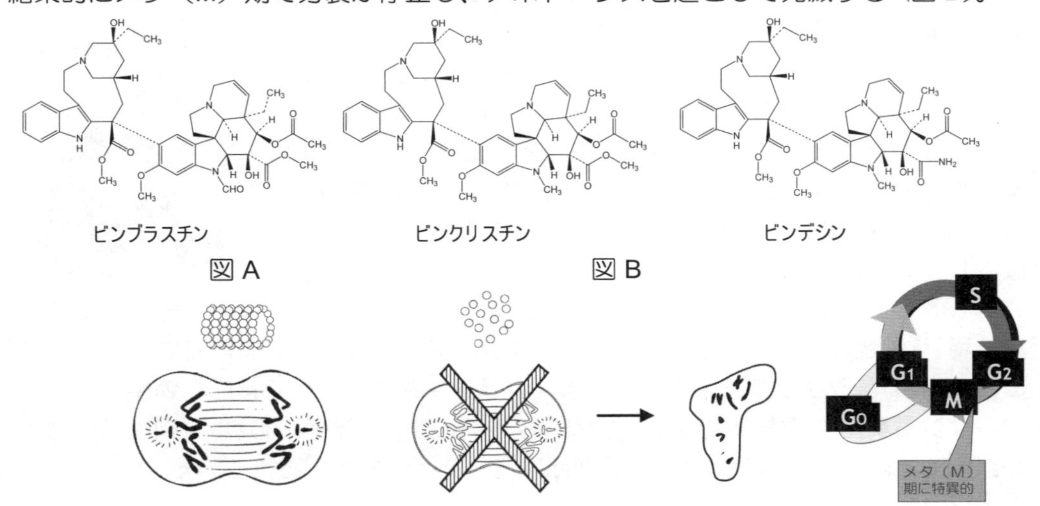

【適用】ビンクリスチン：白血病（急性白血病、慢性白血病の急性転化時を含む）
造血器腫瘍と小児腫瘍悪性リンパ腫小児腫瘍（神経芽腫、ウィルムス腫瘍、横紋筋肉腫、睾丸胎児性癌、血管肉腫等）
ビンブラスチン：悪性リンパ腫、絨毛癌
ビンデシン：急性白血病（慢性骨髄性白血病の急性転化を含む）、悪性リンパ腫、肺癌、食道癌
ビノレルビン：近縁の誘導体で、肺癌と乳癌に有効である。

【副作用】四肢の知覚鈍麻やしびれ感などの末梢神経障害（神経軸索においても微小管形成を阻害するため、軸索輸送を阻害する。そのため神経麻痺、筋麻痺、痙れんを生ずることがある。）、骨髄抑制（汎血球減少、白血球減少、血小板減少、貧血）、イレウス（腸管麻痺）、消化管出血

タキサン　Taxans

パクリタキセル　Paclitaxel、ドセタキセル　Docetaxel

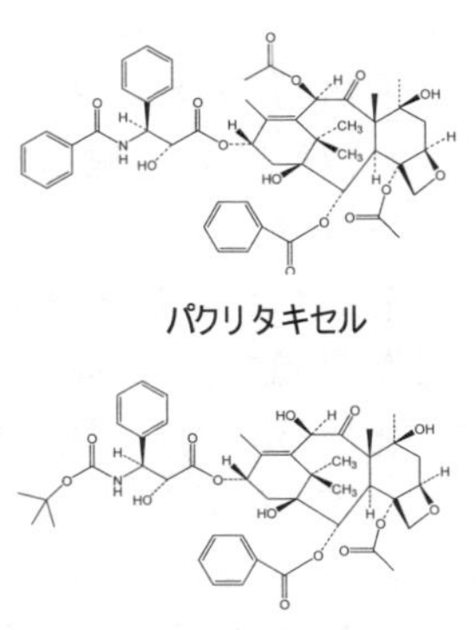

1971 年に太平洋イチイの樹皮の抽出物に抗腫瘍効果があることが見いだされ、その有効成分として発見されたのがパクリタキセルである。当時の名称はタキソールであった。1992 年ブリストル・マイヤーズスクイブが米国で申請し、患者からの要望が強かったため同年にスピード認可された。このとき登録商標として「タキソール」を用いたため、物質名としてはパクリタキセルを使用することになった。当初は、天然抽出のタキソールを用いる計画だったが、天然の西洋イチイの確保が難しいこともあって、

全合成に関する検討がなされたが、その道は困難を極めた。現在はイチイ科の植物から大量に抽出される baccatinIII を原料として合成されるようになり、半合成品を使用するようになった。

ドセタキセルは、西洋イチイの針葉に含まれている。0-deacetylbaccatin Ⅲから合成されたものである。

1

10-deacetylbaccatin

【作用機序】ジテルペン化合物で、β-チュブリンに結合して、本タンパクの分解を阻止する。ビンカアルカロイドとは異なる部位に結合するため、微小管の形成を促進する。このため、微小管の安定化・過剰形成を引き起こし、紡錘体の機能を障害することにより細胞分裂を阻害。細胞周期を G_2+M 期でブロックする。

【適用】 バクリタキセル：卵巣癌、非小細胞肺癌、乳癌、胃癌
　　　　ドセタキセル:　乳癌、非小細胞肺癌

【副作用】 骨髄抑制（白血球減少、好中球減少、赤血球減少、汎血球減少、血小板減少、貧血、出血）、ショック、末梢神経障害（プラチン系との併用で起こりやすい。）

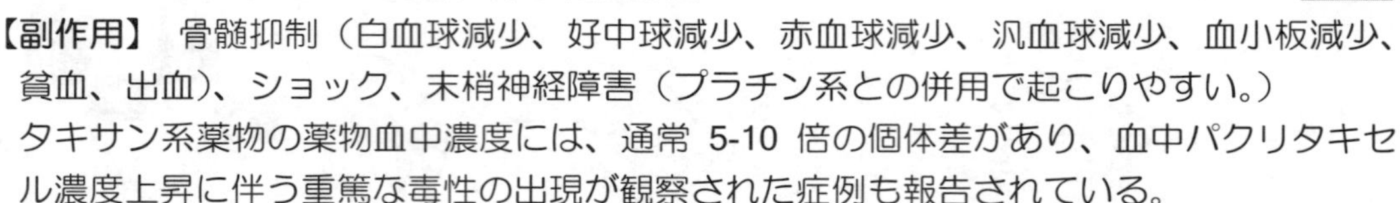

タキサン系薬物の薬物血中濃度には、通常 5-10 倍の個体差があり、血中パクリタキセル濃度上昇に伴う重篤な毒性の出現が観察された症例も報告されている。

エリブリン　Eribulin

神奈川県三浦半島の油壺で採取された海綿動物のクロイソカイメン（*Halichondria okadai* Kadota）から単離、構造決定された Halichondrin B の合成誘導体である。

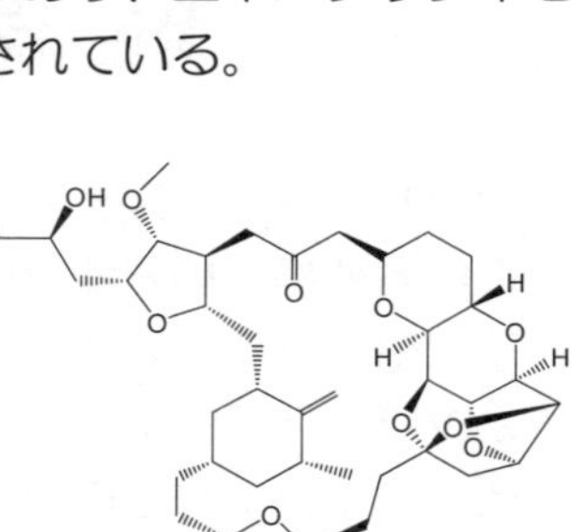

【作用機序】チューブリンの重合を阻害して微小管の伸長を抑制することで正常な紡錘体形成を妨げる。その結果、G_2+M 期で細胞分裂を停止させてアポトーシスによる細胞死を誘導し、腫瘍増殖抑制作用を示す。

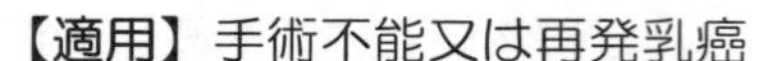

【適用】手術不能又は再発乳癌

【副作用】 骨髄抑制、末梢神経障害（末梢性ニューロパチー）、間質性肺炎、感染症

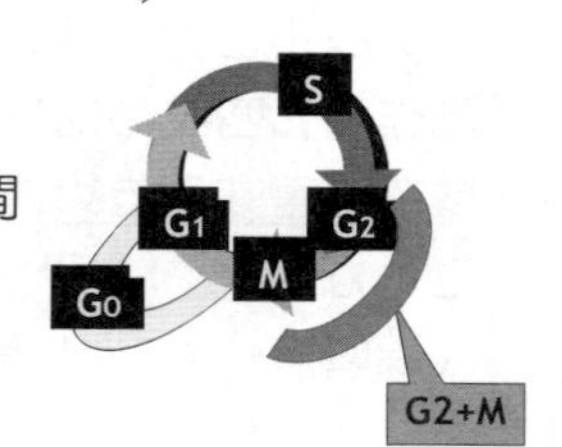

2-5-2　トポイソメラーゼ阻害薬

エトポシド　Etoposide

アメリカンインディアンは、古くからメギ科の多年草（アメリカミヤオソウ:マンドレーク植物）の根茎からの抽出物を薬用として用いていた。その成分として、 ポドフィロトキシンが同定され、この物質に抗腫瘍効果があることがわかった。エトポシドは、テニポシドとともに podophyllotoxin から半合成体として作られた薬物である。

【作用機序】 DNA に対する直接作用ではなく、DNA 構造変換を行う酵素**トポイソメラーゼⅡ**を抑制する。トポイソメラーゼと DNA と三者の複合体を形成し、トポイソメラーゼが DNA に結合した後に行われる DNA 鎖切断の修復を阻害する。細胞周期の **S 期後半から G_2 期にある細胞**に対し最も強い作用を示

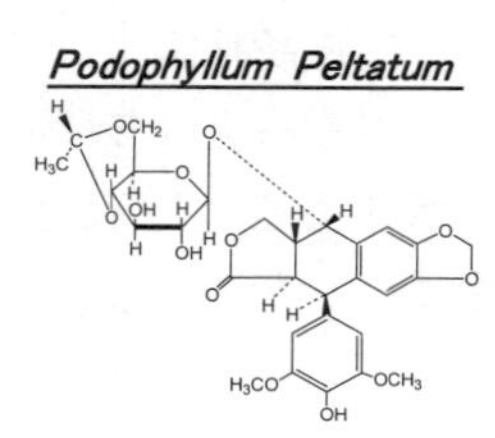

す。トポイソメラーゼⅡ活性が上昇している癌に有効。

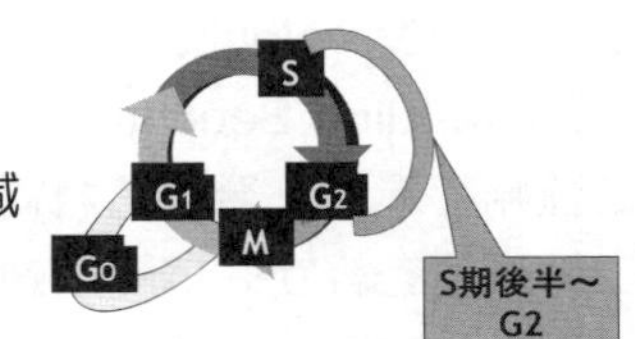

【**適用**】 悪性リンパ腫、卵巣癌、肺小細胞癌、子宮頸癌

【**副作用**】 骨髄抑制（汎血球減少、白血球減少、好中球減少、血小板減少、出血、貧血）、間質性肺炎、脱毛

イリノテカン　**Irinotecan**

抗腫瘍性アルカロイドであるカンプトテシンから誘導された水溶性物質で、カンプトテシンよりも毒性が弱い。

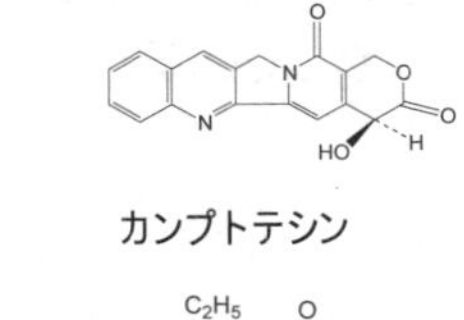

カンプトテシン

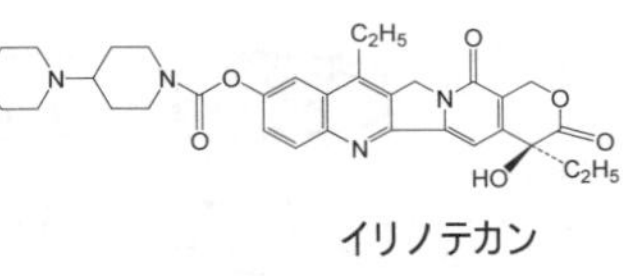

イリノテカン

SN−38

【**作用機序**】カンプトテシン同族体は、DNA −**トポイソメラーゼⅠ**切断複合体に結合して安定化させる。この複合体は、DNA 切断作用には影響しないが、再結合が阻害されるため、一本差 DNA が蓄積する。この後に不可逆的な２本差 DNA の切断が起こり細胞は死滅する。イリノテカンは、体内で活性代謝物で強力な作用を持つ SN-38 への変換を受ける。殺細胞効果に DNA 合成の進行が必要であるため、細胞周期の **S 期**に特異的に作用を示す。トポイソメラーゼⅠ活性が上昇している腫瘍に有効である。

【**適用**】悪性リンパ腫（非ホジキンリンパ腫肺癌、卵巣癌、子宮頸癌、胃癌、結腸・直腸癌、乳癌

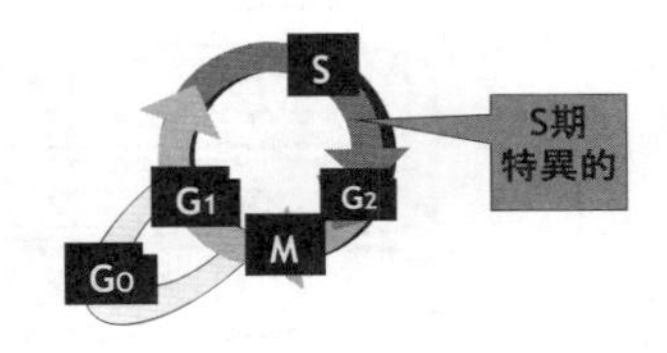

【**副作用**】高度な**下痢**を主とする消化器症状。治療を受けて数時間後に軟便の兆候が見られ、その後遅延性の激しい下痢がおこる。発熱や好中球が減少を伴うと致命的になることがある。
SN-38 はグルクロン酸抱合を受け、胆汁中に排泄されるが、腸管内のグルクロニダーゼにより脱抱合された SN-38 が腸管の重篤な障害を引き起こすものと考えられている。
その他、腸管穿孔、消化管出血、腸閉塞、骨髄抑制、間質性肺炎

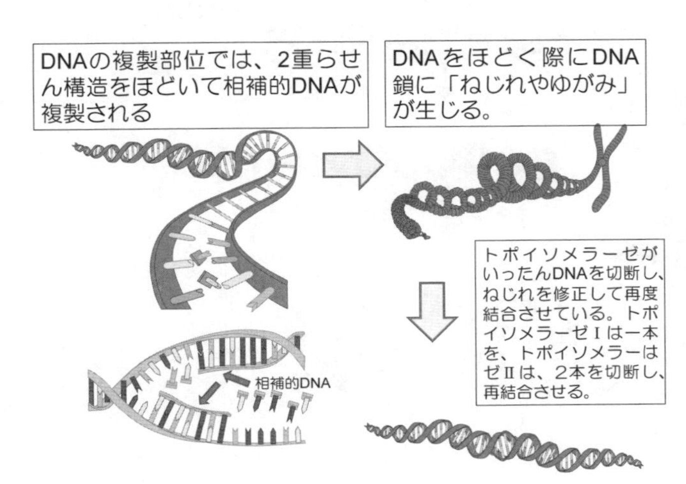

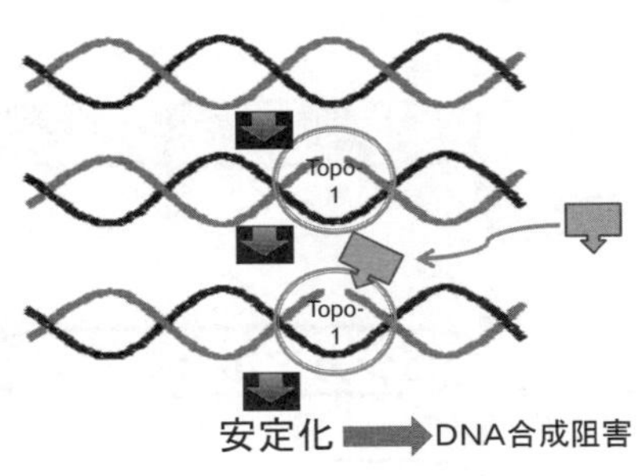

ノギテカン　**Nogitecan**

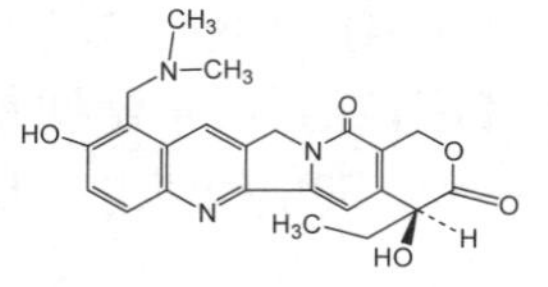

Smith-Kline Beecham 社によって開発され、96 年に米で、97 年に欧州で承認・発売されている。 イリノテカンと異なりノギテカンは代謝を経ずに抗腫瘍効果を発揮

【適用】小細胞肺癌(日本)、卵巣癌（欧米)。

【副作用】イリノテカンなどのカンプトテシン系の特徴である下痢の発現と重症度は軽減されている。

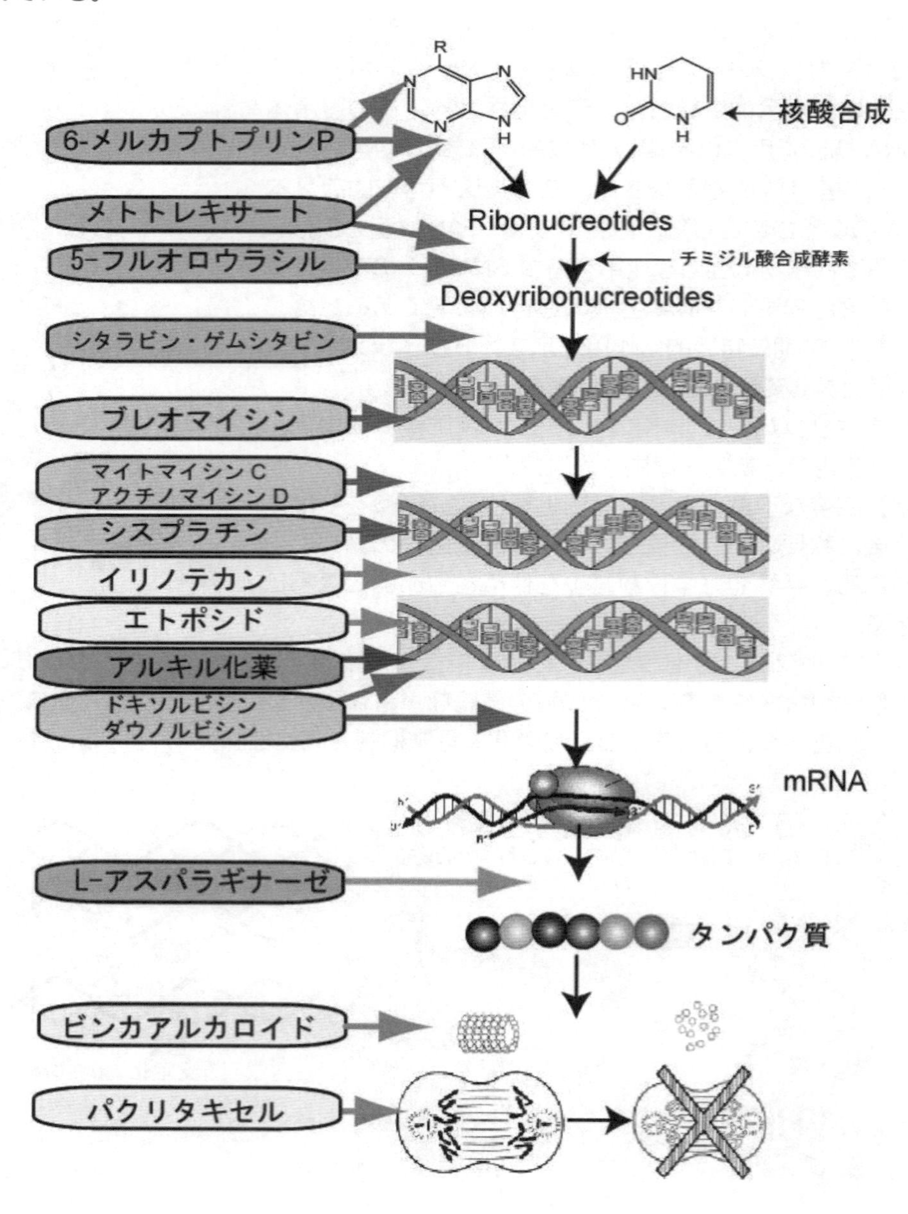

2-6　分子標的治療薬

腫瘍細胞において特異的な細胞特性を規定する責任分子を（分子標的）同定し、この分子に作用する薬物を用いて行う治療を分子標的治療という。

受容体型チロシンキナーゼ

癌細胞の増殖・分化、さらには接着・浸潤・転移に関して受容体型チロシンキナーゼの受容体シグナル伝達の重要性が着目されており、ヒト癌では多くのチロシンキナーゼ遺伝子の発現異常や変異が報告されている。

2-6-1　低分子性分子標的治療薬

2-6-1-1　Epidermal growth factor receptor（EGFR)）阻害薬

ゲフィチニブ　Gefitinib（イレッサ）

【作用機序】上皮成長因子受容体（epidermal growth factor receptor、EFGR）は血球系を除くほとんどすべての細胞に検出されており、表皮など多くの組織の基底細胞や線維芽細胞、尿細管上皮細胞、小腸吸収上皮細胞など多くの細胞に EGFR の発現が認められている。非小細胞癌の４～８割ぐらいに EFGR が過剰発現しており、その割合としては、腺癌より扁平上皮癌で高率にみられる。ゲフィチニブは、この EGFR のチロシンキナーゼを選択的に阻害することにより肺癌細胞を死滅させる。

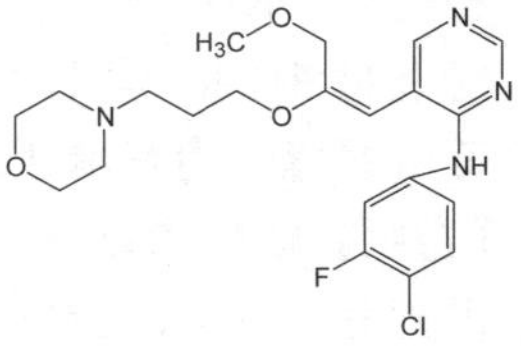

ゲフィチニブ

【適用】手術不能又は再発非小細胞肺癌　（経口投与可能）

【副作用】急性肺障害、 間質性肺炎（この肺胞の壁に炎症を起こす。息切れ、呼吸困難)、重度の下痢

エルロチニブ　Erlotinib　ゲフィニチブと同様な EGFR チロシンキナーゼ阻害作用

【適用】癌化学療法施行後に悪化した非小細胞肺癌。治癒切除不能な膵癌

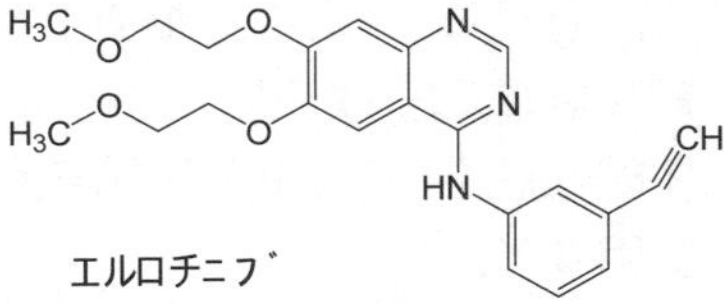

エルロチニブ

アファチニブ　Afatinib　EGFR 遺伝子変異陽性の非小細胞肺癌の治療に用いられるチロシンキナーゼ阻害薬の一つである。EGFR だけだはなく erbB-2（HER2）を非可逆的に阻害する。

【適用】EGFR 遺伝子変異陽性の手術不能または再発非小細胞肺癌

2-6-1-2　Bcr-Abl チロシンキナーゼ阻害薬（TKI）イマチニブ　Imatinib（グリベック）

【作用機序】慢性骨髄性白血病（CML）のほとんどにファイラデルフィア染色体（Ph 染色体）という特異な染色体が存在する。この Ph 染色体の 9 番目と 22 番目の染色体が何らかの理由で相互転座し、9 番上にある abl 遺伝子と 22 番目にある bcr 遺伝子の間で部分的な組換えが起こり、これにより bcr-abl という癌遺伝子が形

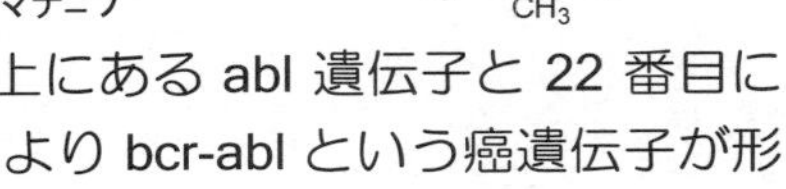

イマチニブ

成される。この遺伝子の産物は Bcr-Abl チロシンキナーゼで、正常のキナーゼと違い酵素活性が異常に亢進している。このため増殖シグナルが自立的かつ恒常的に核に伝搬され、無秩序な細胞増殖が起こり CML を発症する。イマチニブはチロシンキナーゼ活性阻害薬であり、*in vitro* 試験において、Bcr-Abl、v-Abl、c-Abl チロシンキナーゼ活性を阻害する。さらに、血小板由来成長因子（PDGF）受容体及び SCF 受容体である KIT のチロシンキナーゼ活性を阻害し、PDGF や幹細胞因子（SCF）が介する細胞内シグナル伝達を阻害するため、KIT チロシンキナーゼが介する細胞増殖を抑制し、消化管間質腫瘍（GIST）に対して抗腫瘍作用を示す。

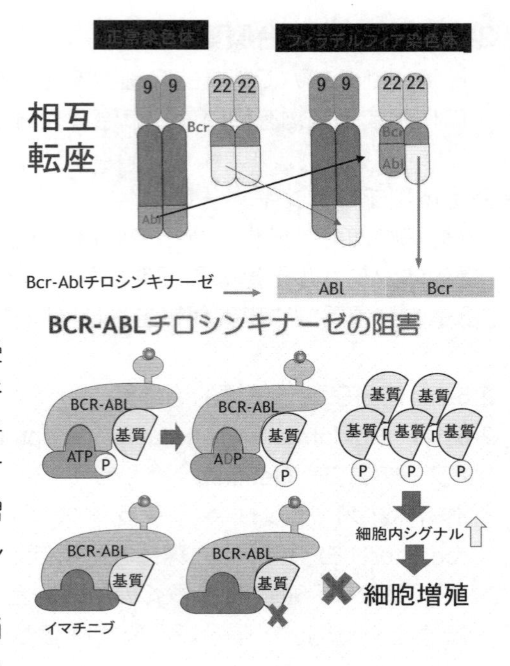

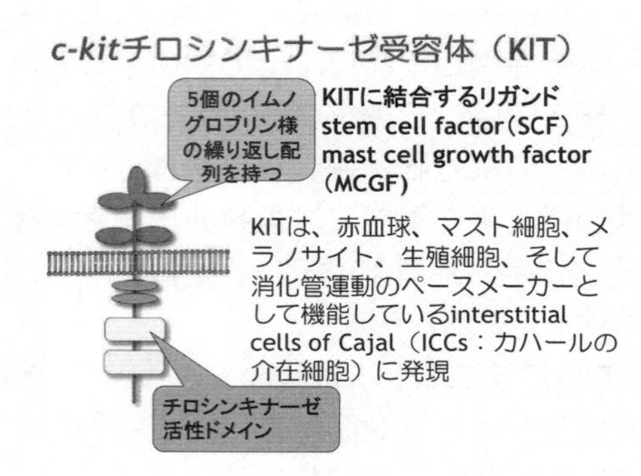

【適用】 慢性骨髄性白血病、KIT(CD117)陽性消化管間質腫瘍、フィラデルフィア染色体陽性急性リンパ性白血病

慢性骨髄性白血病については、染色体検査又は遺伝子検査により慢性骨髄性白血病と診断された患者に使用する。消化管間質腫瘍については、免疫組織学的検査により KIT（CD117）陽性消化管間質腫瘍と診断された患者に使用する。急性リンパ性白血病については、染色体検査又は遺伝子検査によりフィラデルフィア染色体陽性急性リンパ性白血病と診断された患者に使用する。

【副作用】 骨髄抑制、出血（脳出血、硬膜下出血、消化管出血）

ダサチニブ　Dasatinib

【作用機序】 Bcr-Abl の ATP 結合部位に結合するが、イマチニブとは異なる結合をすることが明らかになっている。」X 線結晶構造解析の結果から[2]。また活性型・非活性型ともに結合する[3]と考えられている。BCR-ABL のみならず SRC ファミリーキナーゼ(SRC、LCK、YES、FYN)、c-KIT、EPH（エフリン）A2 受容体および PDGF（血小板由来増殖因子）β受容体（PDGFR β）を阻害する。

【適用】　初発の慢性期慢性骨髄性白血病、イマチニブ抵抗性の慢性骨髄性白血病及びフィラデルフィア染色体陽性急性リンパ性白血病

2-6-1-3　マルチキナーゼ阻害薬

スニチニブ　Sunitinib

【作用機序】 ATP 結合部位を競合的に阻害することにより、腫瘍の増殖、生存、転移並びに血管新生に関与する特定のRTK〔血管内皮増殖因子受容体（VEGFR-1、VEGFR-2、VEGFR-3）、血小板由来増殖因子受容体（PDGFR-α、PDGFR-β）、幹細胞因子受容体（KIT）、マクロファージコロニー刺激因子受容体（CSF-1R）、Fms 様チロシンキナーゼ-3 受容体（FLT-3）及び ret 前癌遺伝子（RET）〕のチロシンキナーゼ活性を選択的に阻害し、腫瘍血管新生と腫瘍細胞の増殖抑制によって抗腫瘍効果を発揮する。

スニチニブ

【適用】 イマチニブ抵抗性の消化管間質腫瘍、根治切除不能または転移性の腎癌

【副作用】 AST（GOT）、ALT（GPT）の上昇を伴う肝機能障害、黄疸、血清アミラーゼや血清リパーゼの上昇、手足症候群

2-6-1-4　プロテアソーム阻害薬

ボルテゾミブ　Bortezomib

【作用機序】 骨髄腫細胞等のがん細胞のプロテアソームを阻害することにより、プロテアソームで分解されるべきユビキチン化タンパク質が細胞内で蓄積し、小胞体ストレスを介してアポトーシスを誘導する。アポトーシス促進性因子の発現を誘導し、ミトコンドリア依存性のアポトーシスを誘導する。I-κ B のプロテアソームでの分解が抑制されるため、細胞増殖やアポトーシスに関与する転写因子 NF-κ B の活性化が阻害され、骨髄腫細胞と骨髄ストローマ細胞の接着を阻害して、IL-6 等のサイトカインの分泌を抑制し、骨髄腫細胞の増殖を抑制する。

ボルテゾミブ

【適用】 多発性骨髄腫、マントル細胞リンパ腫

【副作用】 間質性肺炎、胸水、急性肺水腫、急性呼吸窮迫症候群、うっ血性心不全、心嚢液貯留、心肺停止、心停止、心原性ショック、末梢神経障害、骨髄抑制、腫瘍崩壊症候群、下痢

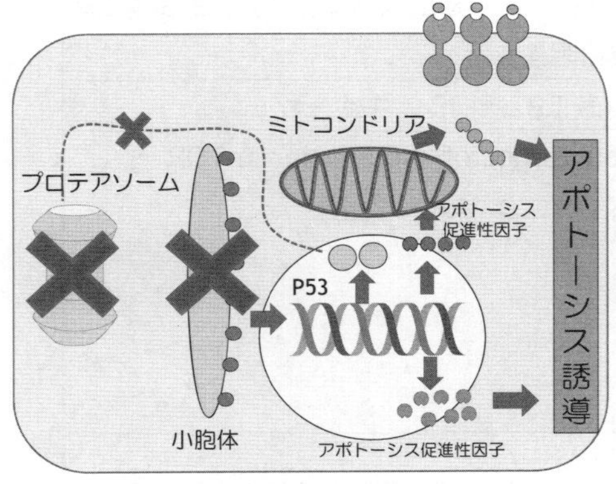

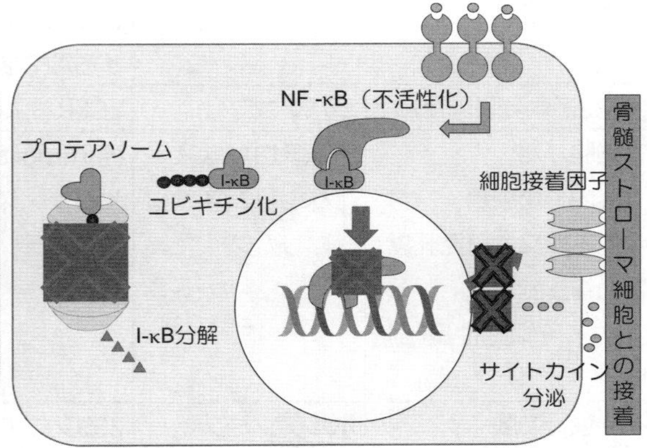

2-6-1-5 哺乳類ラパマイシン標的タンパク質（mammalian target of rapamycin、mTOR）阻害薬

mTOR は、EGFR 等の成長因子受容体（受容体型チロシン・キナーゼ）のシグナル伝達を担っており、細胞の生存・成長・増殖を調節している。mTOR 阻害薬は、活発になりすぎた mTOR の活性を阻害し、細胞周期の進行及び血管新生を抑制することにより、腫瘍細胞や LAM 細胞の増殖を抑制する。

シロリムス sirolimus

【作用機序】リンパ脈管筋腫症（lymphangioleiomyomatosis、 LAM）で、緩徐に増加する LAM 細胞において mTOR を阻害して、細胞増殖を抑え、肺胞の破壊を阻止する

【適用】リンパ脈管筋腫症

【副作用】間質性肺疾患、感染症、 口内炎

テムシロリムス Temsirolimus 、エベロリムス Everolimus

【作用機序】進行した腎細胞がんにおいて、PI3K キナーゼ／ Akt-mTOR 経路を抑制し、がん細胞分裂・増殖を促進するタンパク質や VEGF の産生を抑制する。

エベロリムスは mTORC1 にのみ作用し、mTORC2 には影響しない。

【適用】 根治切除不能又は転移性の腎細胞癌

【副作用】 間質性肺炎、無力症、発疹、貧血、悪心、高脂血症、食欲不振、高コレステロール血、口内炎、粘膜炎

低分子性分子標的治療薬リスト

適 用	治療薬	標 的 分 子
非小細胞肺がん	ゲフィチニブ エルロチニブ アファチニブ クリゾチニブ	EGFRチロシンキナーゼ EGFRチロシンキナーゼ EGFR、erbB-2（HER2）チロシンキナーゼ 未分化リンパ腫キナーゼ（ALK） ALK融合タンパク質キナーゼ
慢性骨髄性白血病	イマチニブ ダサチニブ	Bcr-Ablチロシンキナーゼ BCR-ABLチロシンキナーゼ、SRCファミリーキナーゼ（SRC、LCK、YES、FYN）、c-KIT、EPH）A2受容体及びPDGF（血小板由来増殖因子）β受容体に対するATP結合阻害
HER2過剰発現乳がん	ラパチニブ	EGFRおよびHER2チロシンキナーゼ
腎細胞がん 神経内分泌腫瘍 手術不能又は再発乳癌 腎血管筋脂肪腫 上衣下巨細胞性星細胞腫	テムスロリムス エベロリムス シロリムス	Mammalian target of rapamycin、mTOR セリン・スレオニンキナーゼ阻害
多発性骨髄腫	ボルテゾミブ	26Sプロテアソーム

2-6-2　ヒト化モノクローナル抗体（抗体医薬、　mab）

遺伝子工学や化学的な修飾によってマウス型抗体の部分を改変し、ヒト型に変換して使用するものである。がん細胞などに特異的に発現している抗原分子を認識して攻撃する抗体が開発されており、効果的ながん治療法と考えられている。

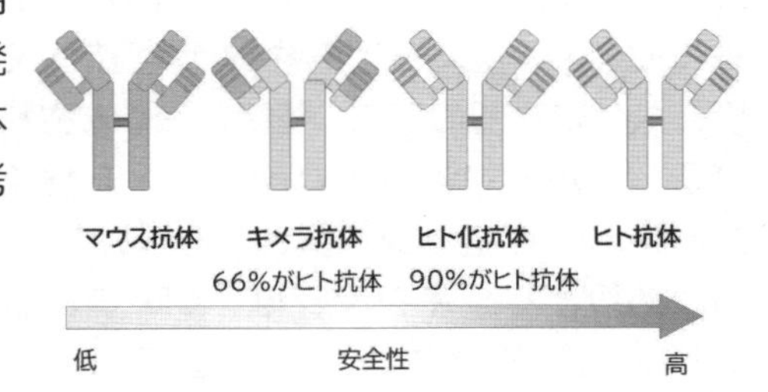

2-6-2-1 HER2 阻害薬

トラスツズマブ　Trastuzumab（ハーセプチン）

アミノ酸 214 個の軽鎖 2 分子とアミノ酸 449 個の重鎖２分子からなる糖タンパク質

HER2（human epidermal growth factor receptor type2）は、細胞の産生に関わるヒト epidermal growth factor receptor（EGFR）ファミリーに属する癌遺伝子で、その遺伝子産物である HER2 タンパク質は、ヒトのさまざまな腫瘍で細胞膜に過剰発現しており、細胞内にチロシンキナーゼを有する。特に乳癌においては転移性乳癌患者の 20 ～ 30 %で過剰発現が認められる。トラスツマブは、遺伝子組み換えによる HER2 のヒト化抗体で HER2 タンパク質に特異的に結合し、細胞の増殖を抑制する。

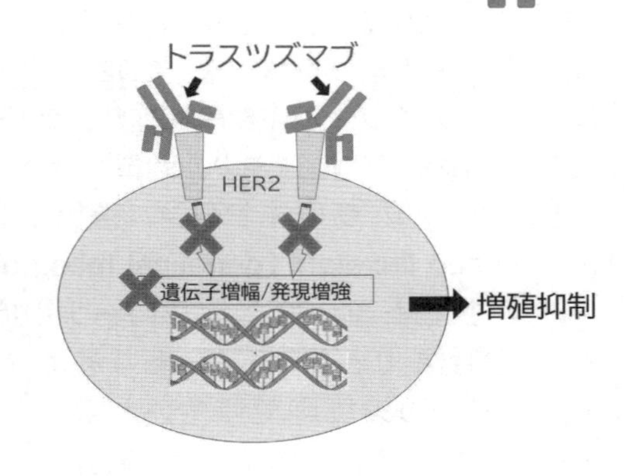

【適用】HER2 過剰発現が確認された転移性乳癌、HER2 過剰発現が確認された乳癌における術後補助化学療法、HER2 過剰発現が確認された治癒切除不能な進行・再発の胃癌

【副作用】　心不全（トラスツズマブ単剤では 7 %に心不全が報告されているが、その発症率はドキソルビシンとの併用で 27 %、パクリタキセルの併用では 13 %まで上昇することが報告されている。）、重度の Infusion reaction（アナフィラキシーショック）

ペルツズマブ　Pertuzumab

【作用機序】　HER2 は HER3 とヘテロダイマー（2 つの分子などが形成する二量体）を形成しこれにより HER2 が活性化する。ペルツスマブは、HER2 のダイマー形成に必要な細胞外領域のドメイン II に特異的に結合することで HER2 と HER3 のダイマー形成を阻害し、がん細胞増殖のシグナルを抑制したり、免疫の働きでがん細胞が壊れる効果を高める。

2-6-2-2 抗細胞表面抗原抗体薬

リツキシマブ　Rituximab（リツキサン）

ヒト B リンパ球表面に存在する分化抗原 CD20(リンタンパク質)に結合する

モノクローナル抗体(キメラ抗体)で、CD20抗原の認識部位(可変部領域)がマウス由来、それ以外の部分(定常部領域)がヒト由来(IgG)のマウスーヒトキメラ型抗体であり、1、328 個のアミノ酸から構成されている。非ホジキンリンパ腫には、T 細胞リンパ腫、B 細胞リンパ腫と NK 細胞リンパ腫があり、リツキシマブは、CD20 陽性の B 細胞性非ホジキンリンパ腫に有効である。

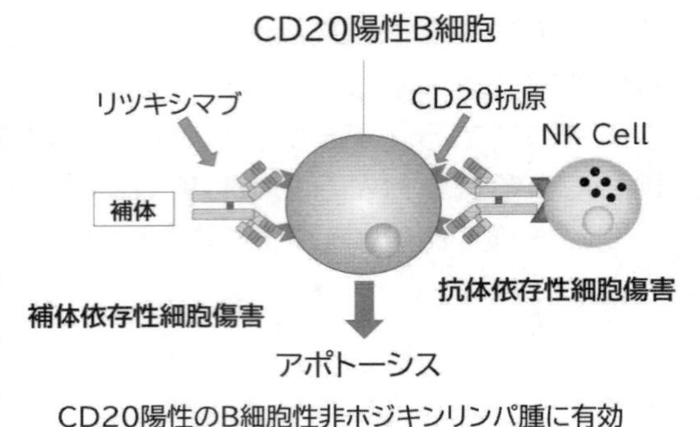

CD20陽性のB細胞性非ホジキンリンパ腫に有効

【作用機序】 補体依存細胞傷害反応（complement-dependent cytotoxicity；CDC）や抗体依存性細胞傷害反応（antibody-dependent cellular cytotoxicity；ADCC)、およびアポトーシス誘導などによって CD20 陽性細胞を傷害する。

【適用】 B 細胞型リンパ肉腫　CD20 陽性の B 細胞性非ホジキンリンパ腫

【副作用】 アナフィラキシー様症状、肺障害肺炎（間質性肺炎、アレルギー性肺炎等を含む)、心障害、汎血球減少、間質性肺炎、肝機能障害、黄疸

イブリツモマブ チウキセタン（遺伝子組換え）

Ibritumomab tiuxetan（genetical recombination）

マウス抗ヒト CD20 モノクローナル抗体である IgG1 の重鎖（γ 1 鎖）及び軽鎖（κ 鎖）をコードする cDNA の発現によりチャイニーズハムスター卵巣細胞で産生される 213 個のアミノ酸残基からなる軽鎖 2 分子と 445 個のアミノ酸残基からなる重鎖 2 分子からなる糖タンパク質を N-｛(2S)-2-［ビス（カルボキシメチル）アミノ］-3-（4-イソチオシアナトフェニル）プロピル｝-N-｛2-［ビス（カルボキシメチル）アミノ］プロピル｝グリシン（$C_{23}H_{30}N_{4}O_{10}S$；分子量：554.57）に結合させた修飾糖たん白質（遺伝子組換え）である。

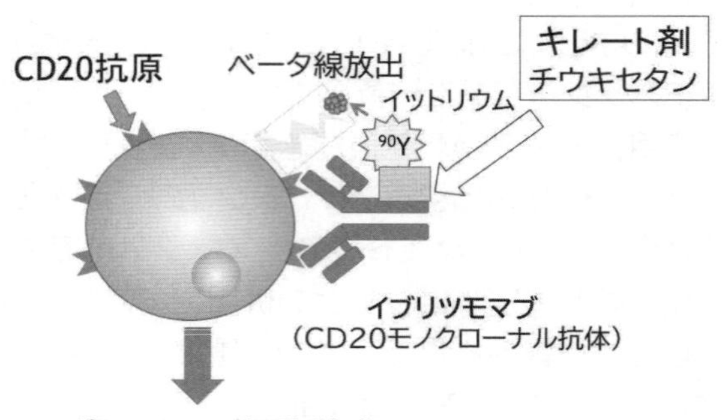

CD20陽性のB細胞性非ホジキンリンパ腫に有効

【作用機序】 B 細胞上の CD20 抗原に対して強い抗原特異的結合能を示す。キレート剤であるチウキセタン（^{90}Y と強力に結合）は、露出したリジンアミノ基及び抗体内のアルギニンと共有結合する。イットリウム（^{90}Y）イブリツモマブ チウキセタン（遺伝子組換え）は、リツキシマブ（遺伝子組換え）と同様に CD20 抗原に結合し、アポトーシスの誘発及び ^{90}Y からのベータ線放出により細胞傷害を誘発する。

【適用】 B 細胞型リンパ肉腫　CD20 陽性の B 細胞性非ホジキンリンパ腫

【副作用】倦怠感、頭痛、便秘、口内炎、発熱、
骨髄抑制（汎血球減少症、白血球減少症、血小板減少症、好中球減少症、リンパ球減少症、赤血球減少症、貧血

ゲムツズマブ オゾガマイシン Gemtuzumab ozogamicin

【作用機序】ヒト化モノクローナル抗体（ゲムツズマブ）部分と、細胞毒性を有するカリケアマイシン系のオゾガマイシン部分から成る抗体薬物複合体（Antibody-drug conjugate、ADC）の一つである。ゲムツズマブは、末梢血では単球に、骨髄中では顆粒球およびマクロファージ前駆細胞に発現する CD33 に対するモノクローナル抗体であり、細胞毒であるカリケアミシン系のオゾガマイシンと結合している。CD33 はほとんどの白血病性芽細胞に発現しているため、抗体の部分が CD33 と結合して白血病細胞に取り込まれた後、オゾガマイシンが遊離し殺細胞活性を示す。

【適用】再発または難治性で CD33 抗原が陽性の急性骨髄性白血病

【副作用】infusion reaction、悪寒、発熱、悪心、嘔吐、頭痛、低血圧、高血圧、低酸素症、呼吸困難、高血糖及び重症肺障害等、重篤な過敏症、血液障害（骨髄抑制等）、感染症、出血、播種性血管内凝固症候群（DIC）、口内炎、肝障害、腎障害、腫瘍崩壊症候群（TLS）、肺障害、間質性肺炎

2-6-2-3 血管新生阻害薬

ベバシズマブ Bevacizumab（アバスチン）

血管新生（癌組織に栄養と酸素を供給する血管網の伸長）を阻害する。

【作用機序】Vascular Endothelial Growth Factor（血管内皮細胞増殖因子、VEGF）に対するヒト化モノクローナル抗体製剤で、癌組織から分泌される VEGF に結合することにより、血管内皮細胞に発現する受容体（VEGFR）と VEGF との結合を阻害する。このことにより癌細胞への血管の新生を阻害し、癌細胞の増殖を抑制する。

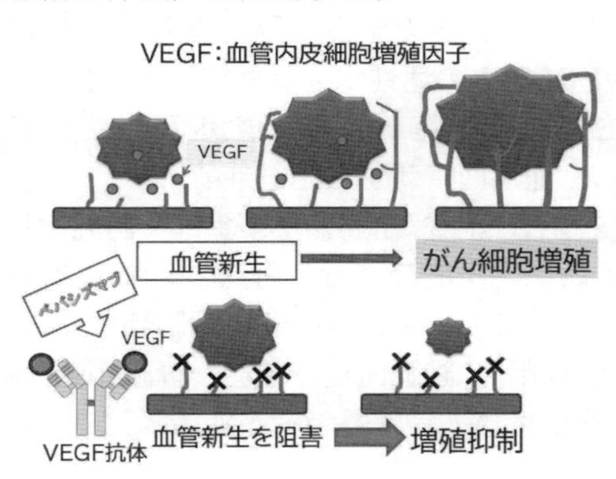

【適用】治癒切除不能な進行・再発の結腸・直腸癌

【副作用】 ショック、アナフィラキシー様症状、消化管穿孔、創傷治癒遅延

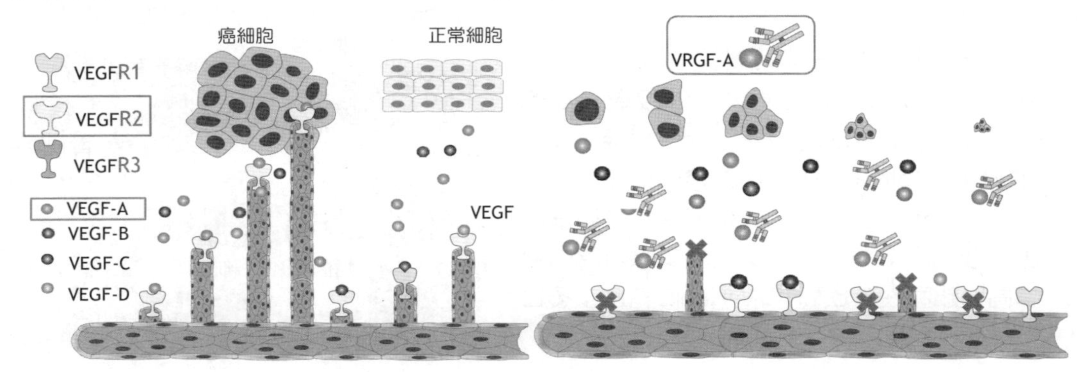

VEGF（Vascular endothelial growth factor; 血管内皮細胞増殖因子）は、シスチン・ノット増殖因子スーパーファミリーの一員で、既存の血管からの分岐伸長による新たな血管の形成（angiogenesis; 血管新生）や、胎生期の de novo な血管形成（vasculogenesis; 脈管形成）において重要な役割を担う増殖因子である。その作用には、遺伝子発現の誘導、血管透過性亢進の制御、細胞増殖の促進、細胞走化性の誘導、細胞の維持などがあり、複雑な血管新生のプロセスにおいて重要な役割を 担っている。VEGF には VEGF-A、VEGF-B、VEGF-C VEGF-D、VEGF-E などのファミリーがあり、これらファミリーにはそれぞれ、RNA スプライシングの違いによる複数のアイソフォーム（サブタイプ）が存在する。それぞれのアイソフォームは、含まれるエクソンの違いにより、可溶性や、受容体である VEGF 受容体（VEGFR）への結合性が異なり、作用も異なる。VEGF ファミリーのうち最もよく知られている VEGF-A には、血管内皮細胞の増殖、血管透過性の亢進、管腔形成の促進、内皮細胞からの活性物質の産生誘導といった多くの作用があり、VEGF-E には、腫瘍組織の血管形成への特異的な作用があると考えられている。VEGF の受容体 VEGFR には VEGFR1、VEGFR2、VEGFR3 の 3 種類が存在し、それぞれに特定の VEGF アイソフォームが結合する。例えば、VEGFR-1 には VEGF-A と VEGF-B が、VEGFR-2 には VEGF-A、VEGF-C、VEGF-D、および VEGF-E の 4 種類が、VEGFR-3 は造血細胞のみ発現しており VEGF-C と VEGF-D が結合する。

ラムシルマブ　Ramucirumab

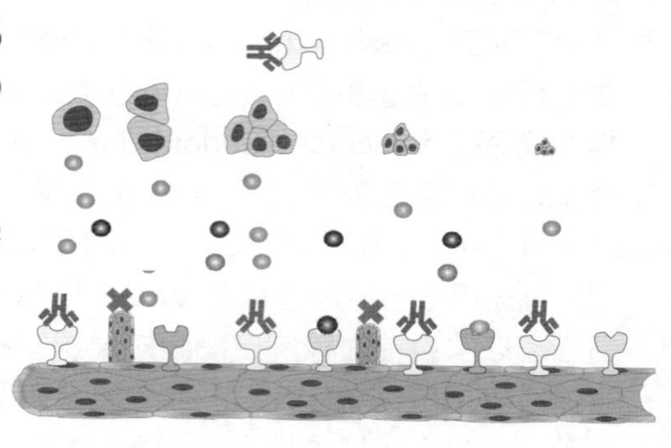

【作用機序】ヒト VEGFR-2 に対する抗体であり、VEGF-A、VEGF-C 及び VEGF-D の VEGFR-2 への結合を阻害することにより、VEGFR-2 の活性化を阻害する。これにより、血管内皮細胞の増殖、遊走及び生存を阻害し、腫瘍血管新生を阻害する。

【適用】 治癒切除不能な進行・再発の胃癌、治癒切除不能な進行・再発の結腸・直腸癌 切除不能な進行・再発の非小細胞肺

【副作用】 動脈血栓塞栓症、静脈間質性肺疾患血栓塞栓症ショック、Infusion reaction、消化管穿孔、創傷治癒遅延、ネフローゼ症候群

2-6-2-4　骨破壊抑制薬

デノスマブ

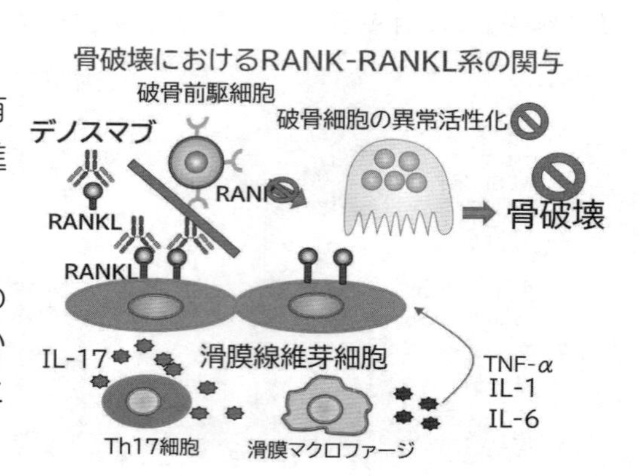

【作用機序】多発性骨髄腫及び骨転移を有する固形がんでは骨病変（骨破壊）が進行するが、RANK（NF-κB 活性化受容体）/RANKL（NF-κB 活性化受容体リガンド）によって活性化された破骨細胞が骨破壊の主要な因子である。デノスマブは特異的かつ高い親和性でヒト RANKL に結合するヒ

ト型 IgG2 モノクローナル抗体で、RANK/RANKL 経路を阻害し、破骨細胞の活性化を抑制することで骨吸収を抑制し、がんによる骨病変の進展を抑制する。骨巨細胞腫においては、腫瘍中の間質細胞に RANKL が、破骨細胞様巨細胞に RANK が発現している。デノスマブは RANKL に結合し、破骨細胞様巨細胞による骨破壊を抑制し、骨巨細胞腫の進行を抑制する。

【適用】多発性骨髄腫による骨病変及び固形癌骨転移による骨病変、骨巨細胞腫

2-6-2-5 免疫チェックポイント阻害薬

免疫チェックポイントとは

免疫系の細胞は、ウイルスや病原微生物などから身体を守るために、体内で常に準備状態ある。しかし過剰な免疫反応により免疫系の細胞が活発になりすぎると、自己の細胞を攻撃しかねない。そのため、過剰な免疫反応を抑制し免疫系細胞にブレーキをかけるメカニズムが存在し、T 細胞に発現する PD-1 や CTLA-4 などが知られている。このような免疫系を調節機能を持ったり、関わったりする分子を総称して、免疫チェックポイント分子と呼んでいる。

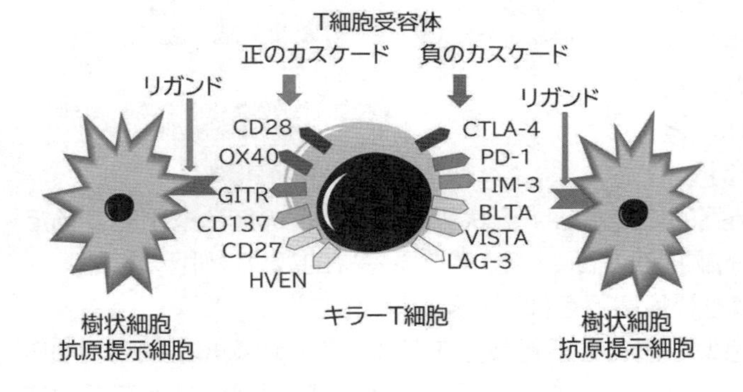

免疫チェックポイント分子

T 細胞には、樹状細胞(抗原提示細胞)）のリガンドと結合する様々な受容体が存在し、大別すると免疫細胞を活性化する正のカスケードを担う受容体と免疫細胞にブレーキをかける負のカスケードを担う受容体に大別される。

ニボルマブ　Nivolumab（オプジーボ）

【作用機序】T 細胞（および NK 細胞）上には programmed death 1（PD-1）というタンパク質が発現している、この PD-1 のリガンドである PD-L1 は樹状細胞に発現しており、T 細胞上の PD-1 と樹状細胞の PD-L1 とが結合すると T 細胞の活動が抑制される。キラー T 細胞は、がん細胞を異物とみなすとがん細胞を攻撃するが、がん細胞は樹状細胞と同じように PD-L1 を発現させて、キラー T 細胞の PD-1 とがん細胞の PD-L1 との相互作用によっ

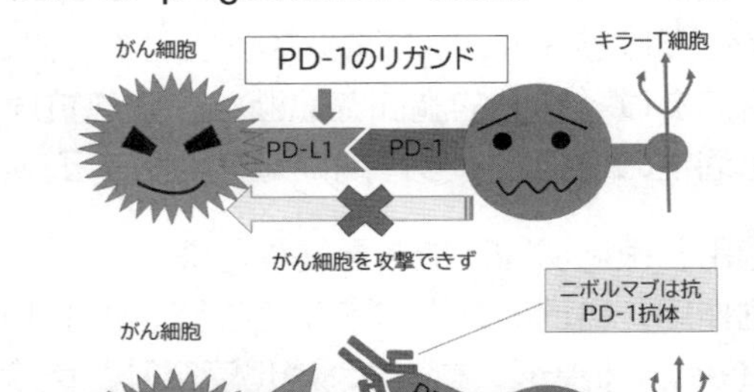

ニボルマブの作用機序

てキラー T 細胞の活動を抑え、その結果免疫システムからの攻撃を免れようとしている。ニボルマブは、抗 PD-1 抗体（ヒト型抗ヒト PD-1 モノクローナル抗体）であり、T 細胞上の PD-1 に特異的に結合し、PD-L1 との結合を阻害するため、キラー T 細胞の活動が PD-1/PD-L1 の相互作用によって抑制されることが防がれ、がん細胞を効率よく攻撃できるようになる。

【適用】1. 根治切除不能な悪性黒色腫 2.切除不能な進行・再発の非小細胞肺癌
3. 根治切除不能または転移性の腎細胞癌

【副作用】間質性肺疾患、 肝機能障害・肝炎、甲状腺機能障害

ペムブロリズマブ **Pembrolizumab**

PD-1 抗体根治切除不能な悪性黒色腫への適用が承認されている。

イピリムマブ **Ipilimumab**（ヤーボイ）

【作用機序】キラー T 細胞は、樹状細胞からの正のカスケード刺激により活性化され癌細胞を攻撃する（上述）が、負のカスケードを担う CTLA-4 に対して、樹状細胞の細胞膜に発現するリガンドである B7（B7.1（CD80）及び B7.2（CD86））が結合すると、キラー T 細胞の活動が抑制される(ネガティブフィードバック)。イピリムマブは、抗 CTLA-4 抗体（ヒト型抗ヒト CTLA-4 モノクローナル抗体）であり、T 細胞上の CTLA-4 に特異的に結合し、樹状細胞の B7 との結合を阻害するため、活性化 T 細胞における抑制的調節を遮断し、腫瘍抗原特異的な T 細胞の増殖、活性化及び細胞傷害活性の増強により腫瘍増殖を抑制する。

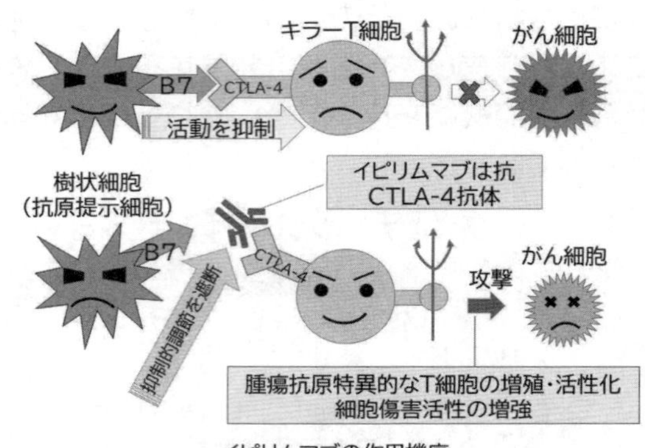

イピリムマブの作用機序

また、癌組織中に存在する T 細胞の一種である制御性 T 細胞（Treg)は、IL-10 や TGF-βなどの免疫反応を抑制するサイトカインを放出して、キラー T 細胞の働きを抑制する。Treg にも CTLA-4 が発現しており Treg が CTLA-4 を介して樹状細胞と結合すると、樹状細胞の働きが抑制される。樹状細胞の働きが抑えられると、正のカスケードを介するキラー T 細胞の活動性も低下し、その結果がん細胞への攻撃能力も低下する。イピリムマブは、Treg の CTLA-4 に結合し、Treg による樹状細胞の抑制を阻害し、腫瘍組織における Treg 数が減少することで、樹状細胞を活性化する。その結果、活性化 T 細胞における抑制的調節を遮断し、腫瘍抗原特異的な T 細胞の増殖、活性化及び細胞傷害活性の増強により腫瘍増殖を抑制する。

【適用】根治切除不能な悪性黒色腫

【副作用】自己組織に対する免疫反応活性化に関連した副作用（immune-related Adverse Effect、 irAE)、大腸炎、消化管穿孔、重度の下痢

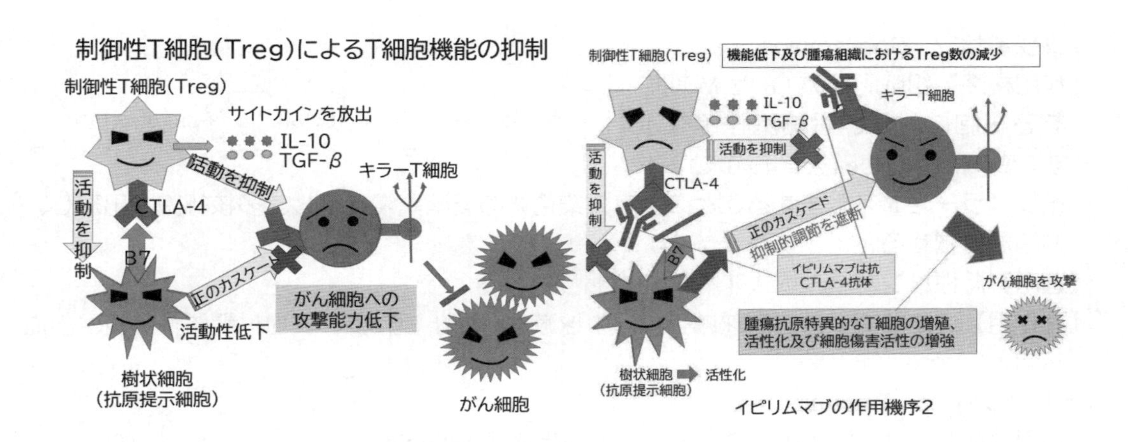

抗体分子標的抗悪瘍薬リスト

大－中項目	適　応	治療薬（抗体分類）	標的分子
悪性新生物（がん）に作用する薬 抗悪性腫瘍薬	B細胞性非ホジキンリンパ腫 B細胞型リンパ肉腫	リツキシマブ　（キメラ）	CD20
	EGFR標的結腸・直腸がん	セツキシマブ　（キメラ） パニツムマブ　（ヒトIgG2）	ヒトEGFR
	HER2過剰発現乳がん	トラスツズマブ（ヒト化） ペルツズマブ　（ヒト化）	HER2
	多発性骨髄腫による骨病変 骨転移を有する固形がん 骨巨細胞腫	デノスマブ　（ヒトIgG2）	RANKL
	VFGF標的血管新生阻害	ベバシズマブ（ヒト化）	ヒトVEGF
	VEGFR-2標的血管新生阻害	ラムシルマブ（ヒトIgG1）	ヒトVEGFR-2
	免疫チェックポイント阻害	ニボルマブ　（ヒト） ペムブロリズマブ（ヒト化） アベルマブ（ヒト）	PD-1
		イピリムマブ（ヒト）	CLTA-4

2-7　その他の抗悪性腫瘍薬

アスパラギナーゼ　Asparaginase

【作用機序】 321 のアミノ酸から成るサブユニット 4 つで構成されるタン白質。血中のL-アスパラギンを分解し、アスパラギン要求性腫瘍細胞を栄養欠乏状態にすることにより抗腫瘍効果を発揮する。

【適用】 急性白血病（慢性白血病の急性転化例を含む）、悪性リンパ腫

【副作用】ショック、アナフィラキシー様症状、出血、脳梗塞、肺出血等の重篤な凝固異常、重篤な急性膵炎

ソブゾキサン　Sobuzoxane

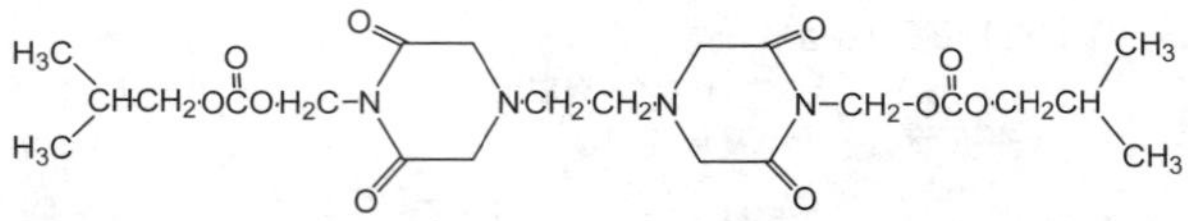

【作用機序】細胞周期の G_2 と M 期にある細胞に対し、殺細胞作用を示す。DNA 鎖の切断を伴わずにトポイソメラーゼⅡを阻害することにより、染色体の凝縮異常を示し、多核細胞が出現し、細胞が死滅する。

【適用】悪性リンパ腫、成人 T 細胞白血病リンパ腫

【副作用】汎血球減少、白血球減少、好中球減少、血小板減少、貧血、間質性肺炎、出血傾向

トレチノイン　Tretinoin

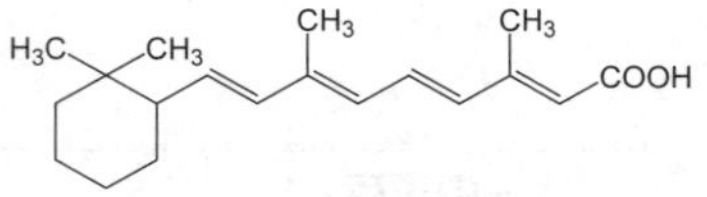

【作用機序】第 17 染色体上のレチノイン酸受容体(retinoic acid receptor-α:RAR-α)遺伝子と第 15 染色体上の PML 遺伝子はともに、好中球系細胞を前骨髄球から分葉好中球へと分化させる機能を持つが、急性前骨髄球性白血病（APL)においては染色体相互転座により形成された PML-RAR-αキメラ遺伝子が PML あるいは RAR αの機能を阻害することで両者のもつ分化誘導作用をブロックすることにより、APL 細胞が前骨髄球以降に分化するのを阻止している。大量のトレチノインが作用すると、キメラ遺伝子の抑制機構が崩れ、前骨髄球からの分化がおこるものと考えられる。

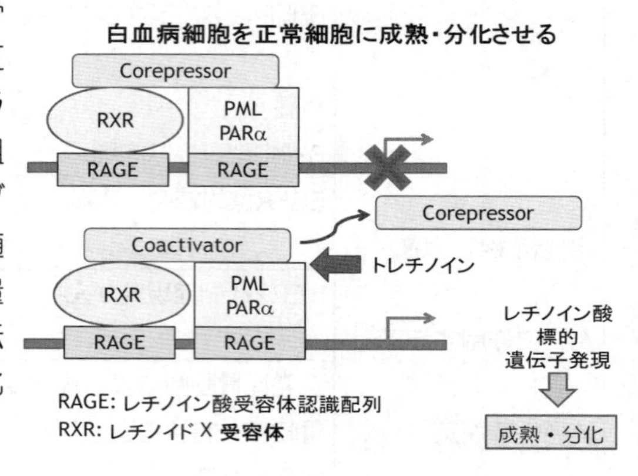

【適用】急性前骨髄球性白血病

【副作用】レチノイン酸症候群（発熱、呼吸困難、胸水貯留、肺浸潤、間質性肺炎、肺うっ血、心嚢液貯留、低酸素血症、低血圧、肝不全、腎不全、多臓器不全等)、白血球増多症

2-8　抗腫瘍性ホルモン類

ホルモン類似体は抗腫瘍活性を持たないが、前立腺癌や乳癌のようなホルモン依存性癌に対して拮抗的に作用したり、ホルモンの合成を阻害したりする薬物が用いられている。

前立腺癌

発生には男性ホルモンが関与しており、加齢によるホルモンバランスの変化が影響しているものと考えられている、前立腺癌は主に外腺（辺縁領域）に発生する。ほかの臓器の癌とは異なり、ゆっくりと進行するため自覚症状が現れにくい。

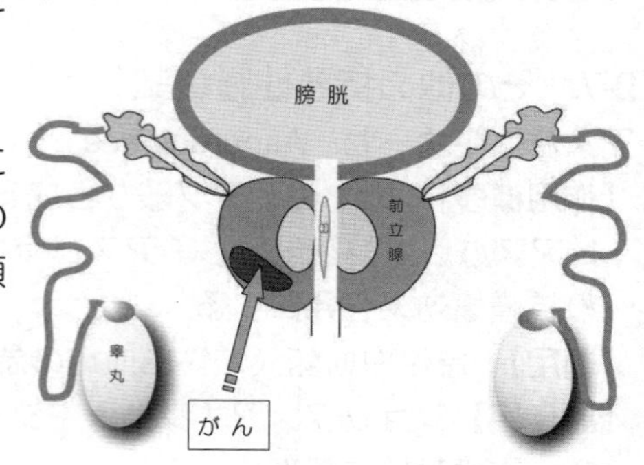

乳癌

内分泌療法の効果は、癌細胞を直接攻撃する化学療法薬よりマイルドだが、副作用が比較的少なく身体への負担が軽いのが特徴で、術後に長期間投与を継続することによりホルモン受容体陽性の患者の再発抑制効果が期待できることから、乳癌術後の重要な補助療法となっている。エストロゲン受容体陽性の乳癌は、全体の約 7 割を占め、女性ホルモンであるエストロゲンの作用で増殖する。従って、エストロゲンの作用を止めることで、治療することが可能である。閉経前の女性ではエストロゲンは、主に卵巣で作られるが、卵巣の機能がなくなった閉経後の女性では、副腎から分泌されたホルモンをもとに脂肪組織などでアロマターゼにより作られている。このため、閉経前の患者と閉経後の患者で、用いられる薬物が異なる場合がある。

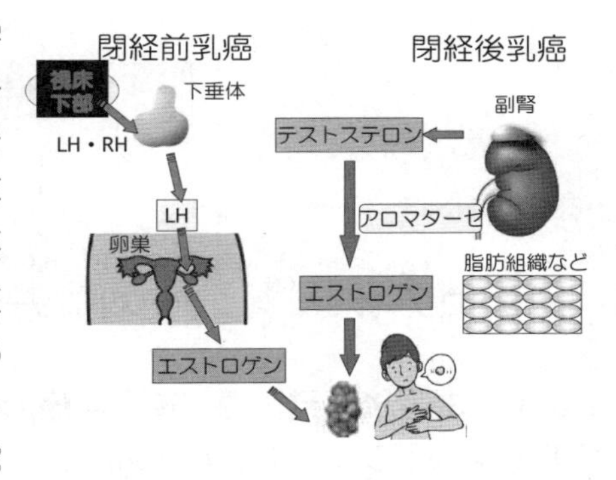

2-8-1 抗エストロゲン薬　Antiestrogens

タモキシフェン　Tamoxifen

【作用機序】ホルモン受容体陽性の乳癌組織においてエストロゲン受容体に対し、エストロゲンと競合的に結合し、抗エストロゲン作用を示すことによって抗乳癌作用を発揮する。男性ホルモン作用はない。

【適用】 乳癌

【副作用】 血液障害、視力・視覚障害、血栓塞栓症、静脈炎、重篤な肝障害、高カルシウム血症、子宮筋腫、子宮内膜、子宮内膜増殖症、子宮内膜症、間質性肺炎、アナフィラキシー様症状、血管浮腫、皮膚粘膜眼症候群(Stevens-Johnson 症候群)、水疱性類天疱瘡、膵炎

2-8-2 アロマターゼ阻害薬

レトロゾール　Letrozole、アナストロゾール　Anastrozole、エキセメスタン　Exemestane

【作用機序】閉経後乳癌患者のアロマターゼの活性を阻害することにより、アンドロゲンからのエストロゲン生成を阻害し、乳癌の増殖を抑制する。閉経前患者に対しては、ゴセレリンなどの LH-RH アゴニストによる卵巣機能抑制が有効であるが、閉経後の患者では効果が期待できないため、周辺組織のアロマターゼを阻害し、エストロゲンの合成を阻害する。

【適用】閉経後乳癌　閉経前患者に対し使用しない。

【副作用】高カリウム血症、副腎不全

レトロゾール　　アナストロゾール　　エキセメスタン

2-8-3　閉経後再発乳癌、進行乳癌治療薬

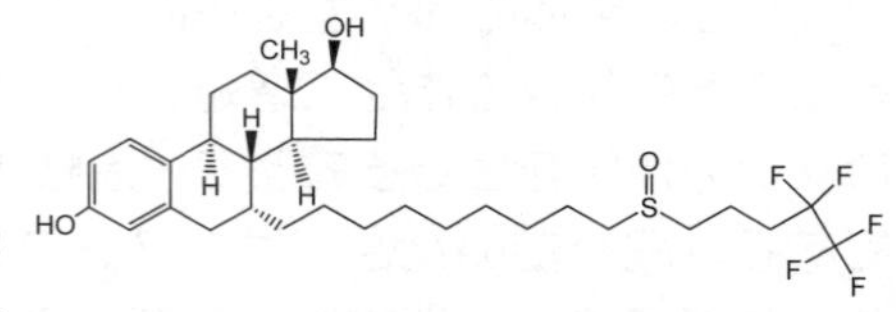

フルベストラント　Fluvestrant

【作用機序】閉経後乳癌の患者にアロマターゼ阻害薬を継続投与していると、本薬に耐性を生じて効果が減弱し、癌は再び増殖をはじめる。エストロゲン受容体（ER)には、膜型 ER と核内 ER があり、両 ER が乳癌の増殖に関連している。フルベストラントは、核内 ER においてエストロゲンと競合して ER の二量体化を阻止し、核内 ER を核外に移行させて核内 ER を減少させる。さらに核外に移行した ER の分解が亢進するため、ER のダウンレギュレーションを引き起こすことで DNA の転写活性化を抑制し、増殖因子から ER へのシグナル伝達が抑制され癌の増殖が阻害される。

【適用】閉経後乳癌

【副作用】肝機能障害、血栓塞栓症

アロマターゼ阻害薬耐性機序

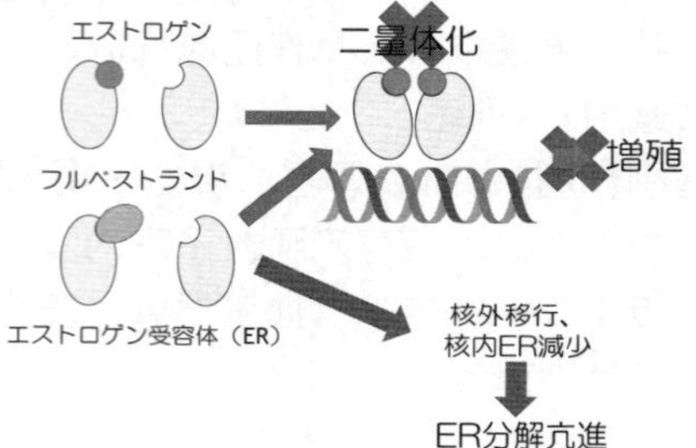

2-8-4 抗アンドロゲン薬　Antiandrogens

クロルマジノン　Chlormadinone

【作用機序】テストステロンの選択的取り込みの阻害および5-ジヒドロテストステロンとレセプターとの結合を阻害することにより抗アンドロゲン作用を示す。たん白同化作用、下垂体ゴナドトロピン抑制作用、ACTH 抑制作用ならびに卵胞ホルモン作用は認められない。

【適用】　前立腺癌

【副作用】　血栓症、うっ血性心不全、劇症肝炎、肝機能障害、黄疸、糖尿病、糖尿病の悪化、高血糖

クロルマジノン

フルタミド　Flutamid

【作用機序】アンドロゲン受容体で、アンドロゲンと拮抗し抗アンドロゲン作用を示す。

【適用】　前立腺癌

【副作用】肝機能障害、間質性肺炎

フルタミド

ダロルタミド　Darolutamide

アンドロゲン受容体へのアンドロゲン結合を阻害、アンドロゲン受容体の核内への移動阻害、アンドロゲン受容体の DNA への結合阻害により、増殖のシグナル伝達が阻害される結果、がん細胞の増殖抑制効果が発揮される

D11045

ダロルタミド

【適用】遠隔転移を有しない去勢抵抗性前立腺がん治療薬

2-8-5 黄体化ホルモン放出ホルモン　LH-RH アゴニスト

リュープロレリン　Leuprorelin、ゴセレリン　Goserelin

5-oxo-Pro-His-Trp-Ser-Tyr-D-Leu-Leu-Arg-Pro-NH-CH_2-CH_3CH_3COOH

1-(5-oxo-Pro-His-Trp-Ser-Tyr-D-Leu-Leu-Arg-Pro)semicarbazideacetate

【作用機序】LH-RH アゴニストは、初回投与直後一過性に下垂体ー性腺系刺激作用（急性作用）を示すが、投与を続けることで持続的に受容体を刺激して、受容体を脱感作させる。これにより下垂体からの性腺刺激ホルモンである LH および FSH の分泌が抑制される。その結果、男性では精巣の性腺刺激ホルモンに対する反応性が低下し、テストステロン産生能が低下するので、前立腺癌の治療に用いられる。

女性では、卵巣からのエストラジオール分泌を抑制するので閉経前乳癌に用いられる。

製剤にもよるが４週ごとに１回皮下注射する。

【適用】　前立腺癌　閉経前乳癌　閉経後の患者には効果が期待できない

【副作用】　間質性肺炎、アナフィラキシー様症状、肝機能障害、黄疸、糖尿病の発症または増悪、下垂体卒中

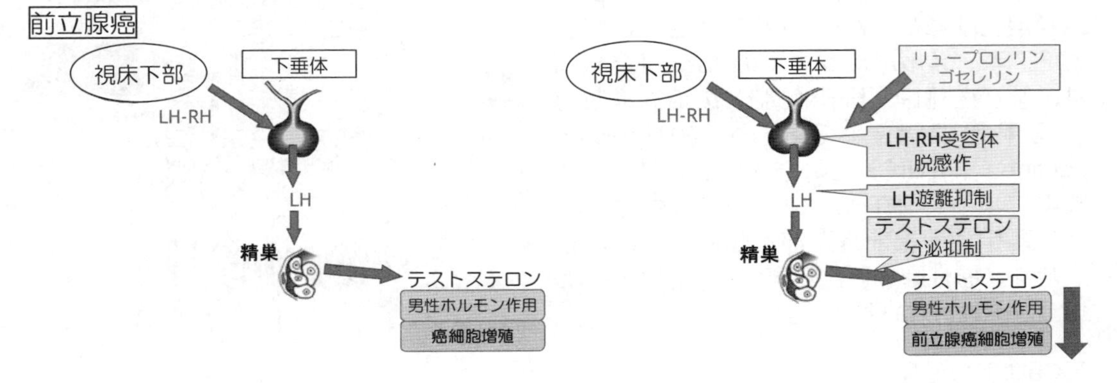

閉経前乳癌

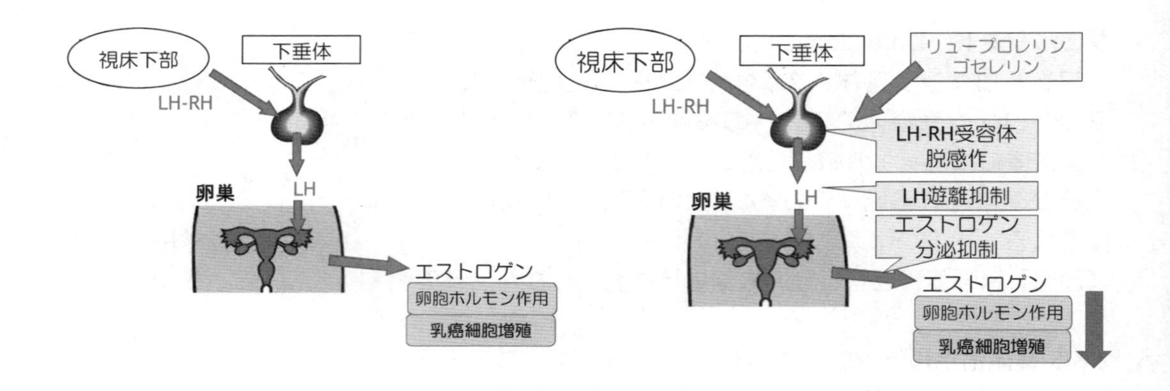

2-9 非特異的免疫賦活薬

癌患者の免疫力は低下しているので、これを賦活するために用いる薬物で、化学療法薬と併用する。

OK-32（ピシバニール）：溶血性連鎖球菌の弱毒株をペニシリン G で病原性を失活させた冷凍乾燥品

クレスチン：サルノコシカケ科のカワラタケのタンパク結合多糖類

レンチナン：シイタケの子実体から抽出して出来た抗腫瘍性多糖体を精製したもの

インターフェロン

2-10 骨転移と高 Ca 血症

女性では乳癌、男性では前立腺癌で「骨転移」が多く起こる。骨転移が広がると、骨が壊されて、血液の中に大量のカルシウムが溶出するため高Ca血症を引き起こす。1987年、メルボルン大学のJack Martinは、肺がん細胞（BEN細胞）の培養濾液から副甲状腺関連ペプチド（PTH-related peptide、PTHrP）を単離・同定した。悪性腫瘍によって PTHrP が大量に産生されると、副甲状腺機能亢進症と類似した症状をきたす。悪性腫瘍による高 Ca 血症の 80% 以上が PTHrP が原因となる。

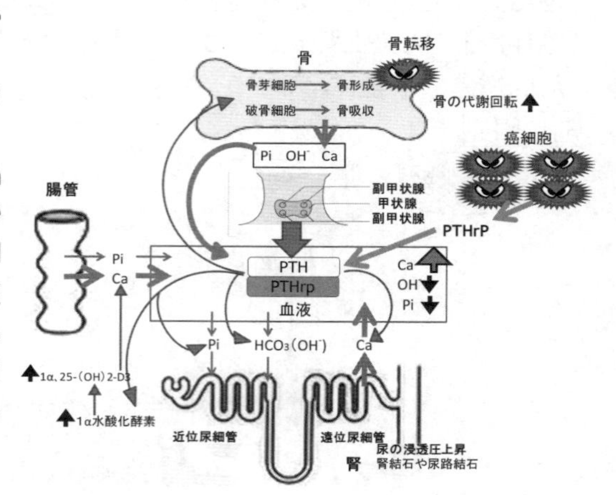

高Ca血症の治療

1. 補液（輸液）：生理食塩液などを点滴
2. 利尿薬：ループ利尿薬　尿中への Ca 排泄量を増やす。サイアザイド系は血中 Ca を上げる作用があり、本疾患には禁忌。
3. カルシトニン：骨吸収を抑制することにより、血液中のカルシウムの濃度を下げる。
4. ビスホスホネート：点滴で用いる。ビスホスホネートは、骨吸収抑制により、破骨細胞が骨を壊す働きを抑え、血液中のカルシウムの濃度を下げる。

パミドロン酸ニナトリウム　Pamidronate Disodium

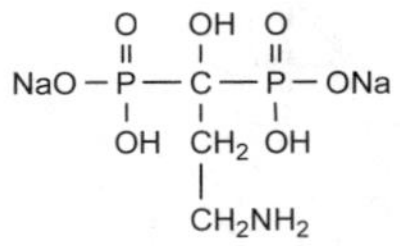

悪性腫瘍による高カルシウム血症および乳癌の溶骨性骨転移（化学療法、内分泌療法、あるいは放射線療法と併用）に用いられる。

【副作用】ショック、アナフィラキシー様症状、急性腎不全、ネフローゼ症候群、臨床症状を伴う低カルシウム血症、顎骨壊死・顎骨骨髄炎など

パミドロン酸ニナトリウム

ゾレドロン酸　Zoledronic Acid

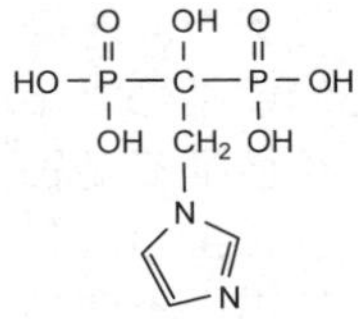

悪性腫瘍による高カルシウム血症および多発性骨髄腫による骨病変及び固形癌骨転移による骨病変に用いられる。

【副作用】急性腎不全、うっ血性心不全（浮腫、呼吸困難、肺水腫）、顎骨壊死・顎骨骨髄炎など

ゾレドロン酸

14

抗感染症薬

Antimicrobial drugs

感染（infection）とは、病原体が種々の経路から生体（宿主）に侵入し増殖することであり、感染により一定の病状が現れたとき、これを感染症という。1910 年に梅毒治療薬のサルバルサンが得られているが、これは人類が作った最初の合成による抗感染症薬である。感染症は非常に多い疾患であるが、そのほとんどは薬物により対処できるようになってきた。これが今日の薬物治療の発展に大きく寄与している。しかし、エボラ出血熱、ラッサ熱、エイズなど新しい感染症に加えて、抗生物質の効かないメチシリン耐性ブドウ球菌（MRSA）などの出現は、今後のさらなる対応性を示唆している。

1 抗感感染症薬総論

化学療法の歴史とその意義

化学療法(chemotherapy)とは「化学物質を用いて病原となる寄生生物もしくは悪性腫瘍物を宿主の生体内で発育阻害・死滅させる治療法」である。

Ehrlich　宿主細胞に対しての親和性は低いが、病原微生物に対して親和性が高い物質が感染症に使用できる。

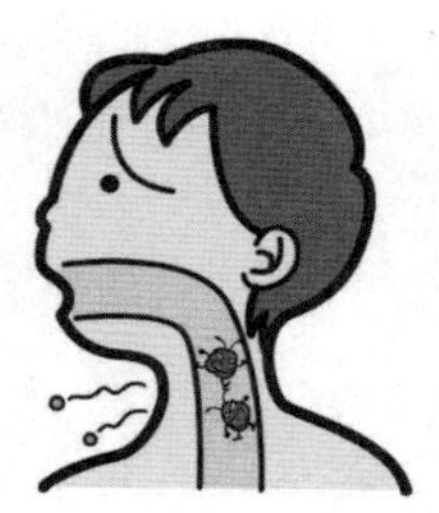

色素類：トリパンレッド、サルバルサン

赤色プロントジルの発見（1932）　溶連菌感染に対する著しい治療効果

ドイツの染料会社の研究所で働いていたゲルハルト・ドマックは、染料であった赤色プロントジルを用いて、連鎖球菌感染症マウスを治癒させた。その後自分の娘の感染症にも使用し、治癒させた。

サルファ薬の開発

1933 年フランスのトレヒュイ（Trefouei）は、赤色プロントジルの抗菌作用は、生体内で分解して生成したスルファニルアミドによるものであることを示し、その後多くのサルファ薬が合成されるに至った。1940 年にサルファ薬が、パラアミノサリチル酸と拮抗することが示され、作用機序が明らかにされた。

抗生物質の概念と発見

アレキサンダー・フレミング（Fleming）は、1929 年青かびの培養液中にブドウ球菌の発育を阻止する物質を発見し、これをペニシリンと命名した。1941 年、フローリーとチェインは、アメリカでペニシリン大量生産の道を開いた。

耐性菌出現機構

薬物不活性化酵素の産生	β-ラクタム(加水分解酵素　β-ラクタマーゼ)、アミノグリコシド、テトラサイクリン（転移酵素）
薬物作用点の変化	マクロライド系、アミノグリコシド系、キノロン系抗菌薬
薬物の細胞内取込みの減少と能動的排出	テトラサイクリン系、クロラムフェニコール、アミノグリコシド系、キノロン系抗菌薬
代替酵素の産生	サルファ薬、トリメトプリム

抗生物質および抗菌薬

微生物が産生する物質のうち他の微生物の発育を阻害する物質

（微生物の産生物質を化学的に変換したものも含まれる）

抗感染症薬

静菌的：病原体の発育増殖の抑制

殺菌的：病原体の殺滅

化学療法薬の作用機序: 選択毒性

宿主に対して無害であって、病原体を死滅させることが望ましい。

細胞壁合成阻害	β-ラクタム（ペニシリン、セフェム系)、ホスホマイシン、バンコマイシン、サイクロセリン、イソニアジド
細胞膜機能阻害	ポリエン系抗生物質、グリコペプチド系抗生物質、アゾール系抗真菌薬
核酸合成阻害	DNA：ピリドンカルボン酸系合成抗菌薬、リファンピシン RNA：リファンピシン ヌクレオチド代謝拮抗：ヌクレオチド系抗ウイルス薬
タンパク合成阻害	テトラサイクリン系抗生物質、クロラムフェニコール、アミノグリコシド系抗生物質、マクロライド系抗生物質、リンコマイシン、リネゾリド
葉酸合成阻害	サルファ薬、トリメトプリム、パラアミノサリチル酸

2 抗感染症薬各論

2-1　β-ラクタム系抗生物質

2-1-1 ペニシリン系　Penicillins

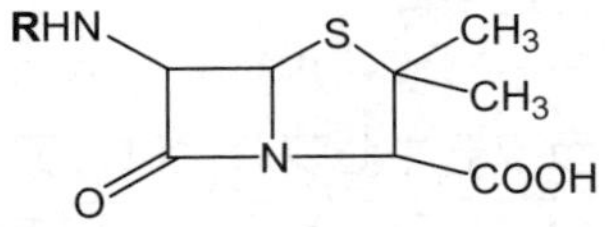

【作用機序】 細菌の細胞壁に必要なペプチドグリカン合成に関与するトランスペプチダーゼとして働くペニシリン結合タンパク質(penicillin binding protein、 PBP)に結合し、その働きを阻害することにより殺菌的に作用する。

RHN, S, CH_3, CH_3, N, COOH, O

(1)　天然ペニシリン

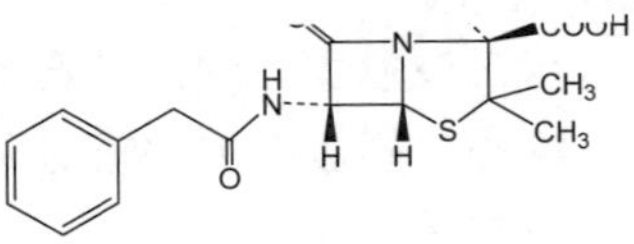

PCG　ペニシリンG　ベンジルペニシリン

胃酸によって分解されやすく経口投与不可。グラム陽性菌、グラム陰性球菌には有効だがグラム陰性桿菌には無

ペニシリンG

COOH, N, H, N, CH_3, CH_3, S, H, H, O

効。スピロヘータには抗菌作用を示すが、マイコプラズマ、リケッチャ、クラミジアには無効である。
ペニシリナーゼ型 β-ラクタマーゼにより不活化される。

(2) 合成ペニシリン

① **耐酸性ペニシリン**（耐酸性で経口投与可能）
フェネチシリン ：グラム陽性菌に対する抗菌力は強い。

② **ペニシリナーゼ抵抗性（耐性）ペニシリン**
クロキサシリン ペニシリナーゼ抵抗性耐性ブドウ球菌に有効であるが、MRSA には抗菌作用を示ささない。

③ **広範囲ペニシリン系薬（緑膿菌には無効）**
アンピシリン（アミノベンジルペニシリン ABPC）、アモキシシリン：ペニシリナーゼによって不活化される。
グラム陰性菌にも有効。抗菌スペクトルは広い。
バカンピシリン（プロドラッグ）、

④ **大腸菌に対する抗菌力の改善**
ピブメシリナム、バクメシリナム

⑤ **広範囲ペニシリン系薬（緑膿菌に有効）**
ピペラシリン（緑膿菌にすぐれた効果）
経口化：カリンダシリン、カルフェシリン

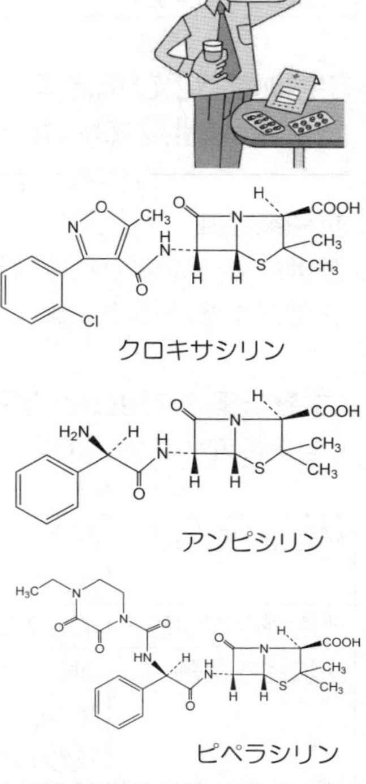
クロキサシリン
アンピシリン
ピペラシリン

【副作用】 過敏症（ショック、発熱、発疹）、溶血性貧血（顆粒球減少、血小板減少）、肝障害、腎障害。胃腸障害（悪心、下痢、食欲不振）、腸内細菌叢の変動と関連したビタミン K、B 欠乏

2-1-2 セフェム系 Cephems

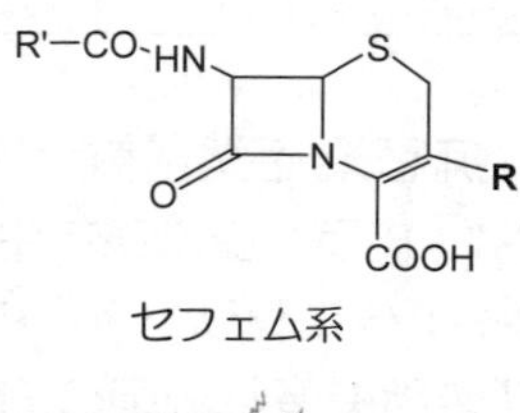
セフェム系

【作用機序】 細菌の細胞壁合成に関与するトランスペプチダーゼとして働くペニシリン結合タンパク質（PBP）に結合し、その働きを阻害することにより殺菌的に作用する。
構造中に、N－メチルテトラゾリルチオメチル基（チオメチルテトラゾール基）をもつ、セフメタゾール、セフォペラゾン、ラタモキセフなどは、アルデヒド脱水素酵素を阻害するので、ジスルフィラム様作用を有する。

飲酒でジスルフィラム様作用

第一世代

ペニシリナーゼには安定だがセファロスポリナーゼで分解される。髄液への移行は不良。広域性ペニシリンとほぼ同様な抗菌スペクトル。

セファゾリン、セファロチン、セファレキシン、セフラジン、セファクロル

第二世代

β-ラクタマーゼに安定で、抗菌力は、第一世代より強力である。インドール陽性変性菌、エンテロバクター、シトロバクターなどのグラム陰性菌に有効。髄液への移行は不良

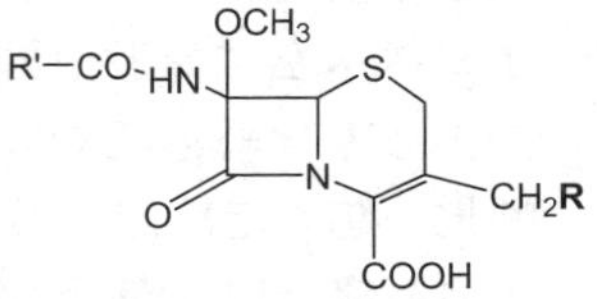

セファロスポリン系.：セフォチアム、セフロキシム

セファマイシン系：β －ラクタマーゼに対してきわめて高い安定性　セフメタゾール、セフミノクス

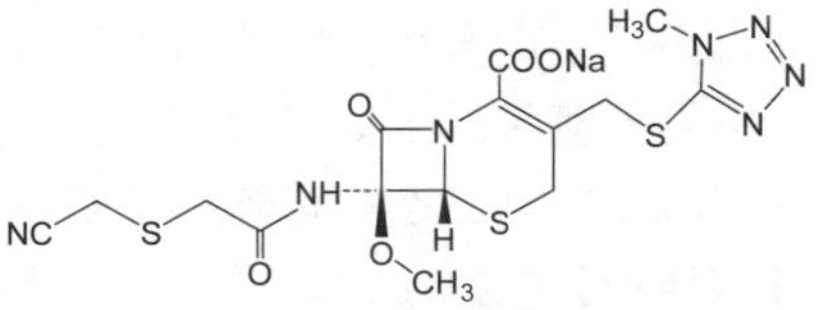

セファマイシン系

セフメタゾール

第三世代

一般的にグラム陽性菌に対しては、第一世代より弱い。β-ラクタマーゼに対しては、さらに安定でグラム陰性菌に対する抗菌力がさらに強化され、緑膿菌に有効なものもある。

セファロスポリン系：セフォタキシム、セフチゾキシム、セフメノキシム

緑膿菌に有効なもの：セフォペラゾン、セフスロジン、セフタジジム

セファマイシン系：セフォテタン

オキサセフェム系：ラタモキセフ、フロモキセフ

β －ラクタマーゼに対してきわめて優れた安定性

経口剤　Oral Cephems：セフォチアムヘキセチル

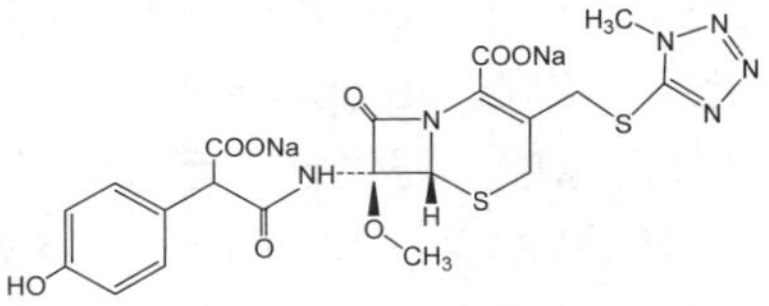

ラタモキセフ

第四世代

細菌の外膜透過性にすぐれる。β －ラクタマーゼに対して極めて低い親和性、セファロスポリナーゼ抵抗性

セフォゾプラン、セフピロム、セフジトレン、　ピボキシル

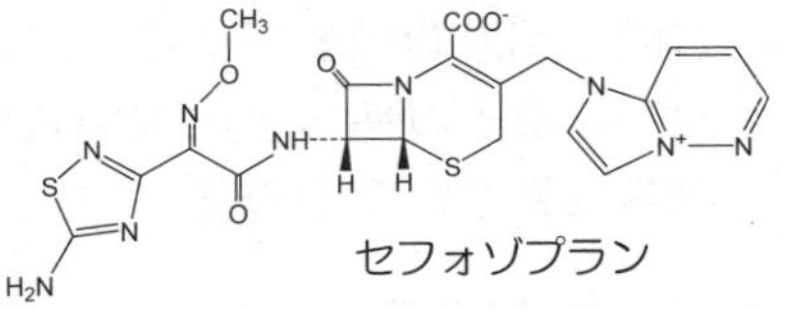

第一～第三世代のセフェム耐性菌に有効

【副作用】ジスルフィラム様作用

セフォゾプラン

2-1-3　オキサセフェム系　Oxiacephems

フロモキセフ：グラム陰性菌に対する優れた抗菌力を保持しながらグラム陰性菌への抗菌力を強化

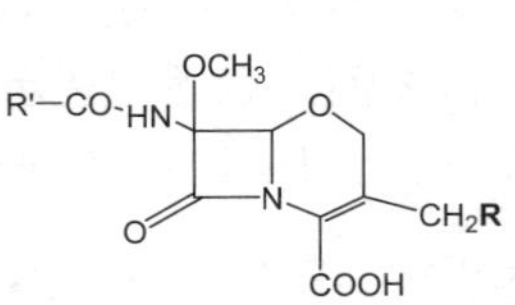

オキサセフェム

2-1-4　ペネム系、カルバペネム系　Penem/Carbapenems

β －ラクタマーゼ阻害作用、ペニシリン結合タンパクに対する強い親和性を持つ。

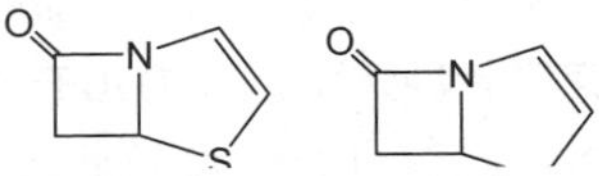

ペネム　　カルバペネム

2-1-4-1　カルバペネム系

イミペネム　Imipenem

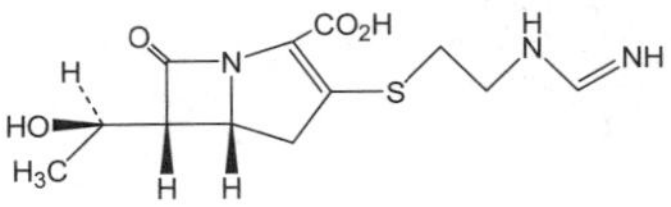

【作用機序】抗菌スペクトルは極めて広く抗菌力も著しく強い。グラム陽性、グラム陰性菌に優れた抗菌力をしめす。

イミペネムは腎近位尿細管腔の刷子縁に存在するデヒドロペプチダーゼⅠ（DHP-Ⅰ）によって分解されやすく、その分解物が腎毒性を持つので、代謝・不活性化を防ぐためにシラスタチンとの合剤として用いる。

イミペネム

イミペネムは、グラム陽性球菌、緑膿菌を含むグラム陰性桿菌及び嫌気性菌に対し広範で強力な抗菌スペクトルを有する。特にグラム陽性球菌に対する抗菌力は既存のセフェム系抗生物質や、他のカルバペネム系抗生物質に比べて優れ、また、グラム陰性桿菌では、緑膿菌、エンテロバクター属、セラチア属、アシネトバクター属に対する抗菌力に優れていることが報告されている。

【副作用】痙れん、呼吸停止、意識障害、意識喪失、呼吸抑制、錯乱、不穏

パニペネム

作用機序、抗菌スペクトルは、イミペネムとほぼ同じだが、イミペネムの持つ中枢神経系への毒性が軽減されている。

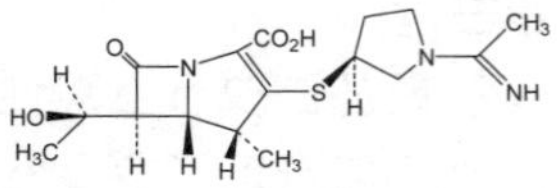

パニペネム

メロペネム　Meropenem

単剤で使用可能となった世界初のカルバペネム系抗生物質で従来のカルバペネム系抗生物質とは異なり、ヒトの腎 DHP-Ⅰに安定である。MRSA 以外の多剤耐性菌に有効

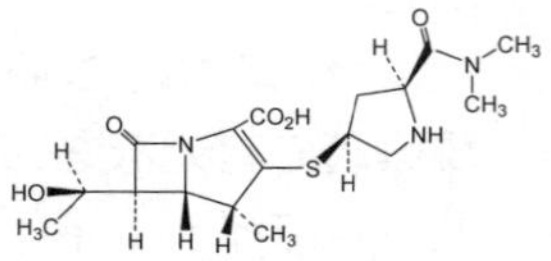

メロペネム

ビアペネム　Biapenem

【作用機序】好気性グラム陽性菌・陰性菌及び嫌気性菌に対し幅広い抗菌スペクトルと強い抗菌力を示すとともに、イミペネム、メロペネム、セフタジジム、オフロキサシン、ゲンタマイシンに耐性を示す *P. aeruginosa* に対しても強い抗菌力を示す。

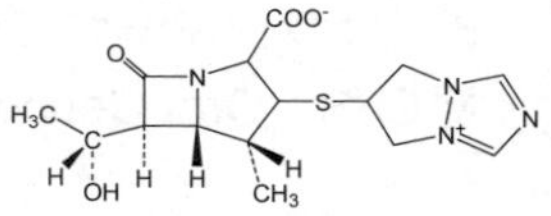

ビアペネム

抗菌作用は殺菌的であり、特に *P. aeruginosa*、*B. fragilis* にはイミペネムと同等以上の強い殺菌作用を示すまた、ヒト腎 DHP-I に対しメロペネムよりペネム系も安定である。

2-1-4-2 ペネム系

ファロペネム

経口ペネム抗生物質。β-ラクタマーゼに対して安定で、陰性菌にも良好な活性を示し、特にブドウ糖非発酵のエンテロバクター、シトロバクター属にも良好な活性を示す。

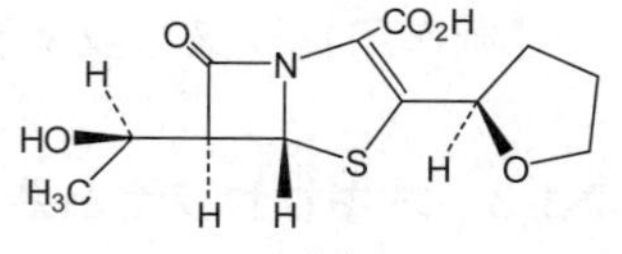

ファロペネム

2-1-5　モノバクタム系　Monobactam

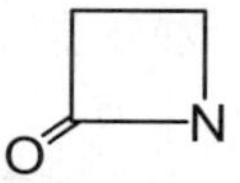

β －ラクタマーゼにきわめて安定である。グラム陰性菌に対してのみ有効で、グラム陽性菌、嫌気性菌に対しては無効。

アズトレオナム、カルモナム

ペ　ニシリンやセフェム系にアレルギーを持つ場合にも使用可能

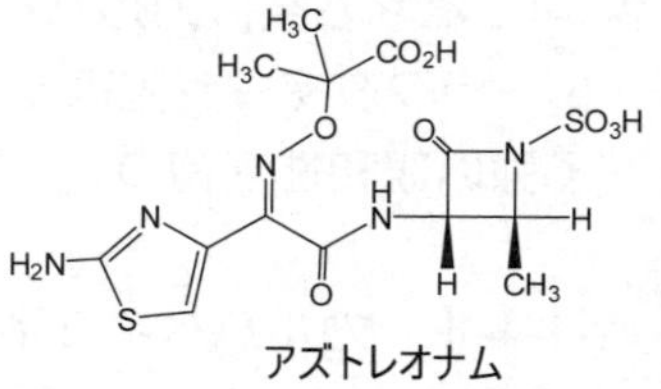

アズトレオナム

2-1-6 β－ラクタマーゼ阻害薬 β-Lactamase inhibitor

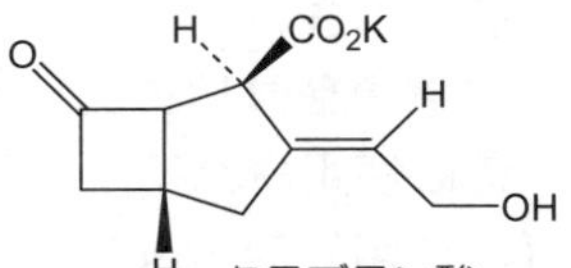

クラブラン酸、スルバクタム、タゾバクタム

【作用機序】それ自体には抗菌活性はないが、β －ラクタマーゼによって不活化される抗生物質と併用すると、その相乗効果により耐性菌にも抗菌活性を示すようになる。

クラブラン酸

スルタミシリン Sultamicillin

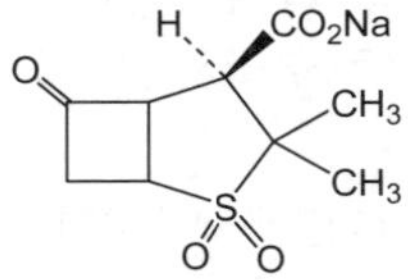

スルバクタムとアンピシリンをエステル結合で連結した製剤で、体内のエステラーゼにより速やかに分解されてスルバクタムとアンピシリンを遊離する。

スルバクタム

タンパク質合成阻害により抗菌作用を示す抗生物質

動物細胞のリボソームは、沈降係数が 80S で、40S と 60S の 2 つのサブユニットからなっている。細菌のリボソームは、沈降係数が 70S で、30S と 50S のサブユニットからなっている。アミノグリコシド系抗生物質 、マクロライド系抗生物質、マクロライド、テトラサイクリンなどは、細菌のリボソームサブユニットに選択的に結合して、抗菌作用を示す。

2-2 テトラサイクリン系抗生物質 Tertacyclines

テトラサイクリン Tetracycline、ミノサイクリン Minocycline

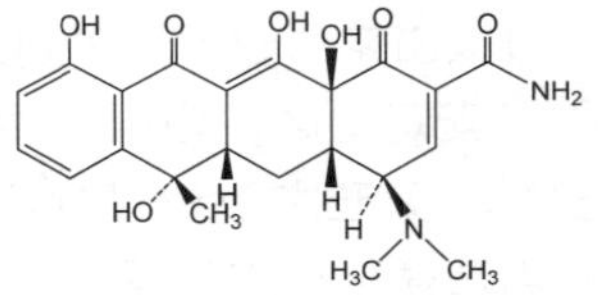

【作用機序】細菌のリボソーム 30S サブユニットに結合して、タンパク質合成を阻害する。

広域性をもち、マイコプラズマ、リケッチァ、クラミジア感染症に対しては第一選択薬

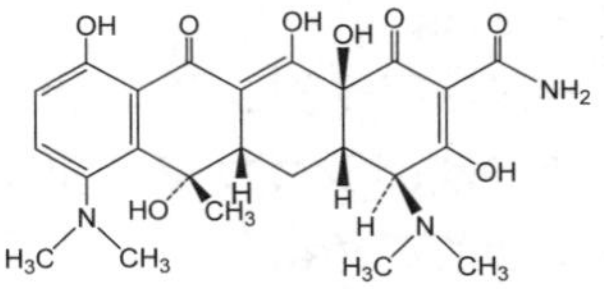

【副作用】頭蓋内圧上昇による視覚障害、めまい、ビタミン K 欠乏による出血傾向、菌交代症

テトラサイクリン

ミノサイクリン

2-3 アミノグリコシド系抗生物質 Aminoglycosids

各種のアミノ糖を構成成分とする塩基性抗生物質群で、グラム陽性菌、陰性菌、結核菌などに有効で抗菌力も強力である。

ストレプトマイシン Streptomycin 、カナマイシン Kanamycin

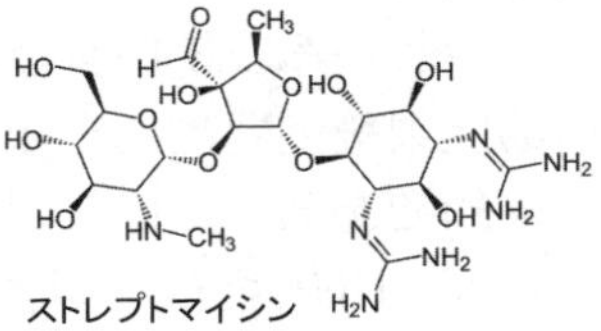

【作用機序】細菌のリボソーム 30 サブユニットに結合して、タンパク質合成を阻害

【適応】ストレプトマイシン：肺結核、その他の結核症、カナマイシン、感染性腸炎

ストレプトマイシン

【副作用】第Ⅷ脳神経障害（主として前庭機能障害：めまい、難聴、耳鳴)、腎障害（ループ利尿薬、バンコマイシン、白金系抗腫瘍薬との併用は聴覚障害、腎障害を増強する。

ゲンタマイシン Gentamicin

【作用機序】細菌のリボソーム 30S または 50S サブユニットに結合して、タンパク質合

成を阻害

緑膿菌をはじめとするグラム陰性桿菌による重症難治性感染症に使用される。

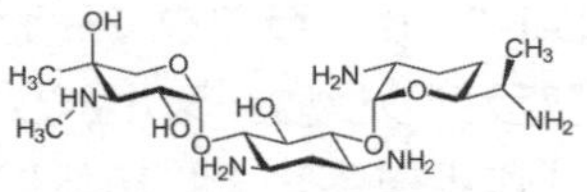

ゲンタマイシン

【副作用】第Ⅷ脳神経障害（主として前庭機能障害：めまい、難聴、耳鳴）、腎障害の発生頻度が高い。ビタミンK欠乏による出血傾向

トブラマイシン、アミカシン、アルベカシン、フラジオマイシンなどがある。

2-4 マクロライド系抗生物質　Macrorides

大環状ラクトン構造を有し、これに数個の糖が結合したものをマクロライド系抗生物質と呼ぶ。細菌のリボソーム 50S サブユニットに結合して、タンパク質合成を阻害する。主としてグラム陽性菌に有効（一部のグラム陰性球菌にも有効）であるが、マイコプラズマに有効で、マイコプラズマ肺炎には第一選択薬となっている。

【副作用】偽膜性大腸炎、心室頻拍、QT 延長

エリスロマイシン　Erythromycin

マイコプラズマ、レジオネラに非常に有効（ex.マイコプラズマ肺炎の第一選択薬）

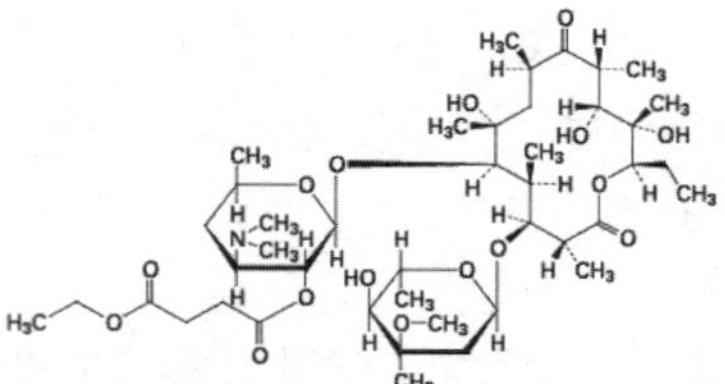

エリスロマイシン

クラリスロマイシン　Clarithromycin

酸に安定で高い血中濃度が得られる。クラリスロマイシン、アモキシシリン及びランソプラゾール併用により胃潰瘍・十二指腸潰瘍におけるヘリコバクター・ピロリ感染症に用いられる。びまん性汎細気管支炎に対して有効性が高い。

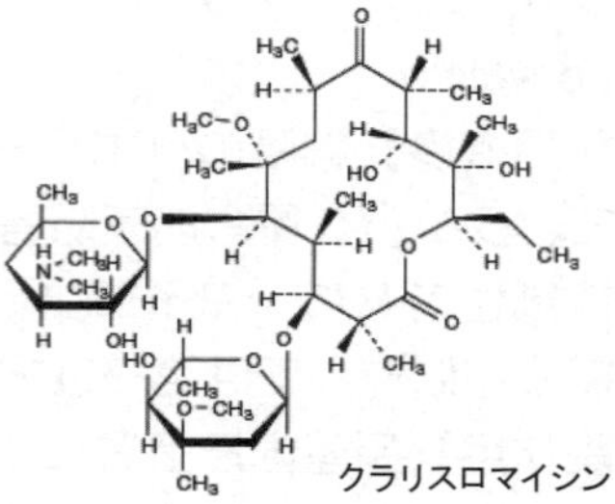

アジスロマイシン（15 員環型）

その他、ジョサマイシン、キタサマイシン、ミデカマイシンなどがある。

クラリスロマイシン

2-5　グリコペプチド系抗生物質　Glycopeptides

バンコマイシン　Vancomycin、

テイコプラニン Teicoplanin

【作用機序】ペプチジル-D-アラニル-D-アラニンに結合し、ペプチドグリカンの合成を阻害する。その結果細胞壁合成を阻害する。その抗菌作用は殺菌的である。更に細菌の細胞膜の透過性に変化を与え、RNA 合成を阻害する。

【適用】MRSA 感染症、骨髄移植時の消化管内殺菌や偽膜性大腸炎に経口的に用いる。

【副作用】腎障害、バンコマイシンは、点滴速度が速すぎるとレッドネック症候群（顔面、頚部、躯幹の紅斑性充血、かゆみ等）を生じる。第Ⅷ脳神経障害

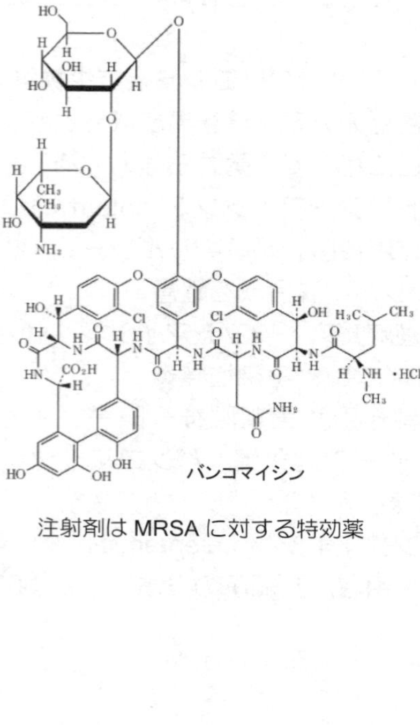

バンコマイシン

注射剤は MRSA に対する特効薬

2-6 ホスホマイシン系抗生物質

ホスホマイシン　Fosfomycin

【作用機序】細胞質膜の能動輸送系によってホスホマイシンが効率的に菌体内に取込まれ、ペプチドグリカン合成初期段階の UDP サイクルを阻害することにより、UDP-N-アセチルムラミン酸の合成を阻害して、細胞壁ペプチドグリカンの生合成を阻害することにより抗菌作用を示す。グラム陽性菌、グラム陰性菌に対して殺菌的に作用する。

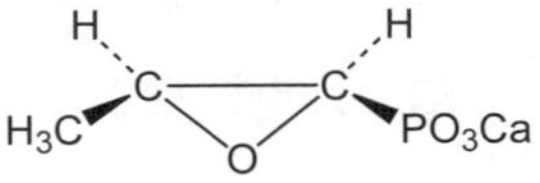

ホスホマイシン

【適用】感染性腸炎、膀胱炎など

【副作用】偽膜性大腸炎等の血便を伴う重篤な大腸炎、消化管障害（下痢、腹痛、嘔気、嘔吐等）、皮膚・皮膚付属器障害（発疹、蕁麻疹等）、肝臓・胆管系障害

2-7 その他のタンパク質合成阻害薬

ムピロシン

【作用機序】細菌のタンパク質合成の初期段階において、イソロイシル tRNA 合成酵素 - イソロイシン -AMP 複合体の生成を阻害する。その結果、細菌のリボゾームにおけるペプチド合成を阻害し、細菌内でのタンパク質合成を抑制することによって抗菌活性を示す。

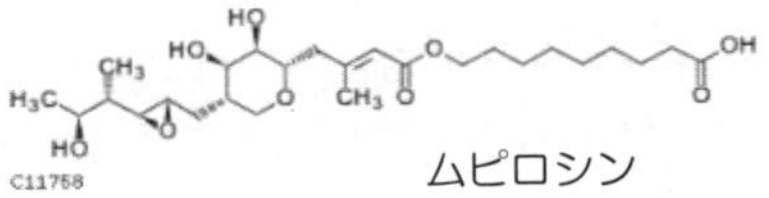

ムピロシン

【適用】鼻腔内の MASA の除菌

リネゾリド　Linezolid

グラム陽性球菌に広い抗菌スペクトルを持つオキサゾリジノン系完全合成抗菌薬である。バンコマイシン耐性腸球菌（VRE）及びメチシリン耐性黄色ブドウ球菌（MRSA）に対して抗菌力を有する。

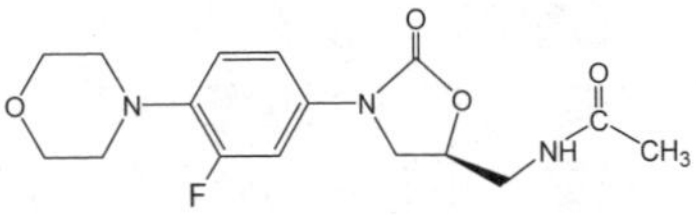

リネゾリド

【作用機序】タンパク質合成阻害であるが、既存のタンパク合成阻害薬のマクロライド系、テトラサイクリン系、アミノグリコシド系、クロラムフェニコール系薬剤が 30S 及び 50S リボソームに結合し伸長過程を阻害するのに対し、リネゾリドは、50S、30S リポソーム-mRNA 及び fMet-tRNA の三者によって構成される 70S 開始複合体が形成される過程を阻害する。この特有な作用機序により、既存の抗 MRSA 薬に対して耐性を有する菌にも交叉耐性を示さない。

【適応菌種】本剤に感性のメチシリン耐性黄色ブドウ球菌（MRSA）、　バンコマイシン耐性エンテロコッカス・フェシウム

【適用】敗血症、深在性皮膚感染症、慢性膿皮症、外傷・熱傷及び手術創等の二次感染、肺炎(MRSA)

【副作用】　可逆的な貧血、白血球減少症・汎血球減少症・血小板減少症等の骨髄抑制

2-8 ピリドンカルボン酸系抗菌薬

ピリドカルボン酸骨格

キノロン薬　Quinolones（殺菌的）

オールドキノロン薬　Old quinolones

ナリジクス酸：グラム陰性菌とくに大腸菌、プロテウス、肺炎桿菌、赤痢菌などに対して有効

ニューキノロン薬　New quinolones

特徴 既存の抗生物質と交差耐性を示さない。

緑膿菌を含む全般に対する抗菌力が向上している。

黄色ブドウ球菌、肺炎球菌、化膿連鎖球菌、腸球菌などのグラム陽性菌に対しても有効である。

構造式中にフッ素を含んでいる。

オフロキサシン

【作用機序】細菌の DNA ジャイレース（gyrase）の阻害作用を有し、その阻害により DNA 合成が傷害される。

トスフロキサシン

初期のフルオロキノロン薬

ノルフロキサシン、オフロキサシン、エノキサシンは、肺炎球菌に対する効果は弱い。

パズフロキサシン　Pazufloxacin、**プルリフロキサシン**　Prulifloxacin

トポイソメラーゼⅣ阻害作用を有し、真核細胞由来のトポイソメラーゼ II に対する阻害活性は他のキノロン系抗菌剤に比べ弱く、細菌酵素に対する高い選択性を示す。

【適用】呼吸器、尿路、腸管、性器感染症に用いられる。点眼薬としても用いられる。

パズフロキサシン

【副作用】中枢興奮作用があり、不眠などのほか、痙れん、意識障害（意識喪失等）が現れることがあるので、観察を十分に行い、異常が認められた場合には投与を中止し、適切な処置を行う。エノキサシン、ノルフロキサシンなどは、非ステロイド性消炎鎮痛剤であるフェンブフェンフルルビプロフェンアキセチル、フルルビプロフェンとの併用により重篤な中枢性痙れんを引き起こすために併用禁忌となっている。レボフロキサシンやトスフロキサシンなどは、$GABA_A$ 受容体への親和性が弱く、副作用としての中枢興奮作用が減弱されるなどの対処がなされている。大部分が未変化体で排出される。

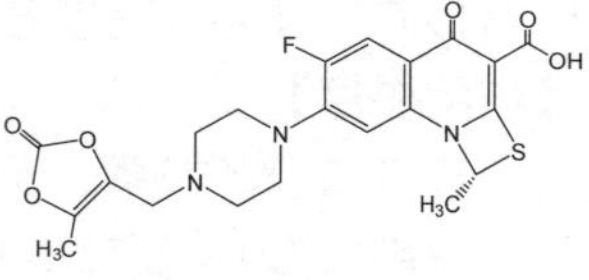

プルリフロキサシ

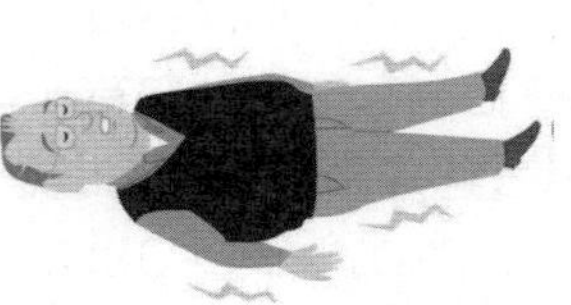
禁忌：非ステロイド性消炎鎮痛薬であるフェンブフェンとの併用により重篤な中枢性けいれんを引き起こした例がある

腎、肝機能障害、横紋筋融解症

金属カチオンと難溶性の錯塩を形成し消化管からの吸収が低下するため、アルミニウム又はマグネシウム含有の制酸剤、鉄剤、カルシウム含有製剤との同時投与を避ける。

種々のキノロン系抗菌薬と非ステロイド抗炎症薬の併用禁忌

	禁忌（投与中）	併用禁忌	併用注意
エノキサシン ノルフロキサシン	フェンブフェン フルルビプロフェン アキセチル フルルビプロフェン	フェンブフェン フルルビプロフェン アキセチル フルルビプロフェン	フェニル酢酸系 プロピオン酸系
ロメフロキサシン	フェンブフェン フルルビプロフェン アキセチル フルルビプロフェン	フェンブフェン フルルビプロフェン アキセチル フルルビプロフェン	フェニル酢酸系 プロピオン酸系
シプロフロキサシン	ケトプロフェン	ケトプロフェン	フェニル酢酸系 プロピオン酸系
トスフロキサシン			フェニル酢酸系（フェンブフェンを含む） プロピオン酸系
オフロキサシン レボフロキサシン			フェニル酢酸系（フェンブフェンを含む） プロピオン酸系

2-9 抗抗酸菌薬

抗結核薬

パラアミノサリチル酸カルシウム　Calcium　Paraaminosalicylate

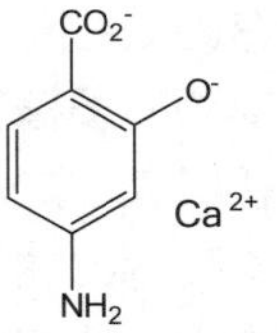

【作用機序】PABA に拮抗し、結核菌の葉酸合成を阻害する。ヒト型結核菌に対し静菌作用を示す。ストレプトマイシンあるいはイソニアジドとの併用で試験管内抗菌力、血中抗菌作用及び耐性上昇遅延等の協力効果がある。

CO_2^-　O^-　Ca^{2+}　NH_2

パラアミノサリチル酸カルシウム

【副作用】溶血性貧血　無顆粒球症、黄疸等肝炎

イソニアジド　Isoniazid

【作用機序】結核菌細胞壁構成成分のミコール酸の生合成を阻害する。

【副作用】イソニアジドの代謝には著しい個人差があり、代謝の遅いグループと代謝の早いグループの 2 群に分類される。多発性神経炎や全身性ループスは slow acetylator で出現しやすい。Rapid acetylator では肝障害が出現しやすい。

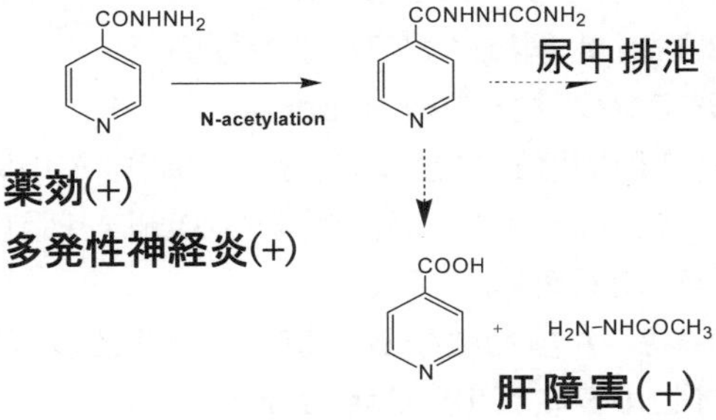

$CONHNH_2$ → N-acetylation → $CONHNHCONH_2$ → 尿中排泄

薬効(+)
多発性神経炎(+)

COOH ＋ $H_2N\text{-}NHCOCH_3$

肝障害(+)

エタンブトール　Ethambutol

【作用機序】結核菌の核酸合成経路を阻害し、細胞分裂を抑制することが認められている。既存の他の抗結核薬との間に交差耐性は認められていない。

エタンブトール

【副作用】視力障害、肝障害

ピラジナミド　Pyrazinamide

イソニアジドと協力作用を示し効果を増強する。単独投与にくらべ、イソニアジドに対する菌の耐性獲得を遅らせる効果がある。

【副作用】肝障害、間質性肺炎

ピラジナミド

リファンピシン

【作用機序】細菌の DNA 依存性 RNA ポリメラーゼを阻害して RNA 合成の開始反応を阻害することにより抗菌力を発揮する。結核菌に殺菌的作用を示す。

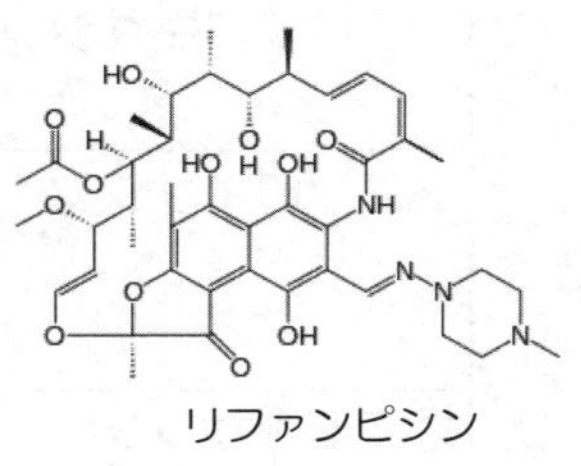

リファンピシン

【適応】肺結核及びその他の結核症、マイコバクテリウム・アビウムコンプレックス(MAC)症を含む非結核性抗酸菌症(NTM)、ハンセン病

【副作用】肝障害

ストレプトマイシン　Streptomycin (前出：アミノグリコシド系抗生物質)

3　抗ウイルス薬　Antiviral agents

ウイルスはタンパク質の殻（カプシド）に遺伝子が入っているだけの構造で、とても単純な構造のため、医薬の標的となる「弱点」が少ない。また、形状もサイズも大きく異なるなど極めて多様で、遺伝子も DNA のものや RNA のもの、1 本鎖のものや 2 本鎖のもの、環状になったものや直鎖状のものなど様々なタイプがあるため、一剤で多くのウイルスに効く薬剤の開発は難しく、個別のウイルスに対応する必要がある。さらにウイルスは変異が発生しやすいため、薬剤耐性ウイルスが出来やすい。

3-1　抗インフルエンザ薬

3-1-1　A 型抗インフルエンザ薬

アマンタジン　Amantadine

【作用機序】主として感染初期にウイルスの脱穀の段階を阻害し、ウイルスのリボヌクレオプロテインの細胞核内への輸送を阻止する。A 型には有効であるが、B 型、C 型には無効である。

3-1-2　A 型および B 型抗インフルエンザ薬　ノイラミニダーゼ阻害

オセルタミビル　Oseltamivir

【作用機序】ヒト A 型及び B 型インフルエンザウイルスのノイラミニダーゼを強力（IC_{50}：0.1 ～ 3　nM）かつ選択的に阻害し、新しく形成されたウイルスの感染細胞からの遊離を阻害することにより、ウイルスの増殖を抑制する。

オセルタミビル

【副作用】腹痛、下痢、嘔気

ザナミビル　Zanamivir

【作用機序】A 型インフルエンザウイルスで知られている全てのサブタイプのノイラミニダーゼ及び B 型インフルエンザウイルスのノイラミニダーゼを阻害する。

【副作用】　アナフィラキシー様症状 、気管支れん縮、呼吸困難

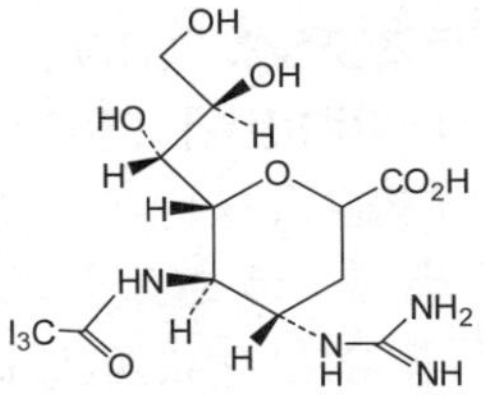

ザナミビル

その他の A 型および B 型抗インフルエンザ薬

ラニナビルオクタン酸エステル水和物

Laninamivir octanoate hydrate

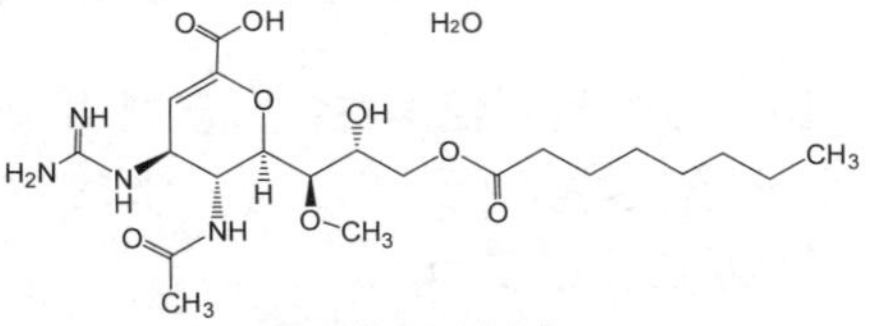

ラニナビルオクタン酸エステル水和物

ペラミビル Peramivir

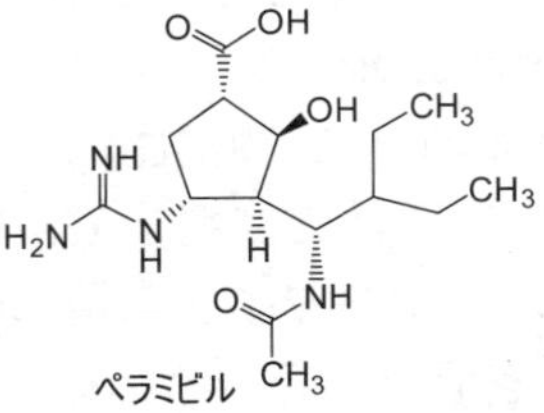

ペラミビル

3-2　抗ヘルペス薬　Antiherpes agents

アシクロビル　Aciclovir

【作用機序】ウイルス細胞に特異的なチミジンキナーゼによってリン酸化をうけて、アシクロビル三リン酸になり、DNA ポリメラーゼを阻害する。宿主細胞ではリン酸化されないので選択毒性を示す。（単純疱疹、帯状疱疹）

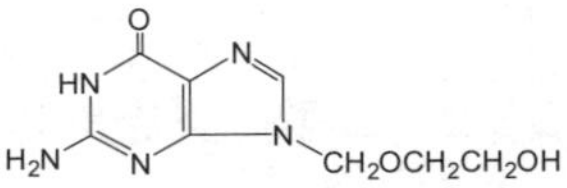

アシクロビル

【副作用】アナフィラキシーショック、汎血球減少、無顆粒球症、血小板減少、播種性血管内凝固症候群（DIC）、血小板減少性紫斑病 、急性腎不全、精神神経症状

ビダラビン　Vidarabine

【作用機序】アデノシンの D-リボースが D-アラビノースに置換されたヌクレオシド。ウイルスの DNA 合成を阻害する。RNA ウイルスには無効（単純ヘルペス脳炎、免疫抑制患者の帯状疱疹）。

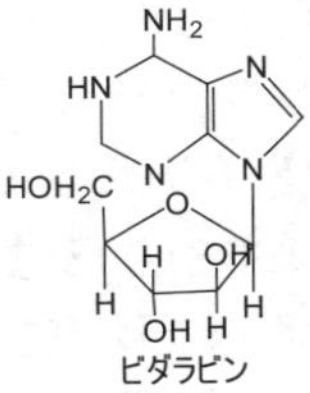

ビダラビン

ガンシクロビル　Ganciclovir

【作用機序】サイトメガロウイルス細胞のデオキシグアノシンキナーゼによりリン酸化され、活性型のガンシクロビル三リン酸になり、DNA ポリメラーゼを阻害する。（後天性免疫不全症候群、臓器移植、悪性腫瘍におけるサイトメガロウイルス感染症）

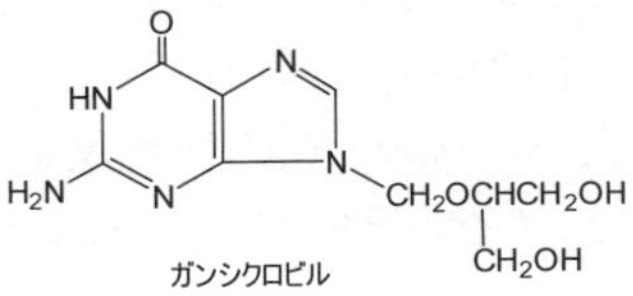

ガンシクロビル

【副作用】汎血球減少、重篤な白血球減少、重篤な血小板減少

3-3 ウイルス性肝炎肝炎薬（抗 B 型・C 型）

3-3-1 B 型肝炎治療薬

ラミブジン（HIV 治療にも用いられる）

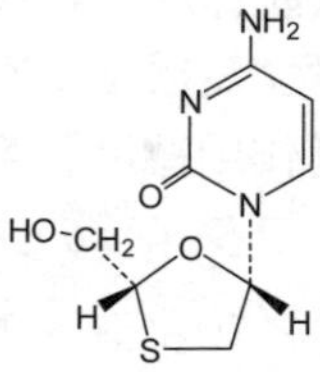

【作用機序】細胞内でリン酸化されて、活性体のラミブジン 5'-三リン酸に変換され、ウイルスの DNA ポリメラーゼに対して競合的拮抗作用を示す。ラミブジン 5'-三リン酸は DNA ポリメラーゼの基質としてウイルス DNA 鎖に取り込まれるが、ラミブジン 5'-三リン酸は次のヌクレオチドとの結合に必要な 3' 位の OH 基がないため DNA 鎖伸長が停止する。

ラミブジン

【適用】B 型慢性肝炎、 B 型肝硬変

【副作用】横紋筋融解症、血小板減少

エンテカビル Entecavir

【作用機序】細胞内でリン酸化されて、エンテカビル-三リン酸に変換され、デオキシグアノシン３三リン酸との競合して、DNA ポリメラーゼによるプライミング、mRNA からマイナス鎖 DNA 合成時の逆転写およびプラス鎖 DNA 合成を阻害する。

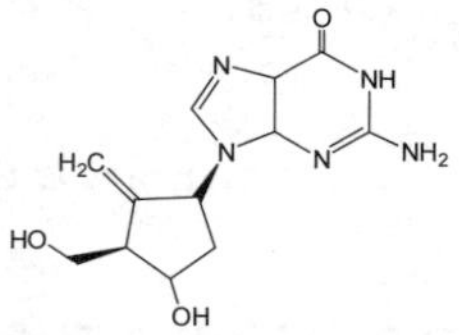

【適用】B 型慢性肝炎、 B 型肝硬変

【副作用】肝機能障害、投与終了後の肝炎の悪化、 アナフィラキシー様症状、乳酸アシドーシス

エンテカビル

3-3-2 C 型肝炎治療薬ー非構造（NS）領域または NS にコードされるタンパク質に作用する薬物

HCV の全ゲノム構造は 1990 年に解明され、約 9,600 ヌクレオチドからなる 1 本鎖のプラス鎖 RNA から 10 種類の蛋白質が産生されることが明らかになった。前半部のコアやエンベロープ(E1 と E2)からウイルス粒子が形成され、後半部の非構造（NS）領域から HCV ゲノムの複製に必要な一連の NS タンパク質が産生される。NS2 からはシステインプロテアーゼ、NS3 からは HCV 遺伝子にコードされる複合タンパク質のプロセシング及びウイルス複製に必須な RNA ヘリケース活性を有するセリンプロテアーゼ、そして NS5B からはヌクレオチドの取り込みという重要な役割を担っているウイルスの複製に不可欠な酵素である RNA 依存性 RNA ポリメラーゼが産生される。NS5B は細胞内シグナル伝達経路の調節にも関与する。NS5A は膜に結合するリン酸化タンパクであり、複製複合体の形成に重要で、ウイルス複製を制御しているものと考えられている。C 型肝炎治療薬は、RNA 鎖の伸長反応を停止させたり、一連の NS タンパク質のいずれかに作用してその機能を阻害し、HCV の複製を阻止する。

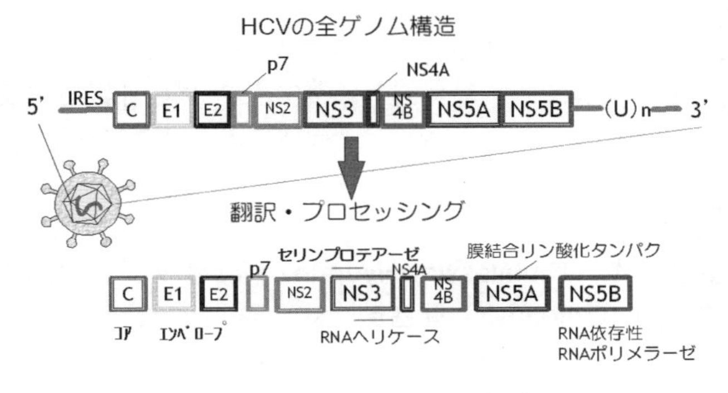

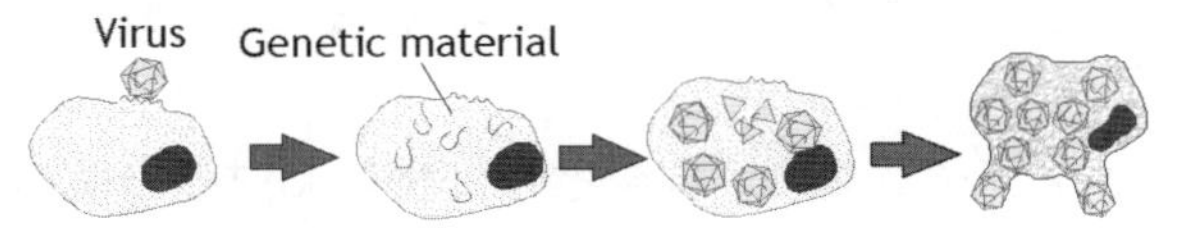

ソホスブビル　Sofosbuvir

【作用機序】肝細胞内代謝により活性代謝物であるウリジン三リン酸型（GS-461203）に変換されるヌクレオチドプロドラッグで、体内で活性代謝物となり、NS5B ポリメラーゼによってヌクレオチドの代わりに RNA に取り込まれ、HCV　RNA 鎖の伸長反応を停止させるチェーンターミネーターとして作用することで、NS5B ポリメラーゼを阻害する。従来の治療に比べ、ソホスブビルを含むレジメンでの治療効果（ウイルス学的著効（SVR）達成率）は 2 ～ 4 倍とされ、副作用も少ない。

ソホスブビル

【適用】セログループ 2（ジェノタイプ 2）の C 型慢性肝炎又は C 型代償性肝硬変

【副作用】貧血、 頭痛、倦怠感、嘔気、潮紅、易刺激性

レジパスビル Ledipasvir

【作用機序】HCV NS5A を阻害する。

【適用】レジパスビルとソホスブビルを組み合わせて投与すると、HCV 複製の直接的阻害効果を示し、インターフェロンまたはリバビリンを併用することなく、ジェノタイプ 1a または 1b の C 型肝炎を治療することができる。

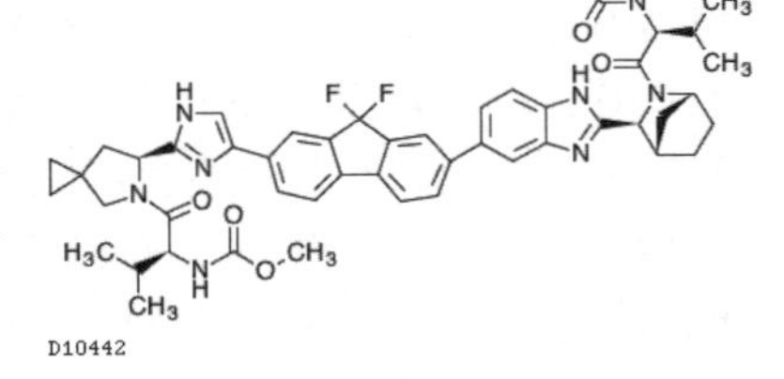

D10442

ダクラタスビル Daclatasvir

【作用機序】NS5A に対して高い選択性を有し、NS5A　の N　末端の二量体接合面に入り込むように結合することにより NS5A の機能を阻害する。

【適用】セログループ 1（ジェノタイプ 1）の C 型慢性肝炎または C 型代償性肝硬変におけるウイルス血症の改善

D10065

オムビタスビル Ombitasvir

【作用機序】HCV NS5A を阻害する。

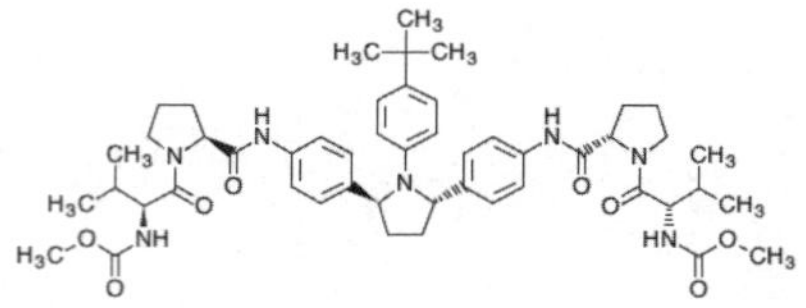

ヴィキラックス配合錠

オムビタスビル水和物（Ombitasvir Hydrate）・パリタプレビル水和物（Paritaprevir Hydrate）・リトナビル（Ritonavir）配合剤

【適用】

セログループ 1（ジェノタイプ 1）の C 型慢性肝炎又は C 型代償性肝硬変におけるウイルス血症の改善

セログループ 2（ジェノタイプ 2）の C 型慢性肝炎におけるウイルス血症の改善

アスナプレビル Asunaprevir

【作用機序】NS3/4A プロテアーゼを阻害剤する。

【適用】セログループ 1（ジェノタイプ 1 ）の C 型慢性肝炎又は C 型代償性肝硬変におけるウイルス血症の改善

テラプレビル Telaprevir

【作用機序】 NS3/4A セリンプロテアーゼへの選択性が高い阻害薬である。

【適用】1 型（1a、1b）または 2 型（2a、2b）のウイルスに対してのみ有効性・安全性が確認されている。

3-3-3 インターフェロン

ウイルスの刺激により産生されるサイトカインの一種。インターフェロンの抗ウイルス効果は、DNA 型ウイルスよりも RNA 型ウイルスに対して大であるので、C 型肝炎（RNA 型）に対してより効果的である。（B 型は DNA 型ウイルス）

【作用機序】インターフェロン α の抗ウイルス作用の機序は３つ知られており、１つ目は 2'5'オリゴアデニル酸合成酵素を活性化して感染細胞内のリボヌクレアーゼの働きを亢進し、ウイルスの mRNA を崩壊させるもので、２つ目は、タンパク質リン酸化酵素を活性化させ、タンパク合成開始因子 eIF-2a をリン酸化してウイルス mRNA によるポリソーム形成を阻害するものである。３つ目は、ホスホジエステラーゼを活性化し、tRNA の CCA 末端を切断し tRNA の機能を消失させタンパク合成を阻害するものである。また、ナチュラルキラー細胞の活性化促進能、マクロファージの異物認識能亢進活性などが明らかにされている。

【適用】現在医薬品として多くのインターフェロンが承認され、B 型肝炎・C 型肝炎などのウイルス性肝炎に用いられる。

【副作用】発熱、だるさ、疲労、頭痛、筋肉痛、けいれんなどのインフルエンザ様症状、投与部位の紅斑、痛み、痒み、脱毛、蛋白尿、めまい、抑うつ

3-4 抗 HIV 薬

現在の抗 HIV 薬による治療において HIV を駆逐するためには数十年間治療を継続する必要があると考えられている。治療を中断すると HIV は再増殖し治療前の状態に戻ってしまう。つまり、治療開始が必要な段階に到った場合、患者はほぼ生涯にわたって治療を継続する必要がある。“ 治療効果 ” の指標となるのは、AIDS 発症阻止と生命予後の改善である。

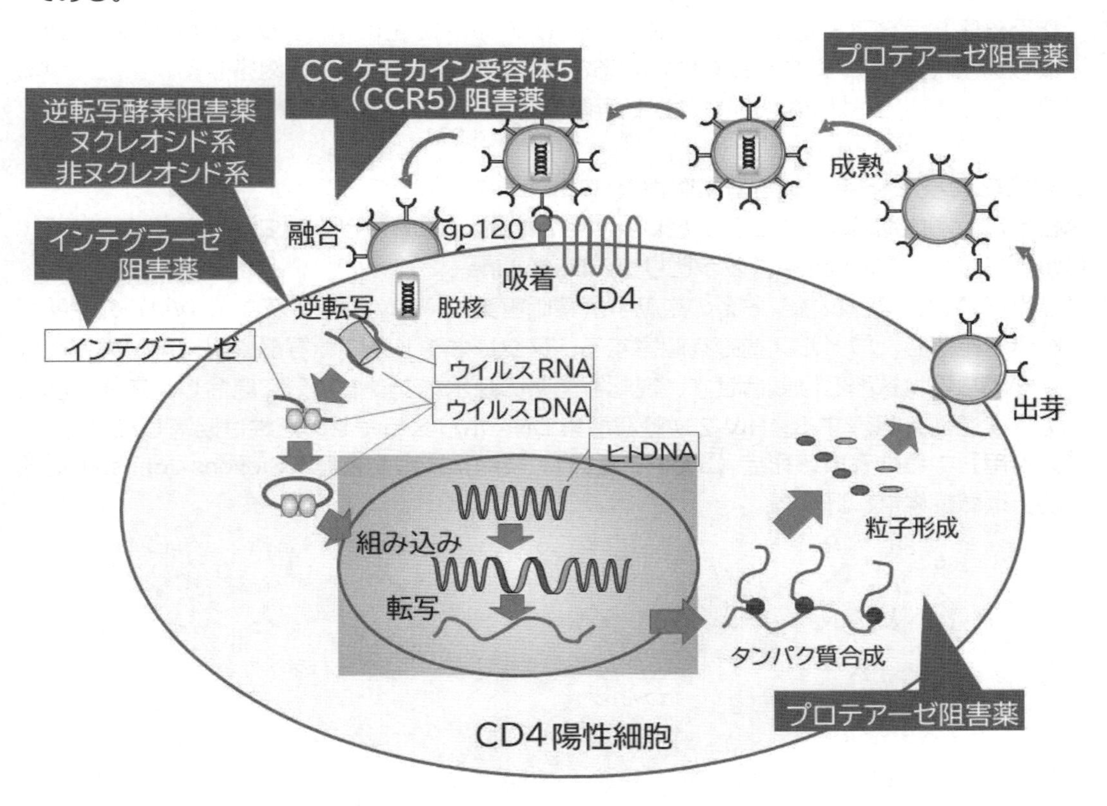

3-4-1 逆転写酵素阻害薬

A ヌクレオシド系逆転写酵素阻害薬

ジドブジン　Zidovudine

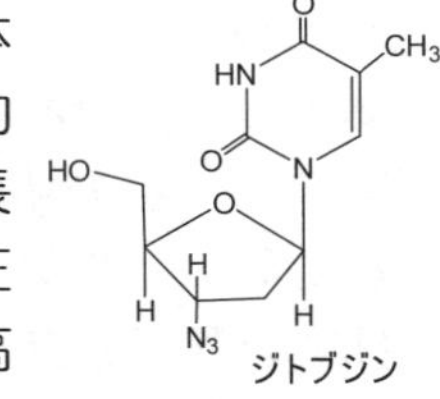

【作用機序】細胞内でリン酸化され、活性型の三リン酸化体（AZTTP）となる。この、三リン酸化体は HIV 逆転写酵素を競合的に阻害し、また dTTP ウイルス DNA 中に取り込まれて、DNA 鎖伸長を停止する。三リン酸化体の HIV 逆転写酵素に対する親和性は、正常細胞の DNA ポリメラーゼに比べて約 100 倍強いので、選択性の高い抗ウイルス作用を示す。

【副作用】骨髄抑制

アバカビル　Abacavir

【作用機序】細胞内で細胞性酵素によって活性代謝物のカルボビル三リン酸に変換され、カルボビル三リン酸が天然基質 dGTP と競合し、ウイルス DNA に取り込まれることによって、HIV-1 逆転写酵素（RT）の活性を阻害する。取り込まれたヌクレオシド誘導体には 3'-OH 基が存在しないため、DNA 鎖の伸長に不可欠な 5'-3'ホスホジエステル結合の形成が阻害され、ウイルスの DNA 複製が停止する。

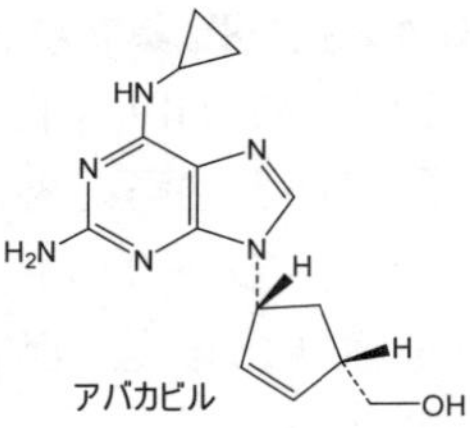

【副作用】過敏症

アバカビル

ラミブジン　Lamivudine　（前出）

【作用機序】ラミブジン 5'-三リン酸化体は HIV の逆転写酵素によりウイルス DNA 鎖に取り込まれ、DNA 鎖の伸長を停止することにより HIV の複製を阻害する。また、ラミブジン 5'-三リン酸化体は HIV の逆転写酵素を競合的に阻害する。

B　非ヌクレオシド系逆転写酵素阻害薬

ネビラピン　Nevirapine、エファビレンツ efavirenz、エトラビリン Etravirine、リルピビリン　Rilpivirine 、ドラビリン　Doravirine

【作用機序】非ヌクレオシド系の逆転写酵素阻害薬で、HIV のタイプ 1 (HIV-1) の逆転写酵素を阻害し、ウイルス増殖を阻害する。ヌクレオシド系逆転写酵素阻害剤とは作用様式が異なり、核酸とは競合せず、逆転写酵素の疎水ポケット部分に結合し、逆転写酵素の触媒活性を阻害する。HIV-2 逆転写酵素 DNA ポリメラーゼの活性は阻害しない。

【副作用】中毒性表皮壊死症（Lyell 症候群)、皮膚粘膜眼症候群（Stevens-Johnson 症候群、過敏症候群、肝障害

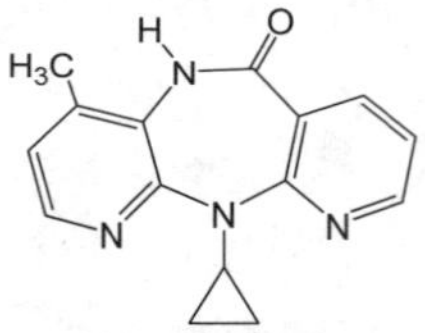

ネビラピン 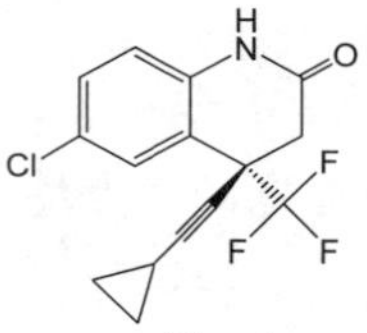　エファビレンツ 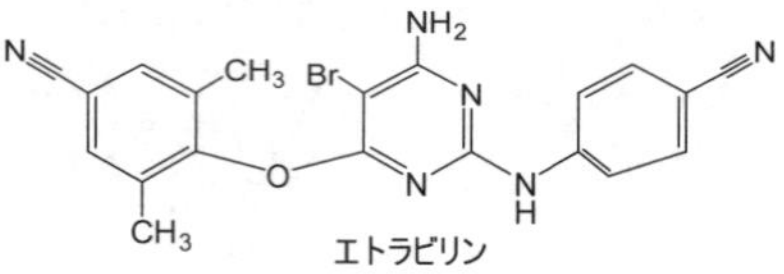　エトラビリン

3-4-2　HIV プロテアーゼ阻害薬

インジナビル　Indinavir、サキナビル　Saquinavir、リトナビル　Litnavir、ネルフィナビル　Nelfinavir、アタザナビル　Atazanavir、ダルナビル Darunavir、ホスアンプレナビル　Fosamprenavir

【作用機序】ヒト由来のアスパラギン酸プロテアーゼ（レニン、カテプシンD等）やヒトエラスターゼ、ヒト第Ｘａ因子などのプロテアーゼ活性は阻害しないが、HIV 前駆体ポリ蛋白質と競合し HIV - 1 及び HIV - 2 由来のプロテアーゼの活性を選択的に阻害する。この特異なプロテアーゼの働きが阻害されるとウイルス粒子を構成できないためにウイルスの増殖は阻害される。その結果、ウイルス粒子の成熟過程において、HIV 前駆体複合タンパク質の切断が妨げられ、感染性を持つ HIV の産生を抑制する。

【副作用】腎石症、出血傾向、肝炎、貧血、溶血性貧血

インジナビル　　サキナビル　　リトナビル

3-4-3　HIV インテグラーゼ阻害薬

ラルテグラビル　Raltegravir、ドルテグラビル　Dolutegravir、
エルビテグラビル　Elvitegravir、ビクテグラビル　Bictegravir

【作用機序】HIV 遺伝子にコードされたウイルス複製に必要な酵素である HIV インテグラーゼの触媒活性を阻害することにより、HIV 感染初期において、HIV ゲノムの宿主細胞ゲノムへの共有結合的挿入又は組込みを阻害する。DNA　ポリメラーゼα、β、γを含むヒトホスホリルトランスフェラーゼに対し、顕著な阻害作用を示さない。

【副作用】中毒性表皮壊死症（Lyell 症候群）、皮膚粘膜眼症候群（Stevens-Johnson 症候群、過敏症候群、横紋筋融解症

ラクテグラビル　　ドルテグラビル　　エルビテグラビル

3-4-4　CC ケモカイン受容体５（CCR5) 阻害薬

マラビロク　**Maraviroc**

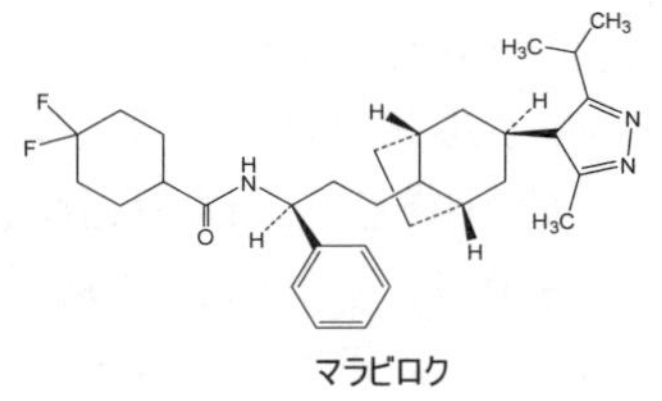
マラビロク

【作用機序】HIV が細胞に侵入する際に利用する補受容体であるCC Chemokine Receptor 5（CCR5）阻害剤であり、細胞膜上の CCR5 に選択的に結合して HIV-1 エンベロープ糖タンパク質 gp120 と CCR5 との相互作用を遮断することにより、CCR5 指向性 HIV-1 の細胞内への侵入を阻害する。CXCR4 指向性及び CCR5/CXCR4 二重指向性 HIV-1 の細胞内への侵入に対しては阻害しない。

【副作用】心筋虚血、肝硬変、肝不全、肝酵素上昇、肝機能検査異常、皮膚粘膜眼症候群（Stevens-Johnson 症候群）

3-5　その他の治療薬　抗 SARS-CoV-2 薬

レムデシビル　Remdesivir

【作用機序】アデノシンヌクレオシドのプロドラッグで、生体内で加水分解などを経て生成される活性代謝物であるアデノシン三リン酸（ATP）の類似体が、RNA ウイルスの 複製に必要な RNA 依存性 RNA ポリメラーゼを阻害することで抗ウイルス作

レムデシビル

用を発揮する
対象患者は「PCR で陽性と判断された入院中の、SpO2 が 94 %以下などの重症患者

モヌルピラビル　Molnupiravir
【作用機序】モルヌピラビルの活性本体である、N-ヒドロキシシチジン NHC-TP は主にシチジン三リン酸（CTP）の代替基質としてウイルスに取り込まれ RNA 依存性 RNA ポリメラーゼに作用することにより、ウイルス RNA の配列に変異を導入しウイルスの増殖を阻害する。

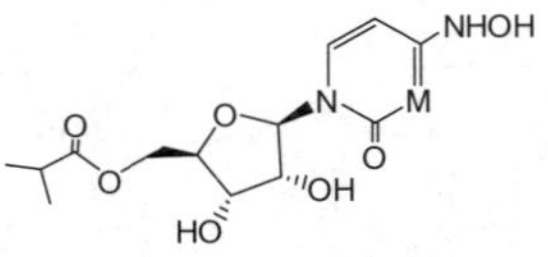

モヌルピラビル

パキロビッド　（ニルマトレルビル / リトナビル　Nirmatrelvir / Ritonavir）
【作用機序】ニルマトレルビルは、新型コロナウイルス（SARS-CoV-2）が細胞内で増殖する際に必要なプロテアーゼ（3CL プロテアーゼ）を阻害する。これにより、SARS-CoV-2 が細胞内で複製するのを抑制すると考えられている。一方のリトナビルは、ニルマトレルビルの主要代謝酵素である CYP3A の阻害作用を有する。ニルマトレルビルが分解されるのを遅らせ、ウイルスに作用する血中濃度を維持する。

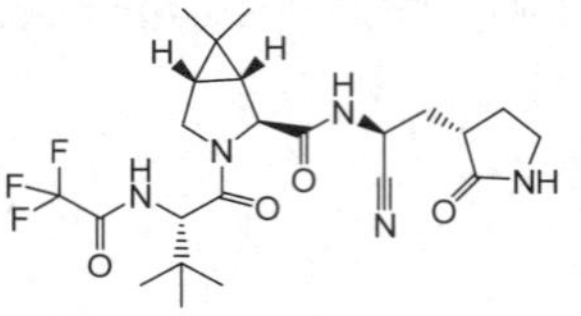

ニルマトレルビル 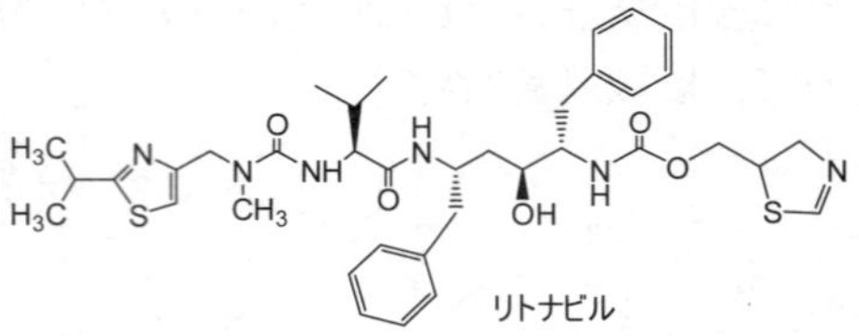　　リトナビル

エンシトレルビル　Ensitrelvir
【作用機序】SARS-CoV-2　3CL プロテアーゼを阻害し、ポリタンパク質の切断を阻止することで、ウイルスの複製を抑制して抗ウイルス活性を発揮する。SARS-CoV-2 による感染症の 5 症状（[1]倦怠感又は疲労感、[2]熱っぽさ又は発熱、[3]鼻水又は鼻づまり、[4]喉の痛み、[5]咳]）が快復するまでの時間をプラセボ群と比較して 24 時間短縮する(通常 8 日間とされるものを 7 日間に短縮する)短縮した。重症化予防効果は確認されていない。

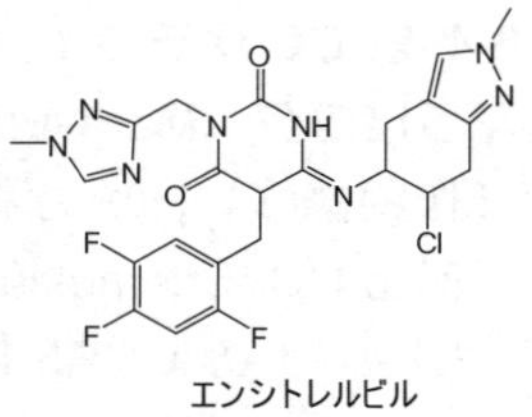

エンシトレルビル

4　抗真菌薬　Antifungal drugs

4-1　ポリエン系抗生物質

アムホテリシン B、Amphotericin B、ナイスタチン　Nystatin
【作用機序】感受性真菌の細胞膜成分であるエルゴステロールと結合することにより膜障害を起こし、細胞質成分の漏出が生じてその真菌を死滅させる。カンジダ属、アスペルギルス属等の病原真菌に対し抗菌力を示すが、グラム陽性菌、グラム陰性菌、リケッチア、ウイルス等

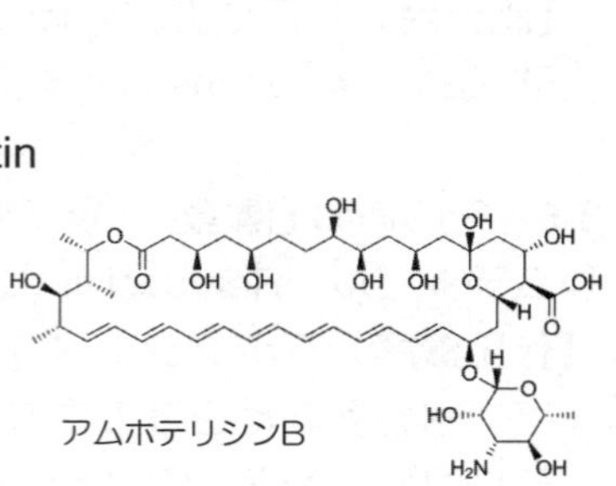

アムホテリシンB

にはほとんど抗菌活性を示さない。

【適応症】アスペルギルス、カンジダ、ムーコル、クリプトコッカス、ブラストマイセス、ヒストプラズマ、コクシジオイデスによる深在性感染症

ナイスタチン

4-2　キャンディン系抗真菌薬

ミカファンギン　Micafungin

菌細胞壁の主要構成成分である 1,3-β-D-glucan の生合成を非競合的に阻害する

【副作用】白血球減少、好中球減少、溶血性貧血　、ショック、アナフィラキシー様症状

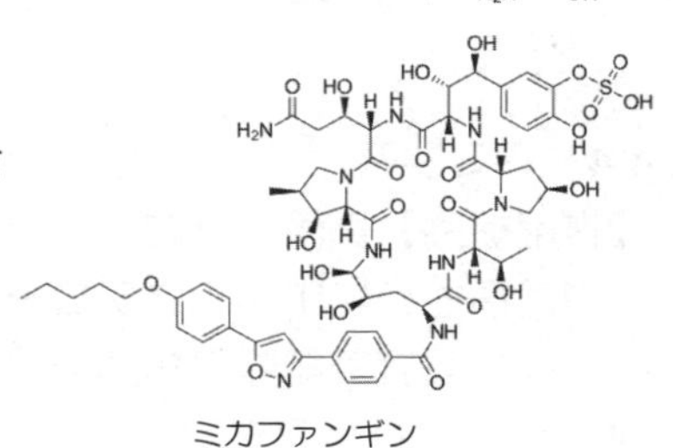

ミカファンギン

4-3　アゾール系抗真菌薬

【作用機序】ラノステロール C-14 脱メチル酵素(チトクロム P-450）を阻害し、真菌細胞膜成分であるエルゴステロールの生合成を阻害する。アゾール系抗真菌薬の多くは、肝臓のチトクローム P450 の分子種である CYP3A 活性の基質または阻害薬となるので、CYP3A で代謝される薬物（テルフェナジンやトリアゾラムなど）と併用すると作用が増強される。

【適応症】白癬：足部白癬（汗疱状白癬)、手部白癬（汗疱状白癬)、体部白癬（斑状小水疱性白癬、頑癬)、股部白癬（頑癬）カンジダ症、指間びらん症、間擦疹、乳児寄生菌性紅斑、爪囲炎、外陰炎（ただし、外陰炎はクリームのみ適用）

イトラコナゾール　Itraconazole　（経口、外用）

表在性真菌症　（頭部白癬など（爪白癬以外)、カンジタ症)、深在性真菌症（呼吸器真菌症、消化器真菌症、尿路真菌症、真菌髄膜炎）

D00350

ミコナゾール　Miconazole（経口、注射、外用））

口腔カンジタ症、食道カンジタ症、深在性真菌症（真菌血症、肺真菌症、消化管真菌症、尿路真菌症、真菌髄膜炎）

クロトリマゾール Clotrimazole(経口、外用)、ケトコナゾール Ketoconazole（外用）

HIV 感染症患者における口腔カンジダ症(トローチ)、白癬（足部白癬（汗疱状白癬、趾間白癬)、頑癬

フルコナゾール Fluconazole　（経口、注射）

真菌血症、呼吸器真菌症、消化管真菌症、尿路真菌症、真菌髄膜炎

ミコナゾール　クロトリマゾール　ケトコナゾール　フルコナゾール

4-4 アミン系

【作用機序】真菌細胞内のスクアレン-2,3 エポキシダーゼを選択的に阻害し、スクアレンの蓄積並びにエルゴステロールに生合成を阻害し抗真菌作用を示す。皮膚糸状菌に対しては低濃度で細胞膜構造を破壊し、殺真菌的に作用する。

4-4-1 アリルアミン系

テルビナフィン　Terbinafine　（経口、外用）

【副作用】重篤な肝障害、汎血球減少、無顆粒球症、血小板減少、横紋筋融解症

テルビナフィン

4-4-2 ベンジルアミン系

ブテナフィン　Butenafine　（外用）

足白癬（水虫）・白癬（体部白癬）および頑癬（いんきん）

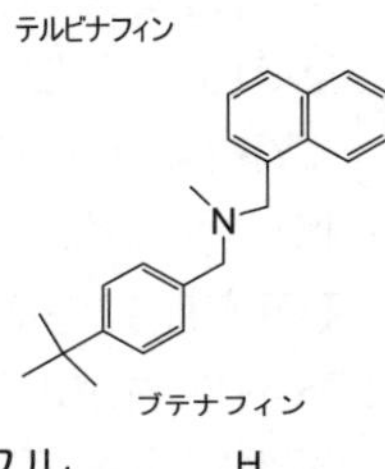
ブテナフィン

4-5 フロロピリミジン系

フルシトシン　Flucytosine

【作用機序】真菌細胞内に選択的に取り込まれた後、脱アミノ化されてフルオロウラシルとなり、核酸合成系等を阻害する。ヒトの細胞ではシトシンデアミナーゼの活性が弱いため比較的副作用が小さい

【副作用】汎血球減少、無顆粒球症、腎不全

フルシトシン

5 原虫・寄生虫感染症

メトロニダゾール　Metronidazole

【作用機序】嫌気性菌やトリコモナスなど、嫌気性環境下で増殖する病原微生物に特異的なニトロ還元酵素系（ヒドロゲナーゼ）によって還元され、ニトロソ化合物（R-NO）に変化する。この変化体がフリーラジカルとして DNA 二重鎖切断などの細胞傷害活性を有すため、殺菌作用を示すと考えられている。

【適応症】トリコモナス症（腟トリコモナスによる感染症）
胃潰瘍・十二指腸潰瘍におけるヘリコバクター・ピロリ感染症

【副作用】消化器症状（悪心、心窩部不快感など）、金属味、舌苔、暗赤色尿

メトロニダゾール

キニーネ　quinine

マラリア原虫に特異的に毒性を示すマラリアの特効薬。キニーネは、マラリア原虫の栄養源となるヘムを合成するヘムポリメラーゼを阻害することによって原虫に対して毒性を発揮するもの

キニーネ

と考えられている。副作用が多いため、あまり用いられなくなった。
【副作用】胃腸障害や視神経障害、血液障害、腎障害、心毒性

抗アメーバ薬：メトロニダゾール、チニダゾール
抗マラリア薬：クロロキン、キニーネ
トキソプラズマ予防薬：トリメトプリム・スルファメトキサゾール（ST 合剤）
抗トリコモナス薬：メトロニダゾール

6　サルファ薬

原型はスルファニルアミドで、アミド基が各種の複素環煮より置換された化合物である。現在は、耐性菌の増加等の問題から、適用が限定されている。

H_2N–(benzene ring)–SO_2NH_2

15　眼科領域で用いられる薬物

1　緑内障

1-1 緑内障の原因と種類

緑内障は、何らかの原因で眼圧の上昇がおこり、その結果視神経が圧迫され、視障害や視野欠落などの視機能障害をおこす疾患で、失明に至ることもある。
緑内障を悪化させる薬物としては、抗コリン作用をもつ薬物、ニトロ化合物、副腎皮質ホルモンなどがある。

閉塞隅角緑内障
房水の出口である隅角が狭くなり、ふさがって房水の流れが妨げられ眼圧が上昇する。

開放隅角緑内障・正常眼圧緑内障
1）原発性開放隅角緑内障
　房水の出口が徐々に目詰まりし、眼圧が上昇するもの。
2）正常眼圧緑内障
　眼圧が正常範囲（10 ～ 20mmHg）にも関わらず緑内障が発症するもの。
３）続発緑内障
　糖尿病、薬剤（副腎ステロイド性薬）が原因でおこるもの。

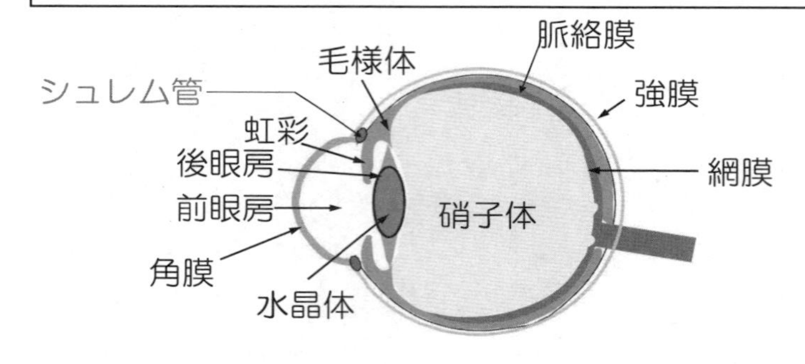

緑内障の最も確実な治療法は
眼圧下降
緑内障に対するエビデンスに基づいた唯一確実な治療法は眼圧を下降させることである。

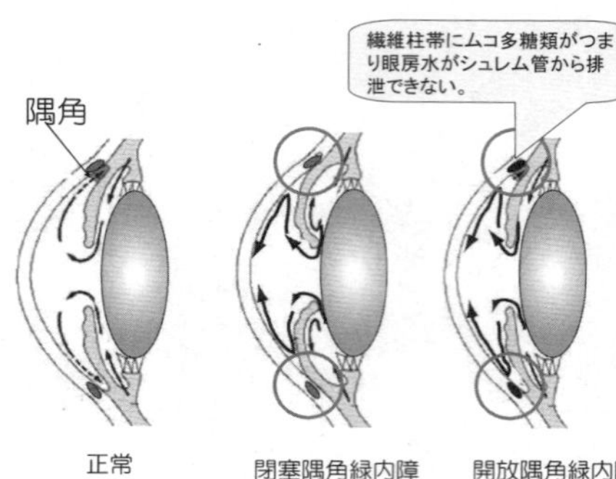

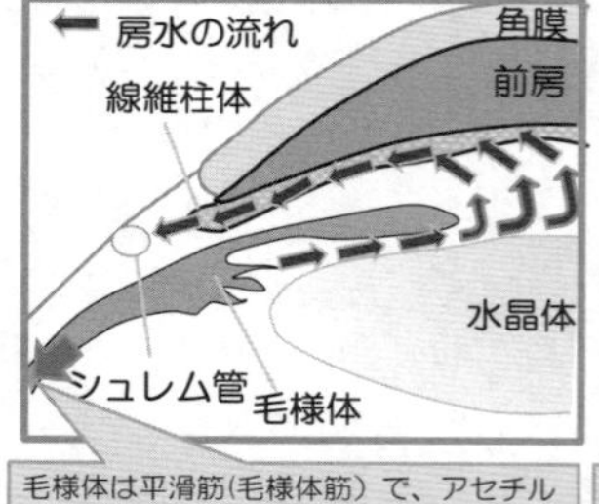

毛様体は平滑筋(毛様体筋）で、アセチルコリンやコリン作動薬で収縮する。収縮すると、角膜と虹彩の間（隅角）が開き、眼房水が流出する。

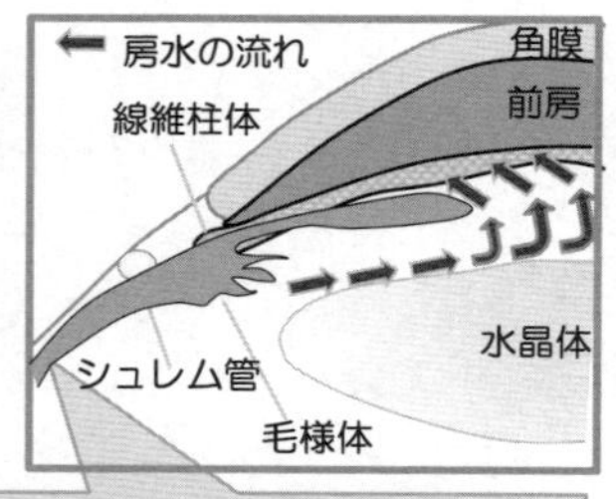

毛様体筋が弛緩すると、隅角が狭く（狭隅角）または、閉塞(閉塞隅角）し、房水が流出できなくなり、眼圧が上昇する（狭隅角緑内障）。

1-2　緑内障治療薬

1-2-1　緑内障治療に有効な薬物治療

A　隅角を広げ房水排泄を促す
B　隅角以外からの房水流出を増やす

C　房水の産生・供給を抑える

D　房水を血液に移行させる

E　循環を改善し視神経の働きを助ける

1-2-2　偶角を広げ眼房水排泄を促進する薬物

(1) コリン作動薬　（瞳孔括約筋を収縮させ縮瞳をおこす。

ピロカルピン（アルカロイド）（点眼）

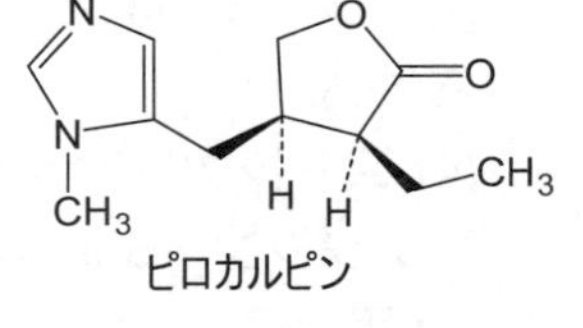

ピロカルピン

ムスカリン性アセチルコリン M_3 受容体を直接刺激して、毛様体筋の緊張度を高める（コリン作動薬の項参照）ことにより、シュレム管を開口し、眼房水排泄を促進する。

⑵ コリンエステラーゼ阻害薬

ジスチグミン Distigmine（点眼）

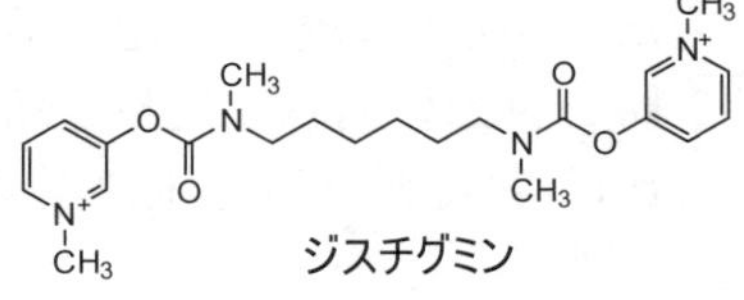

ジスチグミン

アセチルコリン分解酵素の阻害によりより蓄積したアセチルコリンが毛様体筋の緊張度を高めることにより、シュレム管を開口、眼房水排泄を促進する。

⑶ Rho キナーゼ阻害薬（点眼）

リパスジル　Ripasudil

プロテインキナーゼの一種である Rho キナーゼのアイソフォームの Rock-1 および Rock2 を選択的に阻害し、線維柱帯ーシュレム管を介する主流出路からの房水排泄を促進することで、眼圧を下降させる。

リパスジル

1-2-3　隅角以外からの房水流出を増加させる薬物

(1)　プロストン系

イソプロピルウノプロストン　Isopropyl unoprostone

【作用機序】 PGF2α 誘導体とは異なる眼房水排出機序を有する。イソプロピルウノプロストンおよびその脱エステル活性体によるヒト線維柱帯細胞における BK チャネル（大コンダクタンスカルシウム依存性カリウムチャネル）に対し活性を示す。主経路（シュレム管、線維柱帯流出路からの房水流出）における房水流出抵抗の減少、副経路（ブドウ膜強膜流出経路）からの房水流出の促進を介して眼房水排泄を促進する。縮瞳および散瞳を伴わない。

イソプロピルウノプロストン

⑵ プロスト系　プロスタグランジンF_{2a}誘導体

ラタノプロスト Latanoprost　トラボプロストTravoprost　タフルプロストTafluprost

【作用機序】 プロスタノイドFP受容体を刺激して、ぶどう膜強膜流出路からの眼房水排泄を促進する。瞳孔径、視力、血圧及び脈拍数に影響を及ぼさない。

ラタノプロスト

⑶ プロスタマイドF_{2a}誘導体

ビマトプロスト　Bimatoprost

【作用機序】プロスタマイドF_{2a}誘導体で、プロスタマイド受容体を刺激し、ぶどう膜強膜流出路を介した房水排出を促進することより眼圧を下降させる。
眼瞼周辺部のまつ毛の生え際に塗布することにより、まつげの長さや太さ濃さを改善するため、睫毛(しょうもう)貧毛症（まつ毛が不十分であったり、不足していることを特徴とする疾患）にも用いられる。

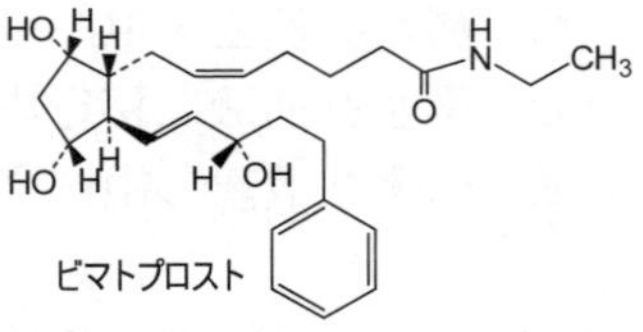

ビマトプロスト

(4) アドレナリンα_1受容体遮断薬

ブナゾシン　**Bunazosin**

【作用機序】選択的アドレナリンα_1受容体遮断薬で、点眼により眼局所のα_1受容体を遮断し、ぶどう膜強膜流出路からの房水流出を促進することにより眼圧を下降させる。房水産生及び線維柱帯流出路からの房水流出には作用しない。他の緑内障治療薬で効果不十分な場合に用いる。

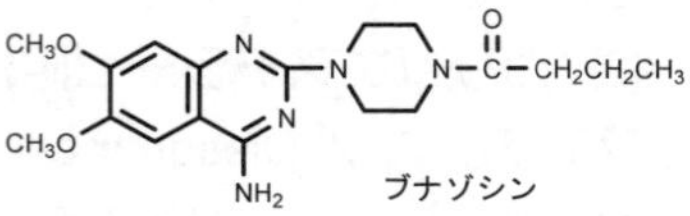

ブナゾシン

1-2-4　眼房水産生と供給を抑制する薬物

(1)　抗緑内障アドレナリンβ遮断薬

ベタキソロール（β_1 選択的、点眼）、ベフノロール（点眼）、カルテオロール（点眼）、チモロール（点眼）、 ニプラジロール（点眼）

【作用機序】毛様体に入る輸入細動脈血管のαおよびβ受容体のうちβ受容体を遮断して血管を収縮させるため、房水供給を減らし眼房水の産生を抑制する。瞳孔径や焦点調節には影響しない。

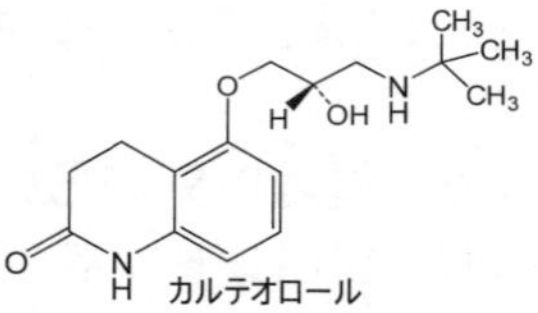

【禁忌】気管支喘息、気管支痙れん、重篤な慢性閉塞性肺疾患のある患者では悪化する可能性がある（一滴の点眼でも、充分作用するので注意）。コントロール不十分な心不全、洞性徐脈、房室ブロック (II、III 度)、心原性ショックのある患者〔β受容体遮断による陰性変時・変力作用により、これらの症状を増悪させる。〕

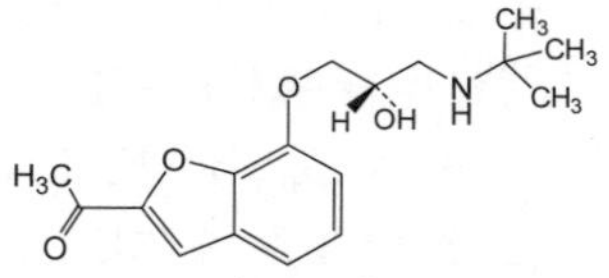

目頭を指で押さえておくと鼻や口に薬が回らず、苦い思いをしなくて済み、上記副作用の予防にもなる。

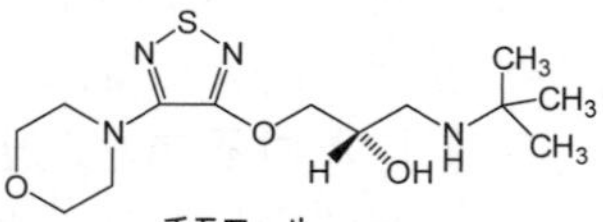

カルテオロール

ベフノロール

チモロール

(2)　アドレナリンα、β受容体刺激薬　アドレナリン、ジピベフリン　**Dipivefrin**

【作用機序】眼房供給動脈である輸入細動脈のα受容体に作用して収縮させ房水供給を減少させる。また眼房水排出静脈のβ_2受容体に作用して拡張させるため排出も促進する。
アドレナリンは、眼房水産生促進作用もあり、後眼房の圧を高て偶角を閉塞させて急性閉塞隅角緑内障発作を引き起こすことがあるので、隅角が狭い患者や前眼房が浅い患者には禁忌である。 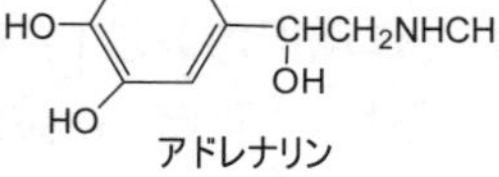

アドレナリン

ジピベフリンは、角膜透過性が良く、眼内でアドレナリンに変換されて薬理効果を現す。ジピベフリンの作用は濃度依存性で、アドレナリンと比べてモル比で約 50 倍強い効果を示す。

ジピベフリン

【禁忌】瞳孔散大筋の収縮により、虹彩と角膜の癒着が起こるため、閉塞隅角緑内障の患者には禁忌

(3) アドレナリンα_2受容体選択的刺激薬

アプラクロニジン　Apraclonidine

【作用機序】リガンド結合試験結果からα_2受容体に特異的に強い親和性を示す。眼圧下降作用は、毛様体上皮細胞におけるα_2受容体刺激による眼房水産生抑制作用であると考えられている。

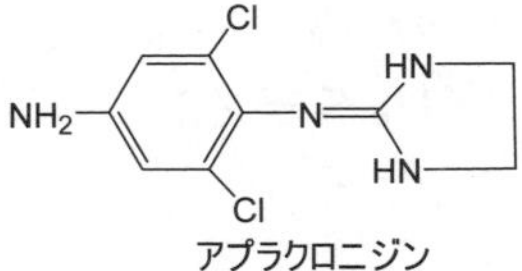

アプラクロニジン

【適用】アルゴンレーザー線維柱帯形成術、アルゴンレーザー虹彩切開術、及び Nd-ヤグレーザー後切開術後に生じる眼圧上昇の防止

ブリモジニン　Brimonidine

【作用機序】アドレナリンα_2受容体に作用し、房水産生抑制及び ぶどう膜強膜流出路を介した房水流出の促進により眼圧を下降させる。

ブリモジニン

1-2-5　炭酸脱水酵素阻害薬　（産生抑制）

【作用機序】毛様体上皮細胞の炭酸脱水酵素を阻害して眼房水の産生を減少させることにより眼圧が低下する。

アセタゾラミド（内服）、ドルゾラミド　Dorzolamide（点眼）、メタゾラミド（点眼）

ドルゾラミド

1-2-6　眼房水を血液に移動

浸透圧性利尿薬　　マンニトール、グリセリン

【作用機序】循環を改善し視神経の働きを助ける。血漿浸透圧を上昇させ房水との浸透圧勾配により眼房水を、血液に移行させることにより房水量を減少させ、眼圧を下げる。

2　白内障

2-1　白内障の原因

老人性白内障の成因は、トリプトファン代謝障害の結果生じるキノン体が惹起する水晶体蛋白の変性現象であると考えられている。水晶体の混濁の機序は、まだ明らかにされていないが、トリプトファンなどの代謝異常によって生ずるキノン体が、水晶体タンパク質と結合して、変性・不溶化させるためと考えられている。

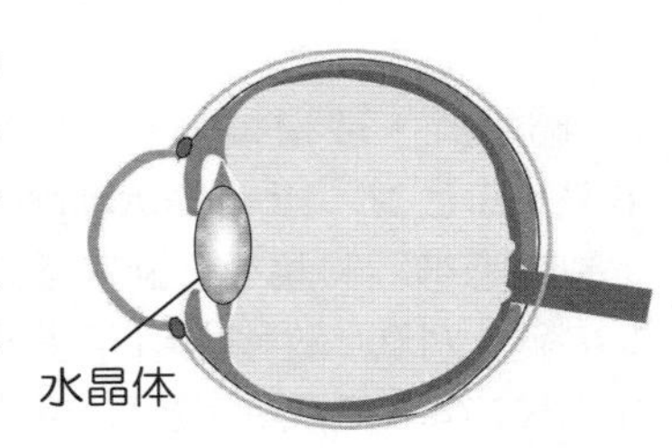

水晶体の濁り方は一人一人違うが、水晶体の周辺部（皮質）から濁りが始まることが多

い。中心部（核）が透明であれば視力は低下しない。濁りが中心部に広がると、「まぶしくなる」「目がかすむ」ようになる。中心部（核）から濁り始めると、「一時的に近くが見えやすくなる」ことがあり、その後「目がかすむ」ようになる。

2-2　白内障治療薬

ピレノキシン　Pirenoxine（点眼）

【作用機序】キノン体よりもさらに水晶体の水溶性蛋白と親和性が強く、キノン体が水晶体の水溶性蛋白に結合するのを競合的に阻害して水晶体蛋白の変性を防止する。加齢白内障の初期に用いられる。

グルタチオン　GSH　減少した SH 基を補充し、水晶体タンパク質の SH 基の変性を抑制する。

3　加齢性黄斑変性治療薬

ラニビズマブ　Ranibizumab　アフリベルセプト　Aflibercept

【作用機序】中心窩下脈絡膜新生血管（CNV：choroidal　neovascularizaton）を伴う加齢黄斑変性では、CNV の発生・進展により血管透過性が亢進し黄斑機能が障害されて視力が低下する。VEGF（vascular endothelial growth factor：血管内皮増殖因子）は脈絡膜の血管内皮細胞を活性化させ、CNV を発生・進展させる因子であり、ラニビズマブは、ヒト VEGF を標的とし、網膜の血管形成を阻害するヒト化モノクローナル抗体の Fab（Fragment　Antigen　binding）断片で VEGF と結合して VEGF の作用を阻害するため、CNV の形成および血管透過性が抑制される。

アフリベルセプトは、ヒト VEGF 受容体 1 及び 2 の細胞外ドメインをヒト IgG1 の Fc ドメインに結合した組換え融合糖タンパク質であり、可溶性のデコイ受容体として、滲出型加齢黄斑変性等の眼疾患にみられる病的な血管新生及び血管漏出に関与すると考えられている VEGF-A 及び胎盤増殖因子（PIGF）に、本来の受容体よりも高い親和性で結合することにより、その作用を阻害する。また、同様に眼疾患への関与が報告されている VEGF-B にも結合する。

【適用】中心窩下脈絡膜新生血管を伴う加齢黄斑変性症、網膜静脈閉塞症に伴う黄斑浮腫、病的近視における脈絡膜新生血管、糖尿病黄斑浮腫　（硝子体内投与）

【副作用】眼圧上昇、視力低下、眼痛、網膜出血、一過性視力低下

4　縮瞳薬・散瞳薬

ホマトロピン　Homatoropine

副交感神経興奮を遮断する効力はアトロピンの約 1/10。散瞳作用が速効性でかつ持続が比較的短いので、散瞳と毛様筋麻痺を目的として使用される。

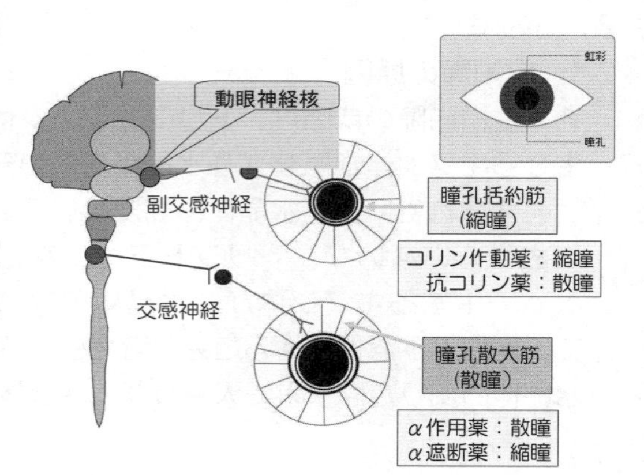

トロピカミド Tropicamide

副交感神経支配の瞳孔括約筋を弛緩させ、散瞳を起こす。

5　眼組織のエネルギー代謝系の改善

シアノコバラミン（点眼）

【適用】調節性眼精疲労

6　角膜上皮細胞伸展と水分保持効果

ヒアルロン酸ナトリウム点眼液

【適用】シェーグレン症候群、スティーブンス･ジョンソン症候群、眼球乾燥症候群（ドライアイ）等の内因性疾患・ 術後、薬剤性、外傷、コンタクトレンズ装用等による外因

性疾患

7　アレルギー性結膜炎　（抗アレルギー薬の項参照）

クロモグリク酸ナトリウム　**Sodium Cromoglicate**　(抗アレルギー薬の項参照)

イブジラスト **Ibudilast**　ペミロラストカリウム　**Pemirolast potassium**

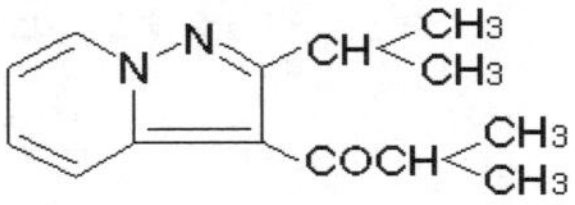

N　N　CH　CH_3　CH_3　COCH　CH_3　CH_3

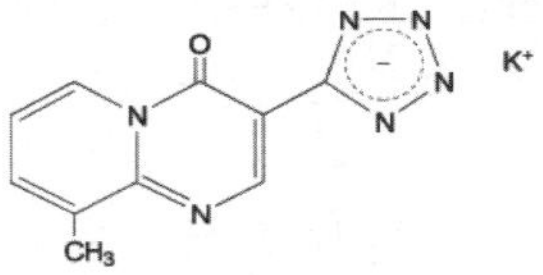

O　N　N　N　N　N　K^+　N　N　CH_3

16

皮膚疾患治療薬

Drugs acting on skin diseases

1　皮膚の構造

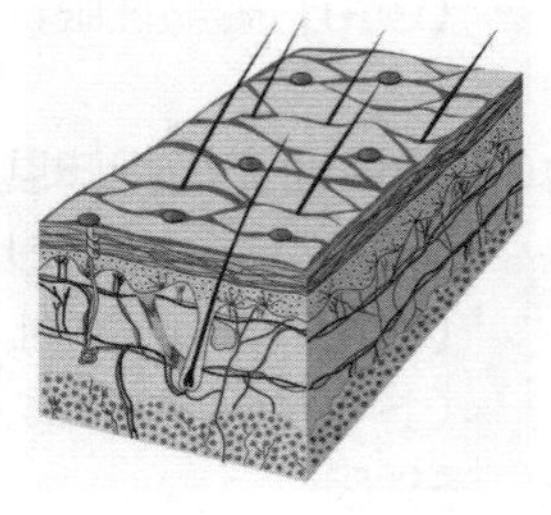

表皮：角化した重層扁平上皮層よりなる。基底層のケラチン細胞で作られる。

真皮：大部分は膠原線維（コラーゲン）、血管、リンパ腺、皮脂腺が豊富

皮下組織：主に脂肪組織からなし筋膜に連続している。

2　皮膚疾患とその治療薬

2-1 寄生性皮膚疾患治療薬

A. 真菌によるもの

(1)　浅在性真菌症: 白癬（頭部残存性白癬（しらくも）、汗疱上白癬（水虫）、小水疱性斑状白癬（ぜにたむし））

【治療薬】外用：クロコナゾール、クロトリマゾール

内服：イトラコナゾール

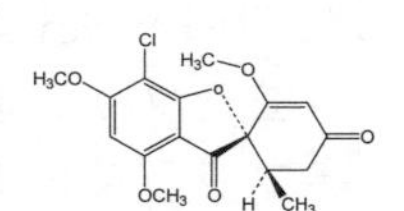

グリセオフルビン

(2) 深在性真菌症：呼吸器真菌症、消化管真菌症、尿路真菌症
真菌髄膜炎

全身性の場合にはフルコナゾール（フルコナゾールの抗真菌スペクトルは、カンジダ属、クリプトコッカス属、トリコスポロン属から糸状菌のアスペルギルス属まで）やアムホテリシンBの静注をおこなう。

【作用機序】アゾール系抗真菌薬：真菌細胞の細胞膜などの膜系構造の透過性を変化させる。

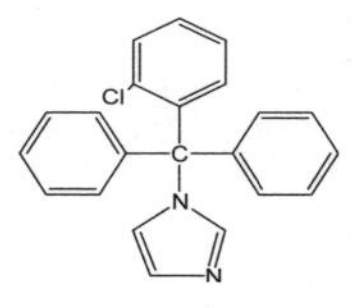

クロトリマゾール

フルコナゾール
（内服、静注）

B. カンジダによるもの

外陰カンジダ症、皮膚・結膜カンジダ症　その他：指間糜爛症、間擦疹、乳児寄生菌性紅斑、爪囲炎

【治療薬】トリコマイシン(真菌膜ステロールと結合して、膜機能を障害)

ナイスタチン（ポリエン系の抗真菌薬で、カンジダなどに対して静菌・殺菌作用がある）

クロトリマゾール、ミコナゾール

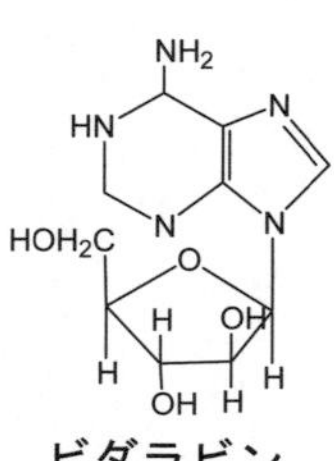

ビダラビン

C.　ウイルスによるもの：帯状疱疹

【治療薬】ビダラビン、アシクロビル（ウイルスの酵素によりまず

リン酸化を受け、つづいて宿主の酵素でリン酸化されたものがDNA 依存性 DNA ポリメラーゼを阻害する。内服、または静注）

アシクロビル

2-2 角化症治療薬

角化症：角質の過剰増殖による角質の肥厚や鱗屑などの異常所見が現れる疾患

【角化症治療薬・皮膚軟化薬】

活性型ビタミン D_3 外用薬：タカルシトール　Tacalcitol

表皮細胞増殖抑制作用と表皮細胞分化誘導作用により、角化を抑制する。

【適応】乾癬、魚鱗癬、掌蹠膿疱症、掌蹠角化症、毛孔性紅色粃糠疹

大量投与により血清カルシウム値が上昇する可能性がある。

尿素　urea

タンパク質変性・溶解作用により、角層水分含有量を増加させ、皮膚の乾燥粗ぞう化を改善する。

【適応】アトピー皮膚、進行性指掌角皮症（主婦湿疹の乾燥型）、老人性乾皮症、掌蹠角化症、足蹠部皸裂性皮膚炎、毛孔性苔癬、魚鱗癬

エトレチナート　Etretinate

皮膚角化異常症及び口腔粘膜の過角化病変に対し、対症療法として用いる。落屑（角層細胞の接着力の低下）とともに正常な上皮の再形成（増殖及び分化）に関与するものと考えられている。

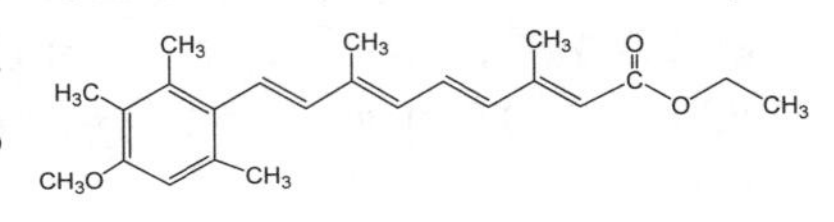

【副作用】内用薬で、催奇形性があり、副作用の発現頻度が高い。妊婦には禁忌。男性では精子形成能に異常を起こすことが報告されている。

【適応】諸治療が無効かつ重症な下記疾患

乾癬群、魚鱗癬群、掌蹠角化症、ダリエー病、掌蹠膿疱症、毛孔性紅色粃糠疹及び紅斑性角化症、口腔白板症、口腔乳頭腫及び口腔扁平苔癬

サリチル酸 salicylic acid：角質溶解作用と防腐作用

イオウ　：SH 基を S-S-に変えて皮膚軟化作用を示す。殺菌、抗寄生虫、抗脂漏、確執溶解作用がある。

2-3 皮膚潰瘍・褥瘡治療薬

皮膚潰瘍（熱傷潰瘍、糖尿病性潰瘍、下腿潰瘍、術後潰瘍）

リゾチーム　Lysozyme

【薬理作用】線維芽細胞の増殖促進や結合織線維の形成促進作用により熱傷、褥瘡などの皮膚潰瘍に用いる。軟膏またシートで用いる

ジメチルイソプロピルアズレン、アズレン　azulene

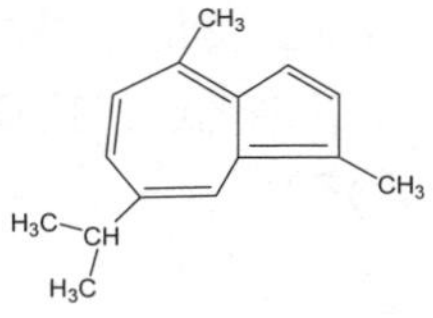

【薬理作用】抗炎症作用、ヒスタミン遊離良抑制作用、上皮形成促進作用および創傷治癒促進作用があり褥瘡潰瘍に有効である。湿疹、熱傷などのびらん、皮膚潰瘍に用いる。

トレチノイントコフェリル Tretinoin tocoferil

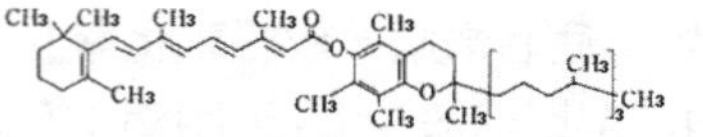

【薬理作用】ビタミン A とビタミン E のエステル結合体で、褥瘡・皮膚潰瘍の創傷自然治癒の増殖過程や組織修復過程において創傷部に出現するマクロファージ、線維芽細胞及び血管内皮細胞に創傷部位で直接作用し、血管新生を伴った肉芽形成を促す。軟膏で用いる。

アルプロスタジルアルファデクス Alprostadil alfadex

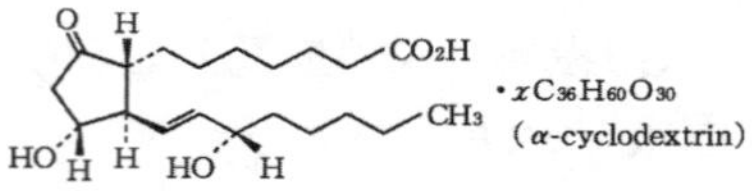

【薬理作用】PGE1 製剤で、病巣の循環障害を改善し、血管新生、表皮角化細胞増殖作用により肉芽・表皮形成作用を示すため皮膚潰瘍に有効。（軟膏、静注）

トラフェルミン　Trafermin

【薬理作用】ヒト塩基性線維芽細胞増殖因子 basic fibroblast growth factor(bFGF)遺伝子組み換え製剤で 154 個（$C_{764}H_{1201}N_{217}O_{219}S_6$；分子量：17,122.67）及び 153 個（$C_{761}H_{1196}N_{216}O_{218}S_6$；分子量：17,051.59）のアミノ酸残基からなるタンパク質（N 末端；Ala-Ala：65 %以上、Ala：35 %以下）である。トラフェルミンには創傷治癒促進作用、血管新生作用、肉芽形成促進作用が知られている。褥瘡や皮膚潰瘍に局所噴霧で用いる。

ブクラデシンナトリウム Bucladesine Sodium

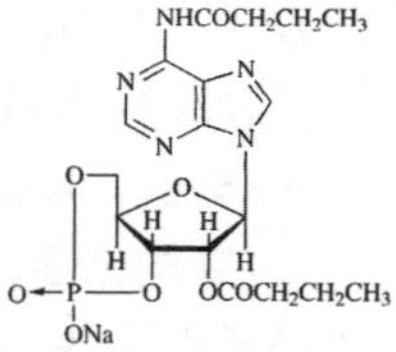

【薬理作用】局所血流障害改善作用があり、また、線維芽細胞増殖および血管新生を賦活して肉芽形成および表皮形成を促進する。褥瘡や皮膚潰瘍に軟膏で用いる。

2-4　尋常性白斑治療薬

メトキサレン　Methoxsalen

【薬理作用】皮膚の光線感受性を増大し、メラニン形成を促進するため、露光部にメラニンの沈着を生じる。

2-5　ニキビの患部ープロピオニバクテリウムアグネス

ナジフロキサシン　Nadifloxacin

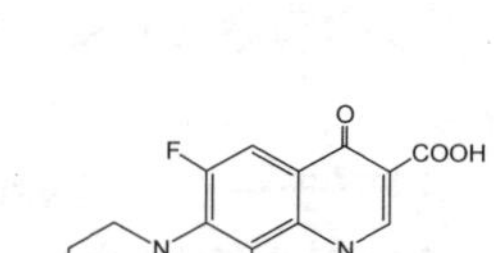

【薬理作用】アクネ菌及び表皮ブドウ球菌を含む、好気性グラム陽性菌、陰性菌及び嫌気性菌に対し、強い抗菌力と広い抗菌スペクトラムを有し、DNA ジャイレース阻害により殺菌的に作用する。

2-6　男性ホルモン性脱毛症

男性ホルモン性脱毛症は、40 才以上の成人における脱毛の主な原因である。

ミノキシジル Minoxidil

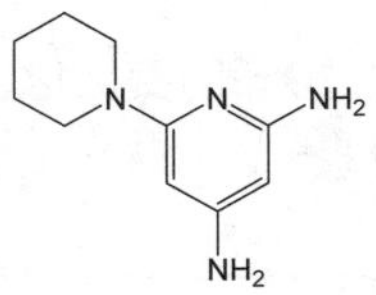

【薬理作用】毛胞を大きくして毛幹を太くするとともに、その数を増加させる。当初は抗高血圧薬として開発されたが、一部の患者で多毛症を生じることがわかり、この作用を外用で利用したものである。

薬物の塗布を中止すると、徐々に元の状態に戻る。

【作用機序】ATP-感受性 K^+チャネルを活性化し、その結果生じる局所の血流の増加により発毛を促す。（薬物の作用点としてのイオンチャネル、内向き整流性 K^+チャネルの項参照）

【副作用】血糖上昇、頭皮のかゆみ

【適用】壮年性脱毛症における発毛、育毛、脱毛の進行予防

17

診断用薬

診断用薬には、検査や診断のために用いられる造影剤、活性物質、放射性医薬品が含まれる。

分　類　名	代表的な診断薬	用途・関連
下垂体 TSH、プロラクチン分泌機能検査	プロチレリン	本物質は、甲状腺刺激ホルモン放出ホルモン（TRH）である。
下垂体 ACTH 分泌機能検査	メチラポン	ACTH 分泌促進 11-b-水酸化酵素阻害薬でありステロイドホルモンの合成を抑制するため、フィードバック機構がはずれて ACTH の分泌が促進する。
下垂体 LH 分泌能	酢酸ゴナドレリン	LH-RH 様薬であり、下垂体を刺激して LH/FSH 分泌能を検査する。
消化機能診断薬	テトラガストリン	胃酸分泌検査 ガストリンの C 末端から 4 個のアミノ酸。
膵外分泌機能検査	セクレチン	抗ガストリン作用、胃・十二指腸腔内のアルカリ化作用・粘液分泌促進作用を有する。内分泌能の検査に用いる。
	ベンチロミド	a-キモトリプシンで特異的に切断されてパラアミノ安息香酸を遊離する。外分泌能の検査に用いる。
胃液分泌機能検査	アモガストリン、テトラガストリン	胃液分泌刺激作用
甲状腺機能診断薬	ヨウ化ナトリウム（^{131}I）	甲状腺への ^{131}I の摂取率を測定
肝機能検査	インドシアニングリーン	投与後 30 分で大部分が間から胆汁排泄される。肝機能障害者では、体内に長くとどまることで検査に用いる。
	スルホブロモフタレインナトリウム	
腎機能診断薬	イヌリン	糸球体ろ過量の測定に用いる。 尿細管で、分泌も再吸収もされないことを利用

腎機能診断薬	フェノールスルホンフタレイン	尿細管機能検査 大部分が、近位尿細管から速やかに尿中に排泄される。腎機能が障害を受けていると、排泄が遅延する。
	インジゴカルミン	腎からよく排泄されるが、腎機能障害時には排泄が遅延することを利用して、腎からの排泄機能検査に用いる。
	パラアミノ馬尿酸	腎血流量測定 糸球体ろ過、尿細管分泌によってほとんど全部が尿中に排泄される。
重症筋無力症	エドロホニウム	短時間型のコリンエステラーゼ阻害薬
MRI 用造影剤	ガドジアミド水和物	磁気共鳴現象における緩和時間短縮作用を有し、MRI においてコントラストを増強し、診断能の向上をもたらす。
	フェルモキシデス	肝腫瘍の局在診断のための肝臓造影剤。超常磁性をもち、MR 信号を低下させる。コントラスト増強効果を発揮する。
X 線造影剤 原子番号の大きい原子を用い X 線吸収を増加させる。	硫酸バリウム	水に不溶性である。可溶性のバリウム塩は、中枢に移行して痙れんを誘発したり、平滑筋を興奮させる。
	イオパノ酸 イオタラム酸メグルミン イオパミドール イオタラム酸	X 線造影に用いる。

検査薬

妊娠検査薬	ヒト絨毛性ゴナドトロピン(hCG)のモノクロール抗体	妊娠時に絨毛で産生される絨毛性ゴナドトロピン(hCG)を尿を検体として測定する。
糖尿病検査薬	オルトートリジン	血中および尿中グルコースを酵素法で生成した過酸化水素を速手することにより診断する。
潜血検査薬	ヒトヘモグロビン抗体	糞便中のヘモグロビンを測定することにより消化管からの出血の有無を診断する。

薬物中毒と処置薬

18

急性薬物中毒とは、薬物の過量投与によって生じる意識障害や呼吸器・循環器系の障害、あるいは腎臓や肝臓などの臓器障害などの有害症状のことである。急性薬物中毒に対しては、迅速な治療が重要であり、未吸収の薬物をそれ以上吸収されないように速やかに体外に排除するとともに、すでに吸収されてしまった薬物も利尿薬の投与や血液透析などによりできるだけ除去する。原因となった薬物がわかっている場合には、拮抗薬や解毒薬などの投与を行う。また、中毒症状、特に生命に危険を及ぼすような症状に対しては、対症療法が必要となる。

薬物などの体外排除法

薬物などの中毒起因物質を体外に排除するために用いられるいくつかの方法とその特徴を以下に示す。

1）消化管からの排除法

① 胃洗浄および催吐

胃洗浄および催吐は、ともに胃内に残留する中毒起因物質を胃内より排除する手段であり、中毒起因物質摂取後の時間が短いほど効果的である。特に、胃洗浄による中毒起因物質の回収率には、時間経過が最も重要な因子で１時間をすぎると平均的な回収率はかなり低下するとされている。最近、中毒起因物質除去における活性炭の有用性が指摘されるようになり、胃洗浄時にも活性炭に吸着されない中毒起因物質以外は活性炭投与を併用することが一般的である。催吐には、トコンシロップを用いる。

② 緩下剤

緩下剤は、中毒起因物質排泄促進の目的で使用する。緩下剤はにはいくつかの種類の薬物があるが、中毒治療においては、塩類下剤と糖類下剤(ソルビトール)が主に使用され、単独ではなく活性炭との併用が推奨されている。活性炭と併用した場合の緩下剤の効果としては、活性炭－中毒起因物質複合体の消化管通過時間および排泄までの時間の短縮、また、これらの時間短縮による複合体の解離抑制、および、活性炭による便秘防止があげられる。

③ 活性炭

活性炭は、薬物吸着能に優れており、多くの物質と結合するが、それ自身は消化管から体内に吸収されず、消化管中の未吸収の中毒起因物質を吸着し、体内への吸収を減少させる。したがって、経口服用物質がはっきりとしていない場合でもとりあえず投与することが多い。消化管内で中毒起因物質を吸着させるための活性炭の投与は、摂取から１時間以内が有効とされている。また、最近、経口摂取後、数時間たち、すでに吸収されてしまった中毒起因物質や、非経口投与の薬物の体外排泄を促進することが見出され、半減期の長い薬物の過剰投与の治療法としての有効性も認められている。なお、活性炭は、体内に吸収されないため、妊婦にも使用できる。活性炭の単回投与が特に有効とされている薬物は、アスピリン、アセトアミノフェン、バルビツレート、フェニトイン、テオフィリン、三環系・四環系抗うつ薬などである。活性炭は、中毒起因物質の除去において、単独で用いられる他、上記のように胃洗浄に併用されることがある。また、緩下剤と併用されることがある。

2）強制利尿

薬物などの中毒起因物質を尿中に排泄させるために尿量を増加させる治療法で、通常は、輸液と利尿薬を投与する。また、薬物の尿中への排泄を促進するために尿のアルカリ化や酸性化を行う場合がある。腎から排泄されやすい薬物などを排除する場合にはある程度の効果が期待される。

3）腹膜透析法

腹膜透析は、腹腔内に透析液を注入し、一定時間経過（30～90分後）に排除する方法で、腹膜を半透膜として用い、拡散の原理で溶質を除去できるが、効率はあまりよくないため、現在では急性中毒の治療法としてはほとんど用いられていない。しかし、器具を要しないこと、血行動態への影響が小さいことから、僻地・離島などでの緊急処置や、血行動態が不安定な場合に有効な手段となる可能性がある。

4）血液透析法

透析膜を介し、血液中の中毒起因物質を透析液に移動させ、排出する方法である。透析膜の内外の圧の差によって、水分を移動させる（限外濾過）ことも可能である。除去できるのは、分子量が比較的小さいなどの透析膜を通過するための条件を満たした物質である。

5）血液灌流法

血液を、活性炭などの吸着物質のカラムに灌流させ、血液中の中毒起因物質を吸着させる方法で、血液そのものを吸着物質カラムに通す方法や、血漿を分離して吸着物質カラムを通す方法（血漿吸着）がある。なお、「血液吸着」という用語も、血液灌流とほぼ同じ意味で用いられている。わが国で最も多く用いられているのは、活性炭による直接血液灌流法である。血液灌流法は、血液と活性炭が直接接するため、中毒起因物質の除去効率が分子量や蛋白結合率などにほとんど左右されないことが特徴である。また、濃度勾配を利用しないため、血中濃度が低い場合においても中毒起因物質の除去が可能である。

中毒治療薬とその対象および特徴

薬物	対象および特徴
亜硝酸アミル（吸入）	対象：シアン及びシアン化合物 亜硝酸アミルの吸入により生成するメトヘモグロビンがCN−と複合体を形成する。
チオ硫酸ナトリウム	対象：シアン及びシアン化合物、ヒ素剤 シアン化合物に対しては、毒性が低く、尿中に排泄されやすいチオシアン酸塩を生成することにより解毒する。
ジメルカプロール（BAL）	対象：ヒ素・水銀・鉛・銅・金・ビスマス・クロム・アンチモン ジメルカプロールは金属イオンに対する親和性が強いため、体内の諸酵素のSH基と金属イオンが結合するのを阻害する。鉄、カドミウム、セレンは、ジメルカプロールとの結合により毒性が増強されることがあるのでこれらの中毒には投与しないこと。 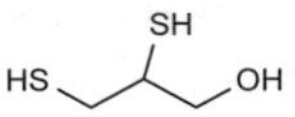 ジメルカプロール
エデト酸カルシウムニナトリウム	対象：鉛 Pb^{2+}と結合し、Ca^{2+}との置換作用により水溶性の鉛錯塩となり、Pb^{2+}を体外へ排泄する。亜鉛、カドミウム、マンガンにも有効である。 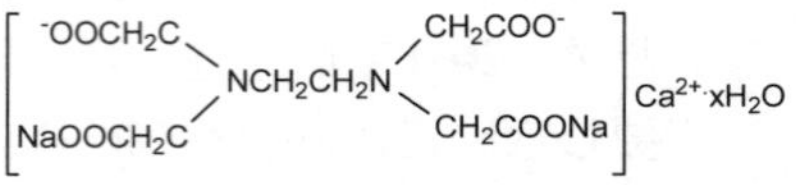 エデト酸カルシウムニナトリウム
ペニシラミン	対象：銅・鉛・水銀、wilson病 ペニシラミンは銅と結合して可溶性のキレートを形成し、尿中排泄を促進する。また、鉛・水銀の尿中排泄量を増加させ、体外への除去を促進する。 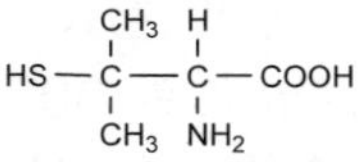 ペニシラミン
塩酸トリエンチン	対象：ペニシラミンに不耐性のウィルソン病 塩酸トリエンチンは、銅イオンと錯体を形成し、尿中銅排泄を促進する。 $H_2NCH_2CH_2NHCH_2CH_2NHCH_2CH_2NH_2 \cdot 2HCl$ 塩酸トリエンチン
デフェロキサミン	対象：ヘモクロマトーシス Fe^{3+}と結合して安定な水溶性のフェリオキサミンBを形成する。フェリチン及びヘモジデリンから鉄を除去するが、ヘモグロビン鉄とは反応しない。 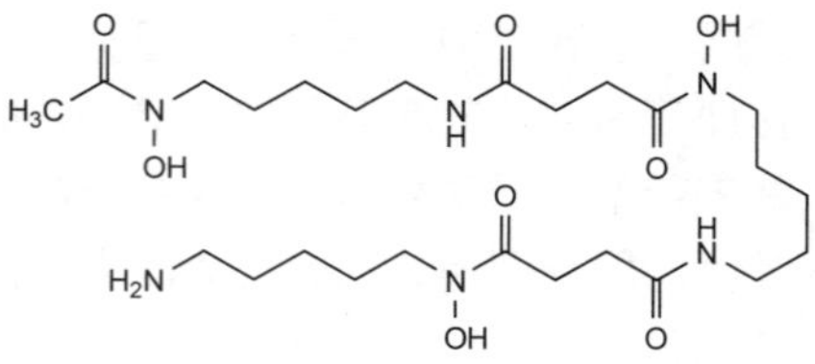 デフェロキサミン

デフェラシロクス	対象：輸血による慢性鉄過剰症（注射用鉄キレート剤治療が不適当な場合） 　デフェラシロクスは、３価の鉄イオンに選択的で高い親和性を有するキレート薬で経口投与で使用する。デフェラシロクスにより体内に蓄積した鉄は胆汁を介して排泄される。デフェロキサミンは、注射剤で、投与対象となる患者の注射による出血や感染症のリスクが問題となっており、また、頻回の通院し注射するという煩雑さが治療継続に大きな障害となっていたが、。デフェラシロクスは、注射の必要はなく、錠剤を水に溶かして服用するため、患者の利便性が高い。 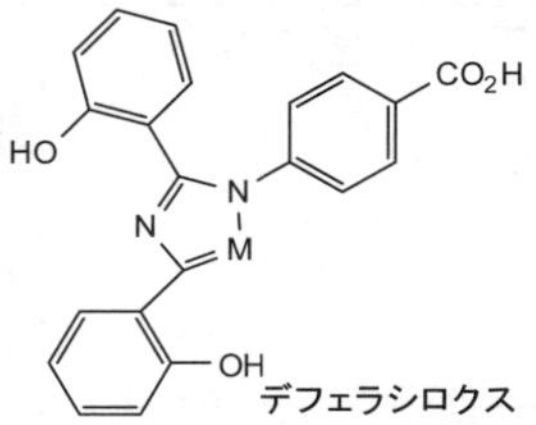 デフェラシロクス
プラリドキシムヨウ化メチル	対象：有機リン剤 　有機リン剤によって阻害されたコリンエステラーゼを回復（再賦活化）させる。アトロピンは、コリンエステラーゼ阻害によるムスカリン作用を抑制するが、混注により薬効発現が遅延することがあるので、併用する必要がある場合は混注しない。 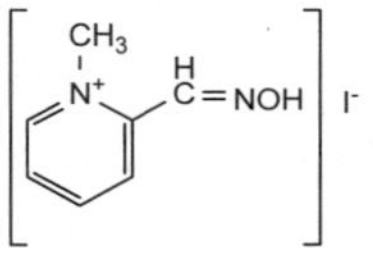 プラリドキシムヨウ化メチル
ホメピゾール	対象：エチレングリコール中毒、メタノール中毒 　肝のアルコールデヒドロゲナーゼによるエチレングリコールあるいはメタノールの代謝を阻害し、それらから生成される有害な代謝物の生成を抑制することにより、エチレングリコール中毒あるいはメタノール中毒における中毒症状を改善する。 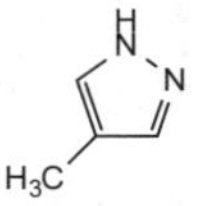 ホメピゾール
メチルチオニニウム	対象：中毒性メトヘモグロビン血症 　赤血球において、NADPH還元酵素存在下でメチルチオニニウム塩化物（メチレンブルー）より生成したロイコメチレンブルーが、メトヘモグロビンをヘモグロビンに還元し、メトヘモグロビン血症を改善する。 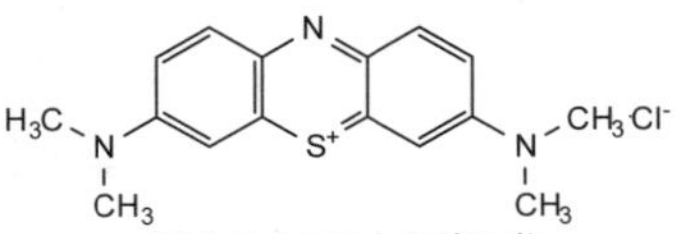 メチルチオニニウム塩化物
アセチルシステイン	対象：アセトアミノフェン過量摂取時 　大量のアセトアミノフェン服用により、代謝に必要なグルタチオンが枯渇するとされている。アセチルシステインはグルタチオンの前駆物質として作用し、解毒作用を示すと考えられている。 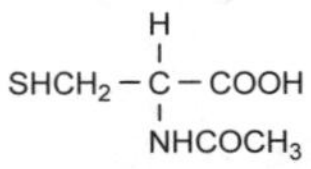 アセチルシステイン
プロタミン	対象：ヘパリン過量投与時の中和 　塩基性タンパク質でヘパリンと複合体を形成する。

ナロキソン	対象：麻薬による呼吸抑制ならびに覚醒遅延 　ナロキソンは、オピオイド受容体に結合してモルヒネなどの麻薬性鎮痛薬の作用を競合的に拮抗し、これらの薬物に起因する呼吸抑制を改善する。 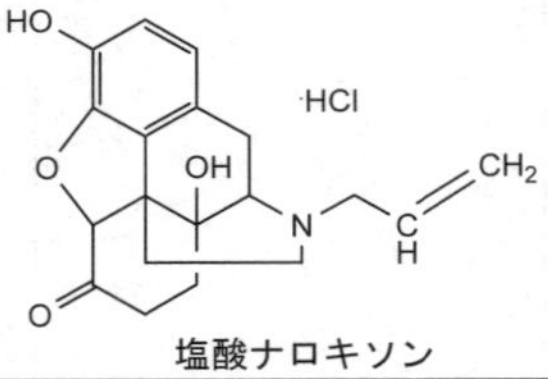 塩酸ナロキソン
フルマゼニル	対象：ベンゾジアゼピン系薬剤による鎮静および呼吸抑制 　ベンゾジアゼピン受容体に結合し、ベンゾジアゼピン系薬の作用に対し競合的に拮抗する。 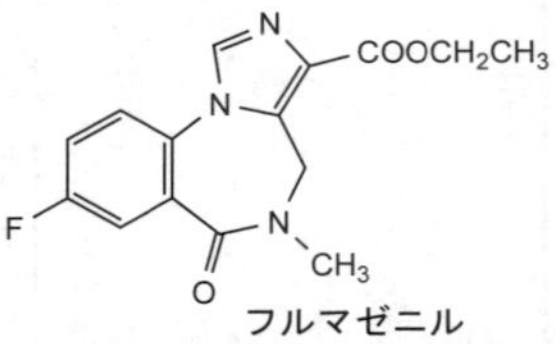 フルマゼニル
シアナミド	対象：慢性アルコール中毒及び過飲酒者に対する抗酒療法 　肝においてアルデヒド脱水素酵素を阻害し、飲酒時の血中アセトアルデヒド濃度を上昇させ、不快な症状（頭痛、悪心・嘔吐など）を発現させる。シアナミドの作用には、アルコール脱水素酵素の阻害作用も関与するといわれている。 H_2N-CN シアナミド
ジスルフィラム	対象：慢性アルコール中毒に対する抗酒療法 　肝においてアルデヒド脱水素酵素を阻害する。アルコールに対する感受性は服用後少なくとも14日間は持続する。 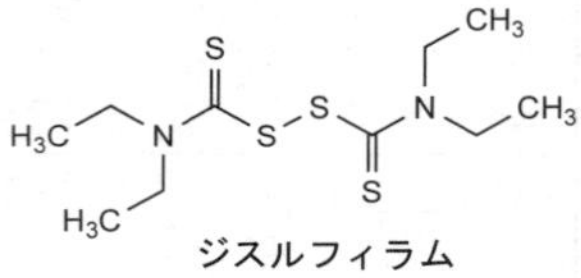 ジスルフィラム
アカンプロサート	対象：アルコール依存症における断酒維持の補助 　亢進したグルタミン酸作動性神経活動を抑制することで神経伝達の均衡を回復し、エタノールの自発摂取抑制や報酬効果抑制につながると推察されている。エタノール依存症ではグルタミン酸作動性神経の活動が亢進し、興奮性神経伝達と抑制性神経伝達の間に不均衡が生じると考えられている。
ニコチン	対象：循環器疾患、呼吸器疾患、消化器疾患、代謝性疾患等の基礎疾患を持ち、医師により禁煙が必要と診断された禁煙意志の強い喫煙者（医師の指導の下に行う禁煙の補助） 　タバコ中に含まれるニコチンを経皮的に吸収させ、禁煙時の離脱症状を軽減することを目的とした禁煙補助剤。
バレニクリン	対象：ニコチン依存症の喫煙者に対する禁煙の補助 ヒト大脳皮質の$\alpha_4\beta_2$ニコチン受容体に高親和性に結合するニコチン受容体部分刺激薬で、禁煙に対する効果は、$\alpha_4\beta_2$ニコチン受容体の部分作動薬作用によって発現すると考えられている。バレニクリンの受容体刺激作用はニコチンより弱く、ニコチンと併用するとニコチンの作用を抑制する。 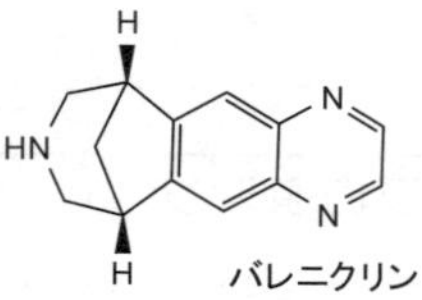 バレニクリン

参考:薬学教育モデル・コアカリキュラム(E1およびE2)

平成25年度改訂版薬学教育モデル・コアカリキュラムから最も関連すると考えられる
E1およびE2を以下に示す

整理番号				内容
E1				薬の作用と体の変化 一般目標: 疾病と薬物の作用に関する知識を修得し、医薬品の作用する過程を理解する。
E1	1			(1)薬の作用 一般目標: 医薬品を薬効に基づいて適正に使用できるようになるために、薬物の生体内における作用に関する基本的事項を修得する。
E1	1	1		【① 薬の作用】
			1	薬の用量と作用の関係を説明できる。
			2	アゴニスト(作動薬、刺激薬)とアンタゴニスト(拮抗薬、遮断薬)について説明できる。
			3	薬物が作用するしくみについて、受容体、酵素、イオンチャネルおよびトランスポーターを例に挙げて説明できる。
			4	代表的な受容体を列挙し、刺激あるいは遮断された場合の生理反応を説明できる。
			5	薬物の作用発現に関連する代表的な細胞内情報伝達系を列挙し、活性化あるいは抑制された場合の生理反応を説明できる。(C6(6)【細胞内情報伝達】1)～ 5) 参照)
			6	薬物の体内動態(吸収、分布、代謝、排泄)と薬効発現の関わりについて説明できる。
			7	薬物の選択(禁忌を含む)、用法、用量の変更が必要となる要因(年齢、疾病、妊娠等)について具体例を挙げて説明できる。
			8	薬理作用に由来する代表的な薬物相互作用を列挙し、その機序を説明できる。 (E4(1)【①吸収】5.【③代謝】6.【④排泄】5.参照)
			9	薬物依存性、耐性について具体例を挙げて説明できる。
		2		【② 動物実験】
			1	動物実験における倫理について配慮できる。(態度)
			2	実験動物を適正に取り扱うことができる。(技能)
			3	実験動物での代表的な投与方法が実施できる。(技能)
		3		【③日本薬局方】
			1	日本薬局方収載の生物学的定量法の特徴を説明できる。
E1	2			(2)身体の病的変化を知る 一般目標: 身体の病的変化から疾患を推測できるようになるために、代表的な症候、病態・臨床検査に関する基本的事項を修得する。
E1	2	1		【① 症候】
			1	以下の症候・病態について、生じる原因とそれらを伴う代表的疾患を挙げ、患者情報をもとに疾患を推測できる。 ショック、高血圧、低血圧、発熱、けいれん、意識障害・失神、チアノーゼ、脱水、全身倦怠感、肥満・やせ、黄疸、発疹、貧血、出血傾向、リンパ節腫脹、浮腫、心悸亢進・動悸、胸水、胸痛、呼吸困難、咳・痰、血痰・喀血、めまい、頭痛、運動麻痺・不随意運動・筋力低下、腹痛、悪心・嘔吐、嚥下困難・障害、食欲不振、下痢・便秘、吐血・下血、腹部膨満(腹水を含む)、タンパク尿、血尿、尿量・排尿の異常、月経異常、関節痛・関節腫脹、腰背部痛、記憶障害、知覚異常(しびれを含む)・神経痛、視力障害、聴力障害
		2		【②病態・臨床検査】
			1	尿検査および糞便検査の検査項目を列挙し、目的と異常所見を説明できる。
			2	血液検査、血液凝固機能検査および脳脊髄液検査の検査項目を列挙し、目的と異常所見を説明できる。
			3	血液生化学検査の検査項目を列挙し、目的と異常所見を説明できる。
			4	免疫学的検査の検査項目を列挙し、目的と異常所見を説明できる。
			5	動脈血ガス分析の検査項目を列挙し、目的と異常所見を説明できる。
			6	代表的な生理機能検査(心機能、腎機能、肝機能、呼吸機能等)、病理組織検査および画像検査の検査項目を列挙し、目的と異常所見を説明できる。
			7	代表的な微生物検査の検査項目を列挙し、目的と異常所見を説明できる。
			8	代表的なフィジカルアセスメントの検査項目を列挙し、目的と異常所見を説明できる。

E1	3			(3)薬物治療の位置づけ 一般目標: 医療チームの一員として薬物治療に参画できるようになるために、代表的な疾患における治療と薬物療法に関する基本的事項を修得する。
E1	3	1	1	代表的な疾患における薬物治療、食事療法、その他の非薬物治療(外科手術など)の位置づけを説明できる。
			2	代表的な疾患における薬物治療の役割について、病態、薬効薬理、薬物動態に基づいて討議する。(知識・技能)
E1	4			(4)医薬品の安全性 一般目標: 医療における医薬品のリスクを回避できるようになるために、有害事象(副作用、相互作用)、薬害、薬物乱用に関する基本的事を修得する。
E1	4	1	1	薬物の主作用と副作用、毒性との関連について説明できる。
			2	薬物の副作用と有害事象の違いについて説明できる。
			3	以下の障害を呈する代表的な副作用疾患について、推定される原因医薬品、身体所見、検査所見および対処方法を説明できる。 血液障害・電解質異常、肝障害、腎障害、消化器障害、循環器障害、精神障害、皮膚障害、呼吸器障害、薬物アレルギー(ショックを含む)、代謝障害
			4	代表的薬害、薬物乱用について、健康リスクの観点から討議する(態度)。

E2				薬理・病態・薬物治療 一般目標: 患者情報に応じた薬の選択、用法・用量の設定および医薬品情報・安全性や治療ガイドラインを考慮した適正な薬物治療に参画できるようになるために、疾病に伴う症状などの患者情報を解析し、最適な治療を実施するための薬理、病態・薬物治療に関する基本的事項度を修得する。
E2	1			(1)神経系の疾患と薬 一般目標: 神経系・筋に作用する医薬品の薬理および疾患の病態・薬物治療に関する基本的知識を修得し、治療に必要な情報収集・解析および医薬品の適正使用に関する基本的事項を身につける。
E2	1	1		【① 自律神経系に作用する薬】
			1	交感神経系に作用し、その支配器官の機能を修飾する代表的な薬物を挙げ、薬理作用、機序、主な副作用を説明できる。
			2	副交感神経系に作用し、その支配器官の機能を修飾する代表的な薬物を挙げ、薬理作用、機序、主な副作用を説明できる。
			3	神経節に作用する代表的な薬物を挙げ、薬理作用、機序、主な副作用を説明できる。
			4	自律神経系に作用する代表的な薬物の効果を動物実験で測定できる。(技能)
		2		【②体性神経系に作用する薬・筋の疾患の薬、病態、治療】
			1	知覚神経に作用する代表的な薬物(局所麻酔薬など)を挙げ、薬理作用、機序、主な副作用を説明できる。
			2	運動神経系に作用する代表的な薬物を挙げ、薬理作用、機序、主な副作用を説明できる。
			3	知覚神経、運動神経に作用する代表的な薬物の効果を動物実験で測定できる。(技能)
			4	以下の疾患について説明できる。 進行性筋ジストロフィー、Guillain-Barre?(ギラン・バレー)症候群、重症筋無力症(重複)
		3		【③中枢神経系の疾患の薬、病態、治療】
			1	全身麻酔薬、催眠薬の薬理(薬理作用、機序、主な副作用)および臨床適用を説明できる。
			2	麻薬性鎮痛薬、非麻薬性鎮痛薬の薬理(薬理作用、機序、主な副作用)および臨床適用(WHO三段階除痛ラダーを含む)を説明できる。
			3	中枢興奮薬の薬理(薬理作用、機序、主な副作用)および臨床適用を説明できる。
			4	統合失調症について、治療薬の薬理(薬理作用、機序、主な副作用)、および病態(病態生理、症状等)・薬物治療(医薬品の選択等)を説明できる。
			5	うつ病、躁うつ病(双極性障害)について、治療薬の薬理(薬理作用、機序、主な副作用)、および病態(病態生理、症状等)・薬物治療(医薬品の選択等)を説明できる。
			6	不安神経症(パニック障害と全般性不安障害)、心身症、不眠症について、治療薬の薬理(薬理作用、機序、主な副作用)、および病態(病態生理、症状等)・薬物治療(医薬品の選択等)を説明できる。
			7	てんかんについて、治療薬の薬理(薬理作用、機序、主な副作用)、および病態(病態生理、症状等)・薬物治療(医薬品の選択等)を説明できる。
			8	脳血管疾患(脳内出血、脳梗塞(脳血栓、脳塞栓、一過性脳虚血)、くも膜下出血)について、治療薬の薬理(薬理作用、機序、主な副作用)、および病態(病態生理、症状等)・薬物治療(医薬品の選択等)を説明できる。

E2	1	3	9	Parkinson(パーキンソン)病について、治療薬の薬理(薬理作用、機序、主な副作用)、および病態(病態生理、症状等)・薬物治療(医薬品の選択等)を説明できる。
			10	認知症(Alzheimer(アルツハイマー)型認知症、脳血管性認知症等)について、治療薬の薬理(薬理作用、機序、主な副作用)、および病態(病態生理、症状等)・薬物治療(医薬品の選択等)を説明できる。
			11	片頭痛について、治療薬の薬理(薬理作用、機序、主な副作用)、および病態(病態生理、症状等)・薬物治療(医薬品の選択等)について説明できる。
			12	中枢神経系に作用する薬物の効果を動物実験で測定できる(技能)。
			13	中枢神経系疾患の社会生活への影響および薬物治療の重要性について討議する(態度)。
			14	以下の疾患について説明できる。 脳炎・髄膜炎(重複)、多発性硬化症(重複)、筋萎縮性側索硬化症、Narcolepsy(ナルコレプシー)、薬物依存症、アルコール依存症
		4		【④化学構造と薬効】
			1	神経系の疾患に用いられる代表的な薬物の基本構造と薬効(薬理・薬物動態)の関連を概説できる。
E2	2			(2)免疫・炎症・アレルギーおよび骨・関節の疾患と薬 一般目標: 免疫・炎症・アレルギーおよび骨・関節に作用する医薬品の薬理および疾患の病態・薬物治療に関する基本的知識を修得し、治療に必要な情報収集・解析および医薬品の適正使用に関する基本的事項を身につける。
E2	2	1		【① 抗炎症薬】
			1	抗炎症薬(ステロイド性および非ステロイド性)および解熱性鎮痛薬の薬理(薬理作用、機序、主な副作用)および臨床適用を説明できる。
			2	抗炎症薬の作用機序から炎症について説明できる。
			3	創傷治癒の過程について説明できる。
		2		【②免疫・炎症・アレルギー疾患の薬、病態、治療】
			1	アレルギー治療薬(抗ヒスタミン薬、抗アレルギー薬等)の薬理(薬理作用、機序、主な副作用)および臨床適用を説明できる。
			2	免疫抑制薬の薬理(薬理作用、機序、主な副作用)および臨床適用を説明できる。
			3	以下のアレルギー疾患について、治療薬の薬理(薬理作用、機序、主な副作用)、および病態(病態生理、症状等)・薬物治療(医薬品の選択等)を説明できる。 アトピー性皮膚炎、蕁麻疹、接触性皮膚炎、アレルギー性鼻炎、アレルギー性結膜炎、花粉症、消化管アレルギー、気管支喘息(重複)
			4	以下の薬物アレルギーについて、原因薬物、病態(病態生理、症状等)および対処法を説明できる。 Stevens-Johnson(スティーブンス-ジョンソン)症候群、中毒性表皮壊死症(重複)、薬剤性過敏症症候群、薬疹
			5	アナフィラキシーショックについて、治療薬の薬理(薬理作用、機序、主な副作用)、および病態(病態生理、症状等)・薬物治療(医薬品の選択等)を説明できる。
			6	以下の疾患について、病態(病態生理、症状等)・薬物治療(医薬品の選択等)を説明できる。 尋常性乾癬、水疱症、光線過敏症、ベーチェット病
			7	以下の臓器特異的自己免疫疾患について、治療薬の薬理(薬理作用、機序、主な副作用)、および病態(病態生理、症状等)・薬物治療(医薬品の選択等)を説明できる。 バセドウ病(重複)、橋本病(重複)、悪性貧血(重複)、アジソン病、1型糖尿病(重複)、重症筋無力症、多発性硬化症、特発性血小板減少性紫斑病、自己免疫性溶血性貧血(重複)、シェーグレン症候群
			8	以下の全身性自己免疫疾患について、治療薬の薬理(薬理作用、機序、主な副作用)、および病態(病態生理、症状等)・薬物治療(医薬品の選択等)を説明できる。 全身性エリテマトーデス、強皮症、多発筋炎/皮膚筋炎、関節リウマチ(重複)
			9	臓器移植(腎臓、肝臓、骨髄、臍帯血、輸血)について、拒絶反応および移植片対宿主病(GVHD)の病態(病態生理、症状等)・薬物治療(医薬品の選択等)を説明できる。
		3		【③骨・関節・カルシウム代謝疾患の薬、病態、治療】
			1	関節リウマチについて、治療薬の薬理(薬理作用、機序、主な副作用)、および病態(病態生理、症状等)・薬物治療(医薬品の選択等)を説明できる。
			2	骨粗鬆症について、治療薬の薬理(薬理作用、機序、主な副作用)、および病態(病態生理、症状等)・薬物治療(医薬品の選択等)を説明できる。
			3	変形性関節症について、治療薬の薬理(薬理作用、機序、主な副作用)、および病態(病態生理、症状等)・薬物治療(医薬品の選択等)を説明できる。
			4	カルシウム代謝の異常を伴う疾患(副甲状腺機能亢進(低下)症、骨軟化症(くる病を含む)、悪性腫瘍に伴う高カルシウム血症)について、治療薬の薬理(薬理作用、機序、主な副作用)、および病態(病態生理、症状等)・薬物治療(医薬品の選択等)を説明できる。
		4		【④化学構造と薬効】
			1	免疫・炎症・アレルギー疾患に用いられる代表的な薬物の基本構造と薬効(薬理・薬物動態)の関連を概説できる。

E2	3			(3)循環器系・血液系・造血器系・泌尿器系・生殖器系の疾患と薬 一般目標: 循環器系・血液・造血器系・泌尿器系・生殖器系に作用する医薬品の薬理および疾患の病態・薬物治療に関する基本的知識を修得し、治療に必要な情報収集・解析および医薬品の適正使用に関する基本的事項を身につける。
E2	3	1		【①循環器系疾患の薬、病態、治療】
			1	以下の不整脈および関連疾患について、治療薬の薬理(薬理作用、機序、主な副作用)、および病態(病態生理、症状等)・薬物治療(医薬品の選択等)を説明できる。 不整脈の例示:上室性期外収縮(PAC)、心室性期外収縮(PVC)、心房細動(Af)、発作性上室頻拍(PSVT)、WPW症候群、心室頻拍(VT)、心室細動(VF)、房室ブロック、QT延長症候群
			2	急性および慢性心不全について、治療薬の薬理(薬理作用、機序、主な副作用)、および病態(病態生理、症状等)・薬物治療(医薬品の選択等)を説明できる。
			3	虚血性心疾患(狭心症、心筋梗塞)について、治療薬の薬理(薬理作用、機序、主な副作用)、および病態(病態生理、症状等)・薬物治療(医薬品の選択等)を説明できる。
			4	以下の高血圧症について、治療薬の薬理(薬理作用、機序、主な副作用)、および病態(病態生理、症状等)・薬物治療(医薬品の選択等)を説明できる。 本態性高血圧症、二次性高血圧症(腎性高血圧症、腎血管性高血圧症を含む)
			5	以下の疾患について概説できる。 閉塞性動脈硬化症(ASO)、心原性ショック、弁膜症、先天性心疾患
			6	循環器系に作用する薬物の効果を動物実験で測定できる(技能)。
		2		【②血液・造血器系疾患の薬、病態、治療】
			1	止血薬の薬理(薬理作用、機序、主な副作用)および臨床適用を説明できる。
			2	抗血栓薬、抗凝固薬および血栓溶解薬の薬理(薬理作用、機序、主な副作用)および臨床適用を説明できる。
			3	以下の貧血について、治療薬の薬理(薬理作用、機序、主な副作用)、および病態(病態生理、症状等)・薬物治療(医薬品の選択等)を説明できる。 鉄欠乏性貧血、巨赤芽球性貧血(悪性貧血等)、再生不良性貧血、自己免疫性溶血性貧血(AIHA)、腎性貧血、鉄芽球性貧血
			4	播種性血管内凝固症候群(DIC)について、治療薬の薬理(薬理作用、機序、主な副作用)、および病態(病態生理、症状等)・薬物治療(医薬品の選択等)を説明できる。
			5	以下の疾患について治療薬の薬理(薬理作用、機序、主な副作用)、および病態(病態生理、症状等)・薬物治療(医薬品の選択等)を説明できる。 血友病、血栓性血小板減少性紫斑病(TTP)、白血球減少症、血栓塞栓症、白血病(重複)、悪性リンパ腫(重複) (E2(7)【⑧悪性腫瘍の薬、病態、治療】参照)
		3		【③泌尿器系、生殖器系疾患の薬、病態、薬物治療】
			1	利尿薬の薬理(薬理作用、機序、主な副作用)および臨床適用を説明できる。
			2	急性および慢性腎不全について、治療薬の薬理(薬理作用、機序、主な副作用)、および病態(病態生理、症状等)・薬物治療(医薬品の選択等)を説明できる。
			3	ネフローゼ症候群について、治療薬の薬理(薬理作用、機序、主な副作用)、および病態(病態生理、症状等)・薬物治療(医薬品の選択等)を説明できる。
			4	過活動膀胱および低活動膀胱について、治療薬の薬理(薬理作用、機序、主な副作用)、および病態(病態生理、症状等)・薬物治療(医薬品の選択等)を説明できる。
			5	以下の泌尿器系疾患について、治療薬の薬理(薬理作用、機序、主な副作用)、および病態(病態生理、症状等)・薬物治療(医薬品の選択等)を説明できる。 慢性腎臓病(CKD)、糸球体腎炎(重複)、糖尿病性腎症(重複)、薬剤性腎症(重複)、腎盂腎炎(重複)、膀胱炎(重複)、尿路感染症(重複)、尿路結石
			6	以下の生殖器系疾患について、治療薬の薬理(薬理作用、機序、主な副作用)、および病態(病態生理、症状等)・薬物治療(医薬品の選択等)を説明できる。 前立腺肥大症、子宮内膜症、子宮筋腫
			7	妊娠・分娩・避妊に関連して用いられる薬物について、薬理(薬理作用、機序、主な副作用)、および薬物治療(医薬品の選択等)を説明できる。
			8	以下の生殖器系疾患について説明できる。 異常妊娠、異常分娩、不妊症
		4		【④化学構造と薬効】
			1	循環系・泌尿器系・生殖器系疾患の疾患に用いられる代表的な薬物の基本構造と薬効(薬理・薬物動態)の関連を概説できる。

E2	4			(4)呼吸器系・消化器系の疾患と薬 一般目標: 呼吸器系・消化器系に作用する医薬品の薬理および疾患の病態・薬物治療に関する基本的知識を修得し、治療に必要な情報収集・解析および医薬品の適正使用に関する基本的事項を身につける。
E2	4	1		【① 呼吸器系疾患の薬、病態、治療】
			1	気管支喘息について、治療薬の薬理(薬理作用、機序、主な副作用)、および病態(病態生理、症状等)・薬物治療(医薬品の選択等)を説明できる。
			2	慢性閉塞性肺疾患および喫煙に関連する疾患(ニコチン依存症を含む)について、治療薬の薬理(薬理作用、機序、主な副作用)、および病態(病態生理、症状等)・薬物治療(医薬品の選択等)を説明できる。
			3	間質性肺炎について、治療薬の薬理(薬理作用、機序、主な副作用)、および病態(病態生理、症状等)・薬物治療(医薬品の選択等)を説明できる。
			4	鎮咳薬、去痰薬、呼吸興奮薬の薬理(薬理作用、機序、主な副作用)および臨床適用を説明できる。
		2		【②消化器系疾患の薬、病態、治療】
			1	以下の上部消化器疾患について、治療薬の薬理(薬理作用、機序、主な副作用)、および病態(病態生理、症状等)・薬物治療(医薬品の選択等)を説明できる。 胃食道逆流症(逆流性食道炎を含む)、消化性潰瘍、胃炎
			2	炎症性腸疾患(潰瘍性大腸炎、クローン病等)について、治療薬の薬理(薬理作用、機序、主な副作用)、および病態(病態生理、症状等)・薬物治療(医薬品の選択等)を説明できる。
			3	肝疾患(肝炎、肝硬変(ウイルス性を含む)、薬剤性肝障害)について、治療薬の薬理(薬理作用、機序、主な副作用)、および病態(病態生理、症状等)・薬物治療(医薬品の選択等)を説明できる。
			4	膵炎について、治療薬の薬理(薬理作用、機序、主な副作用)、および病態(病態生理、症状等)・薬物治療(医薬品の選択等)を説明できる。
			5	胆道疾患(胆石症、胆道炎)について、治療薬の薬理(薬理作用、機序、主な副作用)、および病態(病態生理、症状等)・薬物治療(医薬品の選択等)を説明できる。
			6	機能性消化管障害(過敏性腸症候群を含む)について、治療薬の薬理(薬理作用、機序、主な副作用)、および病態(病態生理、症状等)・薬物治療(医薬品の選択等)を説明できる。
			7	便秘・下痢について、治療薬の薬理(薬理作用、機序、主な副作用)、および病態(病態生理、症状等)・薬物治療(医薬品の選択等)を説明できる。
			8	悪心・嘔吐について、治療薬および関連薬物(催吐薬)の薬理(薬理作用、機序、主な副作用)、および病態(病態生理、症状等)・薬物治療(医薬品の選択等)を説明できる。
			9	痔について、治療薬の薬理(薬理作用、機序、主な副作用)、および病態(病態生理、症状等)・薬物治療(医薬品の選択等)を説明できる。
		3		【③化学構造と薬効】
			1	呼吸器系・消化器系の疾患に用いられる代表的な薬物の基本構造と薬効(薬理・薬物動態)の関連を概説できる。
E2	5			(5)代謝系・内分泌系の疾患と薬 一般目標: 代謝系・内分泌系に作用する医薬品の薬理および疾患の病態・薬物治療に関する基本的知識を修得し、治療に必要な情報収集・解析および医薬品の適正使用に関する基本的事項を身につける。
E2	5	1		【①代謝系疾患の薬、病態、治療】
			1	糖尿病とその合併症について、治療薬の薬理(薬理作用、機序、主な副作用)、および病態(病態生理、症状等)・薬物治療(医薬品の選択等)を説明できる。
			2	脂質異常症について、治療薬の薬理(薬理作用、機序、主な副作用)、および病態(病態生理、症状等)・薬物治療(医薬品の選択等)を説明できる。
			3	高尿酸血症・痛風について、治療薬の薬理(薬理作用、機序、主な副作用)、および病態(病態生理、症状等)・薬物治療(医薬品の選択等)を説明できる。
		2		【②内分泌系疾患の薬、病態、治療】
			1	性ホルモン関連薬の薬理(薬理作用、機序、主な副作用)および臨床適用を説明できる。
			2	Basedow(バセドウ)病について、治療薬の薬理(薬理作用、機序、主な副作用)、および病態(病態生理、症状等)・薬物治療(医薬品の選択等)を説明できる。
			3	甲状腺炎(慢性(橋本病)、亜急性)について、治療薬の薬理(薬理作用、機序、主な副作用)、および病態(病態生理、症状等)・薬物治療(医薬品の選択等)を説明できる。
			4	尿崩症について、治療薬の薬理(薬理作用、機序、主な副作用)、および病態(病態生理、症状等)・薬物治療(医薬品の選択等)を説明できる。
			5	以下の疾患について説明できる。 先端巨大症、高プロラクチン血症、下垂体機能低下症、ADH不適合分泌症候群(SIADH)、副甲状腺機能亢進症?低下症、Cushing(クッシング)症候群、アルドステロン症、褐色細胞腫、副腎不全(急性、慢性)、子宮内膜症(重複)、アジソン病(重複)
		3		【③化学構造と薬効】
			1	代謝系・内分布系の疾患に用いられる代表的な薬物の基本構造と薬効(薬理・薬物動態)の関連を概説できる。

E2	6			(6)感覚器・皮膚の疾患と薬 一般目標: 感覚器・皮膚の疾患と薬の薬理作用・機序および副作用に関する基本的知識を修得し、治療に必要な情報収集・解析および医薬品の適正使用に関する基本的事項を身につける。
E2	6	1		【①眼疾患の薬、病態、治療】
			1	緑内障について、治療薬の薬理(薬理作用、機序、主な副作用)、および病態(病態生理、症状等)・薬物治療(医薬品の選択等)を説明できる。
			2	白内障について、治療薬の薬理(薬理作用、機序、主な副作用)、および病態(病態生理、症状等)・薬物治療(医薬品の選択等)を説明できる。
			3	加齢性黄斑変性について、治療薬の薬理(薬理作用、機序、主な副作用)、および病態(病態生理、症状等)・薬物治療(医薬品の選択等)を説明できる。
			4	以下の疾患について概説できる。 結膜炎(重複)、網膜症、ぶどう膜炎、網膜色素変性症
		2		【② 耳鼻咽喉疾患の薬、病態、治療】
			1	めまい(動揺病、Meniere(メニエール)病等)について、治療薬の薬理(薬理作用、機序、主な副作用)、および病態(病態生理、症状等)・薬物治療(医薬品の選択等)を説明できる。
			2	以下の疾患について概説できる。 アレルギー性鼻炎(重複)、花粉症(重複)、副鼻腔炎(重複)、中耳炎(重複)、口内炎・咽頭炎・扁桃腺炎(重複)、喉頭蓋炎
		3		【③ 皮膚疾患の薬、病態、治療】
			1	アトピー性皮膚炎について、治療薬の薬理(薬理作用、機序、主な副作用)、および病態(病態生理、症状等)・薬物治療(医薬品の選択等)を説明できる。(E2(2)【②免疫・炎症・アレルギーの薬、病態、治療】参照)
			2	皮膚真菌症について、治療薬の薬理(薬理作用、機序、主な副作用)、および病態(病態生理、症状等)・薬物治療(医薬品の選択等)を説明できる。(E2(7)【⑤真菌感染症の薬、病態、治療】参照)
			3	褥瘡について、治療薬の薬理(薬理作用、機序、主な副作用)、および病態(病態生理、症状等)・薬物治療(医薬品の選択等)を説明できる。
			4	以下の疾患について概説できる。 蕁麻疹(重複)、薬疹(重複)、水疱症(重複)、乾癬(重複)、接触性皮膚炎(重複)、光線過敏症(重複)
		4		【④化学構造と薬効】
			1	感覚器・皮膚の疾患に用いられる代表的な薬物の基本構造と薬効(薬理・薬物動態)の関連を概説できる。
E2	7			(7)病原微生物(感染症)・悪性新生物(がん)と薬 一般目標: 病原微生物(細菌、ウイルス、真菌、原虫)、および悪性新生物に作用する医薬品の薬理および疾患の病態・薬物治療に関する基本的知識を修得し、治療に必要な情報収集・解析および医薬品の適正使用に関する基本的事項を身につける。
E2	7	1		【①抗菌薬】
			1	以下の抗菌薬の薬理(薬理作用、機序、抗菌スペクトル、主な副作用、相互作用、組織移行性)および臨床適用を説明できる。 β-ラクタム系、テトラサイクリン系、マクロライド系、アミノ配糖体(アミノグリコシド)系、新キノロン系、グリコペプチド系、抗結核薬、サルファ剤(ST合剤を含む)、その他の抗菌薬
			2	細菌感染症に関係する代表的な生物学的製剤(ワクチン等)を挙げ、その作用機序を説明できる。
		2		【②抗菌薬の耐性】
			1	主要な抗菌薬の耐性獲得機構および耐性菌出現への対応を説明できる。
		3		【③細菌感染症の薬、病態、治療】
			1	以下の呼吸器感染症について、病態(病態生理、症状等)、感染経路と予防方法および薬物治療(医薬品の選択等)を説明できる。 上気道炎(かぜ症候群(大部分がウイルス感染症)を含む)、気管支炎、扁桃腺炎、細菌性肺炎、肺結核、レジオネラ感染症、百日咳、マイコプラズマ肺炎
			2	以下の消化器感染症について、病態(病態生理、症状等)および薬物治療(医薬品の選択等)を説明できる。 急性虫垂炎、胆?炎、胆管炎、病原性大腸菌感染症、食中毒、ヘリコバクター・ピロリ感染症、赤痢、コレラ、腸チフス、パラチフス、偽膜性大腸炎
			3	以下の感覚器感染症について、病態(病態生理、症状等)および薬物治療(医薬品の選択等)を説明できる。 副鼻腔炎、中耳炎、結膜炎
			4	以下の尿路感染症について、病態(病態生理、症状等)および薬物治療(医薬品の選択等)を説明できる。 腎盂腎炎、膀胱炎、尿道炎

E2	7	3	5	以下の性感染症について、病態(病態生理、症状等)、予防方法および薬物治療(医薬品の選択等)を説明できる。 梅毒、淋病、クラミジア症等
			6	脳炎、髄膜炎について、病態(病態生理、症状等)および薬物治療(医薬品の選択等)を説明できる。
			7	以下の皮膚細菌感染症について、病態(病態生理、症状等)および薬物治療(医薬品の選択等)を説明できる。 伝染性膿痂疹、丹毒、癰、毛?炎、ハンセン病
			8	感染性心内膜炎、胸膜炎について、病態(病態生理、症状等)および薬物治療(医薬品の選択等)を説明できる。
			9	以下の薬剤耐性菌による院内感染について、感染経路と予防方法、病態(病態生理、症状等)および薬物治療(医薬品の選択等)を説明できる。 MRSA、VRE、セラチア、緑膿菌等
			10	以下の全身性細菌感染症について、病態(病態生理、症状等)、感染経路と予防方法および薬物治療(医薬品の選択等)を説明できる。 ジフテリア、劇症型A群β溶血性連鎖球菌感染症、新生児B群連鎖球菌感染症、破傷風、敗血症
		4		【④ウイルス感染症およびプリオン病の薬、病態、治療】
			1	ヘルペスウイルス感染症(単純ヘルペス、水痘・帯状疱疹)について、治療薬の薬理(薬理作用、機序、主な副作用)、予防方法および病態(病態生理、症状等)・薬物治療(医薬品の選択等)を説明できる。
			2	サイトメガロウイルス感染症について、治療薬の薬理(薬理作用、機序、主な副作用)、および病態(病態生理、症状等)・薬物治療(医薬品の選択等)を説明できる。
			3	インフルエンザについて、治療薬の薬理(薬理作用、機序、主な副作用)、感染経路と予防方法および病態(病態生理、症状等)・薬物治療(医薬品の選択等)を説明できる。
			4	ウイルス性肝炎(HAV、HBV、HCV)について、治療薬の薬理(薬理作用、機序、主な副作用)、感染経路と予防方法および病態(病態生理(急性肝炎、慢性肝炎、肝硬変、肝細胞がん)、症状等)・薬物治療(医薬品の選択等)を説明できる。(重複)
			5	後天性免疫不全症候群(AIDS)について、治療薬の薬理(薬理作用、機序、主な副作用)、感染経路と予防方法および病態(病態生理、症状等)・薬物治療(医薬品の選択等)を説明できる。
			6	以下のウイルス感染症(プリオン病を含む)について、感染経路と予防方法および病態(病態生理、症状等)・薬物治療(医薬品の選択等)を説明できる。 伝染性紅斑(リンゴ病)、手足口病、伝染性単核球症、突発性発疹、咽頭結膜熱、ウイルス性下痢症、麻疹、風疹、流行性耳下腺炎、風邪症候群、Creutzfeldt-Jakob(クロイツフェルト-ヤコブ)病
		5		【⑤真菌感染症の薬、病態、治療】
			1	抗真菌薬の薬理(薬理作用、機序、主な副作用)および臨床適用を説明できる。
			2	以下の真菌感染症について、病態(病態生理、症状等)・薬物治療(医薬品の選択等)を説明できる。 皮膚真菌症、カンジダ症、ニューモシスチス肺炎、肺アスペルギルス症、クリプトコックス症
		6		【⑥原虫・寄生虫感染症の薬、病態、治療】
			1	以下の原虫感染症について、治療薬の薬理(薬理作用、機序、主な副作用)、および病態(病態生理、症状等)・薬物治療(医薬品の選択等)を説明できる。 マラリア、トキソプラズマ症、トリコモナス症、アメーバ赤痢
			2	以下の寄生虫感染症について、治療薬の薬理(薬理作用、機序、主な副作用)、および病態(病態生理、症状等)・薬物治療(医薬品の選択等)を説明できる。 回虫症、蟯虫症、アニサキス症
		7		【⑦悪性腫瘍】
			1	腫瘍の定義(良性腫瘍と悪性腫瘍の違い)を説明できる。
			2	悪性腫瘍について、以下の項目を概説できる。 組織型分類および病期分類、悪性腫瘍の検査(細胞診、組織診、画像診断、腫瘍マーカー(腫瘍関連の変異遺伝子、遺伝子産物を含む))、悪性腫瘍の疫学(がん罹患の現状およびがん死亡の現状)、悪性腫瘍のリスクおよび予防要因
			3	悪性腫瘍の治療における薬物治療の位置づけを概説できる。
		8		【⑧悪性腫瘍の薬、病態、治療】
			1	以下の抗悪性腫瘍薬の薬理(薬理作用、機序、主な副作用、相互作用、組織移行性)および臨床適用を説明できる。 アルキル化薬、代謝拮抗薬、抗腫瘍抗生物質、微小管阻害薬、トポイソメラーゼ阻害薬、抗腫瘍ホルモン関連薬、白金製剤、分子標的治療薬、その他の抗悪性腫瘍薬
			2	抗悪性腫瘍薬に対する耐性獲得機構を説明できる。
			3	抗悪性腫瘍薬の主な副作用(下痢、悪心・嘔吐、白血球減少、皮膚障害(手足症候群を含む)、血小板減少等)の軽減のための対処法を説明できる。
			4	代表的ながん化学療法のレジメン(FOLFOX等)について、構成薬物およびその役割、副作用、対象疾患を概説できる。
			5	以下の白血病について、病態(病態生理、症状等)・薬物治療(医薬品の選択等)を説明できる。 急性(慢性)骨髄性白血病、急性(慢性)リンパ性白血病、成人T細胞白血病(ATL)

E2	7	8	6	悪性リンパ腫および多発性骨髄腫について、病態（病態生理、症状等）・薬物治療（医薬品の選択等）を説明できる。
			7	骨肉腫について、病態（病態生理、症状等）・薬物治療（医薬品の選択等）を説明できる。
			8	以下の消化器系の悪性腫瘍について、病態（病態生理、症状等）・薬物治療（医薬品の選択等）を説明できる。 胃癌、食道癌、肝癌、大腸癌、胆?・胆管癌、膵癌
			9	肺癌について、病態（病態生理、症状等）・薬物治療（医薬品の選択等）を説明できる。
			10	以下の頭頸部および感覚器の悪性腫瘍について、病態（病態生理、症状等）・薬物治療（医薬品の選択等）を説明できる。 脳腫瘍、網膜芽細胞腫、喉頭、咽頭、鼻腔・副鼻腔、口腔の悪性腫瘍
			11	以下の生殖器の悪性腫瘍について、病態（病態生理、症状等）・薬物治療（医薬品の選択等）を説明できる。 前立腺癌、子宮癌、卵巣癌
			12	腎・尿路系の悪性腫瘍（腎癌、膀胱癌）について、病態（病態生理、症状等）・薬物治療（医薬品の選択等）を説明できる。
			13	乳癌について、病態（病態生理、症状等）・薬物治療（医薬品の選択等）を説明できる。
		9		【⑨がん終末期医療と緩和ケア】
			1	がん終末期の病態（病態生理、症状等）と治療を説明できる。
			2	がん性疼痛の病態（病態生理、症状等）と薬物治療（医薬品の選択等）を説明できる。
		10		【⑩化学構造と薬効】
			1	病原微生物・悪性新生物が関わる疾患に用いられる代表的な薬物の基本構造と薬効（薬理・薬物動態）の関連を概説できる。
E2	8			（8）バイオ・細胞医薬品とゲノム情報 一般目標： 医薬品としてのタンパク質、遺伝子、細胞を適正に利用するために、それらを用いる治療に関する基本的知識を修得し、倫理的態度を身につける。併せて、ゲノム情報の利用に関する基本的事項を修得する。
E2	8	1		【①組換え体医薬品】
			1	組換え体医薬品の特色と有用性を説明できる。
			2	代表的な組換え体医薬品を列挙できる。
			3	組換え体医薬品の安全性について概説できる。
		2		【②遺伝子治療】
			1	遺伝子治療の原理、方法と手順、現状、および倫理的問題点を概説できる。（知識・態度）
		3		【③細胞、組織を利用した移植医療】
			1	移植医療の原理、方法と手順、現状およびゲノム情報の取り扱いに関する倫理的問題点を概説できる。（知識・態度）
			2	摘出および培養組織を用いた移植医療について説明できる。
			3	臍帯血、末梢血および骨髄に由来する血液幹細胞を用いた移植医療について説明できる。
			4	胚性幹細胞（ES細胞）、人工多能性幹細胞（iPS細胞）を用いた細胞移植医療について概説できる。
E2	9			（9）一般用医薬品・セルフメディケーション 一般目標： 適切な薬物治療および地域の保健・医療に貢献できるようになるために、一般用医薬品（OTC薬）およびセルフメディケーションに関する基本的知識を修得する。併せて、薬物治療実施に必要な情報を自ら収集するための基本的技能を身につける。
E2	9	1	1	地域における疾病予防、健康維持増進、セルフメディケーションのために薬剤師が果たす役割を概説できる。
			2	一般用医薬品のリスクの程度に応じた分類（第一類、第二類、第三類）について説明し、各分類に含まれる代表的な製剤を列挙できる。
			3	代表的な症候について、関連する頻度の高い疾患、見逃してはいけない疾患を列挙できる。
			4	一般用医薬品の選択、受診勧奨の要否を判断するために必要な患者情報を収集できる。（技能）
			5	以下の疾患・症候に対するセルフメディケーションに用いる一般用医薬品等に含まれる成分・作用・副作用を列挙できる。 発熱、痛み、かゆみ、消化器症状、呼吸器症状、アレルギー、細菌・真菌感染症、生活習慣病　等
			6	主な養生法（運動・食事療法、サプリメント、保健機能食品を含む）とその健康の保持・促進における意義を説明できる。
			7	一般用医薬品と医療用医薬品、サプリメント、保健機能食品等との代表的な相互作用を説明できる。
			8	一般用医薬品等による治療効果と副作用を判定するための情報を収集し評価できる。（技能）

E2	10			(10)医療の中の漢方薬 一般目標: 漢方の考え方、疾患概念、代表的な漢方薬の適応、副作用や注意事項などに関する基本的事項を修得する。
E2	10	1		【①漢方薬の基礎】
			1	漢方の特徴について概説できる。
			2	以下の漢方の基本用語を説明できる。 陰陽、虚実、寒熱、表裏、気血水、証
			3	配合生薬の組み合わせにより漢方薬の系統的な分類が説明できる。
			4	漢方薬と西洋薬、民間薬、サプリメント、保健機能食品などとの相違について説明できる。
		2		【②漢方薬の応用】
			1	漢方医学における診断法、体質や病態の捉え方、治療法について概説できる。
			2	日本薬局方に収載される漢方薬の適応となる証、症状や疾患について例示して説明できる。
			3	現代医療における漢方薬の役割について説明できる。
		3		【③漢方薬の注意点】
			1	漢方薬の副作用と使用上の注意点を例示して説明できる。
E2	11			(11)薬物治療の最適化 一般目標: 最適な薬物治療の実現に貢献できるようになるために、治療に必要な情報収集・解析および医薬品の適正使用に関する基本的事を身につける。
E2	11	1		【①総合演習】
			1	代表的な疾患の症例について、患者情報および医薬品情報などの情報に基づいて薬物治療の最適化を討議する(知識・態度)。
			2	過剰量の医薬品による副作用への対応(解毒薬を含む)を討議する(知識・態度)。
			3	長期療養に付随する合併症を列挙し、その薬物治療について討議する(知識・態度)。

薬物・化合物名索引